GERENCIAMENTO DE OPERAÇÕES E DE PROCESSOS

G367 Gerenciamento de operações e de processos: princípios e
práticas de impacto estratégico / Nigel Slack ... [et al.] ;
tradução: Luiz Claudio de Queiroz Faria ; revisão técnica:
Rogério Garcia Bañolas. – 2. ed. – Porto Alegre :
Bookman, 2013.
567 p. : il. ; 28 cm.

ISBN 978-85-7780-797-0

1. Administração. 2. Engenharia de produção.
3. Administração da produção. I. Slack, Nigel.

CDU 658.5

Catalogação na publicação: Ana Paula M. Magnus – CRB 10/2052

Nigel Slack | Stuart Chambers | Robert Johnston | Alan Betts

GERENCIAMENTO DE OPERAÇÕES E DE PROCESSOS

SEGUNDA EDIÇÃO

Princípios e práticas de impacto estratégico

Tradução:
Luiz Claudio de Queiroz Faria

Consultoria, supervisão e revisão técnica desta edição:
Rogério Garcia Bañolas
Mestre em Engenharia da Produção pela UFRGS
Consultor de Logística e Engenharia da Produção

Reimpressão 2019

2013

Obra originalmente publicada sob o título
Operations and Process Management: Principles and Practice for Strategic Impact, 2nd Edition
ISBN 0-273-71851-7/9780273718512

copyright © Pearson Education Limited 2006, 2009. Tradução publicada conforme acordo com a Pearson Education Limited.

Gerente Editorial – CESA: *Arysinha Jacques Affonso*

Colaboraram nesta edição:

Editora: *Júlia Angst Coelho*

Capa: *Rogério Grilho (arte sobre capa original)*

Leitura final: *Fabricia Carpinelli Romaniv Chicaroni*

Projeto gráfico e editoração: *Techbooks*

Todas as marcas registradas incluídas neste texto são propriedade de seus respectivos donos.
O uso dessas marcas registradas neste livro não atribui direitos de propriedade de tais marcas ao autor ou editor, nem implica em afiliação ou endosso deste livro pelos proprietários dessas mesmas marcas.

Reservados todos os direitos de publicação, em língua portuguesa, à
BOOKMAN EDITORA LTDA., uma empresa do GRUPO A EDUCAÇÃO S.A.
Av. Jerônimo de Ornelas, 670 – Santana
90040-340 – Porto Alegre – RS
Fone: (51) 3027-7000   Fax: (51) 3027-7070

É proibida a duplicação ou reprodução deste volume, no todo ou em parte, sob quaisquer formas ou por quaisquer meios (eletrônico, mecânico, gravação, fotocópia, distribuição na Web e outros), sem permissão expressa da Editora.

Unidade São Paulo
Av. Embaixador Macedo Soares, 10.735 – Pavilhão 5 – Cond. Espace Center
Vila Anastácio – 05095-035 – São Paulo – SP
Fone: (11) 3665-1100   Fax: (11) 3667-1333

SAC 0800 703-3444 – www.grupoa.com.br

IMPRESSO NO BRASIL
PRINTED IN BRAZIL

SOBRE OS AUTORES

NIGEL SLACK é professor de Gerenciamento de Operações e Estratégia na Universidade de Warwick. Antes, foi professor de Estratégia de Produção e professor de Engenharia de Sistemas de Produção na Brunel University, palestrante em Estudos de Gerenciamento na Universidade de Oxford e membro do Gerenciamento de Operações no Templeton College, Oxford.

Trabalhou inicialmente como aprendiz na indústria de ferramentas manuais e depois como engenheiro de produção e gerente de produção de engenharia leve. Ele é engenheiro laureado e autor de muitas publicações na área de gerenciamento de operações, tais como livros, artigos acadêmicos e capítulos em livros. Mais recentemente, em 2004, *Operations Management*, 5. ed. (com Stuart Chambers e Robert Johnston) e, em 2003, *Cases in Operations Management*, 3 ed. (com Robert Johnston, Alan Harrison, Stuart Chambers e Cristine Harland), ambos publicados pela Financial Times Prentice Hall. Também, *Blackwell Encyclopedic Dictionary of Operations Management*, 2.ed., publicado por Blackwell em 2005; *Operations Strategy*, publicado pela Financial Times Prentice Hall em 2003 e *Perspectives in Operations Management* (Volumes I a IV), publicado pela Routledge em 2003, todos com Michael Lewis. Ele também atua como consultor de muitas empresas internacionais de diversos setores, especialmente em serviços financeiros, transportes, entretenimento e produção. Sua pesquisa é na área de gerenciamento de processos e estratégia de operações.

STUART CHAMBERS é professor titular na Warwick Business School. Iniciou sua carreira como aprendiz na Rolls-Royce Aerospace, graduou-se engenheiro mecânico e, então, trabalhou na gerência de produção e gerência geral de empresas, como Tube Investment e Marley Tile Company. Aos trinta anos, buscando uma mudança na carreira, fez um MBA e, então, assinou um contrato de três anos como pesquisador em estratégia de produção. Esse trabalho permitiu-lhe ajudar executivos a desenvolver análises, conceitos e soluções práticas solicitadas por eles para elaborar estratégias de produção. Muitos dos estudos de caso preparados a partir desse trabalho foram publicados em um livro-texto norte-americano sobre estratégia de produção.

Além de lecionar em diversos cursos de operações na escola de administração e na indústria, Stuart permanece pesquisando no campo da estratégia de produção. Sua área de interesse na pesquisa inclui gerenciamento da qualidade no ramo de entretenimento e de *catering*. Ele realiza consultoria numa gama de setores e é coautor de vários livros de gerenciamento das operações.

ROBERT JOHNSTON é professor de Gerenciamento de Operações e Pró-Reitor na Warwick Business School, responsável por finanças e recursos. Ele é o fundador-editor do *International Journal of Service Industry Management* e é membro do comitê editorial do *Journal of Operations Management* e do *Journal of Tourism and Hospitality Research*. Antes de se transferir para a academia, Robert Johnston ocupou vários cargos gerenciais de linha e de gerência sênior em muitas organizações públicas e privadas. Ele continua mantendo ligações sólidas e próximas com muitas organizações grandes e pequenas por intermédio de suas pesquisas, treinamento gerencial e atividades de consultoria. Como um especialista em operações de serviço, sua área de interesse na pesquisa inclui projeto de serviços, recuperação de servicos, indicadores de desempenho e qualidade de serviço. É autor de *Service Operations Management*, 2 ed., com Graham Clark, publicado pela Financial Times Prentice Hall em 2005 e muitas outras publicações na área de gerenciamento de serviços e de operações gerais.

ALAN BETTS é consultor independente e instrutor que trabalha, principalmente, com executivos de organizações de serviço para aplicar os princípios do gerenciamento de operações e de processos. Seguindo carreira em serviços financeiros, obteve qualificação no Instituto de Pessoal e Desenvolvimento, fez mestrado em Gerenciamento de Recursos Humanos e ingressou no grupo de Gerenciamento de Operações na Warwick Business School como pesquisador sênior. Seus principais interesses são o desenvolvimento de abordagens inovadoras de *e-learning* e *m-learning*, juntamente com a tutoria e o desenvolvimento de gerentes e executivos. Alan Betts é um dos diretores da Bedford Falls Learning Limited, HT2 Limited e Capability Development Limited. É também professor-visitante da Universidade de San Diego e membro da Royal Society of Arts.

Ben Betts, da Rare Studios, idealizou e executou muito do material de *e-learning* e de suporte.

AGRADECIMENTOS

Na preparação deste livro, os autores exploraram, sem constrangimento, seus amigos e colegas. Em especial, tivemos ajuda valiosa de um grande e distinto grupo de revisores. Somos especialmente gratos a:

Pär Ahlström, Chalmers University, Suécia
Malcolm Afferson, Sheffield Hallam University, UK
Stephen Disney, Cardiff University, UK
John Maguire, Sunderland University, UK
Andrea Masini, London Business School, UK
Alison Smart, Manchester Business School, University of Manchester, UK

Gostaríamos também de agradecer aos muitos revisores que deram valorosa contribuição nos vários aspectos do projeto.

David Bamford, Manchester Business School, University of Manchester, UK
Des Doran, Kingston University, UK
Paul Forrester, Birmingham University, UK
Gino Franco, Derby University, UK
Roger Hall, Huddersfield University of Iceland, Islândia
Koos Krabbendam, University of Twente, Holanda
Michael Lewis, Bath University
Bob Lowson, University of East Anglia, UK
Harvey Maylor, University of Bath, UK
Ronnie Mcmillan, University of Strathclyde, UK
Phil Morgan, Oxford Brookes University, UK
Venu Venugopal, Nyenrode University, Holanda
Jan de Vries, University of Groningen, Holanda
Graham Walker, Wolverhampton University, UK
Richard Wright, Gloucestershire University, UK

Nossos colegas acadêmicos do grupo de Gerenciamento de Operações na Warwick Business School também ajudaram, contribuindo com ideias e criando um ambiente de trabalho vívido e estimulante. Nosso muito obrigado vai para Jannis Angellis, Hilary Bates, Alistar Brandon-Jones, Simon Croom, Mike Giannakis, Nick Parks, Zoe Radnor, Michael Shulver, Rhian Silvestro e Paul Walley.

Também somos gratos a muitos amigos, colegas e contatos. Em particular, obrigado pela ajuda nesta edição a Philip Godfrey e Cormac Campbell e seus colegas especialistas da OEE, David Garman e Caro Burnett da TDG, Hans Mayer e Tyko Persson da Nestlé, Peter Norris e Mark Fischer do Royal Bank of Scotland, John Tyley do Lloyds TSB, Joanne Chung da Godfrey Hall, BMW, Karen Earp do Grupo Four Season Hotel, Johan Linden do SVT, John Matthew do HSPG, Can McHugh do Credit Swiss First Boston, Jenny Ireland do Morgan Stanley, Leigh Hix do The National Trust e Simon Topman do Acme Whistles.

Mary Walton é coordenadora do nosso grupo na Warwick Business School. Seus continuados esforços para nos manter organizados (ou tão organizados quanto somos capazes de ser) são muito apreciados, mas não mais do que quando estivemos engajados no "livro".

O pré-requisito para qualquer livro deste tipo é que ele sirva a uma necessidade real de mercado. Tivemos o privilégio de sermos aconselhados por alguns dos mais brilhantes profissionais de vendas na publicação de livros educacionais de negócios. São eles Clare Audet, que guiou o esforço de *marketing*, com a ajuda de Oli Adams (executivo de *marketing*) e uma grande equipe de representantes de vendas: Jordon Beevers, Mike Done, Alex Gay, John Henderson, Ster Hutten, Winek Kosior, Penny Lane, Richard Puttock, Vicky Rudd e Wendy Vessis.

Nós também tivemos sorte de receber assistência profissional continuada e amigável do uma fabulosa equipe de publicação. Obrigado a Amanda McPartlin (acquisitions editor), Jacqueline Sênior (editora), Karen McLaren (editor senior), Amanda Thomas (líder de controle de projeto), Kay Holman (*controller* de projeto sênior), Colin Reed (designer sênior – texto), Michelle Morgan (designer sênior – capa), Sue Willians (pesquisadora de imagens, autônoma), Robert Chaundy (*copy-editor*, autônomo), Johnathon Price (leitor de provas, autônomo), Annette Musker (indexador, autônoma) e um muitíssimo obrigado para David Harrison (editor de mídia) por todo o seu trabalho no CD. Nosso particular agradecimento para Janey Webb (editor de desenvolvimento) da Pearson Education. Sem seu considerável esforço, entusiasmo, bom senso e dedicação profissional, este projeto seria significativamente prejudicado.

Finalmente, o manuscrito (e muito mais) foi organizado e reunido por Angela Slack. Foi outro esforço heroico, que ela fez com (relativamente) pouca reclamação. Para Angela, nosso muito obrigado.

APRESENTAÇÃO À EDIÇÃO BRASILEIRA

O desempenho das operações pode quebrar uma empresa ou contribuir para o seu lucro. Como operações, em maior ou menor grau, e processos estão presentes em qualquer negócio, o gerenciamento eficaz dessas funções torna-se fundamental.

À medida que a função de operação adquire maior importância, mais e melhores profissionais da área são requeridos pelas organizações. Nesta segunda edição, *Gerenciamento de Operações e Processos* traz conhecimentos essenciais para o aperfeiçoamento dos profissionais de produção e de serviços. Cabe ressaltar que, lentamente, começam a ser publicados no Brasil livros sobre operações nos serviços, reconhecendo a importância do gerenciamento de operações também nesse setor.

Afinal, o que bancos, fabricantes de computadores, companhias aéreas, hotéis, hospitais e companhias de teatro têm em comum? Organizações grandes ou pequenas, públicas ou privadas, lucrativas ou não lucrativas, o que têm em comum? Ora, todas elas possuem processos e operações que têm de ser projetados, devem estabelecer uma estratégia de operações, gerenciar sua capacidade produtiva, planejar e controlar os recursos e promover melhorias nos processos. Para entender estas e outras atividades, os autores fornecem modelos claros e inteligíveis, tais como os quatro Vs (Variedade, Volume, Variação e Visibilidade). É importante destacar que estes modelos são aplicáveis aos diferentes tipos de organizações e que auxiliam na implementação da estratégia, no projeto e no gerenciamento das operações e dos processos. Por exemplo, o texto esclarece quais são os fatores importantes e os passos no projeto de produtos e serviços de acordo com os objetivos de qualidade, confiabilidade, velocidade, flexibilidade e custos. Além disso, diversos temas relevantes para operações, tais como melhoria contínua, Seis Sigma, gerenciamento de estoques, gerenciamento da qualidade, sincronização enxuta, risco, resiliência e gerenciamento de projetos, são tratados no texto com a profundidade adequada, evitando abordagens complexas e desnecessárias. Nesta edição, os estudos de caso foram atualizados e novos assuntos, tais como o SCOR (modelo de Referência para a Cadeia de Suprimentos), foram incluídos no texto.

Executivos, gerentes, professores, estudantes universitários, estudantes de MBA e estudantes de pós-graduação encontrarão um texto abrangente e que, ao mesmo tempo, equilibra o aprofundamento de temas importantes para o gerenciamento das organizações.

Os conhecimentos úteis e aplicáveis, organizados ao longo do texto, contribuem para o desenvolvimento dos profissionais envolvidos com operações e para o sucesso das organizações no setor em que atuam. É um excelente livro para ler, aprender e aplicar. Boa leitura a todos.

Rogério Garcia Bañolas
Sócio-diretor da ProLean Logística Enxuta

PREFÁCIO

Por que gerenciamento de operações e de processos?

O gerenciamento de operações está mudando. Sempre foi entusiasmante, desafiador, mas agora adquiriu um perfil muito mais proeminente. Há várias razões para isso.

É visto como sendo mais importante. Claro que sempre teve importância, mas cada vez mais os gerentes em todos os tipos de organizações estão aceitando que o gerenciamento de operações pode melhorar ou pode destruir seus negócios. O gerenciamento de operações eficaz pode manter os custos baixos, aumentar o potencial para melhorar a receita, promover uma distribuição apropriada dos principais recursos e, mais importante, desenvolver as capacidades que fornecem a vantagem competitiva futura.

Pode ter um impacto estratégico real. Operações não são sempre operacionais. A função de operações também tem uma dimensão estratégica vital e atualmente espera-se que o gerenciamento de operações participe da modelagem da direção estratégica, não apenas responda a ela.

Importa a todos os setores da economia. Tempos atrás, o gerenciamento de operações era visto com maior relevância para a produção e para alguns tipos de negócios de serviço de massa. Agora suas lições são vistas como aplicáveis a todos os tipos de organizações; todos os tipos de serviço e de produção, organizações grandes ou pequenas, públicas ou privadas, comerciais ou sem fins lucrativos.

É do interesse de todos os gerentes. Talvez o mais importante, considerando que o gerenciamento de operações é visto como fundado na ideia de gerenciar processos e que os gerentes em todas as funções do negócio estão aceitando agora que eles gastam muito do seu tempo gerenciando processos, hoje está claro que, até certo ponto, todos gerentes são gerentes de operações. Os princípios e a prática do gerenciamento de operações são pertinentes a todo gerente.

Seu escopo se ampliou. A unidade de análise óbvia do gerenciamento de operações é a própria função de operações – o conjunto de recursos que produzem produtos e serviços. Porém, se gerentes de outras funções tiverem de ser incluídos, o gerenciamento de operações também tem de tratar do gerenciamento de processos num nível mais genérico. Além disso, nenhuma operação pode considerar-se isolada de seus clientes, fornecedores, colaboradores e competidores; é preciso que sejam vistas como parte da extensa rede de suprimento. O gerenciamento de operações cada vez mais precisa trabalhar em todos os três níveis de análise – o processo individual, a própria operação e a rede de suprimentos.

Tudo isso tem implicações sobre o modo como o gerenciamento de operações é estudado, especialmente em níveis de especialização e pós-graduação, além do modo como é praticado. Isso também contribuiu muito para a estrutura deste livro. Além de cobrir todos os tópicos importantes que tornam o assunto tão poderoso, há uma ênfase nos seguintes itens:

- **Princípios** – ou seja, as principais ideias que descrevem como as operações se comportam, como elas podem ser gerenciadas e como elas podem ser melhoradas. Não se trata de leis imutáveis ou prescrições que ditam como operações *deveriam* ser gerenciadas, nem são descrições que simplesmente explicam ou categorizam assuntos.
- **Diagnóstico** – uma abordagem que questiona e explora os direcionadores fundamentais do desempenho das operações. O objetivo é descobrir ou "diagnosticar" as compensações subjacentes que as operações precisam superar e as implicações e consequências dos cursos de ação que poderiam ser tomados.

- **Prática** – Qualquer pessoa com experiência gerencial, ou que está fazendo escolhas de carreira, entende a importância de desenvolver o conhecimento prático e as habilidades que podem ser aplicados na prática. Isto requer uma abordagem, bem como estruturas e técnicas, que pode ser adaptada para levar em consideração a complexidade e a ambiguidade das operações, fornecendo, ainda assim, diretrizes para identificar e implementar soluções potenciais.

Quem deve usar este livro?

Este livro pretende fornecer uma introdução ao gerenciamento de processos e operações para todo mundo que deseja entender a natureza, os princípios e a prática do assunto. É direcionado principalmente para aqueles que têm alguma experiência de gerenciamento (embora não se presuma conhecimento acadêmico anterior na área), ou que estão para entrar na carreira gerencial. Por exemplo:

- *Estudantes de MBA* poderão descobrir que essas discussões práticas de atividades de gerenciamento de operações aumentam sua própria experiência.
- *Estudantes pós-graduados* em outras especialidades poderão descobrir que o livro oferece uma abordagem bem embasada e, às vezes, crítica para o assunto.
- *Executivos* poderão descobrir que essa estrutura diagnóstica fornece uma rota compreensível pelo assunto.

Características diferenciais

Estrutura clara

Este livro é estruturado em um modelo de gerenciamento de operações que faz a distinção entre as atividades que contribuem com a direção, o projeto, a entrega e o desenvolvimento das operações e dos processos.

Material complementar (em inglês)

Em sua primeira tiragem, esta obra foi acompanhada de CD-ROM. Nesta reimpressão, optamos por disponibilizar o conteúdo contido no CD-ROM em nosso site. Ou seja, sempre que se deparar com a imagem de um CD-ROM ao longo do texto, entenda como material que se encontra na Web.
Acesse www.grupoa.com.br e pesquise pelo título do livro. Na página do livro, procure por Material Complementar. Lá você vai encontrar:

- vídeo de introdução para cada capítulo;
- casos ativos que permitem testar e explorar princípios em contextos reais;
- guias de estudo que seguem o fluxo de cada capítulo e incluem exemplos e diagramas animados adicionais;
- planilhas eletrônicas Excel e exemplos;
- notas práticas que fornecem um guia passo a passo para técnicas de operações;
- dicas sobre a seção "Aplicando os princípios" do texto;
- questões de múltipla escolha para testar seus conhecimentos.

Cadeias lógicas de diagnóstico

Todo capítulo segue uma série de perguntas que formam uma "lógica de diagnóstico" para o tópico. Estas são as perguntas que qualquer um pode fazer para revelar o estado subjacente da sua, ou de qualquer outra, operação. As perguntas fornecem uma ajuda para diagnosticar onde e como uma operação pode ser melhorada.

Exemplos ilustrativos

O gerenciamento de operações é um assunto prático e não pode ser ensinado satisfatoriamente de maneira teórica apenas. Por isso, cada capítulo começa com dois exemplos da vida real de como o tópico é tratado na prática.

Princípios de operações

Sempre que uma ideia principal do gerenciamento de processos e operações é descrita no texto, um breve resumo do conceito está em destaque na margem. Isso ajuda a ressaltar esses pontos essenciais do tópico.

Comentários críticos

Nem todo mundo concorda sobre qual é a melhor abordagem para os vários tópicos e questões dentro do assunto. Por isso, ao término de cada capítulo, há um comentário crítico. Estas são visões alternativas para o que está sendo expresso no fluxo principal do texto. Eles não necessariamente representam nossa visão, mas são debates valiosos.

Listas de verificação

Cada capítulo é resumido na forma de uma lista de perguntas de verificação. Ela abrange as perguntas essenciais que qualquer um deveria fazer se desejar entender como sua própria ou qualquer outra operação funciona. Mais importante, eles também podem funcionar como lembretes para melhorias de processo e operações.

Estudos de caso

Todo capítulo inclui um estudo de caso, relatando situações reais ou realistas que requerem análise, decisão ou ambos. Os casos têm conteúdo suficiente para servir como a base de sessões de casos em sala de aula, mas são curtos o bastante para servir como ilustrações para o leitor menos formal. Como mencionado, casos ativos adicionais são oferecidos no CD que acompanha o livro.

Aplicando os princípios

São incluídos no término de cada capítulo problemas selecionados, exercícios curtos e atividades. Eles fornecem uma oportunidade para testar sua compreensão dos princípios cobertos no capítulo.

Indo além

Uma pequena lista de leituras adicionais e *websites* úteis é fornecida, indo além dos tópicos cobertos no capítulo, ou tratando de algumas questões importantes relacionadas.

Manual do professor e eslaides (em inglês)*

Um manual do professor está disponível na Web para professores que adotam este livro. Um conjunto de eslaides do PowerPoint contendo figuras e ilustrações do texto principal também está à disposição.

---

* N.: Professores interessados no material de apoio devem acessar o *site* www.grupoa.com.br e entrar na Área do Professor.

TOUR PELO LIVRO

Integração com os recursos adicionais – os ícones do CD identificam claramente onde os recursos adicionais podem ser encontrados na página web que acompanha este livro. Mais detalhes são mostrados a seguir.

Cadeia lógica de diagnóstico – cada capítulo está organizado em torno de uma série de questões que formam um diagnóstico lógico para o tópico. Esse diagnóstico, ou abordagem de solução de problemas, instrumentaliza você com as questões que efetivamente avaliam as operações e os processos da sua empresa e diagnosticam como eles podem ser melhorados.

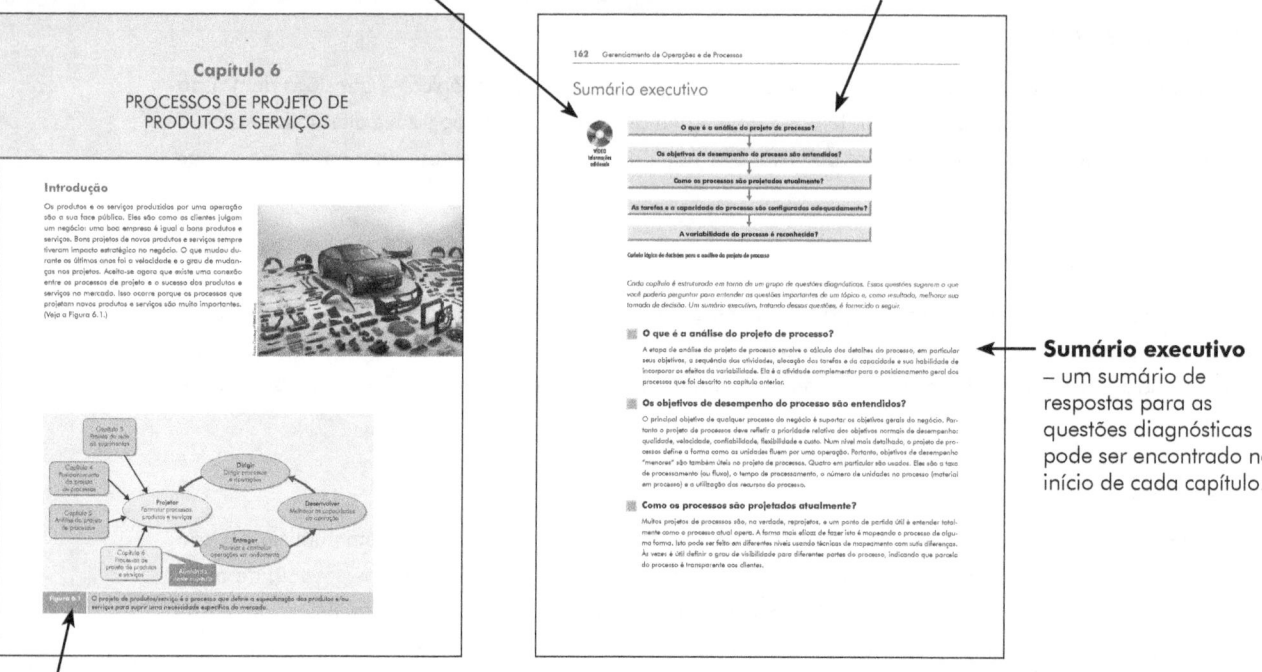

Sumário executivo – um sumário de respostas para as questões diagnósticas pode ser encontrado no início de cada capítulo.

Estrutura clara – o livro está estruturado de acordo com um modelo de gerenciamento de operações que distingue entre as atividades que contribuem para a direção, o projeto, a entrega e o desenvolvimento das operações e dos processos.

Exemplos – cada capítulo inicia com dois exemplos. Um equilíbrio entre exemplos de serviços e de produção fornece um entendimento prático e amplo do gerenciamento das operações e dos processos.

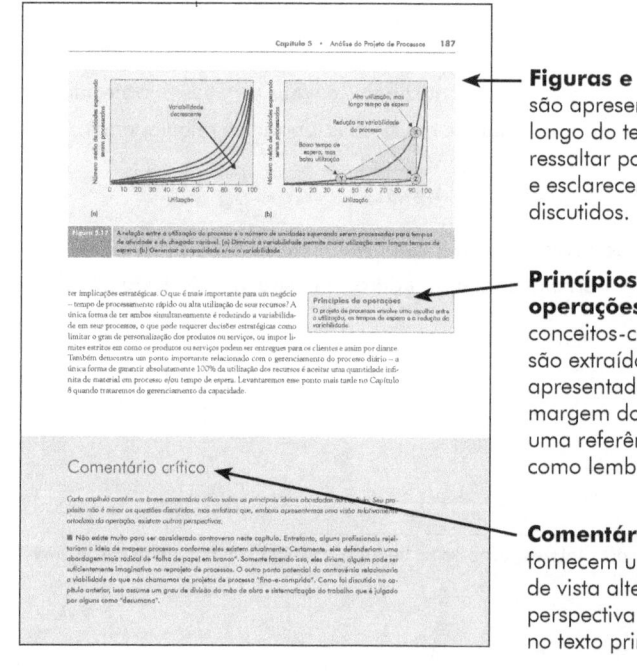

Figuras e diagramas são apresentados ao longo do texto para ressaltar pontos-chave e esclarecer os tópicos discutidos.

Princípios de operações – conceitos-chave são extraídos e apresentados na margem do texto como uma referência útil e como lembrete.

Comentários críticos fornecem um ponto de vista alternativo à perspectiva apresentada no texto principal.

Listas de verificação apresentam as questões essenciais que alguém perguntaria se desejasse entender como uma operação funciona. Elas estão localizadas no final de cada capítulo e podem ser baixadas do website.

Estudos de caso com perguntas mostram organizações de vários tamanhos em diferentes setores e locais, do setor de serviços ou de produção. Aplique seu entendimento dos conceitos e das técnicas lidando com problemas das operações num contexto real de negócios.

Aplicando os princípios contém problemas selecionados, atividades e exercícios curtos para testar seu entendimento dos princípios cobertos em cada capítulo.

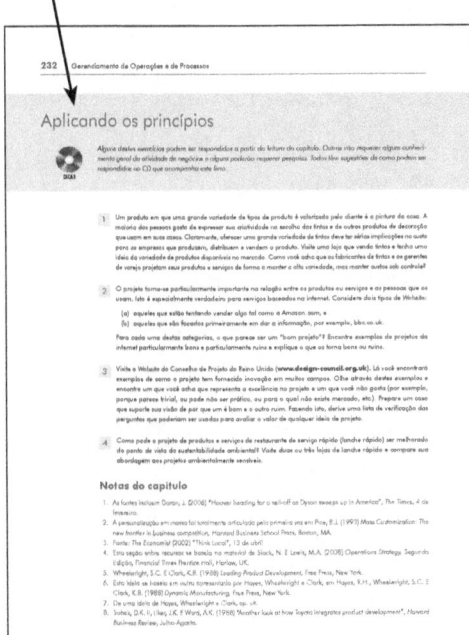

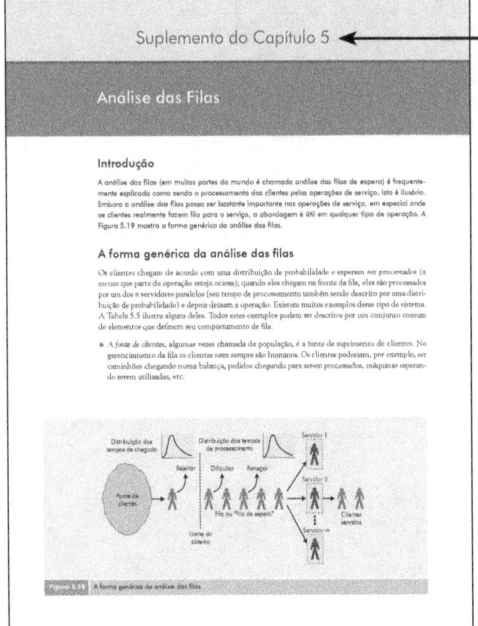

Suplementos que cobrem tópicos quantitativos aparecem no final de capítulos relevantes.

TOUR PELO MATERIAL ONLINE (CONTEÚDO EM INGLÊS)

O material online do seu livro *Gerenciamento de operações e de processos*, 2° ed., apresenta uma gama de recursos adicionais para ajudá-lo nos seus estudos. Eles incluem vídeo, estudo de caso ativo, material de autoavaliação e um guia de estudo que apresenta diagramas animados, exemplos adicionais, planilhas Excel e notas práticas. Essas apresentações interativas fornecem a oportunidade de consolidar seu entendimento e a colocar em prática os princípios e conceitos.

Quando você entrar na página, encontrará uma lista de todos os capítulos do texto principal e um conjunto de recursos específicos. Clique no título do capítulo para acessar os recursos daquele capítulo.

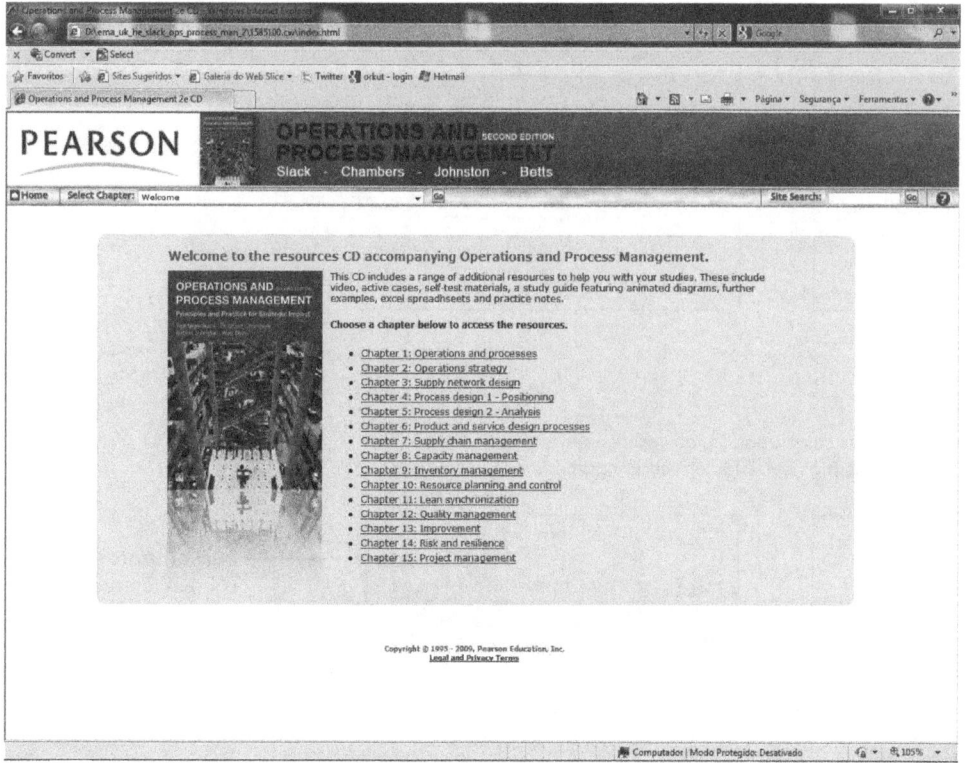

Um ícone do CD no texto principal sinaliza quando você deveria procurar os recursos extras na página web.

Por exemplo, o ícone do CD próximo à cadeia lógica de diagnóstico no livro está correlacionado com um vídeo de Nigel Slack explicando isso com mais detalhes na Web.

Nigel fornece uma **introdução** em vídeo para cada capítulo, na qual ele resume as questões principais. Uma versão animada da cadeia lógica de diagnóstico aparecerá à medida que ele explica cada questão com mais detalhes.

Após selecionar um capítulo, você pode navegar facilmente nos recursos disponíveis.

Cada recurso está claramente listado no menu à esquerda da tela. Você somente precisa clicar na opção e ela abrirá na página principal.

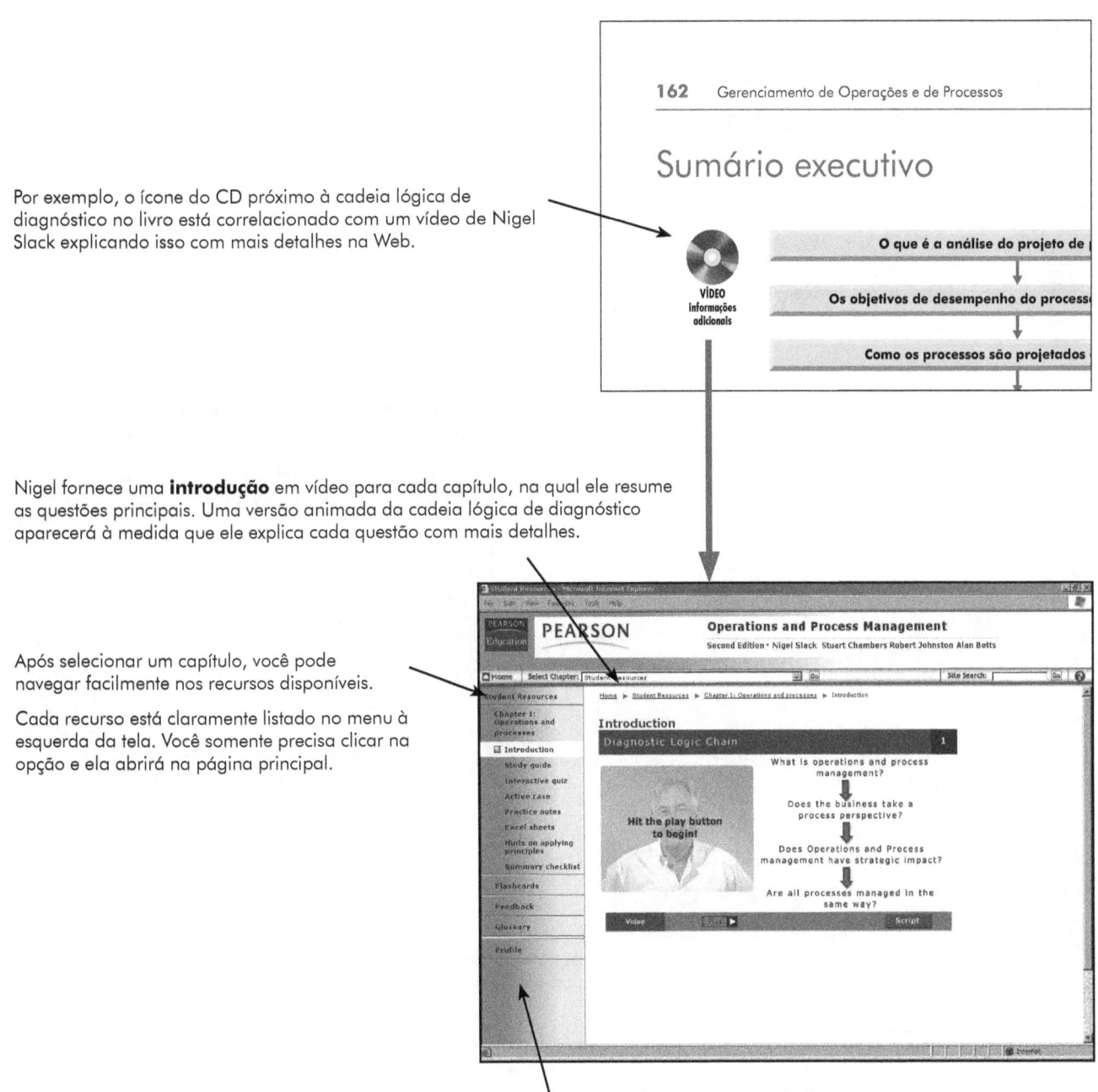

Recursos extras são listados à esquerda da página inicial

GUIA DE ESTUDO

A página web traz um guia de estudo interativo. É um guia prático dos conceitos e das questões essenciais discutidos no texto e permite a você colocar os princípios em prática.

No guia de estudo, você irá encontrar apresentações interativas incluindo exemplos adicionais para fornecer um contexto real, diagramas animados, comentários, entre outros.

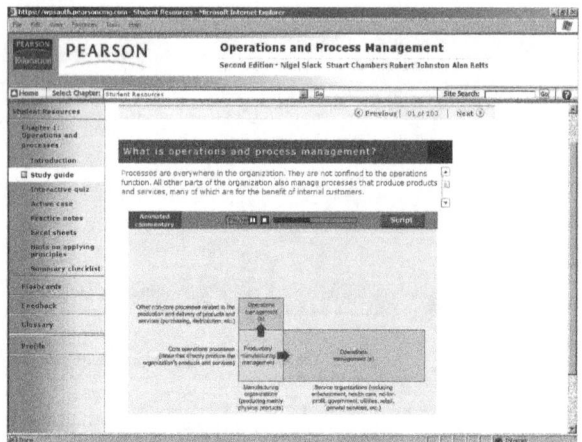

Diagramas animados com comentários (*animated commentary*)
Pressione *play* para ouvir uma explanação aplicada dos diagramas importantes. O diagrama é animado em sincronia com o comentário, reforçando os conceitos e as técnicas-chave.

PLANILHAS EXCEL (*EXCEL SHEETS*)

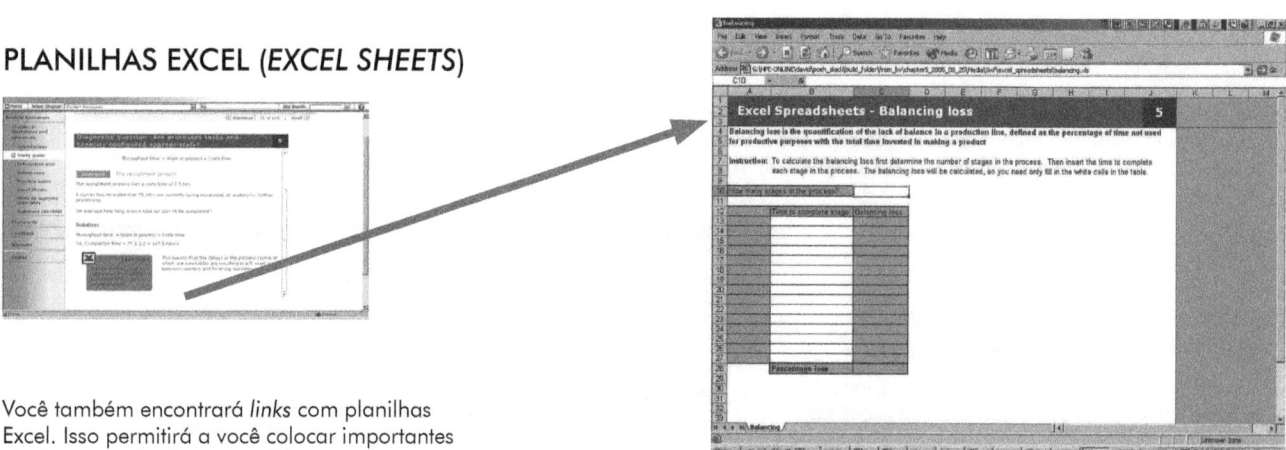

Você também encontrará *links* com planilhas Excel. Isso permitirá a você colocar importantes técnicas quantitativas em prática.

NOTAS PRÁTICAS (*PRACTICE NOTES*)

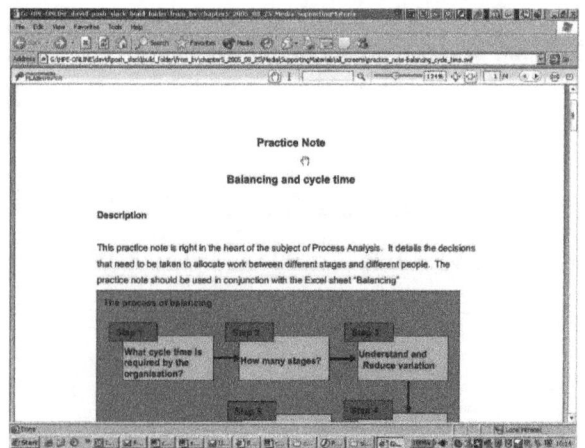

As notas práticas oferecem um guia passo a passo das técnicas de operações.

CASOS ATIVOS

Na página Web, há um caso ativo para cada capítulo, bem como questões de autoavaliação e dicas para a seção "Aplicando os princípios" localizada no final de cada capítulo do livro. Esses recursos são explicados a seguir.

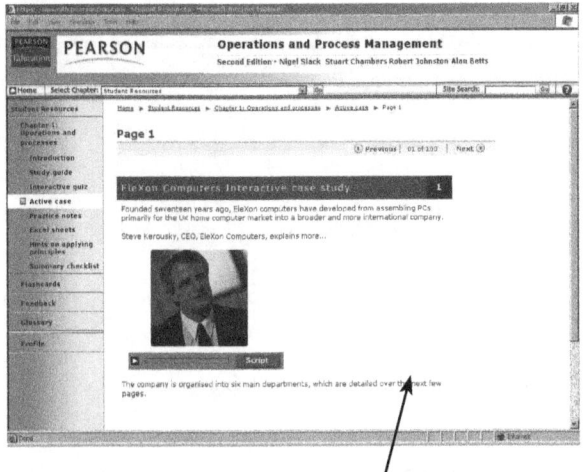

O **estudo de caso ativo (*active case*)** permite que você avance ao longo do processo de tomada de decisões, analise as questões e as responda em relação a uma situação organizacional real.

Ouça a perspectiva de pessoas diferentes dentro da organização para construir seu entendimento das questões.

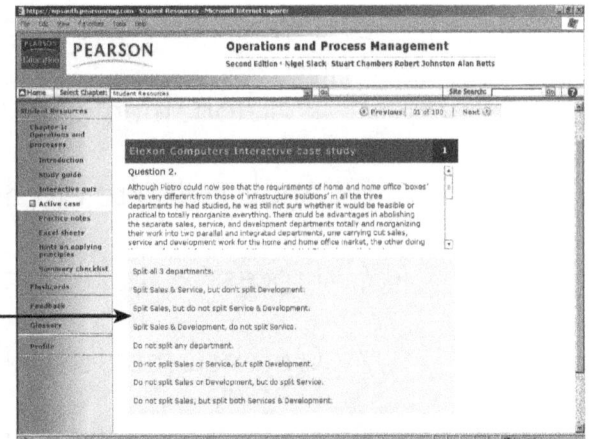

Responda as questões sobre as decisões que você tomaria e receba um *feedback* específico para as suas escolhas.

AVALIAÇÕES

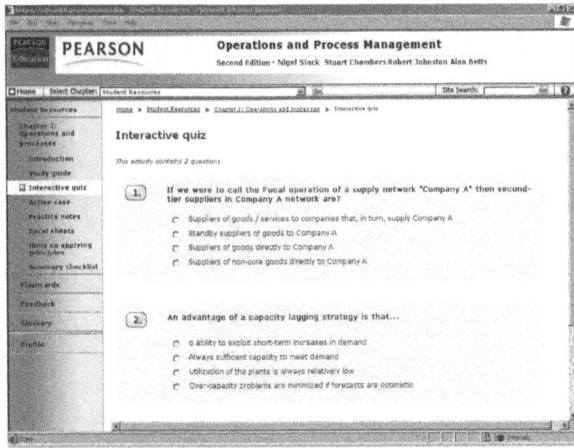

Questões de múltipla escolha (*interactive quiz*) oferecem a oportunidade de testar seu entendimento da matéria e avaliar seu progresso.

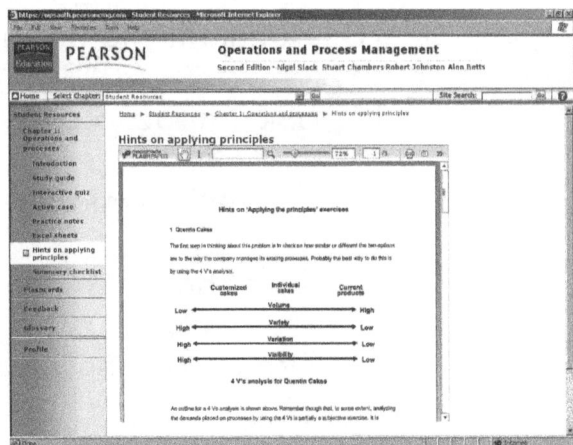

Dicas (*hints*) sobre "Aplicando os princípios" dão sugestões e ideias sobre como você pode aplicar os princípios apresentados no contexto organizacional.

SUMÁRIO RESUMIDO

1	Gerenciamento de Operações e de Processos	27
2	Estratégia de Operações	59
3	Projeto da Rede de Suprimentos	91
4	Posicionamento do Projeto de Processos	131
5	Análise do Projeto de Processos	161
6	Processos de Projeto de Produtos e Serviços	205
7	Gerenciamento da Cadeia de Suprimentos	235
8	Gerenciamento da Capacidade	271
9	Gerenciamento de Estoques	303
10	Planejamento e Controle de Recursos	335
11	Sincronização Enxuta	373
12	Gerenciamento da Qualidade	409
13	Melhorias	449
14	Risco e Resiliência	489
15	Gerenciamento de Projetos	521
	Índice	557

SUMÁRIO

1 Gerenciamento de Operações e de Processos — 27

Sumário executivo — 28

O que é gerenciamento de operações e de processos? — 30
As empresas adotam uma perspectiva de processos? — 35
O gerenciamento de operações e de processos tem um impacto estratégico? — 45
Todos os processos deveriam ser gerenciados da mesma maneira? — 47

Comentário crítico — 51
Lista de verificação — 53
Estudo de caso: *AAF Rotterdam* — 54
Estudo de caso ativo: *Computadores EleXon* — 56
Aplicando os princípios — 56
Notas do capítulo — 58
Indo além — 58
Websites úteis — 58

2 Estratégia de Operações — 59

Sumário executivo — 60

O que é estratégia de operações? — 62
As operações têm uma estratégia? — 64
A estratégia de operações faz sentido de cima para baixo e de baixo para cima na empresa? — 71
A estratégia de operações alinha os requisitos do mercado com os recursos das operações? — 74
A estratégia de operações fornece um roteiro de melhorias? — 79

Comentário crítico — 83
Lista de verificação — 84
Estudo de caso: *Dresding Wilson* — 85
Estudo de caso ativo: *Clube de Planadores Long Ridge* — 87
Aplicando os princípios — 88
Notas do capítulo — 89
Indo além — 89
Websites úteis — 90

3 Projeto da Rede de Suprimentos — 91

Sumário executivo — 92

Qual é o projeto da rede de suprimentos? — 94
Como a rede de suprimentos deveria ser configurada? — 98
Onde as operações deveriam ser localizadas? — 103
Quanta capacidade cada operação deveria ter na rede de suprimentos? — 106

Comentário crítico — 112
Lista de verificação — 113
Estudo de caso: *Disneyland Resort Paris (resumido)* — 114
Estudo de caso ativo: *Bioteste Freeman* — 119
Aplicando os princípios — 119
Notas do capítulo — 120
Indo além — 121
Websites úteis — 121
Suplemento do Capítulo 3: Previsões — **122**

4 Posicionamento do Projeto de Processos — 131

Sumário executivo — 132

O que é o posicionamento do projeto de processos? — 134
Os processos atendem às necessidades de variedade e volume? — 136
Os leiautes dos processos são apropriados? — 142
A tecnologia dos processos é apropriada? — 147
Os projetos de trabalho são apropriados? — 149

Comentário crítico — 153
Lista de verificação — 154
Estudo de caso: *Banco North West Constructive – O Novo Centro de Financiamento 1* — 155
Estudo de caso ativo: *McPherson Charles Advogados* — 158
Aplicando os princípios — 158
Notas do capítulo — 160
Indo além — 160
Websites úteis — 160

5 Análise do Projeto de Processos — 161

Sumário executivo — 162

O que é a análise do projeto de processo? — 164
Os objetivos de desempenho do processo são entendidos? — 166
Como os processos são projetados atualmente? — 169
As tarefas e a capacidade do processo são configuradas adequadamente? — 173
A variabilidade do processo é reconhecida? — 182

Comentário crítico — 187
Lista de verificação — 188
Estudo de caso: *Banco North West Constructive – O Novo Centro de Financiamento 2* — 189
Estudo de caso ativo: *Action Response* — 193

Aplicando os princípios   193
Notas do capítulo   195
Indo além   195
Suplemento do Capítulo 5: Análise das Filas   **196**

6 Processos de Projeto de Produtos e Serviços   205

Sumário executivo   206

O que é projeto de produtos e serviços?   **208**
Os objetivos do projeto de produtos e serviços são especificados?   **211**
O processo do projeto de produtos e serviços é definido?   **214**
Os recursos para desenvolver produtos e serviços são adequados?   **219**
O projeto de processo e o projeto de produtos e serviços são simultâneos?   **222**

Comentário crítico   228
Lista de verificação   229
Estudo de caso: *Chatsworth – A decisão do parque de aventuras*   230
Estudo de caso ativo: *Conseguir o Cliente nº 1*   231
Aplicando os princípios   232
Notas do capítulo   232
Indo além   233
Websites úteis   233

7 Gerenciamento da Cadeia de Suprimentos   235

Sumário executivo   236

O que é o gerenciamento da cadeia de suprimentos?   **238**
Os objetivos da cadeia de suprimentos são claros?   **241**
Como deveriam ser gerenciados os relacionamentos da cadeia de suprimentos?   **248**
Como os suprimentos deveriam ser gerenciados?   **251**
Como a demanda deveria ser gerenciada?   **256**
A dinâmica da cadeia de suprimentos está sob controle?   **258**

Comentário crítico   261
Lista de verificação   263
Estudo de caso: *Suprindo a moda rápida*   264
Estudo de caso ativo: *Gerenciamento de Frotas NK*   266
Aplicando os princípios   267
Notas do capítulo   267
Indo além   268
Websites úteis   269

8 Gerenciamento da Capacidade   271

Sumário executivo   272

O que é o gerenciamento da capacidade?   **274**
Qual é a capacidade atual da operação?   **277**
O descompasso entre capacidade e demanda é entendido?   **281**

Qual deveria ser a capacidade básica da operação?	284
Como o descompasso entre capacidade e demanda pode ser gerenciado?	286
Como a capacidade deveria ser controlada?	292
Comentário crítico	294
Lista de verificação	295
Estudo de caso: *A Fazenda Blackberry Hill*	296
Estudo de caso ativo: *Saladas Fresh Ltd.*	300
Aplicando os princípios	301
Notas do capítulo	302
Indo além	302
Websites úteis	302

9 Gerenciamento de Estoques — 303

Sumário executivo	304
O que é o gerenciamento de estoques?	306
Por que deveria existir algum estoque?	309
Está sendo pedida a quantidade certa?	312
Os pedidos de estoque estão sendo feitos no momento certo?	320
O estoque está sendo controlado de forma eficaz?	323
Comentário crítico	327
Lista de verificação	329
Estudo de caso: *supplies4medics.com*	330
Estudo de caso ativo: *Rotterdam (Soros)*	331
Aplicando os princípios	332
Notas do capítulo	333
Indo além	333
Websites úteis	333

10 Planejamento e Controle de Recursos — 335

Sumário executivo	336
O que é planejamento e controle de recursos?	338
O planejamento e controle de recursos têm todos os elementos corretos?	340
As informações de planejamento e controle de recursos estão integradas?	345
As atividades centrais de planejamento e controle são eficazes?	349
Comentário crítico	357
Lista de verificação	358
Estudo de caso: *subText Studios, Cingapura*	359
Estudo de caso ativo: *Contabilidade Coburn Finnegan*	362
Aplicando os princípios	362
Notas do capítulo	364
Indo além	364
Websites úteis	364
Suplemento do Capítulo 10: Planejamento das Necessidades de Material (MRP)	**365**

11 Sincronização Enxuta — 373

Sumário executivo — 374

O que é sincronização enxuta? — 376
Quais são as barreiras para a sincronização enxuta? — 381
O fluxo é enxuto? — 385
O suprimento atende exatamente a demanda? — 387
Os processos são flexíveis? — 389
A variabilidade é minimizada? — 390
A sincronização enxuta é aplicada em toda a rede de suprimentos? — 393

Comentário crítico — 399
Lista de verificação — 402
Estudo de caso: *Boys and Boden (B&B)* — 403
Estudo de caso ativo: *Tratando Ana* — 405
Aplicando os princípios — 405
Notas do capítulo — 406
Indo além — 407
Websites úteis — 407

12 Gerenciamento da Qualidade — 409

Sumário executivo — 410

O que é gerenciamento da qualidade? — 412
A ideia de gerenciamento da qualidade é universalmente entendida e aplicada? — 414
A qualidade é definida adequadamente? — 416
A qualidade é medida adequadamente? — 419
A qualidade é controlada adequadamente? — 423
O gerenciamento da qualidade sempre conduz à melhoria? — 427

Comentário crítico — 429
Lista de verificação — 431
Estudo de caso: *A reviravolta na fábrica de Preston* — 432
Estudo de caso ativo: *"Você tem oito mensagens"* — 434
Aplicando os princípios — 434
Notas do capítulo — 435
Indo além — 435
Websites úteis — 436
Suplemento do Capítulo 12: Controle Estatístico de Processo (CEP) — 437

13 Melhorias — 449

Sumário executivo — 450

O que é melhoria? — 452
Qual é a diferença entre o desempenho real e o requerido? — 454
Qual é o caminho mais adequado para fazer melhorias? — 464
Quais técnicas deveriam ser utilizadas para facilitar as melhorias? — 472
Como as melhorias podem ser feitas para se tornarem contínuas? — 477

Comentário crítico	480
Lista de verificação	482
Estudo de caso: *Risco e Construção Genebra (RCG)*	483
Estudo de caso ativo: *Ferndale Sands*	486
Aplicando os princípios	486
Notas do capítulo	487
Indo além	487
Websites úteis	488

14 Risco e Resiliência — 489

Sumário executivo	490
O que é risco e resiliência?	**492**
Os pontos potenciais de falhas têm sido avaliados?	**495**
Medidas de prevenção de falhas têm sido implementadas?	**503**
Medidas de atenuação de falhas têm sido implementadas?	**507**
Medidas de recuperação de falhas têm sido implementadas?	**511**
Comentário crítico	513
Lista de verificação	515
Estudo de caso: *A falha de Chernobyl*	516
Estudo de caso ativo: *Elevadores Paterford*	517
Aplicando os princípios	518
Notas do capítulo	519
Indo além	519
Websites úteis	519

15 Gerenciamento de Projetos — 521

Sumário executivo	522
O que é gerenciamento de projetos?	**524**
O ambiente de projeto é entendido?	**527**
O projeto é bem-definido?	**531**
O gerenciamento de projetos é adequado?	**532**
O projeto foi adequadamente planejado?	**534**
O projeto é adequadamente controlado?	**542**
Comentário crítico	546
Lista de verificação	547
Estudo de caso: *United Photonics Malaysia Sdn Bhd*	548
Estudo de caso ativo: *National Trust*	553
Aplicando os princípios	553
Notas do capítulo	555
Indo além	555
Websites úteis	555

Índice — 557

GUIA DE ESTUDOS DE CASO NO LIVRO E NA WEB

| p. 52 | Estudo de caso do livro | Estudo de caso na página Web |

Capítulo	Local	Nome da empresa e descrição	Região	Produção/ serviço	Tamanho da empresa	Técnicas/tópicos
Capítulo 1 Gerenciamento de operações e de processos	p. 54	AAF Rotterdam: aluga e vende equipamentos para teatro e oferece serviços de produção	Holanda	P, S	Pequena/ média	Impacto estratégico dos processos Diferenças e similaridades dos processos Avaliação dos processos
	💿	Computadores EleXon: vende computadores e soluções de TI	Europa	S	Média	Projeto de processos Estrutura organizacional
Capítulo 2 Estratégia de operações	p. 85	Dresding Wilson: fornece soluções técnicas para o setor da saúde	Europa, Cingapura e EUA	P, S	Média/ grande	Estratégia de operações Requisitos de mercado Competência de operações Foco em operações
	💿	Clube de Planadores Long Ridge: fornece serviço de voo para os membros do clube e cursos de férias	Reino Unido	S	Pequena	Estratégia de operações Objetivos de desempenho Compensações
Capítulo 3 Projeto da rede de suprimentos	p. 114	Disneyland Resort Paris (abreviado): desenvolvimento do parque temático europeu do famoso grupo	Europa	S	Grande	Planejamento de capacidade Localização Impacto financeiro das operações
	💿	Bioteste Freeman: fornecedor da indústria alimentícia	Reino Unido	P	Média	Expansão de capacidade Escolha tecnológica Análise do ponto de equilíbrio
Capítulo 4 Posicionamento do projeto de processos	p. 155	Banco North West Constructive – O Novo Centro de Financiamento (1): um grande grupo de bancos de varejo	Reino Unido	S	Média/ grande	Reorganização de operações Análise de volume/variedade Fluxo de processos Projeto do trabalho
	💿	McPherson Charles Advogados: firma de advocacia	Reino Unido	S	Média	Posicionamento volume-variedade Leiaute Tecnologia Projeto do trabalho
Capítulo 5 Análise do projeto de processos	p. 189	Banco North West Constructive – O Novo Centro de Financiamento (2): um grande grupo de bancos de varejo	Reino Unido	S	Média/ grande	Mapeamento de processos Balanceamento de processos Variabilidade de processos
	💿	Action Response: organização de caridade que fornece ajuda rápida em situações de urgência	Internacional	S	Pequena/ média	Análise de processos Gargalos de processos Capacidade dos processos
Capítulo 6 Processos de projeto de produtos e serviços	p. 230	Chatsworth – a decisão do parque de aventuras: projetando uma parte de uma atração turística	Reino Unido	S	Média	Gerenciamento do desenvolvimento de processos Mercado de serviços O projeto como um processo
	💿	Rellacast AG: empresa de fundição de precisão com a tarefa de desenvolver um novo componente para um cliente-alvo	Alemanha	P	Grande	Projeto de produto Terceirização Organização Risco
Capítulo 7 Gerenciamento da cadeia de suprimentos	p. 264	Suprindo a moda rápida (Benetton, H&M, Zara): estratégias alternativas de cadeia de suprimentos no varejo de vestuário	Europa, Itália, Suécia, Espanha	P, S	Grande	Configuração da cadeia de suprimentos Integração da cadeia de suprimentos Terceirização Processos de projeto
	💿	Gerenciamento de frotas NK: uma empresa responsável pelo serviço e gerenciamento de frotas de automóveis	Suécia	S	Média	Relacionamento na cadeia de suprimentos Parcerias Acordos de nível de serviço

Capítulo	Local	Nome da empresa e descrição	Região	Produção/ serviço	Tamanho da empresa	Técnicas/tópicos
Capítulo 8 Gerenciamento da capacidade	p. 296	**A Fazenda Blackberry Hill**: empresa de turismo rural	Reino Unido	P, S	Pequena	Avaliação da capacidade Entendimento do descompasso entre capacidade e demanda Controle da capacidade
	💿	**Saladas Fresh Ltd**: especializada na plantação e distribuição de legumes	Reino Unido	P, S	Média	Mensuração da capacidade Ajustando o descompasso entre demanda e capacidade
Capítulo 9 Gerenciamento de estoques	p. 330	**supplies4medics.com**: fornecedor europeu via Internet de equipamentos médicos	Bélgica, Europa	S	Média	Estratégias de estoque Pedidos usando lote econômico de compras Análise ABC
	💿	**Rotterdam (Soros)**: fornecedor de anticorpos e outros soros para o setor de saúde animal	Holanda	P	Grande	Gerenciamento de estoques Serviço ao cliente Carregamento de capacidade Programação de tarefas
Capítulo 10 Planejamento e controle de recursos	p. 359	**subText Studios, Cingapura**: empresa de imagens geradas por computador (CGI)	Cingapura	S	Pequena	Programação básica Estimativa de tempos Interface com o cliente
	💿	**Contabilidade Coburn Finnegan**: uma pequena firma de contabilidade	Irlanda	S	Média	Carregamento de capacidade Programação de tarefas
Capítulo 11 Sincronização enxuta	p. 403	**Boys and Boden (B&B)**: loja de materiais de construção e madeira	Reino Unido	P	Média	JIT Leiaute celular Resposta rápida Eliminação de perdas
	💿	**Tratando Ana**: a experiência de uma projetista e decoradora autônoma com o sistema de saúde	Reino Unido e Bélgica	S	Grande	Fluxo de processos Eliminação de perdas
Capítulo 12 Gerenciamento da qualidade	p. 432	**A reviravolta da fábrica de Preston**: produz papéis com camadas de precisão para impressoras jato de tinta	Canadá	P	Média	CEP Melhorias da qualidade *Downsizing* Conhecimento e aprendizagem de processo
	💿	**"Você tem oito mensagens"**: hotel de alta qualidade	Holanda	S	Média	Gerenciamento da qualidade
Capítulo 13 Melhorias	p. 483	**Risco e Construção Genebra (RCG)**: empresa de seguros para o setor de construção	Suíça, mundial	S	Grande	TQM 6 Sigma Estratégia de melhorias
	💿	**Ferndale Sands**: centro de conferências que tem o orgulho de oferecer o "retiro executivo"	Austrália, Europa	S	Pequena	Atividades de melhoria Priorização de melhorias
Capítulo 14 Risco e resiliência	p. 516	**A falha de Chernobyl**: o pior acidente na história da geração de energia nuclear	Ucrânia	N/A	Ex-empresa	Erros e violações Planejamento contra falhas Fatores humanos em segurança Recuperação de desastre
	💿	**Elevadores Paterford**: dá assistência e manutenção para elevadores e sistemas de elevadores	EUA	S	Média	Falha Manutenção Serviço
Capítulo 15 Gerenciamento de projetos	p. 548	**United Photonics Malaysia Sdn Bhd**: subsidiária que produz lentes especiais de alta precisão	Malásia	P, S	Subsidiária de uma grande firma	Planejamento de rede Estimativa de tempo Gerenciamento de *stakeholders* Risco de projeto
	💿	**National Trust**: novo projeto necessitando de suporte dos *stakeholders* do National Trust	Reino Unido	S	Grande	Identificação de *stakeholders* Gerenciamento de *stakeholders*

Capítulo 1
GERENCIAMENTO DE OPERAÇÕES E DE PROCESSOS

Introdução

O gerenciamento de operações e de processos trata da forma como as organizações produzem bens e serviços. Tudo que você veste, come, usa ou lê, bem como toda transação bancária, visita a hospital e estada em hotel chega até você graças aos gerentes de operações que organizaram sua produção. As pessoas que os produzem nem sempre podem ser chamadas de gerentes de operações, mas é o que elas realmente são. Dentro da função de operações de qualquer empresa, os gerentes de operações gerenciam os processos que produzem produtos e serviços. Mas os gerentes em outras funções, tais como *Marketing*, Vendas e Finanças, *também* gerenciam processos. Esses processos frequentemente suprem clientes internos com serviços, como planos de *marketing*, previsões de vendas, orçamentos e assim por diante. Na verdade,

todas as partes das organizações são feitas de processos. Este é o tema deste livro – as tarefas, questões e decisões necessárias para gerenciar de forma eficaz os processos, dentro da função de operações, e em outras partes do negócio onde o gerenciamento eficaz dos processos também é importante. Este é um capítulo introdutório, por isso examinaremos alguns dos princípios básicos do gerenciamento de operações e de processos. O modelo desenvolvido para explicar o assunto é mostrado na Figura 1.1.

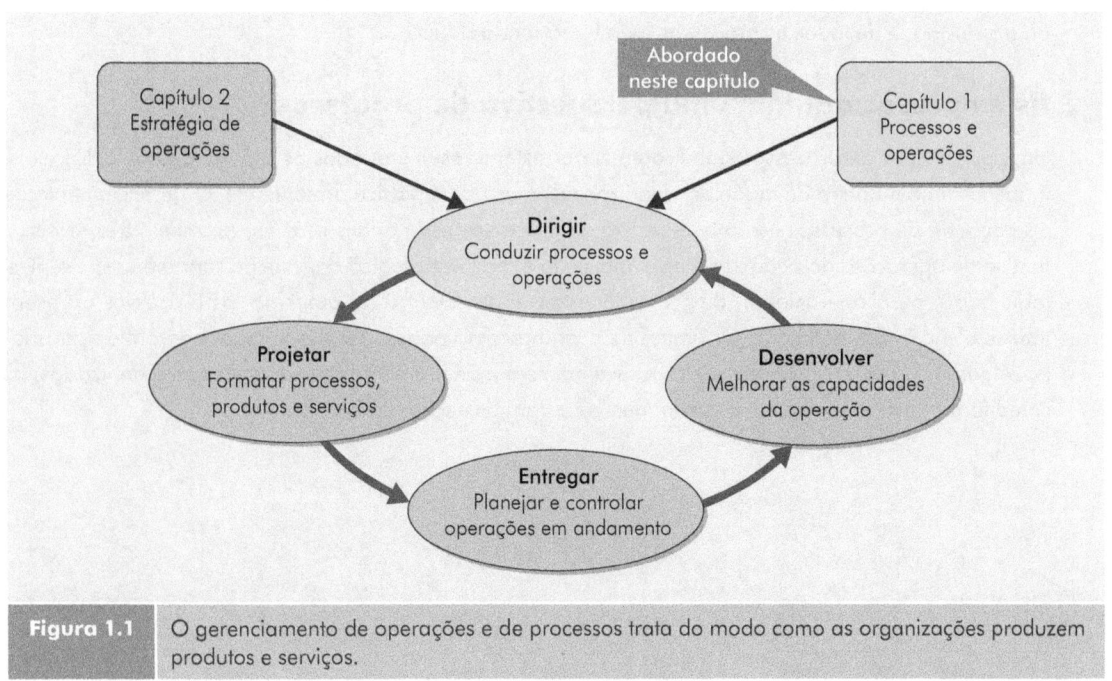

Figura 1.1 — O gerenciamento de operações e de processos trata do modo como as organizações produzem produtos e serviços.

Sumário executivo

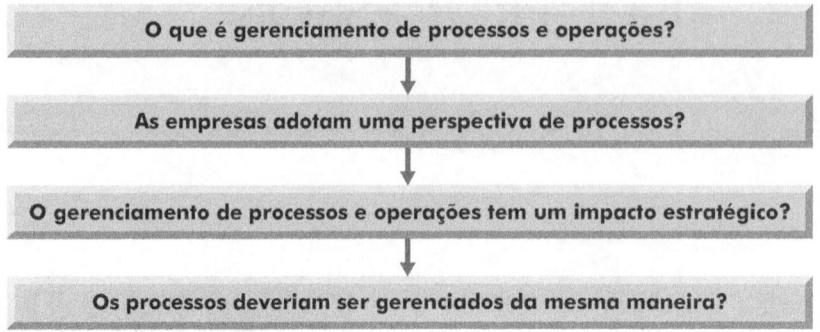

Cadeia lógica de decisões para operações e processos

Cada capítulo é estruturado em torno de um grupo de questões diagnósticas. Essas questões sugerem o que você poderia perguntar para entender as questões importantes de um tópico e, como resultado, melhorar sua tomada de decisão. Um sumário executivo, tratando dessas questões, é fornecido a seguir.

O que é gerenciamento de operações e de processos?

A função de operações é o conjunto de atividades da organização que produz bens e serviços. Cada empresa tem uma função de operações porque cada uma delas produz algum *mix* de produtos e serviços. Operações não são sempre chamadas por esse nome, mas qualquer que seja seu nome, é sempre relacionado com o gerenciamento da principal finalidade do negócio – produzir algum *mix* de produtos e serviços. Processos também produzem produtos e serviços, mas em menor escala. Eles são os componentes das operações, mas outras funções também têm processos que necessitam de gerenciamento. Na verdade, *cada* uma das partes de *qualquer* organização está relacionada com processos de gerenciamento. Todos os gerentes têm algo a aprender com o estudo do gerenciamento de operações e de processos, porque o assunto inclui o gerenciamento de todos os tipos de operação, não importa o setor ou a indústria, e de todos os processos, não importando a função.

As empresas adotam uma perspectiva de processos?

Uma perspectiva de processos significa entender as empresas em todos os seus processos individuais. É apenas uma maneira de modelar organizações, mas que é particularmente útil. O gerenciamento de operações e de processos usa a perspectiva de processos para analisar as empresas em três níveis: a função de operações do negócio; o nível mais alto e mais estratégico da rede de suprimentos; e o nível mais baixo, mais operacional, de processos individuais. Dentro da empresa, os processos apresentam-se como foram definidos. Os limites de cada processo podem ser desenhados conforme apropriado. Algumas vezes, envolve remodelar radicalmente a maneira como os processos são organizados, tal como formar processos *do início ao fim* que cumpram as necessidades do cliente.

O gerenciamento de operações e de processos tem um impacto estratégico?

O gerenciamento de operações e de processos pode melhorar ou quebrar uma empresa. Quando são bem gerenciados, os processos e as operações podem contribuir para o impacto estratégico do negócio de quatro formas: custo, receita, investimento e capacidade. Como a função de operações é responsável por grande parte dos custos de uma empresa, sua primeira determinação é manter os custos sob controle. Além disso, pela forma como fornece serviço e qualidade, deveria também voltar-se para o aumento da capacidade do negócio em gerar receita. Da mesma forma, deveria tentar obter o melhor retorno possível desse investimento, visto que as operações são frequentemente a fonte de maior investimento. Finalmente, a função de operações deveria preparar as competências que formarão a longo prazo as bases para a competitividade futura.

Todos os processos deveriam ser gerenciados da mesma maneira?

Não necessariamente. Os processos diferem entre si, especialmente no que é conhecido como os quatro Vs: volume, variedade, variação e visibilidade. Os processos de alto volume podem aproveitar as economias de escala e serem sistematizados. Os processos de alta variedade necessitam de flexibilidade inerente suficiente para lidar com a ampla variedade de atividades que se espera deles. Os processos de alta variação devem ser capazes de mudar seus níveis de produção para lidar com níveis de demanda imprevisíveis e/ou altamente variáveis. Os processos de alta visibilidade adicionam valor enquanto o cliente está presente de alguma forma e, por isso, devem ser capazes de gerenciar as percepções dos clientes referentes às suas atividades. Geralmente, um alto volume aliado a baixa variedade, variação e visibilidade facilita os processos de baixo custo, enquanto um baixo volume aliado a altos níveis de variedade, variação e visibilidade aumenta os custos do processo. Apesar dessas diferenças, os gerentes de operações usam um conjunto de decisões e atividades comuns para gerenciá-las. Estas atividades podem ser agrupadas em quatro itens: direcionar a estratégia global da operação, projetar os produtos, serviços e processos da operação, planejar e controlar o processo de entrega e desenvolver o desempenho do processo.

QUESTÕES DIAGNÓSTICAS

O que é gerenciamento de operações e de processos?

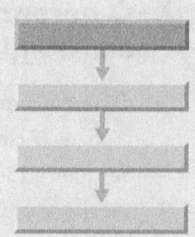

O gerenciamento de operações e de processos é a atividade de gerenciar os recursos e processos que produzem produtos e serviços. O núcleo desta disciplina provém do "gerenciamento de operações", que examina como a função de operações de um negócio produz produtos e serviços para os clientes externos. Usamos também os termos mais curtos "a operação" ou "operações" alternadamente com a "função de operações". Em algumas organizações o gerente de operações poderia ser chamado de outro nome, por exemplo, gerente de frota numa empresa de logística, gerente administrativo num hospital, ou gerente de loja num supermercado.

Todas as organizações têm operações, porque todas produzem produtos, serviços, ou uma combinação de ambos. Se você acha que não tem uma função de operações, você está errado. Se acha que sua função de operações não é importante, você também está errado. Examine os seis negócios ilustrados na Figura 1.2. Existem duas empresas de serviços financeiros, duas empresas de fabricação e dois hotéis. Todos têm *funções de operações* que produzem aquilo que seus clientes querem. Os hotéis produzem serviços de acomodação; os serviços financeiros investem, guardam, movimentam ou nos vendem dinheiro e oportunidades de investimento; e os negócios de fabricação mudam fisicamente a forma e a natureza dos materiais para produzir produtos. Esses negócios são de diferentes setores (bancário, hospedagem, manufatureiro, etc.), mas as principais diferenças entre suas atividades de operações não são necessariamente aquelas que se espera. Existem normalmente diferenças maiores *dentro* dos setores econômicos do que *entre* eles. Todas as três operações na coluna da esquerda da figura geram produtos e serviços econômicos e competem muito nos custos. As três na coluna da direita geram produtos e serviços mais valiosos que são mais caros para produzir e competem numa combinação de alta especificação e personalização. A implicação disso é importante. Significa que a aparência exterior de um negócio e o seu setor econômico são menos importantes ao determinar como suas operações deveriam ser gerenciadas do que suas características intrínsecas, como o volume de sua produção, a variedade de diferentes produtos e serviços que necessita produzir, e, acima de tudo, como está tentando competir em seu mercado.

> **Princípio de operações**
> Todas as organizações têm operações que produzem algum *mix* de produtos e serviços.

> **Princípio de operações**
> O setor econômico de uma operação é menos importante ao determinar como ela deveria ser gerenciada do que suas características intrínsecas.

Gerenciamento de operações e de processos

Dentro das operações mostradas na Figura 1.2, os recursos como pessoal, sistemas de computador, prédios e equipamentos serão organizados dentro de diversos "processos" individuais. Um "processo" é uma organização de recursos que transforma insumos em produtos que satisfazem as necessidades (internas ou externas) dos clientes. Assim, dentre outros, as operações bancárias contêm processos de gerenciamento de contas, as operações do hotel contêm processos de limpeza de quartos, as operações de fabricação de móveis contêm processos de montagem e assim por diante. A diferença entre *operações* e *processos* é de escala e, portanto, de complexidade. Ambos transformam insumos em produtos, mas em menor escala no caso de processos. Eles são os componentes das operações, de modo que a função

Serviços financeiros
Um centro de gerenciamento de conta em um grande banco do varejo
Bancos de investimento aconselham grandes clientes sobre aspectos de suas estratégias financeiras
Fonte: Royal Bank of Scotland
Fonte: F Schussler/PhotoDisc/Getty
Fabricação de móveis
QUALITY STATION
Produção em massa de unidades de cozinha
Reprodução artística de móveis "antigos"
Fonte: N. Slack
Fonte: Michael Pole/Corbis
Hotéis
Travelodge
Hotel econômico
Saguão de um hotel internacional luxuoso
Fonte: © Chris Batson/Alamy
Fonte: Arup

Figura 1.2 Todas as organizações têm operações, porque todas produzem algum *mix* de produtos e serviços. E as diferenças nas operações dentro de uma categoria de negócio são normalmente maiores que as diferenças entre os negócios.

total de operações é feita de processos individuais. Porém, dentro de qualquer negócio, a produção de produtos e serviços não está confinada à função de operações. Por exemplo, a função de *marketing* produz planos de *marketing* e previsões de vendas, a função de contabilidade produz orçamentos, a função de recursos humanos produz planos de desenvolvimento e de recrutamento e assim por diante. Na verdade, *cada* uma das partes de *qualquer* negócio está relacionada com o gerenciamento de processos. E o gerenciamento de operações e de processos é o termo que usamos para considerar o gerenciamento de todos os tipos de operação, não importando em que setor ou indústria, e de todos os processos, não importando em qual função do negócio. A verdade geral é que os processos estão em todos os lugares, e todos os tipos de gerentes têm algo a aprender estudando o gerenciamento de operações e de processos.

Da produção às operações e ao gerenciamento de operações e de processos

A Figura 1.3 ilustra como o escopo deste assunto tem se expandido. Originalmente, o gerenciamento de operações era muito mais associado ao setor de manufatura. Na realidade, era chamado gerenciamento da "produção" ou "manufatura" e estava relacionado exclusivamente com o negócio essencial

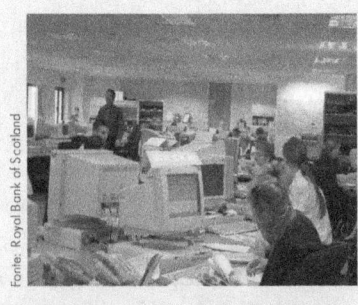

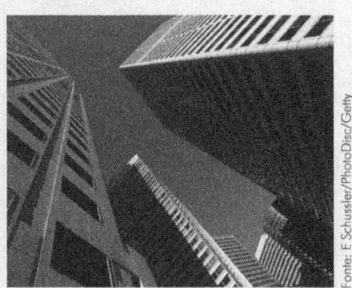

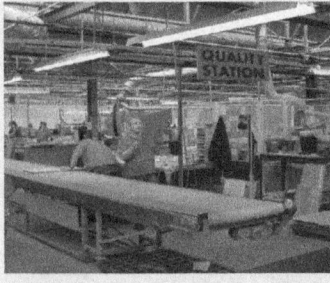

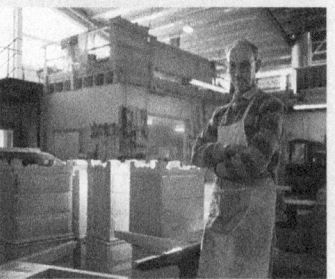

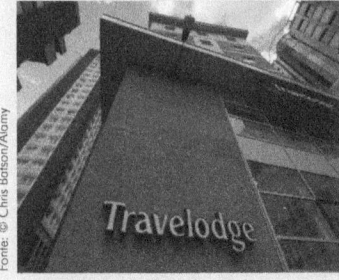

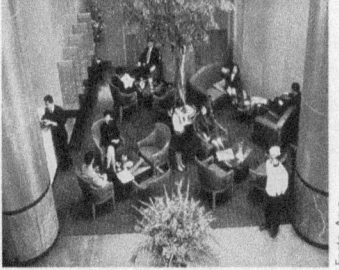

de produzir produtos físicos. Começando nos anos 1970 e 1980, o termo *gerenciamento de operações* tornou-se mais comum, sendo usado para refletir duas tendências. A primeira, e mais importante, foi de insinuar que muitas das ideias, abordagens e técnicas tradicionalmente usadas no setor industrial poderiam ser igualmente aplicáveis na produção de serviços. A segunda foi de ampliar o escopo da produção em empresas industriais, incluindo não apenas os processos essenciais que produzem diretamente produtos, mas também os processos essenciais relacionados à produção como compras, distribuição física, serviço de pós-vendas e assim por diante, que contribuem para a produção e entrega de produtos. Mais recentemente, o termo *gerenciamento de operações e de processos* (ou às vezes apenas gerenciamento de processos) tem sido usado para denotar a mudança no escopo do assunto para incluir a organização inteira. Trata-se de um termo mais amplo que o gerenciamento de operações, pois se aplica a todas as partes da organização. É exatamente assim que tratamos o assunto neste livro. Essa é a razão de ser chamado "Gerenciamento de Operações e de *Processos*". Ele inclui o exame da função de operações em ambos os setores, de manufatura e de serviços, e também o gerenciamento de processos nas funções não operacionais.

No começo de todos os capítulos, serão apresentados dois exemplos de negócios individuais, ou tipos de negócios, que ilustram o tópico que é examinado no capítulo. Aqui consideramos dois negócios – uma empresa de serviços e uma empresa de manufatura – os quais tiveram sucesso, em parte, por causa de sua abordagem criativa no gerenciamento de operações e de processos.

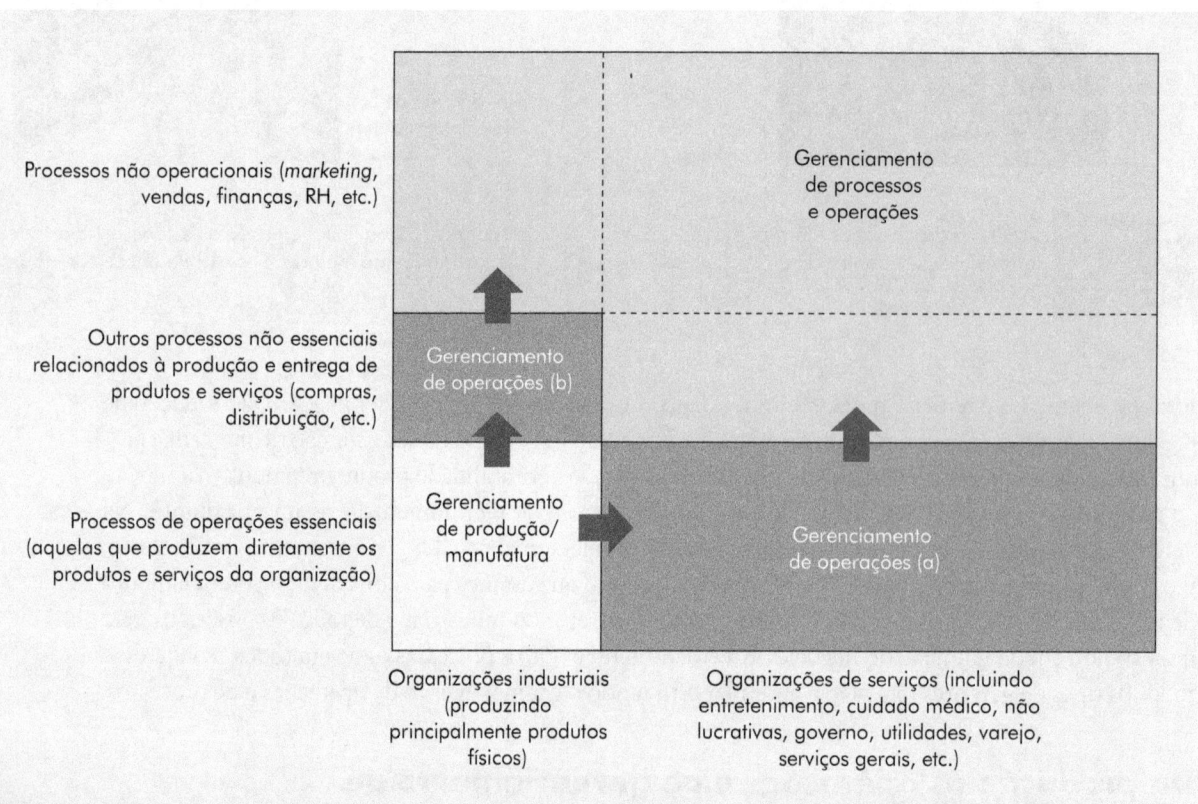

Figura 1.3 O gerenciamento de operações, que tratava apenas dos processos essenciais de produção nas organizações industriais, expandiu-se e passou a incluir as organizações de serviço, os processos de operações não essenciais e os processos em outras funções como *marketing*, finanças e RH.

| Exemplo | IKEA[1] |

Gostando dela ou não, a IKEA é a maior varejista de móveis que já existiu. Com 276 lojas em 36 países, a maior parte delas na Europa, EUA, Canadá, Ásia e Austrália, a organização desenvolveu seu jeito próprio e especial de vender móveis. O leiaute de suas lojas faz os clientes passarem cerca de duas horas dentro delas – bem mais do que nas lojas dos concorrentes. A filosofia da IKEA remonta às suas origens, nos anos 1950 na Suécia, onde foi fundada por Ingvar Kamprad. Já que os clientes queriam ver alguns de seus móveis, ele construiu uma sala de exposição, não no centro de Estocolmo, onde era caro, mas nos arredores da cidade. Em vez de comprar pontos de exibição com valores mais altos, ele simplesmente arrumava os móveis como estariam em uma disposição doméstica. Além disso, em vez de levar os móveis do armazém para o showroom, ele pedia para os clientes escolherem seus móveis do armazém, uma abordagem que ainda hoje é a base do processo da IKEA.

Fonte: Vario Images GmbH & Co./Alamy

Todas as lojas são projetadas para facilitar o fluxo regular dos clientes, de estacionar, andar pela loja, até pedir e escolher mercadorias. Na entrada de cada uma delas, grandes quadros de aviso dão sugestões aos compradores que não visitaram a loja antes. Para crianças, há uma área supervisionada de jogos, um pequeno cinema, uma sala principal e banheiros para os pais e para os bebês, assim os pais podem deixar suas crianças na área de jogos durante um tempo. Se a criança tiver qualquer problema, os pais serão chamados pelo sistema de alto-falante. Os clientes também tem à disposição carrinhos para manter suas crianças com eles. A IKEA gosta de permitir aos clientes decidir-se a seu próprio tempo. Se for necessária uma sugestão, os pontos de informação têm pessoas que podem ajudar. Todo móvel tem um cartão com um número de código que indica o local no armazém de onde ele pode ser coletado. (Para artigos maiores, os clientes têm ajuda nos balcões de informação.) Há também uma área onde artigos menores

Fonte: Jim Lo/AFP/Getty

são exibidos e podem ser escolhidos diretamente. Os clientes então atravessam o armazém de autoatendimento, onde podem pegar os artigos vistos no showroom. Finalmente, os clientes pagam na saída, onde uma transportadora leva as compras até a equipe dos caixas. A área de saída tem pontos de atendimento e uma área de carga que permite aos clientes trazerem seus carros do estacionamento e carregarem suas compras.

Entretanto, o sucesso traz os seus próprios problemas e alguns clientes ficaram cada vez mais frustrados com a superlotação e os longos tempos de espera. Em resposta a isso, a IKEA do Reino Unido lançou em 2006 um programa de £150.000.000 para eliminar os gargalos. As mudanças incluem:

- atalhos claramente demarcados dentro da loja, permitindo aos clientes que querem visitar apenas uma área evitar ter de percorrer as áreas precedentes
- caixas rápidos para os clientes com apenas uma sacola em vez de carrinhos de compras
- pessoal de apoio extra em pontos-chave para ajudar os clientes
- reprojeto dos estacionamentos, tornando mais fácil o tráfego
- eliminação da proibição de levar os carrinhos de compras até o estacionamento (proibição implementada originalmente para evitar que os veículos fossem danificados)
- um novo sistema de armazém para impedir que as linhas de produtos populares acabem durante o dia
- mais áreas para as crianças brincarem

A porta-voz da IKEA, Nicki Craddock, disse: *"Sabemos que as pessoas adoram os nossos produtos, mas odeiam a experiência de comprar em nossas lojas. Os clientes nos dizem isso todos os dias, então não podemos nos dar ao luxo de não mudar. Percebemos que muitas pessoas se ofendem ao serem conduzidas como ovelhas no longo caminho por dentro das lojas. Agora, se você souber o que procura e apenas quiser chegar até o produto, pegá-lo e levá-lo, você pode"*.

> **Exemplo** — Operações na Virgin Atlantic[2]

Uma empresa aérea é particularmente difícil de ser bem conduzida. Poucos ramos além desse podem causar mais frustrações ao cliente e fazer com que seus proprietários percam tanto dinheiro. Isto ocorre porque manter uma empresa aérea, além da infraestrutura da qual ela depende, é um negócio extremamente complexo, onde a diferença entre o sucesso e o fracasso reside realmente no modo pelo qual você gerencia as operações no dia a dia. Nesse difícil ambiente de negócios, uma das empresas aéreas mais bem-sucedidas e cuja reputação cresceu devido ao modo pelo qual gerencia as suas operações é a Virgin Atlantic. Parte integrante do Virgin Group, propriedade de Sir Richard Branson, a Virgin Atlantic Airways foi fundada em 1984 com 51% das ações pertencentes ao Virgin Group e 49% pertencentes à Singapore Airlines. Atualmente, a companhia aérea transporta mais de 5.000.000 de passageiros a cada ano para 30 destinos pelo mundo, com uma frota de 38 aeronaves e quase 10.000 empregados.

Sob muitos aspectos, a Virgin Atlantic representa a história do Virgin Group – um pequeno novato chegando num mercado gigantesco e sedimentado, introduzindo ao mesmo tempo serviços melhores e custos mais baixos para os passageiros, construindo também uma reputação de qualidade e inovação em serviços. A declaração da missão da empresa é "ser uma companhia aérea lucrativa, na qual as pessoas adorem voar e onde as pessoas adorem trabalhar" e um compromisso com a excelência dos serviços, confirmados pelos muitos prêmios que ela recebeu.

A reputação da Virgin Atlantic inclui uma história de inovação em serviços. Ela gastou £100.000.000 instalando a sua nova suíte Upper Class que proporciona o encosto mais longo e confortável de toda a história das companhias aéreas. Também foi a primeira companhia a oferecer aos passageiros da classe executiva TVs individuais, já em 1989. Hoje ela possui um dos mais avançados sistemas de entretenimento durante o voo de todas as empresas aéreas, com mais de 300 horas de conteúdo em vídeo, 14 canais de áudio, mais de 50 CDs, áudio-livros e jogos de computador sob pedido. A nova ala Upper Class, lançada recentemente no aeroporto londrino de Heathrow, possui um canal de segurança dedicado para uso exclusivo dos clientes da Virgin Atlantic, permitindo que os passageiros a negócios percorram rapidamente o terminal, indo da limousine até a sala de embarque em minutos.

A Virgin Atlantic enfatiza as ações práticas que está adotando para tornar o seu negócio tão sustentável quanto possível, usando o *slogan* "reciclamos exaustivamente, especialmente os nossos lucros". Isto se refere à promessa feita pelo presidente da empresa, Sir Richard Branson, de investir os lucros nos próximos 10 anos das empresas de transporte do grupo Virgin em projetos que combatam as mudanças climáticas. *"Devemos nos livrar rapidamente da nossa dependência do carvão e dos combustíveis fósseis"*, disse Sir Richard. *"Os fundos serão investidos em esquemas para desenvolver novas tecnologias de energia renovável, a partir de uma unidade de investimento chamada Combustíveis Virgin."* A organização Friends of the Earth recebeu bem o anúncio de Sir Richard, mas o grupo de pressão ambiental também alertou que o crescimento contínuo e acelerado das viagens aéreas não pode ser mantido sem "provocar um desastre climático".

O que esses dois exemplos têm em comum?

Todos os gerentes de operações na IKEA e na Virgin Atlantic estão envolvidos com a mesma tarefa básica – gerenciar os processos que produzem seus produtos e serviços. E, em cada empresa, muitos dos gerentes, se não a maioria, que são chamados por algum outro título, estão envolvidos com o gerenciamento de seus próprios processos que contribuem para o sucesso do seu negócio. Embora existam diferenças entre os processos e operações de cada empresa, entre o tipo de serviços que fornecem, entre os recursos que usam e assim por diante, os gerentes em cada empresa tomam o mesmo *tipo* de decisões, até mesmo se *o que* eles decidem de fato é diferente. O fato das duas empresas terem sucesso por causa das suas operações eficazes e inovadoras também significa uma associação adicional. Isso significa, primeiramente, que ambas entendem a importância de adotar uma perspectiva de processo para entender suas redes de suprimentos, executar suas operações e gerenciar todos seus processos individuais. Sem isso, elas não conseguiriam sustentar seu impacto estratégico frente à dura competição do mercado. Segundo, ambas as empresas esperam que suas operações façam uma contribuição à sua estratégia global competitiva. E terceiro, alcançando um impacto estratégico, ambas entenderão a importância de gerenciar *todos* os seus processos individuais de forma que eles também possam todos contribuir para o sucesso dos negócios.

QUESTÕES DIAGNÓSTICAS

As empresas adotam uma perspectiva de processos?

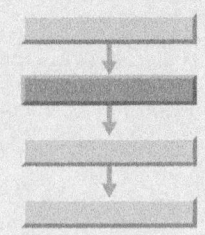

Se uma empresa adota uma perspectiva de processo, ela entende que todas as partes do negócio podem ser vistas como processos e que todos os processos podem ser gerenciados usando os princípios de gerenciamento de operações. Mas também é importante entender que uma perspectiva de processo não é a única forma de descrever os negócios ou qualquer tipo de organização. Uma organização poderia ser representada como uma "estrutura organizacional" convencional que mostra as relações equilibradas entre vários departamentos ou grupos de recursos. Mas até mesmo uma pequena experiência em qualquer organização mostra que raramente a estrutura organizacional representa completamente a organização. De forma alternativa, uma organização poderia ser descrita pelo modo como toma decisões – como equilibra critérios conflitantes, compara riscos, decide as ações e aprende com seus enganos. Ou é possível concentrar-se em sua cultura – os valores compartilhados, a ideologia, o padrão de pensamento e rituais diários, ou suas relações de poder – em como é governada, em como busca consensos (ou pelo menos reconciliação) e assim por diante. Ou se pode representar a organização como um conjunto de processos interconectados e (com sorte) todos contribuindo para cumprir as metas estratégicas da empresa. Esta é a perspectiva que enfatizamos ao longo deste livro. Como definimos aqui, a perspectiva do processo analisa as empresas como um conjunto de processos relacionados. Muitos destes processos estarão dentro da função de operações e contribuirão diretamente para a produção de seus produtos e serviços. Outros processos estarão nas outras funções do negócio, mas ainda será necessário gerenciá-los usando princípios semelhantes a esses dentro da função de operações. Nenhuma dessas perspectivas individuais fornece um quadro total das organizações reais, mas tampouco são mutuamente excludentes.

> **Princípio de operações**
> Existem muitas abordagens válidas para descrever as organizações. Dentre elas, a perspectiva de processo é especialmente importante.

Uma perspectiva de processo não impede a compreensão da influência das relações de poder sobre a forma como os processos funcionam e assim por diante. Cada perspectiva acrescenta algo à nossa capacidade de compreensão e, portanto, de gerenciar de forma mais eficaz um negócio.

Usamos a perspectiva de processo aqui não porque é a única forma útil e informativa de entender os negócios, mas porque é a perspectiva que vincula diretamente o modo como gerenciamos recursos em um negócio com seu impacto estratégico. Sem um gerenciamento de processos eficiente, o melhor plano estratégico pode nunca se tornar realidade. As promessas mais atraentes feitas a clientes ou a consumidores nunca serão cumpridas. Também a perspectiva de processo tem sido tradicionalmente subestimada. Só há pouco tempo o assunto de gerenciamento de operações e de processos começou a ser visto como universalmente aplicável e, mais importante, universalmente valioso.

Portanto, o gerenciamento de operações e de processos é pertinente a todas as partes das empresas

Se os processos existem em todos os lugares na organização, o gerenciamento de operações e de processos é uma responsabilidade comum de todos os gerentes, independente de sua função. Cada função terá seu conhecimento técnico, é claro. No *Marketing*, são incluídas as habilidades de mercado necessárias para projetar e moldar os planos de *marketing*; em Finanças, é incluído o conhecimento técnico das convenções de informações financeiras. Além disso, cada um terá um papel de *operações* que requer usar seus processos para produzir planos, políticas, relatórios e serviços. Por exemplo, a função de *marketing* tem processos com entradas de informação de mercado, pessoal, computadores e assim por diante. Sua equipe transforma a informação em produção, como planos de *marketing*, campanhas publicitárias e organizações de esforço de vendas. Neste sentido, todas as funções são operações com seu próprio conjunto de processos.

> **Princípio de operações**
> Todas as partes da empresa gerenciam os processos de modo que todas têm uma função de operações e precisam entender o gerenciamento de operações.

As implicações disso são muito importantes. Visto que todo gerente em todas as partes de uma organização é, até certo ponto, um gerente de operações, todos deveriam querer oferecer um bom atendimento aos seus clientes, e todos vão querer fazer isto de forma eficaz. Portanto, o gerenciamento de operações deve ser pertinente a todas as funções, unidades e grupos dentro da organização. E os conceitos, as abordagens e as técnicas de gerenciamento de operações podem ajudar a melhorar qualquer processo em qualquer parte da organização.

O modelo entrada-transformação-saída

Fundamental para entender a perspectiva de processos é a ideia de que todos os processos transformam *entradas* em *saídas*. A Figura 1.4 mostra o *modelo geral do processo de transformação* que é usado para descrever a natureza dos processos. Ele expressa que os processos abrangem um conjunto de recursos de entrada, em que alguns são transformados em produção de produtos e/ou serviços e alguns fazem a transformação.

> **Princípio de operações**
> Todos os processos têm entradas de recursos em transformação e transformados que eles usam para gerar produtos e serviços.

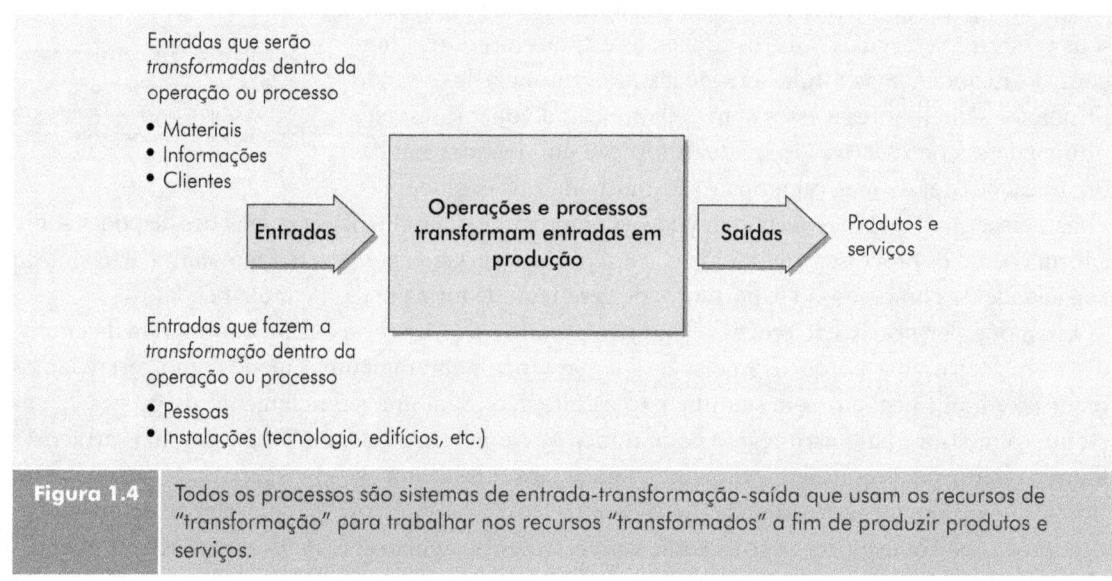

Figura 1.4 Todos os processos são sistemas de entrada-transformação-saída que usam os recursos de "transformação" para trabalhar nos recursos "transformados" a fim de produzir produtos e serviços.

Entradas de processo

Entradas de recursos *transformados* são os recursos que são modificados de alguma forma dentro de um processo. Normalmente, são materiais, informações ou clientes. Por exemplo, um processo comum em um banco é a impressão do extrato de contas para seus clientes. Fazendo isso, ele está processando materiais. Ainda no banco, clientes são processados ao receberem orientação sobre seus negócios financeiros, ao trocarem seus cheques, etc. Porém, detrás disso, a maioria dos processos do banco está relacionada com o processamento da informação sobre os negócios financeiros de seus clientes. Na realidade, para a função de operações do banco como um todo, seus processos de transformação da informação são provavelmente os mais importantes. Como clientes, podemos ficar insatisfeitos com extratos mal impressos e, até mesmo, se não somos tratados adequadamente no banco. Mas se o banco cometer erros em nossas transações financeiras, nosso prejuízo é mais sério.

> **Princípio de operações**
> As entradas de recursos transformados para um processo são materiais, informações ou clientes.

Existem dois tipos de recursos de *transformação* que formam o alicerce de todos os processos: as *instalações* (os edifícios, o equipamento, a planta e a tecnologia do processo da operação) e as *pessoas* (que operam, mantêm, planejam e gerenciam a operação).

> **Princípio de operações**
> Todos os processos têm recursos de transformação de instalações e de pessoas.

A natureza exata dos dois recursos, instalações e pessoas, será diferente entre os processos. Em um hotel cinco estrelas, as instalações consistem principalmente em edifícios, móveis e utensílios. Em um porta-aviões nuclear, as instalações são o gerador nuclear, as turbinas e o equipamento sofisticado de detecção eletrônica. Embora uma operação seja relativamente de baixa tecnologia e a outra de alta tecnologia, todos os seus processos requerem instalações eficazes e bem mantidas. As pessoas também são diferentes entre os processos. A maioria do pessoal empregado em um processo de montagem de um aparelho doméstico pode não precisar de um nível muito alto de habilidade técnica; por outro lado, a maioria do pessoal empregado em uma firma de contabilidade, em um processo de auditoria, é altamente qualificada em sua habilidade "técnica" particular (contabilidade). Contudo, embora as habilidades variem, todas as pessoas têm uma contribuição a fazer para a eficácia da sua operação. Um trabalhador descuidado na montagem de refrigeradores com certeza descontentará os clientes e aumentará os custos, assim como um contador que não sabe somar.

Saídas de processo

Todos os processos produzem produtos e serviços e, embora produtos e serviços sejam diferentes, a diferença pode ser sutil. Talvez a diferença mais óbvia esteja na sua tangibilidade. Os produtos normalmente são tangíveis (você pode tocar fisicamente uma televisão ou um jornal), porém os serviços normalmente são intangíveis (você não pode tocar sugestões de consultoria ou um corte de cabelo, embora você seja capaz de ver ou sentir os resultados). Além disso, os serviços podem ter uma validade mais curta. Em geral, os produtos podem ser armazenados por um tempo – alguns produtos alimentícios, somente por alguns dias, e os edifícios, por centenas de anos. Mas o tempo de vida de um serviço quase sempre é muito mais curto. Por exemplo, o serviço de acomodação em um quarto de hotel nesta noite será perdido se não for vendido antes desta noite – a acomodação no mesmo quarto amanhã é um serviço diferente.

Os três níveis de análise

O gerenciamento de operações e de processos usa a perspectiva de processo para analisar os negócios em três níveis. O nível mais óbvio é o da própria empresa, ou, mais especificamente, a função de operações da empresa. As outras funções da empresa também poderiam ser tratadas neste nível, mas isso estaria além do escopo deste livro. E, quando for importante analisar a empresa no nível da

Figura 1.5 O gerenciamento de operações e de processos requer a análise em três níveis: a rede de suprimentos, a operação e o processo.

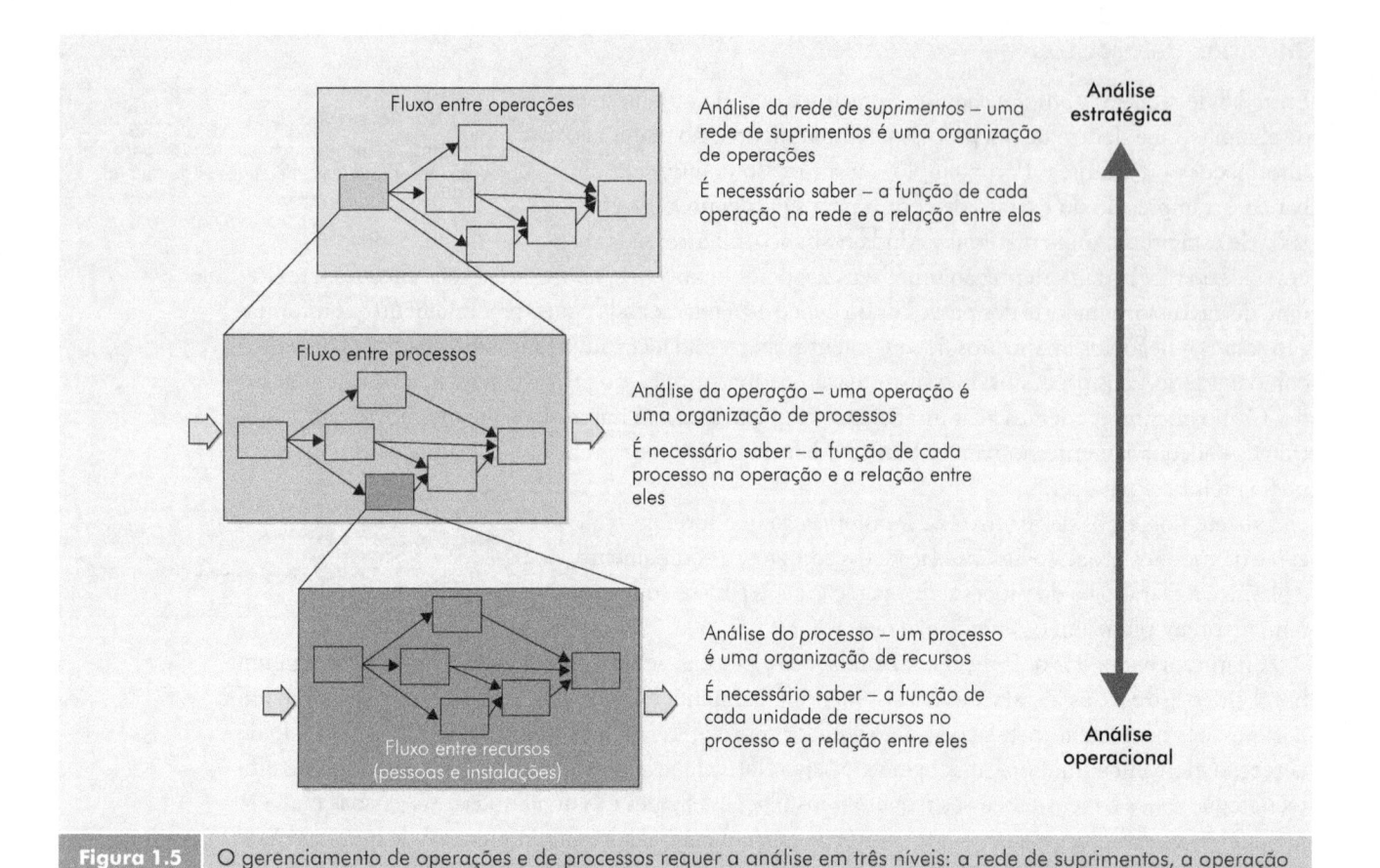

Princípio de operações
Uma perspectiva de processo pode ser usada em três níveis: o nível da própria operação, o nível da rede de suprimentos e o nível dos processos individuais.

operação, para uma avaliação mais abrangente precisamos também analisar a contribuição do gerenciamento de operações e de processos num nível mais alto e mais estratégico (o nível de sua rede de suprimentos) e a um nível mais baixo, mais operacional (o nível dos processos individuais). Esses três níveis de análise de operações são mostrados na Figura 1.5.

A perspectiva de processo no nível da operação

A própria parte de operações de um negócio é um sistema de entrada-transformação-saída que transforma várias entradas para produzir (normalmente) uma variedade de diferentes produtos e serviços. A Tabela 1.1 mostra algumas operações descritas, ressaltando suas principais entradas, a finalidade das suas operações e sua produção. Observe como algumas das entradas da operação são transformadas de uma forma, enquanto outras fazem a transformação. Por exemplo, a aeronave de uma companhia aérea, os pilotos, a tripulação de voo e a tripulação de terra são levados para dentro da operação para agir nos passageiros e na carga e mudar (transformar) sua localização. Note também como, em algumas operações, os próprios clientes são as entradas. (A companhia aérea, a loja de departamentos e o departamento de polícia são todos assim.) Isso ilustra uma diferença importante entre as operações cujos clientes recebem sua produção sem enxergar dentro da operação, e aquelas cujos clientes são as entradas para a operação e, portanto, têm alguma visibilidade dos seus processos. Gerenciar as operações de alta visibilidade, em que o cliente está dentro da operação, normalmente envolve um conjunto de

Tabela 1.1	Algumas operações descritas em termos das suas entradas, finalidades e saídas		
Tipo de operação	Quais são as entradas da operação?*	O que a operação faz?	Quais são as saídas da operação?
Empresa aérea	Aeronave Pilotos e tripulação de voo Equipes de terra *Passageiros* *Carga*	Move os passageiros e o frete ao redor do mundo	Os passageiros transportados e o frete
Loja de departamentos	*Mercadorias para venda* Equipe de vendas Registros computadorizados *Clientes*	Exibe mercadorias Dá sugestões de vendas Vende mercadorias	Os clientes e as mercadorias "montados" juntos
Departamento de polícia	Oficiais de polícia Sistemas de computador *Informação Pública (veredicto legal e criminal)*	Previne o crime Investiga o crime Apreende os criminosos	Cumprimento das leis Público com sentimento de segurança
Fabricante de comida congelada	*Comida fresca* Operadores Processadores de alimentos Congeladores	Preparação da comida Congelamento	Comida congelada

*Recursos de entrada que são transformados estão impressos em itálico.

necessidades e habilidades diferente das operações cujos clientes nunca enxergam dentro da operação. (Discutiremos essa questão de visibilidade mais adiante neste capítulo.)

A maioria das operações produz produtos e serviços

Algumas operações produzem apenas produtos e outras apenas serviços, mas a maioria das operações produz uma combinação dos dois. A Figura 1.6 mostra um número de operações posicionadas num espectro de produtores de mercadorias quase puras até produtores de serviços quase puros. Produtores de óleo mineral se preocupam quase exclusivamente com o produto que vem dos seus poços de petróleo. O mesmo vale para os fundidores de alumínio, mas eles também podem produzir alguns serviços como assessoria técnica. Numa profundidade maior, os fabricantes de máquinas-ferramenta produzem serviços como a assessoria técnica e a engenharia de aplicações, bem como produtos. Os serviços produzidos por restaurantes são parte essencial do que o cliente está pagando. Ambos produzem bens e fornecem serviço. Uma empresa de serviços de sistemas de computador pode produzir produtos de *software*, mas, mais do que isso, fornece um serviço de assessoria e personalização para seus clientes. Uma consultoria gerencial, embora produza relatórios e documentos, poderia se considerar em grande parte como um fornecedor de serviço. Finalmente, alguns serviços puros não produzem produtos em si. Por exemplo, uma clínica de psicoterapia fornece tratamento terapêutico para seus clientes sem qualquer produto físico.

> **Princípio de operações**
> A maioria das operações produz um misto de produtos tangíveis e serviços intangíveis.

Serviços e produtos se confundem

Cada vez mais a diferença entre serviços e produtos está difícil de ser definida e não é particularmente útil. Até mesmo as estatísticas oficiais compiladas pelos governos têm dificuldade de separar produtos e serviços. O programa vendido em um disco é classificado como um produto. O mesmo programa vendido pela Internet é um serviço. Algumas autoridades veem o propósito essencial de todos os negócios

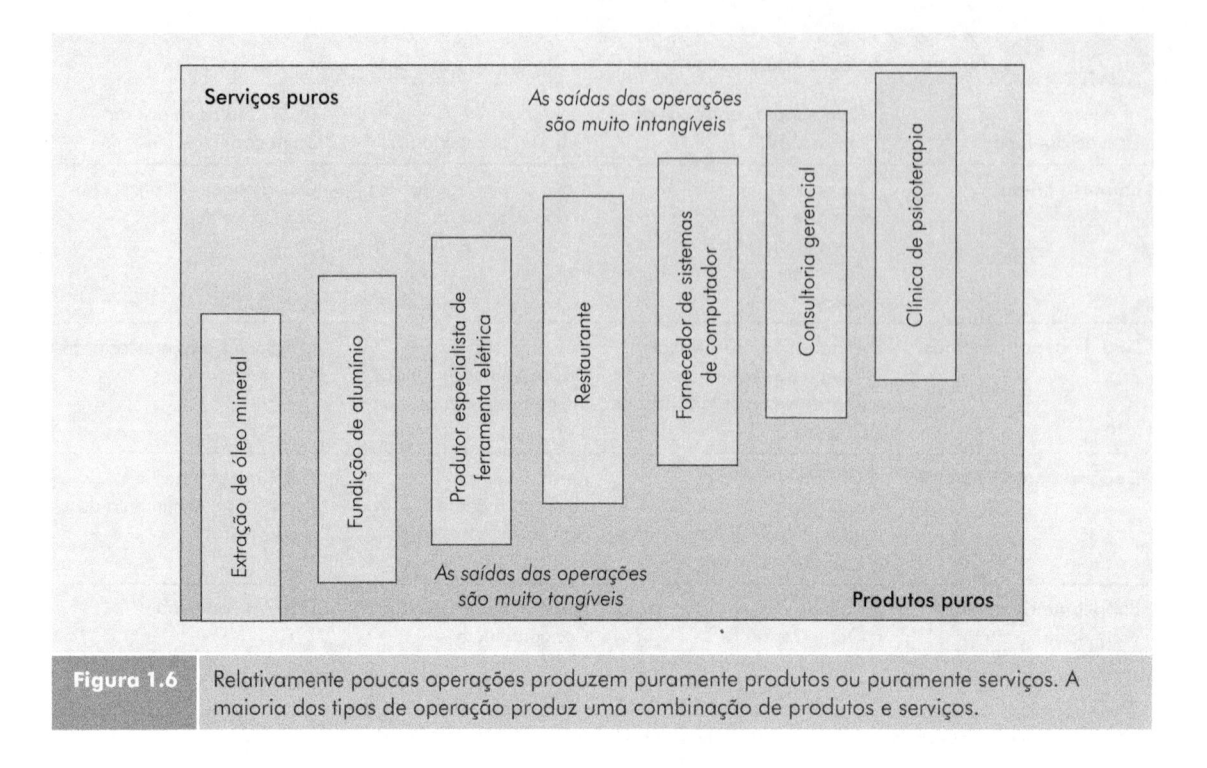

Figura 1.6 Relativamente poucas operações produzem puramente produtos ou puramente serviços. A maioria dos tipos de operação produz uma combinação de produtos e serviços.

e, portanto, de todas as operações, como sendo "servir aos clientes". Por isso, eles argumentam, todas as operações são fornecedoras de serviço que podem (ou não podem) produzir produtos como um meio de servir seus clientes. Nossa abordagem neste livro está próxima disso. Tratamos o gerenciamento de operações e de processos como sendo importante para todas as organizações. Se eles se veem como produtores ou fornecedores de serviço é uma questão muito mais secundária.

A perspectiva de processo na rede de suprimentos

Qualquer operação pode ser vista como parte de uma grande rede de operações. Haverá operações que suprem a rede com os produtos e serviços que ela precisa para fazer seus próprios produtos e serviços. E a menos que ela lide diretamente com o consumidor final, suprirá clientes que podem continuar a suprir seus próprios clientes. Além disso, qualquer operação pode ter vários fornecedores e/ou vários clientes e pode competir com outras operações que produzem serviços semelhantes àqueles que ela mesma produz. Esse conjunto de operações é chamado de rede de suprimentos.

Há três questões importantes para entender qualquer rede de suprimentos de operação. Primeiro, ela pode ser complexa. As operações podem ter um grande número de clientes e fornecedores os quais também têm grandes números de clientes e fornecedores. Além disso, as relações entre as operações na rede de suprimentos podem ser sutis. Uma operação pode estar em competição direta com a outra em alguns mercados, enquanto, ao mesmo tempo, atuam como colaboradoras ou fornecedoras entre si em outros mercados. Segundo, teoricamente, os limites de qualquer operação da cadeia de suprimentos podem ser realmente muito amplos. Eles podem ir desde a operação de extração de matéria-prima do solo até o extremo da reutilização e/ou venda de um produto. Às vezes, é preciso, de fato, utilizar esta perspectiva (por exemplo, ao considerar a sustentabilidade ambiental dos produtos), mas em geral algum tipo de limite para a rede precisa ser determinado para que possa ser dada mais atenção para as operações mais imediatas. Terceiro, as redes de suprimentos estão sempre mudando. Certas operações, às vezes, não somente perdem alguns clientes e ganham outros ou mudam seus fornecedores; as redes também podem adquirir outras operações que já foram seus clientes ou seus fornecedores, ou vender partes do seu negócio, convertendo-as em clientes ou fornecedores.

Pensar no gerenciamento das operações num contexto de rede de suprimentos é uma questão especialmente importante para a maioria dos negócios. A questão muito importante para qualquer gerente de operações é "minha operação contribui como um todo para a rede de suprimentos?". Em outras palavras, somos um bom cliente para nossos fornecedores, considerando as vantagens que oferecemos a longo prazo? Somos bons fornecedores para nossos clientes visto que, por compreendermos a rede de suprimentos como um todo, entendemos suas necessidades e desenvolvemos a competência de satisfazê-los? Tendo em vista a importância da perspectiva da rede de suprimentos, tratamos desse assunto mais duas vezes neste livro: em termos estratégicos no Capítulo 3, quando discutiremos o projeto global da rede de suprimentos, e em termos mais operacionais no Capítulo 7, examinando o papel da cadeia de suprimentos na entrega de produtos e serviços.

A perspectiva de processo em termos de processos individuais

Visto que os processos são versões menores das operações, eles têm clientes e fornecedores da mesma maneira que todas as operações. Assim, podemos encarar qualquer operação como uma rede de processos individuais que interagem entre si, cada processo sendo, ao mesmo tempo, um fornecedor interno e um cliente interno para outros processos. Esse conceito de cliente interno fornece um modelo para analisar as atividades internas de uma operação. Se a operação inteira não está funcionando como deveria, somos capazes de localizar o problema ao longo dessa rede interna de clientes e fornecedores. Também pode ser uma lembrança útil para todas as partes da operação que, tratando seus clientes internos com o mesmo cuidado que eles têm com seus clientes externos, a eficácia de toda operação pode ser melhorada.

Muitos dos exemplos usados em nosso tratamento do gerenciamento de operações e de processos são processos de operações que fazem parte da função de operações. Mas alguns são processos não ope-

Tabela 1.2 Alguns exemplos de processos em funções não operacionais

Função organizacional	Alguns de seus processos	Saídas de seu processo	Cliente(s) para suas saídas
Marketing e vendas	Processo de planejamento Processo de previsão Processo de recebimento de pedido	Planos de *marketing* Previsões de vendas Pedidos confirmados	Gerência sênior Equipe de vendas, planejadores, operações Operações, finanças
Finanças e contabilidade	Processo de orçamento Processos de aprovação de capital Processos de faturamento	Orçamento Avaliações de pedido de capital Faturas	Todo mundo Gerência sênior, requerentes Clientes externos
Gerenciamento de recursos humanos	Processos de folha de pagamento Processos de recrutamento Processos de treinamento	Definições de salário Novas contratações Empregados treinados	Empregados Todos outros processos Todos outros processos
Tecnologia da informação	Processo de revisão dos sistemas Processo de atendimento Processos do projeto de implementação de sistemas	Avaliação do sistema Assistência Sistemas de trabalho implementados e assistência posterior	Todos outros processos Todos outros processos Todos outros processos

racionais e fazem parte de alguma outra função. Vale enfatizar novamente que esses processos também precisam de gerenciamento, usando os mesmos princípios. A Tabela 1.2 ilustra apenas alguns dos processos contidos em algumas das funções não operacionais mais comuns, as saídas desses processos e seus clientes.

Processos de negócio do início ao fim

Existe algo particularmente importante a entender sobre processos: podemos defini-los da forma que quisermos. Os limites entre os processos, as atividades que eles executam e os recursos que eles usam estão todos lá porque foram projetados daquele modo. É comum encontrar nas organizações processos definidos pelo tipo de atividade em que participam, tais como processos de faturamento, processos de projeto de produto, processos de vendas, processos de almoxarifado, processos de montagem, processos de pintura, etc. Essa definição pode ser conveniente porque agrupa recursos semelhantes, mas é apenas uma forma de estabelecer os limites entre os processos. Teoricamente, em grandes organizações deve existir um número quase infinito de modos de se agrupar atividades e recursos como processos distintos. Um modo de redefinir os limites e responsabilidades dos processos é considerar o conjunto de atividades do início ao fim que satisfazem as necessidades definidas do cliente. Pense nas várias formas de um negócio satisfazer seus clientes. Muitas atividades e recursos diferentes provavelmente contribuirão para "produzir" cada um de seus produtos e serviços. Algumas autoridades recomendam agrupar as atividades e os recursos do início ao fim para satisfazer cada necessidade definida do cliente. Essa abordagem é particularmente identificada com a engenharia de processo empresarial (ou reengenharia), examinada no Capítulo 13. Ela demanda uma reformulação radical do projeto do processo que provavelmente envolverá buscar atividades e recursos de funções diferentes e agrupá-los para atender as necessidades do cliente. Lembre-se, entretanto, de que projetar processos em torno das necessidades do cliente do início ao fim é apenas um modo (embora normalmente o modo sensato) de projetar processos.

> **Princípio de operações**
> Os processos são definidos pelo modo como a organização escolhe desenhar os limites de processo.

EXEMPLO ADICIONAL

Exemplo — A Divisão de Vídeo e Programa (DVP)

Uma empresa de radiodifusão tem várias divisões que incluem vários canais de televisão e rádio (entretenimento e notícias), uma divisão de "serviços gerais", que inclui uma oficina de projetos especiais, e a "Divisão de Vídeo e Programa" (DVP), que faz programas e vídeos para inúmeros clientes, inclusive canais de rádio e televisão que fazem parte da mesma empresa. As ideias originais para esses programas e vídeos normalmente vêm dos clientes que os patrocinam, embora a própria DVP contribua com a criação. O empreendimento é descrito em três níveis de análise na Figura 1.7.

No nível da operação

A divisão produz produtos na forma de fitas, discos e arquivos de mídia, mas seu verdadeiro "produto" é a criatividade e "habilidade artística" capturada nos programas. "Nós fornecemos um serviço", diz o chefe da divisão, "que interpreta as necessidades do cliente (e às vezes suas ideias) e as transforma em espetáculos atrativos e apropriados. Conseguimos fazer isso por causa das habilidades, da experiência e da criatividade de nosso pessoal, e da nossa tecnologia de ponta."

No nível da rede de suprimentos

A divisão tem optado em se especializar em certos tipos de produto, incluindo programas infantis, programas sobre a vida selvagem e vídeos de música. "Fazemos isso para que possamos desenvolver um alto nível de habilidades em algumas áreas com margem relativamente alta. Isso também reduz nossa dependência em relação a nossos

Figura 1.7 A análise do gerenciamento de operações e de processos para a Divisão de Vídeo e Programa (DVP) de uma empresa de radiodifusão nacional em três níveis: a rede de suprimentos, a operação e os processos individuais.

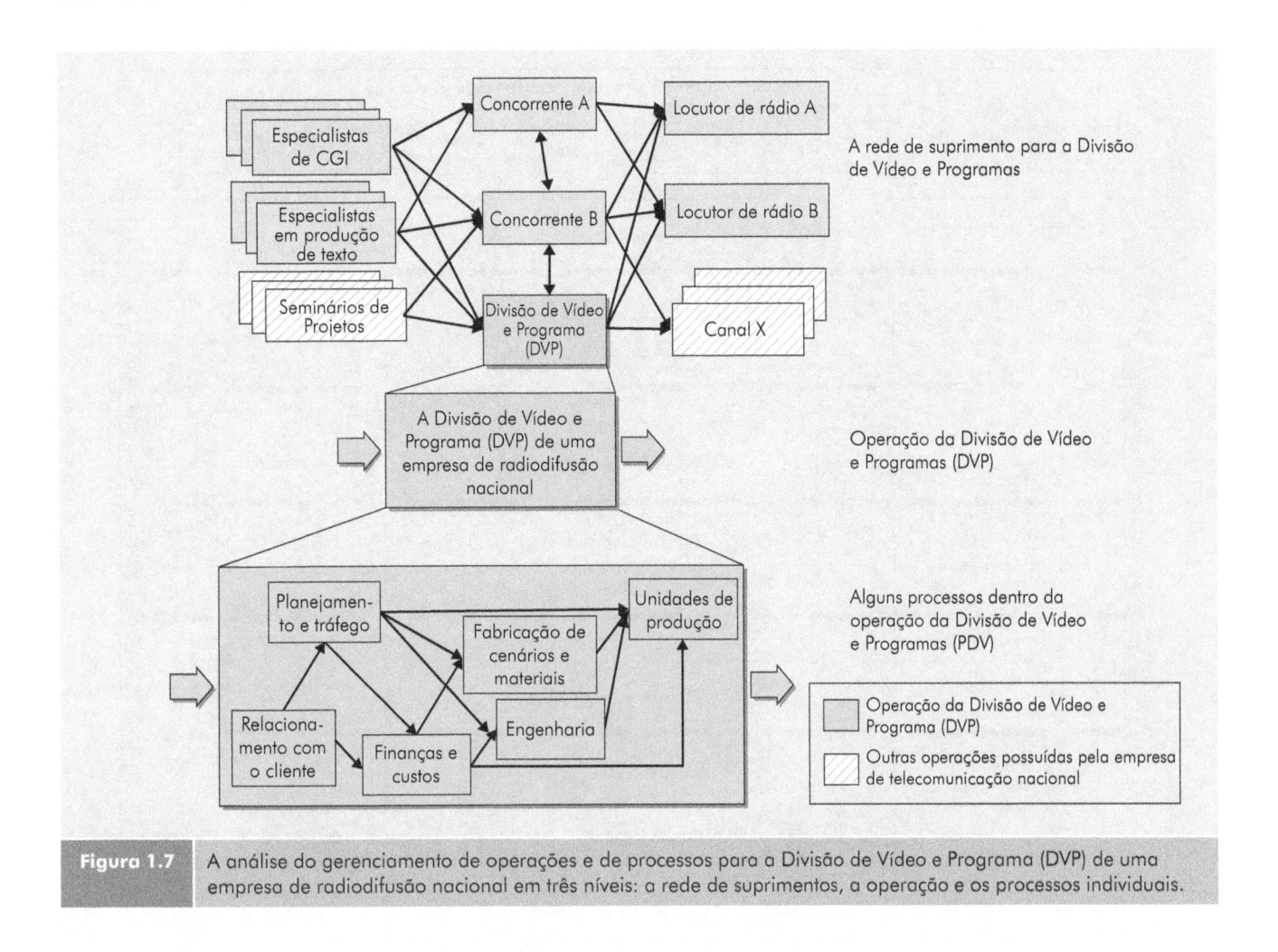

próprios canais de telecomunicações. Por termos nos especializado deste modo, estamos mais bem posicionados para formar parcerias e trabalhar para outros fabricantes de programas que são nossos concorrentes em alguns outros mercados. A especialização também nos permitiu terceirizar algumas atividades como imagem gráfica no computador (CGI) e produção de textos que não vale mais a pena manter em casa. Porém, nossa oficina de projeto se tornou um sucesso tão grande que foi 'exportada' como uma divisão própria, e agora trabalham para outras empresas bem como para nós."

No nível dos processos individuais

Muitos processos menores contribuem direta ou indiretamente para a produção de programas e vídeos, incluindo os seguintes:

- o departamento de planejamento e de tráfego que atua no gerenciamento de operações para toda a operação, preparando horários, alocando recursos e gerenciando o projeto de cada trabalho até a conclusão;
- oficinas que produzem alguns dos *sets*, cenários e peças para as produções;
- a equipe de relação com o cliente que testa ideias de programa oferecidas por eles e dá informações e sugestões para os programadores;
- um departamento de engenharia que modifica, projeta e cuida de equipamentos técnicos;
- unidades de produção que organizam e lançam os programas e vídeos;
- o departamento de custos e finanças que calcula o custo provável de projetos futuros, controla orçamentos operacionais, paga contas e faz a cobrança dos clientes.

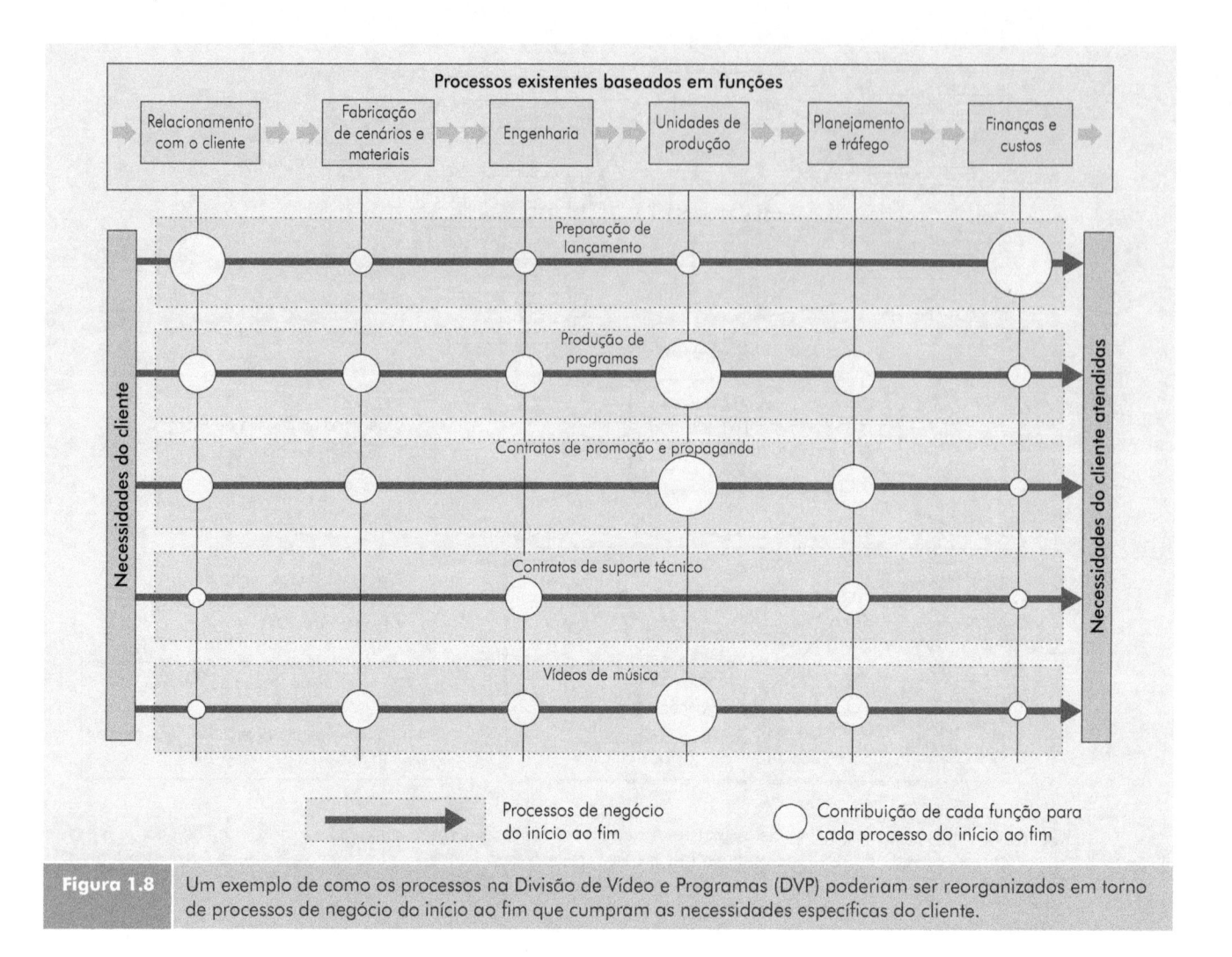

Figura 1.8 Um exemplo de como os processos na Divisão de Vídeo e Programas (DVP) poderiam ser reorganizados em torno de processos de negócio do início ao fim que cumpram as necessidades específicas do cliente.

Criando processos do início ao fim

A DVP produz vários produtos e serviços que cumprem as necessidades do cliente. Cada um deles, em grau diferente, envolve vários departamentos existentes dentro da empresa. Por exemplo, preparar uma proposta (uma apresentação de vendas que inclui estimativas do tempo e custo envolvidos nos projetos potenciais) requer contribuições, principalmente dos departamentos de Custos e Finanças e Relações com o Cliente, mas também precisa de contribuições menores de outros departamentos. A Figura 1.8 ilustra a contribuição de cada departamento para cada produto ou serviço. (Nenhuma sequência em particular é sugerida pela Figura 1.8.) As contribuições de cada departamento podem não acontecer todas na mesma ordem. Atualmente, todos os processos da divisão são agrupados em departamentos convencionais definidos pelo tipo de atividade que eles executam: engenharia, relacionamento com o cliente, etc. Um reprojeto radical da operação poderia envolver o reagrupamento de atividades e recursos em cinco processos de "negócio" que cumprem cada uma das cinco necessidades definidas do cliente. Esses processos são mostrados em forma de diagrama pelas linhas pontilhadas na Figura 1.8. Isso envolveria o movimento físico de recursos (pessoas e instalações) saindo dos processos funcionais atuais para dentro dos novos processos de negócio do início ao fim. Este é um exemplo de como os processos podem ser projetados de maneira que não reflitam necessariamente os agrupamentos funcionais convencionais.

QUESTÕES DIAGNÓSTICAS

O gerenciamento de operações e de processos tem um impacto estratégico?

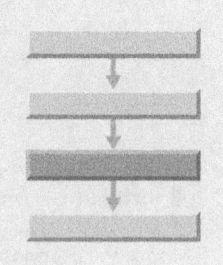

Um dos maiores enganos que uma empresa pode cometer é confundir "operações" com "operacional". Operacional é o oposto de estratégico; significa detalhado, localizado, curto prazo, cotidiano. Operações são os recursos que produzem produtos e serviços.[3] As operações podem ser tratadas *tanto* em termos operacional *quanto estratégicos*. Examinaremos algumas visões da estratégia de operações no próximo capítulo. Até agora, abordamos uma questão fundamental para qualquer operação – o modo como gerenciamos operações e processos têm um impacto estratégico? Se uma empresa não reconhece completamente o impacto estratégico que o gerenciamento eficaz de processos e operações pode ter, então no mínimo ela está perdendo uma oportunidade. Os exemplos recentes da IKEA e da Virgin Atlantic neste capítulo são apenas duas dentre muitas empresas que aproveitaram suas operações para criar impacto estratégico.

O gerenciamento de operações e de processos pode melhorar ou quebrar um negócio. Embora, para a maioria dos negócios, a função de operações represente o mais importante dos seus bens e a maioria do seu pessoal, o verdadeiro valor da operação é mais que importante. Pode melhorar a empresa, já que fornece a competência de responder aos clientes a curto prazo e a competência de pensar a longo prazo, mantendo-a à frente de seus concorrentes. Mas se uma função de operações não consegue produzir seus produtos e serviços de forma eficaz, pode "quebrar" o negócio dificultando seu desempenho, não importando como ele se posiciona e se vende em seus mercados.

Custo, receita, investimento e competência

A importância estratégica do gerenciamento de operações e de processos é cada vez mais reconhecida. Chama muito mais atenção do que chamava há alguns anos e, de acordo com alguns relatórios, responde pela maior parcela de dinheiro gasto pelas empresas com contratação de consultorias.[4] Em parte, isso pode ocorrer porque essa área foi negligenciada no passado. Mas também denota uma aceitação que pode ter impacto a curto e longo prazo. Isso pode ser observado no impacto que o gerenciamento de operações e de processos pode ter nos custos, receita, investimento e competências de negócios.

- Pode reduzir o **custo** de produzir produtos e serviços sendo eficiente. Quanto mais produtiva é a operação em transformar entradas em saídas, mais baixo será o custo de produzir uma unidade de produção. O custo nunca é totalmente irrelevante para as empresas, mas em geral quanto mais alto o custo de um produto ou serviço quando comparado ao preço que comanda no mercado, mais importante será a redução de custo como um objetivo de operações. Mesmo assim, a redução de custo quase sempre é tratada como uma contribuição importante que as operações podem fazer para o sucesso de qualquer negócio.
- Pode aumentar a **receita** elevando a satisfação do cliente pela qualidade, serviço e inovação. É mais provável que os clientes existentes sejam mantidos e os novos sejam atraídos para produtos e serviços se eles forem projetados sem erro e de forma adequada, se a operação for rápida e prestativa, satisfazendo suas necessidades e mantendo suas promessas de entrega, e se a operação puder ser flexível, tanto em personalizar seus produtos e serviços quanto em introduzir novos. São as operações

que influenciam diretamente a qualidade, velocidade, confiança e flexibilidade da empresa; todos estes itens têm um maior impacto na competência de uma empresa em maximizar suas receitas.
- Pode assegurar o **investimento eficaz** (chamado *capital empregado*) para produzir seus produtos e serviços. No fim das contas, todas as empresas no mundo comercial são julgadas pelo retorno que produzem para seus investidores. O retorno sobre o investimento é uma função do lucro (a diferença entre custos e receitas) e da quantia de dinheiro investida nos recursos das operações do negócio. Já dissemos que operações eficazes e eficientes podem reduzir custos e aumentar receitas, mas o que às vezes é negligenciado é seu papel na redução do investimento requerido por unidade de produção. O gerenciamento de operações e de processos faz isto aumentando a capacidade efetiva da operação e sendo inovador no modo como usa seus recursos físicos.

> **Princípio de operações**
> É provável que todas as operações contribuam para o seu negócio controlando custos, aumentando as receitas, fazendo investimentos mais eficazes e aumentando as competências a longo prazo.

- Pode **construir competências** que formarão a base para a inovação *futura* ao estabelecer uma sólida rede de habilidades e conhecimento de operações dentro da empresa. Toda vez que uma operação produz um produto ou um serviço, tem-se a oportunidade de acumular conhecimento sobre como aquele produto ou serviço é melhor produzido. Este acúmulo de conhecimento deveria ser usado como uma base de aprendizado e melhoria. Nesse caso, a longo prazo, podem ser construídas competências que permitirão à operação responder a futuros desafios de mercado. De forma recíproca, se uma função de operações é vista simplesmente como a realização mecânica e rotineira de pedidos do cliente, então é difícil construir a base do conhecimento que permitirá a inovação futura.

Exemplo — A Divisão de Vídeo e Programa (DVP) – continuação

A DVP, descrita antes, deveria ser capaz de identificar todos os quatro modos nos quais suas operações e processos podem ter um impacto estratégico. É esperado que a Divisão gere lucros razoáveis, controlando seus custos e podendo praticar tarifas relativamente altas. "Com certeza, precisamos manter nossos custos baixos. Nós sempre revisamos nossos orçamentos para materiais e serviços comprados. Igualmente importante: medimos a eficiência de todos nossos processos e esperamos melhorias anuais na eficiência do processo para compensar qualquer aumento em custos de entrada. (Redução de custos) Nossos serviços estão sendo solicitados por clientes porque é bom trabalhar conosco", diz o Diretor Gerente da divisão. "Temos os recursos técnicos para fazer um trabalho realmente bom e sempre fornecemos um bom serviço. Os projetos são cumpridos dentro do prazo e do orçamento. Mais importante, nossos clientes sabem que podemos trabalhar com eles para assegurar programações com um alto nível de criatividade. É por isso que podemos ter preços razoavelmente altos." (Aumento de Receita) A divisão também precisa justificar seus gastos anuais em equipamento para seu pessoal da diretoria. "Tentamos e nos mantemos atualizados com a nova tecnologia que pode realmente aprimorar nossa programação, mas sempre temos de demonstrar como isto melhorará a rentabilidade. (Investimento eficaz) Também tentamos adaptar novas tecnologias e integrá-las em nossos processos criativos de algum modo, de forma que nos dê algum tipo de vantagem sobre nossos concorrentes." (Construção de competências)

Gerenciamento de operações em organizações não lucrativas

Termos como *vantagem competitiva*, *mercados* e *negócio*, usados neste livro, normalmente são associados a empresas que visam o lucro. Entretanto, o gerenciamento de operações também é relevante para organizações cujo propósito não é principalmente lucrar. Gerenciar operações em uma organização voluntária de proteção animal, em um hospital, em uma organização de pesquisa ou em um departamento do governo é essencialmente o mesmo que em organizações comerciais. Porém, os objetivos estratégicos de organizações não lucrativas podem ser mais complexos e envolver uma combinação de objetivos políticos, econômicos, sociais e/ou ambientais. Consequentemente, pode haver uma maior chance de as decisões de operações serem tomadas sob objetivos conflitantes. Assim, por exemplo, temos a equipe de operações em um departamento de bem-estar de menores que tem de enfrentar o conflito entre o custo de manter assistentes sociais extras e o risco de uma criança não receber proteção adequada.

QUESTÕES DIAGNÓSTICAS

Todos os processos deveriam ser gerenciados da mesma maneira?

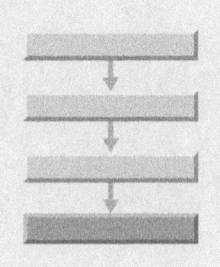

Todos os processos diferem de algum modo. Então, até certo ponto, todos os processos precisam ser gerenciados de forma diferente. Algumas das diferenças entre os processos são "técnicas", já que diferentes produtos e serviços exigem diferentes habilidades e tecnologias para produzi-los. Porém, os processos também diferem em termos da natureza da demanda de seus produtos ou serviços. Quatro características da demanda, em particular, têm um efeito significativo sobre como os processos precisam ser gerenciados:

> **Princípio de operações**
> O modo como os processos precisam ser gerenciados é influenciado pelo volume, variedade, variação e visibilidade.

- O volume dos produtos e serviços produzidos
- A variedade dos diferentes produtos e serviços produzidos
- A variação na demanda para produtos e serviços
- O grau de visibilidade que os clientes têm da produção de produtos e serviços.

Os "quatro Vs" de processos

Volume

Processos com um alto volume de produção terão um alto grau de repetição; portanto, faz sentido para o pessoal especializar-se nas tarefas que executam. Isso permite a sistematização de atividades em que os procedimentos padrão podem ser classificados e escritos num manual com instruções de como cada parte do trabalho deve ser executada. Além disso, visto que as tarefas são sistematizadas e repetidas, normalmente vale a pena desenvolver uma tecnologia especializada que forneça maior eficiência ao processo. Por outro lado, processos de baixo volume com menos repetição não podem se especializar no mesmo grau. É provável que o pessoal execute uma variedade extensiva de tarefas e, embora seja mais recompensador, será menos aberto à sistematização. É provável que nem a tecnologia eficiente, de alto processamento, possa ser usada. As implicações de tudo isso são que processos de alto volume têm mais oportunidades para produzir produtos ou serviços a um custo unitário baixo. Então, por exemplo, o volume e a padronização da grande rede de lanchonetes como McDonald's ou KFC permite-os produzir com maior eficiência que uma pequena lanchonete local ou um restaurante barato.

Variedade

Processos que produzem uma alta variedade de produtos e serviços devem se dedicar a uma variedade de atividades diferentes, mudando com certa frequência entre cada atividade. Eles também devem possuir habilidades e tecnologia abrangentes o bastante para lidar com a variedade de atividades e ser suficientemente flexíveis para alterná-las. Um alto nível de variedade também pode significar uma extensa variedade de entradas para o processo e a complexidade adicional de combinar as necessidades dos clientes com produtos ou serviços adequados. Assim, processos de alta variedade são mais complexos e caros que os de baixa variedade. Por exemplo, uma empresa de táxi está normalmente preparada para buscar e levar os clientes para quase qualquer lugar (a um preço); eles podem até mesmo levá-lo pela rota de sua escolha. Há um número infinito de rotas potenciais (produtos) que ela oferece. Mas seu custo por quilômetro rodado será mais alto que o custo de uma forma de transporte menos personalizada, como um serviço de ônibus.

Variação

Os processos são geralmente mais fáceis de gerenciar quando é preciso lidar somente com uma demanda constante e previsível. Os recursos podem ser gerados num nível que seja totalmente capaz de atender à demanda. Todas as atividades podem ser planejadas com antecedência. Por outro lado, quando a demanda for variável ou imprevisível, os recursos terão de ser ajustados com o passar do tempo. Pior ainda, quando a demanda é imprevisível, recursos extras terão de ser planejados dentro do processo para prover um "pulmão de capacidade" que possa absorver a demanda inesperada. Assim, por exemplo, processos que fabricam artigos de vestuário da moda terão de lidar com a sazonalidade geral do seu mercado junto com a incerteza dos estilos em particular poderem ou não ser populares. É provável que operações que fazem ternos empresariais convencionais tenham menos flutuação na demanda com o passar do tempo e estejam menos propensas a flutuações inesperadas. Como os processos com baixa variação não precisam de qualquer capacidade de segurança extra e podem ser planejados com antecedência, eles costumam ter custos mais baixos do que aqueles com alta variação.

Visibilidade

Visibilidade de processo é um conceito ligeiramente mais difícil de imaginar. Indica quanto dos processos são praticados diretamente por clientes, ou o quanto o processo é exposto para seus clientes. Em geral, processos que agem de forma direta em clientes (como processos do varejo ou serviços médicos) terão mais atividades visíveis para seus clientes do que aqueles que atuam em materiais e informações. Porém, até mesmo processos que transformam materiais e informações podem prover um grau de visibilidade aos clientes. Por exemplo, as operações de distribuição de encomendas fornecem facilidades de acompanhamento e rastreamento pela Internet para permitir aos seus clientes terem visibilidade de onde estão suas encomendas a qualquer momento. Os processos de baixa visibilidade, se por acaso eles se comunicam com seus clientes, fazem-no usando canais menos imediatos como o telefone ou a Internet. Boa parte do processo pode estar mais vinculada à própria fábrica. A defasagem de tempo entre o pedido do cliente e a resposta pode ser medida em dias em vez da esperada resposta imediata dos processos de alta visibilidade. Esta defasagem permite que as atividades em um processo de baixa visibilidade sejam executadas quando for conveniente à operação, alcançando assim a alta utilização. Além diisso, visto que a interface do cliente precisa de gerenciamento, a equipe dos processos de alta visibilidade necessita das habilidades do contato com o cliente que moldam a percepção do mesmo sobre o desempenho do processo. Por todas estas razões, os processos de alta visibilidade tendem a ter custos mais altos que os processos de baixa visibilidade.

Muitas operações têm tanto processos de alta quanto de baixa visibilidade. Isso serve para enfatizar a diferença que faz o grau de visibilidade. Por exemplo, num aeroporto alguns de seus processos estão relativamente visíveis a seus clientes (balcão de embarque, balcão de informação, restaurantes, controle de passaporte, pessoal de segurança, etc.). Essas pessoas operam em um ambiente de balcão* de alta visibilidade. Outros processos no aeroporto têm relativamente pouca, se alguma, visibilidade ao cliente (controle da bagagem, operações de frete noturno, carga de refeições na aeronave, limpeza, etc.). É raro vermos estes processos, mas eles executam tarefas vitais, ainda que de baixa visibilidade nos bastidores** da operação.

As implicações dos quatro Vs de processos

As quatro dimensões têm implicações nos custos de processamento. Simplificando, alto volume, baixa variedade, baixa variação e baixa visibilidade ajudam a manter baixos os custos de processamento. De forma recíproca, baixo volume, alta variedade, alta variação e alto contato com o cliente geralmente ocasionam algum tipo de penalidade de custo para o processo. É por isso que a dimensão de volume é desenhada com sua parte "baixa" à esquerda, diferentemente das outras dimensões, que mantém todas as implicações de "baixo custo" à direita. A Figura 1.9 resume as implicações de tal posicionamento.

---

* N. de T.: Do inglês *front-office*.
** N. de T.: Do inglês *back-office*.

Figura 1.9 — Uma tipologia de operações

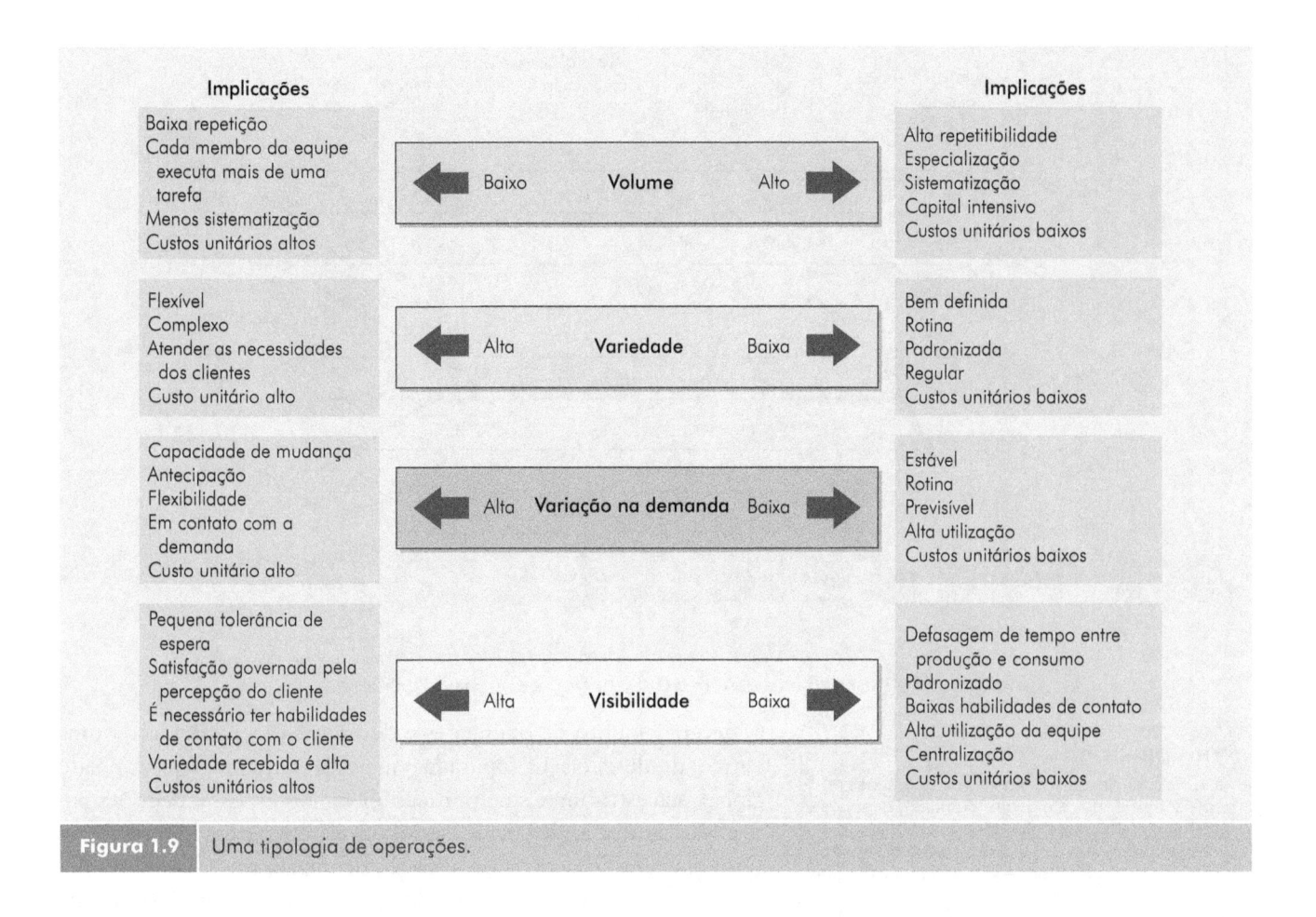

Volume

Baixo — Implicações:
- Baixa repetição
- Cada membro da equipe executa mais de uma tarefa
- Menos sistematização
- Custos unitários altos

Alto — Implicações:
- Alta repetitibilidade
- Especialização
- Sistematização
- Capital intensivo
- Custos unitários baixos

Variedade

Alta — Implicações:
- Flexível
- Complexo
- Atender as necessidades dos clientes
- Custo unitário alto

Baixa — Implicações:
- Bem definida
- Rotina
- Padronizada
- Regular
- Custos unitários baixos

Variação na demanda

Alta — Implicações:
- Capacidade de mudança
- Antecipação
- Flexibilidade
- Em contato com a demanda
- Custo unitário alto

Baixa — Implicações:
- Estável
- Rotina
- Previsível
- Alta utilização
- Custos unitários baixos

Visibilidade

Alta — Implicações:
- Pequena tolerância de espera
- Satisfação governada pela percepção do cliente
- É necessário ter habilidades de contato com o cliente
- Variedade recebida é alta
- Custos unitários altos

Baixa — Implicações:
- Defasagem de tempo entre produção e consumo
- Padronizado
- Baixas habilidades de contato
- Alta utilização da equipe
- Centralização
- Custos unitários baixos

Figura 1.9 Uma tipologia de operações.

Fazendo gráficos de processos usando os quatro Vs

Em quase toda operação, podem ser identificados processos que têm posições diferentes nas quatro dimensões e que, portanto, têm objetivos diferentes e precisarão de gerenciamento diferenciado. Em grande parte, a posição de um processo nas quatro dimensões é determinada pela demanda de mercado que ele atende. Porém, a maioria dos processos apresenta nuances a longo das dimensões. Observe as diferentes posições na dimensão de visibilidade que os bancos de varejo adotaram. Houve um tempo em que usar os caixas da agência era o único modo que os clientes podiam contatar um banco. Agora, o acesso aos serviços bancários pode se dar por meio de (em ordem decrescente de visibilidade) um gerente pessoal que visita sua casa ou escritório, uma conversa com um gerente da filial, o caixa, contato telefônico com uma central de atendimento, serviços bancários na Internet ou um caixa eletrônico. Esses outros processos oferecem serviços que foram desenvolvidos pelos bancos para atender as necessidades de diferentes mercados.

A Figura 1.10 ilustra as diferentes posições nos quatro Vs para alguns processos bancários do varejo. Observe que o serviço de gerência/assistência pessoal está posicionado no extremo de alto custo dos quatro Vs. Por isso, tais serviços normalmente são oferecidos somente a clientes relativamente ricos e que representam oportunidades de alto lucro para o banco. Observe também que os mais recentes desenvolvimentos em bancos de varejo, tais como as centrais de atendimento, os serviços *on-line* e os caixas eletrônicos, todos representam uma mudança em direção à extremidade de baixo custo dos quatro Vs. Muitas vezes, processos novos que exploram tecnologias novas podem ter um impacto profundo nas implicações de cada dimensão. Por exemplo, os serviços *on-line*, quando comparados com um caixa eletrônico, oferecem uma variedade muito maior de opções para os clientes, mas como o processo é automatizado pela sua tecnologia da informação, o custo de oferecer esta variedade é menor que numa filial convencional ou até mesmo numa central de atendimento.

NOTAS PRÁTICAS

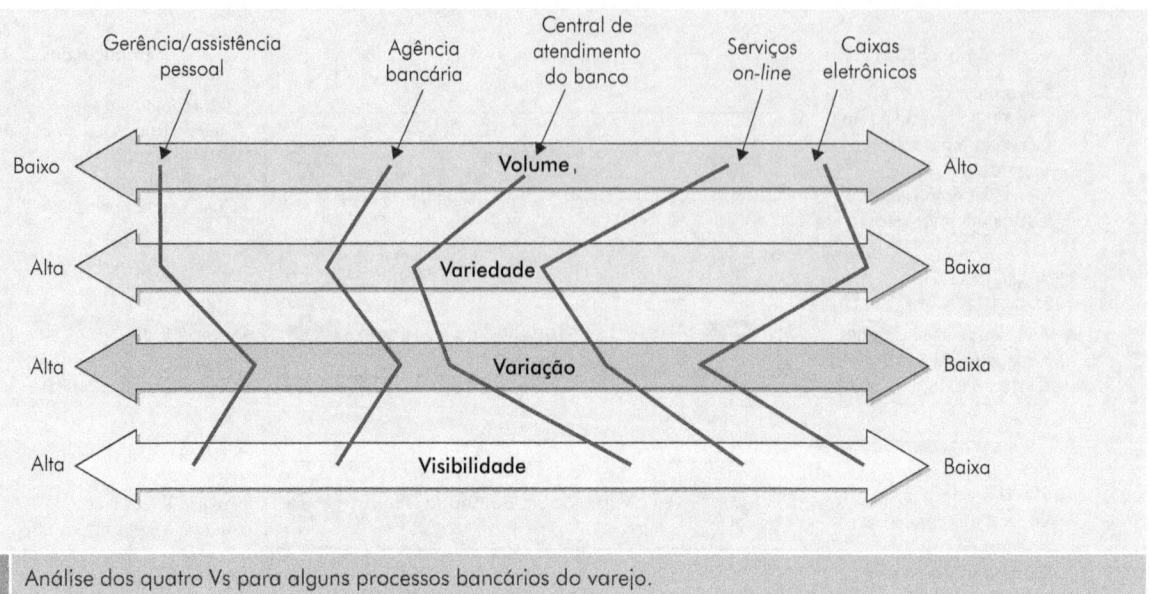

Figura 1.10 Análise dos quatro Vs para alguns processos bancários do varejo.

Um modelo de gerenciamento de operações e de processos

Princípio de operações

As atividades de gerenciamento de operações podem ser agrupadas em quatro grandes categorias: direcionar a estratégia global da operação, projetar os produtos, serviços e processos da operação, planejar e controlar a entrega e desenvolver o desempenho do processo.

O gerenciamento de operações e de processos envolve toda uma variedade de decisões separadas que determinarão seu propósito global, sua estrutura e suas práticas operacionais. Essas decisões podem ser agrupadas de vários modos. Consulte outros livros sobre o gerenciamento de operações e você encontrará muitos modos diferentes de estruturar as decisões de operações e, portanto, o assunto como um todo. Escolhemos classificar as atividades em quatro grandes grupos, relacionados a quatro grandes atividades. Embora existam algumas sobreposições entre estas quatro categorias, elas seguem mais ou menos uma sequência que corresponde ao ciclo de vida de processos e operações.

- **Dirigir** a estratégia global da operação. Uma compreensão geral de processos e operações e seu propósito estratégico, junto com uma avaliação de como o propósito estratégico é traduzido para a realidade (direção), é uma condição prévia para o projeto detalhado de operações e processo.
- **Projetar** os produtos, serviços e processos da operação. Projetar é a atividade que determina a forma física, o modelo e a composição de operações e processos junto com os produtos e serviços que eles produzem.
- Planejar e controlar o processo de **entrega**. Depois de projetada, a entrega dos produtos e serviços deve ser planejada e controlada, desde os fornecedores, passando por toda a operação, até os clientes.
- **Desenvolver** o desempenho do processo. Cada vez mais é reconhecido que os gerentes de processo e operações não podem simplesmente entregar de forma rotineira produtos e serviços da mesma forma que sempre fizeram. Eles têm uma responsabilidade de desenvolver as competências de seus processos para melhorar o seu desempenho.

Podemos agora combinar duas ideias para desenvolver o modelo de gerenciamento de operações e de processos que será usado ao longo deste livro. A primeira é a ideia de que as *operações* e os *processos* que compõem as funções de operações e de outros negócios são sistemas de transformação que absorvem as entradas e usam os recursos do processo para transformá-las em produção. A segunda ideia é que os recursos, tanto nas operações de uma organização como um todo como em seus processos individuais, precisam ser gerenciados na forma como são *direcionados*, como são *projetados*, como a *entrega*

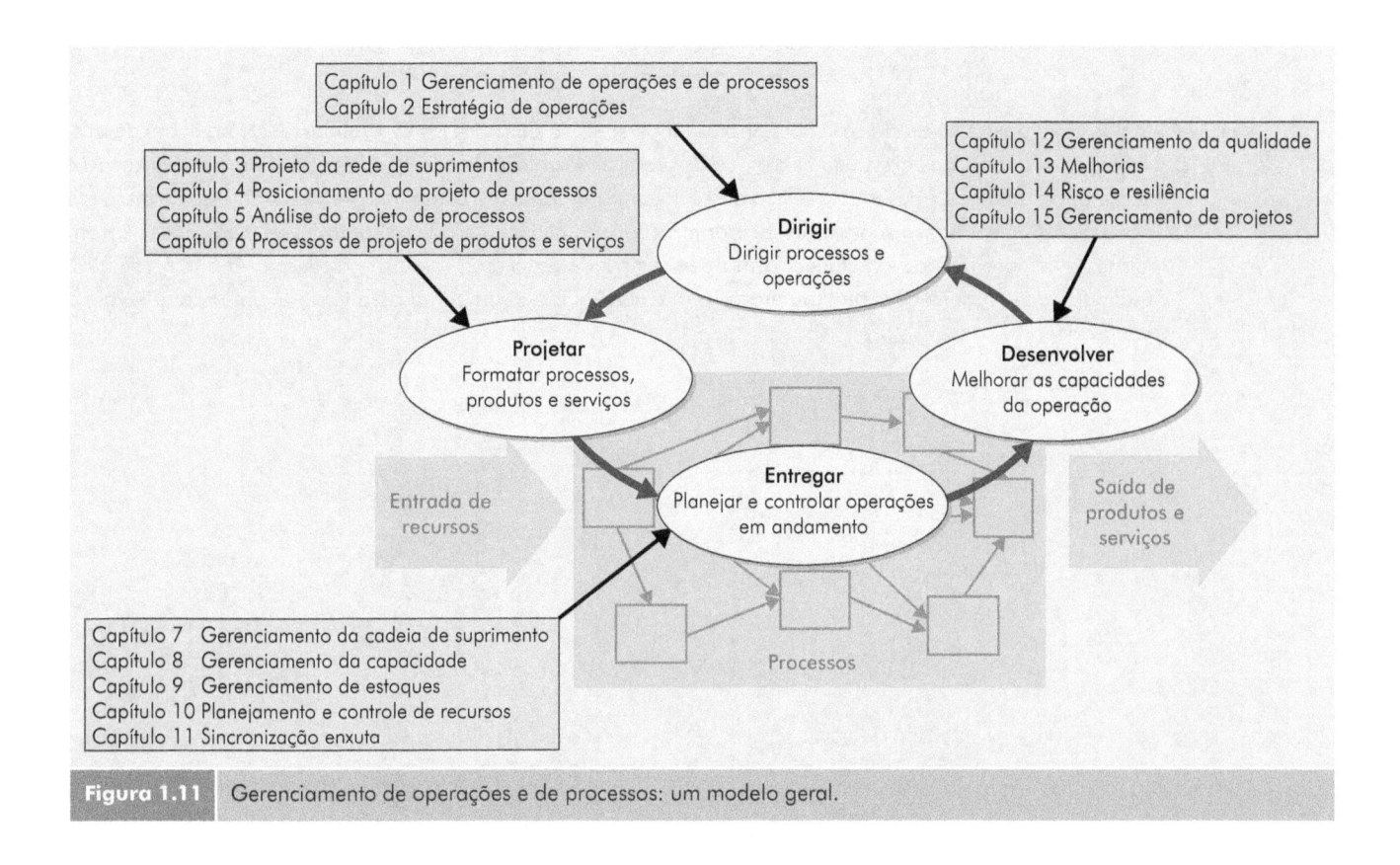

Figura 1.11 Gerenciamento de operações e de processos: um modelo geral.

Diagrama (conteúdo textual):

- Capítulo 1 Gerenciamento de operações e de processos
- Capítulo 2 Estratégia de operações

- Capítulo 3 Projeto da rede de suprimentos
- Capítulo 4 Posicionamento do projeto de processos
- Capítulo 5 Análise do projeto de processos
- Capítulo 6 Processos de projeto de produtos e serviços

- Capítulo 12 Gerenciamento da qualidade
- Capítulo 13 Melhorias
- Capítulo 14 Risco e resiliência
- Capítulo 15 Gerenciamento de projetos

- Capítulo 7 Gerenciamento da cadeia de suprimento
- Capítulo 8 Gerenciamento da capacidade
- Capítulo 9 Gerenciamento de estoques
- Capítulo 10 Planejamento e controle de recursos
- Capítulo 11 Sincronização enxuta

Elementos centrais do modelo:
- **Dirigir**: Dirigir processos e operações
- **Projetar**: Formatar processos, produtos e serviços
- **Desenvolver**: Melhorar as capacidades da operação
- **Entregar**: Planejar e controlar operações em andamento
- Entrada de recursos → Processos → Saída de produtos e serviços

---

é planejada e controlada e como eles são *desenvolvidos* e melhorados. A Figura 1.11 mostra como essas duas ideias andam juntas. Este livro usará este modelo para examinar as decisões mais importantes que deveriam ser de interesse de todos os gerentes de operações e processos.

Comentário crítico

Cada capítulo contém um breve comentário crítico sobre as principais ideias nele abordadas. Seu propósito não é minar as questões discutidas, mas enfatizar que, embora apresentemos uma visão relativamente ortodoxa da operação, existem outras perspectivas.

■ A ideia central neste capítulo introdutório é que todas as organizações têm operações (e outras funções) que têm processos que produzem produtos e serviços, e que todos estes processos são essencialmente semelhantes. Porém, alguns acreditam que mesmo tentando caracterizar as organizações deste modo (talvez até mesmo os chamados "processos") se perde ou se distorce sua natureza e se despersonaliza ou se tira a "humanidade" do modo como vemos a organização. Esse ponto é levantado frequentemente em organizações não lucrativas, especialmente pela equipe profissional. Por exemplo, a direção de uma associação médica europeia (um sindicato de doutores) criticou as autoridades do hospital por esperarem um serviço de fábrica de linguiça baseado em objetivos de produtividade. Não importa o quanto eles se assemelhem no papel, argumentaram, um hospital nunca pode ser visto da mesma maneira que uma fábrica. Até mesmo em negócios comerciais, os profissionais, como a equipe de criação, frequentemente sentem desconforto com sua habilidade sendo descrita como um processo.

■ Até certo ponto, essas críticas sobre adotar tal perspectiva de processo são válidas. A forma como descrevemos as organizações diz muito sobre nossas premissas subjacentes do que vem a ser uma organização e como deve trabalhar. Apesar da questão que colocamos antes sobre como uma visão puramente de processo pode de forma enganosa sugerir que as organizações são bem arranjadas e controláveis, com limites e fronteiras de responsabilidade cristalinas, uma perspectiva de processo pode arriscar descrever a desordenada realidade das organizações de uma maneira ingênua. Ainda assim, em nossa visão, é um risco que vale a pena correr.

Lista de verificação

Esta lista de verificação inclui perguntas que podem ser úteis se aplicadas a qualquer tipo de operação e refletem as principais questões diagnósticas usadas dentro do capítulo.

☐ A função de operações da empresa está claramente definida?

☐ Os gerentes de operações percebem que são gerentes de operações mesmo se forem chamados por algum outro título?

☐ As funções não operacionais dentro da organização percebem que gerenciam processos?

☐ Todo mundo entende as entradas, atividades e saídas dos processos do qual fazem parte?

☐ O equilíbrio entre produtos e serviços produzidos pela função de operações é bem entendido?

☐ As mudanças futuras que podem ocorrer no equilíbrio entre produtos e serviços produzidos pela operação são entendidas?

☐ Que contribuição as operações estão fazendo para reduzir o custo de produtos e serviços?

☐ Que contribuição as operações estão fazendo para aumentar a receita dos produtos e serviços?

☐ Que contribuição as operações estão fazendo para melhor uso do capital empregado?

☐ Como as operações estão desenvolvendo sua capacidade para futura inovação?

☐ As operações entendem sua posição na rede global de suprimentos?

☐ As operações contribuem para a rede de suprimentos global?

☐ Os processos individuais que compreendem a função de operações estão definidos e compreendidos?

☐ Os processos individuais estão atentos ao conceito fornecedor e cliente interno?

☐ Eles usam o conceito de fornecedor e cliente interno para aumentar sua contribuição para a empresa como um todo?

☐ Eles usam as ideias e princípios do gerenciamento de operações para melhorar o desempenho dos seus processos?

☐ O conceito de processos de negócio do início ao fim já foi examinado e avaliado?

☐ As diferenças (em termos de volume, variedade, variação e visibilidade) entre processos são entendidas?

☐ As características de volume, variedade, variação e de visibilidade dos processos são refletidas no modo como eles são gerenciados?

Estudo de caso — AAF Rotterdam

"Nosso crescimento durante os últimos dois ou três anos tem sido admirável. Temos clientes por toda a Europa e, embora muitos dos trabalhos que estamos fazendo agora sejam mais desafiadores, eles são mais interessantes. Agora estamos tendo também um bom lucro operacional, mesmo que quase todo ele seja tragado para alicerçar nosso crescimento. Hoje, nosso maior problema está em adaptar-nos de uma forma que seja apropriada para uma empresa maior. Não somos mais apenas um grupo de amigos vivendo bons tempos; precisamos nos tornar um negócio profissional." O orador foi Marco Van Hopen, um dos três diretores da AAF, uma empresa de serviços teatrais, fundada bem próximo de Rotterdam, nos Países Baixos. Ele fundou a empresa com dois amigos em 1999, quando decidiram criar um negócio a partir de seu interesse em projetos teatrais e de palco. "É da combinação da habilidade e adrenalina que eu gosto", diz Marco. "Porque na maioria dos eventos ao vivo não há chance para uma segunda tomada; todo o equipamento tem de funcionar na primeira vez, no tempo certo e o tempo todo. Além disso, houve recentemente um drástico aumento na sofisticação da tecnologia que usamos como unidades de iluminação programáveis automatizadas."

Histórico

Dos três fundadores originais da empresa, a AAF cresceu para empregar 16 pessoas em tempo integral, junto com mais de 20 trabalhadores independentes que eram contratados quando necessário. No ano anterior, a receita da empresa foi ligeiramente superior à €3.000.000 e seu lucro operacional ligeiramente inferior à €200.000. Estava situada num parque industrial que tinha um bom acesso à principal rede de estradas europeia. A maior parte dos 2.000 metros quadrados construídos da empresa era dedicada a uma área de armazenagem e de oficina combinadas. Estavam também dentro do local os escritórios administrativos e técnicos e um estúdio de projeto.

A empresa começou contratando e vendendo equipamento de palco (principalmente equipamento de iluminação, som e palco) para clientes que iam desde de pequenos grupos teatrais locais até empresas muito grandes de produção e de conferência. A AAF passou, então, a oferecer "serviços de produção" que incluíam projetar, construir e instalar conjuntos inteiros, em particular para conferências, mas também para espetáculos e eventos teatrais. A maioria dos clientes de "serviços de produção" eram empresas de produção que contratavam a AAF como um fornecedor de "segundo nível" em nome do principal cliente que normalmente era uma corporação organizando seu próprio evento (por exemplo, uma conferência de vendas). Os eventos organizados para o cliente principal poderiam ser em qualquer lugar no mundo, embora a AAF tenha se limitado a locais europeus. Conforme Marco Van Hopen diz: "Tivemos sucesso nos diferenciando por oferecer um serviço completo de 'projeto, construção e instalação' que é criativo, seguro e suficientemente flexível para incorporar mudanças de última hora. A habilidade fundamental é articular as exigências do cliente e traduzi-las em um projeto de cenário viável. Isso significa trabalhar próximo aos clientes e, também, requer uma compreensão técnica das capacidades acústicas do equipamento. Mais importante, cada projeto é diferente, o que o torna tão excitante".

Embora ambas as partes do negócio estivessem crescendo, era o negócio de serviços de produção que estava crescendo de modo rápido. No ano anterior, aproximadamente 60% das receitas da empresa vieram da contratação e venda de equipamento, sendo o restante de serviços de produção. Porém, serviços de produção eram mais lucrativos. "Os trabalhos de grandes produções podem representar 40% de nossa receita, mas no ano passado responderam por quase 80% de nossos lucros. Algumas pessoas me perguntam por que não nos concentramos em serviços de produção, mas nunca sairemos da contratação e das vendas. Em parte é porque nós temos mais de €1.000.000 investidos em equipamentos, e *porque a contratação e as vendas nos suprem com um fluxo fixo e relativamente previsível de receita, mas principalmente é porque precisamos de acesso ao mais recente equipamento para ganhar os contratos de serviços de produção. Porém, no futuro próximo, nosso próprio trabalho de serviços de produção pode se tornar o maior 'cliente' para nosso negócio de contratação e vendas."* (Van Hopen)

A oficina e a loja

A área de armazenagem e da oficina combinadas era vista como o coração das operações da empresa. Os equipamentos eram armazenados em prateleiras altas, em locais predeterminados. Um time de oito técnicos preparava a contratação de equipamentos para os clientes e entregava-os nos locais dos clientes (eram entregues aproximadamente 80% de todos os pedidos, o resto sendo coletado do local da AAF pelos próprios clientes). Aproximadamente 30% dos clientes, em geral os menores, também requisitavam a instalação dos equipamentos. Os técnicos também inspecionavam os equipamentos que retornavam do cliente e executavam qualquer conserto ou manutenção que fosse necessário. Como o equipamento tinha se tornado mais sofisticado, o trabalho contratado de preparar, instalar e mantê-los tinha se tornado tecnicamente exigente. Esses técnicos usavam a área da oficina, adjacente à área de armazenagem, para calibrar o equipamento, pré-programar sequências de luzes e executar qualquer conserto. A oficina que recém tinha sido reequipada com novo equipamento trabalhado em metal e madeira também era utilizada para construir os cenários usados para os clientes de serviços de produção. Dois empregados trabalhavam quase em tempo integral nisso, mas os técnicos de equipamento também podiam ser aproveitados para construção do cenário se fosse necessário. Se a contratação de equipamento e os serviços de produção necessitassem das instalações da oficina ao mesmo tempo, normalmente os serviços de produção teriam prioridade, um acordo que nem sempre era a preferência dos técnicos contratantes de equipamentos.

Estúdio do projeto

O estúdio do projeto usava equipamento de projeto computadorizado e simulações que podiam prever os efeitos de diferentes configurações de iluminação. Embora Marco Van Hopen estivesse envolvido em muitas tarefas no processo do projeto, a empresa agora também empregava um projetista em tempo integral e outro em meio período: *"É comum trazermos os clientes ao estúdio do projeto para testar várias ideias com eles, usando nossas instalações de simulação e projeção. É uma grande forma de fazer com que clientes visualizem o projeto do cenário e de 'trazê-los para' o processo do projeto".*

Escritórios do grupo de trabalho e administrativo

O escritório da administração recebia pedidos de contratação e de vendas dos clientes, além de fornecer o primeiro ponto de contato para os clientes de serviços de produção. Três empregados de tempo integral organizavam as operações da empresa, o esquema de trabalho para a oficina e o grupo de trabalho, enviavam faturas e, em geral, gerenciavam o negócio. Além disso, foram empregados dois assistentes contabilistas de meio período para fazer as estimativas de custos para o trabalho mais complexo de "serviços de produção". Adjacente ao escritório administrativo estava o "escritório do grupo de trabalho", uma área para o grupo de produção planejar as necessidades logísticas para assegurar a instalação eficiente dos cenários. *"O escritório do grupo de trabalho é o centro nervoso de todo o gerenciamento do projeto que engloba um bom serviço. É um ponto focal para os desenhistas, pessoal da oficina e grupo de trabalho conviverem."* (Van Hopen)

Problemas

Embora animado pelo recente crescimento da empresa e por suas perspectivas futuras, Van Hopen também acreditava que a empresa devia melhorar sua rentabilidade: *"Não há qualquer vantagem em crescer e fazer coisas excitantes se nós também não pudermos ganhar dinheiro com isto. Percebo que, por sua natureza, o crescimento é caro. Porém, penso que talvez tenhamos deixado nossos custos saírem do controle. Precisamos ser capazes de obter mais do que já temos e o melhor modo de fazer isso é nos mantermos organizados. O principal problema é que nossas atividades estão se tornando menos previsíveis. O negócio de vendas e contratação é basicamente rotina e, embora alguns de nossos clientes possam demorar ao fazer seus pedidos, isto é amplamente previsível. Não temos apenas uma grande variedade de equipamentos, temos também excelentes relacionamentos com outras empresas de som e iluminação; de modo que, se só pudermos cumprir parcialmente o pedido de um cliente, podemos contratar qualquer outro equipamento que precisemos de nossos concorrentes. Isto pode reduzir um pouco nossos lucros, mas mantemos o cliente feliz. A ironia é que não parecemos poder alcançar níveis semelhantes de flexibilidade dentro de nossa própria empresa. Isto é importante agora que os serviços de produção estão crescendo depressa. Temos menos contratos de serviço de produção (48 no ano passado comparados com quase 3.000 locações contratadas), mas eles são complexos, e você não pode sempre prever exatamente o que precisará para cumpri-los. Tivemos sucesso no crescimento do negócio de serviços de produção em parte por causa da qualidade de nossos projetos nos quais investimos muito tempo e esforço trabalhando próximo ao cliente antes de submetermos um projeto final, mas também porque construímos uma reputação por causa da confiabilidade. Os clientes acreditam que somos totalmente confiáveis. Isso significa que às vezes nosso grupo de trabalho tem de ser flexível e às vezes trabalhar durante a noite para que as coisas fiquem prontas na hora certa. Mas estamos pagando por esta flexibilidade em termos de horas extras de trabalho. O que nós talvez devêssemos considerar é melhorar a agilidade com que transportamos as pessoas do armazém e da oficina e o cumprimento dos contratos de serviços de produção quando necessário. Eu ainda não sei como funcionaria, apenas sinto que, trabalhando juntos, poderíamos aumentar nossa habilidade para assumir mais trabalho sem aumentar nossa base de custo".*

PERGUNTAS

1 Você acha que Marco Van Hopen entende a importância das operações do seu negócio?

2 Que contribuição ele parece esperar das suas operações?

3 Esboce como você vê a rede de suprimentos para a AAF e a posição da AAF dentro dela.

4 Quais são os principais processos dentro da AAF e como eles se relacionam uns com os outros?

5 Avalie a ideia de Van Hopen de aumentar a flexibilidade com que as diferentes partes da empresa trabalham entre si.

Estudo de caso ativo — Computadores EleXon

CASO ATIVO

Desde sua concepção, há 17 anos, a marca de computadores EleXon tem crescido e se diversificado a partir de uma pequena unidade montadora e vendendora computadores, principalmente dentro do Reino Unido, para uma empresa internacional muito maior, que serve um mercado muito mais amplo e diverso. Apesar de seu crescimento, a organização subjacente à empresa não mudou. A inadequação de sistemas e processos existentes tem se tornado cada vez mais óbvia e há uma fonte de tensão cada vez maior dentro e entre os departamentos.

● Como você reorganizaria as operações e processos para satisfazer suas diferentes perspectivas e demandas? Consulte o caso ativo no CD que acompanha este livro para escutar as frustrações de cada departamento.

Aplicando os princípios

DICAS

Alguns destes exercícios podem ser respondidos a partir da leitura do capítulo. Outros vão requerer algum conhecimento geral da atividade de negócios e alguns poderão requerer pesquisa. Todos têm sugestões de como podem ser respondidos no CD que acompanha este livro.

1 Quentin Cakes faz aproximadamente 20.000 bolos por ano em dois tamanhos, ambos baseados na mesma receita. As vendas chegam ao seu pico na época do Natal, quando a demanda é aproximadamente 50% mais alta que no período – mais calmo – de verão. Os seus clientes (as lojas que estocam seus produtos) pedem seus bolos com antecedência pela Internet. Sabendo que eles têm alguma capacidade em excesso, um dos clientes propôs para eles dois novos pedidos potenciais.

(a) A opção do Bolo do Cliente – esta envolveria fazer bolos de diferentes tamanhos em que os clientes poderiam especificar uma mensagem ou uma saudação escrita em cima do bolo. O consumidor daria a inscrição para a loja que enviaria para a fábrica através de correio eletrônico. O cliente estimou que a demanda seria em torno de 1.000 bolos por ano, principalmente em datas festivas como o Dia dos Namorados e Natal.

(b) A opção do Bolo Individual – esta opção requer que a Quentin Cakes introduza uma nova linha de bolos muito pequenos, direcionados para o consumo individual. A demanda para esse bolo de tamanho individual foi prevista em torno de 4.000 por ano, com demanda distribuída provavelmente de uma forma mais uniforme ao longo do ano do que seus produtos existentes.

É provável que a receita total das duas opções seja aproximadamente a mesma e a empresa tenha a capacidade para adotar apenas uma das duas ideias. Mas qual deveria ser escolhida?

2 Descrita como tendo "revolucionado o conceito de fazer e comer sanduíche", a Prêt A Manger abriu sua primeira loja em meados de 1980, em Londres. Agora ela têm mais de 130 lojas no Reino Unido, Nova York, Hong Kong e Tóquio. Para a empresa, o segredo é focar de maneira contínua na qualidade, em todas suas atividades. *"Muitos varejistas de comida concentram-se em estender a validade da sua comida, mas isso não nos interessa. Mantemos nossa vantagem vendendo comida cujo frescor simplesmente não pode ser superado. No final do dia, damos tudo que não vendemos para caridade para ajudar a alimentar aqueles que de outra forma passariam fome."* A primeira loja Prêt A Manger tinha sua própria cozinha onde eram entregues ingredientes frescos na primeira hora, todas as manhãs, e a comida era preparada ao longo do dia. Todas as lojas Prêt, desde então, têm seguido este modelo. Os membros da equipe que trabalham no caixa na hora do almoço terão feito sanduíches na cozinha naquela manhã. Eles rejeitaram a ideia de uma enorme fábrica de sanduíche centralizada, embora pudessem reduzir os custos de forma significativa. A Prêt também possui e gerencia todas as suas lojas de forma direta, para que possam assegurar altos padrões consistentemente. *"Estamos determinados a nunca esquecer que nosso pessoal trabalhador faz toda a diferença. Eles são nosso coração e alma. Quando eles se empenham, nosso negócio é sadio. Se deixarem de se preocupar, nosso negócio vai mal. Trabalhamos duro para construir grandes equipes. Conduzimos nossos planos de recompensa e oportunidades de carreira muito seriamente. Não trabalhamos à noite (geralmente), usamos calças jeans, nós festejamos!"*

- Você acha que a Prêt A Manger entende completamente a importância do seu gerenciamento de operações?
- Qual é a evidência disso?
- Qual tipo de atividades de gerenciamento de operações a Prêt A Manger poderia incluir sob os quatro temas: dirigir, projetar, entregar e desenvolver?

3 Visite uma loja de móveis (diferente da IKEA). Observe como a loja opera, por exemplo, onde os clientes vão, como o pessoal interage com eles, qual o seu tamanho, como a loja escolheu usar seu espaço, que variedade de produtos ela oferece e assim por diante. Fale com o pessoal e os gerentes se você puder. Pense em quais aspectos a loja que você visitou é diferente da IKEA. Então considere a pergunta:

- Que implicações têm as diferenças entre a IKEA e a loja que você visitou para seu gerenciamento de operações?

4 Escreva abaixo cinco serviços que você "consumiu" na última semana. Varie o máximo possível. Os exemplos poderiam incluir transporte público, um banco, uma loja ou supermercado, presenciar um curso de educação, um cinema, um restaurante, etc. Para cada um destes serviços, questione o seguinte:

- O serviço satisfez suas expectativas? Caso tenha satisfeito, o que a gerência do serviço teve de fazer bem para satisfazer suas expectativas? Se não, em que eles falharam? O que deve ter causado a falha?
- Se você tomasse conta da gerência da entrega destes serviços, o que você faria para melhorá-lo?
- Se eles quisessem, como o serviço poderia ser entregue a um custo mais baixo de forma que o serviço pudesse reduzir seus preços?
- Como você acha que o serviço procede quando algo dá errado (como uma peça tecnológica quebrada)?
- Quais outras organizações poderiam suprir o serviço com produtos e serviços? (Em outras palavras, eles são seu "fornecedor", mas quem são os fornecedores deles?)
- Como você acha que o serviço lida com a flutuação da demanda durante o dia, a semana, o mês ou o ano?

Estas perguntas são apenas algumas das questões com as quais os gerentes de operações nestes serviços têm de lidar. Pense sobre outras questões que eles terão de gerenciar para entregar o serviço de forma eficaz.

5 Em um exemplar de um jornal financeiro (*Financial Times, Wall Street Journal, Economist*, etc.) identifique uma empresa que é descrita naquele dia.

- Quais você acha que seriam as principais questões de operações daquela empresa?

Notas do capítulo

1 "Ikea plans to end 'stressful shopping'" (2006), *London Evening Standard*, 24 de abril).
2 Fonte: *Site* da Virgin Atlantic.
3 Slack, N. e Lewis, M.A. (2002) *Operations Strategy*, Financial Times Prentice Hall, Harlow, UK.
4 Fonte: *The Economist*, 22 de março de 1997.

Indo além

Chase, R.B., Aquilano, N.J. and Jacobs, F.R. (2001) *Production and Operations Management: Manufacturing and services* (9th ed), Unwin/McGraw-Hill. Existem muitos livros bons e gerais sobre o gerenciamento de operações. Este foi um dos primeiros e ainda é um dos melhores, embora mais voltado para um público norte-americano.

Hammer, M. and Stanton, S. (1999) *How Process Enterprises Really Work*, Harvard Business Review, Nov.-Dec. Hammer é um dos gurus do projeto de processo. Este documento é típico de sua abordagem.

Heizer, J. and Render, B. (1999) *Operations Management* (5th ed), Prentice Hall, New Jersey. Um outro bom texto geral de autor norte-americano sobre o assunto.

Johnston, R., Chambers, S., Harland, C., Harrison, A. and Slack, N. (2003) *Cases in Operations Management* (3rd ed), Financial Times Prentice Hall, Harlow, UK. Muitos exemplos grandiosos das reais questões do gerenciamento de operações. Não surpreendentemente, baseado numa estrutura similar à deste livro.

Johnston, R. and Clark, E. (2005) *Service Operations Management*, Financial Times Prentice Hall, Harlow, UK. O que podemos dizer? Um tratamento grandioso das operações de serviço do mesmo estilo deste livro.

Keen, P.G.W. (1997) *The Process Edge: Creating value where it counts*, Harvard Business School Press. Gerenciamento de operações como gerenciamento de "processo".

Slack, N. and Lewis, M. (Ed) (2005) *The Blackwell Encyclopedic Dictionary of Operations Management* (2nd ed), Blackwell Business, Oxford. Para aqueles que gostam de descrições e definições técnicas.

Websites úteis

www.opsman.org Definições, *links* e opiniões sobre gerenciamento de operações e processos.

www.iomnet.org *Site* do The Institute of Operations Management. Uma das principais corporações profissionais sobre o assunto.

www.poms.org Uma sociedade acadêmica dos EUA para o gerenciamento da produção e operações. Acadêmico, mas com algum material útil, incluindo um vínculo com uma enciclopédia dos termos do gerenciamento de operações.

www.sussex.ac.uk/users/dt31/TOMI Um dos portais estabelecidos há mais tempo no assunto. Útil para acadêmicos e estudantes.

www.ft.com Útil para empresas e tópicos de pesquisa.

Para recursos adicionais incluindo exemplos, diagramas animados, questões de autoavaliação, planilhas Excel, estudos de caso ativos e materiais de vídeo, acesse o CD que acompanha este livro.

Capítulo 2
ESTRATÉGIA DE OPERAÇÕES

Introdução

A longo prazo, o principal (e alguns diriam, único) objetivo das operações e dos processos é proporcionar para a empresa alguma forma de vantagem estratégica. É por isso que o gerenciamento e o planejamento estratégico do negócio devem estar logicamente conectados. Sem essa conexão, operações e processos ficarão sem uma direção coerente, resultando em decisões que não refletem a estratégia da empresa ou que conflitem entre si, ou ambas. Assim, uma estratégia de operações clara é vital. Embora o gerenciamento de operações e de processos seja em grande parte operacional, também tem uma dimensão estratégica que é vital se as operações realmente desenvolverem todo o seu potencial para contribuir para a competitividade. A Figura 2.1 mostra a posição das ideias descritas neste capítulo no modelo geral de gerenciamento de operações.

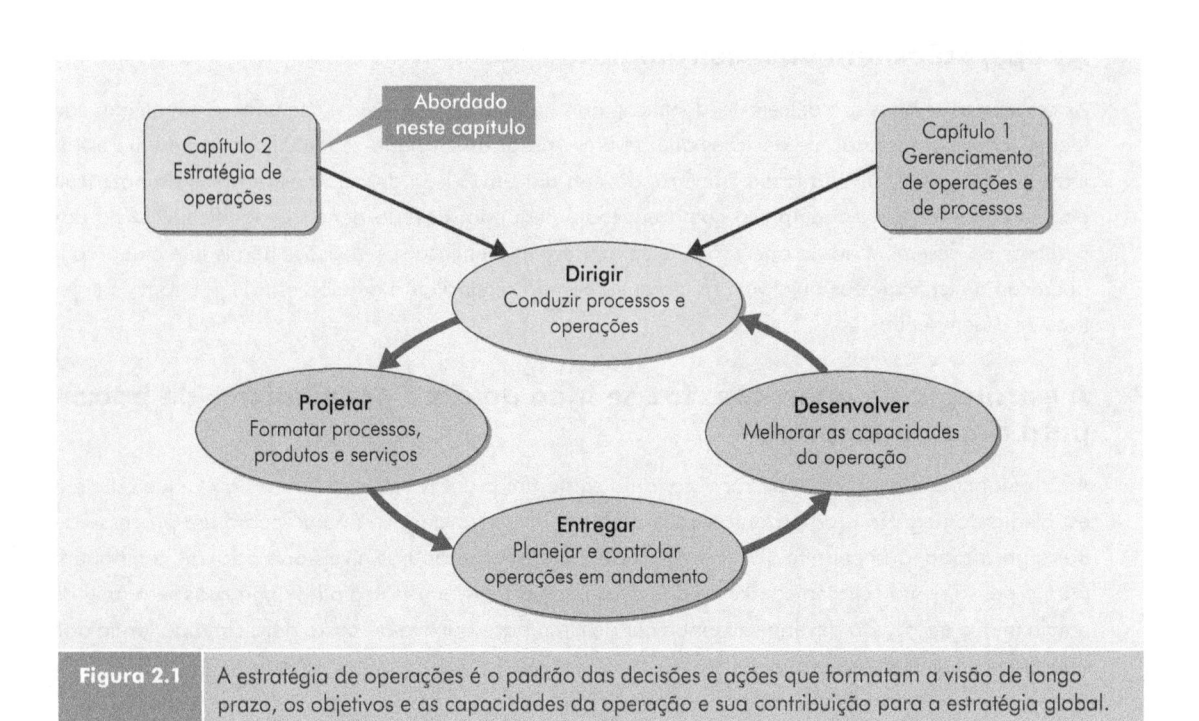

Figura 2.1 A estratégia de operações é o padrão das decisões e ações que formatam a visão de longo prazo, os objetivos e as capacidades da operação e sua contribuição para a estratégia global.

Sumário executivo

VÍDEO
informações adicionais

```
O que é estratégia de operações?
            ↓
As operações têm uma estratégia?
    ↙                           ↘
A estratégia de operações faz sentido de cima     A estratégia de operações alinha os requisitos
para baixo e de baixo para cima na empresa?        do mercado com os recursos das operações?
    ↘                           ↙
A estratégia de operações fornece um roteiro de melhorias?
```

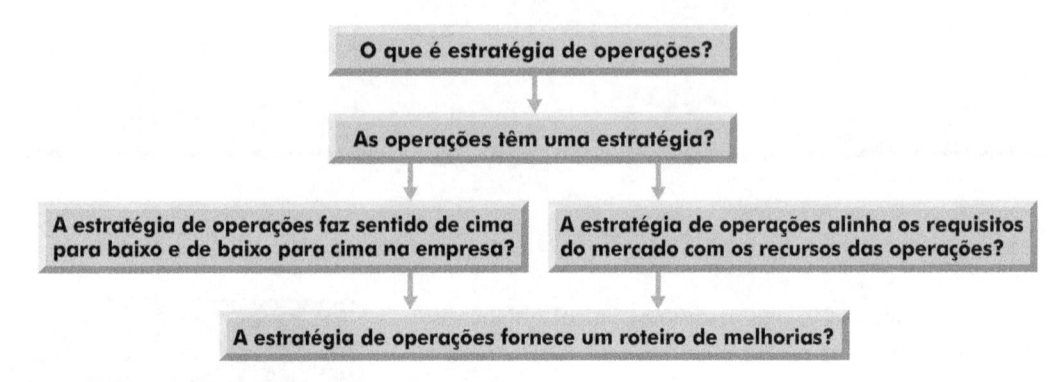

Cadeia lógica de decisões para a estratégia de operações

Cada capítulo é estruturado em torno de um grupo de questões diagnósticas. Essas questões sugerem o que você poderia perguntar para entender as questões importantes de um tópico e, como resultado, melhorar sua tomada de decisão. Um sumário executivo, tratando dessas questões, é fornecido a seguir.

O que é estratégia de operações?

A estratégia de operações é o modelo de decisões e ações que formatam a visão de longo prazo, os objetivos e as capacidades da operação e sua contribuição para a estratégia global. É o modo pelo qual são desenvolvidos os recursos das operações durante o longo prazo para criar uma vantagem competitiva sustentável para o negócio. De forma crescente, muitos negócios estão vendo sua estratégia de operações como uma das melhores formas de se diferenciar dos concorrentes. Até mesmo nas empresas líderes de *marketing* (como bens de consumo de moda), uma estratégia de operações eficaz pode adicionar valor, permitindo a exploração da posição de mercado.

As operações têm uma estratégia?

As estratégias sempre são difíceis de identificar, pois não há pessoas nelas; contudo, as estratégias são identificadas pelo padrão de decisões que geram. Apesar disso, pode-se identificar o que uma estratégia de operações deveria fazer. Primeiro, deveria dar uma visão de como os recursos da operação podem contribuir para a empresa como um todo. Segundo, deveria definir o significado exato dos objetivos de desempenho da operação. Terceiro, deveria identificar as decisões gerais que ajudarão a operação a alcançar seus objetivos. Finalmente, deveria reconciliar a decisão estratégica com os objetivos de desempenho.

A estratégia de operações faz sentido de cima para baixo e de baixo para cima na empresa?

A estratégia de operações pode ser vista tanto como um processo de cima para baixo, que reflete a estratégia do negócio e da organização a partir de níveis funcionais, quanto como um processo de baixo para cima, que permite que a experiência e o aprendizado nos níveis operacionais contribuam para o pensamento estratégico. Sem essas duas perspectivas, a estratégia de operações será apenas parcialmente eficaz. Ela deveria se comunicar de cima para baixo e de baixo para cima ao longo dos níveis hierárquicos da empresa.

A estratégia de operações alinha os requisitos do mercado com os recursos das operações?

A curto prazo, o objetivo mais importante da estratégia de operações é assegurar que os recursos das operações possam satisfazer as necessidades do mercado. Mas esse não é o único objetivo. Num prazo mais longo, a estratégia de operações deve formar as capacidades dentro de seus recursos que permitirão à empresa fornecer algo para o mercado que seus concorrentes acham difícil de imitar ou de atender. Estes dois objetivos são chamados de perspectiva das necessidades do mercado e perspectiva da capacidade dos recursos das operações. O último é muito influenciado pela visão baseada nos recursos (VBR) da empresa. O objetivo da estratégia de operações pode ser entendido como alcançar o "equilíbrio" entre essas duas perspectivas.

A estratégia de operações fornece um roteiro de melhorias?

O propósito da estratégia de operações é melhorar o desempenho da empresa em relação ao de seus concorrentes a longo prazo. Por isso, deve estipular um indicador de como esta melhoria vai acontecer. Isto é tratado de forma mais adequada considerando as compensações entre os objetivos de desempenho em termos do modelo de "fronteira eficiente". Esse modelo descreve a estratégia de operações como uma combinação de reposicionamento do desempenho ao longo de uma fronteira eficiente existente e de aumento da eficácia das operações globais a partir da superação das compensações para ampliar a fronteira eficiente.

QUESTÕES DIAGNÓSTICAS

O que é estratégia de operações?

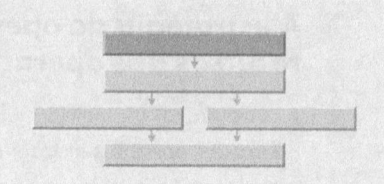

A estratégia de operações é o modelo de decisões e ações que formatam a visão de longo prazo, os objetivos e as capacidades da operação e sua contribuição para a estratégia global do negócio.[1] O termo estratégia de operações no início parece uma contradição. Como as operações, um assunto que está geralmente relacionado com a criação cotidiana e entrega de mercadorias e serviços, pode ser estratégica? Estratégia normalmente é considerada como o oposto dessas atividades da rotina diária. Porém, conforme indicamos no capítulo anterior, operações não é o mesmo que operacional. Operações são os recursos que criam produtos e serviços. Operacional é o oposto de estratégico, significando cotidiano e detalhado.

Cabe notar que muitos dos negócios que parecem ser competitivamente bem-sucedidos e que parecem estar sustentando o seu sucesso dentro de um prazo mais longo têm uma estratégia de operações clara e normalmente inovadora. Considere algumas das empresas conhecidas, citadas neste livro ou que aparecem em jornais de negócios. Da Tesco ao WalMart, da Ryanair a TNT, não é somente a estratégia de operações que proporciona suporte adequado para estas empresas; a razão central da sua superioridade competitiva reside em sua estratégia de operações. Todavia, nem todos os negócios competem de forma tão direta em termos de suas operações. Alguns são mais influenciados pelo *marketing*. As empresas de bens de consumo, como a Coca-Cola ou a Heinz, são mais direcionadas pelo *marketing*. Mas até mesmo esses tipos de negócios necessitam de uma forte estratégia de operações. A posição da sua marca pode ser estabelecida na mente do consumidor em virtude das atividades promocionais, mas logo haveria um desgaste se eles não conseguissem entregar os produtos na hora certa ou se sua qualidade estivesse abaixo do padrão, ou se deixasse de introduzir novos produtos em resposta às tendências do mercado. Com esse tipo de negócio, a estratégia de operações pode não ser o fator predominante em direcionar sua estratégia, mas ela ainda é importante e sem ela seus esforços de *marketing* dariam em quase nada.

Considere para estes dois exemplos de empresas com estratégias de operações que são claras e explícitas e que têm contribuído para seu sucesso competitivo.

Exemplo | Flextronics[2]

Marcas conhecidas como a Nokia e a Dell estão usando cada vez mais as empresas que prestam serviços de manufatura eletronica (EMS, na sigla em inglês) que se especializam em fornecer os operações terceirizadas de projeto, engenharia, manufatura e logística para as grandes marcas. Dentre as maiores do setor encontra-se a Flextronics, uma empresa global baseada em Cingapura que oferece as mais amplas competências de EMS do mundo, do projeto até os serviços de cadeia de suprimentos global integrada verticalmente do início ao fim. Operando em 30

Um dos parques industriais da Flextronics.

países com uma força de trabalho que inclui aproximadamente 3.600 engenheiros de projeto e uma receita de mais de US$ 30 bilhões, a Flextronics adquiriu recentemente a Solectron, uma de suas principais rivais.

A estratégia de operações da Flextronics precisa equilibrar a necessidade de seus clientes por custos baixos (produtos eletrônicos são vendidos quase sempre num mercado ferozmente competitivo) com a necessidade de um serviço prestativo e flexível (os mercados eletrônicos também podem ser voláteis). A empresa consegue isso por meio de várias estratégias. Primeiro, possui uma rede ampla de projeto, fabricação e instalações de logística nos maiores mercados mundiais de eletrônicos, provendo escala significativa e flexibilidade para transferir as suas atividades para qualquer uma das suas localizações visando a atender as demandas dos clientes. A maior parte da sua capacidade de fabricação se localiza em regiões de baixo custo, tais como Brasil, China, Hungria, Índia, Malásia, México e Polônia. Segundo, ela agrupou as suas operações em sete organizações focadas no mercado, tais como computação, equipamentos digitais de consumo, industrial, médico e assim por diante. Terceiro, a Flextronics oferece capacidades de integração vertical que simplificam o desenvolvimento global do produto e dos processos de abastecimento, os quais proporcionam uma economia de tempo e de custos significativa. Isso leva o produto desde seu projeto inicial até a produção em volume, passando por teste, distribuição, serviço de pós-venda e suporte.

Por fim, a Flextronics elaborou Parques Industriais para explorar totalmente as vantagens de sua capacidade global de larga escala e alto volume. Posicionados em regiões de baixo custo, embora próximos dos principais mercados globais, os Parques Industriais da Flextronics podem reduzir significativamente o custo da produção. As localizações incluem Gdansk (Polônia), Zalaegerszeg e Sárvár (Hungria), Guadalajara (México), Sorocaba (Brasil), Chennal (Índia) e Xangai (China). Os próprios fornecedores da Flextronics são estimulados a se posicionarem nesses Parques, nos quais os produtos podem ser produzidos localmente e enviados diretamente aos consumidores, reduzindo bastante os custos de frete dos componentes que chegam e dos produtos que saem. Os produtos que não podem ser fabricados no local são obtidos da rede de instalações de produção regionais da Flextronics, localizada próximo aos Parques Industriais. Empregando essa estratégia, a Flextronics afirma que pode proporcionar a entrega de produtos acabados com um custo compatível dentro de 1 a 2 dias a partir do pedido. Ao reduzir dessa maneira a defasagem entre a chegada e a saída, ela proporciona flexibilidade e presteza aos consumidores, o que por sua vez ajuda a empresa a atender as demandas dos clientes, bem como diminuir o tempo para o mercado.

Exemplo: TNT[3]

Sediada na Holanda, a TNT atende a mais de 200 países e emprega mais de 161.500 pessoas, metade das quais trabalha para o Correio Real TNT (o serviço postal holandês, para o qual a TNT possui a concessão) e a outra metade para o restante do grupo TNT. No total, é um negócio de €11 bilhões que proporciona aos clientes e consumidores de todo o mundo um "amplo espectro de serviços para as suas necessidades de correio e entrega expressa". A TNT declara a sua missão como "ultrapassar as expectativas dos clientes na transferência de seus bens e documentos pelo mundo. A TNT entrega valor aos seus clientes ao fornecer as soluções mais confiáveis e eficientes por meio de redes de entrega".

Em sua forma mais básica, a TNT está no ramo de transferência de bens e documentos pelo mundo, personalizando os serviços de acordo com as necessidades dos seus clientes e se concentrando na velocidade de suas entregas totais e na confiabilidade dos seus tempos de coleta e entrega. O negócio da TNT é entregar os bens dos clientes de forma rápida, segura, em boas condições, na hora exata e no local correto. Ela faz isso coletando, transportando, classificando, manuseando, armazenando e entregando documentos, pacotes, volumes e frete. Ao fazê-lo, ela usa uma combinação de processos operacionais físicos, tais como depósitos e caminhões, tecnologia eletrônica e processos, tais como sistemas de faturamento e rastreamento, e processos comerciais financeiro e de atendimento ao cliente.

A TNT chama sua estratégia de "Foco em Redes", significando simplesmente que o grupo irá se concentrar no que a TNT considera seu ponto forte central – fornecer serviços de entrega gerenciando habilmente as redes de distribuição. Na prática, o *portfolio* de redes da TNT possui características diferentes de velocidade, variando do mesmo dia até outro determinado dia, e diferentes características de peso, variando de cartas até volumes pesados e paletes. O negócio da TNT Express se concentra na transferência de documentos, volumes e paletes que requerem entrega em horário ou dia certos, enquanto o negócio da TNT Mail se concentra na transferência de documentos com entrega em dia incerto. (Porém, na prática, na Holanda quase 100% das entregas são feitas no dia seguinte.)

As redes da TNT também se encontram em fases diferentes de desenvolvimento. Na Europa, a TNT está se construindo organicamente sobre as redes Express e Mail existentes, bem como a partir de aquisições selecionadas.

O negócio mais maduro da TNT é a sua rede Mail na Holanda, onde o seu objetivo principal é manter a liderança de mercado num ambiente em declínio e em competição cada vez mais acirrada. Por outro lado, as redes TNT Express na Ásia, como as da China e do Sudeste Asiático, além de outros mercados emergentes como o Brasil, são muito diferentes e estão entre as redes mais imaturas do seu *portfolio*. Nessas regiões, a TNT tem a oportunidade de formar os mercados conforme se desenvolvem, fazer as suas redes crescerem e tentar alcançar a liderança de mercado.

O que a Flextronics e a TNT têm em comum?

Nenhuma dessas empresas sofreu de qualquer falta de clareza em relação ao que queriam fazer no mercado. Elas são claras no que diz respeito ao que oferecem aos seus clientes (e documentam isso de maneira explícita em seus *websites*). São ambas claras ao esclarecer suas estratégias de operação. A Flextronics está disposta a realocar operações inteiras no seu compromisso de serviço prestativo ao cliente, porém de baixo custo. A TNT se concentra na presteza e no serviço ao cliente por meio do desenvolvimento de suas redes. Sem uma clareza estratégica "de cima para baixo" é difícil ter clareza na maneira pela qual os processos individuais devem ser gerenciados. Mas as duas empresas também são conhecidas pela maneira que desenvolveram seus processos de nível operacional ao ponto em que a especialização adquirida contribui para a estratégia "de baixo para cima". Também em ambos os casos as exigências dos seus mercados estão claramente refletidas nos seus objetivos de desempenho operacional (presteza e custo para a Flextronics e níveis de serviço confiáveis e prestativos ao cliente para a TNT). De modo similar, ambos os negócios definiram o meio para atingir esses objetivos: dirigindo estrategicamente seus recursos operacionais (a partir do tipo de caminhão, aeronaves e instalações de ordenação que a TNT adquire e a partir de sua localização e decisões da cadeia de suprimentos, no caso da Flextronics). Em outras palavras, ambas conciliaram suas exigências de mercado com sua capacidade de recursos operacionais. Essas são questões que abordaremos neste capítulo.

QUESTÕES DIAGNÓSTICAS
As operações têm uma estratégia?

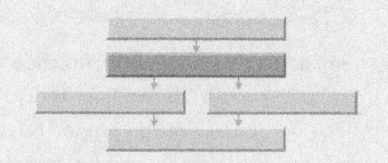

Há alguns problemas em fazer esta pergunta aparentemente simples. Na maioria das decisões do gerenciamento das operações você pode ver com o que você está lidando. Você pode tocar o estoque, falar com as pessoas, programar as máquinas e assim por diante. Mas a estratégia é diferente. Você não consegue ver uma estratégia, senti-la ou tocá-la. E, enquanto os efeitos da maioria das decisões do gerenciamento das operações costumam se tornar evidentes bem depressa, pode levar anos até que uma decisão da estratégia das operações possa ser considerada um sucesso ou não. Além disso, qualquer estratégia sempre é mais que uma simples decisão. A estratégia das operações será revelada no *padrão* total de decisões tomadas no desenvolvimento de suas operações de longo prazo. Não obstante, a pergunta é um ponto de partida óbvio e que deve ser tratado por todas as operações.

Sendo assim, o que uma estratégia de operações deveria fazer? Primeiro, deveria articular uma visão de como os processos e as operações da empresa podem contribuir para sua estratégia global. Isso é mais do que o conjunto de decisões individuais que, na verdade, constituirão a estratégia. Segundo, deveria traduzir os requisitos de mercado em uma mensagem que tenha algum significado dentro das suas operações. Isso significa descrever o que os clientes querem em um claro e priorizado conjunto de *objetivos de desempenho* das operações. Terceiro, deveria identificar as amplas decisões que moldarão as capacidades da operação e permitir seu desenvolvimento a longo pra-

> **Princípio de operações**
> Uma estratégia de operações deveria articular uma "visão" para a contribuição da função de operações para a estratégia global.

zo, já que fornecerão a base para a vantagem sustentável do negócio. Finalmente, deveria explicar como serão conciliadas as necessidades do mercado e suas decisões de operações estratégicas.

Uma estratégia de operações deveria articular uma visão para a contribuição das operações

A visão para uma operação é uma informação clara de como as operações pretendem agregar valor para o negócio. Não é uma informação sobre o que a operação quer *alcançar* (esses são seus objetivos), mas sim uma ideia do que ela deve *se tornar* e qual será a sua contribuição. Uma abordagem comum para resumir a contribuição das operações é o Modelo dos Quatro Estágios de Hayes e Wheelwright.[4] O modelo traça a progressão da função de operações, desde o papel majoritariamente negativo das operações do estágio 1 até se tornar o elemento principal da estratégia competitiva de excelência nas operações do estágio 4. A Figura 2.2 ilustra os quatro passos envolvidos para ir do estágio 1 para o estágio 4.

Estágio 1: Neutralidade interna

Este é o nível mais pobre de contribuição da função de operações. As outras funções consideram que a função de operações atrapalha a competitividade efetiva. A função de operações é introspectiva, mais reativa e menos positiva para o sucesso competitivo. Sua meta é ser ignorada. Pelo menos assim não prejudica a empresa. Certamente o resto da organização não olharia para operações como fonte de originalidade, talento ou direção competitiva. Sua visão é ser "internamente neutra", uma posição que tenta alcançar não por meios positivos, e sim ao evitar erros maiores.

Estágio 2: Neutralidade externa

Para sair do estágio 1, a função de operações precisa começar a se comparar com empresas semelhantes ou organizações no mercado externo. Isto pode não levá-la de forma imediata para a primeira divisão de empresas no mercado, mas pelo menos permitirá compará-la ao desempenho de seus concorrentes e

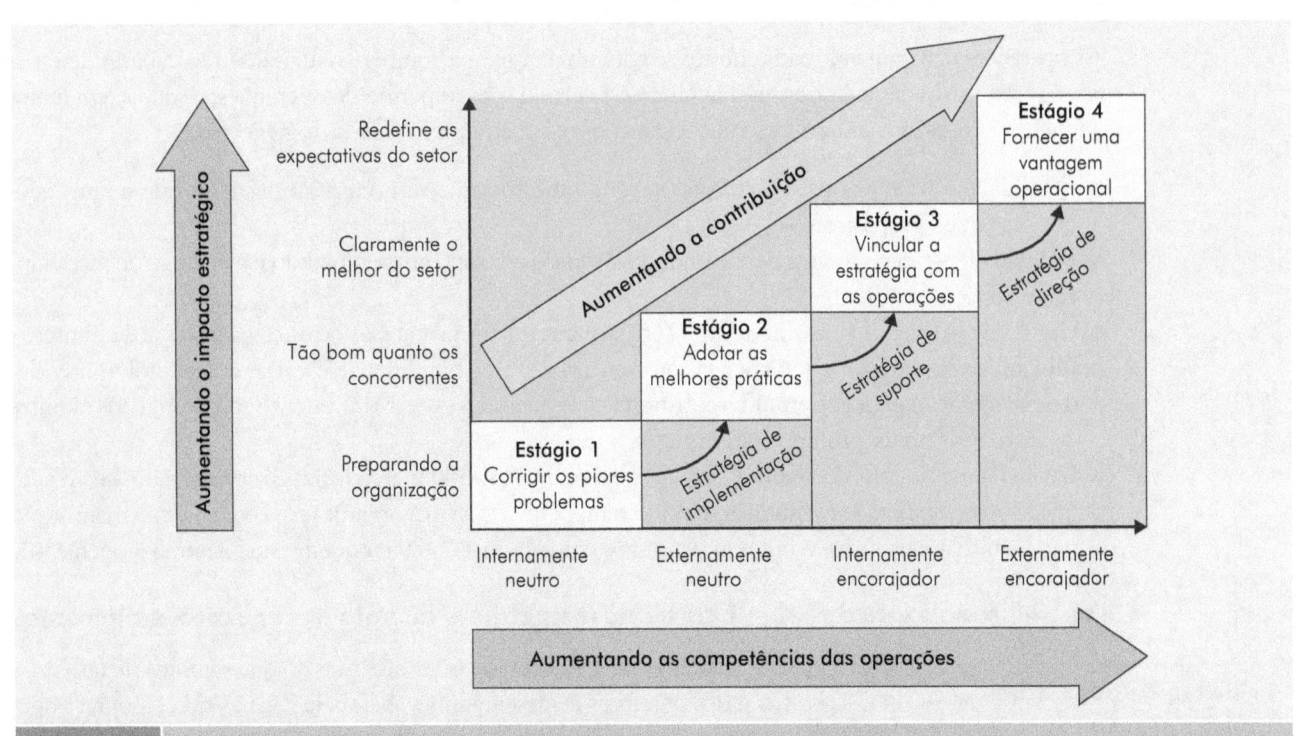

Figura 2.2 O Modelo dos Quatro Estágios de Hayes e Wheelwright da contribuição das operações vê as operações movendo-se da estratégia de implementação para estratégia de suporte e finalmente para a estratégia de direção.

permitirá que ela busque se adequar às melhores práticas deles. Sua visão é tornar-se tão rápida quanto ou externamente neutra em relação aos negócios semelhantes em sua indústria, adotando as melhores práticas de ideias e normas de desempenho dos outros.

Estágio 3: Internamente encorajadora

As operações do estágio 3 provavelmente alcançaram a primeira divisão no seu mercado. Podem não ser melhores que seus concorrentes em cada aspecto do desempenho das operações, mas estão entre as melhores. Ainda assim, a visão das operações do estágio 3 é ser claramente a melhor no mercado. Elas podem tentar alcançar isso tendo uma visão clara das metas competitivas ou estratégicas da empresa e desenvolvendo recursos de operações adequados à excelência nas áreas em que a empresa precisa competir de forma eficaz. A operação está tentando ser internamente encorajadora provendo uma estratégia de operações convincente.

Estágio 4: Externamente encorajadora

O estágio 3 costumava ser considerado o limite da contribuição da função de operações. No entanto, o modelo capta a importância crescente do gerenciamento de operações, sugerindo um estágio adicional – o estágio 4. A diferença entre os estágios 3 e 4 é sutil, mas importante. Uma empresa no estágio 4 é aquela em que a visão da função de operações é fornecer o alicerce para o sucesso competitivo. As operações sempre têm em vista o longo prazo. Elas preveem prováveis mudanças nos mercados e suprimentos e, com o passar do tempo, desenvolvem as capacidades baseadas em operações que serão necessárias para competir em condições de mercado futuro. A função de operações está se tornando essencial para elaborar a estratégia. Operações do estágio 4 são criativas e pró-ativas. Elas são inovadoras e capazes de se adaptarem às mudanças do mercado. Essencialmente, elas tentam estar um passo à frente dos concorrentes no modo como criam os produtos e serviços e organizam suas operações – o que o modelo chama de externamente encorajador.

Uma estratégia de operações deveria definir os objetivos do desempenho de operações

As operações agregam valor aos clientes e contribuem para a competitividade, sendo capazes de satisfazer os requisitos de seus clientes. Há cinco aspectos de desempenho de operações, os quais, em maior ou menor extensão, afetarão a satisfação do cliente e a competitividade do negócio.

- **Qualidade** – fazer as coisas certas, fornecendo mercadorias e serviços impecáveis que sejam "adequados ao seu propósito".
- **Velocidade** – fazer as coisas depressa, minimizando o tempo entre o pedido e a entrega de mercadorias e serviços ao cliente.
- **Confiança** – fazer as coisas no tempo certo, mantendo as promessas de entrega feitas aos clientes.
- **Flexibilidade** – mudar o que você faz ou como você faz, a habilidade de variar ou adaptar as atividades da operação para enfrentar circunstâncias inesperadas ou dar tratamento individual aos clientes ou introduzir novos produtos ou serviços.
- **Custo** – fazer as coisas com um valor mais baixo, produzindo mercadorias e serviços a um custo adequado ao mercado que permita, ao mesmo tempo, um retorno à organização (ou em uma organização não lucrativa, que forneça um bom valor aos contribuintes ou para quem está pagando a operação).

O significado exato dos objetivos de desempenho é distinto em operações diferentes

> **Princípio de operações**
> Os objetivos do desempenho de operações podem ser agrupados como qualidade, velocidade, confiança, flexibilidade e custo.

Operações diferentes terão visões distintas do que significa de fato cada um dos objetivos de desempenho. A Tabela 2.1 mostra como duas operações, uma empresa de seguros e uma fábrica de aço, definem cada objetivo de desempenho. Por exemplo, a empresa de seguros percebe a

Tabela 2.1 Aspectos de cada objetivo de desempenho para as duas operações

Empresa de seguros Os aspectos de cada objetivo de desempenho incluem	Objetivos de desempenho	Fábrica de aço Os aspectos de cada objetivo de desempenho incluem
• Profissionalismo da equipe • Amizade da equipe • Precisão da informação • Habilidade para mudar detalhes no futuro	**Qualidade**	• Porcentagem de produtos que estão conforme a sua especificação • Especificação absoluta dos produtos • Utilidade da consultoria técnica
• Tempo de resposta do centro de atendimento • Pronta resposta da consultoria • Decisões de cotação rápidas • Resposta rápida para reclamações	**Velocidade**	• Lead time da solicitação à cotação • Lead time do pedido à entrega • Lead time da consultoria técnica
• Confiança da data original prometida • Clientes mantidos informados	**Confiabilidade**	• Porcentagem de entregas "na hora, completas" • Clientes mantidos informados das datas de entrega
• Personalização das condições de cobertura do seguro • Habilidade para enfrentar mudanças em circunstâncias, como nível de demanda • Habilidade para controlar a grande variedade de riscos	**Flexibilidade**	• Variedade de tamanhos, medidas, camadas, etc., possíveis • Taxa de lançamento de um novo produto • Habilidade para mudar a quantidade, a composição e o momento de um pedido
• Prêmio orçado • Custos dos planos • Acordos para não haver ações judiciais • Taxas de excesso	**Custo**	• Preço dos produtos • Preço da consultoria técnica • Descontos disponíveis • Condições de pagamento

qualidade mais no modo como seus clientes se relacionam com seu serviço do que na ausência de erros técnicos. Por outro lado, a fábrica de aço, não ignorando a qualidade do serviço, enfatiza principalmente as questões técnicas relacionadas ao produto. Embora estejam selecionando o mesmo grupo de fatores que constituem o objetivo de desempenho genérico, as empresas enfatizam elementos diferentes.

Às vezes, as operações podem escolher transformar elementos usando direcionamentos ligeiramente diferentes. Por exemplo, não é incomum que algumas operações de serviço refiram-se à qualidade de serviço como representação de todos os fatores competitivos que listamos sob qualidade e velocidade e confiança (e, às vezes, aspectos de flexibilidade). Por exemplo, as operações da rede de informações usam o termo Qualidade de Serviço (QdS) para descrever sua meta de apresentar garantias sobre a capacidade de uma rede entregar resultados previsíveis. Isso é especificado frequentemente como tempo total incluso (confiança), provisão de banda larga (confiança e flexibilidade), latência ou demora (velocidade de processamento) e taxa de erro (qualidade). Na prática, não é uma questão de definição universal, mas uma questão de consistência dentro de uma operação ou de um grupo de operações. É importante que, no mínimo, as empresas individuais estejam cientes de como cada objetivo de desempenho será definido.

> **Princípio de operações**
> A interpretação dos cinco objetivos de desempenho diferirá entre diferentes operações.

A prioridade relativa dos objetivos de desempenho difere entre os negócios

Nem toda operação aplicará as mesmas prioridades em seus objetivos de desempenho. As empresas que competem de modos distintos deveriam querer coisas diferentes das suas funções de operações. Na realidade, deveria haver uma conexão lógica clara entre a posição competitiva de um negócio e seus objetivos de operações. Assim, uma empresa que compete principalmente em economia e baixos preços deveria enfatizar objetivos de operações

> **Princípio de operações**
> A importância relativa dos cinco objetivos de desempenho depende de como a empresa compete em seu mercado.

como custo, produtividade e eficiência; aquela que compete em um alto grau de personalização de seus serviços ou produtos deveria enfatizar a flexibilidade e assim por diante. Muitas empresas de sucesso entendem a importância de fazer esta conexão entre sua mensagem para os clientes e os objetivos de desempenho de operações que elas enfatizam, por exemplo:[5]

"Nosso princípio de gerenciamento é o compromisso da qualidade e confiança... entregar produtos e serviços inovadores e seguros... e melhorar a qualidade e confiança de nossos negócios." (Komatsu)

"A equipe de gerenciamento vai... desenvolver alta qualidade, marcas de consumo fortemente diferenciadas e padrões de serviço... usar os benefícios de natureza global e economias de escala da empresa para operar uma infraestrutura de apoio altamente eficiente... [com] altos padrões de serviço e qualidade que entregam uma excelente experiência aos hóspedes... " (InterContinental Hotels Group)

"Um nível de qualidade, durabilidade e valor que é verdadeiramente superior no mercado... o princípio de que o melhor para o cliente também é o melhor para a empresa... os [nossos] clientes já aprenderam a esperar um alto nível de serviço a toda hora – do pedido inicial, receber ajuda e conselho, remessa rápida e acompanhamento posterior onde necessário... os [nossos] empregados 'fazem aquele esforço extra'." (Land's End)

Uma estratégia de operações deveria identificar as decisões gerais que ajudarão a operação a alcançar seus objetivos

Poucas empresas têm os recursos para se dedicar à cada simples ação que poderia melhorar o desempenho de suas operações. Assim, uma estratégia de operações deveria indicar, no geral, a melhor forma de a operação alcançar seus objetivos de desempenho. Por exemplo, uma empresa poderia especificar que tentará reduzir seus custos a partir da agressiva terceirização de seus processos de negócio não essenciais e investindo em tecnologia mais eficiente. Ou poderia declarar que pretende oferecer um conjunto de produtos ou serviços mais personalizado através da adoção de uma abordagem modular para o seu projeto. O equilíbrio aqui está entre uma estratégia restritiva demais em especificar como os objetivos de desempenho serão alcançados e outra tão aberta que fornece pouca orientação sobre quais ideias deveriam ser adotadas.

Há várias categorias de decisões da estratégia de operações. Qualquer uma delas é válida se conseguir captar as decisões fundamentais. Neste livro, categorizamos as decisões da estratégia de operações da mesma maneira que categorizamos as decisões do gerenciamento de operações, conforme se aplicam às atividades de projeto, entrega e desenvolvimento. A Tabela 2.2 ilustra algumas das decisões gerais da estratégia de operações e suas respectivas categorias.

Uma estratégia de operações deveria reconciliar as decisões estratégicas aos objetivos

> **Princípio de operações**
> Uma estratégia de operações deveria articular o relacionamento entre os objetivos de operações e os meios de alcançá-los.

NOTAS PRÁTICAS

EXEMPLO ADICIONAL

Podemos agora reunir dois grupos de ideias e, fazendo isso, também reunimos as duas perspectivas: (a) das necessidades de mercado e (b) dos recursos de operações para formar as duas dimensões de uma matriz. Essa matriz da *estratégia de operações* é mostrada na Figura 2.3. Ela descreve a estratégia de operações como a interseção dos objetivos de desempenho de uma empresa e das decisões estratégicas tomadas. Na realidade, há várias interseções entre cada objetivo de desempenho e cada área de decisão (porém, deseja-se defini-las). Se uma empresa acredita que tem uma estratégia de operações, então deveria ter uma explicação coerente para cada uma das células na matriz. Isto é, deveria poder explicar e reconciliar as ligações planejadas entre cada objetivo de desempenho e cada área de decisão. O processo de reconciliação se coloca entre *o que* é requerido da função de operações (objetivos de desempenho) e *como* a operação tenta alcançar isso pelo conjunto de escolhas feitas (e as capacidades que foram desenvolvidas) em cada área de decisão.

Tabela 2.2 — Algumas decisões estratégicas que podem precisar ser tratadas em uma estratégia de operações

Decisões estratégicas relacionadas ao **projeto** de operações e processos	• Como a operação deveria decidir quais produtos ou serviços desenvolver e como gerenciar o processo de desenvolvimento? • A operação deveria desenvolver seus produtos ou serviços em casa ou terceirizar os projetos? • A operação deveria terceirizar algumas de suas atividades ou ter mais atividades em casa? • A operação deveria se expandir adquirindo seus fornecedores ou seus clientes? Se sim, quais ela deveria adquirir? • Quantos locais geograficamente separados a operação deveria ter? • Onde os locais de operações deveriam ser localizados? • Quais atividades e capacidades deveriam ser alocadas para cada local? • Que tipos gerais de tecnologia a operação deveria estar usando? • Como a operação deveria estar desenvolvendo suas pessoas? • Que papel as pessoas que fazem parte da operação devem ter em seu gerenciamento?
Decisões estratégicas relacionadas ao planejamento e ao controle da **entrega** de produtos e serviços	• Como a operação deveria prever e monitorar a demanda de seus produtos e serviços? • Como a operação deveria ajustar seus níveis de atividade em relação às flutuações da demanda? • Como a operação deveria monitorar e desenvolver sua relação com seus fornecedores? • Quanto estoque a operação deveria ter e onde deveria ser localizado? • Qual abordagem e sistema a operação deveria usar para planejar suas atividades?
Decisões estratégicas relacionadas ao **desenvolvimento** do desempenho de operações	• Como o desempenho da operação deveria ser medido e informado? • Como a operação deveria assegurar que seu desempenho está refletido em suas prioridades de melhoria? • Quem deveria ser envolvido no processo de melhoria? • Com que rapidez o desempenho deveria ser aprimorado? • Como o processo de melhoria deveria ser gerenciado? • Como a operação deveria manter seus recursos de forma a prever as falhas? • Como a operação deveria assegurar a continuidade se uma falha acontecer?

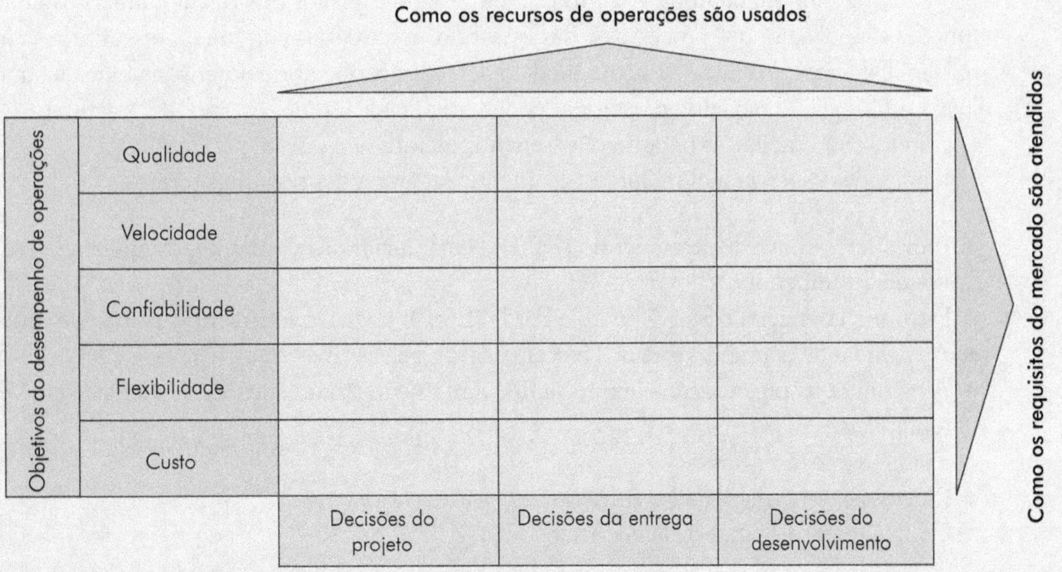

Como os recursos de operações são usados

Objetivos do desempenho de operações	Decisões do projeto	Decisões da entrega	Decisões do desenvolvimento
Qualidade			
Velocidade			
Confiabilidade			
Flexibilidade			
Custo			

Como os requisitos do mercado são atendidos

Figura 2.3 A matriz da estratégia de operações define a estratégia de operações pelas interseções dos objetivos de desempenho e das decisões de operações.

Os conceitos de "modelo de negócio" e "modelo operacional"

Dois conceitos que emergiram nos últimos anos são relevantes para a estratégia de operações (ou pelo menos os termos são novos e alguém pode argumentar que as ideias são bem antigas). São os conceitos de "modelo de negócio" e "modelo operacional".

Simplificando, um "modelo de negócio" é o plano implementado por uma empresa para gerar receita e produzir lucro. Ele inclui as várias partes e funções organizacionais do negócio, bem como as receitas que gera e as despesas nas quais incorre. Em outras palavras, o que uma empresa faz e como ela ganha dinheiro ao fazê-lo. Mais formalmente, é uma "ferramenta conceitual que contém um grande conjunto de elementos e seus relacionamentos, permitindo a [expressão da] lógica de negócio de uma determinada empresa. É uma descrição do valor que uma empresa oferece a um ou vários segmentos de clientes e da arquitetura dessa empresa, bem como de sua rede de parceiros para criar, comercializar e entregar esse capital de valor e relacionamento, visando gerar fluxos de receita lucrativos e sustentáveis".[6]

Uma síntese da literatura[7] mostra que os modelos de negócios têm vários elementos comuns.

1. A *proposição do valor* do que é oferecido ao mercado.
2. Os *segmentos de clientes alvo* abordados pela proposição do valor.
3. Os *canais de comunicação e distribuição* para alcançar os clientes e oferecer a proposição do valor.
4. Os *relacionamentos* estabelecidos com os clientes.
5. As *capacidades fundamentais* necessárias para possibilitar o modelo de negócio.
6. A *configuração das atividades* necessárias para implementar o modelo de negócio.
7. Os *parceiros* e suas motivações para se juntarem e fazerem acontecer o modelo de negócio.
8. Os *fluxos de receita* gerados pelo modelo de negócio que constituem o modelo de receita.
9. A *estrutura de custos* resultante do modelo de negócio.

Pode-se ver que essa ideia de modelo de negócio é bem parecida com a ideia de uma "estratégia de negócio", mas deposita mais ênfase em *como* alcançar uma estratégia pretendida e em *qual* será a estratégia.

Um "modelo operacional" é um "projeto de alto nível da organização que define a estrutura e o estilo que a permitem satisfazer seus objetivos de negócio". Ele deve proporcionar uma descrição clara e abrangente do que a organização faz, por meio de ambos os domínios de negócio e tecnologia. Ele proporciona uma maneira de examinar a empresa em termos dos relacionamentos-chave entre as funções do negócio, dos processos e das estruturas necessárias para que a organização cumpra a sua missão. Diferente do conceito de um modelo de negócio, que normalmente assume uma motivação de lucro, a filosofia do modelo operacional pode ser aplicada a todos os tipos de organização – incluindo as grandes corporações, as organizações sem fins lucrativos e o setor público.[8]

Um modelo operacional inclui normalmente a maioria dos seguintes termos:

- Indicadores-chave de desempenho (KPIs) – com uma indicação da importância relativa dos objetivos de desempenho.
- Estrutura financeira básica – Lucro e Perda (L&P), novos investimentos e fluxo de caixa.
- A natureza da contabilização dos produtos, geografias, ativos etc.
- A estrutura da organização – expressa frequentemente como áreas de capacidade em vez de papéis funcionais.
- Sistemas e tecnologias.
- Processos, responsabilidades e interações.
- Conhecimento e competência críticos.

Observe duas características importantes de um modelo operacional. Primeiro, ele não respeita os limites funcionais convencionais como tais. De certo modo, o conceito de modelo operacional reflete a ideia que propusemos no Capítulo 1, de que todos os gestores são gerentes operacionais e todas as

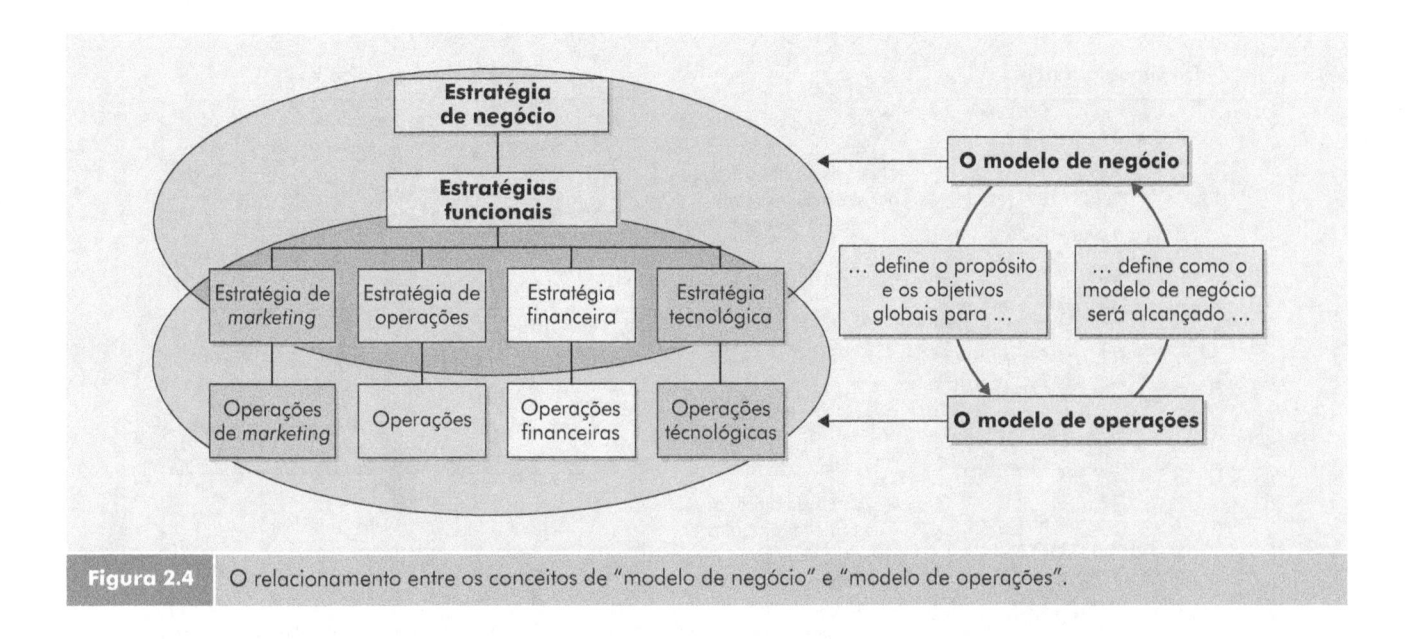

Figura 2.4 O relacionamento entre os conceitos de "modelo de negócio" e "modelo de operações".

funções podem ser consideradas como operações, pois compreendem processos que geram algum tipo de serviço. Um modelo operacional é como uma estratégia de operações, mas aplicado por todas as funções e domínios da organização. Segundo, existem sobreposições claras entre o "modelo de negócio" e o "modelo de operações", sendo a principal diferença que um modelo operacional se concentra mais em como uma estratégia global de negócio deve ser alcançada. Os modelos operacionais possuem um elemento de mudança ou transformação implícita dos recursos e processos da organização. Muitas vezes é empregado o termo "modelo de operações-alvo" para descrever a maneira como a organização deve funcionar no futuro para atingir os seus objetivos e ser bem-sucedida com seu modelo de negócio. A Figura 2.4 ilustra o relacionamento entre os modelos de negócio e operacional.

QUESTÕES DIAGNÓSTICAS

A estratégia de operações faz sentido de cima para baixo e de baixo para cima na empresa?

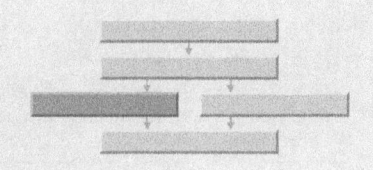

A visão tradicional da estratégia de operações a define como uma das diversas *estratégias funcionais* governadas por decisões tomadas de cima para baixo da árvore organizacional. Nesta visão, a estratégia de operações, junto com o *marketing*, os recursos humanos e outras estratégias funcionais, toma sua direção exclusivamente a partir das necessidades da empresa como um todo. Isso é chamado frequentemente de uma perspectiva "de cima para baixo" da estratégia de operações. Uma visão alternativa é que as estratégias de operações surgem, com o passar do tempo, do nível operacional, conforme a empresa aprende com a experiência cotidiana de executar processos (operações e outros processos). Isso é conhecido como perspectiva "emergente" ou "de baixo para cima" da estratégia de operações. Uma estratégia de operações deveria refletir as duas perspectivas. Nenhuma estratégia funcional, especialmente a estratégia de operações, pode conflitar com a estratégia global do negócio. Ao mesmo tempo, qualquer operação será fortemente influenciada por suas experiências cotidianas. Não só as questões operacionais determinarão as restrições práticas na direção estratégica, mas, de forma mais significativa, as experiências cotidianas podem ser exploradas para fornecer uma contribuição importante ao pensamento estratégico. O lado esquerdo da Figura 2.5 mostra isso.

Figura 2.5 Perspectivas de cima para baixo e de baixo para cima da estratégia da empresa de metrologia.

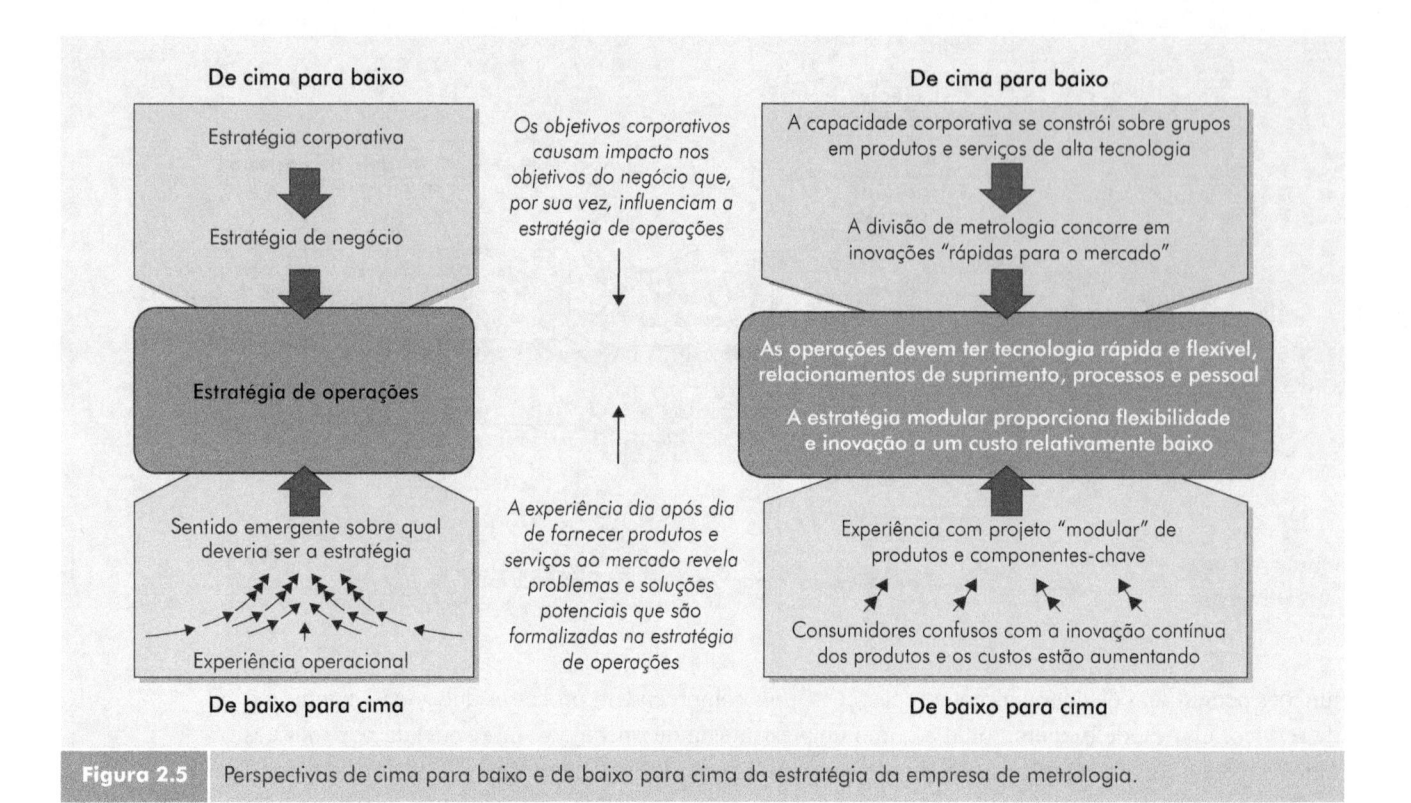

A estratégia de operações de cima para baixo deveria refletir as necessidades de todo o negócio

Uma perspectiva de cima para baixo em geral identifica três níveis de estratégia: corporativo, de negócio e funcional. Uma estratégia corporativa deveria posicionar a corporação em seu ambiente global, econômico, político e social. Isso consistirá em decisões sobre em que tipos de negócio o grupo quer se envolver, em que partes do mundo ele quer operar, como alocar o dinheiro entre seus diversos negócios e assim por diante. Cada unidade de negócio dentro do grupo corporativo também precisará reunir uma estratégia própria de negócio que apresente sua missão individual e seus objetivos. Esta estratégia guia o negócio em relação a seus clientes, mercados e concorrentes, e também define seu papel dentro do grupo corporativo do qual faz parte. Da mesma forma, dentro da organização, as estratégias funcionais precisam considerar qual o papel de cada função para contribuir com os objetivos estratégicos do negócio. As operações, o *marketing*, o desenvolvimento de produtos/serviços e outras funções precisarão considerar como se organizar para melhor apoiar os objetivos do negócio.

> **Princípio de operações**
> As estratégias de operações deveriam refletir os objetivos corporativo e/ou do negócio de cima para baixo.

A estratégia de operações de baixo para cima deveria refletir a realidade operacional

Embora seja um modo conveniente de pensar a estratégia, o modelo hierárquico de cima para baixo não representa a maneira como as estratégias sempre são formuladas na prática. Quando um grupo estiver revisando sua estratégia corporativa, levará em consideração as circunstâncias, experiências e capacidades dos diversos negócios que formam o grupo. Da mesma forma, os negócios, quando revisam suas estratégias, consultarão as funções individuais internas sobre suas restrições e capacidades. Eles também podem incorporar as ideias provenientes da experiência cotidiana de cada função. De fato, muitas ideias estratégicas surgem da experiência operacional. Às vezes, as empresas seguem uma direção estratégica particular porque a experiência contínua de fornecer produtos e serviços a clientes em um nível operacional convencem-nos de que é a coisa certa a fazer. Pode não haver uma tomada de decisão formal de alto nível que examine as opções estratégicas alternativas e escolha uma que forneça a melhor forma a seguir: alguns consensos gerais surgem da experiência operacional. A tomada de decisão estratégica de alto nível, se por acaso ocorrer, pode simplesmente confirmar o consenso e fornecer os recursos para aplicá-lo de forma eficaz. Isso é chamado, às vezes, de conceito das estratégias emergentes.[9] Essa abordagem vê as estratégias como sendo muitas vezes formadas de uma maneira relativamente desestruturada e fragmentada para refletir o fato de que o futuro é pelo menos em parte desconhecido e imprevisível.

> **Princípio de operações**
> A estratégia de operações deveria refletir a experiência de baixo para cima da realidade operacional.

Esta visão da estratégia de operações reflete como as coisas frequentemente acontecem, mas à primeira vista parece inútil para fornecer um guia para a tomada de decisão específica. No entanto, enquanto as estratégias emergentes são mais difíceis de categorizar, o princípio que governa uma perspectiva de baixo para cima é claro: os objetivos e as ações de uma operação devem ser formatados pelo menos em parte a partir do conhecimento adquirido com as atividades cotidianas. As virtudes fundamentais requeridas para formatar a estratégia de baixo para cima são a capacidade de aprender com a experiência e uma filosofia de melhoria contínua e incremental.

Exemplo | Flexibilidade na inovação

Uma empresa de sistemas de metrologia desenvolve sistemas integrados para grandes clientes internacionais em diversas indústrias. Ela faz parte de um grupo que inclui diversas empresas de alta tecnologia, além de competir por meio de uma estratégia de excelência e inovação técnica e da habilidade de aconselhar e personalizar seus sistemas às necessidades dos clientes. Como parte dessa estratégia, ela tenta ser a primeira no mercado com toda inovação técnica disponível. A partir de uma perspectiva de cima para baixo, portanto, sua função de operações precisa ser capaz de lidar com as mudanças que a inovação constante trará. Deve desenvolver processos flexíveis o bastante para criar e montar modernos componentes e sistemas. Deve organizar e treinar sua equipe para entender como a tecnologia está se desenvolvendo de forma que ela possa realizar as mudanças necessárias na operação. Deve desenvolver relacionamentos com seus fornecedores que os ajudarão a responder rapidamente quando estiverem fornecendo novos componentes. Fatores da operação como seus processos, equipe, sistemas e procedimentos, não devem, a curto prazo, inibir a estratégia competitiva de inovação da empresa.

Porém, conforme sua estratégia de operações se desenvolveu, a empresa descobriu que a inovação contínua do produto e do sistema estava aumentando drasticamente seus custos. E, embora não compitam com baixos preços, os custos elevados interferiam na rentabilidade. Também havia alguma evidência de que as mudanças contínuas estavam confundindo alguns clientes. Parcialmente em resposta aos pedidos de clientes, os projetistas do sistema da empresa começaram a pensar em uma maneira de fazer seus projetos de sistemas e de produtos em módulos. Isso permitiu que uma parte do sistema fosse atualizada para os clientes que valorizavam a funcionalidade da inovação, sem interferir com o projeto global do corpo principal do sistema. Com o passar do tempo, essa abordagem se tornou uma prática padrão na empresa. Os clientes apreciaram a personalização extra e a produção em módulos reduziu os custos das operações. Observe que essa estratégia surgiu da experiência da empresa. Nenhuma decisão geral do nível de cima foi tomada para confirmar essa prática, mas, apesar disso, ela foi adotada como o modo pelo qual a empresa organiza sua atividade de projeto. O lado direito da Figura 2.5 ilustra essas influências de cima para baixo e de baixo para cima para o negócio.

QUESTÕES DIAGNÓSTICAS

A estratégia de operações alinha os requisitos do mercado com os recursos das operações?

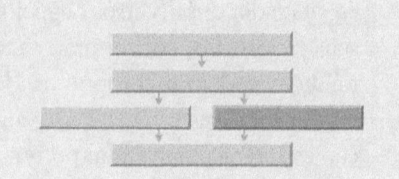

Qualquer estratégia de operações deveria refletir a posição de mercado almejada pela empresa. As empresas competem de diferentes modos: algumas competem principalmente em custo, outras na excelência de seus produtos ou serviços, outras em altos níveis de atendimento ao cliente e assim por diante. A função de operações deve responder a isso fornecendo a habilidade para executar de uma forma apropriada para a posição de mercado planejada. Essa é uma perspectiva de mercado na estratégia de operações. Mas a estratégia de operações deve fazer mais do que simplesmente satisfazer as necessidades de curto prazo do mercado (embora isso seja importante). Os processos e recursos dentro das operações também precisam ser desenvolvidos a longo prazo para proporcionar à empresa um conjunto de competências ou capacidades (usamos as duas palavras alternadamente). As capacidades neste contexto são a experiência embutida nos recursos e processos do negócio. Essas capacidades podem ser construídas com o passar do tempo como resultado das experiências da operação ou podem ser compradas ou adquiridas. Se forem refinadas e integradas, elas podem formar a base da habilidade do negócio em oferecer produtos e serviços sem igual e difíceis de imitar para seus clientes. Esta ideia da base das capacidades competitivas de longo prazo derivando dos recursos e processos da operação é chamada de perspectiva dos recursos na estratégia de operações.[10]

A estratégia de operações deveria refletir os requisitos do mercado

Um modo particularmente útil de determinar a importância relativa dos fatores competitivos é distinguir entre o que o professor Terry Hill denominou "ganhadores de pedidos" e "qualificadores".[11] A Figura 2.6 mostra a diferença entre os objetivos do ganhador de pedidos e do qualificador em termos da sua utilidade ou valor para a competitividade da organização. As curvas ilustram a quantidade relativa de competitividade (ou atratividade para os clientes) conforme varia o desempenho da operação.

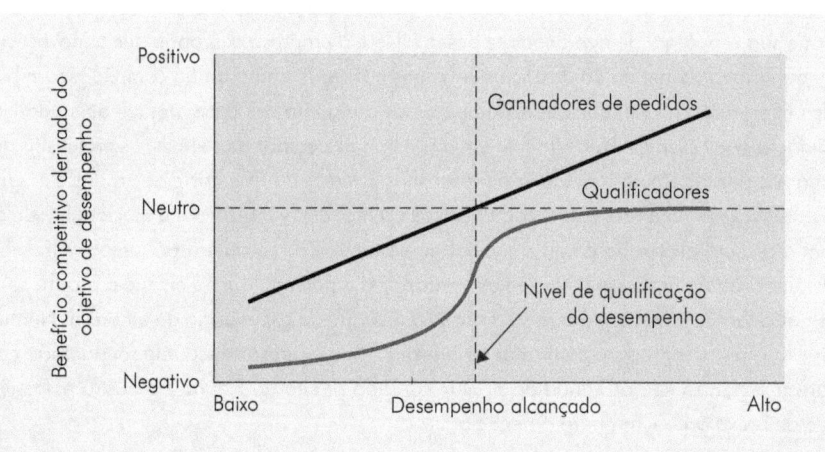

> **Princípio de operações**
> A estratégia de operações deveria refletir os requisitos dos mercados de negócios.

Figura 2.6 Ganhadores de pedidos e qualificadores. Quanto melhores forem os ganhadores de pedidos, mais negócios eles conquistam. Qualificadores são os requisitos para fazer negócio.

- **Ganhadores de pedidos** são aqueles aspectos que contribuem direta e significativamente para a empresa vencedora. Eles são considerados pelos clientes como as razões-chave para comprar o produto ou serviço. Elevar o desempenho em um ganhador de pedidos resultará em mais negócios ou irá melhorar as chances de ganhar mais negócios. Os ganhadores de pedidos exibem um aumento fixo e significativo na sua contribuição para a competitividade conforme a operação melhora ao fornecê-los.
- **Qualificadores** podem não ser os principais determinantes competitivos do sucesso, mas são importantes de outro modo. Eles são aqueles aspectos de competitividade em que o desempenho da operação tem de estar acima de um determinado nível para ser considerado pelo cliente. Abaixo desse nível qualificador, a operação pode ser desqualificada e desconsiderada pelos clientes. Mas para qualquer melhoria adicional acima do nível qualificador é improvável que a empresa ganhe um benefício competitivo. Os qualificadores são as coisas que geralmente são esperadas pelos clientes. É improvável que os clientes fiquem entusiasmados com qualificadores muito eficientes, mas a posição competitiva da operação abaixo do nível aceitável pode ser prejudicial.

Necessidades de diferentes clientes significam objetivos diferentes

Se uma operação gera produtos ou serviços para mais de um grupo de clientes, ela precisará determinar os ganhadores e qualificadores de pedidos para cada grupo. Por exemplo, a Tabela 2.3 mostra dois grupos de produtos financeiros. Ela demonstra a diferença entre os clientes que estão procurando por serviços bancários para suas necessidades particulares e domésticas e os clientes corporativos que precisam de serviços bancários para seus (frequentemente grandes) negócios.

> **Princípio de operações**
> As necessidades de diferentes clientes significam prioridades diferentes de objetivos de desempenho.

Tabela 2.3 Diferentes serviços bancários requerem diferentes objetivos de desempenho

	Banco varejista	*Banco corporativo*
Produtos	Serviços financeiros pessoais como empréstimos e cartões de crédito	Serviços especiais para clientes corporativos
Clientes	Individuais	Empresas
Variedade do produto	Média, mas padronizada, pouca necessidade de condições especiais	Variedade muito ampla, muitas necessidades precisam ser personalizadas
Mudanças de projeto	Ocasional	Contínua
Entrega	Decisões rápidas	Serviço confiável
Qualidade	Significa transações sem erro	Significa relacionamentos íntimos
Volume por tipo de serviço	A maioria dos serviços é de alto volume	A maioria dos serviços é de baixo volume
Margens de lucro	A maioria é de baixa para média, alguma alta	Média para alta
Ganhadores de pedidos	Preço Acessibilidade Velocidade	Personalização Qualidade de serviço Confiança
Qualificadores	Qualidade Variedade	Velocidade Preço
Objetivos de desempenho enfatizados dentro dos processos que produzem cada serviço	Custo Velocidade Qualidade	Flexibilidade Qualidade Confiança

O ciclo de vida do produto/serviço influencia nos objetivos de desempenho

Um modo de generalizar os requisitos do mercado que as operações precisam atender é vinculá-los ao ciclo de vida dos produtos ou serviços que a operação está produzindo. A forma exata dos ciclos de vida do produto/serviço irá variar, mas geralmente eles são mostrados como volume de vendas passando por quatro fases – introdução, crescimento, maturidade e declínio. A importante implicação disso para o gerenciamento de operações é que os produtos e serviços necessitarão de estratégias de operações em cada estágio do seu ciclo de vida (veja Figura 2.7).

- **Estágio de introdução.** Quando um produto ou serviço é introduzido pela primeira vez, é provável que esteja oferecendo algo novo em termos de seu projeto ou desempenho. Poucos concorrentes estarão oferecendo o mesmo produto ou serviço e, devido às necessidades dos clientes não serem perfeitamente entendidas, o seu projeto pode mudar com certa frequência. Dada a incerteza do mercado, o gerenciamento das operações da empresa precisa desenvolver a flexibilidade para lidar com essas mudanças e a qualidade para manter o desempenho de produtos/serviços.
- **Estágio de crescimento.** À medida que o volume de produtos ou serviços cresce, os concorrentes começam a desenvolver seus próprios produtos e serviços. No mercado crescente, surgem proje-

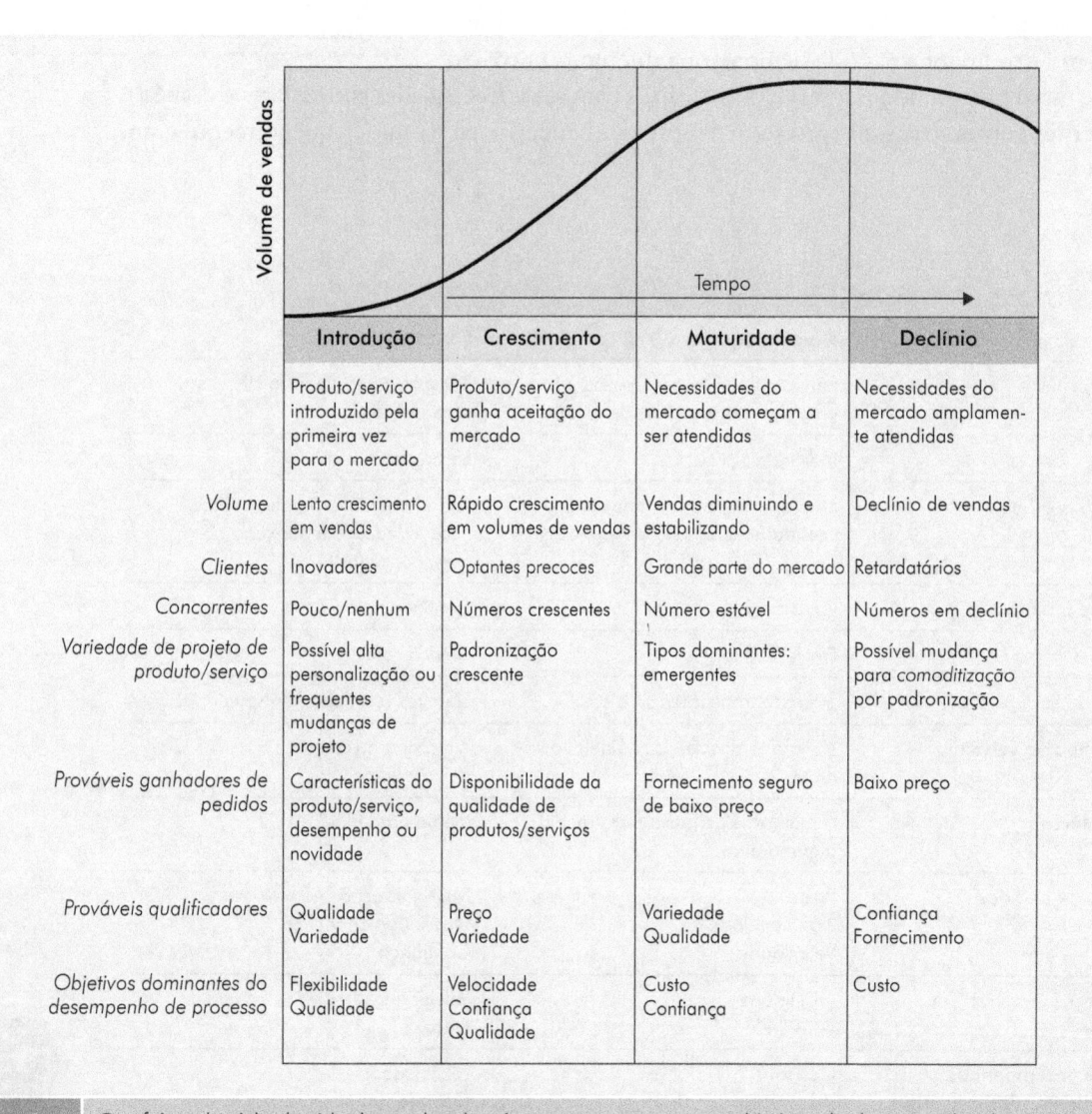

	Introdução	Crescimento	Maturidade	Declínio
	Produto/serviço introduzido pela primeira vez para o mercado	Produto/serviço ganha aceitação do mercado	Necessidades do mercado começam a ser atendidas	Necessidades do mercado amplamente atendidas
Volume	Lento crescimento em vendas	Rápido crescimento em volumes de vendas	Vendas diminuindo e estabilizando	Declínio de vendas
Clientes	Inovadores	Optantes precoces	Grande parte do mercado	Retardatários
Concorrentes	Pouco/nenhum	Números crescentes	Número estável	Números em declínio
Variedade de projeto de produto/serviço	Possível alta personalização ou frequentes mudanças de projeto	Padronização crescente	Tipos dominantes: emergentes	Possível mudança para comoditização por padronização
Prováveis ganhadores de pedidos	Características do produto/serviço, desempenho ou novidade	Disponibilidade da qualidade de produtos/serviços	Fornecimento seguro de baixo preço	Baixo preço
Prováveis qualificadores	Qualidade Variedade	Preço Variedade	Variedade Qualidade	Confiança Fornecimento
Objetivos dominantes do desempenho de processo	Flexibilidade Qualidade	Velocidade Confiança Qualidade	Custo Confiança	Custo

Figura 2.7 Os efeitos do ciclo de vida do produto/serviço na operação e seus objetivos de desempenho de processo.

tos padronizados. A padronização é útil na medida em que permite à operação suprir o mercado crescente. Acompanhar o ritmo da demanda poderia ser a principal preocupação de operações. A resposta rápida e confiável à demanda ajudará a mantê-la flexível enquanto assegura que a empresa mantém sua participação no mercado conforme a competição aumenta. Aumentar a competição também significa que os níveis de qualidade devem ser mantidos.

- **Estágio de maturidade**. Cedo ou tarde, a demanda começa a se estabilizar. Alguns velhos concorrentes terão deixado o mercado e a indústria provavelmente será dominada por empresas maiores. Os projetos dos produtos ou serviços serão padronizados e a competição provavelmente enfatizará o preço ou a economia*, embora empresas particulares pudessem tentar evitar isto se diferenciando de algum modo. Assim, será esperado que as operações baixem os custos a fim de manter os lucros ou permitir o corte dos preços ou ambos. Por isso, junto ao suprimento confiável, é provável que as questões de custo e de produtividade sejam as principais preocupações da operação.
- **Estágio de declínio**. Com o tempo, as vendas declinarão e os concorrentes começarão a abandonar o mercado. Para as empresas restantes poderia haver um mercado residual, mas se a capacidade na indústria não se ajustar à demanda, o mercado continuará sendo dominado pela competição de preços. Os objetivos de operações, portanto, ainda serão dominados pelo custo.

A estratégia de operações deveria construir as capacidades de operações

Construir capacidades de operações significa entender os recursos e processos existentes dentro da operação, começando com duas simples perguntas: o que nós temos e o que podemos fazer? Porém, tentar entender uma operação listando apenas seus recursos é como tentar entender um automóvel listando suas peças. Para entender um automóvel, precisamos descrever como as peças componentes formam seus mecanismos internos. Dentro da operação, os equivalentes a esses mecanismos são seus *processos*. Além disso, mesmo uma explicação técnica dos mecanismos de um automóvel não transmite seu estilo ou "personalidade". É necessário algo mais para descrevê-los. Da mesma forma, uma operação não é apenas a soma de seus processos. Tem também recursos *intangíveis*. Alguns recursos intangíveis de uma operação são:

> **Princípio de operações**
> O objetivo, a longo prazo, da estratégia da operação é construir capacidades baseadas nas operações.

- seu relacionamento com os fornecedores e a reputação que eles têm com seus clientes;
- seu conhecimento e experiência em manusear as tecnologias de seu processo;
- o modo como sua equipe consegue trabalhar em conjunto no desenvolvimento de um novo produto e serviço;
- o modo como ela integra todos seus processos num completo suporte mútuo.

Esses recursos intangíveis podem não ser tão evidentes dentro de uma operação, mas são importantes e frequentemente têm valor real. E os recursos e processos tangíveis e intangíveis formam suas capacidades. A questão central para o gerenciamento de operações, então, é assegurar que seu padrão de decisões estratégicas realmente faça desenvolver capacidades apropriadas.

A visão baseada nos recursos

A ideia de que construir capacidades de operações deveria ser um objetivo importante da estratégia de operações está intimamente ligada com a popularidade de uma abordagem para a estratégia de negócio

---

* N. de R. T.: A expressão em inglês *value for money* significa economia, no sentido de obter o melhor (valor) com o mesmo dinheiro.

chamada visão baseada nos recursos (VBR) da empresa.[12] Ela sustenta que as empresas com desempenho estratégico acima da média provavelmente obtêm sua vantagem competitiva sustentável por causa das suas competências essenciais. Isso significa que o modo como uma organização herda ou adquire ou desenvolve seus recursos de operações terá, a longo prazo, um impacto significativo em seu sucesso estratégico. A VBR difere em sua abordagem da visão mais tradicional da estratégia, que vê as empresas buscando proteger sua vantagem competitiva por meio do controle dos seus mercados criando, por exemplo, *barreiras de entrada* por meio da diferenciação do produto ou tornando difícil para os clientes mudarem para os concorrentes ou controlando o acesso aos canais de distribuição (principal barreira para entrar no varejo de combustíveis, por exemplo, onde as empresas petrolíferas possuem suas próprias redes de varejo). A VBR, em contraste, vê as empresas como sendo capazes de proteger sua vantagem competitiva por meio de *barreiras à imitação*, isto é, preparando recursos difíceis de imitar. Alguns destes recursos são particularmente importantes e podem ser classificados como estratégicos se eles apresentarem as seguintes propriedades:

- *São escassos*. Recursos escassos, como instalações de produção especializadas, engenheiros experientes, programa proprietário, etc., podem suportar a vantagem competitiva.
- *São imperfeitamente móveis*. Alguns recursos são difíceis de comercializar. Por exemplo, recursos que foram desenvolvidos internamente ou estão baseados na experiência da equipe da empresa ou estão interconectados com os outros recursos na empresa não conseguem ser facilmente comercializados.
- *São imperfeitamente imitáveis e imperfeitamente substituíveis*. Não é suficiente apenas ter recursos que são únicos e imóveis. Se um concorrente pode copiar esses recursos ou os substitui com recursos alternativos, então seu valor irá se deteriorar rapidamente. Quanto mais os recursos estiverem conectados com o conhecimento do processo obtido dentro da empresa, mais difícil será para os concorrentes os entenderem e os copiarem.

Reconciliando os requisitos do mercado e as capacidades dos recursos de operações

As necessidades do mercado e as perspectivas dos recursos de operações na estratégia de operações representam dois lados de uma equação estratégica que todos os gerentes de operações devem reconciliar. De um lado, a operação deve ser capaz de satisfazer os requisitos do mercado. Por outro lado, também precisa desenvolver as capacidades das operações que as tornam capazes de fazer as coisas que os clientes acham importante, mas que os concorrentes acham difícil de imitar. E para ser ideal, deveria haver um grau razoável de alinhamento ou ajuste entre os requisitos do mercado e as capacidades dos recursos das operações. A Figura 2.8 ilustra o conceito de ajuste em forma de diagrama. A dimensão vertical repre-

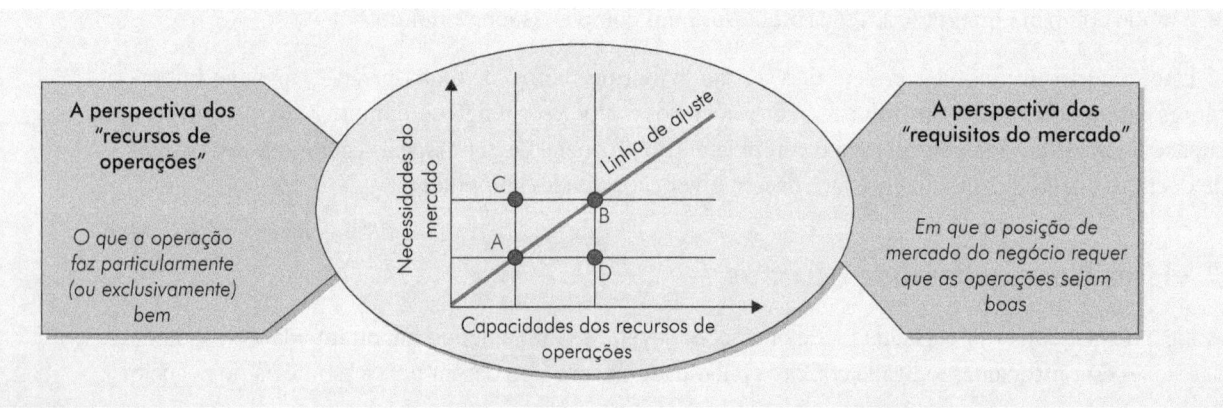

Figura 2.8 A estratégia de operações deve tentar alcançar o "ajuste" entre os requisitos do mercado e as capacidades dos recursos de operações.

senta a natureza dos requisitos do mercado, pois eles refletem as necessidades intrínsecas dos clientes ou porque suas expectativas foram formatadas pela atividade de *marketing* da empresa. Isso inclui fatores como a força da marca ou reputação, o grau de diferenciação e a extensão das promessas do mercado. O movimento ao longo da dimensão indica um nível geralmente maior do desempenho no mercado. A escala horizontal representa a natureza dos recursos e processos das operações da empresa. Isso inclui o desempenho da operação em alcançar objetivos competitivos, a eficiência com que usa seus recursos e a habilidade dos recursos da empresa para suportar seus processos de negócio. O movimento ao longo da dimensão geralmente indica um nível maior da capacidade de operações.

Se os requisitos do mercado e a capacidade de operações de uma operação estiverem alinhados, estariam posicionados na linha de ajuste na Figura 2.8. Ajustar é alcançar um equilíbrio aproximado entre os requisitos do mercado e a capacidade de operações. Assim, quando o ajuste é alcançado, os clientes das empresas não necessitam ou esperam níveis de capacidade das operações que não possam ser fornecidos. Nem a operação tem forças que são impróprias para as necessidades do mercado ou que permaneçam inexploradas no mercado.[13]

Uma operação que tem a posição A na Figura 2.8 alcançou o ajuste e, embora suas capacidades de operações estejam alinhadas com seus requisitos de mercado, ambos ainda estão num nível relativamente baixo. Em outras palavras, o mercado não quer muito do negócio, o que é satisfatório já que sua operação não é capaz de realizar muito. Uma operação com a posição B também alcançou o ajuste, mas em um nível mais alto. Com tudo mais permanecendo constante, a empresa estará numa posição mais lucrativa que a posição A. As posições C e D estão fora de alinhamento. A posição C denota uma operação que não tem capacidade de operações suficiente para satisfazer o que o mercado quer. A posição D indica uma operação que tem mais capacidade de operações do que pode explorar em seus mercados. Geralmente, as operações em C e D desejariam melhorar sua capacidade de operações (C) ou reposicioná-las em seu mercado (D) para voltar para uma posição de ajuste.

QUESTÕES DIAGNÓSTICAS

A estratégia de operações fornece um roteiro de melhorias?

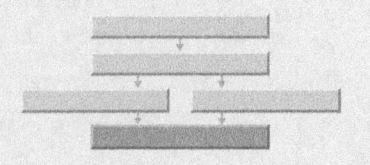

Uma estratégia de operações é o ponto de partida para a melhoria das operações. Ela determina a direção para a qual a operação irá com o passar do tempo. Está implícito que a empresa vai querer que as operações mudem para melhor. Por isso, a menos que uma estratégia de operações forneça alguma ideia de como a melhoria acontecerá, ela não está cumprindo seu propósito principal. É melhor pensar como os objetivos de desempenho, em relação a eles mesmos e em relação aos outros, mudarão com o tempo. Para fazer isso, precisamos entender o conceito e os argumentos relacionados das compensações entre os objetivos de desempenho.

Uma estratégia de operações deveria guiar as compensações entre os objetivos de desempenho

Uma estratégia de operações deveria tratar da prioridade relativa dos objetivos de desempenho da operação ("para nós, velocidade de resposta é mais importante que eficiência de custos, qualidade é mais importante que variedade" e assim por diante). Para fazer isso, deve-se considerar a possibilidade de melhorar seu desempenho em um objetivo, sacrificando o desempenho em outro. Por exemplo, uma operação poderia querer melhorar sua eficiência de custos reduzindo a variedade de produtos ou serviços que oferece a seus

> **Princípio de operações**
> No curto prazo, as operações não podem obter um desempenho impressionante em todos objetivos da operação simultaneamente.

clientes. Levado a seu extremo, esse princípio de compensações significa que a melhoria num objetivo de desempenho *apenas* pode ser ganha às custas de outro. A expressão "Não existe almoço grátis" poderia ser adotada como um resumo dessa abordagem de gerenciar. Provavelmente, o melhor resumo conhecido da ideia da compensação vem do professor Wickham Skinner, o mais influente dos criadores da abordagem estratégica para operações, que afirmou:[14]

> ... a maioria dos gerentes admitirá prontamente que existem compromissos ou compensações a serem feitas ao projetar um avião ou um caminhão. No caso de um avião, as compensações envolveriam assuntos como velocidade cruzeiro, distâncias de decolagem e aterrissagem, custo inicial, manutenção, consumo de combustível, conforto ou capacidade de passageiros e carga. Por exemplo, hoje ninguém pode projetar um avião de 500 passageiros que possa pousar em um porta-aviões e também possa quebrar a barreira do som. Muitas coisas são assim nas... [operações].

Mas há uma outra visão das compensações entre os objetivos de desempenho. Ela encara a própria ideia das compensações como a inimiga da melhoria das operações e considera limitada e despretensiosa a visão de que um tipo de desempenho só pode ser alcançado às custas de um outro. Para qualquer verdadeira melhoria do desempenho total, acredita-se que o efeito das compensações deva ser superado de algum modo. Na realidade, superar as compensações deve ser considerado como o objetivo central da melhoria estratégica de operações.

> **Princípio de operações**
> No longo prazo, um objetivo-chave da estratégia de operações é melhorar todos os aspectos do desempenho de operações.

Essas duas abordagens para gerenciar as compensações resultam em duas abordagens para a melhoria de operações. A primeira enfatiza reposicionar os objetivos de desempenho, compensando a melhoria em alguns objetivos, para uma redução no desempenho em outro. A outra enfatiza o aumento da eficácia da operação, superando as compensações de forma que as melhorias em um ou mais aspectos do desempenho possam ser alcançadas sem qualquer redução no desempenho de outros. A maioria dos negócios, num momento ou noutro, adotará ambas as abordagens. Isto é melhor ilustrado pelo conceito da "fronteira eficiente" do desempenho de operações.

EXEMPLO ADICIONAL

Trocas compensatórias* e a fronteira eficiente

A Figura 2.9(a) mostra o desempenho relativo de várias empresas no mesmo ramo em termos da eficiência de seus custos e da variedade dos produtos ou serviços que elas oferecem para seus clientes. Presumivelmente, todas as operações gostariam de poder oferecer uma variedade muito alta e ainda ter níveis muito altos de eficiência de custos. Porém, o aumento da complexidade que uma alta variedade de produtos ou ofertas de serviço traz geralmente reduzirá a capacidade da operação para operar de maneira eficiente. Reciprocamente, um modo de melhorar a eficiência de custos é limitar de modo severo a variedade na oferta para os clientes. A expansão dos resultados na Figura 2.9(a) é típica de um exercício como este. Todas as operações A, B, C e D escolheram um equilíbrio diferente entre a variedade e a eficiência de custos. Mas nenhuma é dominada por qualquer outra operação no sentido que uma outra operação necessariamente tem desempenho superior. Porém, a operação X tem um desempenho inferior já que a operação A pode oferecer uma variedade alta ao mesmo nível de eficiência de custos, e a operação C oferece a mesma variedade, mas com melhor eficiência de custos. A linha convexa na qual as operações A, B, C e D estão é conhecida como a "fronteira eficiente". Elas podem escolher se posicionarem de forma diferente (presumivelmente por causa das estratégias de mercado diferentes), mas elas não podem ser criticadas por serem ineficazes.

> **Princípio de operações**
> As operações que estão na fronteira eficiente têm níveis de desempenho que dominam aquelas que não tem.

---
* N. de T.: Em inglês, *trade-offs*.

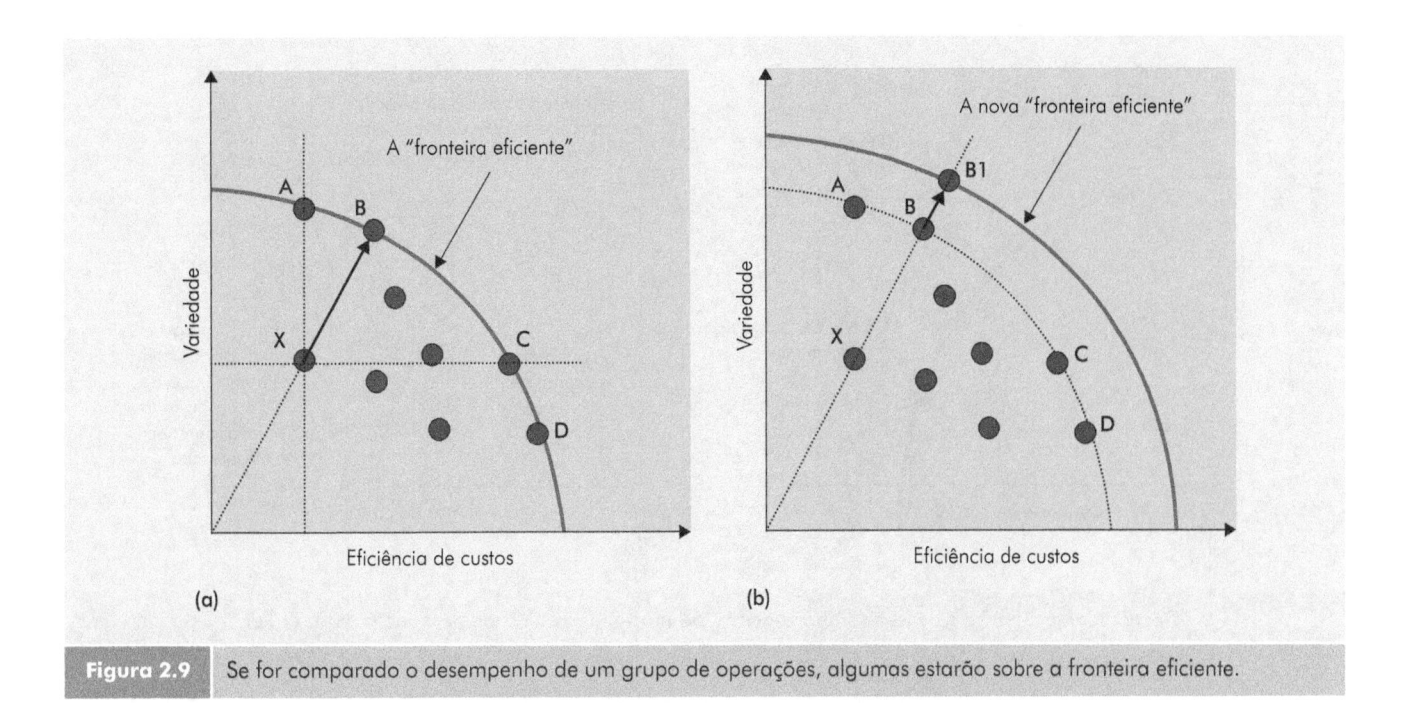

Figura 2.9 Se for comparado o desempenho de um grupo de operações, algumas estarão sobre a fronteira eficiente.

Claro que qualquer uma dessas operações que estão na fronteira eficiente pode vir a acreditar que o equilíbrio que elas escolheram entre a variedade e a eficiência de custos é inadequado. Nessas circunstâncias, elas podem escolher se reposicionarem em algum outro ponto ao longo da fronteira eficiente. Por outro lado, a operação X também escolheu equilibrar a variedade e a eficiência de custos de um modo particular, mas não o está fazendo de forma eficaz. A operação B tem a mesma relação entre os dois objetivos de desempenho, mas os está alcançando de forma mais eficaz. A operação X geralmente terá uma estratégia que enfatiza aumentar sua eficácia antes de considerar qualquer reposicionamento.

Porém, uma estratégia que enfatiza a eficácia crescente não está limitada a essas operações que são dominadas, como a operação X. Aquelas com uma posição sobre a fronteira eficiente geralmente também vão querer melhorar a eficácia de suas operações superando a compensação que está implícita na curva da fronteira eficiente. Por exemplo, suponha que a operação B na Figura 2.9(b) é a empresa de sistemas de metrologia descrita anteriormente neste capítulo. Adotando uma estratégia de projeto de produto modular, ela melhorou sua variedade e sua eficiência de custo simultaneamente (e passou para a posição B1). O que aconteceu é que a operação B adotou uma prática particular de operações (projeto modular) que substituiu a fronteira eficiente. Esta distinção entre se posicionar na fronteira eficiente e aumentar a eficácia das operações para alcançar a fronteira é importante. Qualquer estratégia de operações deve deixar claro até que ponto está esperando a operação se reposicionar em termos de seus objetivos de desempenho e até que ponto está esperando a operação melhorar sua eficácia.

Melhorar a eficácia das operações usando as trocas compensatórias

Melhorar a eficácia de uma operação substituindo a fronteira eficiente requer abordagens diferentes dependendo da posição original da operação na fronteira.[15] Por exemplo, na Figura 2.10, a operação P tem uma posição original que oferece um alto nível de variedade às custas da baixa eficiência de custos. Provavelmente, ela alcançou esta posição adotando uma série de práticas de operações que lhe permitem oferecer a variedade até mesmo se estas práticas forem intrinsecamente caras. Por exemplo, pode ter investido em tecnologia de propósito geral e recrutado empregados com uma ampla variedade de habilidades. Melhorar a variedade pode, mais adiante, significar adotar práticas de operações até mesmo mais extremas do que enfatizar a variedade. Por exemplo, pode reorganizar seus processos

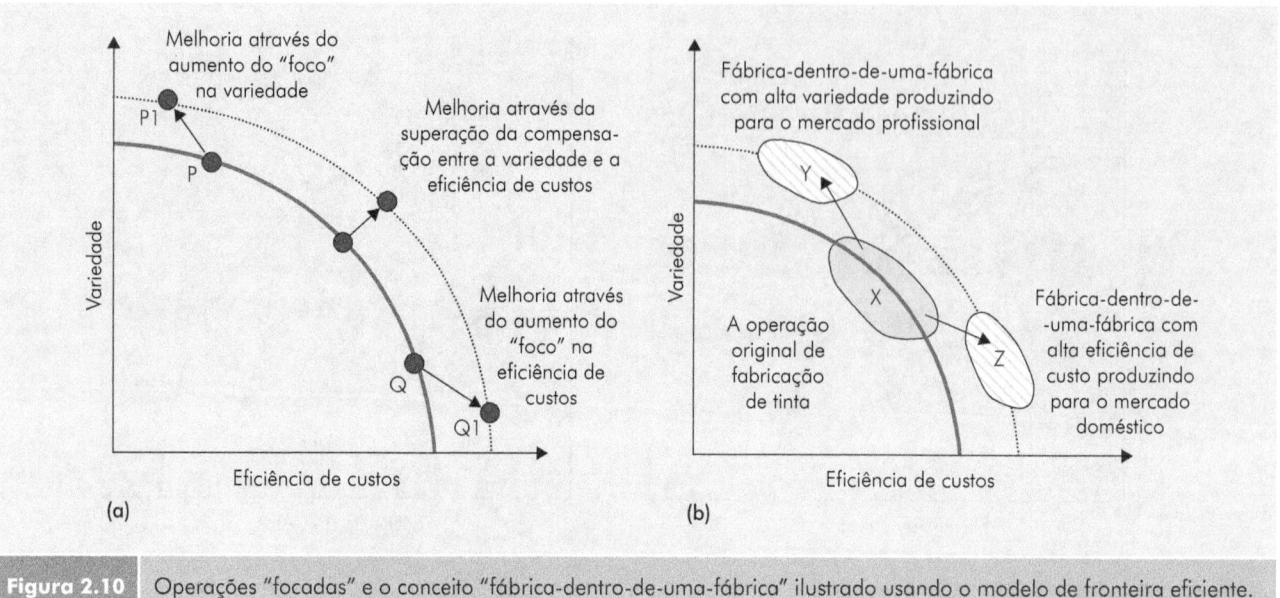

Figura 2.10 Operações "focadas" e o conceito "fábrica-dentro-de-uma-fábrica" ilustrado usando o modelo de fronteira eficiente.

de forma que cada um de seus maiores clientes tenha um grupo dedicado de recursos que entende os requisitos específicos daquele cliente e pode se organizar para personalizar totalmente cada produto e serviço que produz. Isto provavelmente significará um sacrifício adicional da eficiência de custos, mas permite que seja produzida uma variedade imensa de produtos ou serviços (P1). Da mesma forma, a operação Q pode aumentar a eficácia da sua eficiência de custos, tornando-se ainda menos capaz de oferecer qualquer tipo de variedade (Q1). A eficácia das operações P e Q está sendo melhorada pelo aumento do foco da operação em um (ou um grupo muito estreito) dos objetivos de desempenho e aceitando uma redução adicional em outros aspectos do desempenho.

O mesmo princípio de foco também se aplica às unidades organizacionais menores que uma operação inteira. Por exemplo, processos individuais podem escolher se posicionarem num conjunto altamente focado de objetivos de desempenho que atendam os requisitos do mercado de seus próprios clientes. Assim, por exemplo, uma empresa que fabrica tinta para decoração de interiores pode servir dois mercados bastante distintos. Alguns de seus produtos são planejados para clientes domésticos que são sensíveis ao preço, mas exigem somente uma variedade limitada de cores e tamanhos. O outro mercado é dos decoradores profissionais de interiores que exigem uma variedade muito ampla de cores e tamanhos, mas são menos sensíveis ao preço. A empresa pode escolher sair de uma posição onde são feitos todos os tipos de tinta nos mesmos processos (posição X na Figura 2.10(b)) para outra onde há dois grupos separados de processos (Y e Z): um que só faz tinta para o mercado doméstico e o outro que só faz tinta para o mercado profissional. Com efeito, a empresa segmentou seus processos de operações para atender a segmentação do mercado. Esse conceito é, às vezes, denominado "fábrica-dentro-de-uma-fábrica".

Melhorar a eficácia das operações superando as trocas compensatórias

Este conceito de operações altamente focadas não é visto universalmente como apropriado. Muitas empresas tentam dar "o melhor de ambos os mundos" para seus clientes. Tempos atrás, por exemplo, um automóvel de alta qualidade, confiável e infalível era inevitavelmente um automóvel caro. Hoje, com poucas exceções, esperamos que mesmo os automóveis com preço razoável sejam confiáveis e também sem qualquer defeito. Fabricantes de automóveis achavam que não só poderiam reduzir o número de defeitos em seus veículos sem necessa-

Princípio de operações

O caminho da melhoria estratégica de uma operação pode ser descrito em termos de reposicionar e/ou superar suas compensações de desempenho.

riamente incorrer em custos extras, mas poderiam na verdade diminuir os custos reduzindo os erros de fabricação. Se os fabricantes de carro tivessem adotado uma abordagem baseada no foco para as melhorias durante os anos, hoje só poderíamos comprar automóveis muito baratos de baixa qualidade ou automóveis muito caros de alta qualidade. Portanto, uma expansão permanente da fronteira eficiente é melhor alcançada superando as compensações por meio de melhorias na prática de operações.

Até mesmo as compensações que parecem ser inevitáveis podem ser reduzidas até certo ponto. Por exemplo, uma das decisões que qualquer gerente de supermercado deve tomar em algum momento é quantos caixas abrir. Se forem abertos muitos caixas então haverá momentos em que a equipe dos caixas não tem nenhum cliente para atender e estará inativa. Os clientes, contudo, terão um serviço excelente em termos do pequeno ou nenhum tempo de espera. De forma recíproca, se poucos caixas são abertos, a equipe estará trabalhando o tempo todo, mas os clientes terão de esperar em longas filas. Parece haver uma compensação direta entre a utilização da equipe (implicando em custo) e o tempo de espera do cliente (velocidade do serviço). Contudo, até mesmo o gerente do supermercado decidindo quantos caixas abrir pode, de algum modo, afetar a compensação entre o tempo de espera do cliente e a utilização da equipe. Por exemplo, o gerente poderia alocar uma equipe básica para operar os caixas, mas também treinar uma outra equipe, que executará outros trabalhos no supermercado, e ser chamada quando houver um aumento repentino na demanda. Se o gerente em atividade vir uma fila de clientes nos caixas, essa outra equipe poderia rapidamente ser usada para prover a equipe dos caixas. Inventando um sistema flexível de distribuição de equipe, o gerente pode melhorar o atendimento ao consumidor e pode manter alta a utilização da equipe.

Comentário crítico

Cada capítulo contém um breve comentário crítico sobre as principais ideias nele abordadas. Seu propósito não é minar as questões discutidas, mas enfatizar que, embora apresentemos uma visão relativamente ortodoxa da operação, existem outras perspectivas.

■ As ideias de que a estratégia de operações possa vir se tornar a direcionadora de uma estratégia global de negócio e o conceito associado da visão baseada nos recursos da empresa são problemáticas para alguns teóricos. A estratégia de negócio e as estratégias funcionais foram vistas por muitos anos como, primeiro, direcionadas ao mercado e, segundo, planejadas de uma maneira sistemática e deliberativa. Assim, tornou-se quase axiomático ver a estratégia como o início de uma compreensão completa do posicionamento do mercado. Na realidade, a fonte principal da vantagem competitiva sustentável foi vista como não ambiguamente associada com a forma como uma empresa se posicionou em seus mercados. Obtenha a correta proposição do mercado e os clientes responderão gerando-lhe negócio. Obtenha a errada e eles irão para os concorrentes com uma melhor oferta. A estratégia foi vista como alinhando a organização inteira à posição do mercado que poderia alcançar a diferenciação lucrativa de longo prazo quando comparada aos concorrentes. As estratégias funcionais eram simplesmente uma interpretação mais detalhada desse imperativo global. Além disso, a estratégia deve ser algo que pode ser planejado e dirigido. Se os gerentes não pudessem influenciar estratégia, então como a empresa poderia ser qualquer coisa diferente de uma loteria?

■ A ideia de que a vantagem competitiva sustentável pudesse vir das capacidades dos recursos de alguns era uma ameaça clara à posição estabelecida. Além disso, a ideia de que as estratégias apareceram, às vezes a esmo e imprevisivelmente, com o passar do tempo, em vez de serem decisões deliberadas, tomadas por gerentes seniores, também era aparentemente contraintuitiva. Há evidência considerável de pesquisa para apoiar ambas as proposições anteriormente opostas. A posição que tomamos neste capítulo é uma mistura de alguns aspectos da visão tradicional com as mais recentes ideias. Não obstante, é importante entender que ainda há visões diferentes na natureza em si do gerenciamento estratégico.

Lista de verificação

Esta lista de verificação inclui perguntas que podem ser úteis se aplicadas a qualquer tipo de operação e reflete as principais questões diagnósticas usadas dentro do capítulo.

- [ ] A operação tem uma estratégia de operações completamente articulada?
- [ ] Isto inclui uma visão do papel e da contribuição da função de operações?
- [ ] Em que posição no modelo de estágios 1 a 4 de Hayes e Wheelwright estão suas operações?
- [ ] Os objetivos de desempenho da operação são articulados completamente?
- [ ] As principais decisões estratégicas que formatam os recursos de operações são completamente identificadas?
- [ ] As ligações lógicas são estabelecidas entre o que o mercado necessita (em termos de objetivos de desempenho) e quais capacidades algumas operações possuem (em termos das principais áreas de decisões estratégicas)?
- [ ] Qual é o equilíbrio entre a direção de cima para baixo e o aprendizado de baixo para cima em formular a estratégia de operações?
- [ ] Existe um processo reconhecido para a comunicação de cima para baixo e de baixo para cima em questões estratégicas?
- [ ] Os objetivos de desempenho são entendidos em termos de que eles são ganhadores de pedidos ou qualificadores?
- [ ] As diferentes partes da operação têm (provavelmente produzindo diferentes produtos ou serviços) sua própria prioridade relativa dos objetivos de desempenho que refletem suas posições competitivas possivelmente diferentes?
- [ ] A ideia das capacidades baseadas na operação é completamente entendida?
- [ ] Que capacidades a operação possui atualmente?
- [ ] Estas operações e/ou recursos são escassos, imperfeitamente móveis, imperfeitamente imitáveis ou imperfeitamente substituíveis?
- [ ] Se nenhuma das anteriores, eles são realmente úteis em termos do seu impacto estratégico?
- [ ] Onde você colocaria a operação em termos da Figura 2.8, que descreve o amplo ajuste entre os requisitos do mercado e as capacidades dos recursos de operações?
- [ ] As compensações fundamentais para a operação foram identificadas?
- [ ] Qual mudança na natureza das compensações vai ser usada para melhorar o desempenho global de operações?

Estudo de caso: Dresding Wilson

"Os últimos quatro anos têm sido caracterizados por muitos desafios, muitas oportunidades aproveitadas, muitas lições aprendidas e muitas razões para nos sentirmos confiantes de nosso sucesso contínuo." (Artigo jornalístico de Dresding Wilson, janeiro de 2004). Na realidade, as palavras exatas tinham sido copiadas diretamente da palestra de abertura que a Dra. Laura Dresding tinha dado para a conferência de gerenciamento sênior Dresding Wilson um mês antes. O que não foi incluído no artigo jornalístico foi seu seguinte comentário: *"OK, então nós também cometemos muitos erros. Mas isso faz parte do crescimento, e crescidos é o que nós deveríamos começar a nos considerar. Precisamos ser mais profissionais em tudo que fazemos. Nós entramos em mercados que ou são ou se tornarão mais e mais competitivos. Isso significa que precisaremos mudar o modo como fazemos as coisas. Crescemos por 'deixar muitas flores florescerem'. Isso é bom quando você for um concorrente pequeno e ambicioso em um mercado em ascensão. Agora nós devemos estar mais integrados no modo que avançamos e devemos focar de maneira agressiva nas necessidades de nossos clientes. Qualquer coisa que os clientes acham importante é o que deveríamos achar importante".*

História da empresa

A empresa, originalmente chamada Dresding Medical, foi fundada em 1991 pela Dra. Laura Dresding, uma médica que também tinha atuado como uma conselheira clínica para diversas empresas de equipamento médico. Fornecia dispositivos de monitoramento da função cardíaca e cardiovascular, a maioria deles fabricados numa fábrica/laboratório relativamente pequena em Bracknell, no sul da Inglaterra. Em três anos ela reduziu os produtos de outros fabricantes para se concentrar nas vendas do seu próprio, aumentando a variedade do produto. Originalmente possuindo 100% da empresa, por volta de 2004 a participação da Dra. Dresding caiu para 60%, e o resto foi adquirido por três empresas de capital de risco. Uma das primeiras decisões da empresa foi permanecer integrada verticalmente. *"Não temos nenhuma objeção, em princípio, à terceirização; na realidade estamos agora terceirizando aproximadamente 30% de nossa produção total. Mas fazemos a maior parte do nosso próprio trabalho simplesmente porque isso assegura nosso controle sobre a qualidade. Também nos ajudou a convencer nossos clientes e as autoridades reguladoras da indústria do nosso compromisso com a qualidade"* (James Key, DP, Divisão de Produção). As vendas, no princípio relativamente lentas, começaram a se expandir de maneira significativa durante os meados de 1990, e em 1995 a empresa comprou uma fabricante de equipamentos médicos dinamarquesa que produzia estimuladores neurológicos. Embora o mercado para os produtos neurológicos estivesse crescendo de uma forma relativamente lenta, a planta dinamarquesa também foi usada para produzir componentes para a própria variedade de produtos da Dresding.

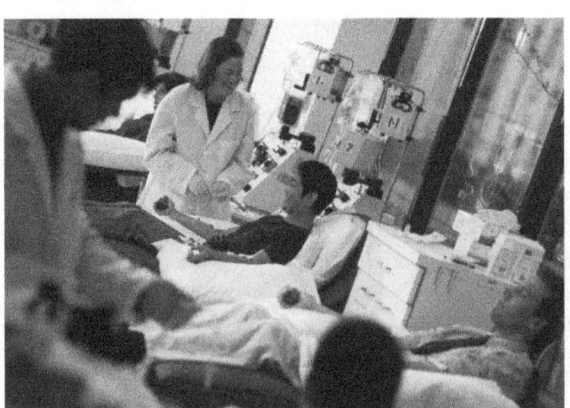

A Divisão de Desenvolvimento Tecnológico

Desde 1993, a Dresding esteve também oferecendo contratação de consultoria tecnológica, bem como assumindo algum trabalho de desenvolvimento para outros fabricantes de equipamento originais (OEMs). No final de 1997, foi decidido dividir esta atividade e formar uma divisão separada de "Soluções Tecnológicas" para desenvolver novos produtos internamente e para desenvolver e licenciar as "soluções tecnológicas" para outros OEMs. A nova divisão mudou-se para um edifício separado no local da Bracknell, e Bob Anderson, o então engenheiro-chefe da empresa, tornou-se seu primeiro diretor. Nas palavras dele: *"Naquele momento, tínhamos somente 12 engenheiros em completo desenvolvimento e cinco técnicos, junto a dois engenheiros em desenvolvimento na planta dinamarquesa. Mas embora fôssemos pequenos, éramos um time bastante unido e motivado a fazer da nova divisão um sucesso. Em nove meses emitimos nossa primeira licença tecnológica e em 18 meses aumentamos nossas receitas em 350%. Descobrimos rapidamente que estávamos no mercado de serviços. Em 1998, tínhamos mais de 20 clientes-chave e começamos a desenvolver várias novas iniciativas para uso interno".*

O desenvolvimento mais significativo a surgir da divisão tecnológica em 1998 foi o sistema que monitora a "percepção". Esse era um método que prmitia o monitoramento centralizado no paciente e a vigilância em áreas de tratamento específico. O sistema permitiu aos hospitais evitar transferir os pacientes para unidades de tratamento intensivo de alto custo e facilitou uma melhor relação do paciente com a equipe médica. Ele também permitiu a completa vigilância dos sinais vitais tanto na cabeceira quanto em uma estação central de monitoramento. "Estávamos tremendamente entusiasmados com o desenvolvimento porque gerou vários desafios, mais notavelmente a integração do desenvolvimento do programa, o programa diagnóstico, novos módulos sobre os pacientes e sistemas de comunicação sem fios. Nós o lançamos antes de 1999 e imediatamente fomos surpreendidos por clientes expressando interesse. Em retrospecto, aqui foi onde cometemos nosso maior erro. Nos expandimos muito depressa, assumimos muitas equipes novas, não testamos de maneira suficiente alguns dos subcomponentes do sistema, em especial nas áreas que eram novas para nós, como o programa de diagnóstico. Pior de tudo, fizemos promessas para o mercado sem sermos capazes de cumpri-las. No fim, levou dois anos para superar os problemas e convencer o mercado de que nós realmente tínhamos um sistema no qual eles podiam confiar. Se não fosse pelo mérito intrínseco do sistema, poderíamos ter ficado em sérias dificuldades. Assim, saímos mais fortes dessa e com um melhor controle em nossos procedimentos de desenvolvimento." (Bob Anderson, DP, Divisão Tecnológica).

A iniciativa "Garantia da Dresding"

Enquanto isso, o resto da empresa esteve se desenvolvendo de forma menos radical. Em 1997, uma nova planta em Winchester, também no sul da Inglaterra, foi aberta e lá iniciado um programa de dois anos para fixar futuros procedimentos de qualidade nas três unidades de produção da empresa (Dinamarca, Bracknell e Winchester). "Nossa ideia tinha duas partes. Primeiro quisemos aprender o máximo possível das experiências (e enganos) de outras empresas, examinando como elas alcançaram a qualidade. Segundo, quisemos estabelecer um conjunto absolutamente impecável de padrões e construir uma reputação que poderíamos usar no mercado. Organizamos uma série de excursões de fábrica para todos nossos gerentes e líderes de equipe em todas as três plantas e visitamos empresas não concorrentes em nossos próprios ramos e similares. Este foi um exercício fantástico, estimulou o debate, mas também uniu as equipes de gerenciamento de todos os três locais. Com base no que aprendemos, num período de dois anos, obtivemos o nível mais alto de certificação de todas as principais instituições de qualidade e garantia em todos nossos principais mercados, incluindo, fundamentalmente, o FDA* e várias certificações militares nos EUA." (James Key, DP, Divisão de Produção).

Ao final de 1999, a empresa sentiu-se suficientemente confiante para lançar a "Garantia Dresding", uma iniciativa de construção de uma marca que enfatizasse a qualidade de seus produtos em todos os principais mercados. A iniciativa foi, em geral, um sucesso, principalmente nos mercados asiáticos, onde o crescimento das vendas aumentou quase 70% entre 1999 e 2000. Na realidade, no final de 1999, a Dresding teve de abrir uma instalação de suporte técnico em Cingapura. Um ano depois, o escritório de suporte técnico de Cingapura foi atualizado para se tornar o "Centro de desenvolvimento de Cingapura" dentro da divisão técnica da empresa.

O ano fiscal 2000/01 viu o mais rápido crescimento nas receitas da empresa. Isso se deveu em parte ao crescimento muito saudável das vendas da divisão de produção e em parte porque a divisão tecnológica tinha superado alguns de seus problemas de dois anos atrás. Porém, apesar do crescimento da receita, a rentabilidade da empresa encolheu quase 40% no mesmo ano. Isto foi causado, principalmente, pelos custos de produção mais altos. "Embora estivéssemos organizados de uma forma muito eficiente na produção, estávamos oferecendo uma variedade cada vez mais ampla de produtos e sistemas que tinham aumentado a complexidade de nossos processos de produção. Para tentar superar isso, decidimos adotar a mesma abordagem que tínhamos usado ao melhorar nossos sistemas de qualidade. Visitamos produtores de alta variedade, desta vez normalmente em empresas não relacionadas. Estávamos tentando coletar sugestões de como usar princípios de projeto modulares e células de produção flexíveis para reduzir o custo efetivo da variedade. Novamente, isto foi uma grande experiência. Adotar células de produção mais flexíveis gerou benefícios imediatos, mas reprojetar produtos levou mais tempo." (James Key, DP, Divisão de Produção).

A fusão da Divisão de Serviços Médicos com a Ryder Wilson

Em setembro de 2002, a empresa fez sua maior aquisição até então, quando tomou o controle da Ryder Wilson, um produtor americano de sistemas de monitoramento que também tinha uma atividade de gerenciamento clínico. "De repente, tínhamos uma 'divisão de serviço médico' que era um concorrente significativo no mercado. Foi neste momento que decidimos renomear a empresa Dresding Wilson e nos posicionarmos claramente como um fornecedor baseado na inovação de soluções técnicas para as empresas direcionadas à saúde e equipamento médico, com três divisões mutuamente encorajadoras e integradas." (Ruth Zimmerman, DP, Divisão de Serviço Médico).

Recentes desenvolvimentos

"A integração da instalação de produção da Ryder Wilson foi muito suave. Ambas instalações de produção eram de classe mundial, de forma que não tivemos que lidar com os problemas no momento da fusão. Tínhamos políticas de produção semelhantes e estávamos enxergando a produção da mesma maneira – um mercado que também está exigindo mais personalização e garantia constante sobre a qualidade. A Ryder Wilson também

---

* N. de R. T.: Food and Drug Administration, organismo que controla e licencia a produção de medicamentos.

tinha uma grande reputação. Eles eram ligeiramente menos inovadores, mas isso não é uma grande desvantagem." (James Key, DP, Divisão de Produção).

"Nosso foco mudou de principalmente um inovador de produtos para um inovador de sistemas, parcialmente devido ao menor número de 'inovações' em tecnologia de produto comparado com quando começamos a divisão em 1996. A receita das licenças de OEMs se estabilizou, mas é provável que cresça a importância do nosso papel de apoio, especialmente para a divisão de serviços. Uma parte interessante deste papel é um envolvimento crescente com a educação dos clientes com relação às possibilidades técnicas e escolhas que eles enfrentam como também com relação ao treinamento dos técnicos na empresa dos clientes. Eu posso ver a consultoria e o treinamento do cliente se tornando uma parte significativa da nossa receita nos próximos anos." (Bob Anderson, DP, Divisão de Tecnologia).

"A divisão de gerenciamento e serviço ainda não tem dois anos e nós ainda somos o bebê do negócio, mas temos, sem dúvida, o maior potencial para crescimento. Hospitais e clínicas estão agindo no mundo inteiro para terceirizar uma maior proporção das suas atividades. Usar nossos incontestáveis técnicos especialistas deveria nos permitir aproveitar as oportunidades para projetar, instalar e executar o monitoramento das unidades. Porém, tenho de admitir que tivemos alguns problemas. Suponho que a fusão com a Ryder Wilson gerou muita publicidade, exatamente no momento quando as atividades de terceirização, monitoramento e vigilância eram todas assuntos novos no gerenciamento do hospital. Nós nos encontramos não só projetando e instalando sistemas, mas também organizando acordos de aluguel, fornecendo a equipe de agência e programas de treinamento onde tínhamos pouca ou nenhuma experiência. Ao mesmo tempo, estávamos lidando com uma certa quantidade de reorganização depois da fusão. O resultado foi vários clientes que não estavam tão satisfeitos conosco e um processo de uma clínica californiana (agora resolvido). Estamos resolvendo nossos problemas, mas houve algumas duras lições, especialmente em termos de entender os riscos envolvidos em nos tornarmos fornecedores de serviço neste tipo de mercado. Também estamos competindo com os times existentes em casa bem como com outras empresas de serviço clínico. A menos que possamos cortar significativamente os custos do serviço fornecido pelas equipes residentes, não podemos ganhar o negócio. É claro que nossa tecnologia nos ajuda a fornecer um serviço de baixo custo, mas não podemos aceitar cometer quaisquer erros na forma como entregamos o serviço. O desafio é integrar os vários processos de serviço que temos, muitos da mesma maneira como integramos os sistemas físicos dentro de nossos produtos." (Ruth Zimmerman, DP, Divisão de Serviço Médico).

PERGUNTAS

1 Quais são os eventos estratégicos significativos na história da empresa, da sua fundação até os dias atuais?

2 O que você vê como sendo as estratégias da operação para cada uma das três divisões da empresa?

3 Como a capacidade de recurso das operações de cada divisão tem se desenvolvido com o passar do tempo em relação aos requisitos de seu mercado?

4 O que você vê como forças e fraquezas da abordagem da empresa para desenvolver sua estratégia de operações?

5 Que desafios a mudança de se tornar um "fornecedor de serviço" apresenta para a empresa?

Estudo de caso ativo — Clube de Planadores Long Ridge

CASO ATIVO

O clube de planadores Long Ridge é localizado no Reino Unido no alto de um pico com visão para uma paisagem espetacular. O clube serve dois grandes tipos de cliente: os sócios do clube e usuários casuais que vêm para voos únicos, cursos de feriado e eventos corporativos. Porém, reclamações de todos os tipos de cliente estão aumentando e o presidente encara uma decisão.

- Baseado no seu julgamento da estratégia e no desempenho de suas operações, como você aconselharia o presidente?

Consulte o caso ativo no CD que acompanha este livro para encontrar mais sobre o clube, seus serviços e o problema que está enfrentando.

Aplicando os princípios

Alguns destes exercícios podem ser respondidos a partir da leitura do capítulo. Outros vão requer algum conhecimento geral da atividade de negócios e alguns poderão requerer pesquisa. Todos têm sugestões de como podem ser respondidos no CD que acompanha este livro.

DICAS

1. O departamento de serviços ambientais de uma cidade tem dois serviços de reciclagem – coleta de jornal (CJ) e reciclagem geral (RG). O serviço de CJ é um serviço de coleta de porta em porta que, determinados dias da semana, coleta jornais velhos que os donos das casas colocaram em sacolas plásticas reutilizáveis no seu portão. Uma sacada vazia é deixada para os donos da casa usarem para a próxima coleta. O valor dos jornais coletados é relativamente pequeno e o serviço é oferecido principalmente por motivo de responsabilidade ambiental. Já o serviço de RG é mais comercial. As empresas e os indivíduos privados podem pedir uma coleta de materiais a serem liberados, usando o telefone ou a Internet. O serviço de RG garante a coleta do material dentro de 24 horas, a menos que o cliente prefira especificar um momento mais conveniente. Qualquer tipo de material pode ser coletado e um custo é calculado dependendo do volume de material. Este serviço gera um lucro pequeno, já que a receita dos custos do cliente e de alguns dos materiais reciclados mais valiosos excede os custos da execução da operação.

    - Como você descreveria as diferenças entre os objetivos de desempenho dos dois serviços?

2. "Agora, faz aproximadamente quatro anos desde que nos especializamos no mercado de pequenas e médias empresas. Antes disso, costumávamos também fornecer serviços legais para qualquer um que entrasse pela porta, mas atualmente construímos nossas habilidades legais em muitas áreas da lei de negócios e corporativa. Porém, dentro da empresa, acho que poderíamos concentrar nossas atividades ainda mais. Parece haver dois tipos de tarefas que nos são determinadas. Aproximadamente 40% de nosso trabalho é relativamente rotina. Em geral, essas tarefas têm a ver com coisas como compra de propriedades e cobrança de dívidas. Ambas as atividades envolvem um grupo de etapas relativamente padrão que podem ser automatizadas ou podem ser executadas pela equipe, sem qualificações legais completas. Claro que um advogado completamente qualificado é necessário para tomar algumas decisões; porém, a maior parte do trabalho é bastante rotineira. Clientes esperam que nosso preço seja baixo e que sejamos rápidos na entrega do serviço. Eles esperam que não façamos erros simples em nossa documentação; na realidade, se fizéssemos isto com frequência perderíamos o negócio. Felizmente, nossos clientes sabem que estão comprando um serviço padrão e não esperam que ele seja personalizado de forma alguma. O problema aqui é que as agências de especialistas têm emergido durante os últimos anos e estão começando a cobrar um preço mais barato que o nosso. Eu ainda sinto que podemos operar no lucro neste mercado e, de qualquer maneira, ainda precisamos destas capacidades para servir nossos outros clientes. Os outros 60% de nosso trabalho são para clientes que requerem serviços mais especializados, como tarefas que envolvem negociação de fusão de empresa ou reestruturação da empresa principal. Essas tarefas são complexas, grandes, levam muito mais tempo e requerem habilidade legal e julgamento significativos. É vital que os clientes respeitem e confiem no conselho que nós lhes damos por uma extensa variedade de especialização legal. É claro que eles assumem que não seremos lentos ou não confiáveis ao preparar o conselho, mas principalmente é importante para o cliente confiar em nosso julgamento legal. Este é o trabalho popular com nossos advogados. É interessante e muito lucrativo.

    "A ajuda que eu preciso de você é para decidir se duas partes separadas para o nosso negócio: uma para lidar com serviços de rotina e a outra para lidar com serviços especializados. O que eu posso fazer é designar um 'sócio de operações' superior para gerenciar cada parte do negócio, mas se eu o fizer, em quais aspectos de desempenho de operações ele deveria buscar uma melhoria?" (Sócio-gerente, Serviços Legais Branton).

3 Quais você acha que serão as tarefas-chave da TNT para assegurar que sejam satisfeitos os requisitos de mercado de cima para baixo e de baixo para cima e as perspectivas de recursos de operações da estratégia de operações?

4 Pesquise o *site* da Intel na Internet, o melhor produtor de microchip conhecido, e identifique quais parecem ser seus principais elementos em sua estratégia de operações.

5 O McDonald's tem sido um bom exemplo do ramo dos "lanches rápidos". Quando a empresa começou nos anos 1950, ela foi a primeira a se estabelecer no mercado. Agora há centenas de marcas de "lanches rápidos" no mercado competindo de diferentes modos. Algumas das diferenças entre estas cadeias de lanches rápidos são óbvias. Por exemplo, algumas se especializam em frango, outras em pizza e assim por diante. Porém, algumas diferenças são menos óbvias. Originalmente, o McDonald's competia com baixo preço, serviço rápido e uma oferta de serviço totalmente padronizada. Eles também ofereciam uma variedade muito restrita de artigos no seu cardápio. Visite o restaurante de um McDonald's e deduza o que você acredita serem seus objetivos mais importantes de desempenho. Assim, experimente e identifique duas outras cadeias que parecem competir de um modo levemente diferente. Então, tente identificar como estas diferenças na importância relativa dos objetivos competitivos devem influenciar as decisões de infraestrutura e estrutura da estratégia de operações de cada cadeia.

Notas do capítulo

1. Para uma explicação completa, veja Slack, N. E Lewis, M. (2002) *Operations Strategy* (2nd edn), Financial Times Prentice Hall, Harlow, UK.
2. Fonte: *website* da empresa (www.flextronics.com) e artigos jornalísticos.
3. Todo o material extraído dos *websites* oficiais da TNT.
4. Hayes, R.H e Wheelright, S.C. (1984) *Restoring our Competitive Edge*, John Wiley.
5. Todas as citações extraídas do *website* da empresa.
6. Osterwalder, A., Pigneur, Y. e Tucci, C. (2005) "Clarifying business models: origins, present and future of the concept", *CAIS*, Vol. 15, pp. 751-5.
7. Osterwalder, A. (2005) "What is a business model?", http://business-model-design.blogspot.com/2005/11/what-is-a-business-model.htm
8. Baseado nas definições elaboradas pelos consultores da Cap Gemini.
9. Mintzberg, H. e Walters, J.A. (1995) "Of strategies: deliberate and emergent", *Strategic Management Journal*, Julho/Setembro.
10. Para uma explicação completa sobre este conceito, veja Slack e Lewis, op. cit.
11. Hill, T. (1993) *Manufacturing Strategy* (2nd edn), Macmillan.
12. Há uma vasta literatura que descreve a visão da empresa baseada nos recursos. Por exemplo, veja Barney, J. (1991) "The resource-based model of the firm: origins, implications and prospect", *Journal of Management*, Vol. 17, No. 1; ou Teece, D.J. e Pisano, G. (1994) "The dynamic capabilities of firms: an introduction", *Industrial and Corporate Change*, Vol. 3, No. 3.
13. Veja Slack e Lewis, op. cit.
14. Uma observação feita inicialmente por Skinner. Skinner, W. (1985) *Manufacturing: The formidable competitive weapon*, John Wiley.
15. Hayes, R.H. E G.P. Pisano (1996) "Manufacturing strategy at the intersection of two paradigm shifts", *Production and Operations Management*, Vol. 5, No. 1.

Indo além

Há muitos livros bons sobre estratégia. Por exemplo, veja **Johnson, G. and Scholes, K.** (1998) *Exploring Business Strategy* (4th ed), Prentice Hall; veja também **deWit, B. and Meyer, R.** (1998) *Strategy: Process, content and context* International Thomson Business Press.

Hamel, G. and Prahalad, C.K. (1993) "Strategy as stretch and leverage", *Harvard Business Review*, Vol. 71, Nos 2 & 3. Este artigo é típico de algumas das (relativamente) recentes ideias que influenciam a estratégia de operações.

Hayes, R.H. and Pisano, G.P. (1994) "Beyond world class: the new manufacturing strategy", *Harvard Business Review*, Vol. 72, No. 1. O mesmo que o anterior.

Hayes, R.H. and Wheelwright, S.C. (1984) *Restoring our Competitive Edge*, John Wiley. Este livro é todo sobre produção em vez de operações. Porém, foi um dos primeiros livros sobre o assunto e teve um grande impacto.

Hayes, R.H., Wheelwright, S.C. and Clark, K.B. (1988) *Dynamic Manufacturing*, Free Press, New York. O volume sucessor para o livro de Hayes e Wheelwright acima. Os mesmos comentários se aplicam.

Hill, T. (1993) *Manufacturing Strategy* (2nd ed), Macmillan. O primeiro autor não americano a ter um real impacto na área. Como era comum na ocasião, o livro concentra-se somente na produção.

Prahalad, C.K. and Hamell G. (1990) "The core competence of the corporation", *Harvard Business Review*, Vol. 68, No. 3. Uma explicação fácil da visão da estratégia baseada nos recursos.

Slack, N. and Lewis, M. (2002) *Operations Strategy*, Financial Times Prentice Hall. Simplesmente brilhante!

Websites úteis

www.opsman.org Definições, *links* e opiniões sobre gerenciamento de operações e processos.
www.aom.pac.edu/bps/ Site de estratégia geral da Academia Americana de Gerenciamento.
www.cranfield.ac.uk/som Procure o vínculo "Prêmios das melhores fábricas".
www.worldbank.org Questões globais. Útil para a pesquisa internacional da estratégia de operações.
www.weforum.org Questões globais, incluindo algumas questões da estratégia de operações.
www.ft.com Ótimo para exemplos de empresa e produção.

RECURSOS ADICIONAIS Para recursos adicionais incluindo exemplos, diagramas animados, questões de autoavaliação, planilhas Excel, estudos de caso ativos e materiais de vídeo, acesse o CD que acompanha este livro.

Capítulo 3
PROJETO DA REDE DE SUPRIMENTOS

Introdução

Toda empresa ou organização é parte de uma rede maior e interconectada a outras empresas e organizações. Isso é a rede de suprimentos. Ela inclui fornecedores e clientes, fornecedores de fornecedores e clientes de clientes, e assim por diante. Num nível estratégico, os gerentes de operações estão envolvidos em influenciar a natureza ou o projeto da rede e o papel da sua operação nela. Este capítulo trata algumas dessas decisões estratégicas do projeto no contexto das redes de suprimentos. Ele forma o contexto para o gerenciamento da cadeia de suprimentos, os aspectos mais operacionais que gerenciam as tendências individuais ou as cadeias ao longo da rede de suprimentos. Discutiremos o gerenciamento da cadeia de suprimentos no Capítulo 7. Devido a muitas decisões da rede de suprimentos requererem uma estimativa da demanda futura, este capítulo inclui um suplemento sobre previsões (veja Figura 3.1).

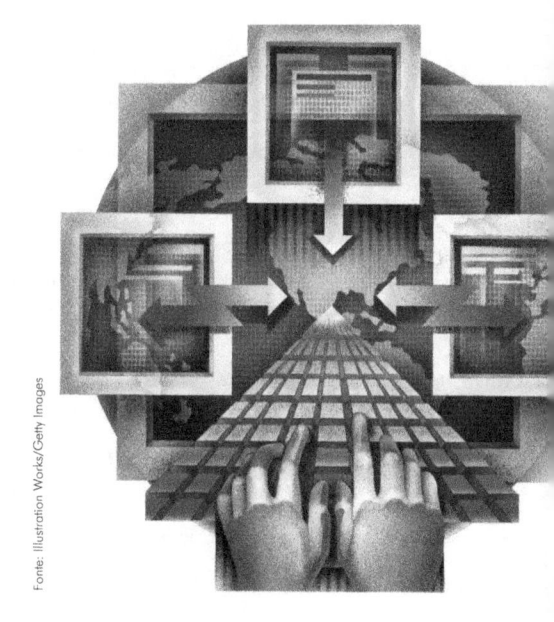

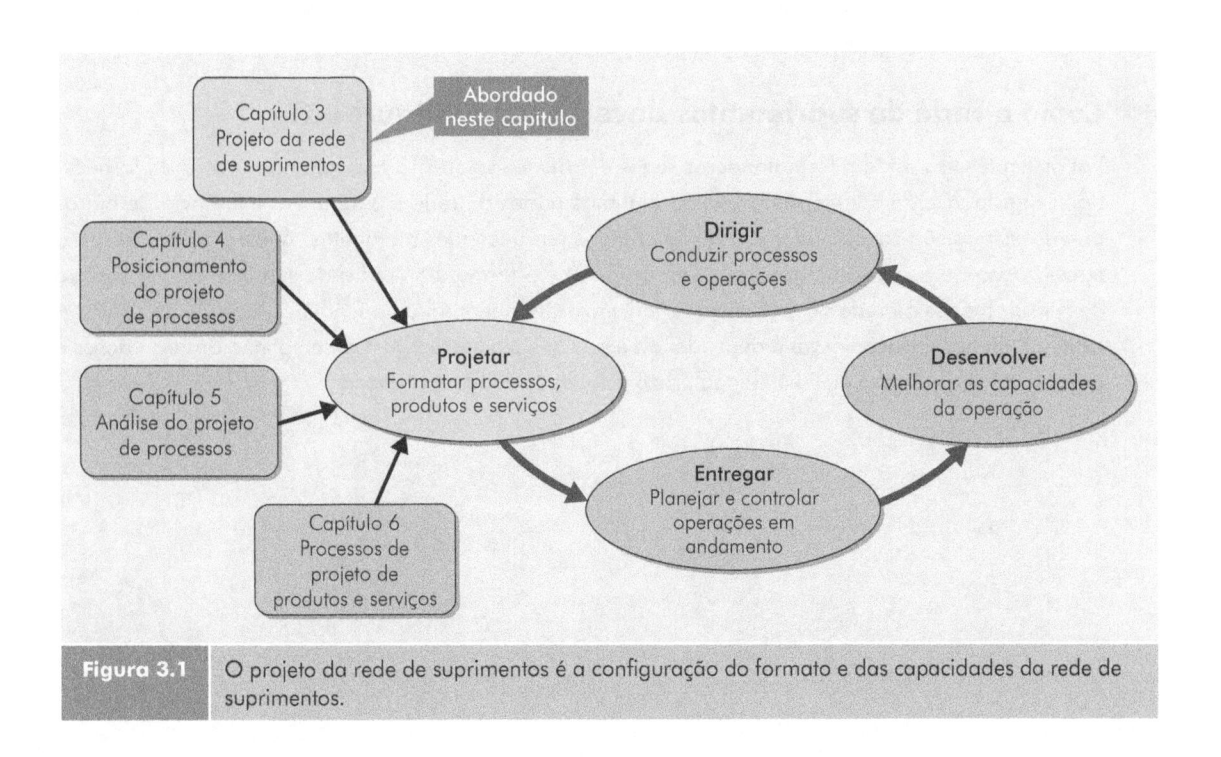

Fonte: Illustration Works/Getty Images

Figura 3.1 O projeto da rede de suprimentos é a configuração do formato e das capacidades da rede de suprimentos.

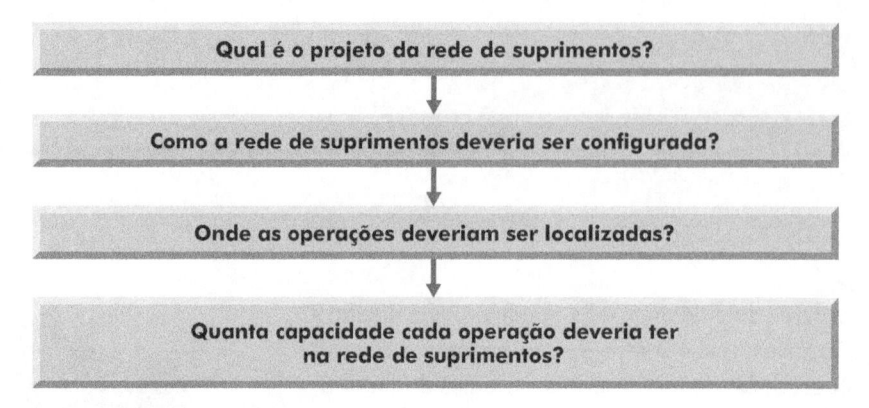

Sumário executivo

VÍDEO
informações adicionais

```
Qual é o projeto da rede de suprimentos?
          ↓
Como a rede de suprimentos deveria ser configurada?
          ↓
Onde as operações deveriam ser localizadas?
          ↓
Quanta capacidade cada operação deveria ter
       na rede de suprimentos?
```

Cadeia lógica de decisões para o projeto da rede de suprimentos

Cada capítulo é estruturado em torno de um grupo de questões diagnósticas. Essas questões sugerem o que você poderia perguntar para entender as questões importantes de um tópico e, como resultado, melhorar sua tomada de decisões. Um sumário executivo, tratando dessas questões, é fornecido a seguir.

Qual é o projeto da rede de suprimentos?

O projeto da rede de suprimentos é a configuração do formato e das capacidades da rede de suprimentos. A rede de suprimentos inclui as cadeias de fornecedores provendo entradas para a operação, a cadeia de clientes que recebem as produções da operação e, às vezes, outras operações que podem competir em alguns momentos e cooperar em outros. É uma tarefa complexa que difere do projeto em seu sentido convencional, porque não há necessariamente os recursos que são projetados. Ela consiste em três atividades inter-relacionadas – formatar a rede (incluindo quanto possuir da rede), influenciar o local de operações na rede e planejar a estratégia da capacidade de longo prazo para cada parte da rede.

Como a rede de suprimentos deveria ser configurada?

Várias tendências estão reformatando as redes em muitos setores: a redução do número de fornecedores individuais, a não intermediação de algumas partes da rede e uma maior tolerância de outras operações que são concorrentes e complementares em diferentes momentos. A integração vertical, a terceirização ou a decisão "fazer ou comprar" também formata as redes de suprimentos. A decisão de possuir menos da rede de suprimentos (terceirizar) também foi uma tendência nos últimos anos. A extensão da terceirização deveria depender do efeito que ela tem sobre o desempenho das operações e do posicionamento estratégico de longo prazo das capacidades do negócio.

Onde as operações deveriam ser localizadas?

O local significa a posição geográfica de uma operação. É importante porque ele pode afetar os custos, as receitas, o atendimento ao cliente e o investimento do capital. Muitas empresas nunca consideram a relocalização, mas até mesmo aquelas que não veem necessidade imediata de se mudar podem tirar proveito da relocalização. Essas empresas que se dedicam a investigar a relocalização frequentemente fazem isso por causa de mudanças na demanda ou mudanças nos suprimentos. O processo de escolha de locais alternativos inclui a identificação das opções existentes, em geral reduzidas a uma lista de locais representativos, e a avaliação de cada opção segundo um conjunto de critérios (esperançosamente) racionais, normalmente envolvendo a consideração de necessidades de capital, fatores de mercado, fatores de custo, flexibilidade futura e risco.

Quanta capacidade cada operação deveria ter na rede de suprimentos?

Isso dependerá da demanda em qualquer momento posterior. A capacidade precisará ser mudada a longo prazo, à medida que muda a demanda a longo prazo, ou antes das mudanças da demanda (adiantar capacidade) ou depois das mudanças da demanda (atrasar capacidade). Porém, o conceito de economia de escala sempre será importante. As economias de escala derivam do capital e das eficiências operacionais que derivam de processos de grande escala. Contudo, depois de certo nível de capacidade, a maioria das operações começa a sofrer redução da economia de escala. As curvas de economia de escala, colocadas juntas para as operações de tamanho diferente, dão uma ideia da melhor quantidade possível de capacidade para um tipo particular de operação. Ainda assim, essa é apenas uma indicação. Na realidade, a economia de escala dependerá de fatores que incluem risco e posicionamento estratégico.

QUESTÕES DIAGNÓSTICAS
Qual é o projeto da rede de suprimentos?

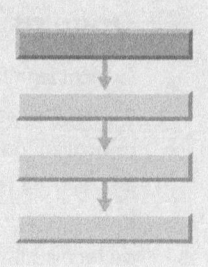

O projeto da rede de suprimentos é a configuração do formato e das capacidades das próprias e de outras operações com as quais a empresa interage. Isso inclui todos os fornecedores e os fornecedores deles e todos os clientes e os clientes deles. Também pode incluir outros negócios que poderiam ser concorrentes sob algumas circunstâncias. É a mais estratégica de todas as atividades do projeto e, de diversas formas, não é o mesmo tipo de atividade do projeto de menor escala. No projeto do processo, as decisões podem ser tomadas com grande confiança de que serão colocadas como planejado. No projeto da rede de suprimentos, a tarefa não é só intrinsecamente mais complexa, mas existe uma diferença crucial adicional: a maior parte da rede que está sendo projetada pode não estar sob controle direto dos projetistas. Os fornecedores, clientes e outros na rede são operações independentes. Eles procurarão naturalmente o que veem como os seus melhores interesses, os quais podem não coincidir com o interesse de alguns. A palavra "projeto" em projeto da rede de suprimentos está sendo usada com o significado de influenciar e negociar, e não em seu sentido convencional. Porém, o projeto é uma perspectiva útil nas tarefas envolvidas na configuração estratégica das redes de suprimentos porque ele carrega a ideia do entendimento dos componentes individuais na rede, de suas características e das relações entre eles.

A terminologia é importante ao descrever redes de suprimentos. No lado do fornecedor da operação focal (a operação a partir de onde a rede está sendo desenhada) existe um grupo de operações que supre diretamente a operação; elas são frequentemente chamadas de fornecedores de primeira linha, as quais são supridas por fornecedores de segunda linha. Porém, alguns fornecedores de segunda linha podem também suprir diretamente uma operação, deixando de incluir assim uma ligação na rede. Da mesma forma, no lado da demanda da rede, os clientes de primeira linha representam o principal grupo de clientes para a operação. Estes por sua vez suprem os clientes de segunda linha, embora novamente a operação possa, às vezes, suprir diretamente os clientes de segunda linha. Os fornecedores e clientes que têm contato direto com uma operação são denominados sua rede de suprimentos imediata. A Figura 3.2 ilustra isso.

Fluxo pela rede

Materiais, peças, informação, ideias e, às vezes, as pessoas, todos fluem pela rede de relacionamentos cliente-fornecedor formada por todas essas operações. Também junto ao fluxo futuro dos recursos transformados (materiais, informações e clientes) na rede, cada vínculo cliente-fornecedor alimentará pedidos atrasados e informações. Por exemplo, quando os estoques estão baixos, os varejistas colocam pedidos com distribuidores, que igualmente colocam pedidos com o fabricante, que por sua vez colocará pedidos com seus fornecedores, que reabastecerão seus estoques com seus próprios fornecedores. Assim, o fluxo é um processo de ida e volta com itens fluindo de um modo e a informação fluindo de outro.

Não são apenas os fabricantes que fazem parte de uma rede de suprimentos. O fluxo de materiais físicos pode ser mais fácil de visualizar, mas as operações de serviço também têm fornecedores e clientes, que têm seus próprios fornecedores e clientes. Um modo de visualizar as redes de suprimentos de algumas operações de serviço é considerar o fluxo a jusante da informação que passa entre as operações. A maioria das redes de suprimentos de serviço financeiro pode ser pensada assim. Porém, nem todas as redes de suprimentos de serviço lidam principalmente com informação. Por exemplo, empresas proprietárias que possuem e/ou dirigem centros comerciais têm fornecedores que fornecem serviços de segurança,

Figura 3.2 Terminologia da rede de suprimentos.

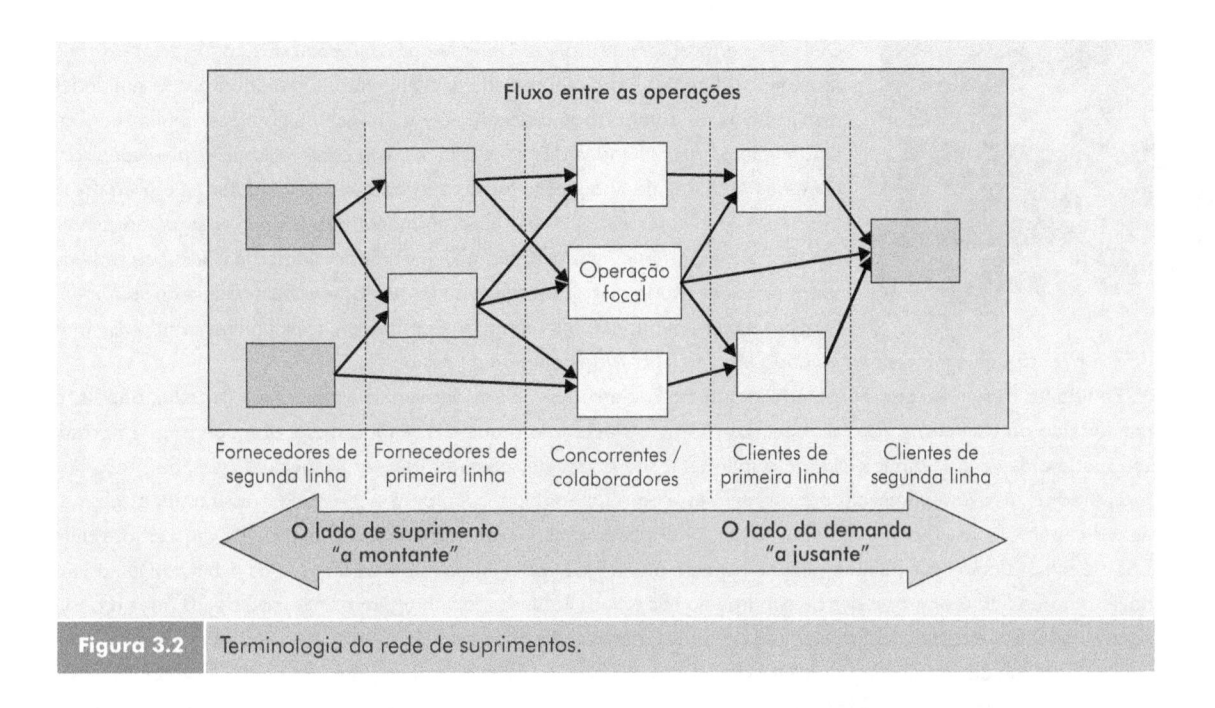

serviços de limpeza, serviços de manutenção e assim por diante. Esses fornecedores de primeira linha por sua vez vão receber serviço de agências de recrutamento, consultores, etc. Os clientes de primeira linha do centro comercial são os varejistas que alugam espaço de varejo dentro do centro comercial, que por sua vez atendem os clientes de varejo. Trata-se de uma rede de suprimentos como qualquer outra. O que está sendo acordado entre as operações é a qualidade, velocidade, confiança, flexibilidade e custo dos serviços que cada operação fornece para seus clientes. Em outras palavras, há um fluxo de desempenho das operações pela rede. E embora visualizar o fluxo de desempenho pelas redes de suprimentos seja uma abordagem abstrata para visualizar as redes de suprimentos, é um conceito unificado. Falando em termos gerais, todos os tipos de rede de suprimentos existem para facilitar o fluxo de desempenho das operações.

Note que este capítulo trata exclusivamente de decisões na rede de suprimentos em vez de na operação ou no processo. Contudo, as redes de processos existem dentro das operações, e redes de recursos existem dentro dos processos. As questões relacionadas à configuração da rede, à localização e à capacidade nos níveis mais operacionais são discutidas nos Capítulos 4 e 5 (para leiaute e fluxo) e no Capítulo 8 (para o gerenciamento da capacidade).

Aqui estão dois exemplos de organizações que tomaram claras decisões de projeto relativas às suas redes de suprimentos.

Exemplo: Dell[1]

Quando era um estudante na Universidade do Texas, em Austin, a ocupação secundária de Michael Dell de comprar estoques não utilizados de PCs dos comerciantes locais, acrescentar componentes e revender as máquinas com configurações mais elevadas foi tão bem-sucedida que ele largou a universidade e fundou uma empresa de computadores que revolucionou o gerenciamento da rede de suprimentos da indústria. Mas a sua empresa incipiente era pequena demais para fabricar os seus próprios componentes. Ainda melhor, Dell esperava aprender como gerenciar uma rede de fabricantes comprometidos de componentes especializados e obter o melhor que havia disponível no mercado. Ele afirma que o seu compromisso com a terceirização sempre ocorreu pela mais positiva das razões. "Nos concentramos em como podemos coordenar as nossas atividades para agregar mais valor para os clientes."

Contudo, a empresa ainda se deparava com uma desvantagem de custo em relação aos seus competidores bem maiores, por isso decidiu vender seus computadores diretamente para os clientes, ignorando os varejistas. Isso permitiu à empresa cortar a margem do varejista (frequentemente considerável), o que por sua vez permitiu à

Dell oferecer preços mais baixos. Dell também percebeu que cortar a conexão na rede de suprimentos entre a empresa e o cliente lhe proporcionava oportunidades significativas de aprendizagem ao oferecer a chance de conhecer muito mais intimamente as necessidades dos seus clientes. Isto o permitiu fazer previsões com base nas milhares de ligações feitas a cada hora, e também permitiu à empresa falar com os clientes sobre o que eles realmente desejavam de suas máquinas. Ainda mais importante, isto permitiu à Dell aprender como operar a sua rede de suprimentos de modo que os produtos pudessem passar pela cadeia de suprimentos para o consumidor final de uma maneira rápida e eficiente, reduzindo os níveis de estoque da Dell e lhe proporcionando uma significativa vantagem de custos.

Entretanto, o que é certo num dado momento pode se tornar um ônus mais tarde. Duas décadas depois, o crescimento da Dell começou a desacelerar. A ironia desse fato é que o que foi a maior vantagem da empresa, seu modelo de vendas diretas usando a Internet e seu poder de mercado para espremer reduções de preço dos fornecedores, estavam começando a serem vistos como desvantagens. Embora o mercado tivesse mudado, o modelo de operações da Dell não mudou. Alguns analistas questionaram o tamanho da Dell. Como uma empresa de US$ 56 bilhões poderia continuar enxuta, astuta e alerta? Outros analistas apontaram que os rivais da Dell agora haviam aprendido a operar redes de suprimento eficientes ("Obter uma vantagem competitiva de 20 anos a partir do seu conhecimento de como operar redes de suprimentos não é tão ruim").

Contudo, um dos principais fatores foi visto como a mudança da natureza do mercado em si. As vendas de PCs para usuários corporativos haviam se tornado em grande parte um negócio de *commodities* com margens muito estreitas e essa parte do mercado estava crescendo lentamente em comparação com a venda de computadores às pessoas físicas. Vender computadores para pessoas físicas proporcionava margens ligeiramente maiores do que as do mercado corporativo, mas elas queriam cada vez mais computadores atualizados, com um alto valor de *design* e, mais significativamente, elas queriam ver, tocar e sentir os produtos antes de comprá-los. Isso era claramente um problema para uma empresa como a Dell, que havia passado 20 anos investindo em seus canais de vendas por telefone e, mais tarde, pela Internet. O que todos os analistas concordavam é que implacável no mercado de computadores em rápida expansão, no qual as exigências de mercado podiam mudar da noite para o dia, os recursos de operação devem desenvolver constantemente novas competências.

Michael Dell disse que a empresa poderia recuperar seu posto como fabricante número um de PCs no mundo mudando o seu foco para os consumidores e para o terceiro mundo. Ele também concordou que a empresa havia se omitido na explosão de fornecimento de computadores para os usuários domésticos – que perfaz apenas 15% de suas receitas – porque estava focada em fornecer para pessoas jurídicas. "Digamos que você quisesse comprar um computador da Dell numa loja nove meses atrás – você teria procurado bastante e não teria encontrado um. Agora, temos mais de 10.000 lojas que vendem nossos produtos." Ele havia rejeitado a ideia de que o *design* não era importante para a sua empresa, embora tenha aceitado que ele não foi a maior prioridade quando todo o foco estava nas pessoas jurídicas. "*Conforme nos dirigimos ao consumidor, temos prestado bem mais atenção ao design, moda, cores, texturas e materiais.*"

Exemplo — A BBC terceiriza sua Divisão de Tecnologia[2]

A *British Broadcasting Corporation* (BBC) é uma das mais conhecidas e respeitadas organizações de radiodifusão do mundo. A face pública da BBC é sua produção de radiodifusão ouvida e assistida por milhões de pessoas no mundo inteiro. Mas, por trás dos cenários, depende de sua habilidade de criar, gerenciar e distribuir o "conteúdo" da radiodifusão. Uma parte fundamental dessa capacidade é a Tecnologia BBC, uma divisão da corporação que fornece serviços tecnológicos não só para a BBC, mas também para outras rádios, donos de plataforma, donos do conteúdo e organizações governamentais. Assim, quando John Varney, presidente do escritório de tecnologia da BBC, anunciou que iria "terceirizar" parte da sua infraestrutura tecnológica para uma subsidiária da empresa Siemens, da Alemanha, em uma volumosa transação de £2 bilhões em 10 anos, ele causou alguma surpresa entre seus parceiros de radiodifusão global. *"É uma transação revolucionária para este setor"*, diz Mitchell Linden, diretor da antiga unidade Norte Americana de Tecnologia BBC em São Francisco. *"Agora todos estão intensamente curiosos. Nós temos as rádios dos EUA, as empresas de mídia e os fornecedores de multimídias como a Apple, todos querendo descobrir o que fizemos, por que fizemos isto e o que vamos fazer no futuro."*

O que a BBC fez é significativo. Encorajada pela pressão do governo britânico de cortar custos, ela conduziu uma revisão estratégica interna das necessidades tecnológicas da corporação que identificaram economias anuais potenciais para a BBC de aproximadamente £30 milhões se seus serviços de tecnologia fossem terceirizados. Depois de avaliar os possíveis candidatos, ela assinou o Contrato da Estrutura Tecnológica que dá aos Serviços de Negócio da Siemens total responsabilidade por manter e desenvolver a infraestrutura da tecnologia da informação (TI) do Reino Unido da BBC – inclusive redes, servidores, computadores de mesa, telefones, sistemas de radiodifusão, distribuição e plataformas de canal, suporte para 53 novos escritórios do exterior e seu *website*. Mas os £30 milhões de economia nos custos anuais não são a única razão da terceirização para a Siemens, diz John Varney. Visto que a Siemens, com receitas de mais de £20 bilhões globalmente, é um dos maiores fornecedores de serviços de negócio e de TI do mundo, ela poderá ajudar a mudança do armazenamento em fita para fazer programas digitalmente em computadores pessoais de mesa, algo que Varney acredita que vai *"revolucionar o uso da tecnologia em fazer e distribuir programas"*. Isto tornaria o conteúdo da empresa acessível de todas as formas, desde a Web até os telefones móveis, um desafio para todos no setor de radiodifusão.

De acordo com Adrian Corcoran, diretor gerente da Tecnologia BBC: *"Esta é uma notícia animadora para nossa equipe e nossos clientes. Fazer parte de uma grande organização global nos dá os recursos, oportunidades e investimento que simplesmente não estavam disponíveis como parte da BBC, cujo foco bastante correto está no conteúdo, não no investimento da tecnologia"*. Mas nem todo mundo estava contente com a transação. Uma equipe da BBC filiada ao Sindicato de Radiodifusão de Entretenimento Cinematográfico e Teatro (SRECT) contestou o argumento da BBC de que a transação economizaria £30 milhões por ano e votou a favor de greve em reação ao acordo. *"Isto não é apenas a BBC vendendo uma das Joias da Coroa, é um caso de entregar seu sistema nervoso central oficialmente para o setor privado"*, diz Gerry Morrissey, Secretário Geral Assistente do sindicato.

O que esses dois exemplos têm em comum?

Ambos os exemplos envolvem operações que decidem se posicionar em algumas (mas não todas) as partes de sua rede de suprimentos. A Dell revolucionou o seu setor lidando diretamente com o público e obteve uma vantagem sobre os seus rivais que durou décadas. A BBC, uma corporação pública, optou por passar para uma empresa privada a responsabilidade de operar a sua divisão de tecnologia. Ao fazer isso, estava tomando decisões implícitas sobre qual deveria ser o objetivo central da BBC. Ela era uma organização de radiodifusão e não de tecnologia. Além disso, ambos os exemplos não estão livre de controvérsias. Na realidade, a decisão de onde você quer estar na rede de suprimentos significa que haverá vencedores e perdedores. Os sindicatos que representam o pessoal da BBC suspeitaram que aquilo que parecia ser um bom negócio para a BBC (e para os contribuintes que a fundaram) não era necessariamente um bom negócio para o pessoal que trabalhava na operação. Um tipo de risco diferente é ilustrado no exemplo da Dell. Aqui, a estratégia da rede de suprimentos que havia ajudado a empresa por 20 anos começava a se tornar um certo ônus quando o mercado e a atividade da concorrência mudaram. Ambos os exemplos ilustram a primeira das três decisões estratégicas das redes de suprimentos que foram abordadas neste capítulo.

- Como a rede deveria ser formatada? Tanto em termos de ordenação dos relacionamentos entre as operações na rede quanto em termos de que parcela da rede a operação deveria assumir.
- Onde cada parte da rede assumida pela empresa estaria localizada?
- Que capacidade cada parte da rede assumida pela empresa tem em qualquer ponto no tempo?

Repare que todas essas três decisões se baseiam em pressupostos que consideram o nível de demanda futura. O suplemento deste capítulo explora as previsões em mais detalhes. No Capítulo 7, cobriremos as questões mais operacionais do dia a dia em relação ao gerenciamento das redes de operação.

QUESTÕES DIAGNÓSTICAS

Como a rede de suprimentos deveria ser configurada?

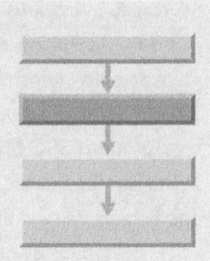

Uma operação pode querer usar sua influência para gerenciar o comportamento da rede reconfigurando-a para mudar o escopo das atividades executadas em cada operação e a natureza das relações entre elas. O exemplo mais comum da reconfiguração da rede se mostra nas tentativas feitas nos últimos anos por muitas empresas em reduzir o número de fornecedores com quem elas têm contato direto. A complexidade de lidar com muitas centenas de fornecedores pode ser cara para uma operação e (às vezes mais importante) impede que a operação desenvolva um relacionamento íntimo com os fornecedores. Não é fácil estar perto de centenas de fornecedores diferentes. Isso tem levado muitas empresas a reconfigurarem sua rede do lado do fornecedor para torná-la mais simples e mais organizada. Isso significa, também, que alguns fornecedores têm se tornado cada vez mais importantes para seus clientes.

> **Princípio de operações**
> Reduzir o número de fornecedores pode reduzir os custos de transações e enriquecer o relacionamento com os fornecedores.

Veja o caso, por exemplo, da parte dianteira de um carro, a parte do para-choque, da grade do radiador, das luzes de neblina, das luzes laterais, da placa e assim por diante.[3] No passado, cada um desses componentes vinha de diferentes fornecedores especialistas. Agora todo esse "módulo" pode vir de um "fornecedor de sistema". Os fabricantes de carro tradicionais estão se tornando menores e estão confiando nos fornecedores de sistemas como a TRW nos EUA, a Bosch na Alemanha e a Magna no Canadá para supri-los com todas as peças do carro. Alguns destes fornecedores de sistemas são concorrentes globais que imitam os fabricantes de carro em escopo e alcance. As pressões de custo forçaram os fabricantes de carro a deixar seus fornecedores assumirem mais responsabilidade pela engenharia e pré-montagem. Isto também significa que eles trabalham com menos fornecedores. Por exemplo, o velho modelo do Escort, da Ford europeia, usava peças de aproximadamente 700 fornecedores diretos, enquanto o modelo substituto Focus usou só de 210. Os modelos futuros podem ter menos de 100 fornecedores diretos. Isso também pode tornar o desenvolvimento em conjunto mais fácil. Por exemplo, a Volvo trabalhou junto com um fornecedor (Autoliv) para desenvolver sistemas de segurança incorporando *airbags* laterais. Em retribuição, a Volvo adquiriu direitos exclusivos para usar os sistemas durante o primeiro ano. Um número menor de fornecedores de sistemas também facilita a atualização dos componentes. Enquanto um fabricante de carro pode não achar econômico mudar seus sistemas de assento mais de uma vez a cada sete ou oito anos, um fornecedor especialista pode ter vários tipos de alternativas de assento em desenvolvimento paralelo a qualquer momento.

Desintermediação

Outra tendência em algumas redes de suprimento é que as empresas dentro de uma rede pulam os clientes ou fornecedores para fazer contato diretamente com os clientes dos clientes ou com os fornecedores dos fornecedores. "Eliminar o intermediário", neste sentido, é também chamado de *desintermediação*. Um exemplo óbvio disso é o modo como a Internet permitiu que alguns fornecedores "desintermediassem" os varejistas tradicionais no suprimento de produtos e serviços aos consumidores. Assim, por exemplo, muitos serviços no setor do turismo que costumavam ser vendidos nas lojas de varejo (agências de viagem) estão agora disponíveis diretamente dos fornecedores. A opção de comprar componentes individuais de um pacote de viagem através de um *website* de uma companhia aérea, de um hotel, de uma locadora de automóveis, etc., é mais fácil agora para os consumidores. Naturalmente, eles podem querer comprar um produto "montado" dos agentes de viagem, tendo a vantagem da conveniência. Contudo, o processo de desintermediação desenvolveu novas ligações na rede de suprimentos.

Coopetição

Uma das abordagens para pensar sobre redes de suprimento é chamada rede de valor por uma empresa. Ela vê a empresa como estando cercada por quatro tipos de atores: fornecedores, clientes, concorrentes e complementares. Os complementares habilitam os produtos ou serviços de alguém a serem mais valorizados pelos clientes porque eles também podem ter produtos ou serviços complementares, ao contrário de ter somente seus produtos e serviços. Os concorrentes são o oposto: eles fazem os clientes valorizarem menos seus produtos e serviços quando eles podem ter os produtos e serviços deles, em vez de somente os seus. Concorrentes podem ser complementares e vice-versa. Por exemplo, restaurantes vizinhos podem se considerar concorrentes. Um cliente esperando no lado de fora e querendo uma refeição irá escolher entre os dois. Contudo, de outra maneira eles são complementares. O cliente viria para esta parte da cidade se não houvesse mais de um restaurante para escolher? Restaurantes, teatros, galerias de arte e atrações turísticas geralmente se agrupam na forma de cooperação para aumentar o tamanho total de seu mercado conjunto. É importante distinguir entre a maneira como as empresas cooperam para aumentar o tamanho de um mercado e a maneira como elas competem por uma parcela daquele mercado.

Clientes e fornecedores têm papéis simétricos. Historicamente, o papel do fornecedor sempre foi subestimado. Aproveitar o valor dos fornecedores é tão importante quanto ouvir as necessidades dos clientes. Destruir o valor num fornecedor a fim de criá-lo no cliente não aumenta o valor da rede como um todo. Por exemplo, pressionar os fornecedores porque os clientes estão pressionando você não agrega valor a longo prazo. A longo prazo, achar maneiras de aumentar valor para os fornecedores e clientes cria valor tanto para clientes quanto para fornecedores. Todos os atores na rede, sejam eles clientes, fornecedores, concorrentes ou complementares, podem ser amigos ou inimigos em momentos diferentes. Isso não é um comportamento anormal ou uma aberração. É o modo como as coisas são. O termo usado para capturar esta ideia é coopetição.[4]

Fornecimento interno ou externo? Fazer ou comprar? A decisão da integração vertical

Nenhuma empresa sozinha faz tudo o que é preciso para produzir seus produtos e serviços. Padeiros não plantam trigo ou mesmo moem farinha. Normalmente, os bancos não fazem suas próprias verificações de crédito – eles contratam os serviços de agências especializadas em verificação de crédito que têm sistemas de informação e especialização para fazê-lo melhor. Esse processo é chamado de terceirização e tornou-se uma importante questão para a maioria das empresas. Isso porque, embora a maioria das empresas tenham sempre terceirizado algumas de suas atividades, agora uma proporção maior das atividades diretas está sendo comprada dos fornecedores. Além disso, muitos processos indiretos estão sendo terceirizados. Isso é frequentemente chamado de terceirização dos processos de negócio (TPN). As empresas de serviços financeiros em particular estão começando a terceirizar alguns de seus processos mais rotineiros de fundo de loja. De um modo similar, muitos processos dentro da função de recursos humanos, desde os simples serviços de folha de pagamento até processos mais complexos de treinamento e de desenvolvimento, estão sendo terceirizados para empresas especializadas. Os processos podem ainda estar fisicamente localizados onde eles estavam antes, mas a equipe e a tecnologia são gerenciadas pelo provedor de serviço terceirizado. A razão para fazer isso é principalmente reduzir custos. Contudo, às vezes pode haver ganhos significativos na qualidade e flexibilidade dos serviços oferecidos. "*As pessoas falam muito sobre olhar além dos cortes nos custos quando terceirizam as funções de recursos humanos das empresas*", diz Jim Madden, CEO da Exult, uma empresa especialista terceirizada, com base na Califórnia. "*Não creio que alguma empresa vai assinar*

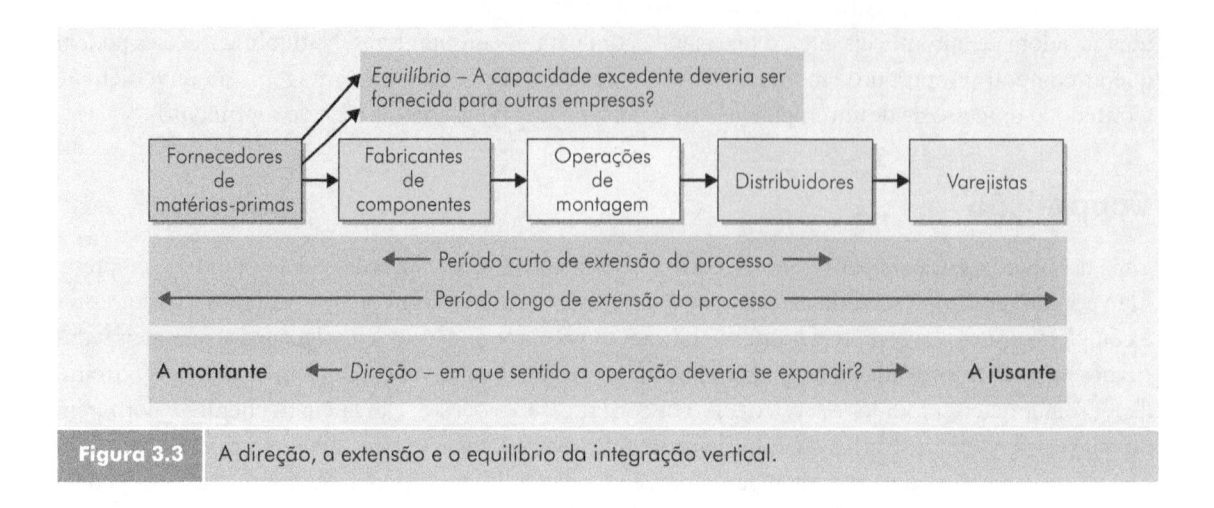

Figura 3.3 A direção, a extensão e o equilíbrio da integração vertical.

(*a terceirização*) *embaixo sem a redução de custos fazer parte disso, mas para os clientes cujas funções de recursos humanos nós gerenciamos, como o BP e o Bank of America, não é somente uma questão de economizar dinheiro*."

O debate sobre a terceirização é somente parte de uma questão muito maior que configurará a natureza fundamental de qualquer negócio. A saber, qual deveria ser o escopo do negócio? Em outras palavras, o que ele mesmo deveria fazer e o que ele deveria comprar? Isso é frequentemente chamado de "decisão de fazer ou comprar" quando componentes individuais ou atividades estão sendo considerados, ou "integração vertical" quando é a propriedade de operações inteiras que está sendo decidida. A integração vertical é a medida na qual uma organização possui a rede da qual faz parte. A organização deveria utilizar o bom senso na decisão de comprar as operações de fornecedores ou clientes. A integração vertical pode ser definida em termos de três fatores (Figura 3.3):[5]

- **Direção**. Uma operação deveria se expandir pela compra de um de seus fornecedores ou pela compra de um de seus clientes? A estratégia de expansão pelo lado do fornecedor da rede é às vezes chamada de integração vertical para trás ou a montante e a expansão pelo lado da demanda é por vezes chamada de integração vertical para a frente ou a jusante.
- **Extensão**. Até onde uma operação deveria estender sua integração vertical? Algumas organizações deliberadamente escolhem não integrar longe, pelo menos, de suas porções originais da rede. De forma alternativa, algumas organizações escolhem se tornar muito verticalmente integradas.
- **Equilíbrio entre os estágios**. Isso não é estritamente sobre a propriedade da rede, mas sobre a exclusividade das relações entre as operações. Uma rede com total equilíbrio em suas relações é uma rede onde uma operação produz somente para o próximo estágio e satisfaz totalmente suas necessidades. Uma rede não totalmente equilibrada deixa que cada operação venda sua produção para outras empresas ou que compre alguns de seus suprimentos de outras empresas. As redes completamente equilibradas têm a virtude da simplicidade e também deixam que cada operação se concentre nas necessidades do próximo estágio ao longo da rede. Ter de fornecer para outras organizações, talvez com necessidades com leves diferenças, pode servir para distrair a empresa daquilo que é necessário para seus (próprios) clientes mais importantes. Contudo, uma rede totalmente autossuficiente às vezes não é possível, nem é necessariamente desejável.

A forma com que qualquer empresa se posiciona em sua rede de suprimentos é uma função do que ela enxerga como suas áreas de especialização e onde sente que será mais lucrativa. Entretanto, esses dois fatores nem sempre coincidem. Onde uma empresa possui especialização pode não ser sempre a parte mais lucrativa da rede de suprimentos. Isto pode ser um impulsionador da integração vertical. Por exemplo, a maior cooperativa de grãos de cacau de Gana, Kuapa Kokoo, é dona de 45% da Divine, uma fábrica de chocolates que opera na Alemanha. Isto se dá porque embora as vendas globais de chocolate sejam em torno de US$ 75 bilhões por ano, tradicionalmente os plantadores de cacau (do qual é feito o chocolate) receberam apenas algo em torno de US$ 4 bilhões por ano na venda de grãos de cacau. Ao adquirir uma parcela da Divine, a Kuapa Kokoo pôde capturar um pouco mais de receita mais abaixo da rede de suprimentos.[6]

Tomando a decisão de terceirizar/integrar verticalmente

Independentemente de ser chamado de fazer ou comprar, integrar verticalmente ou não integrar, fazer ou terceirizar, a escolha enfrentada pelas operações raramente é simples. Organizações em diferentes circunstâncias com diferentes objetivos provavelmente tomam diferentes decisões. Contudo, a questão em si é de certa forma simples, mesmo se a própria decisão não é: "Fazer ou terceirizar o suprimento num conjunto específico de circunstâncias fornece os objetivos de desempenho apropriado que se requer para competir de forma mais eficaz nos seus mercados?". Por exemplo, se os objetivos principais de desempenho para uma operação são entregas confiáveis e o atendimento de mudanças de curto prazo nas necessidades de entrega dos clientes, a questão-chave deveria ser: "Como o ato de fazer ou de terceirizar fornece uma melhor confiança e desempenho de entrega flexível?". Isso significa julgar dois conjuntos de fatores contrários – aqueles que fornecem o potencial para melhorar o desempenho e aqueles que trabalham contra esse potencial que está sendo alcançado. A Tabela 3.1 resume alguns argumentos para o suprimento próprio e a terceirização em termos de cada objetivo de desempenho.

> **Princípio de operações**
> A avaliação da possibilidade de terceirizar deveria considerar como isso impacta os objetivos relevantes de desempenho.

Decidindo terceirizar ou não

Embora o efeito de terceirizar nos objetivos do desempenho das operações seja importante, há outros fatores que as empresas levam em conta quando estão decidindo se terceirizar uma atividade é uma alternativa sensata. Por exemplo, se uma atividade tem importância estratégica de longo prazo para uma empresa, é improvável que ela seja terceirizada. Um varejista poderia escolher manter o projeto e o desenvolvimento de seus *websites* internamente, embora especialistas pudessem desenvolver a atividade a um custo menor, porque ele planeja mudar para o varejo baseado na Web em algum momento no futuro. Normalmente, uma empresa tampouco terceirizaria uma atividade em que ela tivesse habilidades ou conhecimentos especializados. Por exemplo, uma empresa que fabrica impressoras a *laser* pode ter desenvolvido conhecimentos especializados na produção de sofisticados *drives* a *laser*. Essa capacidade pode permitir a introdução de inovações de produtos ou processos no futuro. Seria uma maluquice desistir de tais capacidades. Se esses dois fatores mais estratégicos já foram considerados, o desempenho das operações da empresa pode ser levado em conta. Obviamente, se o desempenho das operações da empresa já é superior ao de qualquer fornecedor potencial, seria improvável terceirizar a atividade. Mas também, mesmo se seu desempenho for inferior ao dos fornecedores potenciais, ela pode não terceirizar a atividade se sentir que poderia melhorar de forma significativa o seu desempenho. A Figura 3.4 ilustra essa lógica de decisão.

> **Princípio de operações**
> A avaliação da possibilidade de terceirizar deveria considerar a importância estratégica da atividade e o desempenho relativo das operações.

Terceirização e *offshoring* (terceirização no exterior)

Duas estratégias de rede de suprimentos que são confundidas com frequência são as de terceirização e *offshoring*. Terceirização significa a decisão de obter produtos e serviços ao invés de produzi-los internamente. *Offshoring* significa obter produtos e serviços de operações baseadas fora do próprio país. Naturalmente, pode-se fazer tanto a terceirização quanto o *offshoring*, como mostra a Figura 3.5. O *offshoring* guarda uma relação muito próxima com a terceirização e os motivos para cada uma delas podem ser similares. Fazer o *offshoring* para uma região do planeta com baixo custo é algo empregado normalmente para reduzir os custos globais de uma operação, assim como a terceirização para um fornecedor que tenha mais especialização ou escala (ou ambos).[7]

Tabela 3.1	Como o suprimento próprio e terceirizado podem afetar os objetivos de desempenho de uma operação	
Objetivo de desempenho	*"Faça você mesmo"*: suprimento próprio	*"Compre"*: suprimento terceirizado
Qualidade	As origens de qualquer problema de qualidade são normalmente mais fáceis de rastrear internamente e as melhorias podem ser mais imediatas, mas pode haver algum risco de complacência.	O fornecedor pode ter conhecimento especializado e mais experiência, e também pode estar motivado pelas pressões de mercado, mas a comunicação dos problemas de qualidade é mais difícil.
Rapidez	Pode significar sincronização de programações que aceleram a saída de materiais e informações, mas se a operação também tem clientes externos, os clientes internos podem receber prioridade baixa.	Rapidez de resposta pode ser embutida no contrato de suprimento onde as pressões comerciais encorajarão um bom desempenho, mas pode haver atrasos significativos na entrega/transporte.
Confiabilidade	Comunicações internamente mais fáceis podem ajudar na entrega confiável, pois os clientes internos precisam ser informados dos atrasos potenciais; mas assim como na rapidez, se a operação também tem clientes externos, os clientes internos podem receber prioridade baixa.	Penalidades para entregas atrasadas no contrato de suprimento podem encorajar um bom desempenho de entregas, mas a distância e as barreiras organizacionais podem inibir a comunicação.
Flexibilidade	A proximidade com as necessidades reais de um negócio pode alertar a operação própria que algum tipo de mudança é necessária nas suas operações, mas a habilidade de responder pode estar limitada pela escala e pelo escopo das operações internas.	Fornecedores terceirizados são provavelmente maiores e têm capacidades maiores do que fornecedores internos. Isso proporciona uma capacidade maior de responder às mudanças, mas eles podem responder somente quando solicitados pelo cliente e podem ter de equilibrar as necessidades conflitantes dos diferentes clientes.
Custo	Operações próprias fornecem o potencial para dividir alguns custos tais como pesquisa e desenvolvimento ou logística. Mais importante, as operações próprias não têm de realizar a margem requerida por fornecedores externos, assim o negócio pode capturar os lucros que de outro modo seria transferido ao fornecedor, mas volumes relativamente baixos podem significar que é difícil obter economias de escala ou os benefícios da inovação do processo.	Provavelmente, esta é a razão principal para a terceirização ser tão popular. Empresas terceirizadas podem obter economias de escala e elas estão motivadas a reduzir seus próprios custos, pois eles impactam diretamente seus lucros, mas custos extras de comunicação e de coordenação com um fornecedor externo precisam ser levados em conta.

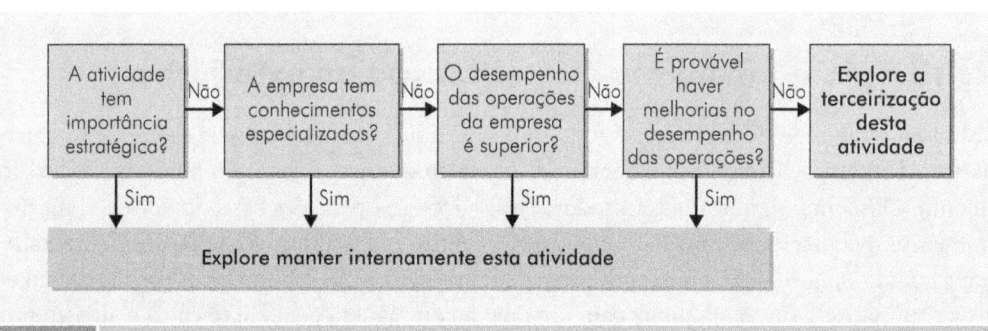

Figura 3.4 A lógica de decisão de terceirização.

A atividade tem importância estratégica? —Não→ A empresa tem conhecimentos especializados? —Não→ O desempenho das operações da empresa é superior? —Não→ É provável haver melhorias no desempenho das operações? —Não→ Explore a terceirização desta atividade

↓Sim ↓Sim ↓Sim ↓Sim

Explore manter internamente esta atividade

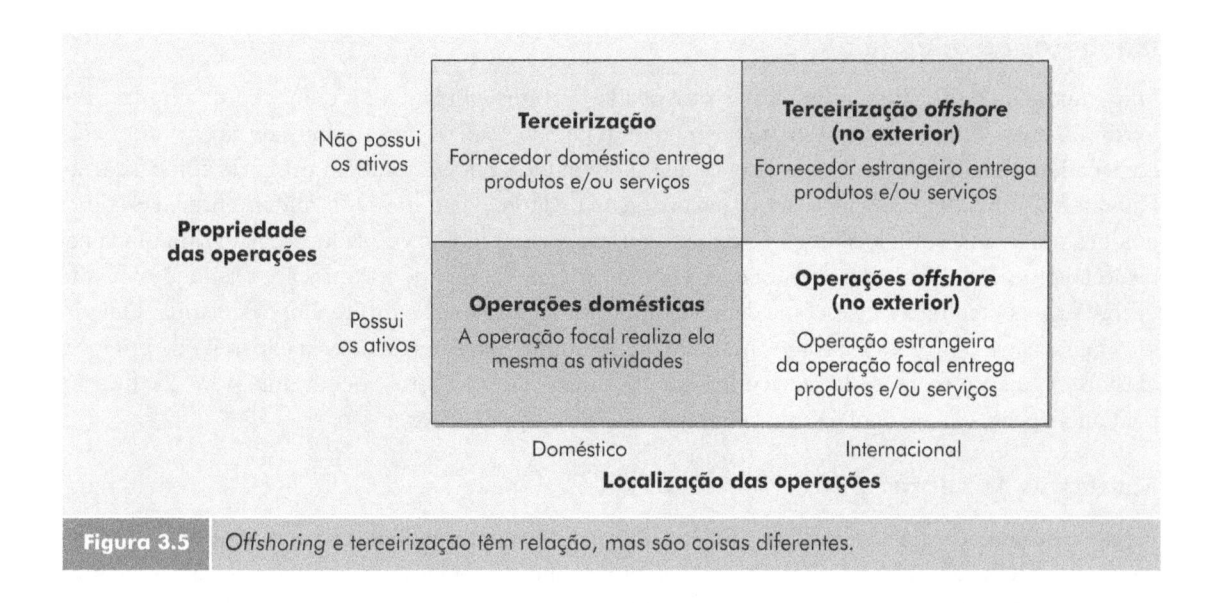

Figura 3.5 Offshoring e terceirização têm relação, mas são coisas diferentes.

Quadro da figura:
- Propriedade das operações / Não possui os ativos + Doméstico: **Terceirização** — Fornecedor doméstico entrega produtos e/ou serviços
- Não possui os ativos + Internacional: **Terceirização offshore (no exterior)** — Fornecedor estrangeiro entrega produtos e/ou serviços
- Possui os ativos + Doméstico: **Operações domésticas** — A operação focal realiza ela mesma as atividades
- Possui os ativos + Internacional: **Operações offshore (no exterior)** — Operação estrangeira da operação focal entrega produtos e/ou serviços

QUESTÕES DIAGNÓSTICAS

Onde as operações deveriam ser localizadas?

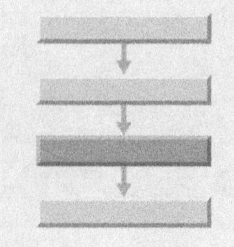

Localização é o posicionamento geográfico de uma operação. Essa pode ser uma importante decisão, já que normalmente tem um efeito nos custos da operação como também na sua habilidade de servir seus clientes (e, portanto, na sua renda). Sendo assim, localizar de maneira errada pode ter um impacto significativo nos lucros. No varejo, uma diferença de alguns metros na localização pode fazer a diferença entre lucro ou prejuízo. Localizar incorretamente o corpo de bombeiros pode aumentar o tempo de viagem da equipe de bombeiros até os incêndios. Localizar uma fábrica onde há dificuldade de atrair mão de obra com habilidades adequadas pode danificar a eficácia das operações da fábrica e assim por diante. A outra razão pela qual as decisões de localização são importantes é que, uma vez tomadas, são difíceis de desfazer. Os custos de transferir uma operação de um local para outro pode ser imensamente caro e os riscos de causar inconveniências aos clientes são muito altos. Nenhuma operação deseja mudar com muita frequência.

Por que relocalizar?

Nem todas as operações podem justificar com razões lógicas sua relocalização. Algumas estão onde elas estão por razões históricas. Mesmo as operações que estão "lá porque estão lá" estão implicitamente tomando a decisão de não mudar. Presumivelmente, sua premissa é de que os custos e a interrupção envolvidos na mudança de localização superariam qualquer benefício potencial da nova localização. Dois estímulos com frequência fazem as organizações tomarem decisões de localização: mudanças na demanda dos produtos e serviços e mudanças no suprimento da operação.

> **Princípio de operações**
> Uma operação deveria somente mudar sua localização se os benefícios da mudança superarem os custos de operar numa nova localização mais os custos de se mudar.

Mudanças na demanda

Uma mudança na localização pode ser provocada por uma mudança na demanda do cliente. Por exemplo, quando fábricas de vestuário se mudaram para a Ásia, os fornecedores de zíperes, fios, etc., começaram a segui-las. Mudanças no volume da demanda podem também provocar relocalização. Para atender uma demanda mais alta, uma operação poderia expandir seu local existente ou escolher um local maior em outra localização, ou manter a sua e achar uma segunda localização para uma operação adicional; a última das duas opções envolverá uma decisão de localização. Operações de alta visibilidade podem não ter a escolha de se expandir no mesmo local para atender a demanda. Um serviço de lavagem a seco pode atrair somente marginalmente mais negócios pela expansão de um local existente, pois ele oferece um serviço local, e, portanto, conveniente. Achar uma nova localização para uma operação adicional é provavelmente sua única opção de expansão.

Mudanças no suprimento

O outro estímulo para relocalização é mudar o custo, ou a disponibilidade, do suprimento das entradas da operação. Por exemplo, uma empresa petrolífera ou uma mineradora precisará se relocalizar quando o mineral que é extraído começar a se esgotar. Um fabricante poderia escolher relocalizar suas operações para uma parte do mundo onde os custos de mão de obra são baixos, porque os recursos equivalentes (pessoas) no seu local original tornaram-se relativamente caros. Algumas vezes, uma empresa pode optar por se relocalizar para liberar fundos se o valor da terra que ela ocupa vale mais do que um local alternativo, igualmente bom.

Avaliando mudanças potenciais na localização

Avaliar as localizações possíveis é quase sempre uma tarefa complexa porque o número de opções de localização, o critério contra o qual elas poderiam ser avaliadas e a raridade comparativa de uma localização única que claramente domina todas as outras tornam a decisão estrategicamente sensível. Além do mais, a decisão quase sempre envolve altos níveis de incerteza. A própria atividade de relocalização e as características operacionais do novo local poderiam não se revelar como presumido quando a decisão foi tomada originalmente. Por causa disso, é útil ser sistemático em termos de (a) identificar opções alternativas e (b) avaliar cada opção contra um conjunto racional de critérios.

Identifique as opções alternativas de localização

A primeira opção de relocalização a considerar é não relocalizar. Às vezes a relocalização é inevitável, mas frequentemente ficar onde está é uma opção viável. Mesmo se procurar por uma nova localização pareça o óbvio a fazer, vale a pena avaliar a opção "não fazer nada", somente para fornecer um "caso básico" contra o qual comparar as outras opções. Porém, além da opção não fazer nada, deveria haver uma quantidade alternativa de opções de localização. É um erro considerar somente uma localização, mas procurar por possíveis localizações pode ser uma atividade demorada. De forma crescente, para empresas maiores, o mundo todo oferece possíveis localizações. Mesmo que sempre tenha sido possível fabricar em uma parte do mundo para vender em outra, até recentemente presumia-se que as operações de não fabricação ficassem confinadas ao seu mercado doméstico. Contudo, isso mudou: as habilidades operacionais (bem como a imagem da marca) de muitas operações de serviço são transferíveis para além das fronteiras nacionais. Hotéis, lanchonetes, varejos e serviços profissionais, todos tomam decisões de localização num estágio internacional. Da mesma forma, operações de processamento de informações podem agora se localizar fora de sua base doméstica graças às redes de comunicações virtuais sem fio. Se uma empresa de serviços financeiro, ou qualquer outra, vê uma vantagem de custo na localização de parte de suas operações de escritório em algum lugar do mundo onde o custo por transação é mais baixo, ela pode fazê-lo.

O que a globalização implica na decisão de localização é aumentar o número de opções e o grau de incerteza nos seus méritos relativos. O número absoluto de possibilidades torna a decisão da localização impossível de otimizar. A menos que cada opção seja explorada, não é possível achar a melhor solução. Mas o processo de identificação das opções de localização comumente envolve a seleção de um número limitado de locais que representam diferentes atributos. Por exemplo, um centro de distribuição, precisando estar perto das ligações de transporte, poderia ser localizado em qualquer dentre várias regiões e poderia também estar perto de centros ou numa localização rural. As opções poderiam ser escolhidas para refletir uma faixa de ambos os fatores. Contudo, isto presume que o suprimento de opções de localização é relativamente amplo, o que nem sempre é o caso. Por exemplo, em muitas decisões da localização do varejo, há um número limitado de locais em avenidas que se tornam disponíveis a qualquer momento. Não raro, um varejista esperará até que uma localização viável se torne disponível e então decidirá se adotará aquela opção ou esperará que um local melhor se torne disponível em pouco tempo. Com efeito, a decisão da localização aqui é uma sequência de decisões "adote ou espere". Portanto, na tomada de decisão para adotar ou esperar, um conjunto similar de critérios para o problema de localização mais comum pode ser adequado.

Estabeleça o critério de avaliação da localização

Embora o critério contra o qual as alternativas de localização podem ser avaliadas dependerá das circunstâncias, são típicas as cinco grandes categorias a seguir:

Necessidades de capital O custo do capital ou do arrendamento de um local é normalmente um fator significativo, e será provavelmente uma função da localização e das características do local. Por exemplo, a forma do local e a composição do solo podem limitar a natureza de qualquer prédio ali construído. O acesso ao local é também importante, assim como a disponibilidade de infraestrutura, etc. Além disso, o custo de se mudar pode depender do local eventualmente escolhido.

Fatores mercadológicos A localização pode afetar o modo como o mercado, como cliente individual ou geral, percebe uma operação. Localizar um hospital geral no interior do país pode ter muitas vantagens para sua equipe, mas seria sem dúvida muito inconveniente para seus clientes. Do mesmo modo, restaurantes, lojas, bancos, postos de combustível e muitas outras operações de alta visibilidade devem avaliar como os locais alternativos determinarão sua imagem e o nível de serviço que elas podem fornecer. Os mesmos argumentos se aplicam ao mercado de trabalho. A localização pode afetar a atratividade da operação em termos de recrutamento e retenção da equipe. Por exemplo, parques científicos na maioria das vezes estão localizados perto das universidades, já que esperam atrair empresas que estão interessadas em usar as competências disponíveis na universidade. Porém, nem todas as localizações possuem necessariamente a qualificação apropriada disponível de imediato. Os funcionários de um serviço de atendimento remoto nas ilhas ocidentais da Escócia, habituados a uma vida calma e tranquila, foram surpreendidos pela natureza agressiva de muitas chamadas para o serviço de atendimento, e alguns chegaram às lágrimas devido ao assédio moral dos clientes. Eles tiveram de receber treinamento em assertividade por parte da gerência do serviço de atendimento.

Fatores de custo Duas categorias principais de custo são afetadas pela localização. A primeira é o custo de produzir produtos ou serviços. Por exemplo, os custos de mão de obra podem variar entre as diferentes áreas em qualquer país, mas podem ser um fator muito mais significativo quando são feitas comparações internacionais, quando eles podem exercer uma influencia maior na decisão da localização, especialmente em alguns setores como do vestuário, onde os custos de mão de obra são relativamente altos em proporção aos custos totais. Outros fatores de custo, conhecidos como fatores institucionais, derivam do ambiente social, político e econômico do seu local. Incluem-se aí fatores como impostos locais, restrições de movimentação de capital, assistência financeira do governo, estabilidade política, atitudes locais para investimentos externos, língua, comodidades locais (escolas, teatros, lojas, etc.), a disponibilidade de serviços de suporte, o histórico do comportamento e das relações de trabalho, restrições ambientais e procedimentos de planejamento. A segunda categoria de custos se relaciona com

"A empresa sueca Vin&Spirit foi comprada pela Pernod Rucerd, que imediatamente assegurou que o produto mais importante da empresa, a vodca Absolut, continuaria sendo feita na Suécia." Fazer um produto sueco genuíno tal como a vodca Absolut em outro local que não a Suécia prejudicaria severamente a marca, afirmou um comentarista.

o custo do transporte de entrada de suas fontes para o local da operação e o custo de transportar os produtos e serviços do local para os clientes. Enquanto quase todas as operações se preocupam em algum ponto com a primeira, nem todas as operações se preocupam com a última, ou porque os clientes vêm até ela (por exemplo, hotéis), ou porque seus serviços podem ser transportados virtualmente sem custos (por exemplo, alguns *help desks* tecnológicos). Para as redes de suprimento que processam itens físicos, contudo, os custos de transporte podem ser muito significativos.

Flexibilidade futura Qualquer nova localização deve ser capaz de ser aceitável porque as operações raramente mudam de local, não somente sob as atuais circunstâncias, mas também sob as futuras possíveis. O problema é que ninguém sabe exatamente o que o futuro traz. Mesmo assim, especialmente em ambientes incertos, qualquer avaliação de locais alternativos deveria incluir algum tipo de planejamento do cenário que considere a robustez de cada um em lidar com uma variedade de futuros possíveis. Dois tipos de flexibilidade de qualquer localização poderiam ser avaliados. O mais comum é considerar o potencial de expansão do local para se adaptar a níveis maiores de atividade. O segundo é a habilidade de se adaptar a mudanças nos fatores de entrada e saída. Por exemplo, os fornecedores ou os clientes poderiam se mudar no futuro. Se isso ocorrer, a localização ainda poderia operar economicamente?

Fatores de risco A ideia da avaliação dos fatores de risco associados com as localizações possíveis está intimamente ligada ao conceito de flexibilidade futura. Mais uma vez, o critério de risco pode ser dividido em risco de transição e riscos de longo prazo. O risco de transição é simplesmente o risco de que alguma coisa dê errado durante o processo de relocalização. Algumas possíveis localizações podem ser intrinsecamente mais difíceis de serem mudadas do que outras. Por exemplo, transferir-se para uma localização já congestionada poderia impor riscos maiores no que foi planejado do que se mudar para um local mais acessível. O risco de longo prazo poderia novamente incluir perdas nos fatores de entrada tais como taxas de câmbio ou custos de mão de obra, mas pode também incluir riscos de segurança mais fundamentais para o pessoal ou para a propriedade.

QUESTÕES DIAGNÓSTICAS

Quanta capacidade cada operação deveria ter na rede de suprimentos?

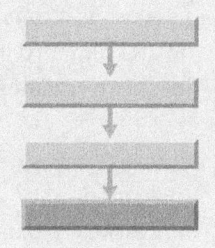

O projeto das redes de suprimentos também inclui a definição da capacidade de cada operação da rede. A menos que a capacidade das operações individuais reflita as necessidades da rede como um todo, ela limitará o fluxo pela rede ou será a causa da subutilização da capacidade, ambas as quais reduzirão no longo prazo a eficácia da rede como um todo. Aqui, abordaremos a capacidade no sentido geral a longo prazo. Os aspectos de curto prazo do gerenciamento da capacidade serão tratados no Capítulo 8. Todavia, tanto a curto como a longo prazo, as previsões de demanda são uma das entradas principais para o gerenciamento da capacidade, por isso a previsão é tratada no suplemento deste capítulo.

O nível de capacidade ótimo

A maioria das organizações precisa decidir sobre o tamanho (em termos de capacidade) de cada uma das suas instalações. Uma cadeia de centros de serviços para caminhões, por exemplo, poderia operar centros com capacidades variadas. O custo efetivo de operar cada centro dependerá da ocupação média da baia de serviços. Baixa ocupação, devido a essa clientela, resultará num custo alto por cliente atendido, já que os custos fixos da operação estão sendo compartilhados entre poucos clientes. Quando a demanda, e, portanto, a ocupação da baia de serviços, aumenta, o custo por cliente diminui. Contudo, operar com altos níveis de utilização de capacidade (níveis de ocupação próximos ao limite da capacidade) pode significar maior tempo de espera e um reduzido serviço ao cliente. Esse efeito é detalhado no Capítulo 5. Pode haver também penalidades de custo menos óbvias de operar os centros próximo às capacidades nominais. Por exemplo, longos períodos de horas-extras podem reduzir os níveis de produtividade como também custar mais em pagamentos extras para o pessoal; níveis muito altos de utilização das baias reduzem o tempo de manutenção e limpeza, o que pode aumentar quebras, reduzir a vida útil e assim por diante. Isso geralmente significa que os custos médios começam a aumentar a partir de um ponto quase sempre abaixo da capacidade teórica da operação.

As curvas escuras da Figura 3.6 mostram esse efeito para os centros de serviço com capacidade de 5, 10 e 15 baias. À medida que a capacidade nominal dos centros aumenta, o ponto de custo mais baixo diminui em um primeiro momento. Isso porque os custos fixos de qualquer operação não aumentam proporcionalmente à medida que sua capacidade aumenta. Um centro com 10 baias tem menos do que o dobro dos custos fixos de um centro com 5 baias. Além disso, os custos de capital de construir as operações não aumentam de maneira proporcional à suas capacidades. Um centro com 10 baias custa menos para ser construído do que duas vezes o custo de um centro com 5 baias. Esses dois fatores, tomados em conjunto, são frequentemente chamados de economias de escala. Contudo, acima de certo tamanho, o ponto de custo mais baixo pode aumentar. Isso ocorre por causa das chamadas deseconomias de escala, duas das quais são particularmente importantes. Primeiro, os custos da complexidade aumentam à medida que o tamanho aumenta. O esforço de coordenação e de comunicação necessário para gerenciar uma operação tende a aumentar mais rápido do que a capacidade. Embora não seja visto como custo direto, isso pode, mesmo assim, ser muito significativo. Segundo, um centro maior será provavelmente subutilizado, pois a demanda dentro de uma localização fixa será limitada. O equivalente em operações que processam itens físicos é o custo de transporte. Por exemplo, se um fabricante fornece para todo o mercado europeu de uma de suas principais plantas na Dinamarca, todos os suprimentos podem ter de ser trazidos de diversos países para uma única planta e todos os produtos embarcados de lá para a Europa.

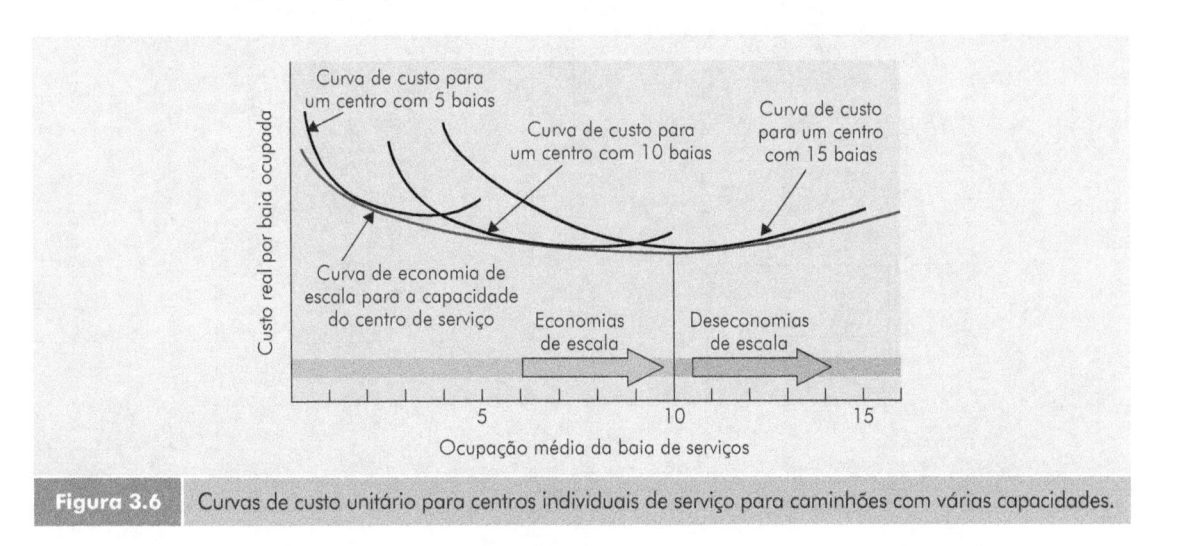

> **Princípio de operações**
> Todos os tipos de operação exibem os efeitos da economia de escala em que os custos de operação diminuem à medida que a escala de capacidade aumenta.

> **Princípio de operações**
> As deseconomias de escala aumentam os custos das operações acima de um certo nível de capacidade resultando num custo mínimo do nível de capacidade.

Figura 3.6 Curvas de custo unitário para centros individuais de serviço para caminhões com várias capacidades.

Ser pequeno pode ser vantajoso

Embora as operações de capacidade de larga escala geralmente tenham uma vantagem de custo em relação às unidades menores, também existem vantagens com potenciais significativos que podem ser exploradas pelas operações de baixa escala. Uma pesquisa mostrou que as operações de baixa escala podem proporcionar vantagens significativas nas quatro áreas seguintes.[8]

- Permitir que a empresa se localize perto dos *hot spots* que podem se conectar à rede local de conhecimento. Muitas vezes, as empresas maiores centralizam a sua pesquisa e desenvolvimento, perdendo contato com o lugar onde as ideias inovadoras são geradas.
- Responder rapidamente às necessidades e tendências dos clientes regionais ao localizar mais unidades de menor capacidade próximo aos mercados locais.
- Tirar vantagem do potencial para o desenvolvimento dos recursos humanos disponibilizando à equipe um maior grau de autonomia local. As operações de larga escala têm, com frequência, planos de carreira mais longos com menos oportunidades de "comando".
- Explorar de modo radical as novas tecnologias agindo da mesma maneira que um rival menor e mais empreendedor. As atividades maiores e mais centralizadas são quase sempre mais burocráticas do que os ágeis centros de desenvolvimento de menor escala.

Escala de capacidade e equilíbrio demanda-capacidade

Grandes unidades de capacidade também têm algumas desvantagens quando a capacidade da operação está sendo mudada para atender uma alteração de demanda. Por exemplo, suponha que um fabricante preveja o aumento da demanda nos próximos três anos, como mostrado na Figura 3.7, estabilizando por volta de 2.400 unidades por semana. Se a empresa procura satisfazer toda a demanda construindo três plantas à medida que a demanda cresce, cada uma com 800 unidades de capacidade, a empresa apresentará uma supercapacidade por um bom período enquanto a demanda está aumentando. Supercapacidade significa baixa utilização da capacidade, que por sua vez significa custos unitários maiores. Se a empresa constrói plantas menores, digamos plantas com capacidade para 400 unidades, ainda existirá supercapacidade, mas em menor extensão, o que significa maior utilização da capacidade e possivelmente custos mais baixos.

> **Princípio de operações**
> Mudar a capacidade em grandes quantidades reduz a chance de atingir o equilíbrio demanda-capacidade.

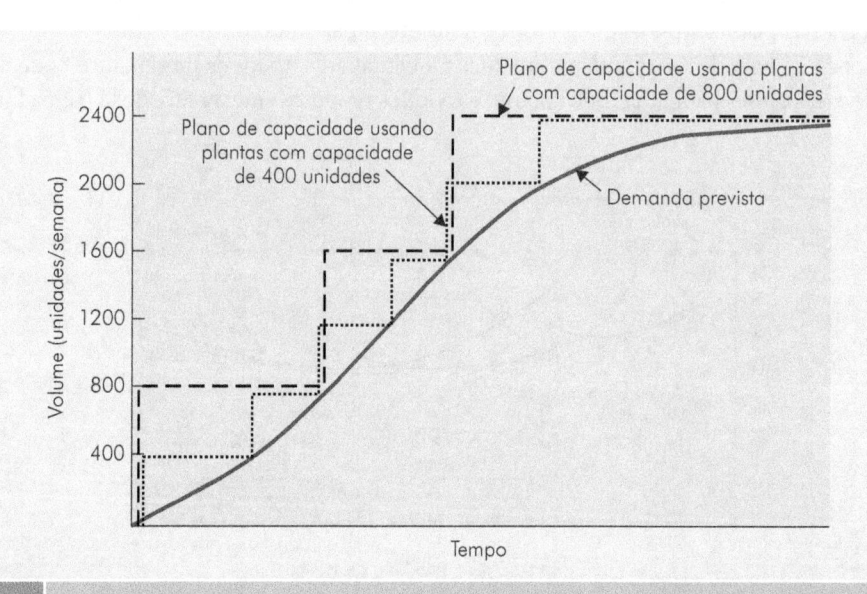

Figura 3.7 A escala de incrementos de capacidade afeta a utilização da capacidade.

O momento de mudança da capacidade

Mudar a capacidade de uma operação não é somente uma questão de decidir sobre o melhor tamanho do incremento de capacidade. A operação também precisa decidir quando aumentar a capacidade enquanto estiver operando. Continuando o exemplo anterior, a Figura 3.8 mostra a demanda prevista para uma nova operação de fabricação. A empresa decidiu construir plantas de 400 unidades por semana a fim de atender o crescimento na demanda para seus novos produtos. Ao decidir quando as novas plantas devem ser introduzidas, a empresa tem de escolher algum ponto entre duas estratégias extremas:

> **Princípio de operações**
> As estratégias de adiantar capacidade aumentam as oportunidades de atender a demanda.

- A capacidade se adianta à demanda – escolher o momento de introdução da capacidade de modo que haja sempre capacidade suficiente para atender à demanda prevista;
- A capacidade se atrasa em relação à demanda – escolher o momento de introdução da capacidade de modo que a demanda seja sempre maior ou igual à capacidade.

A Figura 3.8 mostra essas duas estratégias extremas, embora na prática seja mais provável que a empresa escolha uma posição entre elas. Cada estratégia tem suas vantagens e desvantagens. Elas são mostradas na Tabela 3.2. A abordagem atual adotada pela empresa dependerá de como ela vê estas vantagens e desvantagens. Por exemplo, se o acesso da empresa aos fundos para gastos de capital é limitado, é provável encontrar necessidade de adiar os gastos com capital de acordo com a estratégia de atrasar capacidade relativamente atrativa.

> **Princípio de operações**
> As estratégias de atrasar capacidade aumentam a utilização da capacidade.

"Suavização" com estoques

A estratégia sobre a continuidade entre as estratégias puras de atrasar e de adiantar pode ser implementada de modo que nenhum estoque seja acumulado. Toda demanda num período é (ou não) satisfeita pela atividade da operação no mesmo período. Na verdade, para operações de processamento de clientes não há alternativa para isto. Um hotel

> **Princípio de operações**
> Utilizar estoques para superar o desequilíbrio entre a capacidade e a demanda tende a aumentar as necessidades de capital de giro.

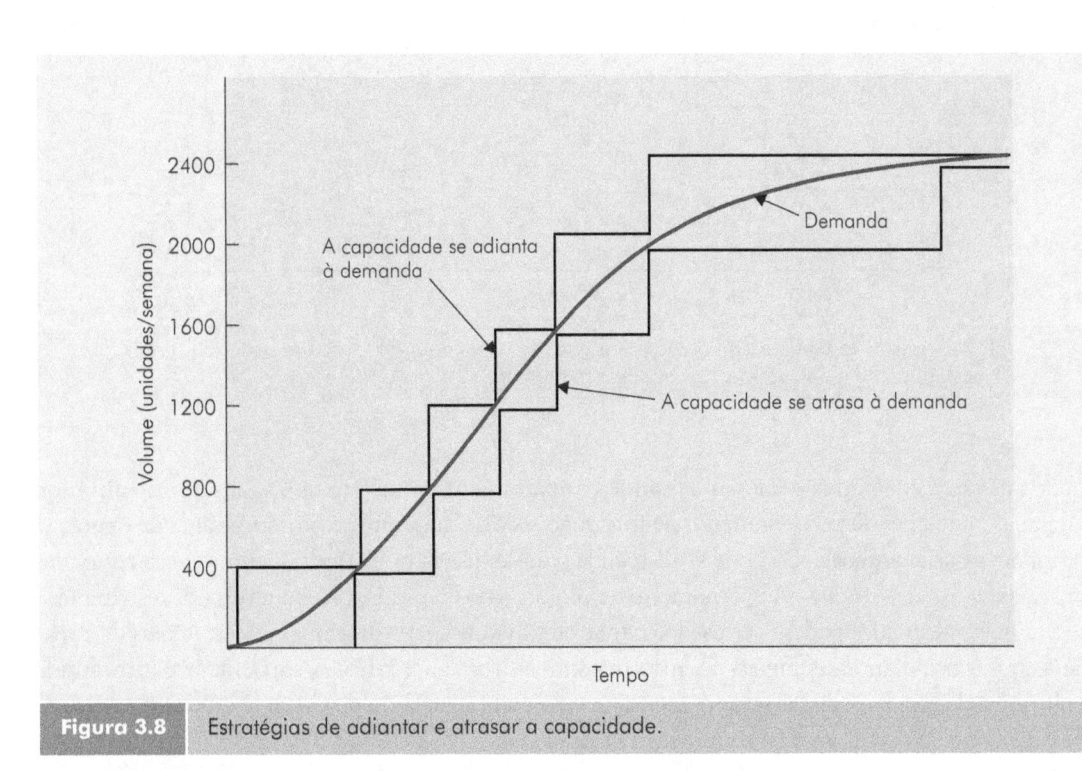

Figura 3.8 Estratégias de adiantar e atrasar a capacidade.

Tabela 3.2 — Os argumentos contra e a favor das estratégias puras de atrasar e adiantar capacidade

Vantagens	Desvantagens
Estratégias de adiantar capacidade	
Sempre há capacidade suficiente para atender a demanda, portanto a receita é maximizada e os clientes são satisfeitos	A utilização da capacidade das plantas é sempre relativamente baixa, portanto os custos serão altos
A maior parte do tempo há um "pulmão de capacidade" que pode absorver níveis extras de demanda se as previsões são pessimistas	Risco de supercapacidade maior (ou mesmo permanente) se a demanda não alcança os níveis de previsão
Quaisquer problemas de início crítico de novas plantas provavelmente não afetam o abastecimento aos clientes	Há o risco antecipado de gasto de capital
Estratégias de atrasar capacidade	
Sempre há demanda suficiente para manter as plantas trabalhando a toda capacidade, portanto os custos unitários são minimizados	A capacidade é insuficiente para atender totalmente a demanda, gerando receita reduzida e clientes insatisfeitos
Problemas de supercapacidade são minimizados se as previsões são otimistas	Não há habilidade de explorar aumentos de demanda a curto prazo
O gasto de capital nas plantas é adiado	A posição de subabastecimento é pior se há problemas no início de novas plantas

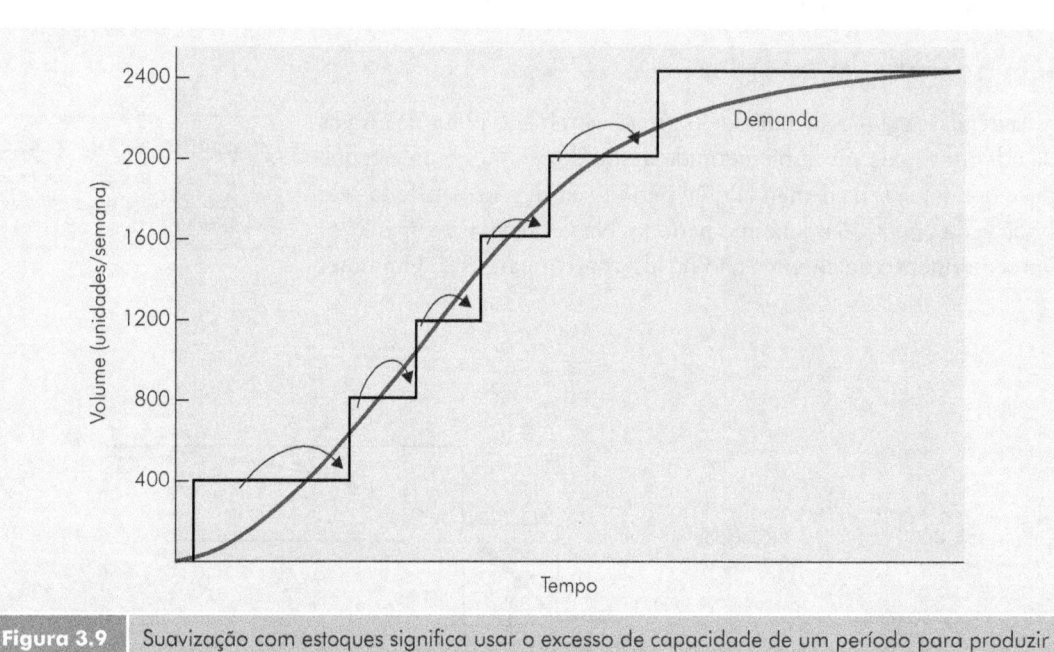

Figura 3.9 Suavização com estoques significa usar o excesso de capacidade de um período para produzir estoques a fim de cobrir a subcapacidade de outro período.

não pode satisfazer a demanda de um ano usando os apartamentos que estavam vagos no ano anterior. Para algumas operações de processamento de informações e de materiais, contudo, a saída da operação que não é necessária num período pode ser estocada para ser usada no período seguinte. As economias relacionadas ao uso de estoques são plenamente exploradas no Capítulo 10. Aqui nós nos restringimos a observar que os estoques podem ser usados para obter as vantagens de ambas as estratégias de capacidade – atrasar ou adiantar. A Figura 3.9 mostra como isso pode ser feito. A capacidade é introduzida de modo que a demanda pode ser sempre atendida pela combinação de produção e estoques, e a capacidade é, com exceções ocasionais, totalmente utilizada.

Isso pode parecer um estado ideal. A demanda é sempre atendida e assim a receita é maximizada. A capacidade é geralmente toda utilizada e assim os custos são minimizados. Há um preço a pagar, porém, e este é o custo de manter estoques. Não somente eles terão de ser mantidos como também os riscos de obsolescência e deterioração do estoque são introduzidos (veja o Capítulo 9). A Tabela 3.3 resume as vantagens e desvantagens da estratégia de suavização com estoques.

Análise do ponto de equilíbrio da expansão da capacidade

Uma visão alternativa da expansão de capacidade pode ser obtida pelo exame das implicações do custo de adicionar incrementos de capacidade numa análise de ponto de equilíbrio. A Figura 3.10 mostra como a capacidade crescente pode levar uma operação da lucratividade para o prejuízo. Cada unidade adicional de capacidade resulta numa quebra de custo fixo, a qual é um acréscimo de gastos a se incorrer antes que qualquer outra atividade seja feita na operação.

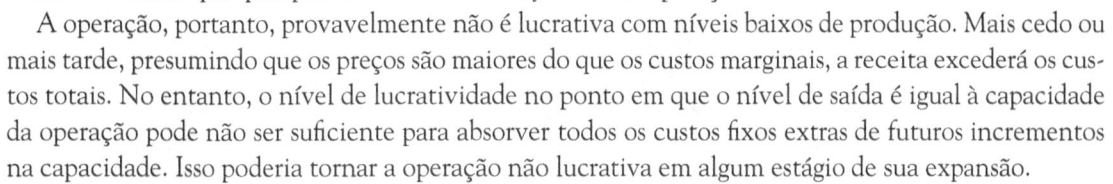

A operação, portanto, provavelmente não é lucrativa com níveis baixos de produção. Mais cedo ou mais tarde, presumindo que os preços são maiores do que os custos marginais, a receita excederá os custos totais. No entanto, o nível de lucratividade no ponto em que o nível de saída é igual à capacidade da operação pode não ser suficiente para absorver todos os custos fixos extras de futuros incrementos na capacidade. Isso poderia tornar a operação não lucrativa em algum estágio de sua expansão.

Tabela 3.3 As vantagens e desvantagens da estratégia de suavização com estoques

Vantagens	Desvantagens
Toda a demanda é satisfeita, por isso os clientes são satisfeitos e a receita é maximizada	O custo dos estoques em termos de necessidades de capital de giro pode ser alto. Isso é especialmente sério quando a empresa necessita de fundos para sua expansão de capital
A utilização de capacidade é alta e, portanto, os custos são baixos.	Risco de deterioração e obsolescência dos produtos
Picos de demanda de curto prazo podem ser atendidos a partir dos estoques	

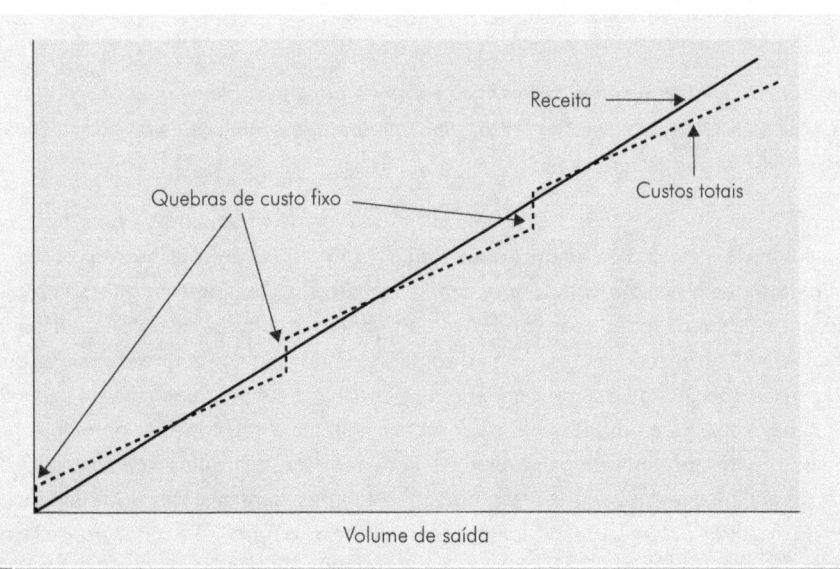

Figura 3.10 Incorrer em custos fixos repetidamente pode aumentar os custos totais acima das receitas para algumas faixas de saída.

Exemplo

Uma empresa especializada em gráficos está investindo em novos sistemas que permitirão fazer imagens de alta qualidade para seus clientes. A demanda para essas imagens deve ser por volta de 100.000 imagens no ano 1 e 220.000 imagens no ano 2. A capacidade máxima de cada sistema é 100.000 imagens por ano. Eles têm um custo fixo de €200.000 por ano e um custo variável de processamento de €1 por imagem. A empresa acredita que será capaz de cobrar uma média de €4 por imagem. Que lucro ela provavelmente obterá no primeiro e no segundo ano?

$$\begin{aligned}
\text{Demanda de um ano} &= 100.000 \text{ imagens; portanto, a empresa precisará de uma máquina} \\
\text{Custo de produzir as imagens} &= \text{Custo fixo de uma máquina} + (\text{custo variável} \times 100.000) \\
&= €200.000 + (€1 \times 100.000) \\
&= €300.000 \\
\text{Receita} &= \text{Demanda} \times \text{preço} \\
&= 100.000 \times €4 \\
&= €400.000 \\
\text{Lucro} &= €400.000 - €300.000 \\
&= €100.000 \\
\text{Demanda do ano 2} &= 220.000 \text{ unidades; portanto, a empresa precisará de três máquinas} \\
\text{Custo de produzir as imagens} &= \text{Custo fixo para três máquinas} + (\text{custo variável} \times 220.000) \\
&= (3 \times €200.000) + (€1 \times 220.000) \\
&= €820.000 \\
\text{Receita} &= \text{Demanda} \times \text{preço} \\
&= 220.000 \times €4 \\
&= €880.000 \\
\text{Lucro} &= €880.000 - €820.000 \\
&= €60.000
\end{aligned}$$

Observação: o lucro no segundo ano será mais baixo por causa do custo fixo extra associado ao investimento em duas máquinas extras.

Comentário crítico

Cada capítulo contém um breve comentário crítico sobre as principais ideias nele abordadas. Seu propósito não é minar as questões discutidas, mas enfatizar que, embora apresentemos uma visão relativamente ortodoxa da operação, existem outras perspectivas.

■ Provavelmente a questão mais controversa no projeto da rede de suprimentos é a terceirização. Em muitos casos, tem havido forte oposição às empresas que terceirizam alguns de seus processos. Os sindicatos com frequência apontam que a única razão para as empresas terceirizadas fazerem o trabalho a menor custo é que elas reduzem os salários, pioram as condições de trabalho ou ambos. Além disso, argumentam eles, a flexibilidade somente é alcançada reduzindo-se a segurança no trabalho. Empregados que uma vez fizeram parte de uma corporação grande e segura poderiam se encontrar em empregos menos seguros num empregador menos benevolente com uma filosofia de corte permanente de custos. Mesmo alguns proponentes da terceirização são rápidos em apontar os problemas. Podem existir obstáculos significativos, uma resistência compreensível da equipe que encontra-se "terceirizada". Algumas empresas têm sido culpadas de "terceirizar um problema". Em outras palavras, tendo falhado em gerenciar um processo, elas transferem-no para fora em vez de enfrentar o motivo original pelo qual o processo foi problemático. Há também evidências de que, embora os custos a longo prazo possam ser reduzidos quando um processo é terceirizado, pode haver um período inicial em que os custos aumentam à medida que ambos os lados aprendem a gerenciar o novo arranjo.

Lista de verificação

Esta lista de verificação inclui perguntas que podem ser úteis se aplicadas a qualquer tipo de operação e refletem as principais questões diagnósticas usadas dentro do capítulo.

☐ A operação está completamente consciente das capacidades e necessidades de todos seus fornecedores e clientes de primeira e segunda linha?

☐ As capacidades dos fornecedores e as necessidades dos clientes são entendidas em termos de todos os aspectos de desempenho das operações?

☐ A operação tem uma visão de como gostaria de ver sua rede de suprimentos se desenvolver ao longo do tempo?

☐ Os benefícios de se reduzir o número de fornecedores individuais têm sido explorados?

☐ É provável que alguma parte da rede de suprimentos possa ser desintermediada e as implicações disso têm sido consideradas?

☐ A operação tem uma abordagem de como tratar os outros na rede de suprimentos, que podem ser complementares e concorrentes?

☐ A questão da integração vertical/terceirização está sempre sob revisão para avaliar benefícios possíveis?

☐ A terceirização (ou fazer internamente) é avaliada em termos de todos os objetivos de desempenho das operações?

☐ Um conjunto racional de critérios é usado para decidir terceirizar?

☐ A decisão de relocalização foi alguma vez levada em consideração?

☐ Fatores tais como mudança na demanda ou no suprimento, que podem disparar uma relocalização, têm sido considerados?

☐ Se a relocalização é considerada, as alternativas de localização são sempre avaliadas entre si e contra a opção de "não se fazer nada"?

☐ Opções suficientes de localização estão sendo consideradas?

☐ Os critérios de avaliação de localização incluem capital, mercado, custos, flexibilidade e fatores de risco?

☐ A economia de escala ótima para os diferentes tipos de operação do negócio é periodicamente avaliada?

☐ As várias estratégias para as mudanças do momento na capacidade são sempre avaliadas em temos de suas vantagens e desvantagens?

☐ As quebras de custo fixo de aumento de capacidade são entendidas e são levadas em conta quando a capacidade diminui ou aumenta?

Estudo de caso: Disneyland Resort Paris (resumido)[9]

Em agosto de 2006, a empresa por trás do Disneyland Resort Paris divulgou um aumento de 13% na receita, dizendo que estava fazendo um progresso encorajador com novos passeios para obter mais visitantes. *"Estou satisfeito, até agora, com as receitas desse ano e especialmente com as do terceiro trimestre, além do sucesso da abertura do Buzz Lightyear Laser Blast, o primeiro passo de um programa de investimentos de vários anos. Esses resultados refletem a estratégia do grupo de aumentar o crescimento a partir de esforços inovadores de marketing e vendas, como também de um programa de investimentos de muitos anos. Esse desempenho é estimulante, conforme entramos nos importantes meses do verão"*, disse o presidente Karl L. Holz. A receita do trimestre, que termina em 30 de junho, cresceu para €286,6 milhões (US$362 milhões) em relação aos €254 milhões do ano anterior. Os resultados ajudaram a impulsionar os lucros da Disney Company e o preço das ações da empresa subiram.

Contudo, nem sempre foi assim. Os 14 anos de história da Disneyland Paris tiveram mais altos e baixos do que qualquer uma de suas montanhas-russas. A empresa tinha voltado para níveis de 2005, o que para alguns analistas teria sido a beira da falência. Na verdade, desde 12 de abril de 1992, quando a Euro Disney abriu as portas, até o presente relatório mais otimista, o parque esteve sujeito simultaneamente a previsões abertamente otimistas, à desaprovação e ao ridículo disseminados. Um ensaio num *site* de críticas da Internet (chamado "An Ugly American in Paris") resumiu todo o empreendimento assim: "Quando a Disney decidiu expandir as suas operações de parque temático tremendamente bem-sucedidas para a Europa, ela trouxe consigo os estilos norte-americanos de administração, bem como os gostos culturais, os hábitos de trabalho e o entusiasmo do *marketing* dos EUA para a Europa. Então, quando os franceses se mantiveram distantes em massa, eles os acusaram de esnobismo cultural."

A "Magia" da Disney

Desde a sua fundação em 1923, A Walt Disney Company se esforça para permanecer fiel ao seu compromisso de "produzir experiências de entretenimento sem paralelo baseadas em seu rico legado de qualidade, conteúdo criativo e narrativa excepcional". Ela fez isso por meio de quatro divisões principais: Entretenimento em Estúdio, Parques e *Resorts*, Produtos de Consumo e Redes de Mídia. Cada segmento consistia em negócios integrados que trabalhavam juntos para "maximizar a exposição e o crescimento mundiais".

Na divisão de Parques e *Resorts*, segundo a descrição da empresa, os clientes podem experimentar a "magia dos adorados personagens da Disney". Ela foi fundada em 1952, quando Walt Disney formou o que se conhece como Walt Disney Imagineering para criar a Disneyland em Anaheim, Califórnia. Em 2006, a Walt Disney Parks and Resorts operava ou licenciava 11 parques temáticos em cinco destinos Disney pelo mundo. Eram eles: Disneyland Resort (Califórnia), Walt Disney World Resort (Flórida), Tokyo Disney Resort, Disneyland Resort Paris e o parque mais recente, Hong Kong Disneyland. Além disso, a divisão operava 35 hotéis *resort*, dois navios de cruzeiro de luxo e uma ampla variedade de outras opções de entretenimento. Porém, na história da Walt Disney Company, talvez nenhum de seus empreendimentos tenha se mostrado mais desafiador do que o seu *resort* de Paris.

Prestação de serviços nos *resorts* e parques da Disney

Os valores centrais da Disney Company e, indiscutivelmente, a razão do seu sucesso se originaram na visão e na personalidade de Walt Disney, o fundador da empresa. Ele tinha o que alguns classificaram como foco obsessivo na criação de imagens, produtos e experiências para os clientes que simbolizavam diversão, imaginação e serviços. Por meio da "magia" dos lendários contos de fadas e dos personagens das histórias, os clientes podiam fugir das preocupações do mundo real. Diferentes áreas de cada parque da Disney possuem um tema, muitas vezes em torno de várias "terras" (do inglês *lands*), como a Frontierland, Fantasyland, Tomorrowland e Adventureland. Cada terra contém atrações e passeios, a maior parte dos quais projetados para uma ampla faixa etária. Muito poucos passeios são "assustadores" quando comparados aos que existem em muitos outros parques de entretenimento. Os estilos arquitetônicos, a decoração, os alimentos, souvenires e roupas do elenco são todos projetados para refletir o tema da "terra", assim como os filmes e shows.

Apesar de existirem algumas diferenças regionais, todos os parques temáticos seguiram a mesma configuração básica. Com o passar dos anos, a Disney construiu uma reputação de passeios cheios de imaginação. Seus "engenheiros de imaginação" (do inglês *imagineers*) tinham anos de experiência no planejamento e produção de robôs em formas de animais (do inglês *animatronics*) para ajudar a recriar e reforçar a essência do tema. A terminologia usada pela empresa reforçou a sua filosofia de entretenimento consistente. Os funcionários, mesmo os que trabalhavam nos "bastidores", eram chamados "membros do elenco". Eles não usavam uniformes, mas sim "fantasias" e em vez de lhes darem uma função lhes atribuíam um "papel no elenco". Todos os visitantes do parque eram chamados "hóspedes".

Geralmente, os funcionários da Disney eram relativamente jovens, muitas vezes em idade escolar ou universitária. A maioria deles era paga por hora em tarefas que podiam ser repetitivas, mesmo que normalmente envolvessem contato constante com os clientes. Contudo, ainda se esperava que os funcionários mantivessem um alto nível de cortesia e desempenho profissional. Esperava-se que todos os membros do elenco estivessem vestidos de acordo com padrões estritos de aparência. Os candidatos a membros do elenco eram escolhidos pelas qualidades como a capacidade de responder bem às perguntas, o quanto eram capazes de ouvir seus pares, como sorriam e usavam a linguagem corporal e se tinham uma "atitude apropriada".

Todos os parques da Disney adquiriram uma reputação por sua obsessão em prestar um serviço e uma experiência de alto nível por meio da atenção aos detalhes operacionais. Para garantir o cumprimento dos seus padrões de serviço estritos, eles elaboraram várias políticas operacionais específicas.

- Todos os parques empregavam técnicas eficazes de gerenciamento de filas, tais como fornecer informação e entretenimento aos visitantes.
- Os visitantes (hóspedes) tinham um papel no parque. Eles não eram meros espectadores ou passageiros dos passeios; eram considerados como participantes da brincadeira. Suas necessidades e desejos eram analisados e satisfeitos a partir de interações frequentes com a equipe (membros do elenco). Desse modo, podiam ser atraídos para a ilusão de que realmente faziam parte da fantasia.
- A meta declarada da Disney era a de ultrapassar as expectativas dos clientes a cada dia.
- A prestação de serviço era mapeada e continuamente refinada à luz do retorno dado pelos clientes.
- O programa de formação de pessoal enfatizava os procedimentos de garantia de qualidade da empresa e os padrões de serviço. Esses padrões se baseavam em quatro princípios: segurança, cortesia, show e eficiência.
- Os parques eram mantidos fanaticamente limpos.
- O mesmo personagem da Disney jamais aparecia duas vezes no mesmo campo de visão – como poderia existir dois Mickeys?
- Era ensinado à equipe que as percepções do cliente eram a chave para o prazer dos mesmos, mas também eram extremamente frágeis. As percepções negativas podem ser estabelecidas após uma única experiência negativa.
- A Universidade Disney era a instalação interna da empresa para o desenvolvimento e a aprendizagem com departamentos em cada um dos locais da empresa. A universidade treinava os empregados da Disney em padrões estritos de serviço, bem como lhes proporcionava as qualificações para operar novos passeios à medida que eram desenvolvidos.
- Os programas de recompensa da equipe tentaram identificar desempenhos destacados na prestação de serviços, bem como "energia, entusiasmo, comprometimento e orgulho".
- Todos os parques continham telefones conectados a uma linha especial central de perguntas para que os funcionários obtivessem a resposta para qualquer pergunta colocada pelos clientes.

Tokyo Disneyland

A Tokyo Disneyland, aberta em 1982, era propriedade da Oriental Land Company, sendo operada pela mesma. A Disney projetou o parque e prestou consultoria sobre como ele deveria funcionar, tendo sido considerado um grande sucesso. Os clientes japoneses revelavam um apetite significativo por temas e marcas norte-americanos. O retorno foi extremamente positivo, com os visitantes comentando sobre a limpeza do parque e a cortesia e eficiência dos membros da equipe. Os visitantes também gostaram dos souvenires da Disney porque o ato de dar presentes está profundamente incrustado na cultura japonesa. O sucesso do parque de Tóquio foi explicado por um norte-americano que vivia no Japão. *"Os jovens japoneses são muito certinhos. Eles respondem bem à imagem certinha da Disney e tenho certeza que eles não têm problemas para preencher as vagas. Além disso, os jovens japoneses geralmente se sentem confortáveis usando uniformes, obedecendo seus chefes e fazendo parte de uma equipe. Isso faz parte da fórmula da Disney. Além disso, Tóquio é muito populosa e os japoneses estão habituados a multidões e esperas na fila. Os japoneses são sempre muito educados com os estrangeiros."*

Disneyland Paris

Em 2006, a Disneyland Paris consistia em três parques: a vila Disney, a Disneyland Paris em si e o Parque Estúdio Disney. A vila era composta de lojas e restaurantes, a Disneyland Paris era o principal parque temático e o Parque Estúdio Disney tinha um tema mais geral voltado para a criação de filmes. No momento da abertura do parque europeu, mais de 2.000.000 de europeus visitaram os parques norte-americanos da Disney, contribuindo com 5% dos visitantes totais. A marca da empresa era forte e tinha mais de meio século traduzindo a marca Disney em realidade. O nome Disney havia se tornado sinônimo de entretenimento familiar salutar que combinava a inocência da infância com a "engenharia da imaginação" de alta tecnologia.

Locais alternativos

Inicialmente, assim como a França, Alemanha, Inglaterra, Itália e Espanha eram considerados como possíveis localizações, embora a Alemanha, Inglaterra e Itália tenham sido logo descartadas da lista de locais potenciais. A decisão se transformou logo numa disputa acirrada entre a área espanhola de Alicante, que tem um clima semelhante ao da Flórida durante boa parte do ano, e a área de Marne-la-Vallée, nos arredores de Paris. Certamente, vencer a disputa para abrigar o novo parque era algo importante para todos os potenciais países hospedeiros – o novo parque prometia gerar mais de 30.000 empregos.

A maior vantagem da localização na Espanha era o clima. Entretanto, acredita-se que a decisão final de localizar o parque perto de Paris se deveu a vários fatores que pesaram mais para os executivos da Disney. Entre eles, temos:

- Havia um lugar disponível logo ao lado de Paris que era grande e plano o bastante para acomodar o parque.
- A localização proposta colocou o parque a duas horas de carro para 17.000.000 pessoas, a quatro horas de carro para 68.000.000 pessoas, seis horas para 110.000.000 de pessoas e a duas horas de voo para mais 310.000.000 de pessoas e assim por diante.
- O local também possuía boas conexões de transporte. O Euro Tunnel que iria conectar a Inglaterra à França devia abrir em 1994. Além disso, a rede de autoestradas francesa e a rede TGV de alta velocidade poderiam ser estendidas para conectar o local ao resto da Europa.
- Paris já era um destino de viagem bastante atrativo e a França atraia geralmente em torno de 50.000.000 de turistas por ano.
- Os europeus geralmente tiram muito mais férias por ano do que os norte-americanos (cinco semanas de férias contra duas ou três nos EUA).
- A pesquisa de mercado indicou que 85% das pessoas na França receberiam bem um parque da Disney em seu país.
- Os governos nacional e local na França estavam preparados para conceder incentivos financeiros significativos (assim como as autoridades espanholas), incluindo uma oferta para investir na infraestrutura local, reduzir a alíquota do imposto sobre o valor agregado nos bens vendidos no parque, conceder empréstimos subsidiados e avaliar a terra artificialmente para baixo para ajudar a reduzir os impostos. Além do mais, o governo Francês estava preparado para expropriar a terra dos fazendeiros locais para facilitar o processo de planejamento e construção.

As preocupações iniciais de que o parque não teria o mesmo astral ensolarado e feliz num clima mais frio do que o da Flórida foram aliviadas pelo sucesso espetacular da Disneyland Tokyo num local com um clima parecido com o de Paris.

A construção começou no local de 2.000 hectares em agosto de 1988. Porém, a partir do anúncio de que o parque seria construído na França, houve uma onda de críticas. Um dos críticos chamou o projeto de *"Chernobyl cultural"* devido à forma com que ele poderia afetar os valores culturais franceses. Um outro o descreveu como *"um horror feito de papelão, plástico e cores horríveis; uma construção de goma de mascar endurecida e folclore idiota extraído diretamente das histórias em quadrinhos escritas por americanos obesos"*. Entretanto, como observaram alguns analistas, os argumentos culturais e o antiamericanismo da elite intelectual francesa não pareciam refletir o comportamento da maior parte do povo francês, que *"come no McDonald's, usa roupas da Gap e se aglomera para assistir a filmes norte-americanos"*.

Projetando o Disneyland Resort Paris

A fase 1 do Euro Disney Park foi elaborada para ter 29 passeios e atrações, um campo de golfe profissional junto com muitos restaurantes, lojas, shows ao vivo e paradas, bem como seis hotéis. Embora o parque tenha sido projetado para se adequar à aparência e valores tradicionais da Disney, muitas mudanças foram feitas para acomodar o que se acreditava serem as preferências dos visitantes europeus. Por exemplo, a pesquisa de mercado indicou que os europeus responderiam a uma imagem de "oeste selvagem" dos EUA. Por isso, tanto os projetos dos passeios quanto dos hotéis foram feitos para enfatizar esse tema. A Disney também estava ávida para acabar com as críticas, especialmente da esquerda intelectual e política da França, de que o projeto do parque seria "americanizado" demais e se transformaria num veículo para o "imperialismo cultural" norte-americano. Para combater as acusações de imperialismo norte-americano, a Disney deu ao parque um sabor que realça a herança europeia de muitos personagens da Disney e que aumentou a sensação de beleza e fantasia. Ele estava, afinal de contas, competindo com a arquitetura exuberante e as paisagens de Paris. Por exemplo, a Discoveryland (terra da descoberta) apresentava enredos de histórias de Júlio Verne, o autor francês. A Branca de Neve (e seus anões) ficavam numa vila bávara. A Cinderela ficava numa hospedaria francesa. Até mesmo o Peter Pan foi feito para parecer mais "inglês eduardiano" do que os projetos originais norte-americanos.

Devido à preocupação com o "fast-food" norte-americano, o Euro Disney introduziu mais variedade em seus restaurantes e lanchonetes, apresentando comidas de todo o mundo. Num corajoso movimento publicitário, a Disney convidou vários chefs conceituados de Paris para visitarem e provarem a comida. Alguma ansiedade também se expressou em relação ao "comportamento alimentar" diferente entre os norte-americanos e os europeus. Enquanto os norte-americanos preferiam "beliscar", comendo lanches e refeições durante o dia, os europeus geralmente preferiam se sentar e comer no tempo normal de uma refeição. Isto teria um impacto bastante significativo nos níveis de pico da demanda nas instalações para refeições. Uma outra preocupação era que na Europa (especialmente na França) os visitantes seriam intolerantes com filas longas. Para vencer isso, diversões extra como filmes e entretenimentos foram planejados para os visitantes enquanto esperassem numa fila por um passeio.

Antes de abrir o parque, a Euro Disney teve de recrutar e treinar entre 12.000 e 14.000 funcionários permanentes e 5.000 temporários. Foi exigido de todos esses funcionários que se submetessem a um treinamento sistemático que visava prepará-los para alcançar o alto padrão Disney de prestação de serviços ao cliente, bem como entender as rotinas operacionais e os procedimentos de segurança. Originalmente, o objetivo da empresa era contratar 45% de seus empregados na França, 30% em outros países europeus e 15% fora da Europa. A maioria dos membros do elenco recebiam cerca de 15% acima do salário mínimo francês.

Em dezembro de 1990, foi aberto um centro de informações para mostrar ao público o que a Disney estava construindo. O "centro de recrutamento de elenco" foi aberto em 1° de setembro de 1991 para recrutar os "membros do elenco" necessários para formar a equipe das atrações do parque. Mas o processo de contratação não correu de forma tranquila. Em particular, os requisitos de aparência da Disney que insistiam num código de vestuário "limpo", na proibição de pelos faciais, em padrões para o corte de cabelos e as unhas e numa insistência nas "roupas íntimas apropriadas" revelou-se controverso. Tanto a imprensa francesa quanto os sindicatos se opuseram fortemente aos requisitos de aparência, afirmando que eram excessivos e muito mais rigorosos do que se considerava razoável na França. Todavia, a empresa se recusou a modificar seus padrões de aparência. Acomodar a equipe também se tornou um problema quando o grande afluxo de empregados inundou as hospedagens disponíveis na área. A Disney teve que construir seus próprios apartamentos e alugar quartos nas residências locais apenas para acomodar seus empregados. Porém, apesar das dificuldades, a Disney conseguiu recrutar e treinar todos os seus membros do elenco antes da abertura.

O parque abre

O parque abriu para testes dos empregados no final de março de 1992, período durante o qual os principais patrocinadores e suas famílias foram convidados a visitar o novo parque, mas a abertura não foi auxiliada pelas greves nos trens que levam ao parque, pela inquietação da equipe, pelos problemas de ameaça à segurança (uma bomba terrorista explodiu na noite anterior à abertura) e pelos protestos nas vilas vizinhas que se mostraram contrárias ao barulho e ao distúrbio provocados pelo parque. As multidões do dia de abertura, que se esperava para a casa das 500.000 pessoas, não se materializou e no fechamento do primeiro dia apenas 50.000 pessoas haviam passado pelos portões.

A Disney esperava que os franceses compusessem uma proporção maior dos visitantes do que realmente ocorreu nos primeiros dias. A baixa afluência se deveu parcialmente aos protestos da população local francesa que temia danos ao seu mundo cultural por parte da Euro Disney. Além disso, todos os parques da Disney também eram tradicionalmente proibidos de vender bebidas alcoólicas e a Euro Disney não era diferente. Porém, isso foi extremamente impopular, particularmente entre os visitantes franceses que gostam de beber uma taça de vinho ou um copo de cerveja junto com a comida. Seja qual for a causa, o baixo comparecimento inicial foi muito decepcionante para a Disney Company.

Foi relatado que nas nove primeiras semanas de funcionamento aproximadamente 1.000 empregados deixaram a Euro Disney, cerca de metade deles "voluntariamente". As razões mencionadas variavam. Alguns culparam o ritmo de trabalho agitado e as longas horas que a Disney esperava. Outros mencionaram as condições "caóticas" nas primeiras semanas de abertura do parque. Até mesmo a Disney admitiu que as condições eram difíceis imediatamente após a abertura do parque. Alguns desertores culparam a aparente dificuldade da Disney em entender "como os europeus trabalham". *"Não se pode simplesmente nos dizer o que devemos fazer; fazemos perguntas e nem todos pensamos da mesma maneira."* Alguns visitantes que conheciam os parques norte-americanos comentaram que os padrões de serviço estavam visivelmente abaixo do que seria aceitável nos EUA. Houve relatos de que alguns membros de elenco não conseguiam satisfazer o padrão normal de serviço da Disney. *"Mesmo no fim de semana da abertura alguns claramente não podiam fazer menos falta. Minha impressão esmagadora ... é que eles estavam totalmente perdidos. É preciso muito mais para ser um membro do elenco do que dizer 'Bonjour' sem parar. Além de ter um conhecimento detalhado do local, a equipe da Euro Disney tem a ansiedade de não saber em que língua serão abordados. Muitos estavam se esforçando."*

Também ficou visível que nacionalidades diferentes exibiam tipos de comportamento diferentes quando visitavam o parque. Algumas nacionalidades sempre usavam as latas de lixo, enquanto outras estavam mais propensas a jogar o lixo no chão. Mais visíveis foram as diferenças de comportamento nas filas. Os visitantes do norte da Europa tendem a ser mais disciplinados e contentes em esperar pelos passeios de maneira organizada. Por outro lado, os visitantes do sul da Europa "parecem participar de um evento olímpico para ser o primeiro comprador de bilhete". Contudo, nem todas as reações foram negativas. Os jornais europeus citaram inúmeras reações positivas dos visitantes, especialmente das crianças. A Euro Disney era tão diferente dos parques temáticos europeus existentes, com personagens imediatamente reconhecíveis e uma ampla variedade de atrações. As famílias que não podiam arcar com uma viagem aos Estados Unidos agora podiam interagir com os personagens da Disney e "vivenciar isso por um preço muito mais baixo".

Os 15 anos seguintes

Em agosto de 1992, as estimativas de comparecimento foram cortadas drasticamente de 11.000.000 para um pouco acima de 9.000.000. Os infortúnios da Euro Disney se agravaram ainda mais no final de 1992 quando a recessão europeia provocou a queda acentuada dos preços das propriedades e os pagamentos de juros dos seus altos empréstimos de lançamento forçaram a empresa a admitir graves dificuldades financeiras. Além disso, o dólar barato resultou em mais pessoas tirando férias na Flórida, no Walt Disney World. Quando do primeiro aniversário de abertura do parque de Paris, em abril de 1993, quando o Castelo da Bela Adormecida foi decorado como um bolo de aniversário gigante para celebrar a ocasião, mais problemas se aproximavam. Depois das críticas de ter muito poucos passeios, a montanha-russa do Indiana Jones e o Templo do Perigo foram abertos em julho. Essa foi a primeira montanha-russa da Disney a conter um *loop* de 360 graus, mas apenas poucas semanas após a sua abertura os freios de emergência travaram durante o passeio, causando algumas lesões nos convidados. O brinquedo foi temporariamente desativado para investigação. Também em 1993, a fase 2 proposta pela Euro Disney foi arquivada devido a problemas financeiros, significando que os Estúdios da Disney MGM na Europa e os 13.000 quartos de hotel não seriam construídos no prazo original de 1995 acordado pela Walt Disney Company. Porém, a Montanha da Descoberta, uma das atrações planejadas para a fase 2, conseguiu aprovação.

No início de 1994, circulavam rumores de que o parque estava à beira da falência. Negociações emergenciais de crise foram mantidas entre os bancos e os investidores, com as coisas chegando a um ponto crítico em março, quando a Disney deu um ultimato aos bancos. Ela forneceria capital suficiente para o parque continuar a funcionar até o fim do mês, mas a menos que os bancos concordassem em reestruturar o débito de US$ 1 bilhão do parque, a Walt Disney Company fecharia o parque e abandonaria o empreendimento europeu, deixando os bancos com um parque temático falido e uma grande extensão de um imóvel praticamente sem valor. Michael Eisner, CEO da Disney, anunciou que a Disney estava planejando encerrar o empreendimento no final de março de 1994, a não ser que os bancos estivessem preparados para reestruturar os empréstimos. Os bancos concordaram com as exigências da Disney.

Em maio de 1994, foi concluída a conexão entre Londres e Marne-la-Vallée, junto com uma ligação de TGV, proporcionando uma conexão entre várias cidades europeias importantes. Em agosto, o parque finalmente estava conseguindo se aprumar e todos os seus hotéis estavam totalmente reservados durante o pico da estação de férias. Além disso, em outubro, o nome do parque foi mudado oficialmente de Euro Disney para "Disneyland Paris" visando "mostrar que o *resort* agora tinha um nome muito mais parecido com o de seus pares na Califórnia e em Tóquio". Os números no final de 1994 exibiam sinais encorajadores, apesar de uma queda de 10% na frequência provocada pela má publicidade em cima dos problemas financeiros iniciais.

Nos anos seguintes, continuaram a ser introduzidos novos passeios. 1995 viu a abertura da nova montanha-russa, "Montanha Espacial da Terra à Lua" e a Disnelyand Paris anunciou o seu primeiro lucro anual em novembro daquele ano, ajudado pela abertura da Montanha Espacial em junho. Em 1997, a comemoração de cinco anos do parque incluiu festas, uma nova parada com o Quasímodo e todos os personagens do último sucesso da Disney "O Corcunda de Notre Dame", a campanha de *marketing* "ANO PARA ESTAR AQUI", a primeira comemoração de Dia das Bruxas do *resort* e uma nova parada de Natal. Uma nova atração foi adicionada em 1999, "Querida, encolhi o público", tornando o público do tamanho de um inseto enquanto era convidado para a Cerimônia do Inventor do Ano. Entretanto, as comemorações de Natal e Ano Novo planejadas foram interrompidas quando uma nevasca provocou destruição, danificando a estátua de vidro do Mickey Mouse que acabara de ser instalada para a Cerimônia das Luzes e muitas outras atrações. Também foram danificadas três árvores perto do castelo, no topo da qual sobrou uma ponta acentuada, como ocorreu com muitos sinais de trânsito e postes de iluminação.

O sistema Disney Fastpass foi introduzido em 2000, sendo um novo serviço que permitia aos hóspedes usarem seus passes de entrada para obter um tíquete para determinadas atrações e entrar diretamente sem passar pelas filas. Também foram abertas duas novas atrações: "Indiana Jones e o Templo do Perigo" e "Pegue o Tarzan", estrelando um elenco de acrobatas junto com Tarzan, Jane e todos os seus amigos da selva, com música do filme em diferentes línguas europeias. Em 2001, a parada "ImagiNations" foi substituída pelo "Mundo Maravilhoso da Parada Disney" que recebeu algumas críticas por ser "menos espetacular", com apenas oito carros alegórico. Além disso, a "Aventura na Califórnia" da Disney foi aberta na Califórnia. O décimo aniversário do *resort* via a abertura da nova atração Walt Disney Studios Park, baseada numa atração similar na Flórida que se revela um sucesso.

André Lacroix, da Burger King, foi nomeado CEO do Disney Resort Paris em 2003, para "assumir o desafio de um parque da Disney fracassado na Europa e dar a volta por cima". Aumentando o investimento, ele reformou seções inteiras do parque e introduziu Jungle Book Carnival em fevereiro para aumentar a frequência durante os meses da baixa temporada. Em 2004, a frequência havia melhorado, mas a empresa anunciou que ainda estava perdendo dinheiro. E mesmo as novidades positivas de 2006, embora geralmente bem recebidas, ainda deixaram perguntas sem resposta. Como afirmou um analista: "A Disney, os acionistas, banqueiros e até mesmo o governo francês tomariam a mesma decisão de seguir em frente se pudessem voltar no tempo para 1987? Esta é uma história de um conceito fundamentalmente imperfeito ou foi apenas mal-conduzido?".

PERGUNTAS

1 Que mercados os *resorts* e parques da Disney estão almejando?
2 A escolha da Disney pelo local em Paris foi um erro?
3 Que aspectos do seu projeto de parques a Disney alterou quando construiu a Euro Disney?
4 O que a Disney não alterou quando construiu a Euro Disney?
5 Quais foram os principais erros da Disney desde a concepção do *resort* de Paris até 2006?

Estudo de caso ativo — Bioteste Freeman

CASO ATIVO

A Bioteste Freeman, uma grande fornecedora da indústria de processamento de alimentos, está tendo problemas com uma de suas linhas de processo, uma "linha Brayford". Eles estão incertos sobre substituí-la por uma nova "linha Brayford" ou encomendar um tipo de linha de processo completamente novo. Representantes das equipes de *marketing*, tecnologia, operações e finanças expressam suas opiniões e levantam uma série de preocupações sobre as implicações de cada linha.

- Como você recomendaria que a Bioteste Freeman tratasse sua necessidade de capacidade extra e sua problemática linha de processo?

Consulte o caso ativo no CD que acompanha este livro para escutar os pontos de vista dos envolvidos.

Aplicando os princípios

DICAS

Alguns destes exercícios podem ser respondidos a partir da leitura do capítulo. Outros vão requerer algum conhecimento geral da atividade de negócios e alguns poderão requerer pesquisa. Todos têm sugestões de como podem ser respondidos no CD que acompanha este livro.

1 Visite *sites* na Internet que oferecem músicas para serem copiadas (legalmente) utilizando MP3 ou outros formatos comprimidos. Considere a cadeia de suprimentos do ramo da música, (a) para a gravação de obras de músicos populares bem conhecidos e (b) para um artista menos conhecido (ou mesmo desconhecido) lutando para ganhar reconhecimento.

- Como a transmissão de músicas pela Internet poderia afetar as vendas de cada um desses artistas?
- Que implicações a transmissão eletrônica de músicas têm para as lojas de disco?

2 Visite *websites* de empresas que estão nas indústrias de fabricação de papel/celulose/embalagens. Avalie até que ponto as empresas que você investigou são verticalmente integradas na cadeia de suprimentos do papel que se estende das florestas até a produção de materiais de embalagem.

3 Muitas nações em desenvolvimento estão desafiando o domínio de locais mais tradicionais do Ocidente, notadamente o Vale do Silício, na pesquisa e produção de alta tecnologia. Dois exemplos são Bangalore, na Índia, e Xangai, na China. Faça uma lista dos fatores que você recomendaria a uma corporação multinacional levar em

conta na avaliação das vantagens e desvantagens e riscos de localização em países em desenvolvimento. Utilize esta lista para comparar Bangalore e China para uma empresa multinacional de computadores,

(a) localizando sua instalação de pesquisa e desenvolvimento;
(b) localizando uma nova instalação de fabricação.

4 A Tesco.com é hoje o maior mercado varejista virtual do mundo e o mais lucrativo. Em 1996, a Tesco.com estava sozinha no desenvolvimento de uma estratégia de rede de suprimentos para lojas. Isso significa que ela utilizava suas lojas existentes para montar os pedidos dos clientes que eram colocados em tempo real. À equipe da Tesco eram entregues os pedidos dos clientes e, então, os funcionários caminhavam pela loja pegando os itens das prateleiras. Depois, os produtos eram entregues pela frota local de camionetes da Tesco aos clientes. Por outro lado, muitos daqueles que entraram no varejo virtual e alguns supermercados existentes perseguiram uma estratégia de rede de suprimentos de "armazém": construindo armazéns regionais novos, grandes, dedicados e totalmente automatizados. Devido às previsões da demanda *on-line* serem tão altas, eles acreditavam que as economias de escala dos armazéns dedicados valeriam o investimento. No final dos anos 90, a Tesco foi criticada por ser cautelosa demais e em 1999 ela reviu sua estratégia. A Tesco concluiu que sua estratégia baseada nas lojas estava correta e perseverou. A mais famosa das empresas do mercado virtual chamava-se WebVan. No auge do fenômeno "ponto com", o grupo WebVan se tornou público com uma capitalização de mercado de US$7,6 bilhões no primeiro dia. Em 2001, tendo gasto US$1,2 bilhões de seu capital antes de pedir falência, a WebVan quebrou, mandando embora todos seus empregados e leiloando tudo, desde os equipamentos dos armazéns até o *software*.

- Desenhe as diferentes estratégias de rede de suprimentos para a Tesco e empresas como a WebVan.
- Como você acha que as curvas de economias de escala para as operações da WebVan e da Tesco se pareceriam uma em relação à outra?
- Por que você acha que a WebVan quebrou e a Tesco foi bem-sucedida?

Notas do capítulo

1. Fontes: "For whom the Dell tolls" (2006), *The Economist*, 13 de maio; Cellan-Jones, R. (2008) "Dell aims to reclaim global lead", *BBC Business*, 14 de abril.
2. Fonte: *site* de notícias da BBC em www.bbc.co.uk.
3. Fonte: Zwick, S. (1999) "World cars", *Time Magazine*, 22 de fevereiro.
4. Brandenburger, A.M. e Nalebuff, B. (1996) *Coopetition* Doubleday, New York.
5. Hayes, R.H. e Wheelwright, S.C. (1994) *Restoring our Competitive Edge*, John Wiley.
6. "Thinking outside the box" (2007) *The Economist*, 7 de abril.
7. Bacon, G., Machan, I. e Dnyse, J. (2008) "Offshore challenges", *Manufacturing*, The Institute of Electrical Engineers, Janeiro.
8. Pil, F.K. e Holweg, M. (2003) "Exploring scale: the advantages of thinking small", *MIT Sloan Management Review*, inverno.
9. Este caso foi preparado por Nigel Slack, da Warwick Business School, Warwick University, Reino Unido, usando fontes de informação publicadas. Ele não reflete as visões da Walt Disney Company, a qual não pode ser considerada responsável pela precisão ou interpretação de quaisquer informações ou visões contidas no caso. Ele não pretende exemplificar práticas administrativas boas ou ruins. Copyright © 2008 Nigel Slack.

Indo além

Bartlett, C. and Ghoshal, S. (1989) *Managing Across Borders*, Harvard Business School Press. Uma grande introdução para entender o histórico do gerenciamento de redes de suprimentos internacionais.

Chopra, S. and Meindl, P. (2000) *Supply Chain Management: Strategy, planning and operations*, Prentice Hall, New Jersey. Um bom livro-texto que cobre as questões operacionais e estratégicas.

Dell, M. (com Catherine Fredman) (1999) *Direct from Dell: Strategies that revolutionized an industry*, Harper Business. Michael Dell explica como sua estratégia da rede de suprimentos (e outras decisões) teve impacto na indústria. Interessante e uma boa leitura, mas não uma análise crítica!

Ferdows, K. (1999) "Making the most of foreign factories", *Harvard Business Review*, March-April. Uma exposição articulada de por que as fábricas que começam como subsidiárias estrangeiras podem acabar se tornando pivôs de um sucesso multinacional.

Quinn, J. B. (1999) "Strategic outsourcing: leveraging knowledge capabilities", *Sloan Management Review, Summer*. Um pouco acadêmico, mas uma boa discussão da importância do "conhecimento" na decisão de terceirização.

Schniederjans, M. J. (1998) *International Facility Location and Acquisition Analysis*, Quorum Books, New York. Muito bom para as mentes técnicas.

Websites úteis

www.opsman.org Definições, *links* e opiniões sobre gerenciamento de operações e processos

www.locationstrategies.com Exatamente o que o título implica. Uma boa discussão para a indústria.

www.conway.com Um *site* norte-americano de seleção de localização. Você pode experimentar como as decisões de localização são tomadas.

www.transparency.org Um *site* líder que combate a corrupção para as empresas internacionais (induzindo localização).

www.intel.com Mais detalhes sobre a estratégia "Copia exatamente" na Intel e outras questões estratégicas de capacidade.

www.outsourcing.com Site do Instituto de Terceirização. Alguns bons estudos de caso.

www.bath.ac.uk/crisps Um centro de pesquisas em suprimentos e compras estratégicas. Alguns artigos interessantes.

www.outsourcing.co.uk Site da UK National Outsourcing Association. Alguns relatórios interessantes, novos itens, etc.

> **RECURSOS ADICIONAIS** — Para recursos adicionais incluindo exemplos, diagramas animados, questões de autoavaliação, planilhas Excel, estudos de caso ativos e materiais de vídeo, acesse o CD que acompanha este livro.

Suplemento do Capítulo 3

Previsões

Introdução

Algumas previsões são precisas. Sabemos exatamente quando o Sol nascerá em qualquer lugar da Terra amanhã ou num dia no próximo mês ou até mesmo no próximo ano. A previsão no contexto dos negócios, contudo, é muito mais difícil e, portanto, mais propensa ao erro. Não sabemos de forma precisa quantos pedidos receberemos ou quantos clientes entrarão pela porta amanhã, no próximo mês ou no próximo ano. Tais previsões, todavia, são necessárias para ajudar os gerentes a tomarem decisões sobre os recursos para a organização no futuro.

Previsões – conhecendo as opções

Somente saber se a demanda por produtos ou serviços está aumentando ou diminuindo não é suficiente por si só. Conhecer a taxa de mudança é provavelmente vital para o planejamento do negócio. Uma firma de advocacia pode ter de decidir em que fase do seu crescimento será preciso agregar outro sócio. Agregar um novo sócio poderia levar meses, então elas precisam ser capazes de prever quando será atingida aquela fase e, então, quando iniciará o recrutamento. O mesmo se aplica a um gerente de fábrica que precisa comprar uma nova planta para lidar com uma demanda crescente. Ele pode não querer comprar uma máquina cara até que seja absolutamente necessário, mas em tempo suficiente para pedir a máquina e tê-la fabricada, entregue, instalada e testada. O mesmo acontece para os governos, seja planejando novos aeroportos ou capacidade de pista ou decidindo onde e quantas escolas primárias construir.

A primeira questão é saber quão longe você precisa olhar à frente. Isso dependerá das opções e decisões disponíveis para você. Tome o exemplo de um distrito do governo local onde o número de crianças com idade primária (5-11 anos) está aumentando em algumas áreas e declinando em outras dentro de suas fronteiras. O conselho é legalmente obrigado a fornecer escolas para todas essas crianças. Representantes do governo terão um número de opções abertas para eles, e elas podem ter diferentes prazos associados a cada uma. Um passo-chave na previsão é conhecer as opções possíveis e os prazos necessários para adotá-las (veja Tabela 3.4).

Tabela 3.4	Opções disponíveis e os prazos necessários para lidar com as mudanças no número de estudantes
Opções disponíveis	Prazo necessário
Contratar professores temporários	Horas
Contratar equipe	
Construir salas de aula temporárias	
Reformar áreas nas escolas	
Construir novas salas de aula	
Construir novas escolas	Anos

Escolas individuais podem contratar (ou dispensar) professores (suprimentos) temporários de um grupo, não somente para cobrir professores ausentes, mas também para fornecer capacidade de curto prazo enquanto mais professores são contratados para lidar com aumentos na demanda. Adquirir (ou dispensar) tais coberturas temporárias requer somente um aviso com algumas horas de antecedência. (Isso é frequentemente chamado de gerenciamento de capacidade de curto prazo.)

Contratar uma nova equipe (ou demitir uma existente) é outra opção, mas ambas podem levar meses para concluir (gerenciamento de capacidade de médio prazo).

Uma falta de acomodações pode ser ajustada a curto ou médio prazo pela contratação ou compra de salas de aula temporárias. Pode-se levar somente algumas semanas para alugar um prédio e equipá-lo para a utilização.

Pode ser possível reformar áreas entre escolas para tentar equilibrar uma população crescente numa área com uma população decrescente numa outra área. Tais mudanças podem requerer longos processos de consulta.

A longo prazo, novas salas de aula ou mesmo novas escolas podem ter de ser construídas. O processo de planejamento, consulta, aprovação, licitação, negociação, construção e de equipar pode levar até cinco anos, dependendo do tamanho do novo prédio.

Conhecendo a variedade de opções, os gerentes podem então decidir a escala de tempo de suas previsões; na verdade, várias previsões podem ser necessárias para o curto, médio e longo prazo.

Na essência, prever é simples

Na essência, prever é fácil. Para saber quantas crianças podem aparecer numa escola amanhã, você pode usar o número que apareceu hoje. A longo prazo, para prever quantas crianças do primário são esperadas na escola em cinco anos, basta alguém olhar para as estatísticas de nascimentos para o ano corrente na área do distrito escolar – veja a Figura 3.11.

Todavia, tais técnicas de extrapolação simples tendem ao erro e, na verdade, tais abordagens fizeram alguns representantes do governo local construir escolas que cinco ou seis anos mais tarde, quando prontas, tinham poucas crianças, enquanto outras escolas estavam cheias de salas de aula e professores temporários, frequentemente com padrões educacional e moral declinantes. A razão pela qual tais abordagens simples são propensas a problemas é que há muitas variáveis contextuais (veja Figura 3.12) que terão um impacto significativo na população escolar, digamos, daqui a cinco anos. Por exemplo, um fator menor em países desenvolvidos, embora seja um fator maior em países em desenvolvimento, é a taxa de mortalidade infantil entre o nascimento e os cinco anos de idade. Isso pode depender da localização, com uma taxa de mortalidade levemente mais alta nas áreas mais pobres do que em áreas mais abastadas. Outro fator significativo é a imigração e a emigração à medida que as pessoas se mudam de ou para uma área local. Isso será afetado pelo estoque de casas e loteamentos habitacionais, pelas repetidas mudanças de trabalho e pelas mudanças na prosperidade econômica da área.

Um fator-chave que tem um impacto na taxa de natalidade é a quantidade e o tipo de estoques de casas. Os blocos habitacionais no centro da cidade tendem a ter uma proporção mais alta de crianças por habitação, por exemplo, do que casas residenciais suburbanas. Então, não somente o estoque existente de habitações tem um impacto na população infantil, mas também terá o tipo de loteamentos habitacionais em construção, planejados e projetados.

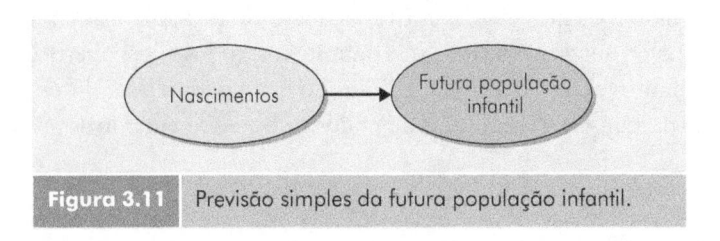

Figura 3.11 Previsão simples da futura população infantil.

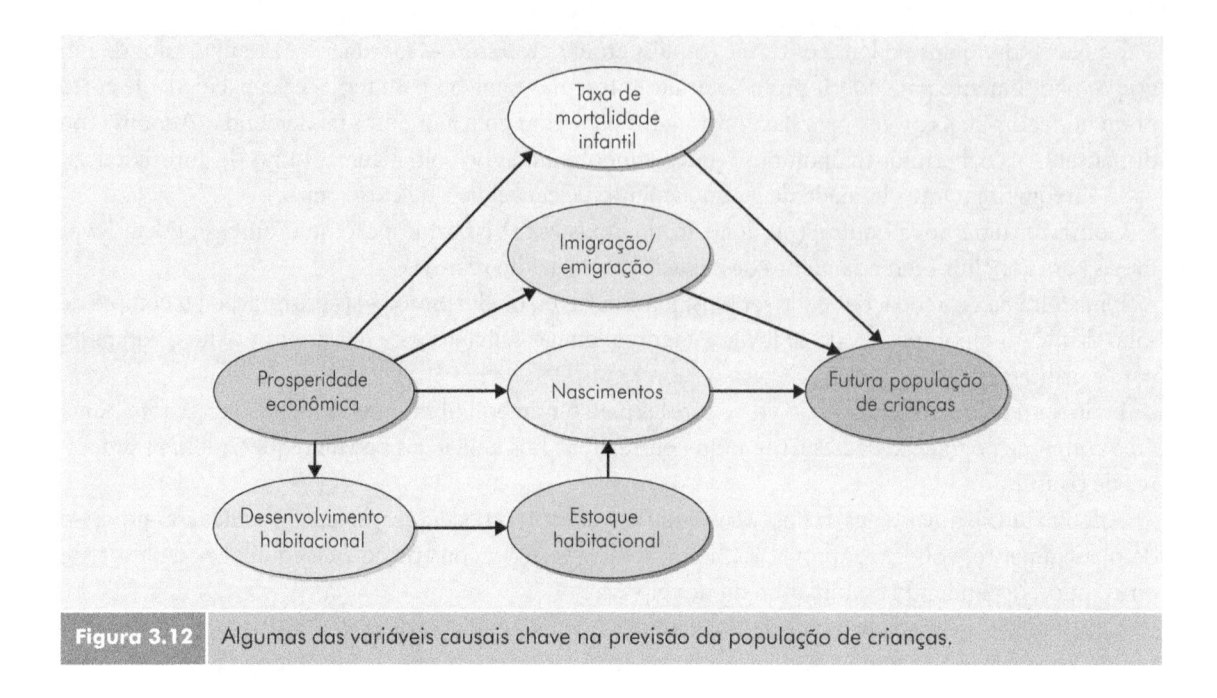

Figura 3.12 Algumas das variáveis causais chave na previsão da população de crianças.

Abordagens de previsão

Há duas abordagens principais para previsão. Os gerentes algumas vezes utilizam métodos qualitativos baseados em opiniões, experiências passadas e melhores estimativas. Há também uma gama de técnicas de previsão qualitativa disponíveis para ajudar gerentes a avaliar tendências e relações causais e fazer previsões sobre o futuro. Além disso, as técnicas de previsão quantitativa podem ser usadas para modelar os dados. Embora nenhuma técnica ou abordagem vá necessariamente resultar numa previsão precisa, uma combinação das abordagens qualitativa e quantitativa pode ser usada com grande efeito para conjugar julgamentos especialistas e modelos preditivos.

Métodos qualitativos

Imagine que foi pedido a você para prever o resultado de uma partida de futebol. Ao simplesmente olhar o desempenho da equipe durante as últimas semanas e extrapolá-los é improvável que você acerte o resultado. Como em muitas decisões de negócios, o resultado dependerá de muitos outros fatores. Nesse caso, a força da oposição, sua forma recente, lesões dos jogadores em ambos os lados, o local do jogo e mesmo o clima influenciarão o resultado. Uma abordagem qualitativa envolve a coleta e a avaliação de julgamentos, opções, mesmo as melhores estimativas bem como o desempenho passado de "especialistas" em fazer previsões. Há muitas maneiras de se fazer isto: uma abordagem de painel, o método Delphi e o planejamento por cenários.

Abordagem de painel

Tal como os painéis de entendidos em futebol reúnem-se para especular sobre os resultados, também o fazem os políticos, líderes de negócios, analistas de mercado de ações, bancos e companhias aéreas. Um painel funciona como um grupo de foco que permite que todos falem aberta e livremente. Embora haja a vantagem de muitos cérebros serem melhores do que um, pode ser difícil atingir um consenso ou às vezes as visões do mais barulhento ou de maior *status* pode emergir (efeito de onda). Embora mais confiável do que a visão de uma pessoa, a abordagem de painel ainda tem a fraqueza de que todos, mesmo os especialistas, podem estar errados.

Método Delphi

Talvez a abordagem mais conhecida para gerar previsões utilizando especialistas seja o método Delphi.[1] Esse é um método mais formal que tenta reduzir as influências dos procedimentos de reuniões cara a cara. Ele emprega questionários, enviados por *e-mail* ou correio para os especialistas. As respostas são analisadas e resumidas e retornadas, anonimamente, para todos os especialistas. Então, é pedido aos especialistas que reconsiderem suas respostas originais depois de examinarem as respostas e argumentos colocados pelos outros especialistas. Este processo é repetido muitas vezes, concluindo com um consenso ou pelo menos com uma variedade mais estreita de decisões. Um refinamento dessa abordagem é atribuir pesos aos indivíduos e suas sugestões baseado, por exemplo, nas suas experiências, seu sucesso passado em previsões ou a visão de outras pessoas sobre suas habilidades. Os problemas óbvios associados a esse método incluem a construção de um questionário apropriado, a seleção de um painel adequado de especialistas e a tentativa de lidar com seus vieses inerentes.

Planejamento por cenários

Um método para lidar com situações de incerteza ainda maior é o planejamento de cenários. Ele é geralmente aplicado às previsões de longo prazo, novamente utilizando painéis. Em geral, é pedido aos membros dos painéis para elaborarem uma variedade de cenários futuros. Então, cada cenário pode ser discutido e os riscos inerentes podem ser considerados. Diferente do método Delphi, o planejamento de cenários não está necessariamente preocupado em chegar a um consenso, mas em enxergar a possível variedade de opções e elaborar planos em vez de tentar evitar aqueles que são menos desejáveis e tomar ações para seguir o mais desejado.

Métodos quantitativos

Há duas abordagens principais para as previsões quantitativas: análise de séries temporais e técnicas de modelagem causal. A análise de séries temporais examina o padrão do comportamento passado de um único fenômeno ao longo do tempo, levando em conta as razões para a variação na tendência a fim de utilizar a análise para prever o comportamento futuro do fenômeno. A modelagem causal é uma abordagem que descreve e avalia as relações complexas de causa e efeito entre as variáveis-chave (como na Figura 3.12).

Análise de séries temporais

As séries temporais simples plotam uma variável ao longo do tempo, então, removendo as variações subjacentes com causas especiais, usam técnicas de extrapolação para prever o comportamento futuro. O ponto fraco principal dessa abordagem é que ela se atém a olhar olha para o comportamento passado para predizer o futuro, ignorando as variáveis causais que são levadas em conta por outros métodos, tais como as técnicas de modelagem causal ou quantitativa. Por exemplo, suponha que uma empresa está tentando predizer as vendas futuras de um produto. As vendas dos três últimos anos, trimestre por trimestre, são mostradas na Figura 3.13(a). Esta série das vendas passadas pode ser analisada para indicar as vendas futuras. Por exemplo, poderá haver uma tendência linear de crescimento nas vendas, subjacente à série. Se essa tendência é retirada dos dados, como na Figura 3.13(b), ficamos com uma variação sazonal. O desvio médio de cada trimestre pode ser retirado da linha de tendência, para se obter o desvio médio da sazonalidade. O que resta é a variação aleatória em torno da linha de tendência e de sazonalidade, Figura 3.13(c). Agora, as vendas futuras podem ser previstas dentro de uma banda em torno de uma projeção da tendência, mais a sazonalidade. A largura da banda será uma função do grau da variação aleatória.

Figura 3.13 Análise de séries temporais com (a) tendência, (b) sazonalidade e (c) variação aleatória.

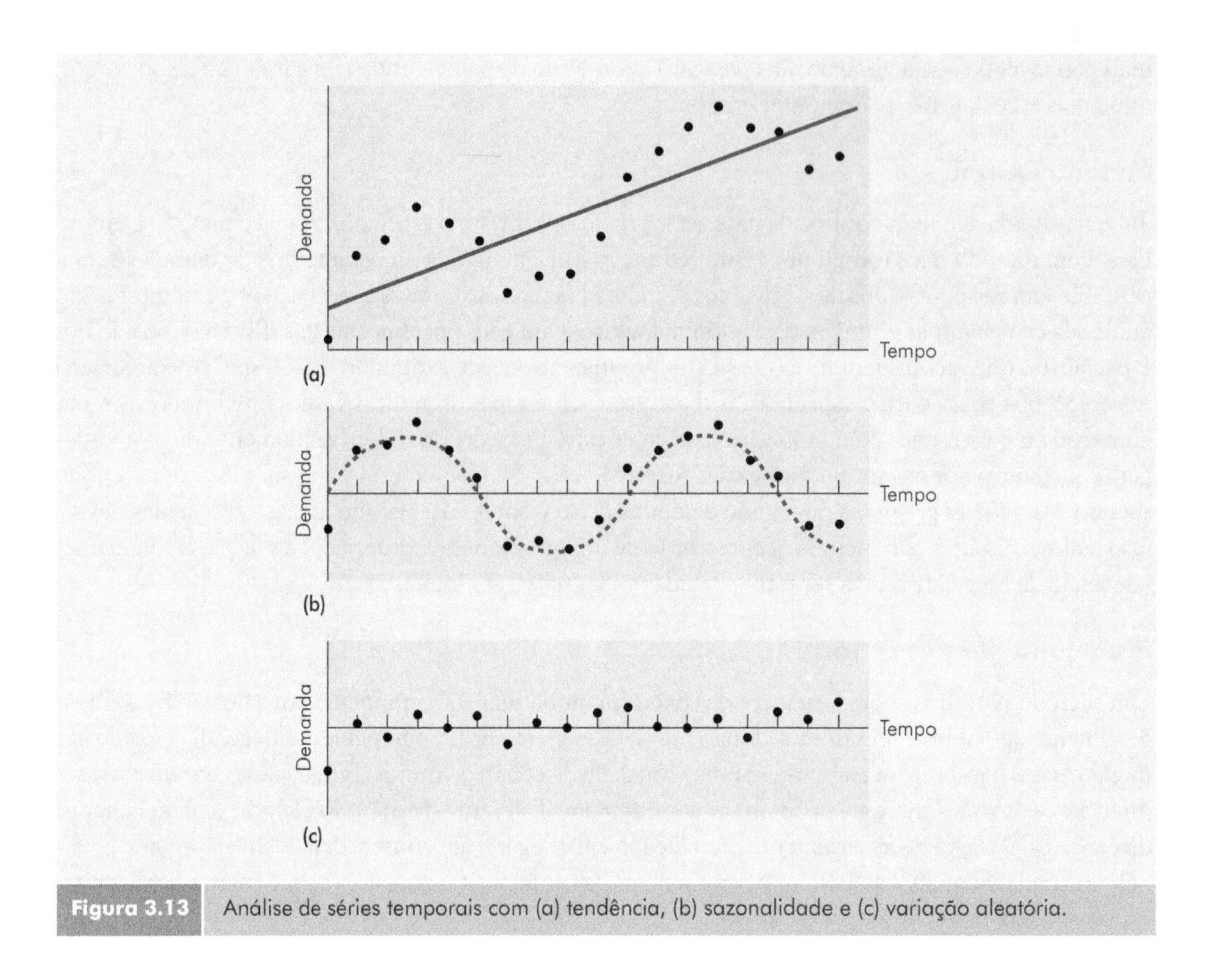

Previsão de variações comuns As variações aleatórias que permanecem após a retirada dos efeitos da tendência e sazonalidade não têm nenhuma causa especial ou conhecida. Isso não significa que elas não têm uma causa, mas somente que nós não sabemos qual é. Todavia, alguma tentativa pode ser feita para prevê-la, caso os eventos futuros forem, de algum modo, baseados em eventos passados. Examinaremos duas das abordagens mais comuns de previsão que são baseadas no comportamento passado para projetar o futuro. Elas são:

- Previsão da média móvel
- Previsão com suavização exponencial

A abordagem de previsão da média móvel toma as quantidades da demanda real dos n períodos anteriores, calcula a demanda média sobre os n períodos e usa essa média como uma previsão para a demanda do próximo período. Qualquer dado anterior aos n períodos são desconsiderados na previsão do próximo período. O valor de n pode ser ajustado em qualquer nível, mas fica geralmente na faixa entre 4 e 7.

Exemplo | **Entregas parceladas Eurospeed usando a média móvel**

A Tabela 3.5 mostra a demanda semanal da Eurospeed, uma empresa de entregas parceladas presente em toda Europa. Ela mostra a demanda, em semanas, em termos do número de parcelas que é para entregar (independente do tamanho de cada parcela). A cada semana, a demanda da próxima semana é prevista fazendo a média móvel da demanda real das quatro semanas anteriores. Assim, se a demanda prevista para a semana t é F_t e a demanda real para a semana t é A_t, então:

Tabela 3.5	Demanda real e previsão (milhares) da média móvel calculadas sobre um período de quatro semanas	
Semana (t)	Demanda real (A)	Demanda prevista (F)
20	63,3	
21	62,5	
22	67,8	
23	66,0	
24	67,2	64,9
25	69,9	65,9
26	65,6	67,7
27	71,1	66,3
28	68,8	67,3
29	68,4	68,9
30	70,3	68,5
31	72,5	69,7
32	66,7	70,0
33	68,3	69,5
34	67,0	69,5
35		68,6

$$F_t = \frac{1}{4}(A_{t-4} + A_{t-3} + A_{t-2} + A_{t-1})$$

Por exemplo, a previsão para a semana 35:

$$F_{35} = (72,5 + 66,7 + 68,3 + 67,0)/4 = 68,8$$

Suavização exponencial Há duas desvantagens significativas na abordagem da previsão da média móvel. Primeiro, na sua forma básica, ela confere pesos iguais para todos os n períodos anteriores que são usados no cálculo (embora isso possa ser superado atribuindo pesos diferentes para cada um dos n períodos). Segundo, e mais importante, ela não usa dados além dos n períodos em que a média móvel é calculada. Esses dois problemas são superados pela suavização exponencial, que é também, de certa forma, mais fácil de calcular. A abordagem da suavização exponencial prevê a demanda do próximo período levando-se em conta a demanda real no período atual e a previsão que foi feita anteriormente para o período atual. Ela faz isso de acordo com a fórmula:

$$F_t = \alpha A_{t-1} + (1 - \alpha) F_{t-1}$$

em que α = a constante de suavização.

A constante de suavização α é, com efeito, o peso que é dado à última (e, portanto, presume-se ser a mais importante) parte da informação disponível para o previsor. Contudo, a outra expressão na fórmula inclui a previsão para o período atual que inclui a demanda real dos períodos anteriores e assim por diante. Desse modo, todos os dados anteriores têm um efeito (decrescente) na próxima previsão.

Exemplo Entregas parceladas Eurospeed usando a suavização exponencial

A Tabela 3.6 mostra os dados para as previsões das parcelas Eurospeed usando este método de suavização exponencial, em que $\alpha = 0,2$. Por exemplo, a previsão para a semana 35 é:

$$F_{35} = (0,2 \times 67,0) + (0,8 \times 68,3) = 68,04$$

Tabela 3.6	Demanda real e previsão suavizada exponencialmente (milhares) calculadas com uma constante de suavização $\alpha = 0,2$	
Semana (t)	Demanda real (A)	Demanda prevista (F)
20	63,3	60,00
21	62,5	60,66
22	67,8	60,03
23	66,0	61,58
24	67,2	62,83
25	69,9	63,70
26	65,6	64,94
27	71,1	65,07
28	68,8	66,28
29	68,4	66,78
30	70,3	67,12
31	72,5	67,75
32	66,7	68,70
33	68,3	68,30
34	67,0	68,30
35		68,04

O valor de α governa o equilíbrio entre a sensibilidade das previsões às mudanças na demanda e a estabilidade das previsões. Quanto mais próximo de 0 é α, mais as previsões serão amortecidas pelas previsões dos períodos anteriores (não muito sensíveis, mas estáveis). A Figura 3.14 mostra os dados de volume Eurospeed plotados para uma média móvel de quatro semanas, suavização exponencial com $\alpha = 0,2$ e suavização exponencial com $\alpha = 0,3$.

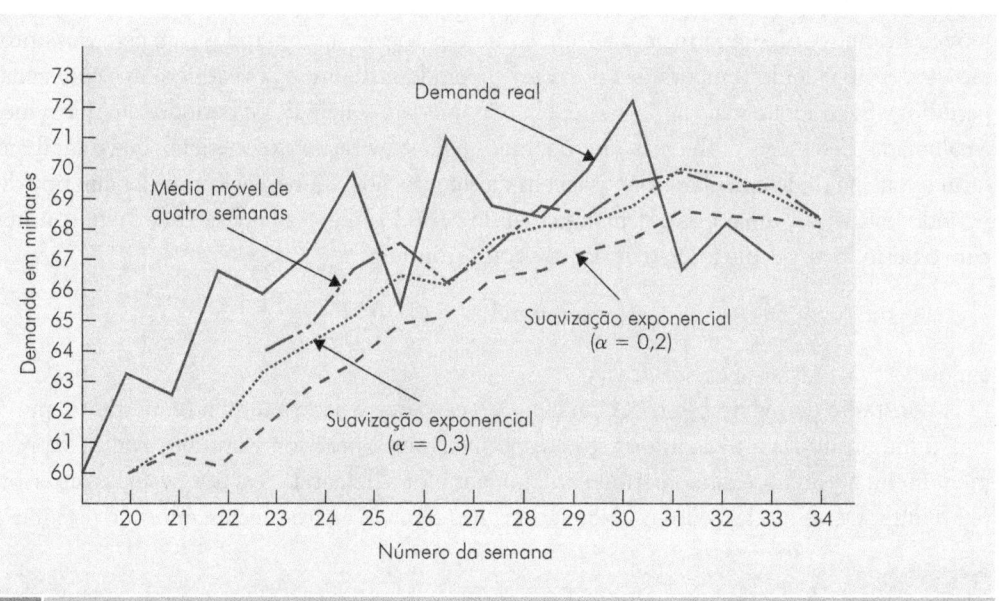

Figura 3.14 Uma comparação entre a previsão de média móvel e a suavização exponencial com constante de suavização $\alpha = 0,2$ e $0,3$.

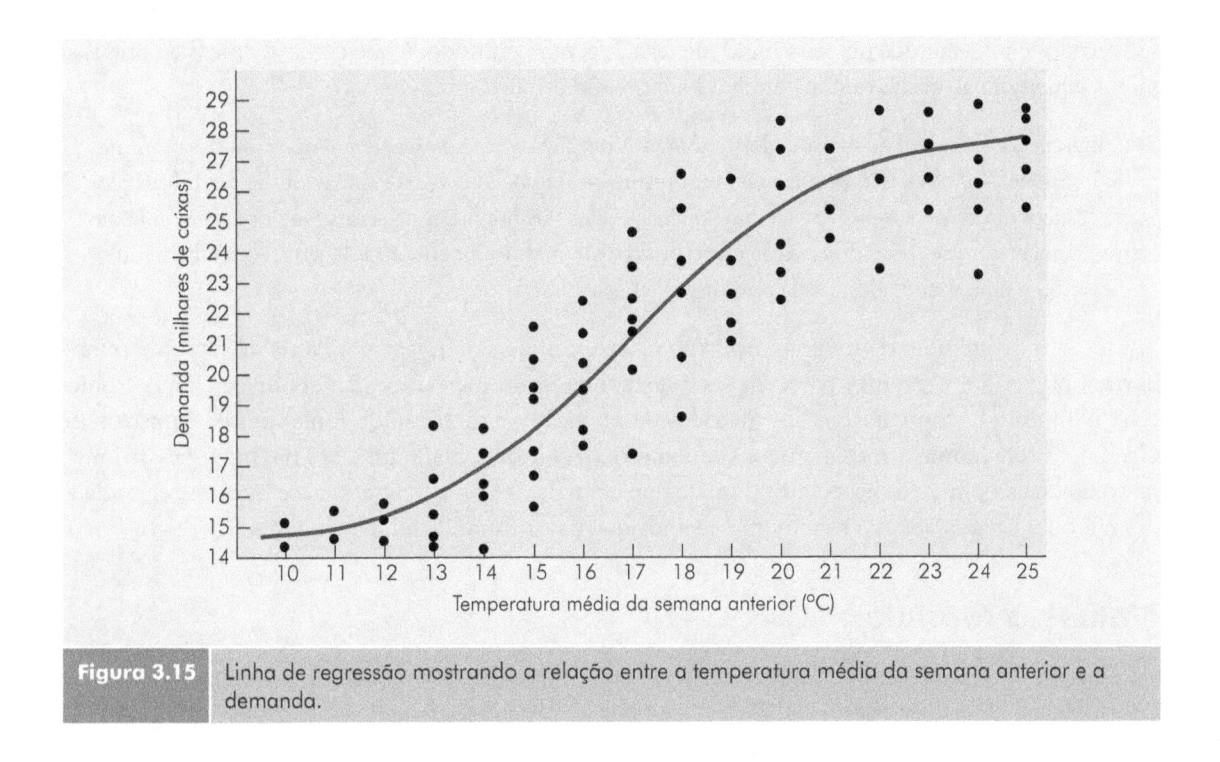

Figura 3.15 Linha de regressão mostrando a relação entre a temperatura média da semana anterior e a demanda.

Modelos causais

Os modelos causais frequentemente empregam técnicas complexas para entender a força das relações entre a rede de variáveis e o impacto que elas têm entre si. Os modelos de regressão simples tentam determinar a expressão de "melhor ajuste" entre duas variáveis. Por exemplo, suponha que uma empresa de sorvetes esteja tentando prever suas futuras vendas. Depois de examinar sua demanda anterior, ela percebe que a principal influência na demanda da fábrica é a temperatura média da semana anterior. Para entender esta relação, a empresa plota a demanda *versus* temperaturas das semanas anteriores. Isso é mostrado na Figura 3.15. Usando esse gráfico, a empresa pode fazer uma previsão razoável, uma vez que a temperatura média é conhecida, contanto que as outras condições prevalecentes no mercado sejam razoavelmente estáveis. Caso não sejam, então esses outros fatores que influenciam a demanda precisarão ser incluídos no modelo de regressão, que se torna cada vez mais complexo.

Essas redes mais complexas compreendem muitas variáveis e as relações de cada uma com suas próprias suposições e limitações. Embora o desenvolvimento de tais modelos e a avaliação da importância de cada um dos fatores e o entendimento da rede de inter-relacionamentos estejam além do escopo deste texto, muitas técnicas estão disponíveis para ajudar os gerentes a construir essa modelagem mais complexa e também alimentar os dados no modelo para refiná-lo e desenvolvê-lo futuramente, numa modelagem específica das equações estruturais.

O desempenho dos modelos de previsão

Modelos de previsão são amplamente utilizados na tomada de decisões gerenciais e, na verdade, a maioria das decisões requer algum tipo de previsão, apesar do desempenho desse tipo de modelo ser muito mais impressionante. Hogarth e Makridakis,[2] numa revisão abrangente do gerenciamento aplicado e da literatura financeira, mostram que o histórico dos previsores usando os métodos matemáticos sofisticados e julgamentos não é bom. O que eles sugerem, contudo, é que certas técnicas de previsão saem-se melhor sob certas circunstâncias. Na previsão de curto prazo existe:

> ... inércia considerável na maioria dos fenômenos naturais e econômicos. Assim, os estados presentes de quaisquer variáveis são previsíveis num futuro próximo (isto é, três meses ou menos). Métodos mecânicos um tanto simples, tais como aqueles usados nas previsões de séries temporais, podem com frequência fazer previsões precisas de curto prazo e até mesmo superar abordagens teoricamente mais elegantes e mais elaboradas, usadas em previsões econométricas.[3]

Métodos de previsão de longo prazo, embora mais difíceis de julgar por causa do lapso de tempo entre a previsão e o evento, parecem ser mais condescendentes com uma abordagem causal objetiva. Num estudo comparativo dos métodos de previsão de mercado de longo prazo, Armstrong e Grohman[4] concluíram que os métodos econométricos oferecem maior precisão nas previsões de longo prazo do que a opinião de especialistas ou do que as análises de séries temporais e que a superioridade dos métodos causais objetivos melhora à medida que o horizonte de tempo aumenta.

Notas do capítulo

1. Linstone, H. A. and Turoof, M. (1975). *The Delphi Method: Techniques and Applications*, Addison-Wesley.
2. Hogarth, R. M. and Makridakis, S. (1981). "Forecasting and planning: an evaluation", *Management Science*, Vol. 27, pp. 115-38.
3. Hogarth, R. M. and Makridakis, S., *op cit*.
4. Armstrong, J. S. and Grohman, M. C. (1972). "A comparative study of methods for long-range market forecasting", *Management Science*, Vol. 19, No. 2, pp. 211-21.

Indo além

Hoyle, R. H. (ed.) (1995). *Structural Equation Modeling*, Sage, Thousand Oaks, CA. Para especialistas.

Maruyama, G. M. (1997). *Basics of Structural Equation Modeling*, Sage, Thousand Oaks, CA. Para especialistas.

Capítulo 4
POSICIONAMENTO DO PROJETO DE PROCESSOS

Introdução

Os processos estão em todo lugar. Eles são os alicerces de todas as operações e os projetos de processos afetam o desempenho de toda a operação e, eventualmente, a contribuição que ela dá para a sua rede de suprimentos. Ninguém, em qualquer função ou parte da empresa, pode contribuir totalmente para a competitividade se os processos nos quais ele trabalha são mal projetados. Não é surpresa, então, que o projeto de processos tenha se tornado um tópico tão popular nas revistas de gerenciamento e entre os consultores. Este capítulo é o primeiro de dois que examinam os projetos de processos. Este primeiro está relacionado principalmente com a maneira como os processos e os seus recursos devem refletir suas necessidades de variedade e volume (veja Figura 4.1). O próximo capítulo examina os aspectos mais analíticos e detalhados da análise do processo.

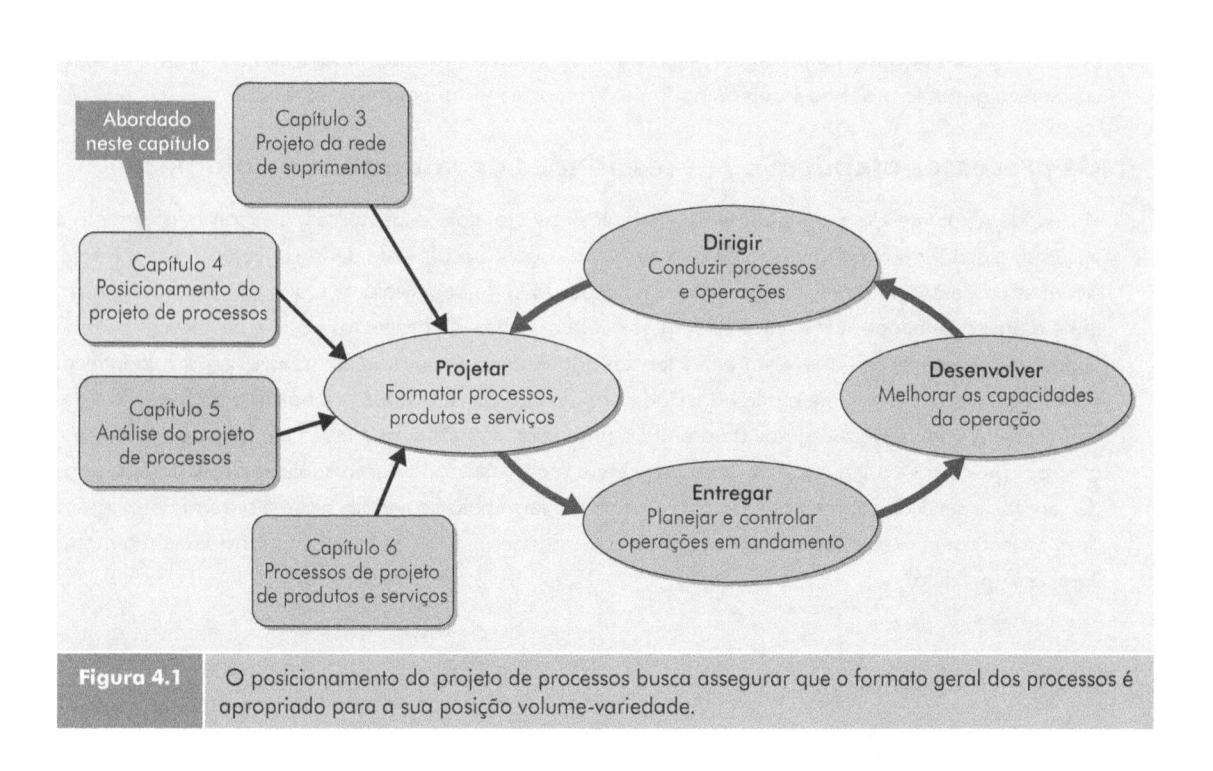

Fonte: Courtesy of Arup

Figura 4.1 O posicionamento do projeto de processos busca assegurar que o formato geral dos processos é apropriado para a sua posição volume-variedade.

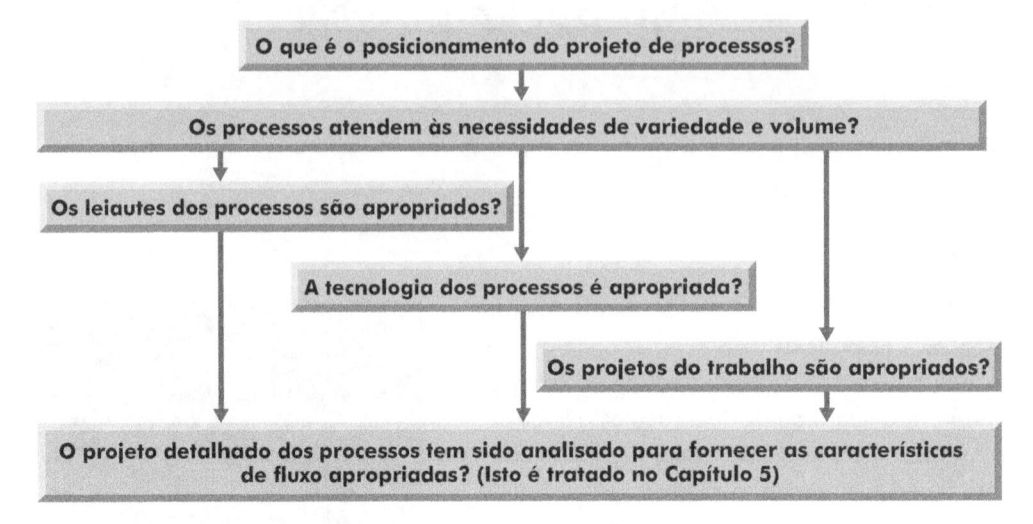

Sumário executivo

VÍDEO
informações adicionais

- O que é o posicionamento do projeto de processos?
- Os processos atendem às necessidades de variedade e volume?
- Os leiautes dos processos são apropriados?
- A tecnologia dos processos é apropriada?
- Os projetos do trabalho são apropriados?
- O projeto detalhado dos processos tem sido analisado para fornecer as características de fluxo apropriadas? (Isto é tratado no Capítulo 5)

Cadeia lógica de decisão para o posicionamento do projeto de processos

Cada capítulo é estruturado em torno de um grupo de questões diagnósticas. Essas questões sugerem o que você poderia perguntar para entender as questões importantes de um tópico e, como resultado, melhorar sua tomada de decisão. Um sumário executivo, tratando destas questões, é fornecido a seguir.

O que é o posicionamento do projeto de processos?

O projeto de processos tenta imaginar o formato geral dos processos e seus trabalhos detalhados. A primeira dessas tarefas (imaginar o formato geral ou a natureza do processo) pode ser abordada posicionando o processo em termos de suas características de variedade e volume. A segunda tarefa (imaginar os trabalhos detalhados do processo) está mais relacionada com a análise detalhada dos objetivos, capacidade e variabilidade do processo. Neste capítulo, abordaremos a primeira dessas questões: como a natureza geral do processo é determinada pela sua posição variedade-volume.

Os processos atendem às necessidades de variedade e volume?

Variedade e volume são particularmente influentes nos projetos de processos. Eles também tendem a ter uma relação inversa. Processos de alta variedade são normalmente de baixo volume e vice-versa. Assim os processos podem ser posicionados no espectro entre baixo volume e alta variedade, e alto volume e baixa variedade. Em pontos diferentes desse espectro, os processos podem ser descritos como "tipos" de processos distintos. Diferentes termos são usados em produção e serviços para identificar estes tipos. Do baixo volume e alta variedade em direção ao alto volume e baixa variedade, os tipos de processos variam de processos de projeto a processos de tarefa, processos em lotes, processos em massa e processos contínuos. A mesma sequência é caracterizada como serviços profissionais, lojas de serviços e serviços em massa. Qualquer que seja a terminologia usada, o projeto geral do processo deve concordar com sua posição variedade-volume. Em geral, isto é resumido na forma de uma matriz "processo-produto".

Os leiautes dos processos são apropriados?

Existem diferentes maneiras de os diferentes recursos de um processo (pessoas e tecnologia) serem arranjados um em relação ao outro. Esse arranjo deveria refletir a posição variedade-volume do processo. Novamente, existem "tipos" puros de leiautes que correspondem a diferentes posições de variedade-volume. Existem leiautes de posições fixas, funcionais, em células e de produto. Muitos leiautes são híbridos destes tipos puros, mas o tipo escolhido é influenciado pelas características de variedade e volume do processo.

A tecnologia dos processos é apropriada?

As tecnologias dos processos são as máquinas, equipamentos e dispositivos que ajudam os processos a transformar materiais e informação e clientes. A tecnologia do processo é diferente da tecnologia do produto que está incluída no próprio produto ou serviço. Mais uma vez, a tecnologia do processo deveria refletir o volume e a variedade. Em particular, o grau de automação na tecnologia, a escala e/ou a capacidade de escala da tecnologia e a conexão e/ou conectividade da tecnologia, deveriam ser apropriados ao volume e variedade. Em geral, o baixo volume e a alta variedade requerem tecnologias relativamente não automatizadas, com finalidade geral, de pequena escala e flexíveis. Ao contrário, processos de alto volume e baixa variedade requerem tecnologias automatizadas, dedicadas, de grande escala, que são, às vezes, relativamente inflexíveis.

Os projetos do trabalho são apropriados?

O projeto do trabalho trata da maneira como as pessoas executam suas tarefas dentro de um processo. Ele é particularmente importante porque governa as expectativas das pessoas e as percepções sobre sua contribuição para a organização bem como é um fator fundamental ao formatar a cultura da organização. Alguns aspectos do projeto do trabalho são comuns a todos os processos, independentemente de sua posição de variedade e volume, como prover a segurança de todos afetados pelo projeto, assegurar a posição ética da empresa e sustentar um equilíbrio apropriado entre a vida e o trabalho. Entretanto, outros aspectos do projeto do trabalho são influenciados pelo volume e variedade, em particular a extensão da divisão da mão de obra, o grau em que os trabalhos são definidos e a forma como o comprometimento com o trabalho é encorajado. Geralmente, os processos de alta variedade e baixo volume requerem trabalhos gerais, relativamente indefinidos, exceto na tomada de decisão. Tais trabalhos tendem a ter um comprometimento intrínseco. Por outro lado, os processos de alto volume e baixa variedade tendem a requerer tarefas que são relativamente estreitas no escopo e cuidadosamente definidas com pouca diferenciação na tomada de decisão. Isso significa que alguma ação deliberativa é necessária no projeto do trabalho (tal como o enriquecimento do trabalho) a fim de ajudar a manter o comprometimento com o trabalho.

QUESTÕES DIAGNÓSTICAS

O que é o posicionamento do projeto de processos?

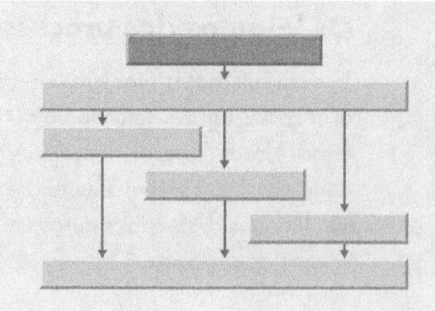

O projeto concebe a visão, os planos e os trabalhos de algo *antes de ser construído*, e, nesse sentido, é um exercício conceitual. Ainda assim, é algo que deve entregar uma solução que funcionará na prática. O projeto também é uma atividade que deve ser abordada na prática em diferentes níveis de detalhe. Alguém pode visualizar o formato geral e a intenção de alguma coisa antes de começar a definir seus detalhes. Muitas vezes, porém, é somente ao olhar os detalhes de um projeto que a viabilidade de seu formato geral pode ser avaliada. Assim é o projeto de processo. Primeiro, deve-se considerar o formato geral e a natureza do processo. A forma mais comum de se fazer isso é posicionando-o de acordo com suas características de variedade e volume. Segundo, devem ser analisados os detalhes do processo a fim de assegurar que eles preencham seus objetivos de forma eficaz. Mas não pense nisso como um simples processo sequencial. Podem existir aspectos relacionados com o posicionamento geral do processo que necessitarão ser modificados seguindo análises mais detalhadas.

Neste capítulo, discutimos a abordagem genérica do projeto de processo mostrando como a posição de um processo na escala variedade-volume influenciará seu leiaute e tecnologia e o projeto dos trabalhos. No próximo capítulo, discutiremos os aspectos mais detalhados do projeto de processo, em particular seus objetivos, configuração atual, capacidade e variabilidade. Isso é ilustrado na Figura 4.2.

Exemplo — Processo do Fluxo de Loja da Tesco[1]

Os supermercados bem-sucedidos, como a Tesco, sabem que o *design* de suas lojas tem um enorme impacto na lucratividade. Eles devem maximizar suas receitas por metro quadrado e minimizar os custos de operação da loja, ao mesmo tempo que mantêm os clientes felizes. Em um nível básico, os supermercados têm de alocar de forma correta a quantidade de espaço para as diferentes áreas. A campanha "Um na Frente" da Tesco, por exemplo, tenta evitar

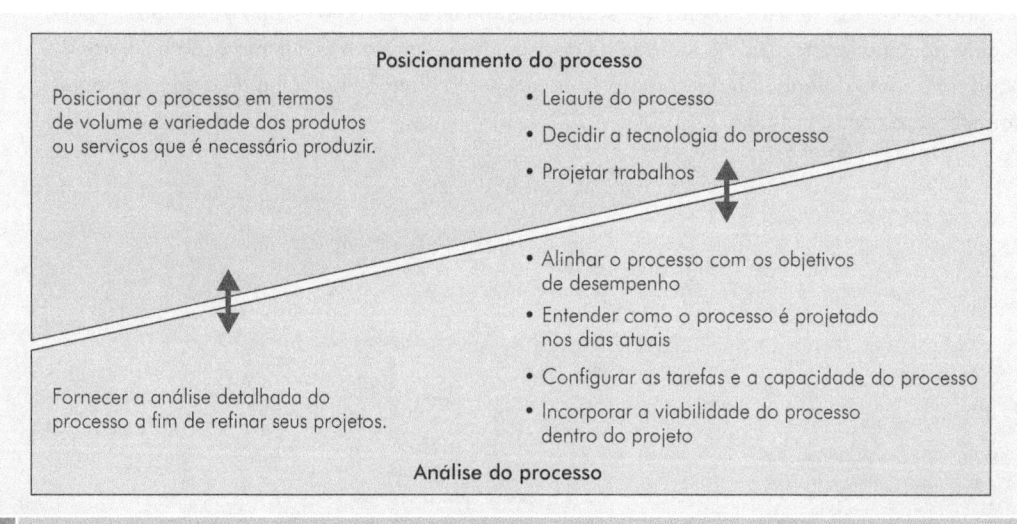

Figura 4.2 O projeto de processo é tratado em duas partes: o Posicionamento, que determina as características gerais do projeto; e a Análise, que refina os detalhes do projeto.

Posicionamento do processo
- Posicionar o processo em termos de volume e variedade dos produtos ou serviços que é necessário produzir.
- Leiaute do processo
- Decidir a tecnologia do processo
- Projetar trabalhos

Análise do processo
- Fornecer a análise detalhada do processo a fim de refinar seus projetos.
- Alinhar o processo com os objetivos de desempenho
- Entender como o processo é projetado nos dias atuais
- Configurar as tarefas e a capacidade do processo
- Incorporar a viabilidade do processo dentro do projeto

longos tempos de espera abrindo caixas adicionais se mais de um cliente estiver esperando para fechar a compra. A Tesco também emprega tecnologia para entender em detalhe como os clientes transitam por suas lojas. O sistema "Smartlane", da Irisys, uma empresa especializada em tecnologias inteligentes com infravermelho, conta o número e o tipo de clientes que entram na loja (em família ou em outros grupos conhecidos como "unidades de compra"), rastreia a sua movimentação usando sensores infravermelho e prevê a demanda provável nos caixas com até uma hora de antecedência. A circulação dos clientes pela loja deve ser correta e o leiaute certo pode fazer com que os clientes comprem mais.

Os supermercados frequentemente colocam sua entrada no lado esquerdo de um prédio com um leiaute projetado para levar os clientes numa direção no sentido horário pela loja. Os corredores entre as prateleiras deveriam ser amplos o suficiente para assegurar um fluxo relativamente lento de carrinhos de modo que os clientes prestem mais atenção aos produtos mostrados (e comprem mais). Entretanto, pode-se obter corredores amplos às custas de pouco espaço na prateleira, o que permitiria uma variedade maior de produtos a serem estocados.

A exata localização de todos os produtos é uma decisão crítica, afetando diretamente a conveniência dos clientes, seu nível de compra espontânea e o custo de preencher as prateleiras. Embora a maioria das vendas do supermercado sejam mercadorias congeladas e enlatadas, os expositores de frutas e vegetais estão localizados perto da entrada principal, como um sinal de saudável frescor, fornecendo um ponto de entrada atrativo e de boas vindas. Produtos básicos que figuram nas listas da maioria das pessoas, tais como farinha, açúcar e pão, são encontrados no fundo da loja e separados uns dos outros de modo que os clientes tenham de passar por itens de margem mais alta à medida que eles procuram outros produtos. Em geral, itens de margem alta são colocados no nível dos olhos, nas prateleiras (onde eles têm mais chances de serem vistos), e os produtos de margem baixa são colocados mais para o alto ou então mais para baixo. Alguns clientes também andam alguns passos num corredor antes de começarem a procurar o que necessitam. Alguns supermercados chamam as prateleiras que ocupam o primeiro metro de espaço morto no corredor; não é um lugar para colocar mercadorias compradas no impulso. Mas o local principal num supermercado é a ponta de gôndola, as prateleiras no final do corredor. Mudar os produtos para este local pode aumentar as vendas 200 ou 300%. Não é surpresa que os fornecedores queiram pagar para que seus produtos sejam localizados ali.

Exemplo — Chocolate e visitantes são processados pela fábrica Cadbury

Fluxo do chocolate

Na fábrica de chocolate Cadbury, nos arredores de Birmingham, Reino Unido, chocolates são fabricados com um alto nível de consistência e eficiência. Os processos de produção usam tecnologia especializada para atender as necessidades técnicas e de capacidade de cada etapa do processo. Na produção das barras de chocolate ao leite da Cadbury, o chocolate líquido é preparado a partir dos grãos de cacau, leite fresco e açúcar usando o equipamento que está

Processamento de nozes destinadas para produtos de chocolates

Processamento de clientes

conectado junto aos dutos e à correia transportadora. Esses processos operam de forma contínua, dia e noite, para assegurar a consistência tanto do próprio chocolate quanto da taxa de produção. O chocolate líquido é bombeado pelo encanamento aquecido para a seção de moldagem, onde é colocado, numa linha móvel, dentro de moldes precisos, feitos de plástico, que formam as barras de chocolate e as vibram para remover qualquer bolha de ar. Os moldes são continuamente transportados para dentro de um grande refrigerador, dando tempo suficiente para o chocolate endurecer. O próximo estágio inverte o molde e sacode as barras para retirá-las do mesmo. Essas então passam diretamente para um conjunto de máquinas de embalagem e empacotamento automatizados, de onde vão para o almoxarifado.

Fluxo de clientes

A Cadbury também tem um grande centro de visitas na fábrica, o Mundo Cadbury (ligado a um posto de observação de onde se vê a área de embalagem descrita acima). É uma demonstração permanente, inteiramente dedicada ao chocolate e o papel que a Cadbury representa na sua história. O projeto do centro de visitas usa uma rota simples para todos os clientes. A principal área de demonstração permite um fluxo regular de visitantes, evitando gargalos e atrasos. A entrada na Área de Demonstração é com horário definido, assegurando um fluxo constante de visitantes, que ficam livres para passear na sua velocidade preferida, mas que são obrigados a manter uma fila única pela sequência de mostruários. Ao sair dessa seção, eles são direcionados escada acima para a Planta de Embalagem do Chocolate, onde um guia acompanha grupos de visitantes, os quais podem ver os processos de embalagem. Os grupos são então direcionados para baixo e ao redor da Área de Demonstração, onde empregados habilitados demonstram a produção em pequena escala de chocolates feitos à mão.

O que esses dois exemplos têm em comum?

Todas as operações descritas nesses dois exemplos operam com um volume de demanda relativamente alto. A fábrica de chocolate produz em fluxo produtos idênticos usando processos similares, de forma ininterrupta. Ela pode ter diversos produtos, mas a variedade é relativamente baixa. O centro de visitas, localizado na próxima porta, também tem um alto volume de visitantes, mas, diferentemente do chocolate, eles decidem onde ir. Ainda assim, o processo é projetado para restringir a rota que os visitantes fazem e, portanto, a variedade de suas experiências. Ainda mais problemática é a difícil situação da Tesco, novamente com alto volume, mas o que dizer da sua variedade? Visto por um lado, todo cliente é diferente e por essa razão a variedade será extremamente alta. Porém, devido à forma como o processo é projetado, em parte para encorajar a similaridade do fluxo e em parte para fazer os clientes personalizarem seu próprio serviço, a variedade parece muito baixa. Por exemplo, os processos dos caixas lidam com apenas dois produtos: clientes com cestas e clientes com carrinhos. O ponto importante é que nos dois casos o volume e a variedade da demanda (ou como ela é interpretada pela operação) têm um efeito profundo no projeto de processos. Imagine o projeto de uma pequena loja de conveniências, ou de uma pequena fábrica de chocolate artesanal, ou mesmo na experiência de um visitante. Eles seriam projetados de maneiras muito diferentes, pois têm diferentes características de variedade-volume.

QUESTÕES DIAGNÓSTICAS

Os processos atendem às necessidades de variedade e volume?

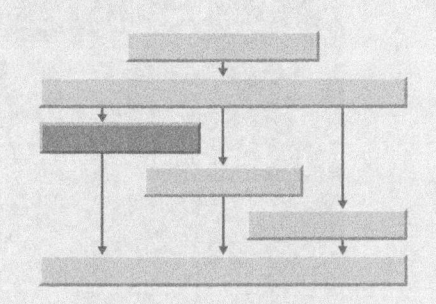

Dois fatores são particularmente importantes no projeto de processo: eles são o *volume* e a *variedade* dos produtos e serviços que ele processa. Além disso, o volume e a variedade estão muito relacionados, de tal modo que os processos de operações de baixo volume frequentemente tem uma alta variedade de produtos e serviços e os processos de operações de alto volume com frequência têm uma estreita variedade de produtos e serviços. Assim, podemos *posicionar* os processos em um contínuo, desde aqueles que operam sob condições de baixo volume e alta variedade, até aqueles que operam sob condições de alto volume e baixa variedade. A posição variedade-volume de um processo influencia quase todo aspecto de seu projeto. Processos com diferentes posições variedade-volume, que serão organizados de diferentes formas, têm diferentes características de fluxo, além de outras tecnologias e trabalhos. Assim, os primeiros passos no projeto de processos são entender como o volume e a variedade formatam as características do processo e checar se os processos foram configurados de uma maneira apropriada para sua posição variedade-volume. Pense sobre as características variedade-volume dos seguintes exemplos.

> **Princípio de operações**
> O projeto de um processo deveria ser governado pelo volume e pela variedade que é preciso produzir.

A matriz processo-produto

O método mais comum de ilustrar o relacionamento entre uma posição variedade-volume do processo e suas características do projeto é mostrado na Figura 4.3. Com frequência chamada de matriz processo-produto, ela pode de fato ser usada para qualquer tipo de processo se produzir produtos ou serviços. A ideia subjacente à matriz processo-produto é que muitos dos elementos importantes do projeto de processo estão fortemente relacionados à posição variedade-volume do processo. Assim, para qualquer processo, as tarefas que ele assume, o fluxo dos itens ao longo do processo, o leiaute de seus recursos, a tecnologia que ele usa e o projeto do trabalho são todos fortemente influenciados por sua posição variedade-volume. Isso significa que a maioria dos processos deveria se posicionar próximo da diagonal da matriz que representa o ajuste entre o processo e sua posição variedade-volume. Ela é chamada de diagonal natural.[2]

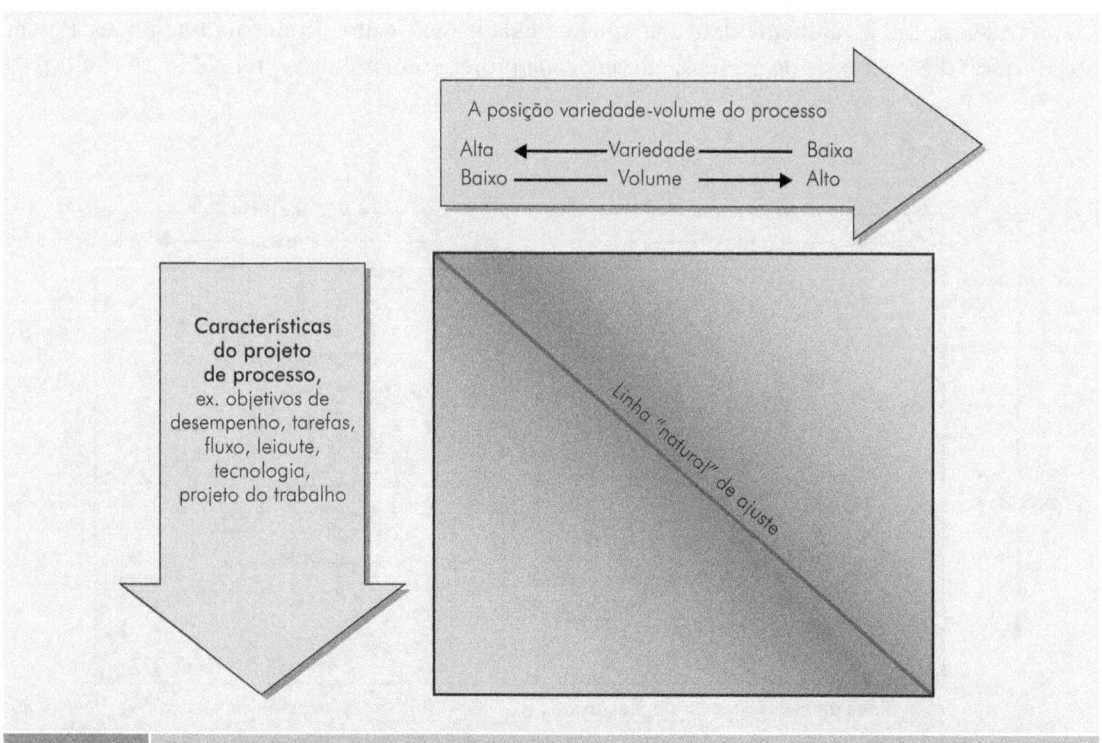

Figura 4.3 Os elementos do projeto de processo são fortemente influenciados pelas necessidades de variedade-volume colocadas no processo.

Tipos de processo

Os processos que habitam diferentes pontos na diagonal da matriz processo-produto são algumas vezes referenciados como tipos de processo. Cada tipo de processo significa diferenças no conjunto de tarefas executadas pelo processo e na forma que os materiais ou informações ou clientes fluem pelo processo. Diferentes termos são, às vezes, usados para identificar os tipos de processos dependendo se eles são processos predominantemente de fabricação ou de serviço e existe alguma variação nos nomes usados. Isso acontece nos tipos de processos de serviço. Não é incomum encontrar termos de fabricação usados também para descrever processos de serviço. É importante ressaltar, porém, que existe algum grau de sobreposição entre os tipos de processos. Os diferentes tipos de processos são mostrados na Figura 4.4.

> **Princípio de operações**
> Os tipos de processos indicam a posição dos processos no espectro variedade volume.

Processos de projeto

Os processos de projeto são aqueles que lidam com produtos distintos altamente personalizados. Com frequência, o tempo de fabricar o produto é relativamente longo, assim como é o intervalo entre a conclusão de cada produto individual. As atividades envolvidas no processo podem ser mal definidas e incertas, mudando durante o próprio processo. Os exemplos incluem agências de propaganda, fabricantes de navios, a maioria das empresas de construção e de empresas de produção de filmes, perfuração de poços de petróleo e instalação de sistemas de computador. Qualquer mapa de processo para os processos de projeto quase certamente será complexo, em parte porque cada unidade de produção em geral é grande, com muitas atividades ocorrendo ao mesmo tempo, e em parte porque as atividades com frequência são significativamente diferentes para agir de acordo com o julgamento profissional. Na verdade, um mapa de processo para um projeto inteiro seria extremamente complexo, então raramente um projeto seria mapeado, mas pequenas partes podem ser.

Processos de tarefa

Os processos de tarefa também lidam com uma variedade muito alta e com baixos volumes. Porém, ao contrário dos processos de projeto, em que cada projeto tem recursos praticamente exclusivos,

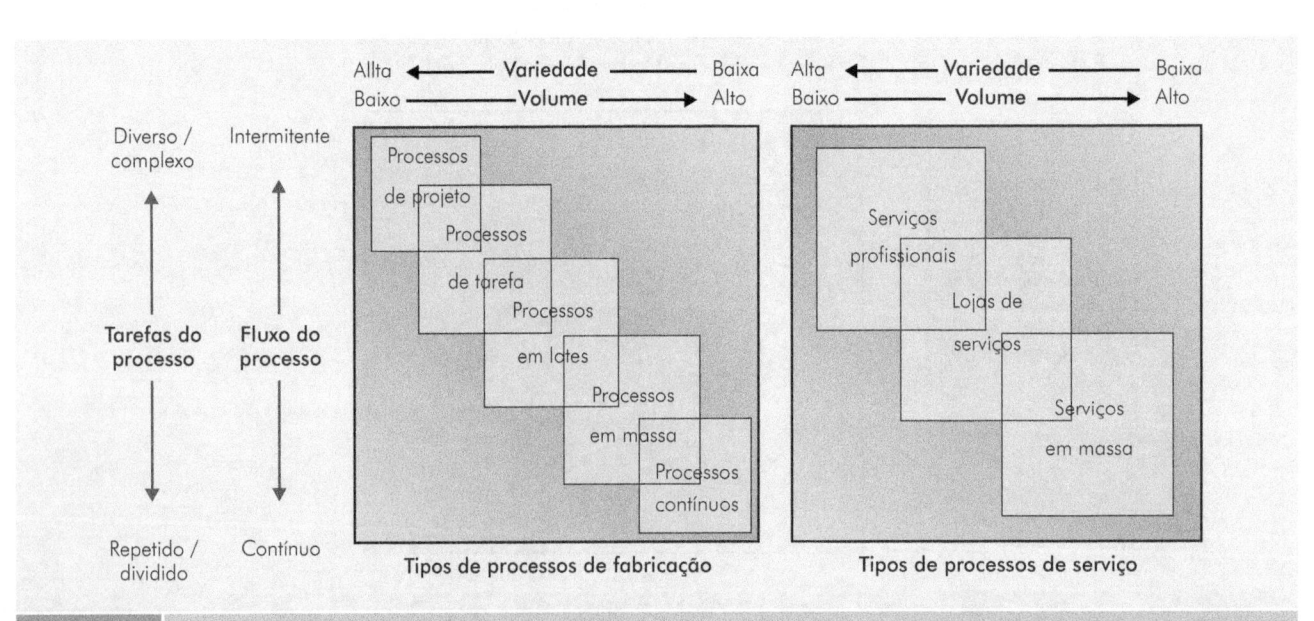

Figura 4.4 Diferentes tipos de processos significam diferentes características variedade-volume para o processo.

em processos de tarefa cada produto tem de compartilhar os recursos de operações com muitos outros.

O processo trabalhará numa série de produtos, mas, embora todos os produtos necessitem do mesmo tipo de atenção, cada um diferirá em suas necessidades. Exemplos de processos de tarefa incluem muitos engenheiros de precisão, assim como ferramenteiros especialistas, restauradores de mobílias, alfaiates e a impressora que produz ingressos para o evento social local. Processos de tarefa produzem mais e normalmente menores itens que os processos de projetos, mas, como os processos de projetos, o grau de repetição é baixo. Muitos trabalhos poderiam ser únicos. Novamente, qualquer mapa de processo para um processo de tarefa poderia ser relativamente complexo por razões similares às dos processos de projeto. Embora os processos de tarefa às vezes envolvam habilidades consideráveis, eles são normalmente mais previsíveis que os processos de projeto.

Processos de lote

Os processos de lote podem ser parecidos com os processos de tarefa, mas sem o grau de variedade normalmente associado ao processo de tarefa. Como o nome diz, os processos em lotes em geral produzem mais que um produto de uma vez. Assim, cada parte da operação tem períodos em que ela se repete, ao menos enquanto o lote está sendo processado. O tamanho do lote poderia ser apenas dois ou três, caso em que o processo do lote diferiria pouco do processo de tarefa, especialmente se cada lote é um produto totalmente novo. Por outro lado, se os lotes são grandes e, sobretudo, se os produtos são familiares à operação, os processos de lote podem ser razoavelmente repetitivos. Por causa disso, o tipo de processo de lote pode ser encontrado sobre uma maior diversidade de níveis de variedade e volume do que outros tipos de processo. Exemplos de processos em lotes incluem fabricação de máquinas-ferramenta, a produção de algumas comidas congeladas especiais, a montagem da maioria das peças produzidas em massa, tais como automóveis, e a produção da maioria das roupas. Mapas de processo de lote podem parecer fáceis de fazer, especialmente se produtos diferentes seguem rotas similares pelo processo, com atividades relativamente padrão sendo desempenhadas em cada etapa.

Processos em massa

Os processos em massa produzem em alto volume, em geral com pequena variedade. Uma fábrica de automóveis, por exemplo, poderia produzir milhares de variações de automóveis se toda opção de tamanho de motor, cor e equipamento fosse levada em consideração. Contudo, sua variedade efetiva é baixa porque as diferentes variações não afetam o processo básico da produção. As atividades na planta de automóveis, como todos os processos em massa, são essencialmente repetitivas e bastante previsíveis. Além das plantas de automóveis, exemplos de processos em massa são fabricantes de produtos duráveis, principais processos de alimentação, tais como um fabricante de pizza congelada, fábricas de cerveja engarrafada e produção de CDs. Os mapas deste tipo de processo são fáceis de fazer, pois são sequências de atividades.

Processos contínuos

O processo contínuo é um passo além dos processos em massa, tanto que eles operam com maiores volumes e frequentemente têm variedade bem menor. Às vezes, eles são literalmente contínuos, ou seja, seus produtos são inseparáveis, sendo produzidos num fluxo contínuo. Processos contínuos são, com frequência, associados com as tecnologias relativamente inflexíveis, que demandam um grande investimento com alto fluxo altamente previsível. Exemplos de processos contínuos incluem refinarias petroquímicas, empresas de eletricidade, produtores de aço e empresas de servidores de Internet. Como os processos em massa, os mapas de processo mostrarão poucos elementos discretos, e, embora os produtos possam ser armazenados durante o processo, a característica predominante da maioria dos processos contínuos é do fluxo regular de uma parte do processo à outra.

Serviços profissionais

Os serviços profissionais são processos de alta variedade, baixo volume, com os quais os clientes podem despender um tempo considerável no processamento dos serviços. Normalmente fornecem altos níveis de personalização, de forma que a equipe de contato é consideravelmente diferenciada. Os serviços profissionais tendem a ser baseados em pessoas, em vez de serem alicerçados em equipamentos, com ênfase no processo (como o serviço é entregue) mais do que no produto (o que é entregue). Exemplos são consultores de gestão, advogados, médicos cirurgiões, auditores, inspetores de saúde e segurança e algumas operações de serviço no campo da computação. Os mapas de processos, quando usados, mostram com predominância os níveis mais altos dos processos. Consultores, por exemplo, frequentemente usam um conjunto de etapas gerais pré-determinadas, iniciando com o entendimento da real natureza do problema até a implementação de suas soluções recomendadas. Esse mapa de processo de alto nível guia a natureza e a sequência das atividades dos consultores.

Lojas de serviços

As lojas de serviços são caracterizadas pelos níveis de contato com o cliente, personalização, grande diferenciação da equipe e clientes que os posiciona entre os extremos dos serviços profissionais e dos serviços em massa (veja no próximo parágrafo). O serviço é fornecido por um combinação de atividades de balcão e de fundos de loja. As lojas de serviços incluem bancos, lojas de rua, operadores de turismo, empresas de aluguel de carro, restaurantes, hotéis e agentes de viagem. Por exemplo, uma organização de venda e contratação de equipamentos pode ter uma variedade de equipamentos mostrados no balcão das lojas, enquanto as operações de fundos de loja cuidam da compra e da administração. A equipe de balcão tem algum treinamento técnico e pode aconselhar os clientes durante o processo de venda do produto. Essencialmente, o cliente está comprando um produto de certa forma padronizado, mas será influenciado pelo processo de venda que é personalizado de acordo com sua necessidade individual.

Serviços em massa

Os serviços em massa têm muitas transações de cliente e pouca personalização. Tais serviços são muitas vezes predominantemente baseados no equipamento e orientados para o produto, onde o maior valor adicionado ocorre nos fundos* de loja, às vezes exigindo, de forma comparativa, pouca necessidade de avaliação pela equipe do balcão, que pode ter um trabalho bem definido e seguir um conjunto de procedimentos. Os serviços em massa são supermercados, uma rede de transporte ferroviário nacional, aeroportos e muitos centros de atendimento. Por exemplo, as companhias aéreas movimentam um grande número de passageiros, que selecionam uma jornada dentre as várias oferecidas. A companhia aérea pode aconselhar os passageiros sobre a forma mais rápida e barata de ir de A para B, mas ela não pode personalizar o serviço, colocando voos especiais para os passageiros.

Afastando-se da diagonal natural

Um processo posicionado na diagonal natural da matriz mostrada na Figura 4.3 normalmente terá menor custo de operação do que um com a mesma posição variedade-volume que se posiciona fora da diagonal, pois a diagonal representa o projeto de processo mais apropriado para qualquer posição variedade-volume. Os processos que estão na direita da diagonal natural normalmente estariam associados a menores volumes e maior variedade. Isso significa que eles provavelmente são mais flexíveis do que parece ser sua real posição variedade-volume. Ou seja, eles não estão tirando vantagem da sua habilidade de padronizar suas atividades. Por causa disso, seus custos tendem a ser maiores do que seriam com um processo que estivesse mais próxi-

> **Princípio de operações**
> Afastar-se da "diagonal natural" da matriz processo-produto incorrerá em custos excessivos.

---

* N. de R. T.: Do inglês, *back office*.

mo da diagonal. Em contraste, os processos que estão na esquerda da diagonal adotam uma posição que em geral seria usada para processos de maior volume e menor variedade. Os processos, portanto, seriam superpadronizados e provavelmente bastante inflexíveis para sua posição variedade-volume. Essa falta de flexibilidade pode também gerar custos altos, já que o processo não será capaz de mudar de uma atividade para outra tão prontamente quanto um processo mais flexível. Um cuidado relacionado a esta ideia: embora logicamente coerente, este é um modelo conceitual em vez de algo que pode ser ativado. Embora seja intuitivamente óbvio que ao se afastar da diagonal os custos aumentem, a quantidade precisa de aumento dos custos é muito difícil de determinar. Apesar disso, um primeiro passo ao examinar o projeto de um processo existente é verificar se ele está na diagonal natural da matriz processo-produto. A posição variedade-volume do processo pode ser mudada sem qualquer alteração correspondente no seu projeto. De forma alternativa, mudanças no projeto podem ter sido introduzidas sem se levar em consideração sua adequação à posição variedade-volume do processo.

EXEMPLO ADICIONAL

Exemplo — Instalação do medidor[3]

A unidade de instalação de medidores de uma empresa de saneamento de água instalava e concertava medidores de água. A natureza de cada trabalho de instalação poderia variar bastante, já que as necessidades de medição de cada cliente variavam e porque os medidores tinham de ser encaixados dentro de vários sistemas diferentes de encanamento. Quando um cliente necessitasse de uma instalação ou reparo, um supervisor examinaria o sistema de encanamento do cliente e transferiria os resultados do exame para a equipe de encanadores habilitados em instalação. Então, seria marcada uma visita de um encanador ao local do cliente para instalar ou concertar o medidor na data e hora combinada. A empresa decidiu instalar, sem custos, um novo medidor "padrão" de leitura remota que substituiria a ampla variedade de medidores existentes e poderia ser lido automaticamente usando a linha telefônica do cliente. Isto reduziria os custos de leitura do medidor. Isto também significaria um aumento substancial no trabalho da unidade e seriam recrutadas equipes de encanadores mais habilitados. O novo medidor foi projetado para tornar a instalação mais fácil, incluindo juntas universais de engate rápido que eliminaram o corte e a junção do cano durante a instalação. Como teste-piloto, foi também decidido priorizar aqueles clientes com medidores mais velhos e realizar experiências de funcionamento do novo medidor na prática. Todos outros aspectos do processo de instalação foram deixados como eram.

O teste-piloto não foi um sucesso. Os clientes com medidores velhos foram divididos por todas as áreas da empresa, de forma que a equipe não conseguia servir diversos clientes em uma área e tinha de viajar distâncias relativamente longas entre eles. Além disso, como não havia uma visita marcada, era provável que eles esquecessem o compromisso. Nesses casos, os encanadores tinham de retornar para suas bases e tentar encontrar outro trabalho para fazer. Os custos de instalação eram muito mais altos do que o previsto e os encanadores estavam frustrados com a perda de tempo e de trabalho de instalação, relativamente padronizado. A empresa decidiu mudar seu processo. Em vez de substituir os velhos medidores que estavam espalhados ao redor de sua região, fixaram áreas geográficas menores para limitar o tempo de viagem. A etapa de pesquisa do processo foi cortada porque, usando o novo medidor, 98% das instalações poderiam ser efetuadas em uma visita, minimizando o incômodo para o cliente e o número de visitas perdidas. Tão significativo quanto isso, era a irrelevância de precisar frequentemente de encanadores bastante qualificados, pois a instalação poderia ser executada por mão de obra mais barata.

Esse exemplo é ilustrado na Figura 4.5. A posição inicial do processo de instalação é o ponto A. A unidade de instalação foi solicitada para concertar e instalar uma ampla variedade de medidores numa gama muito ampla de sistemas de encanamento. Foi necessária uma etapa de pesquisa para julgar a natureza do trabalho e o uso de mão de obra habilitada para lidar com as tarefas complexas. A instalação de um novo tipo de medidor mudou a posição variedade-volume do processo reduzindo a variedade de trabalhos controlados pelo processo e aumentando o volume com o qual ele tinha de lidar. Entretanto, o processo não mudou. Escolhendo uma ampla área geográfica para servir, mantendo a desnecessária etapa de pesquisa e contratando a equipe super-habilitada, a empresa se definia ainda como um processo de "trabalho" de baixo volume e grande variedade. O projeto de processo era apropriado para sua velha posição variedade-volume, mas não para a nova. Na verdade, o processo tinha se movido para o ponto B na Figura 4.5. Estava fora da diagonal, com flexibilidade desnecessária e altos custos de operação. Reprojetar o processo para tirar vantagem da reduzida variedade e complexidade do trabalho (posição C na Figura 4.5) permitiu à instalação ser muito mais eficaz.

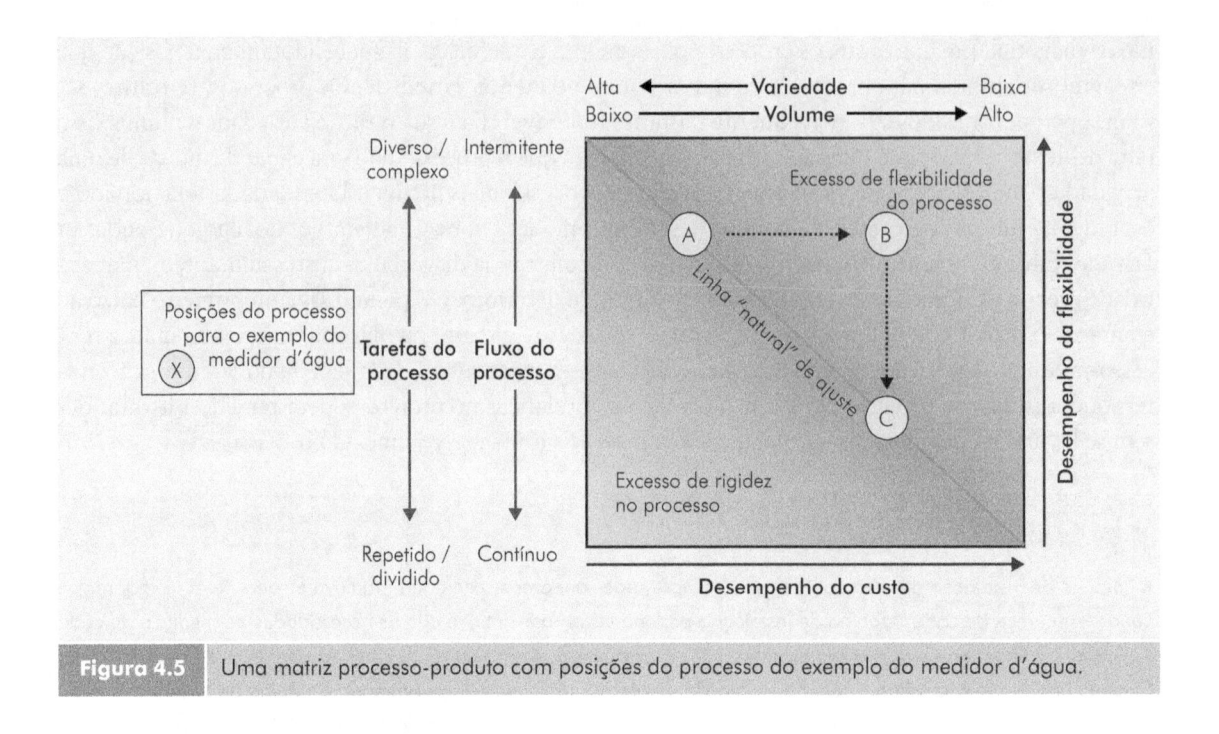

Figura 4.5 Uma matriz processo-produto com posições do processo do exemplo do medidor d'água.

Leiaute, tecnologia e projeto

Se o movimento para baixo da diagonal natural da matriz processo-produto muda a natureza de um processo, então o elemento-chave de seu projeto também mudará. Neste nível geral, esses elementos-chave do projeto são os dois ingredientes que formam os processos, tecnologia e pessoas, além da forma em que esses ingredientes são organizados dentro do processo relativos um ao outro. Este último aspecto é normalmente chamado *leiaute*. No restante do capítulo, começamos discutindo leiaute e, depois, as decisões de projeto que relacionam a tecnologia do processo e os trabalhos que as pessoas assumem dentro do processo.

QUESTÕES DIAGNÓSTICAS

Os leiautes dos processos são apropriados?

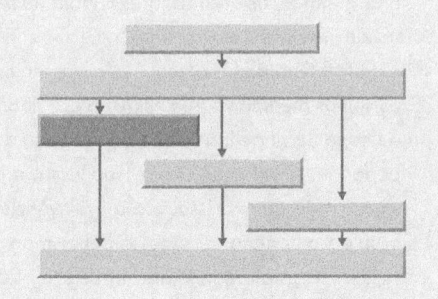

Quando as atividades estão arranjadas fisicamente de forma que há movimento excessivo de materiais, informação ou clientes, o sequenciamento do processo é uma questão a ser considerada. Em geral, o objetivo da decisão sobre o leiaute é minimizar o movimento, mas no processo de transformação da informação onde a distância é irrelevante, outro critério pode ser dominante. Por exemplo, pode ser mais importante posicionar os processos de tal modo que as atividades similares ou os recursos sejam agrupados. Assim, um banco internacional pode agrupar seus negociadores de câmbio estrangeiro para encorajar a comunicação e discussão entre eles, embora as operações de câmbio que eles realizam sejam processadas em locais totalmente diferentes. Alguns processos de alta visibilidade podem ter seus leiautes organizados de modo a enfatizar o comportamento dos clientes que estão sendo processados.

Os leiautes deveriam refletir o volume e a variedade

Mais uma vez, o leiaute de um processo é determinado em parte por suas características de variedade e volume. Quando o volume é muito baixo e a variedade é relativamente alta, o fluxo pode não ser uma questão principal. Por exemplo, na produção de satélite de telecomunicações cada produto é diferente, e como os produtos fluem pela operação de forma não muito frequente, não vale a pena organizar as instalações para minimizar o fluxo das peças pela operação. Com volumes mais altos e variedade mais baixa, o fluxo se torna uma questão muito mais importante. Se a variedade ainda

> **Princípio de operações**
> Os recursos em processos de baixo volume – alta variedade deveriam ser organizados para lidar com o fluxo irregular.

é alta, entretanto, é difícil uma organização ser totalmente dominada pelo fluxo, pois existirão diferentes padrões de fluxo. Por exemplo, uma biblioteca organizará de modo parcial as diferentes categorias de livros e outros serviços para minimizar a distância média que seus clientes percorrem pela operação. Como as necessidades de seus clientes variam, eles organizarão seus leiautes para satisfazer a maioria dos seus clientes (mas talvez cause problemas para uma minoria). Quando a variedade dos produtos ou serviços diminuem até o ponto em que uma "categoria" distinta com necessidades similares se torna evidente, mas a variedade ainda não é pequena, os recursos apropriados poderiam ser agrupados em uma célula separada. Quando a variedade é relativamente pequena e o volume é alto, o fluxo pode se tornar regularizado e os recursos podem ser posicionados para tratar das necessidades (similares) dos produtos ou serviços, numa linha de fluxo clássica.

> **Princípio de operações**
> Os recursos em processos de alto volume – baixa variedade deveriam ser organizados para lidar com o fluxo regular e uniforme.

A maioria dos leiautes práticos é derivada de apenas quatro *tipos básicos de leiaute* que correspondem a diferentes posições no espectro variedade-volume, ilustrados no diagrama da Figura 4.6 a seguir.

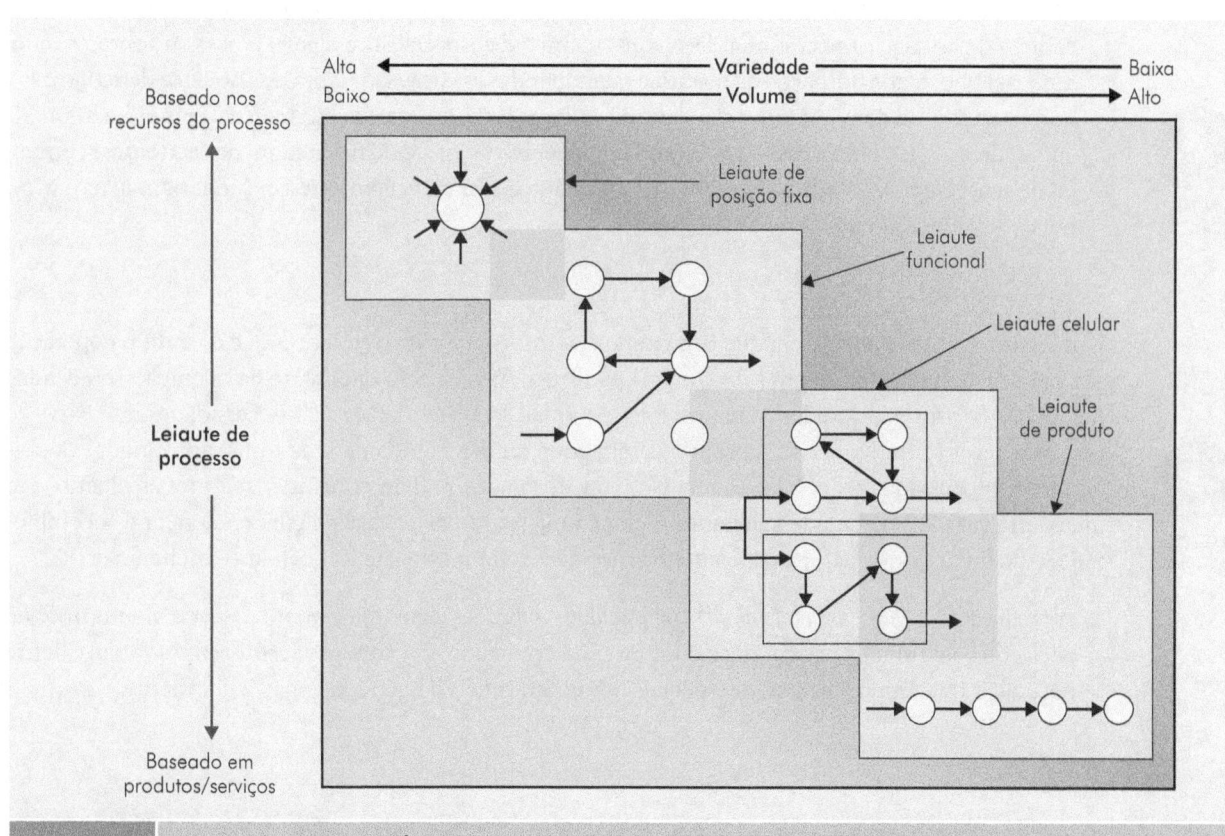

Figura 4.6 Leiautes de processos diferentes são apropriados para diferentes combinações de variedade-volume.

Leiaute de posição fixa

O leiaute de posição fixa é, de certa forma, uma contradição, uma vez que os recursos transformados não se movem entre os recursos transformadores. Em vez de os materiais, as informações ou os clientes fluírem ao longo da operação, o cliente do processamento é estacionário e o equipamento, as máquinas, a planta e as pessoas que fazem o processamento movem-se conforme necessário. O leiaute é assim porque o produto ou o cliente do serviço é grande demais para ser transportado convenientemente, ou é delicado demais para se mover, ou talvez se oponha a mover-se, como por exemplo:

- *Construção de um gerador de força* – o produto é muito grande para ser transportado;
- *Cirurgia cardíaca* – pacientes são delicados demais para serem transportados;
- *Restaurante de classe alta* – clientes se oporiam a trazer a própria refeição até sua mesa.

Leiaute funcional

O leiaute funcional é assim chamado porque as necessidades funcionais e a conveniência dos recursos transformadores que constituem os processos dominam a decisão do leiaute. (Imprecisamente, o leiaute funcional pode também ser chamado de leiaute de processo.) No leiaute funcional, as atividades ou os recursos com necessidades similares ficam próximos uns dos outros, pois pode ser conveniente agrupá-los, ou a sua utilização pode ser melhorada. Isto significa que quando os materiais, as informações ou os clientes fluem pela operação, eles seguem uma rota de atividade para atividade de acordo com as necessidades da operação. Nesse caso, o padrão do fluxo da operação, em geral, torna-se complexo. Exemplos dos leiautes de processo são:

- *Hospital* – alguns processos (por exemplo, equipamento e laboratórios de radiografia) são necessários para diversos tipos de paciente;
- *Usinagem das peças para motores de aviões* – alguns processos (por exemplo, tratamento térmico) precisam de equipamentos especiais (exaustão de fumaça e dissipação de calor); alguns processos (por exemplo, centros de usinagem) necessitam de suporte técnico de especialistas; alguns processos (por exemplo, retíficas) obtêm alta utilização da máquina quando todas as peças são retificadas no setor de retífica;
- *Supermercado* – é conveniente estocar juntos alguns produtos, tais como mercadorias enlatadas. Algumas áreas, tais como aquelas que guardam vegetais congelados, necessitam de tecnologia comum ou de refrigeradores. Outros, tais como as áreas que guardam vegetais frescos, poderiam ficar juntos, pois assim eles são atrativos aos clientes.

Leiaute celular

Um leiaute celular é aquele em que os materiais, a informação ou os clientes que entram na operação são pré-selecionados (ou se pré-selecionam) para se moverem para uma parte da operação (ou célula) na qual estão arranjados todos os recursos transformadores, atendendo suas necessidades imediatas de processamento. Internamente, a própria célula pode ser organizada de uma forma apropriada. Depois de serem processados na célula, os recursos transformados podem continuar seu processamento em uma outra célula. Na verdade, o leiaute celular é uma tentativa de trazer alguma ordem para a complexidade do fluxo que caracteriza o leiaute funcional. Exemplos de leiautes celulares incluem:

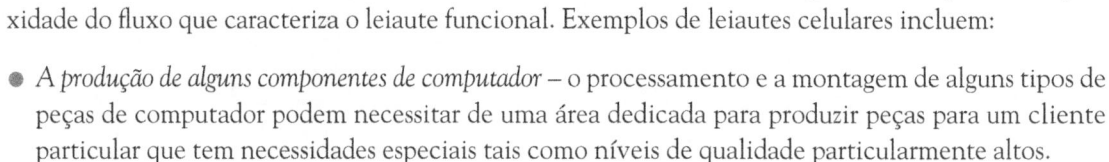

- *A produção de alguns componentes de computador* – o processamento e a montagem de alguns tipos de peças de computador podem necessitar de uma área dedicada para produzir peças para um cliente particular que tem necessidades especiais tais como níveis de qualidade particularmente altos.

- *Área de produtos para lanche em um supermercado* – alguns clientes usam o supermercado apenas para comprar sanduíches, salgadinhos, refrigerantes, etc., para o lanche. Esses produtos estão frequentemente arranjados próximos uns dos outros em uma "célula" para a conveniência desses clientes.
- *Unidade de maternidade em um hospital* – clientes que necessitam de atenção na maternidade são um grupo bem-definido que pode ser tratado juntamente. É improvável que necessitem de outras instalações do hospital enquanto utilizam a ala da maternidade.

Leiaute de produto

O leiaute de produto envolve e arranja as pessoas e os equipamentos totalmente de acordo com os recursos transformados. Cada produto, informação ou cliente segue uma rota pré-organizada na qual a sequência das atividades necessárias corresponde à sequência na qual os processos foram arranjados. Os recursos transformados "fluem" ao longo de uma "linha". Por isso, esse tipo de leiaute é às vezes chamado leiaute de linha ou fluxo. O fluxo é claro, previsível e, portanto, relativamente fácil de controlar. São o alto volume e as necessidades padronizadas do produto ou serviço que tornam possíveis os leiautes de produto. São exemplos de leiaute de produto:

- *Montagem de automóveis* – quase todas as variações de modelo requerem a mesma sequência de processos.
- *Restaurante com autosserviço* – geralmente a sequência das necessidades dos clientes (entrada, prato principal, sobremesa, bebida) é comum para todos os clientes, mas o leiaute também ajuda a controlar o fluxo de clientes.

Seleção do leiaute

É importante conseguir o leiaute correto do processo, nem que seja pelo custo, dificuldade e incômodo para fazer qualquer mudança de leiaute. Não é uma atividade que as empresas gostem de repetir com frequência. Além disso, um leiaute inadequado pode significar um custo extra *toda vez* que um item é processado. Mas, mais do que isso, um leiaute eficaz torna claro e transparente o fluxo de itens ao longo de um processo. O melhor jeito de enfatizar que as atividades de cada um são realmente parte do processo total é tornar o fluxo entre as atividades evidente para todos.

Uma das principais influências à adequação do tipo de leiaute é a natureza do processo em si ou o tipo de processo. Há muitas vezes uma confusão entre os tipos de processo e os tipos de leiaute. O tipo de leiaute não é a mesma coisa que o tipo de processo. Os tipos de processo foram descritos anteriormente neste capítulo, e indicam uma abordagem geral para a organização e operação de um processo. Leiaute é um conceito mais estreito, mas sem dúvida ligado ao tipo de processo. Da mesma forma que o tipo de processo, o leiaute também é governado pelo volume e variedade. Mas para qualquer tipo existente de processo há em geral pelo menos dois leiautes alternativos. A Tabela 4.1 resume os leiautes alternativos para tipos de processo específicos. A escolha de um desses leiautes, ou de um leiaute híbrido, depende da importância relativa dos objetivos de desempenho do processo, especialmente custo e flexibilidade, como resume a Tabela 4.2 a seguir.

Tabela 4.1 Tipos de leiaute alternativos para cada tipo de processo

Tipo de processo de fabricação	Tipos potenciais de leiaute		Tipo de processo de serviço
Projeto	Leiaute de posição fixa Leiaute funcional	Leiaute de posição fixa Leiaute funcional Leiaute celular	Serviço profissional
Tarefa	Leiaute funcional Leiaute celular		
Lote	Leiaute funcional Leiaute celular	Leiaute funcional Leiaute celular	Loja de serviço
Massa	Leiaute celular Leiaute de produto		
Contínuo	Leiaute de produto	Leiaute celular Leiaute de produto	Serviço em massa

Tabela 4.2 A vantagem e desvantagem dos tipos de leiaute básicos

	Vantagens	Desvantagens
Posição fixa	Flexibilidade muito alta do produto e do *mix* Produto ou cliente não é transportado ou incomodado Alta variedade de tarefas para a equipe	Altos custos unitários A programação do espaço e das atividades pode ser difícil Pode significar muito movimento da planta e equipe
Funcional	Alta flexibilidade do produto e do *mix* Relativamente robusto nos casos de rupturas Supervisão relativamente fácil do equipamento ou planta	Pouca utilização das instalações Pode ter uma fila de clientes ou de material em processo muito alta Fluxo complexo pode ser difícil de controlar
Celular	Pode fornecer uma boa solução entre custo e flexibilidade para operações de alta variedade Processamento rápido Grupo de trabalho pode resultar em boa motivação	Pode ser caro reorganizar os leiautes existentes Pode necessitar planta maior e mais equipamentos Pode resultar na menor utilização da planta
Produto	Baixos custos por unidade para grandes volumes Oportunidade para especialização do equipamento O movimento dos materiais ou dos clientes é conveniente	Pode ter baixa flexibilidade do *mix* Não muito robusto se houver rupturas O trabalho pode ser muito repetitivo

QUESTÕES DIAGNÓSTICAS

A tecnologia dos processos é apropriada?

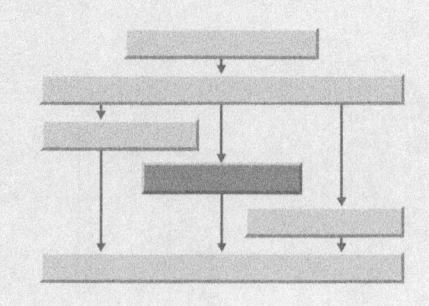

As tecnologias do processo são as máquinas, os equipamentos e os dispositivos que ajudam os processos a transformar materiais, informações e clientes. Essa é uma questão de grande importância porque poucas operações não têm sido afetadas pelos avanços na tecnologia de processo durante as últimas duas décadas. E a velocidade do desenvolvimento da tecnologia não está diminuindo. Mas é importante distinguir entre *a tecnologia do processo* (as máquinas e dispositivos que ajudam a *criar* produtos e serviços) e *a tecnologia do produto* (a tecnologia que está dentro do produto ou serviço e que cria sua especificação ou funcionalidade). Algumas tecnologias de processo, embora não utilizadas para a verdadeira criação de mercadorias e serviços, desempenham um papel-chave para *facilitar* sua criação. Por exemplo, os sistemas de tecnologia da informação que processam atividades de planejamento e controle podem ser usados para ajudar gerentes e operadores a executar os processos. Às vezes, esse tipo de tecnologia é chamada de tecnologia de processo *indireto* e está se tornando cada vez mais importante. Muitas empresas gastam mais em sistemas de computador que executam seus processos do que na tecnologia de processo direto que cria seus produtos e serviços.

A tecnologia do processo deveria refletir o volume e a variedade

Novamente, diferentes tecnologias de processo serão apropriadas para diferentes partes do *continuum* variedade-volume. Processos de alta variedade e baixo volume em geral requerem tecnologia de processo *generalista*, pois ela pode desempenhar uma ampla gama de atividades de processamento que demanda alta variedade. Os processos de alto volume – baixa variedade podem usar uma tecnologia *dedicada* à sua variedade mais estreita de necessidades de processamento. Das tecnologias de processo generalista para as tecnologias de processo dedicado, três dimensões em particular tendem a variar conforme o volume e a variedade. A primeira é a extensão na qual a tecnologia do processo executa as atividades, ou toma decisões, por si mesma, isto é, seu grau de automação. A segunda é a capacidade de a tecnologia processar o trabalho, isto é, sua escala ou capacidade de escala. A terceira é a extensão na qual ela está integrada com outras tecnologias; isto é, seu grau de conexão ou conectividade. A Figura 4.7 ilustra estas três dimensões da tecnologia do processo.[4]

> **Princípio de operações**
>
> A tecnologia de processo em processos de alto volume e baixa variedade é relativamente automatizada, de grande escala e cuidadosamente acoplada quando comparada àqueles processos de baixo volume e alta variedade.

O grau de automação da tecnologia

De uma forma ou de outra, todas as tecnologias necessitam da interferência humana. Pode ser mínima a interferência, por exemplo, para manutenção periódica numa refinaria petroquímica. De modo oposto, a pessoa que opera a tecnologia pode ser o cérebro do processo, como no caso de um cirurgião usando as técnicas de laparoscopia. Em geral, os processos que têm alta variedade e baixo volume empregam processos de tecnologia com mais baixo grau de automação que aqueles com mais alto volume e mais baixa variedade. Por exemplo, o mercado de bancos de investimento em derivativos realiza operações financeiras altamente complexas e sofisticadas, frequentemente personalizadas para as necessidades dos clientes individuais, e cada uma podendo valer milhões de dólares. Os bastidores do banco têm de processar essas negociações para ter certeza de que os pagamentos são feitos na hora, que os documentos são

Figura 4.7 Diferentes tecnologias de processo são apropriadas para diferentes combinações de variedade-volume.

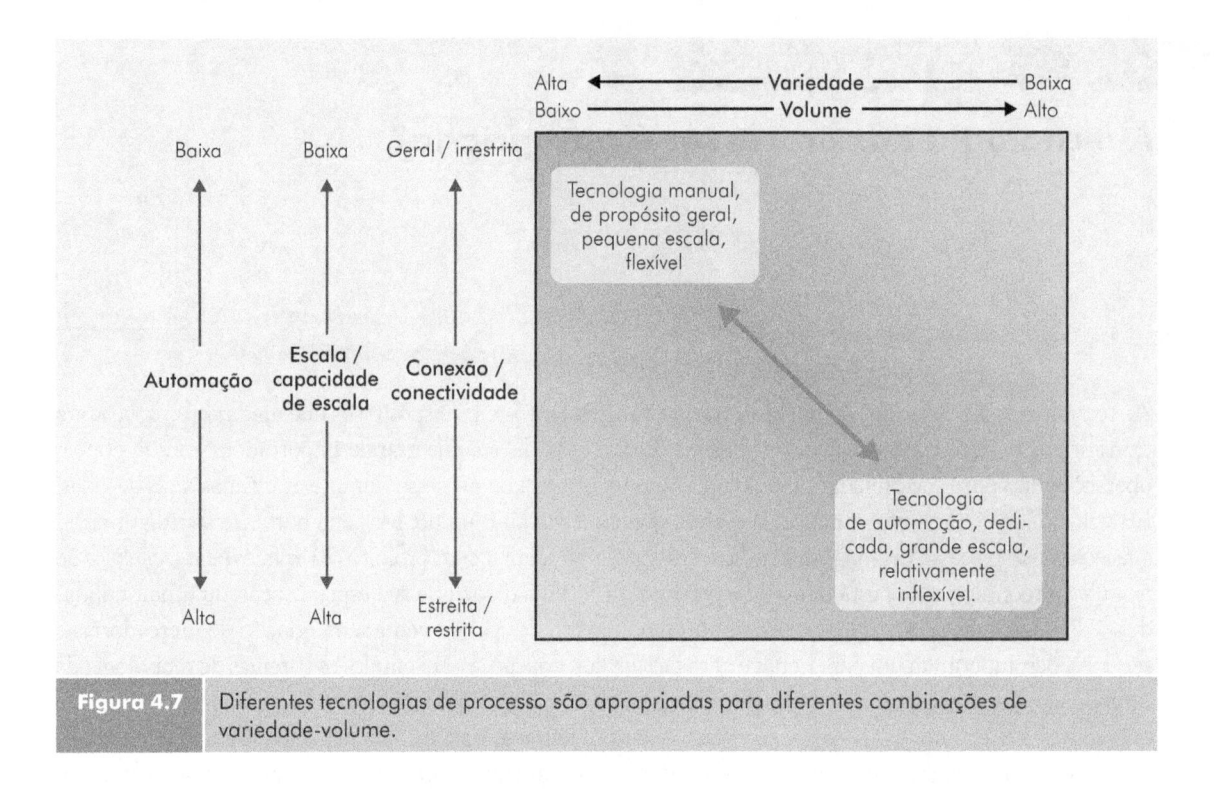

trocados e assim por diante. A maioria desse processamento será feita usando tecnologia relativamente generalista, tal como uma planilha. As equipes capacitadas de fundo de loja estão tomando as decisões em vez da tecnologia. Isso contrasta com os produtos financeiros de mais alto volume e baixa variedade, tal como os mercados de ações, fáceis de entender. A maioria desses produtos são simples e fáceis de fazer e são processados em um volume muito alto de diversos milhares por dia pela tecnologia "automatizada".

A escala/capacidade de escala da tecnologia

Existe normalmente alguma diferenciação com relação à escala de unidades individuais da tecnologia. Por exemplo, o departamento duplicado de um grande complexo de escritórios pode decidir investir numa copiadora simples, rápida e grande, ou ainda em diversas copiadoras menores e mais vagarosas distribuídas ao redor dos vários processos da operação. Uma companhia aérea pode comprar uma ou duas aeronaves jumbo ou um maior número de aeronaves menores. A vantagem das tecnologias de grande escala é que elas podem normalmente processar itens mais baratos que as tecnologias de pequena escala, mas em geral necessitam de alto volume e podem lidar somente com baixa variedade. Por outro lado, as virtudes da tecnologia de menor escala são em grande parte a agilidade e flexibilidade que é apropriada aos processamentos de alta variedade e menor volume. Por exemplo, quatro máquinas pequenas podem produzir entre elas quatro produtos diferentes simultaneamente (embora de modo lento), enquanto uma simples máquina grande com quatro vezes mais produção pode produzir apenas um mesmo tipo de produto em um momento (embora mais rápido). As tecnologias de pequena escala são também mais robustas. Suponha que a escolha esteja entre três máquinas pequenas e uma maior. No primeiro caso, se uma máquina quebra, um terço da capacidade é perdida, mas no segundo, a capacidade é reduzida a zero.

O equivalente à escala para alguns tipos de tecnologia de processamento da informação é a *capacidade de escala*. Por capacidade de escala queremos dizer a habilidade de mudar rapidamente para um diferente nível de capacidade útil e a um custo eficaz. A capacidade de escala é tão parecida com a escala absoluta que ela é influenciada pelas mesmas características de variedade-volume. A capacidade de escala de TI depende da arquitetura consistente da plataforma de TI e da grande padronização do processo que é normalmente associado a operações de alto volume e baixa variedade.

A conexão/conectividade da tecnologia

Conectar significa juntar atividades separadas dentro de uma única tecnologia de processo para formar um sistema de processamento interconectado. Uma conexão firme em geral produz um rápido ciclo de processamento. Por exemplo, num sistema de fabricação automatizado os produtos fluem de modo rápido, sem atrasos entre as etapas, e o estoque será mais baixo – ele jamais se acumula quando não há tempos de parada entre as atividades. A conexão firme também significa que o fluxo é simples e previsível, tornando mais fácil manter o rastreamento das partes quando elas passam por poucas etapas, ou da informação quando ela é automaticamente distribuída por todas as partes de uma rede de informação. Entretanto, a tecnologia cuidadosamente conectada pode ser cara (cada conexão pode requerer custos altos) e vulnerável (uma falha numa parte de um sistema interconectado pode afetar todo o sistema). O sistema de fabricação totalmente integrado restringe o fluxo pré-determinado das partes, tornando difícil acomodar produtos com muitas necessidades de processamento diferentes. Assim, a conexão é em geral mais adequada para uma variedade relativamente baixa e alto volume. O processamento de alta variedade na maior parte das vezes requer um nível de conexão mais aberto e irrestrito, já que os diferentes produtos e serviços necessitarão de uma ampla variedade de atividades de processamento.

QUESTÕES DIAGNÓSTICAS
Os projetos de trabalho são apropriados?

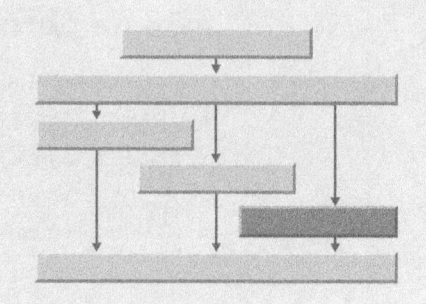

O projeto do trabalho trata do modo como as pessoas executam suas tarefas dentro de um processo. Ele define a forma como elas cuidam de suas vidas no trabalho e posiciona as expectativas do que é requerido delas, influenciando suas percepções de como elas contribuem para a organização. Também define suas atividades em relação a seus colegas de trabalho e canaliza os fluxos de comunicação entre as diferentes partes da operação. Mas o que é mais importante: ele ajuda a desenvolver a cultura da organização – seus valores, suas crenças e suposições compartilhados. Trabalhos de projeto não apropriados podem destruir o potencial de um processo para cumprir seus objetivos, não importando o quanto seja apropriado sua tecnologia de processo ou leiaute. Assim, os trabalhos devem ser projetados para se adequarem à natureza do processo. Entretanto, antes de levar isso em consideração, é importante aceitar que alguns aspectos do projeto do trabalho são comuns para todos os processos, independente do que eles fazem ou como eles fazem. Considere o seguinte:

- *Segurança*. O objetivo principal e universal do projeto do trabalho é assegurar que toda a equipe que executa qualquer tarefa dentro de um processo esteja protegida contra a possibilidade de dano físico ou mental.
- *Questões éticas*. Nenhum indivíduo deveria ser solicitado a executar qualquer tarefa que ou seja ilegal ou (dentro dos limites) conflite com crenças éticas fortemente mantidas.
- *Equilíbrio trabalho/vida*. Todos os trabalhos deveriam ser estruturados de forma que promovessem um equilíbrio saudável entre o tempo gasto no trabalho e o tempo longe do trabalho.

Note que todos esses objetivos do projeto do trabalho tendem a melhorar o desempenho geral do processo. Entretanto, o essencial de seguir tais objetivos transcende o critério convencional.

O projeto do trabalho deveria refletir o volume e a variedade

Assim como nos outros aspectos do projeto de processo, a natureza e os desafios do projeto do trabalho são governados largamente pelas características de variedade-volume de um processo. Um arquiteto fazendo projetos de construção importantes desempenhará uma ampla variedade de tarefas muito diferentes, frequentemente criativas e complexas, muitas das quais não são definidas no início do processo, e a maioria delas potencialmente darão a ele uma significativa satisfação no trabalho. Por outro lado, alguém da contabilidade do escritório do arquiteto digitando detalhes da fatura tem um trabalho que é repetitivo, tem pouca variação, é firmemente definido e que não pode depender da relação intrínseca da própria tarefa para manter o comprometimento com a tarefa. Esses dois trabalhos terão diferentes características, pois são parte dos processos com diferentes posições de variedade e volume. Três aspectos do projeto do trabalho em particular são afetados pelas características de variedade-volume de um processo: como as tarefas devem ser alocadas para cada pessoa no processo, o grau de definição do trabalho e os métodos usados para manter o comprometimento com o trabalho. A Figura 4.8 ilustra isso.

> **Princípio de operações**
> Os projetos de trabalho em processos de alto volume e baixa variedade são cuidadosamente definidos com pouca diferenciação na tomada de decisões e necessitam de ação para ajudar no comprometimento quando comparado àqueles processos de baixo volume e alta variedade.

Como as tarefas deveriam ser alocadas? – a divisão da mão de obra

O aspecto mais óbvio de qualquer trabalho individual é a sua magnitude, que é a quantidade de tarefas dentro de qualquer processo que são alocadas para um indivíduo. Um único indivíduo deveria desempenhar todo o processo? Alternativamente, indivíduos separados ou equipes deveriam desempenhar cada tarefa? Separar tarefas em partes menores entre os indivíduos é chamado de *divisão da mão de obra*. Talvez seu exemplo perfeito seja a linha de montagem, em que os produtos se movem ao longo

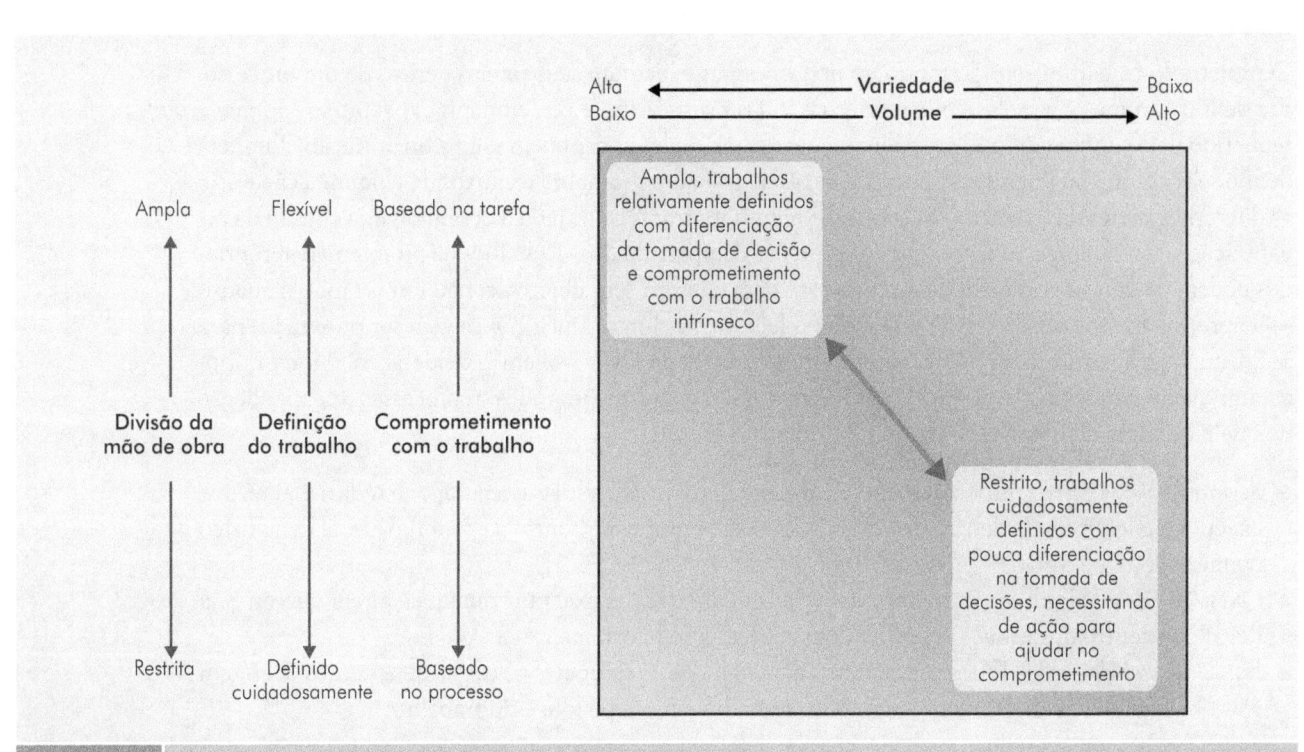

Figura 4.8 Diferentes projetos de trabalho são apropriados para diferentes combinações de variedade-volume.

de um simples caminho e são preparados por operadores repetindo continuamente uma única tarefa. Este é o modelo predominante do projeto do trabalho na maioria dos processos de alto volume – baixa variedade. Para tal processo existem muitas *vantagens reais* nos princípios da divisão da mão de obra:

- *Eles promovem um aprendizado mais rápido.* É obviamente mais fácil aprender a fazer uma tarefa relativamente curta e simples do que uma longa e complexa, de forma que novos membros da equipe podem ser rapidamente treinados e designados para suas tarefas.
- *A automação se torna mais fácil.* Substituir a tecnologia do trabalho é consideravelmente mais fácil para tarefas curtas e simples do que para tarefas longas e complexas.
- *O trabalho não produtivo é reduzido.* Em tarefas longas e complexas a proporção de tempo entre os elementos individuais de valor agregado pode ser muito alta, por exemplo, na fabricação, pegar as ferramentas e os materiais, largá-los novamente e, de modo geral, procurar e guardar.

Existem também *sérias desvantagens* para os trabalhos bastante divididos:

- *O trabalho é monótono.* Repetir a mesma tarefa por oito horas num dia e cinco dias numa semana não é nada realizador. Isso pode levar a uma grande probabilidade de absenteísmo, rotatividade e taxas de erro.
- *Pode causar danos físicos.* A repetição contínua de uma variedade restrita de movimentos pode, em casos extremos, levar a um dano físico. O uso demasiado de algumas partes do corpo (especialmente os braços, mãos e pulsos) pode resultar em dor e numa redução na capacidade física, chamada lesão por esforço repetitivo (LER).
- *Pode significar pouca flexibilidade.* Dividir uma tarefa em muitas partes pequenas muitas vezes dá ao projeto do trabalho uma rigidez que é difícil de alterar sob circunstâncias de mudança. Por exemplo, se uma linha de montagem foi projetada para fazer um produto específico mas tem de mudar para fabricar um produto bastante diferente, toda a linha necessita ser reprojetada. Isso provavelmente envolverá mudar cada conjunto de tarefas do operador.
- *Pode significar pouca robustez.* Trabalhos bastante divididos significam itens passando por várias etapas. Se uma dessas etapas não está funcionando bem, por exemplo, porque algum equipamento não está funcionando, toda a operação é afetada. Por outro lado, se cada pessoa está desempenhando todo o trabalho, quaisquer problemas afetarão apenas a produção daquela pessoa.

Até que ponto os trabalhos devem ser definidos?

Os trabalhos em processos de alta variedade são mais difíceis de definir em quase tudo. Tais trabalhos podem requerer conhecimento tácito ganho com o tempo, a partir das experiências, e com frequência requerem que os indivíduos façam uma diferenciação significativa no que eles fazem e na forma como o fazem. Algum grau de definição do trabalho é algo possível e aconselhável, mas pode ser determinado em termos dos resultados das tarefas em vez de em termos das atividades dentro da tarefa. Por exemplo, o trabalho do arquiteto pode ser definido em termos de *"alcançar a coordenação global, tomar a responsabilidade por articular a visão global do projeto, assegurar que os interessados estejam confortáveis com o processo, etc."*. Por outro lado, um processo com menos variedade e maior volume provavelmente deve ser definido de modo mais cuidadoso, com a natureza exata de cada atividade definida e equipe individual treinada para seguir o trabalho passo a passo.

Como o comprometimento com o trabalho deve ser encorajado?

Muitos fatores podem influenciar o comprometimento com o trabalho. O histórico de trabalho e as expectativas de um indivíduo, os relacionamentos com colegas de trabalho e circunstâncias pessoais: tudo isso pode ser importante. O mesmo vale para as características de variedade e volume do processo por definir as maneiras possíveis nas quais o comprometimento pode ser melhorado. Em processos de alta variedade, especialmente aqueles com um alto grau de diferenciação da equipe, o comprometimento com o trabalho provavelmente virá da *natureza intrínseca da própria tarefa*. Exercitar as habilidades e tomar decisões, por exemplo, pode trazer satisfação. É claro, o comprometimento podem ser melhorado pela responsabilidade extra, flexibilidade nos momentos de trabalho e assim por diante, mas os principal motivador é o próprio trabalho. Em contraste, trabalhos de baixa variedade – alto volume, especialmente aqueles projetados com uma alta divisão da mão de obra e pouca diferenciação, podem ser altamente alienantes. Tais tarefas promovem relativamente pouca satisfação na tarefa intrínseca. Ela tem de ser "*projetada dentro*" do processo, enfatizando a satisfação a ser ganha no desempenho do processo como um todo. Algumas abordagens de projeto do trabalho têm sido sugeridas para atingir isso nos processos envolvendo trabalho relativamente repetitivo.

- **O engrandecimento do trabalho** envolve alocar um maior número de tarefas para os indivíduos, normalmente combinando as tarefas que são em geral do mesmo tipo que aquelas do trabalho original. Isso pode não envolver tarefas mais exigentes ou gratificantes, mas pode fornecer um trabalho mais completo e, portanto, um pouco mais significativo. As pessoas desempenhando um trabalho engrandecido não repetirão seu trabalho como antes. Por exemplo, suponha que a fabricação de um produto tenha sido tradicionalmente dividida numa linha de montagem em 10 tarefas iguais e sequenciais. Se esse trabalho for reprojetado de uma maneira que forme duas linhas de montagem paralelas de cinco pessoas, cada operador teria duas vezes o número de tarefas a desempenhar.
- **O enriquecimento do trabalho**, tal como o engrandecimento do trabalho, aumenta o número de tarefas num trabalho, mas também significa alocar tarefas que envolvem mais decisões ou maior autonomia e, portanto, maior controle sobre o trabalho. Isso poderia incluir a manutenção e os ajustes em qualquer tecnologia de processo utilizada, o planejamento e o controle das atividades no trabalho ou o monitoramento dos níveis de qualidade. O efeito é a redução da repetição do trabalho e o aumento das oportunidades de desenvolvimento pessoal. Assim, no exemplo da linha de montagem, cada operador poderia também ser responsável pela execução da manutenção de rotina e tarefas como fazer os registros e gerenciar o suprimento de materiais.
- **A rotação de funções** significa mudar periodicamente o conjunto das diferentes tarefas para os indivíduos a fim de aumentar a variedade das suas atividades. Se for bem-sucedida, a rotação do trabalho pode aumentar a flexibilidade e dar uma pequena contribuição para reduzir a monotonia. Entretanto, ela nem sempre é vista como benéfica, seja pela gerência (porque isso pode causar uma ruptura no fluxo regular do trabalho), seja pelas pessoas que desempenham os trabalhos (porque ela pode interferir no seu ritmo de trabalho).
- **A delegação de poder** significa melhorar a habilidade dos indivíduos e, algumas vezes, dar autoridade para eles mudarem a forma como realizam seus trabalhos. Alguns processos tecnologicamente restritos, tais como aqueles nas plantas químicas, podem limitar a extensão na qual a equipe pode diluir suas tarefas altamente padronizadas sem consultar alguém. Outros processos menos definidos podem ir além na delegação de poder.
- **O trabalho em equipe** está intimamente ligado à delegação de poder. A organização do trabalho em equipe (algumas vezes chamada de equipes de trabalho autogerenciadas) é quando a equipe, frequentemente com habilidades sobrepostas, desempenha de forma coletiva uma tarefa definida e tem algum discernimento sobre como eles desempenham a tarefa. A equipe pode controlar coisas como a alocação da tarefa entre membros, a programação do trabalho, a medição e a melhoria da qualidade e algumas vezes até mesmo a contratação da equipe. Grupos são descritos como equipes quando as virtudes de trabalhar juntos estão sendo enfatizadas e um conjunto de objetivos e responsabilidades são compartilhados.

Comentário crítico

Cada capítulo contém um breve comentário crítico sobre as principais ideias nele abordadas. Seu propósito não é enfraquecer as questões discutidas, mas enfatizar que, embora apresentemos uma visão relativamente ortodoxa da operação, existem outras perspectivas.

■ Três conjuntos de críticas poderiam ser levantadas pelo material abordado neste capítulo. A primeira relaciona a separação do projeto de processo em duas partes – posicionamento e análise. Pode ser razoavelmente argumentado que esta separação é tão artificial (como é admitido no início deste capítulo) que as duas abordagens estão muito inter-relacionadas. Uma forma alternativa de pensar sobre o tópico seria considerar todos os aspectos da organização dos recursos em conjunto. Isto incluiria as questões do leiaute que foram discutidas neste capítulo junto com o mapeamento do processo mais detalhado a ser descrito no Capítulo 5. A segunda crítica desafiaria a principal suposição do capítulo – que muitas decisões significativas do projeto de processo são influenciadas principalmente pelo volume e pela variedade. Mas é convencional relacionar o leiaute e a tecnologia do processo (num grau levemente menor) ao posicionamento variedade-volume. É menos convencional fazer o mesmo para as questões do projeto do trabalho. Alguns argumentariam que a vasta maioria das decisões do projeto do trabalho não variarão de modo significativo com o volume e a variedade. A crítica final é também relacionada ao projeto do trabalho. Alguns acadêmicos argumentariam que nosso tratamento do projeto do trabalho é muito influenciado pelos desacreditados (a seus olhos) princípios do gerenciamento "científico" que evoluíram para gerenciamento do "estudo do trabalho" e dos "tempos e movimentos".

Lista de verificação

Esta lista de verificação inclui perguntas que podem ser úteis se aplicadas a qualquer tipo de operação e reflete as principais questões diagnósticas usadas dentro do capítulo.

- [ ] Os processos atendem aos requisitos variedade-volume?
- [ ] "Os tipos de processos" são entendidos e eles atendem aos requisitos variedade-volume?
- [ ] Os processos podem estar posicionados na "diagonal" da matriz de processo-produto?
- [ ] As consequências de um afastamento da "diagonal" da matriz de processo-produto são entendidas?
- [ ] As implicações de escolher um leiaute apropriado, especialmente o equilíbrio entre a flexibilidade do processo e os custos do baixo processamento, são entendidas?
- [ ] Os leiautes de processo são apropriados?
- [ ] Qual dos quatro tipos de leiautes básicos que correspondem a diferentes posições no espectro variedade-volume é apropriado para cada processo?
- [ ] A tecnologia do processo é apropriada?
- [ ] O efeito das três dimensões da tecnologia do processo (o grau de automação, a escala/capacidade e a conexão/conectividade da tecnologia) é entendido?
- [ ] Os projetos do trabalho são apropriados?
- [ ] O projeto do trabalho assegura que os trabalhos sejam seguros e éticos e que promovam um adequado equilíbrio vida/trabalho?
- [ ] O grau de divisão da mão de obra em cada processo é apropriado para suas características de variedade-volume?
- [ ] O grau de definição do trabalho em cada processo é apropriado para suas características de variedade-volume?
- [ ] Os mecanismos do comprometimento com o trabalho em cada processo são apropriados para suas características de variedade-volume?

Estudo de caso: Banco North West Constructive – O Novo Centro de Financiamento 1

Foi um longo dia para Andy Curtis quando ele saiu da reunião. Apesar do brilho do sol da manhã, ele estava pálido quando reuniu sua equipe. *"Foi terrível. O pessoal do marketing me deu realmente muitos problemas quando eu reportei nossos tempos de retorno médios atuais. Eles estavam bastante felizes em lembrar-me que eu tinha falado que nossa 'taxa de desconto' do produto estava nos matando operacionalmente e que nós tínhamos que cancelá-la se fossemos sobreviver à reorganização. Eu pareço um estúpido porque agora, quatro semanas depois da reorganização e depois do produto ter sido cancelado, nosso tempo de retorno está ainda pior. Acho que eles **estão** certos, nós realmente somos uma bagunça."* Mary Godfrey, sua suplente, protegeu sua equipe e ofendeu-se porque o *marketing* estava chamando sua equipe de uma bagunça. *"Não é certo nos culpar, a equipe está trabalhando muito, mas não conseguimos dar conta, é muito trabalho."*

Andy Curtis era o Gerente de Operações de Financiamento Habitacional do Banco North West Constructive (NWCB), um grande grupo bancário com um negócio de financiamento de médio porte. Sua principal responsabilidade era rodar o novo processo de aplicações no novo centro de financiamento do banco. Durante doze meses, Andy tinha liderado uma equipe de projeto que esteve planejando a consolidação dos três centros de financiamento originais do banco em um novo local. Antes da consolidação, o negócio de financiamento do banco foi dividido em três regiões: aplicações no "Norte", "Sul" e "Oeste". *"O direcionador para a consolidação era alcançar economias de escala. Não há por que um centro de processamento precise estar localizado perto do seu mercado e nós poderíamos fazer economias significativas evitando pagar aluguéis no centro da cidade dos três locais antigos, consolidando todas as nossas operações num simples andar da matriz do banco. Também sentimos que existiriam salas para desenvolver mais flexibilidade entre as três regiões quando a demanda variasse."*

Andy e sua equipe sempre souberam que a junção dos três centros poderia ser difícil; por isso eles fizeram um planejamento para o início de fevereiro, antes do pico da primavera nas aplicações. Foi também por isso que eles tinham decidido (pelo menos inicialmente) manter os três conjuntos regionais de células de processamento localizados próximos um do outro. A Figura 4.9 mostra o leiaute atual do novo andar de financiamentos.

Sete meses antes, mais ou menos na metade do caminho do processo de planejamento da equipe, tornou-se claro que o por-tfolio dos produtos de financiamento do banco seria mudado. A estratégia de *marketing* do banco tinha sido excessivamente reativa à atividade do concorrente. *"Toda vez que um de nossos concorrentes introduz um novo produto de financiamento, tentamos copiá-lo. Algumas vezes isto funcionava, outras não. Mas nos deixavam de herança produtos confusos e incoerentes que nem nossos agentes, nem nossas filiais, entendiam totalmente. Também sentíamos que existia uma oportunidade considerável para desenvolver produtos que satisfizessem segmentos específicos do mercado, mas poderia se adequar a um processo de fundo de loja relativamente padronizado. Por exemplo, nós introduziremos 'o Financiamento Habitacional Flexível', direcionado para pessoas com receitas flutuantes, mas no que diz respeito ao fundo de loja, serão necessários quase os mesmos passos de processamento que um financiamento normal."* (Parminder Singh, Gerente do Produto Financiamento). A introdução do novo portfolio do produto foi programada para iniciar em junho.

A equipe de Andy que planejava a reorganização dos fundos ficou encantada pela ideia de um *portfolio* simplificado de produtos: *"Isto tornaria a vida muito mais simples para nós. Poderíamos ver duas vantagens operacionais simultaneamente. Primeiro, consolidando todos os três centros em um, podemos obter maiores economias de escala. Segundo, o novo portfolio de produto poderia reduzir consideravelmente a variedade e, talvez, a complexidade de nosso processamento. Olhando para trás, estou realmente feliz que a consolidação e a mudança do produto não aconteceram juntos. A ruptura da reorganização já era ruim o suficiente sem ter de lidar com diferentes produtos ao mesmo tempo."*

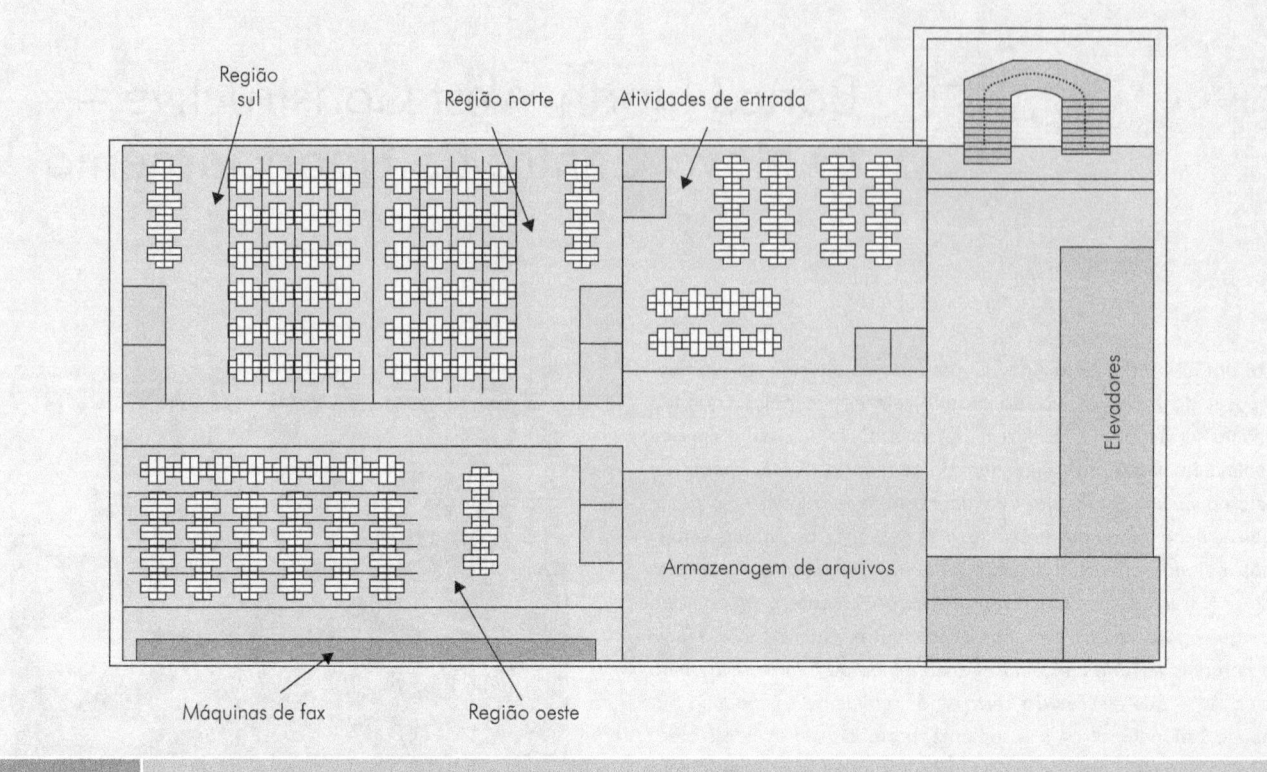

Figura 4.9 Planta do andar do novo centro de processamento de financiamentos.

Demanda

As requisições para novos financiamentos poderiam chegar por três principais canais. Vinte por cento eram "avanços adicionais". Estes foram de clientes existentes que queriam estender seus empréstimos. Esse tipo de requisição veio para o novo processo de requisições direto das vendas de negócios de financiamento. Os outros 80% das requisições foram divididas igualmente entre aquelas vindas das filiais do banco e aquelas vindas das agências de vendas independentes que normalmente atuam como intermediários de financiamento para seus clientes. A demanda flutuava de acordo com o momento do ano e as ofertas específicas. A demanda dos agentes em particular era mais volátil, uma vez que eles acompanhavam o melhor negócio para seus clientes. A taxa de desconto do produto tinha sido vista como muito atrativa pelo mercado e o Departamento de *Marketing* do banco tinha ficado extasiado com sua aceitação. Embora sempre pretendido como uma oferta de curto prazo, o *Marketing* queria continuar o produto por um ou dois meses, mas Andy persuadiu a diretoria a cancelá-lo conforme originalmente planejado em janeiro. Suas razões eram amplamente relacionadas com a redução da demanda no novo processo de requisições durante a reorganização. *"A taxa de desconto do produto foi um* **grande** *sucesso até onde nos dizia respeito. A demanda em todos os três centros tinha sido cerca de 15% mais alta durante o último trimestre do ano e eu não queria que isto continuasse dentro do período de reorganização. Sei que pode parecer loucura querer menos negócios, mas* o *Marketing aceitou que essa alta era de baixa lucratividade e o efeito nos centros de processamento tinha causado rupturas. Nossa promessa do 'acordo do nível de serviço' para nossos agentes atingirem um tempo médio de processamento de 15 dias já tinha ampliada para 20 dias, e a promessa dos 17 dias para nossas filiais foi ampliada para 22 dias!"*

Infelizmente, quando as notícias do término iminente da taxa de desconto do produto chegaram aos agentes houve um aumento final conforme eles persuadiam os clientes a tomar uma rápida decisão para obter a taxa de desconto. Em algum ponto Andy e sua equipe tinham antecipado algum desses aumentos e tinham avisado do aumento no tempo de retorno, mas o aumento de curto prazo na demanda acabou sendo maior que o esperado e agora, quatro semanas depois, eles certamente não esperavam que as coisas piorassem.

O novo processo de requisições

O novo local consolidado era relativamente perto do velho centro da área sul. Portanto, um pouco mais de 80% da equipe da área sul tinha sido transferida do antigo centro. Por outro lado, apenas cerca de 10% das outras equipes tinham trabalhado nos velhos centros de processamento. A maior parte da nova equipe possuía experiência nas operações de serviço financeiro, mas era inexperiente no processamento de financiamentos.

O processamento de uma requisição de financiamento envolve quatro conjuntos de atividades:

- "Entrada", onde as requisições são recebidas e digitadas no computador e são executadas as verificações iniciais sobre o acompanhamento das provas;
- "Garantia", onde a decisão de emprestar é feita;
- "Oferta", onde a equipe trabalha com avaliadores para obter a avaliação;
- "Conclusão", onde cartas de aprovação são enviadas para os solicitantes.

Quando os processos eram levados para o novo centro, a única mudança significativa na velha forma de trabalho era o agrupamento de todas as atividades "digitadas" associadas com a etapa de entrada. Isso foi visto como uma mudança sem risco porque todos os três centros já estavam usando uma "tela de informação preliminar" padronizada. "A entrada é uma atividade simples e existe pouca diferença entre tipos diferentes de produto, portanto faz sentido colocá-los todos juntos. Na verdade, ele tem trabalhado muito bem. Juntar as equipes já nos permitiu examinar as poucas diferenças entre as formas que nós usávamos para dar entrada e adotar um método de trabalho que combinava diferentes elementos das melhores práticas. Temos doze equipes na seção de entrada, o que representa uma redução de sete equipes comparada à equipe de entrada de dados combinados que eram necessárias nos três centros separados. Isso também permitiu à equipe especializar-se em alguns pontos, o que pode ser útil às vezes."

Os números de equipes em cada time eram conforme segue:

	Área Norte	Área Sul	Área Oeste
Garantia	19	22	5
Oferta	28	28	12
Conclusão	14	15	5

Todas as equipes tinham de processar uma variedade de produtos. Cada membro da equipe foi treinado para lidar com financiamentos padrão, mas a equipe com mais experiência foi usada para financiamentos mais "especializados", tais como "comprar para alugar". Existia um programa de treinamento em andamento para treinar todas as equipes para lidar com todos os tipos de financiamento, mas com a rotatividade da equipe em 11% sempre existiria alguma equipe que era capaz de fazer apenas o trabalho básico.

Problemas com o novo processo

Apesar da sua irritação na recente reunião, Andy Curtis era geralmente otimista sobre a capacidade da sua equipe em superar seus problemas. "Nosso problema reúne, na verdade, três conjuntos de problemas, os quais nos atingiram ao mesmo tempo. Primeiro, há a mudança em si. Ela iria causar alguma ruptura, mas não acho que criaria algum problema específico do qual não soubéssemos. Só que ela criou um ambiente incerto e instável para lidar com nossos outros problemas. Segundo, existe uma corrida de última hora dos agentes para tirar vantagem do desconto do produto antes que ele expire. Isso significa uma carga extra acima do que nós esperávamos e nos alcança justamente na hora errada. Não estou certo de que poderia levar a culpa por isso. Provavelmente não é útil mesmo sentir culpa e colocar culpa em alguém. Eu sei que o marketing deveria ter previsto a extensão do aumento da demanda a curto prazo, mas, novamente, não existe razão porque nós mesmos não poderíamos ter previsto. O terceiro problema é provavelmente o mais importante. Embora tenhamos somente operado com o novo processo e leiaute por quatro semanas, é claro que não está funcionando tão bem quanto deveria. Ou talvez fosse mais exato dizer que nós falhamos em tirar proveito do potencial, do reprojeto de todo o processo, que a consolidação dos três centros nos dá."

Andy confidenciou seu sentimento de que o processo adjacente poderia ser melhorado para seu time sênior. Juntos, eles agrupam uma lista de problemas-chave do processo conforme eles os veem. Os principais pontos a aparecerem nesta lista foram o seguinte:

- A equipe estava tendo que se mover muito mais do que nos antigos centros. Lá, a informação era de fácil acesso para toda a equipe. Agora, os arquivos foram consolidados para evitar duplicação, de forma que a sala de atendimento estava mais longe para a maioria da equipe.
- Isso levou a um outro problema. Por causa dos esforços em receber um arquivo, a equipe estava desenvolvendo um hábito de mantê-lo fora do sistema de atendimento por mais tempo do que o necessário. Eles estavam mantendo-o em suas mesas "caso fosse necessário novamente". Isso o tornava indisponível para qualquer outro membro da equipe que pudesse necessitá-lo.
- Todas as máquinas de fax estavam localizadas em um único local, o que ajudou a manter uma alta utilização das máquinas, mas novamente significou que a equipe tinha de caminhar mais. Mesmo o time da área Sul, para quem as máquinas de fax estavam mais próximas, ficou ressentido com os outros times que constantemente passavam pela área deles.
- Não havia clareza no fluxo. O alto nível de estoques em processo das requisições parcialmente processadas (tanto arquivos físicos quanto arquivos virtuais no sistema de TI) resultou na "síndrome do buraco negro", com as requisições desaparecendo de dentro da caixa de entrada das pessoas.
- Existia uma quantidade significativa de retrabalho dentro do sistema. A junção dos dados dos três velhos centros do ano anterior mostrou que 22,5% de todas as ofertas feitas estavam ou retornando para o processo para ajuste ou sendo recicladas de alguma forma dentro do processo, algumas vezes repetidamente. Este problema parecia permanecer na mesma taxa no novo centro.

"Acho que nossos problemas vêm de duas principais questões", Andy disse para seu grupo. "Primeiro existe a questão de obter o fluxo correto ao longo do nosso processo. Uma coisa que tem se tornado clara é que processar um financiamento é uma tarefa relativamente padrão, independente de se o cliente é da região norte ou sul ou oeste. A única atividade onde o conhecimento especializado importa é na etapa da oferta, em que o conhecimento da região é necessário. Os canais de vendas diferentes não deveriam importar. Prometemos um tempo de retorno mais rápido para os agentes do que para nossas filiais porque, como independentes, necessitávamos manter os agentes contentes. Mas se nosso processamento estiver certo, deveríamos ser capazes de oferecer o mesmo tempo de processamento rápido tanto para os intermediários quanto para as filiais. Já agrupamos todas as atividades de entrada e isso tem funcionado bem. Não entendo porque o trabalho não pode fluir da seção de entrada para a garantia, depois para a oferta e então para a conclusão exatamente como uma linha de montagem processando regularmente. Os times existentes organizam-se de forma que o fluxo das aplicações flui de uma etapa de garantia para uma etapa de oferta, depois para uma etapa de conclusão, então porque não podemos simplesmente fazer isso para toda operação? Ao mesmo tempo, temos de resolver o problema do retrabalho. Isso deve ser a causa raiz de vários dos nossos problemas. De forma ideal, nenhuma aplicação deveria progredir além da etapa de entrada sem ser capaz de se mover regularmente ao longo do resto do processo. Uma ideia pode ser colocar um passo extra no processo para os agentes; nesse passo, nós telefonamos para o cliente para verificar detalhes da etapa de entrada."

PERGUNTAS

1 Andy está certo em pensar que o Marketing deveria ter previsto o aumento na demanda no último minuto para a "taxa de desconto" do produto?

2 Qual parece ser a posição variedade-volume do novo centro? É diferente dos antigos centros?

3 Qual seria sua recomendação para que Andy começasse a melhorar o desempenho dos seus processos?

Este estudo de caso é concluído no Capítulo 5.

Estudo de caso ativo — McPherson Charles Advogados

A McPherson Charles, com base em Bristol, Reino Unido, tem crescido rapidamente para se tornar uma das maiores empresas de advocacia da região. A empresa está embarcando num programa de "planos para o futuro", com o objetivo de melhorar a eficácia das suas operações. Três dos parceiros, cada um responsável por uma área diferente (lei de propriedade, lei familiar, litígio), encontram-se para discutir isso, mas têm ideias claramente diferentes sobre qual deveria ser a prioridade da empresa.

- Como você avaliaria os processos e operações existentes e qual seria sua recomendação para cada parceiro a fim de assegurar o crescimento futuro da empresa como um todo?

Consulte o caso ativo no CD para ouvir as diferentes perspectivas e aprender mais sobre as operações pelas quais cada parceiro é responsável.

Aplicando os princípios

Alguns destes exercícios podem ser respondidos a partir da leitura do capítulo. Outros vão requerer algum conhecimento geral da atividade de negócios e alguns poderão requerer pesquisa. Todos têm sugestões de como podem ser respondidos no CD que acompanha este livro.

1. Visite uma filial de um banco de vendas e considere as seguintes questões:

   - Que categorias de serviço o banco parece oferecer?
   - Qual é o grau em que o banco projeta processos separados para cada um de seus tipos de serviço?
   - Quais são os diferentes objetivos do projeto de processo para cada categoria de serviço?

2. Reveja os exemplos do início deste capítulo que examinam alguns dos princípios por trás do leiaute do supermercado. Depois, visite um supermercado e observe o comportamento das pessoas. Você pode querer experimentar e observar em que áreas elas passam vagarosamente e em que áreas eles passam sem prestar atenção nos produtos. (É melhor ser discreto quando fizer isso; geralmente as pessoas não gostam de ser seguidas e observadas pelo supermercado.) Experimente e verifique, tanto quanto puder, alguns dos princípios que foram descritos no exemplo.

   - Se você tiver de reprojetar o supermercado, o que você recomendaria? Quais você acha que são os principais critérios a serem considerados no projeto de um leiaute de supermercado?
   - Quais mudanças competitivas ou ambientais podem resultar na necessidade de mudar os leiautes da loja no futuro?
   - Elas se aplicarão a todos os supermercados, ou apenas a certos, tais como lojas do centro da cidade?

3. Considere um banco de vendas. Ele tem muitos serviços que poderia oferecer por toda sua rede de filiais, usando centros de atendimento por telefone ou usando serviços da Internet. Escolha um serviço que (como os serviços do banco) poderia ser entregue de diferentes formas. Por exemplo, você poderia escolher cursos de educação (que podem ser ministrados em tempo integral, em tempo parcial, pelo aprendizado à distância, pela Internet, etc.), ou uma biblioteca (usando uma instalação fixa, um serviço móvel, um serviço da Internet, etc.) ou qualquer outro serviço similar. Avalie cada alternativa do processo de entrega em termos do seu efeito nas experiências dos seus clientes.

4. Muitas universidades e faculdades ao redor do mundo estão sob a crescente pressão para reduzir os custos de suas atividades por estudante. Como você acha que a tecnologia poderia ajudar as operações de modo que as universidades mantivessem seus custos baixos, mas alta qualidade de educação?

5. A robótica está começando a fazer parte de alguns procedimentos cirúrgicos. O que seria necessário para você submeter-se a um doutor-robô?

6. Dispositivos de segurança estão se tornando cada vez mais tecnológicos. A maioria dos escritórios e construções similares tem dispositivos simples de segurança tais como "cartões eletrônicos" que admitem apenas pessoas autorizadas. Outras tecnologias estão se tornando mais comuns (embora talvez mais em filmes que na realidade), tais como o escaneamento digital, da íris e da face. Explore *websites* que lidam com tecnologias avançadas de segurança e entenda seu estado de desenvolvimento, vantagens e desvantagens. Use este entendimento para projetar um sistema de segurança para um edifício comercial que lhe é familiar. Lembre que qualquer sistema deve permitir o acesso a usuários legítimos do prédio (pelo menos obter informação sobre o que e a quem é permitido) e ainda fornecer segurança máxima contra qualquer acesso não autorizado a áreas e/ou informação.

Notas do capítulo

1. Fontes: Paul Walley, nosso colega no Grupo de Gerenciamento das Operações em Warwick Business School; Martin, P. (2000) "How supermarkets make a meal of you", *Sunday Times*, 4 Nov.
2. Hayes, R.H. and Wheelwright, S.C, (1984) *Restoring our Competitive Edge*, John Wiley.
3. Exemplo fornecido pelo professor Michael Lewis, Bath University, UK.
4. Tipologia derivada de Slack, N. and Lewis, M.A. (2001) *Operations Strategy*, Financial Times Prentice Hall, Harlow, UK.

Indo além

Anupindi, R., Chopra, S., Deshmukh, S.D., Van Mieghem, J.A. and Zemel, E. (1999) *Managing Business Flows*, Prentice Hall, New Jersey. Uma abordagem excelente, embora matemática, para o projeto de processo em geral.

Hammer, M. (1990) "Reengineering work: don't automate, obliterate", *Harvard Business Review*, July-August. Este é o documento que lança a ideia toda do gerenciamento do processo e processos de negócio em geral para um público gerencial mais amplo. Um pouco antigo, mas vale a pena ler.

Hopp, W.J. and Spearman, M.L. (2001) *Factory Physics* (2nd edn), McGraw-Hill. Muito técnico, portanto, só o consulte se estiver preparado para lidar com a matemática. Entretanto, traz algumas análises fascinantes, especialmente a respeito da Lei de Little.

Ramaswamy, R. (1996) *Design and Management of Service Processes*, Addison-Wesley Longman. Uma abordagem relativamente técnica para o projeto de processo num ambiente de serviço.

Shostak, G.L. (1982) "How to design a service", *European Journal of Marketing*, Vol. 16, No. 1. Uma abordagem muito menos técnica e mais baseada na experiência para o projeto de processos de serviço.

Websites úteis

www.opsman.org Definições, *links* e opiniões sobre gerenciamento de operações e processos.

www.bpmi.org Site da Iniciativa de Gerenciamento do Processo de Negócio. Alguns bons recursos incluindo jornais e artigos.

www.bptrends.com Site de notícias das tendências no gerenciamento do processo de negócio em geral. Alguns artigos interessantes.

www.bls.gov/oes Estatísticas de emprego de mão de obra do Departamento de Estado norte-americano.

www.fedee.com/hrtrends Guia da Federação dos Empregadores europeus para tendências de trabalho e emprego na Europa.

www.iienet.org Site do Instituto Americano de Engenheiros Industriais. Trata-se de um corpo importante de profissionais para o projeto de processo e tópicos relacionados.

www.waria.com Um *website* da Associação de Reengenharia e Fluxo de Trabalho. Alguns tópicos úteis.

RECURSOS ADICIONAIS
Para recursos adicionais incluindo exemplos, diagramas animados, questões de autoavaliação, planilhas Excel, estudos de caso ativos e materiais de vídeo, acesse o CD que acompanha este livro.

Capítulo 5
ANÁLISE DO PROJETO DE PROCESSOS

Introdução

O capítulo anterior determinou os parâmetros gerais para os projetos de processos; em particular, mostrou como o volume e a variedade formatam o posicionamento do processo em termos de leiaute, tecnologia do processo e projeto de tarefas. Mas isso é apenas o começo do projeto de processos. Dentro desses parâmetros gerais, existem muitas decisões mais detalhadas a serem tomadas que ditarão a forma como os materiais, a informação e os clientes fluem pelo processo. Essas decisões detalhadas do projeto não são meramente "tecnicalidades" do projeto de processos. Elas são importantes porque determinam o desempenho real do processo na prática e, em última análise, sua contribuição para o desempenho de todo negócio. (Veja a Figura 5.1.)

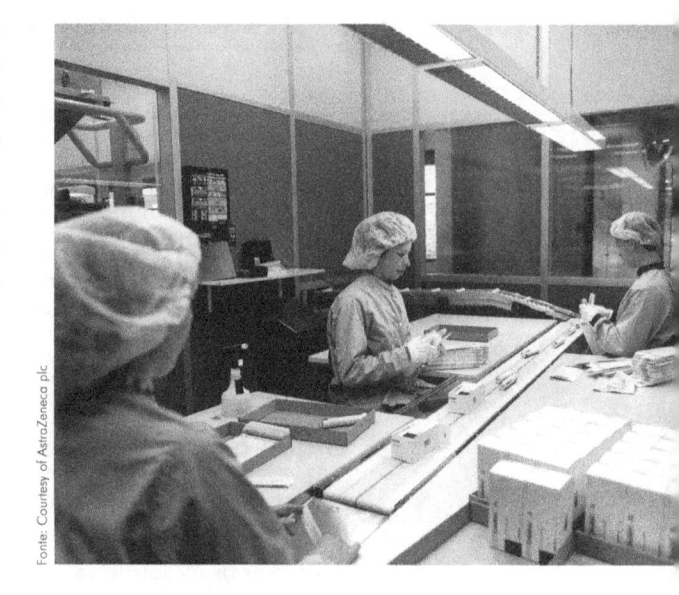

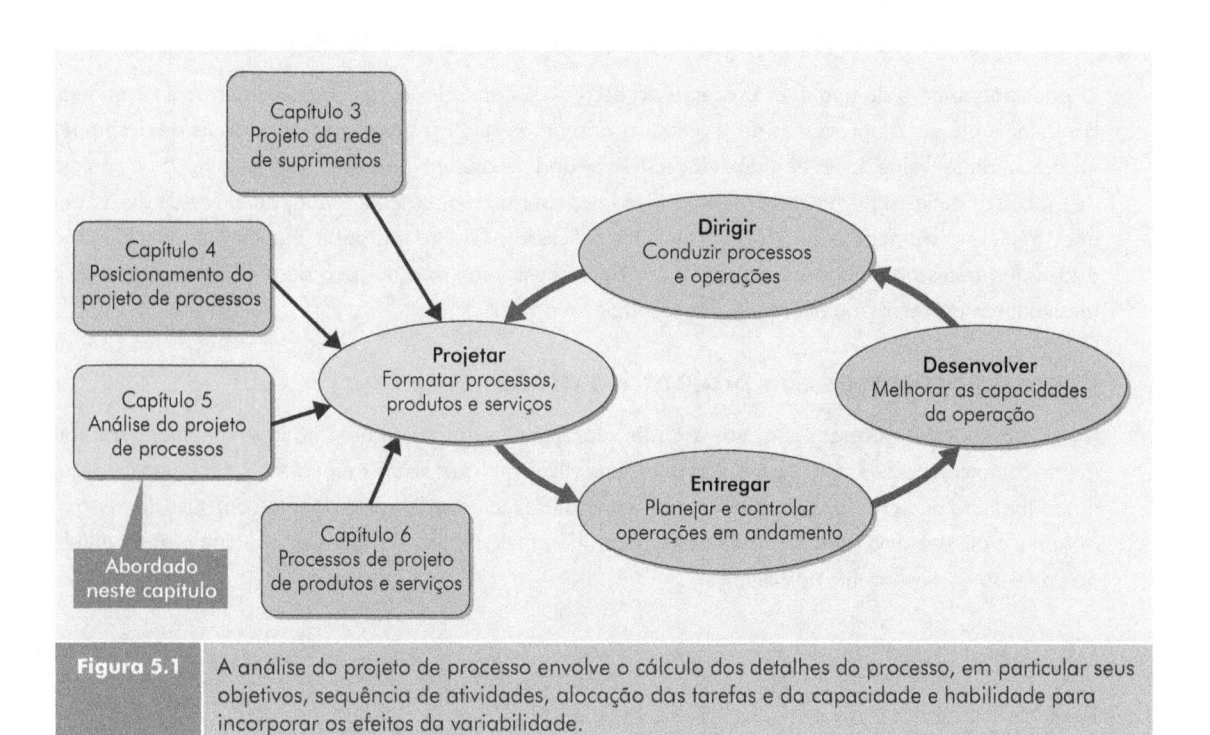

Fonte: Courtesy of AstraZeneca plc

Figura 5.1 A análise do projeto de processo envolve o cálculo dos detalhes do processo, em particular seus objetivos, sequência de atividades, alocação das tarefas e da capacidade e habilidade para incorporar os efeitos da variabilidade.

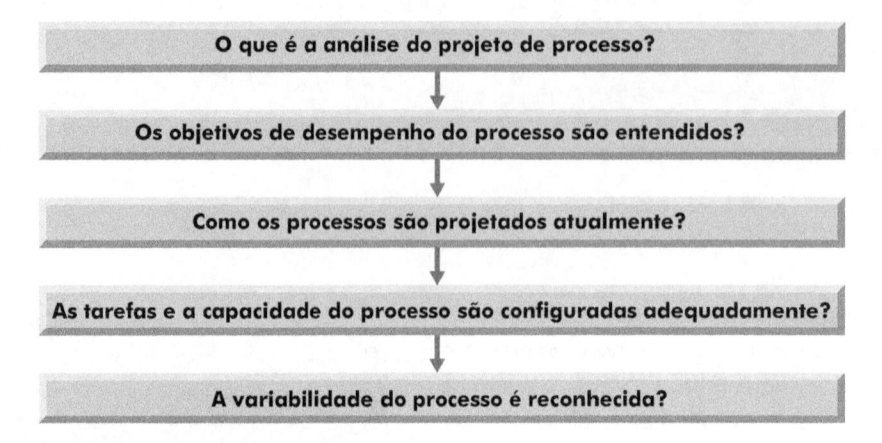

Sumário executivo

VÍDEO
informações adicionais

- O que é a análise do projeto de processo?
- Os objetivos de desempenho do processo são entendidos?
- Como os processos são projetados atualmente?
- As tarefas e a capacidade do processo são configuradas adequadamente?
- A variabilidade do processo é reconhecida?

Cadeia lógica de decisões para a análise do projeto de processo

Cada capítulo é estruturado em torno de um grupo de questões diagnósticas. Essas questões sugerem o que você poderia perguntar para entender as questões importantes de um tópico e, como resultado, melhorar sua tomada de decisão. Um sumário executivo, tratando dessas questões, é fornecido a seguir.

O que é a análise do projeto de processo?

A etapa de análise do projeto de processo envolve o cálculo dos detalhes do processo, em particular seus objetivos, a sequência das atividades, alocação das tarefas e da capacidade e sua habilidade de incorporar os efeitos da variabilidade. Ela é a atividade complementar ao posicionamento geral dos processos que foi descrito no capítulo anterior.

Os objetivos de desempenho do processo são entendidos?

O principal objetivo de qualquer processo do negócio é dar suporte aos objetivos gerais da empresa. Portanto, o projeto de processos deve refletir a prioridade relativa dos objetivos normais de desempenho: qualidade, velocidade, confiabilidade, flexibilidade e custo. Num nível mais detalhado, o projeto de processos define a forma como as unidades fluem por uma operação. Assim, objetivos de desempenho "menores" são também úteis no projeto de processos. Quatro em particular são usados. Eles são a taxa de processamento (ou fluxo), o tempo de processamento, o número de unidades no processo (material em processo) e a utilização dos recursos do processo.

Como os processos são projetados atualmente?

Muitos projetos de processos são, na verdade, reprojetos, e um ponto de partida útil é entender totalmente como o processo atual opera. A forma mais eficaz de fazer isso é mapeando o processo de alguma forma. Isso pode ser feito em diferentes níveis usando técnicas de mapeamento com sutis diferenças. Às vezes é útil definir o grau de visibilidade para diferentes partes do processo, indicando que parcela do processo é transparente aos clientes.

As tarefas e a capacidade do processo são configuradas adequadamente?

Essa é uma questão complexa com várias partes distintas. Primeiro, é necessário entender a tarefa precedente a ser incorporada no processo. Isso define quais atividades devem ocorrer antes das outras. Segundo, é necessário examinar como as alternativas de projeto de processos podem incorporar a configuração serial e paralela. Estas, às vezes, são chamadas de arranjo "fino-e-comprido" e "curto-e-grosso". Terceiro, o tempo de ciclo e a capacidade do processo devem ser calculados. Isso pode ajudar a alocar uniformemente o material entre as etapas do processo (chamado balanceamento). Quarto, o relacionamento entre processamento, tempo de ciclo e material em processo deve ser estabelecido. Isso é feito usando um relacionamento simples, mas extremamente poderoso, conhecido como Lei de Little (tempo de processamento = material em processo × tempo de ciclo).

A variabilidade do processo é reconhecida?

Na realidade, os processos têm de lidar com a variabilidade, em termos do tempo e das tarefas que são desempenhadas dentro do processo. Esta variabilidade pode ter efeitos muito significativos no comportamento do processo, normalmente para reduzir a sua eficiência. A Teoria das Filas pode ser usada para entender este efeito. Em particular, é importante entender o relacionamento entre a utilização do processo e o número de unidades esperando para serem processadas (ou tempo de processamento).

QUESTÕES DIAGNÓSTICAS

O que é a análise do projeto de processo?

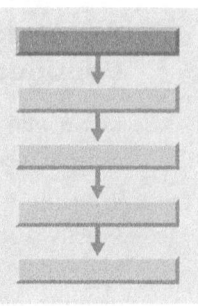

Projetar é conceber a visão, os planos e os trabalhos de alguma coisa *antes dela ser construída*. O projeto de processos deveria ser tratado em dois níveis – o nível geral e agregado e o nível mais detalhado. O capítulo anterior adotou uma abordagem geral relacionando o projeto de processos à posição da variedade-volume do processo, o que ajudou a identificar o tipo de processo geral e forneceu uma direção para o projeto do leiaute, da tecnologia do processo e da tarefa a serem usados no processo. Este capítulo adota uma visão mais detalhada. No entanto, na elaboração dos detalhes de um projeto de processos é necessário, às vezes, rever todas as suposições gerais sobre as quais está sendo projetado. Esta é a razão pela qual a análise detalhada do projeto de processos abordada neste capítulo sempre deveria ser considerada no contexto das questões mais gerais do posicionamento dos processos no Capítulo 4. Os dois exemplos seguintes ilustram processos cujo projeto detalhado é importante ao determinar sua eficácia.

Exemplo — Processos para lanches ainda mais rápidos[1]

A indústria de restaurante de serviço rápido (RSR*) considera que o primeiro *drive-thru* data de antes de 1928, quando Royce Hailey promoveu pela primeira vez o serviço de *drive-thru* no seu restaurante Pig Stand, em Los Angeles. Os clientes simplesmente entravam de carro pelos fundos do restaurante onde o *chef* saía e entregava os famosos sanduíches de carne de porco assada. Hoje, os processos de *drive-thru* são mais simples e mais rápidos. Eles são também mais comuns: em 1975, o McDonald's não tinha *drive-thrus*, mas agora mais de 90% dos seus restaurantes dos EUA incorporam um processo de *drive-thru*. Na realidade, 80% do crescimento recente do ramo de lanches rápidos pode ser atribuído ao número crescente de *drive-thrus*. Diz um especialista do setor: "Existe um número cada vez maior de clientes para os quais o lanche rápido não é rápido o suficiente. Eles querem o mínimo tempo de espera, sem mesmo sair de seu carro. Atender suas necessidades depende da regularidade que conseguimos no processo".

A competição para projetar o processo de *drive-thru* mais rápido e mais confiável é agressiva. Nos *drive-thrus* Starbucks há câmeras estrategicamente colocadas nos quadros de pedidos para que os atendentes possam reconhecer os clientes regulares e começar a fazer seus pedidos antes mesmo deles serem solicitados. O Burger King tem experimentado sofisticados sistemas de som, quadros de menus mais simples e sacolas de lanches transparentes para assegurar maior exatidão (não há sentido em ser rápido se você não entrega o que o cliente pediu). Estes detalhes são importantes. O McDonald's acha que suas vendas aumentam 1% a cada seis segundos economizados num *drive-thru*, enquanto um simples restaurante Burger King calculou que seus lucros aumentavam US$ 15.000 dólares por ano cada vez que ele reduzia o tempo de espera em um segundo. Os itens do menu devem ser fáceis de ler e entender. Projetar "refeições combinadas" (sanduíche, fritas e um refrigerante), por exemplo, economiza tempo na etapa do pedido. Mas nem todos estão entusiasmados pelo rápido progresso nos *drive-thrus*. A vizinhança pode reclamar do trânsito extra que eles atraem, e a imagem não saudável do lanche rápido combinada com um processo onde os clientes nem mesmo saem de seus carros parece, para alguns, ir longe demais.

Exemplo — O "Fluxo de Fábrica" auxilia na produtividade da cirurgia[2]

Até mesmo uma cirurgia pode ser vista como um processo e, como qualquer outro processo, pode ser melhorada. Normalmente, os pacientes permanecem parados, com os cirurgiões e o pessoal de apoio realizando as suas tarefas em volta deles. Porém, essa ideia foi desafiada por John Petri, um consultor italiano de cirurgia ortopédica de

---

* N. de T.: Em inglês, QSR (*quick service restaurant*).

Linha de montagem cirúrgica

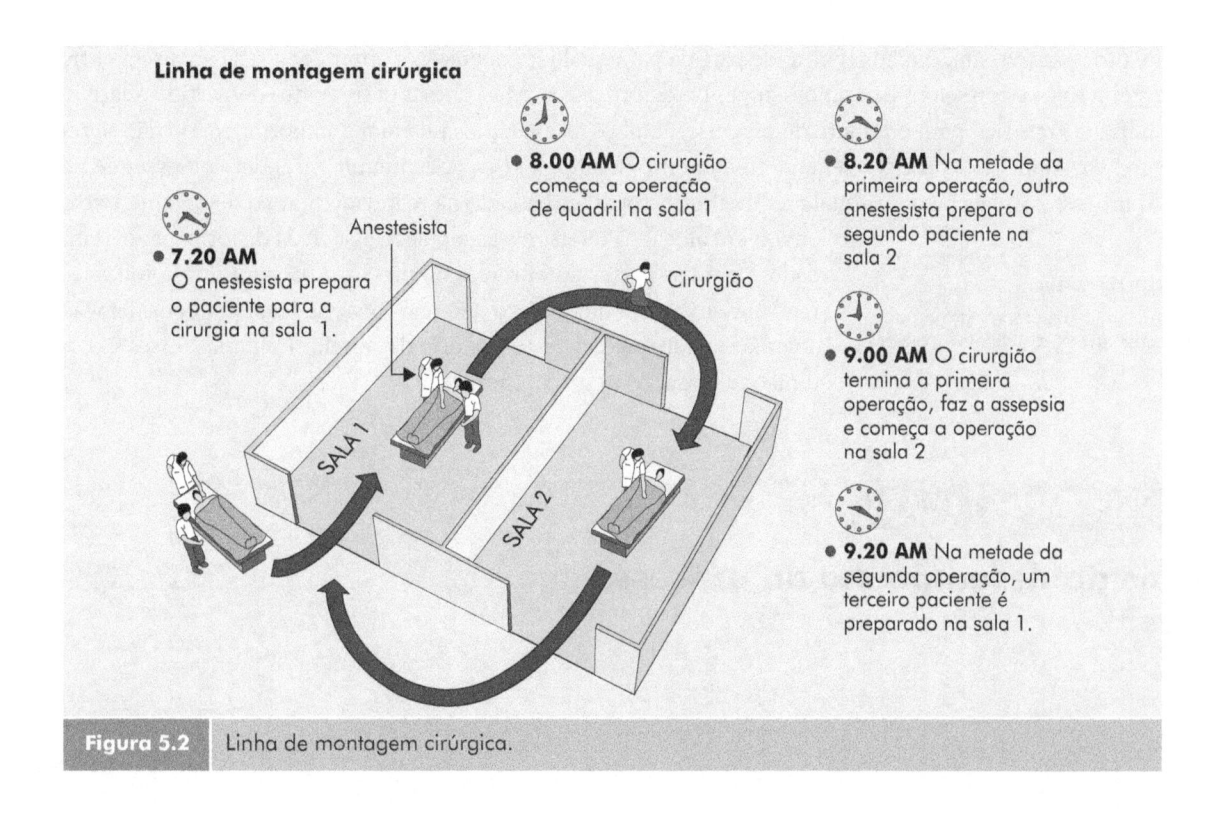

- **7.20 AM** O anestesista prepara o paciente para a cirurgia na sala 1.
- **8.00 AM** O cirurgião começa a operação de quadril na sala 1
- **8.20 AM** Na metade da primeira operação, outro anestesista prepara o segundo paciente na sala 2
- **9.00 AM** O cirurgião termina a primeira operação, faz a assepsia e começa a operação na sala 2
- **9.20 AM** Na metade da segunda operação, um terceiro paciente é preparado na sala 1.

Figura 5.2 Linha de montagem cirúrgica.

um hospital em Norfolk, na Inglaterra. Frustrado por perder tempo bebendo chá enquanto os pacientes eram preparados para a cirurgia, ele reprojetou o processo de modo que agora ele se move continuamente entre as salas. Enquanto ele está operando um paciente em uma sala, seus colegas anestesistas estão preparando outro paciente para a cirurgia em outra sala. Depois de concluir o primeiro paciente, o cirurgião faz a assepsia, vai para a segunda sala de cirurgia e atende o segundo paciente. Enquanto ele faz isso, o primeiro paciente é retirado da primeira sala de cirurgia e o terceiro paciente é preparado. Este método de sobreposição de operações em diferentes salas permite ao cirurgião trabalhar por cinco horas de cada vez, ao contrário do padrão anterior com uma sessão de três horas e meia. *"Se você estivesse tocando uma fábrica"*, diz o cirurgião, *"não permitiria que a sua máquina mais importante e cara ficasse ociosa. O mesmo vale para um hospital"*.

Empregado atualmente na cirurgia de quadril e de joelho, este leiaute não seria adequado para todos os procedimentos cirúrgicos. Mas desde a sua introdução, a lista de espera do cirurgião caiu para zero e a sua produtividade dobrou. *"Com um pequeno aumento nos custos de funcionamento, somos capazes de tratar muito mais pacientes,"* disse um porta-voz da administração do hospital. *"O importante é que os clínicos ... geram ideias inovadoras e demonstramos que elas são eficazes."*

O que esses dois exemplos têm em comum?

Ambos exemplos apresentam várias questões do projeto de processos. A primeira é que o retorno proveniente de um bom projeto de processos é claramente significativo. As operações do restaurante de serviço rápido devotam tempo e esforço para o processo de projeto, avaliando o desempenho dos projetos de processos alternativos em termos da eficiência, qualidade e, acima de tudo, tempo de processamento. O retorno para o hospital é ainda mais radical. Para um serviço que oferece basicamente excelência e qualidade cirúrgica, ser capaz de atingir os benefícios de custo do projeto de processo eficiente sem comprometer a qualidade torna o hospital muito melhor no atendimento aos pacientes. Também é difícil separar o projeto de processos do projeto do produto ou serviço que ele produz. A refeição-combinada é projetada com as restrições e as capacidades do processo considerado no *drive-thru*, e mesmo o projeto do procedimento cirúrgico necessitará ser adaptado marginalmente para facilitar o novo processo. Um ponto importante aqui é que, em ambos os casos, os processos são projetados para serem adequados para o mercado que estão atendendo. Diferentes estratégias de mercado podem necessitar de diferentes projetos de processos. Assim, um bom ponto de partida para qualquer operação é entender a relação direta entre os objetivos estratégicos e os do desempenho de processos. Mas, apesar deste ponto de partida relativamente estratégico para o projeto de processos, ambos os exemplos ilustram a importância de não se ter medo de analisar os processos em um nível muito detalhado. Isso pode incluir entender completamente os processos atuais para que qualquer melhoria possa ser baseada na realidade prática. Isso com certeza envolverá alocar as tarefas e a capacidade associada de forma muito cuidadosa para as partes apropriadas do processo. E, para mais processos, também envolverá um projeto que seja capaz de levar em consideração a variabilidade que existe na maioria das tarefas humanas. Esses são os tópicos abordados neste capítulo.

> **Princípio de operações**
> Os processos deveriam ser sempre projetados para refletir as necessidades do cliente e/ou do mercado.

QUESTÕES DIAGNÓSTICAS

Os objetivos de desempenho do processo são entendidos?

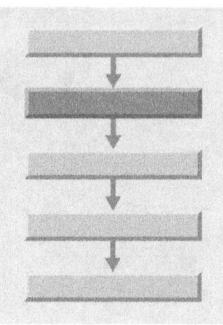

> **Princípio de operações**
> Um desempenho de processo pode ser julgado em termos dos níveis da qualidade, velocidade, confiabilidade, flexibilidade e custo que ele atinge.

O objetivo final do projeto de processos é assegurar que o desempenho do processo seja adequado para qualquer coisa que ele esteja tentando alcançar. Por exemplo, se uma operação concorreu principalmente em sua habilidade de responder rapidamente à solicitação do cliente, seus processos necessitariam ser projetados para fornecer tempos de processamento rápidos. Isso minimizaria o tempo entre os clientes requisitando um produto ou serviço e deles recebendo-o. Da mesma forma, se uma operação concorreu com preço baixo, os objetivos relacionados ao custo provavelmente dominam seu projeto de processos. Algum tipo de lógica deveria vincular o que a operação como um todo está tentando alcançar e os objetivos de desempenho de seus processos individuais. Isso é ilustrado na Tabela 5.1.

Objetivos do fluxo de processo

Todos os objetivos estratégicos de desempenho traduzem diretamente o projeto de processos, conforme mostrado na Tabela 5.1. Porém, como os processos serão gerenciados a um nível muito operacional, o projeto de processos também precisa levar em consideração um conjunto de objetivos menores e detalhados. Esses estão muito relacionados com o fluxo ao longo do processo. Quando o que quer que esteja sendo "processado" (vamos nos referir a isso como unidades, independentemente do que sejam) entra em processo, será transportado por uma série de atividades onde são transformadas em alguma extensão. Entre essas atividades,

> **Princípio de operações**
> Os objetivos do fluxo de processos deveriam incluir a taxa de processamento, o tempo de processamento, o material em processo e a utilização do recurso; todos esses estão inter-relacionados.

as unidades poderão ficar por algum tempo nos estoques, esperando ser transformadas pela próxima atividade. Isso significa que o tempo que uma unidade gasta no processo (seu tempo de processamento) será mais longo que a soma de todas as atividades de transformação pelas quais ela passa. Também os recursos que desempenham as atividades do processo poderão não ser usados todo o tempo, pois nem todas as unidades irão necessitar das mesmas atividades e a capacidade de cada recurso pode não atender à demanda colocada nele. Sendo assim, nem as unidades que se movem ao longo do processo nem os recursos que

Capítulo 5 • Análise do Projeto de Processos

Tabela 5.1 O impacto dos objetivos estratégicos de desempenho nos objetivos e no desempenho do projeto de processos

Objetivo estratégico de desempenho	Objetivos típicos do projeto de processos	Alguns benefícios do bom projeto de processos
Qualidade	• Fornecer recursos adequados, capazes de alcançar a especificação do produto ou serviço • Processamento livre de erro	• Produtos e serviço produzidos "sob especificação" • Menor esforço de reciclagem e perda dentro do processo
Velocidade	• Mínimo tempo de processamento • Taxa de produção adequada para a demanda	• Curto tempo de espera do cliente • Baixo estoque em processo
Confiabilidade	• Fornecer recursos de processo confiáveis • Volume e momento de saída do processo confiáveis	• Entregas dos produtos e serviços na hora certa • Menos incômodo, confusão e reprogramação dentro do processo
Flexibilidade	• Fornecer recursos com uma variedade adequada de capacidades • Mudar facilmente entre os estados do processo (o que, como ou quanto está sendo processado?)	• Habilidade para processar uma variedade ampla de produtos e serviços • Mudança rápida e de baixo custo do produto e serviço • Mudanças rápidas e de baixo custo do momento e volume • Habilidade para lidar com eventos inesperados (ex. falha num processamento ou suprimento)
Custo	• Capacidade apropriada para atender a demanda • Eliminar a perda do processo em termos de: – excesso de capacidade – excesso de habilidade de processo – atraso em processo – erros em processo – entradas inapropriadas no processo	• Baixos custos de processamento • Baixos custos de recursos (custos capitais) • Baixos custos de estoque/atraso (custos capitais de trabalho)

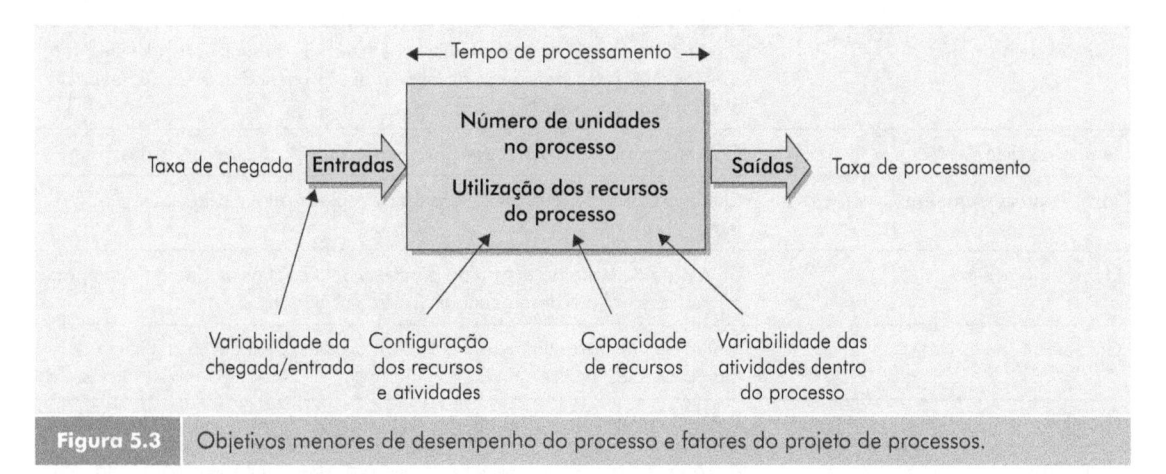

Figura 5.3 Objetivos menores de desempenho do processo e fatores do projeto de processos.

desempenham as atividades poderão ser totalmente utilizados. Por causa disso, dificilmente as unidades deixaram o processo exatamente do mesmo jeito que ingressaram nele. A Figura 5.3 ilustra alguns dos objetivos "menores" do fluxo de desempenho que descreve o desempenho do fluxo de processos e os fatores do projeto de processos que os influencia. Os objetivos do fluxo são:

• Taxa de processamento (ou taxa de fluxo) – a taxa em que as unidades saem do processo, isto é, o número de unidades passando pelo processo por unidade de tempo.

- Tempo de processamento – o tempo médio de ciclo levado para as entradas passarem pelo processo e tornarem-se saídas.
- O número de unidades no processo (também chamado de material em processo, ou estoque em processo), como uma média sobre um período de tempo.
- A utilização dos recursos do processo – a proporção de tempo disponível no qual os recursos dentro do processo estão desempenhando um trabalho útil.

Os fatores que influenciarão os objetivos do fluxo são:

- A variabilidade da chegada das entradas no processo
- A configuração dos recursos e atividades dentro do processo
- A capacidade dos recursos em cada ponto do processo
- A variabilidade das atividades dentro do processo

Conforme examinamos cada um desses fatores de projeto, usaremos termos que, embora comuns na linguagem do projeto de processos, necessitam de alguma explicação. Esses termos serão descritos ao longo do capítulo, mas para referência eles estão resumidos na Tabela 5.2.

Tabela 5.2 Alguns termos comuns em projeto de processos[3]

Termo	Definição
Tarefa do processo	A soma de todas as atividades que devem ser desempenhadas pelo processo.
Conteúdo do trabalho da tarefa do processo	A quantidade total de trabalho dentro da tarefa do processo medida em unidades de tempo.
Atividade	Uma quantidade discreta de trabalho dentro da tarefa global do processo.
Conteúdo de trabalho de uma atividade	A quantidade de trabalho dentro de uma atividade medida em unidades de tempo.
Relação de precedência	A relação entre as atividades expressa em termos de suas dependências, isto é, se as atividades individuais devem ser desempenhadas antes que outras atividades possam ser iniciadas.
Tempo de ciclo	O tempo médio que o processo leva entre a conclusão das unidades.
Taxa de processamento	O número de unidades concluídas pelo processo por unidade de tempo (= 1/tempo de ciclo).
Etapa do processo	Uma área de trabalho dentro do processo pelo qual as unidades fluem; pode ser responsável por desempenhar diversas atividades.
Gargalo	A etapa de restrição da capacidade num processo; ela governa a saída de todo processo.
Equilíbrio	O ato de alocar atividades tanto quanto possível entre as etapas no processo.
Utilização	A proporção do tempo disponível que o processo, ou parte do processo, gasta desempenhando trabalho útil.
Falta de abastecimento	Subutilização de uma etapa dentro de um processo causada por suprimentos inadequados da etapa anterior.
Bloqueio	A impossibilidade de funcionamento de uma etapa no processo porque o estoque existente para a etapa subsequente está cheio.
Tempo de processamento	O tempo de ciclo entre uma unidade entrar e sair do processo.
Tempo de espera	O tempo que uma unidade gasta esperando ser processada.

QUESTÕES DIAGNÓSTICAS

Como os processos são projetados atualmente?

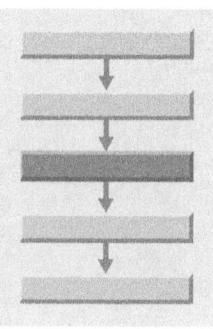

Os processos existentes nem sempre são suficientemente bem-definidos ou descritos. Às vezes isso ocorre porque eles se desenvolveram com o passar do tempo sem nem mesmo serem formalmente registrados, ou podem ter sido mudados (talvez melhorados) de modo informal pelos indivíduos que trabalham no processo. Mas os processos que não são formalmente definidos podem ser interpretados de diferentes formas, levando à confusão e inibindo as melhorias. Assim, é importante ter alguma descrição visual registrada ou um processo que possa ser acordado por todos aqueles que estão envolvidos nele. É aí que entra o mapeamento do processo.

Princípio de operações
O mapeamento do processo é necessário para expor a realidade do comportamento do processo.

Mapeando processos

O mapeamento do processo (ou a fotografia do processo, como às vezes é chamado) no seu nível mais básico envolve descrever os processos em termos de como as atividades dentro do processo se relacionam uma com a outra. Existem muitas técnicas, geralmente similares, que podem ser usadas para mapear o processo. Entretanto, todas as técnicas têm duas características principais:

- identificam os diferentes tipos de atividade que ocorrem durante o processo;
- mostram o fluxo dos materiais ou pessoas ou informações ao longo do processo (ou, em outras palavras, a sequência das atividades a que os materiais, pessoas ou informações estão sujeitas).

Diferentes símbolos de mapeamento de processos são, às vezes, usados para representar tipos diferentes de atividade. Eles podem ser arranjados em ordem e em série ou em paralelo para descrever qualquer processo. E, embora não exista um conjunto universal de símbolos usado no mundo todo, alguns são relativamente comuns. A maioria deriva ou dos primórdios do "gerenciamento científico", cerca de um século atrás ou, mais recentemente, do fluxograma do sistema de informação. A Figura 5.4 mostra alguns desses símbolos.

NOTAS PRÁTICAS

Exemplo — A operação de iluminação teatral

A Figura 5.5 mostra um dos processos usados na operação de iluminação de um teatro. A empresa aluga equipamentos de efeitos de palco e iluminação para empresas teatrais e organizadores de eventos. As ligações dos clientes são transferidas para os técnicos da loja. Depois de discutir suas necessidades, o técnico verifica no arquivo de disponibilidade de equipamento se ele pode ser fornecido do próprio estoque da empresa na data solicitada. Se o equipamento não puder ser fornecido em casa, os clientes podem ser questionados se querem que a empresa tente obter o equipamento de outro possível fornecedor. Essa oferta depende da disponibilidade e presteza dos técnicos. Às vezes, os clientes recusam a oferta, e um panfleto "Guia dos Consumidores" é enviado para eles. Se o cliente realmente quiser uma pesquisa, o técnico telefonará para fornecedores potenciais numa tentativa de encontrar o equipamento disponível. Se não tiver sucesso, o cliente é informado, mas se o equipamento disponível é localizado, ele é reservado para ser entregue no local da empresa. Se o equipamento puder ser fornecido das próprias lojas da empresa, ele é reservado no arquivo de disponibilidade de equipamento e no dia anterior ao que ele é solicitado

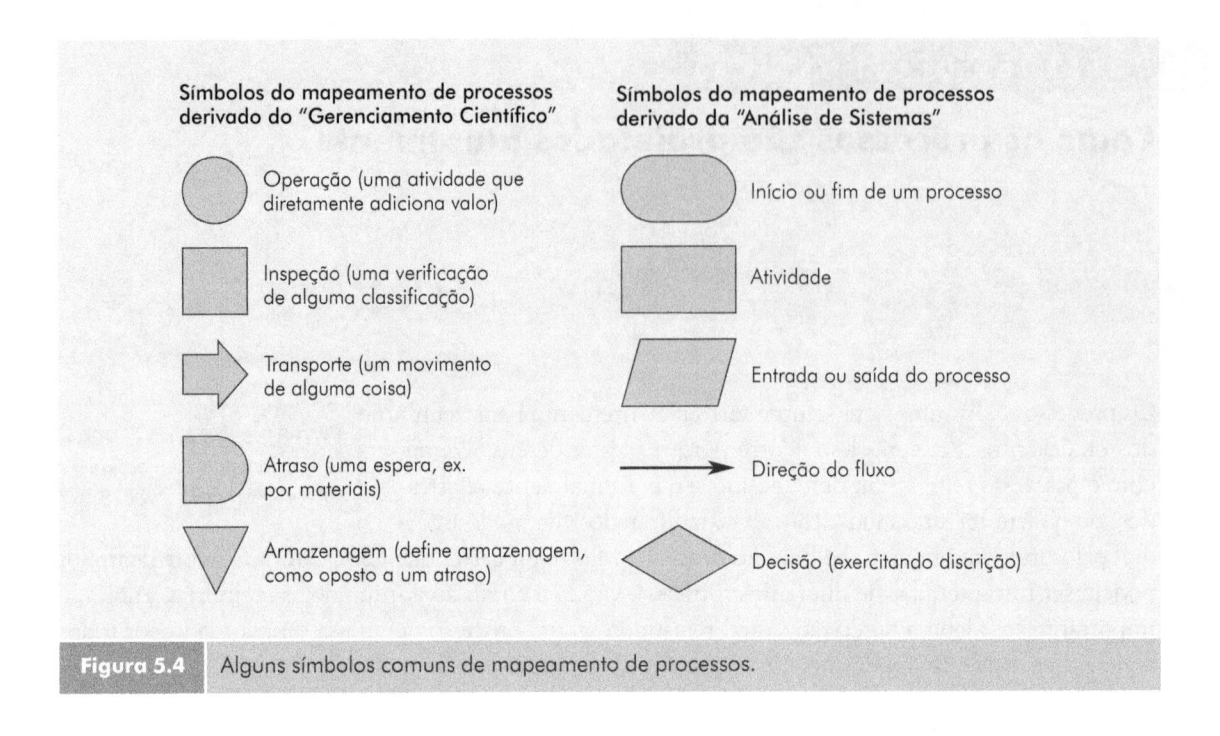

Símbolos do mapeamento de processos derivado do "Gerenciamento Científico"

○ Operação (uma atividade que diretamente adiciona valor)

☐ Inspeção (uma verificação de alguma classificação)

⇨ Transporte (um movimento de alguma coisa)

◗ Atraso (uma espera, ex. por materiais)

▽ Armazenagem (define armazenagem, como oposto a um atraso)

Símbolos do mapeamento de processos derivado da "Análise de Sistemas"

⬭ Início ou fim de um processo

☐ Atividade

▱ Entrada ou saída do processo

→ Direção do fluxo

◇ Decisão (exercitando discrição)

Figura 5.4 Alguns símbolos comuns de mapeamento de processos.

um *kit* é levado à loja onde todo equipamento solicitado é montado, levado de volta para a oficina e verificado e, se algum equipamento estiver com problema, ele é concertado neste ponto. Depois disso ele é embalado em caixas especiais e entregue ao cliente.

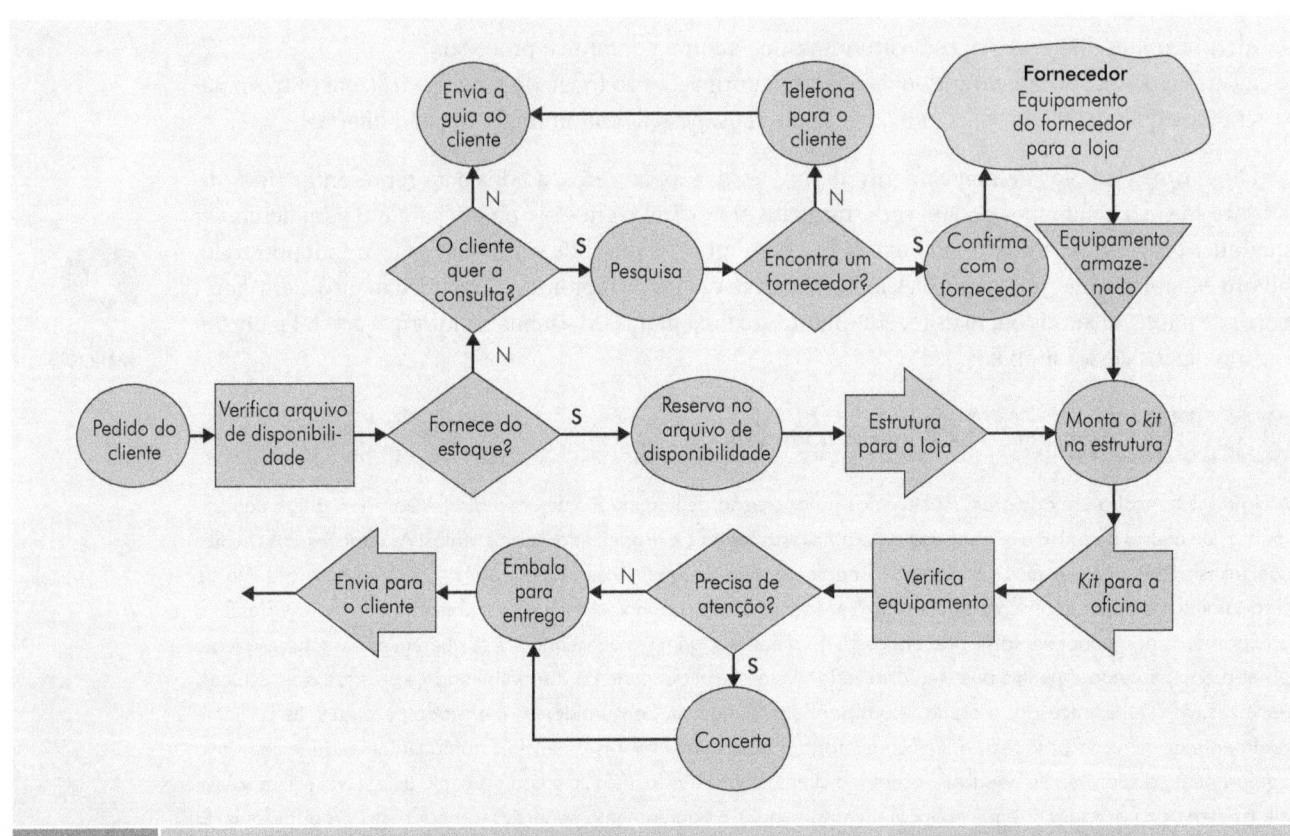

Figura 5.5 Mapa de processos para o processo "investigar para entrega" na operação de iluminação do palco.

Diferentes níveis de mapeamento de processos

Para um processo grande, desenhar mapas de processos nesse nível de detalhe pode ser complexo. Essa é a razão dos processos serem frequentemente mapeados em um nível mais agregado, chamado de mapeamento de processos de alto nível, antes de serem desenhados mapas mais detalhados. A Figura 5.6 ilustra isso para o processo total de *fornecer e instalar iluminação* na operação de iluminação do palco. No nível mais alto, o processo pode ser desenhado como um mero processo de entrada-transformação-saída, tendo materiais e clientes como seus recursos de entrada, e os serviços de iluminação como saídas. Não é incluído nenhum detalhe de como as entradas são transformadas em saídas. Num nível um pouco mais baixo ou mais detalhado, o que às vezes é chamado de mapa (ou quadro) do esboço de processos, identifica a sequência de atividades, mas apenas de uma forma geral. Assim, o processo de *investigar para entrega* que é mostrado em detalhe na Figura 5.5 está aqui reduzido a uma única atividade. No nível mais detalhado, todas as atividades são mostradas num mapa de processos detalhados (são mostradas as atividades dentro do processo instalar e testar).

Embora não mostrado na Figura 5.6, um conjunto ainda menor de atividades de processos poderia ser mapeado dentro de cada uma das atividades de processos detalhados. Esse pequeno mapa de processos detalhados poderia especificar todos os movimentos envolvidos em cada atividade. Alguns restaurantes de serviço rápido, por exemplo, fazem exatamente isso. No exemplo da empresa que contrata iluminação, a maioria das atividades não seriam mapeadas em algum detalhe a mais do que o mostrado na Figura 5.6. Algumas atividades, tais como retorno à base, são provavelmente simples demais para valer a pena mapear algo mais. Outras atividades, tais como retificar o equipamento com

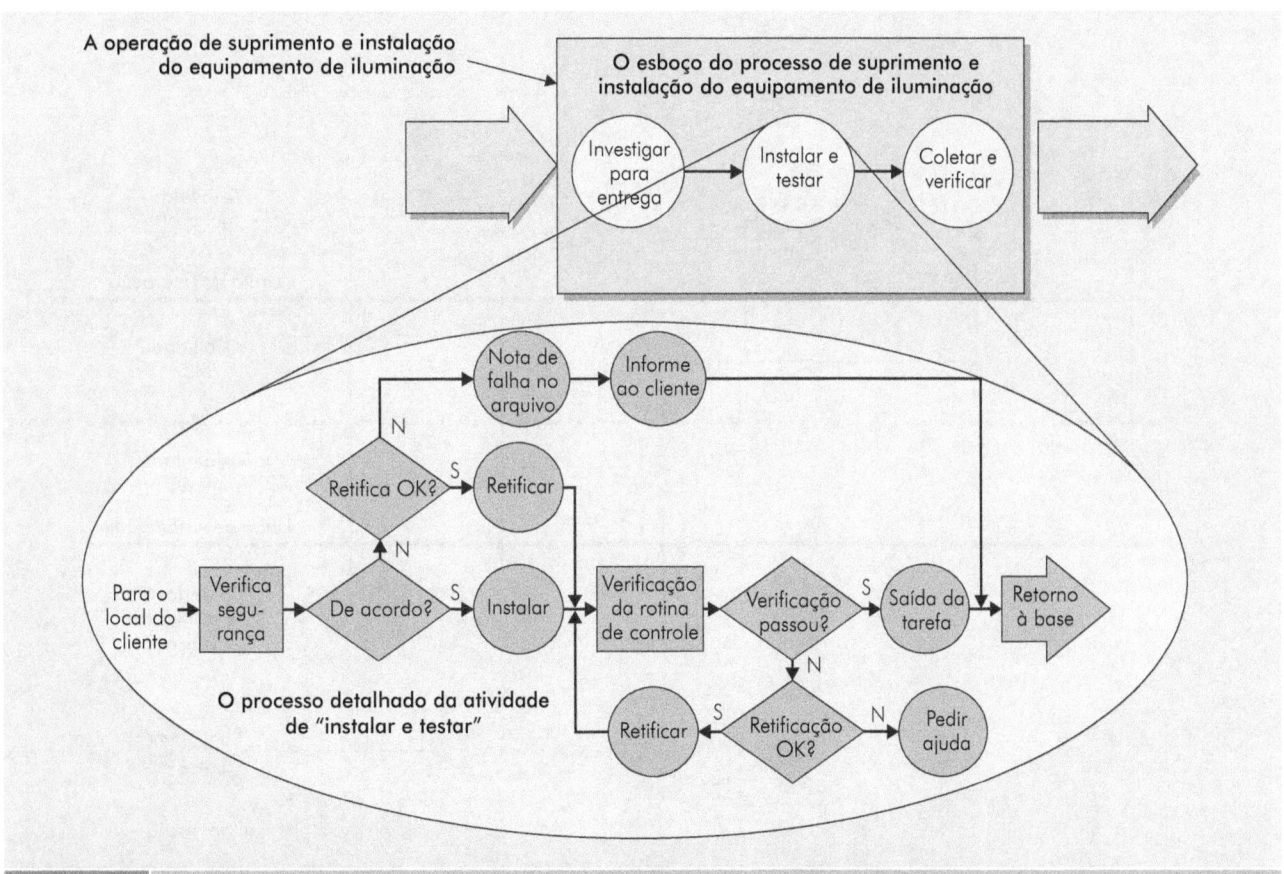

Figura 5.6 O processo de operações "fornecer e instalar" mapeado em três níveis.

problema, pode depender das habilidades do técnico e da discrição, visto que a atividade tem muita variação e é muito complexa para mapear em detalhe. Algumas atividades, no entanto, podem precisar de um mapeamento mais detalhado para assegurar a qualidade ou proteger os interesses da empresa. Por exemplo, a atividade de verificar a segurança do local do cliente para assegurar que está de acordo com as regulamentações de segurança precisará ser especificada em algum detalhe para assegurar que a empresa pode provar que ela exerce suas responsabilidades legais.

Visibilidade do processo

Às vezes é útil mapear tais processos de uma forma a tornar óbvio o grau de visibilidade de cada uma de suas partes.[4] Isso permite àquelas partes do processo com alta visibilidade serem projetadas de forma a melhorem a percepção que o cliente tem do processo. A Figura 5.7 mostra ainda uma outra parte da operação da empresa de equipamento de iluminação: o processo coletar e verificar. O processo é mapeado para mostrar a visibilidade de cada atividade para o cliente. Aqui, quatro níveis de visibilidade são usados. Não existe regra rígida e rápida sobre isto; muitos processos simplesmente distinguem entre aquelas atividades que o cliente *poderia* ver e aquelas que ele não poderia. O limite entre estas duas categorias é frequentemente chamado de linha de visibilidade. Na Figura 5.7, três categorias de visibilidade são mostradas. Num nível muito mais alto de visibilidade, acima da linha de interação, estão aquelas atividades que envolvem a interação direta entre a equipe da empresa de iluminação e o cliente. Outras atividades ocorrem no local do cliente na sua presença, mas envolvem menos ou nenhuma interação direta. Contudo, as atividades adicionais (as duas atividades de transporte, neste caso) têm algum grau de visibilidade porque ocorrem fora da base da empresa e são visíveis para os clientes potenciais, mas não são visíveis para o cliente imediato.

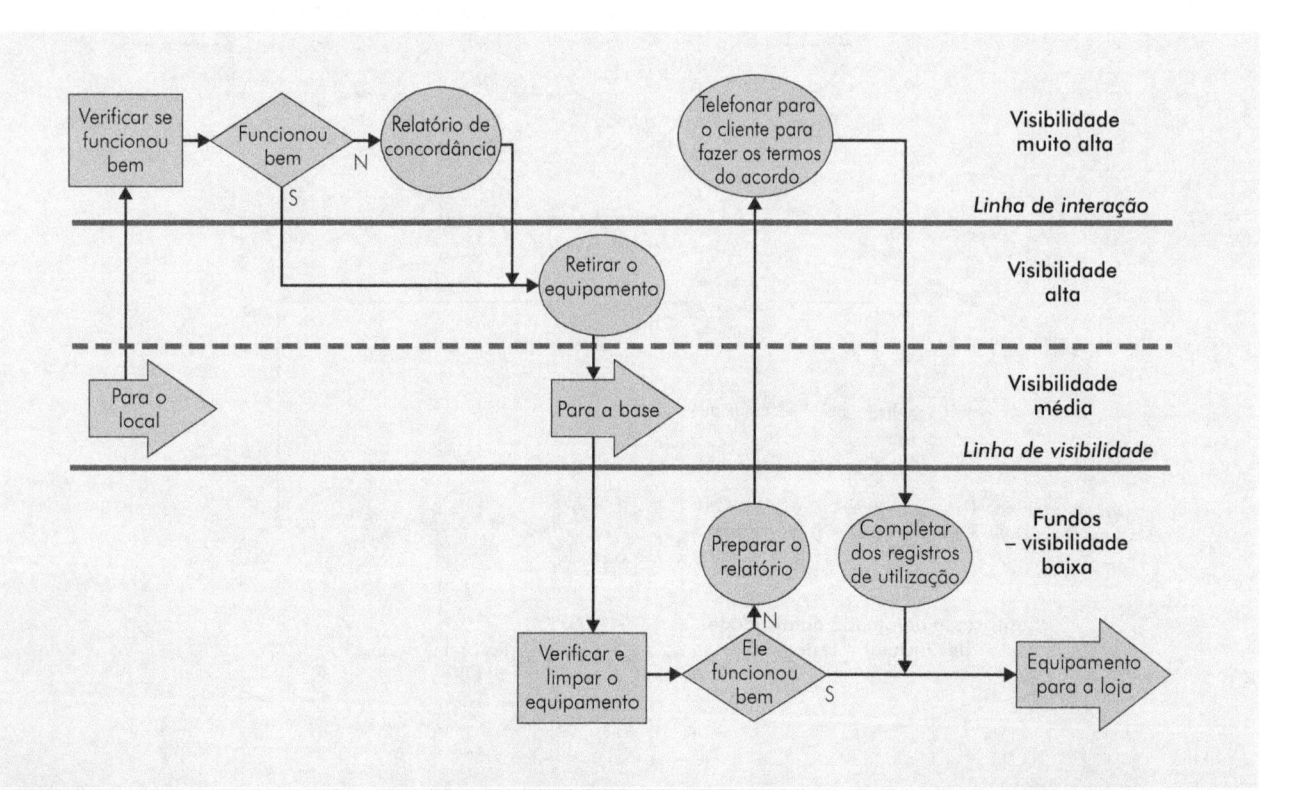

Figura 5.7 O processo de "coletar e verificar" mapeado para mostrar diferentes níveis da visibilidade do processo.

QUESTÕES DIAGNÓSTICAS

As tarefas e a capacidade do processo são configuradas adequadamente?

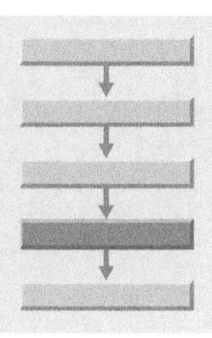

Os mapas de processos mostram como as atividades de um processo particular estão arranjadas atualmente e ajudam a sugerir como elas podem ser reconfiguradas. Mas existem também algumas questões gerais que devem ser entendidas antes dos processos serem analisados. Elas relacionam como a tarefa total pode ser separada dentro do processo e como determinar a forma que a capacidade é alocada. Isso, por sua vez, determina o fluxo pelo processo.

Começar a compreender a capacidade do processo significa entender as seguintes questões:

- precedência de tarefa;
- configurações serial e paralela;
- tempo de ciclo e fluxo do processo;
- balanceamento do processo;
- processamento, tempo de ciclo e material em processo.

Precedência de tarefa

Qualquer reprojeto de processo precisa preservar a precedência inerente das atividades dentro da tarefa global. A precedência de tarefa define quais atividades devem ocorrer antes das outras, de acordo com a natureza da própria tarefa. No seu nível mais simples, a precedência da tarefa é definida:

Princípio de operações
O projeto de processos deve respeitar a precedência das tarefas.

- pelas atividades individuais que compreendem a tarefa total do processo;
- pelo relacionamento entre estas atividades individuais.

A precedência de tarefa é normalmente descrita usando-se um "diagrama de precedência", o qual, em adição ao acima, também inclui a seguinte informação:

- o tempo necessário para desempenhar a tarefa total (às vezes conhecido como o "conteúdo do trabalho" da tarefa);
- o tempo necessário para desempenhar cada uma das atividades individuais dentro da tarefa.

Exemplo — Centro de serviço de conserto de computadores

Um centro de serviço de consertos recebe computadores danificados ou que não funcionam trazidos pelos clientes, concerta-os e despacha-os de volta para o cliente. Cada computador é sujeito ao mesmo conjunto de atividades de testes e consertos e, embora o tempo que leva para consertar cada computador dependerá dos resultados dos testes, existe relativamente pouca variação entre os computadores individuais.

A Tabela 5.3 define a tarefa do processo de teste e conserto dos computadores em termos das sete atividades que compreendem a tarefa total, o relacionamento entre as atividades em termos de cada "predecessor imediato" da atividade e o tempo necessário para desempenhar cada atividade. A Figura 5.8 mostra esquematicamente o relacionamento entre as atividades. Esse tipo de ilustração é chamada de "diagrama de precedência" para a tarefa do processo. É útil porque indica como a atividade *não pode* ser sequenciada no eventual projeto de processo. Por

Tabela 5.3 Detalhes da tarefa de processo para a tarefa de "teste e concerto de computadores"

Código da atividade	Nome da atividade	Predecessor imediato	Tempo da atividade (minutos)
a	Teste preliminar 1	–	5
b	Teste preliminar 2	a	6
c	Desmontagem	b	4
d	Teste e conserto 1	c	8
e	Teste e conserto 2	c	6
f	Teste e conserto 3	c	4
g	Limpar/substituir elementos de proteção	d, e, f	10

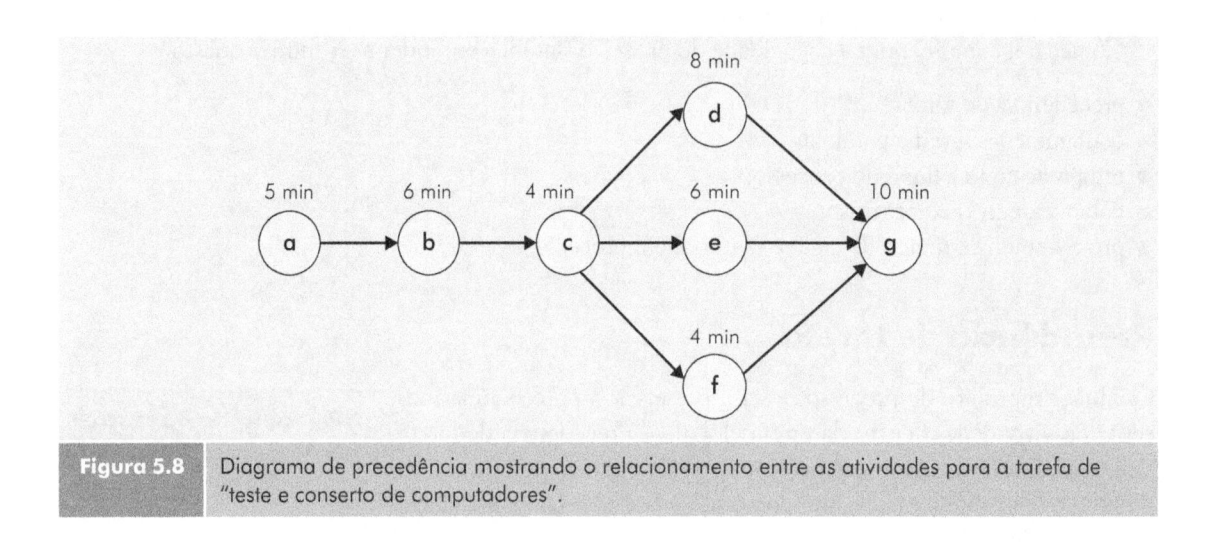

Figura 5.8 Diagrama de precedência mostrando o relacionamento entre as atividades para a tarefa de "teste e conserto de computadores".

exemplo, o processo não pode desempenhar a atividade "b" antes da atividade "a" ser completada. Entretanto, ele não determina como um processo *pode* ser projetado. Contudo, uma vez que a tarefa foi analisada dessa forma, as atividades podem ser arranjadas para formar a configuração geral do processo.

Configurações serial e paralela

No seu nível mais simples, a configuração geral de um processo envolve decidir até que ponto as atividades são arranjadas em sequência e até que ponto elas são arranjadas em paralelo.

Por exemplo, a tarefa ilustrada na Figura 5.8 envolve sete atividades que, no total, levam 43 minutos. A demanda é tal que o processo deve ser capaz de completar a tarefa de teste e conserto a uma taxa de uma a cada 12 minutos a fim de atender a demanda. Um projeto de processos possível é arranjar as sete atividades num arranjo serial em etapas. A primeira questão a tratar é "Quantas etapas necessitaria este tipo de arranjo em série?". Isso pode ser calculado dividindo o conteúdo de trabalho total da tarefa pelo tempo de ciclo necessário. Neste caso, o número de etapas = 43 minutos / 12 minutos = 3,58 etapas.

Dadas as dificuldades práticas de se ter uma fração de uma etapa, isto efetivamente significa que o processo necessita de quatro etapas. A próxima questão é alocar as atividades para cada etapa. Visto que a saída de todo o processo será limitada pela etapa com mais trabalho (a soma de suas atividades alocadas), cada etapa pode ter atividades alocadas para isso até a alocação máxima de

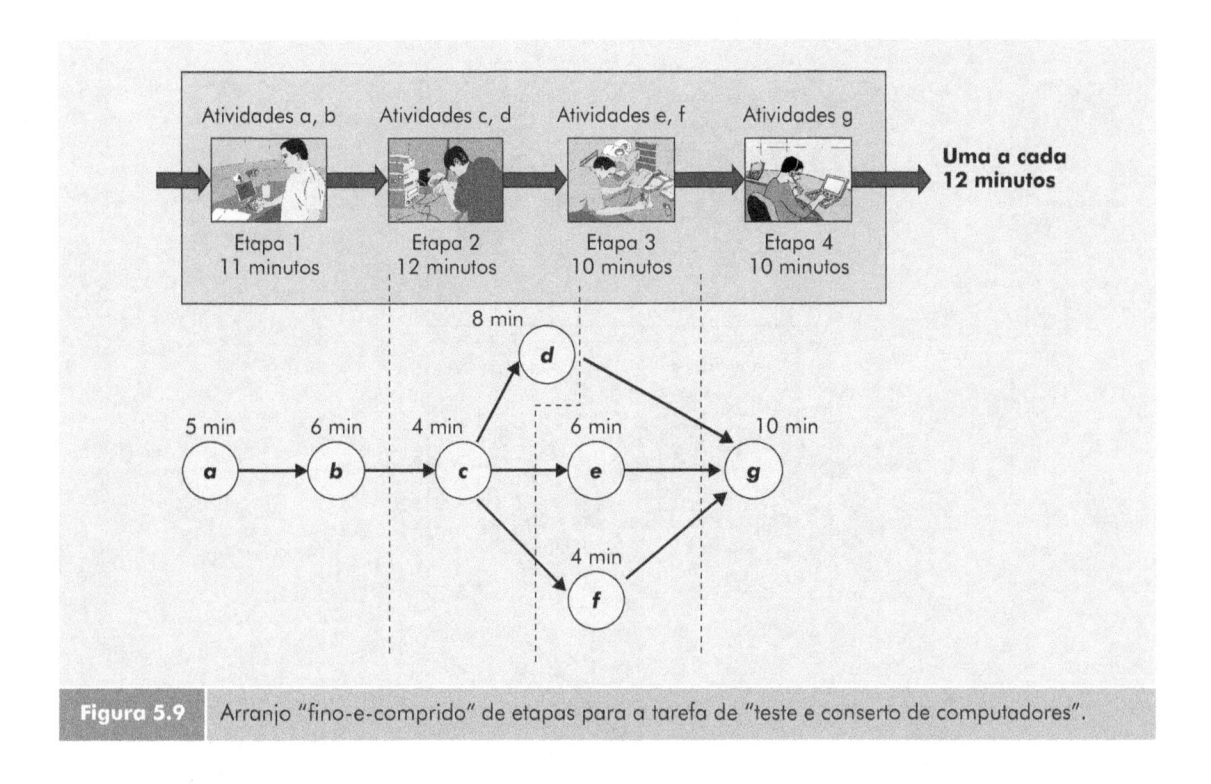

Figura 5.9 Arranjo "fino-e-comprido" de etapas para a tarefa de "teste e conserto de computadores".

12 minutos. A Figura 5.9 ilustra como isso poderia ser alcançado. A etapa mais longa (etapa 2, neste caso) limitará a saída do processo total para um computador a cada 12 minutos e as outras etapas serão relativamente sobrecarregadas.

Entretanto, existem outras formas de alocar tarefas para cada etapa e envolver o arranjo paralelo de atividades, que poderiam alcançar uma taxa de saída similar. Por exemplo, as quatro etapas poderiam ser arranjadas como dois arranjos paralelos "mais curtos", com cada etapa desempenhando aproximadamente metade das atividades nas tarefas totais. Isso é ilustrado na Figura 5.10 e envolve dois arranjos de duas etapas, com a etapa 1 alocando quatro atividades que totalizam 21 minutos de trabalho e a segunda etapa alocando três atividades que totalizam 22 minutos de trabalho. Assim, cada arranjo produzirá um computador concertado a cada 22 minutos (governado pela etapa com mais trabalho). Isso significa que os dois arranjos juntos produzirão dois computadores concertados a cada 22 minutos, uma média de um computador concertado a cada 11 minutos.

Carregar cada etapa com mais trabalho e dispor as etapas em paralelo pode ser levado ainda mais adiante. A Figura 5.11 ilustra um arranjo em que toda a tarefa de teste e reparo é desempenhada em etapas individuais, todas as quais estão arranjadas em paralelo. Aqui, cada etapa produzirá um computador concertado a cada 43 minutos e assim juntas produzirão quatro computadores concertados a cada 43 minutos, uma taxa média de saída de um computador concertado a cada 10,75 minutos.

Este simples exemplo representa uma importante questão do projeto de processos. As atividades num processo deveriam ser arranjadas predominantemente numa configuração serial única "fino-e-comprido" ou predominantemente em diversas configurações paralelas "curto-e-grosso" ou em algum lugar entre as duas? (Observe que "comprido" significa o número de etapas e "grosso" significa a quantidade de trabalho alocado para cada etapa.) A maioria dos processos adotarão uma combinação de configurações serial e paralela e em qualquer situação particular existem normalmente restrições técnicas que limitam o quanto o processo pode ser fino-e-comprido ou curto-e-grosso. Mas em geral existe uma escolha real a ser feita com uma variedade de opções possíveis. As vantagens de cada extremo do espectro fino-e-comprido ao curto-e-grosso são muito diferentes e ajudam a explicar como diferentes arranjos são adotados.

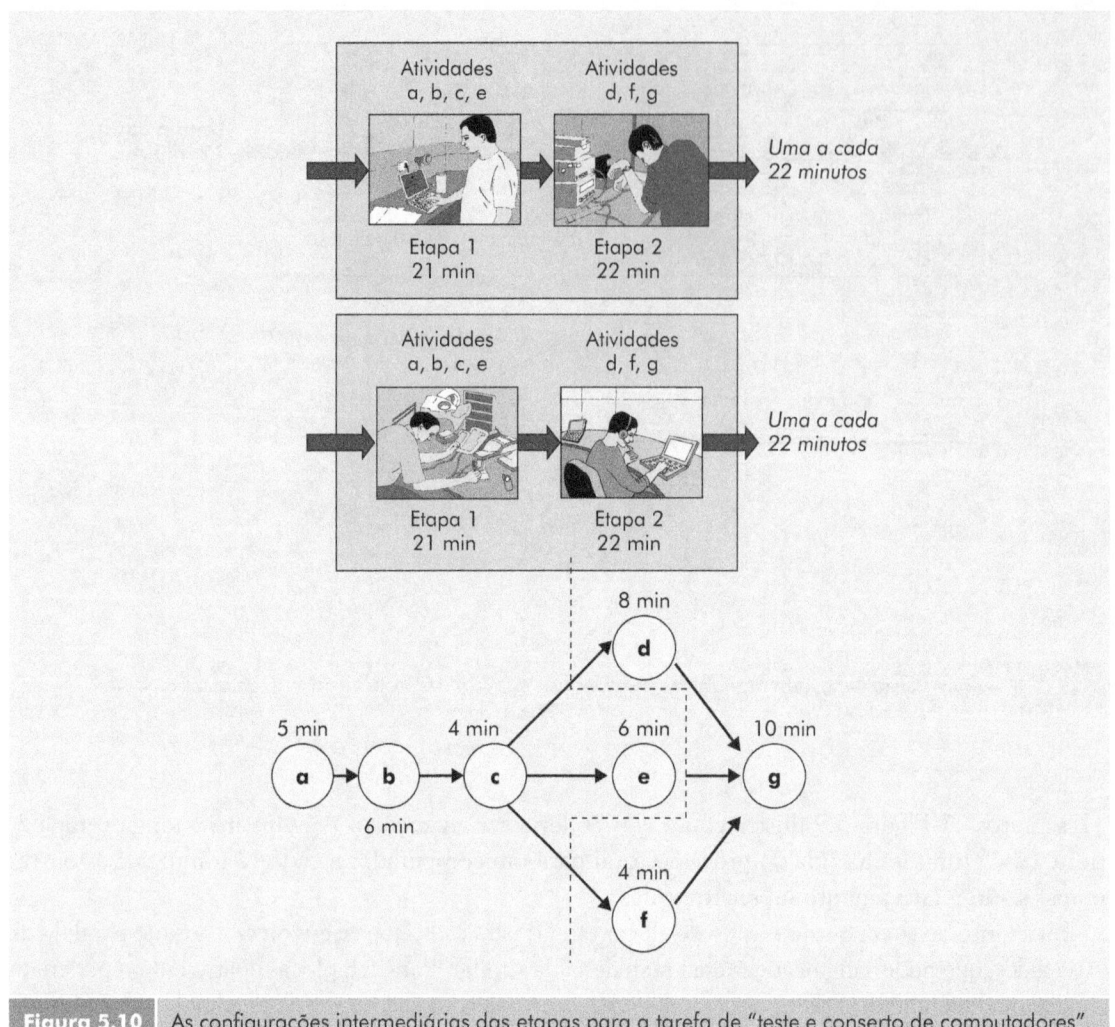

Figura 5.10 As configurações intermediárias das etapas para a tarefa de "teste e conserto de computadores".

As vantagens da configuração serial dominante (fino-e-comprido) incluem:

- *Um fluxo mais controlado* ao longo do processo que é relativamente fácil de gerenciar.
- *Simples manuseio dos materiais* – especialmente se um produto sendo fabricado é pesado, grande ou difícil de transportar.
- *Necessidades capitais mais baixas*. Se uma peça de equipamento especializado é necessária para um elemento no trabalho, apenas uma peça do equipamento necessitaria ser comprada; num arranjo curto-e-grosso cada etapa necessitaria de uma.
- *Operação mais eficiente*. Se cada etapa está desempenhando apenas uma pequena parte do trabalho total, a pessoa na etapa pode ter uma proporção de trabalho produtivo direto mais alta em comparação às partes não produtivas do trabalho, tais como selecionar ferramentas e materiais.

As vantagens da configuração paralela dominante (curto-e-grosso) incluem:

- *Maior flexibilidade do mix*. Se o processo necessita produzir diversos tipos de produto ou serviço, cada etapa poderia especializar-se em diferentes tipos.
- *Maior flexibilidade do volume*. Conforme o volume varia, as etapas podem simplesmente ser desativadas ou ativadas conforme necessário.

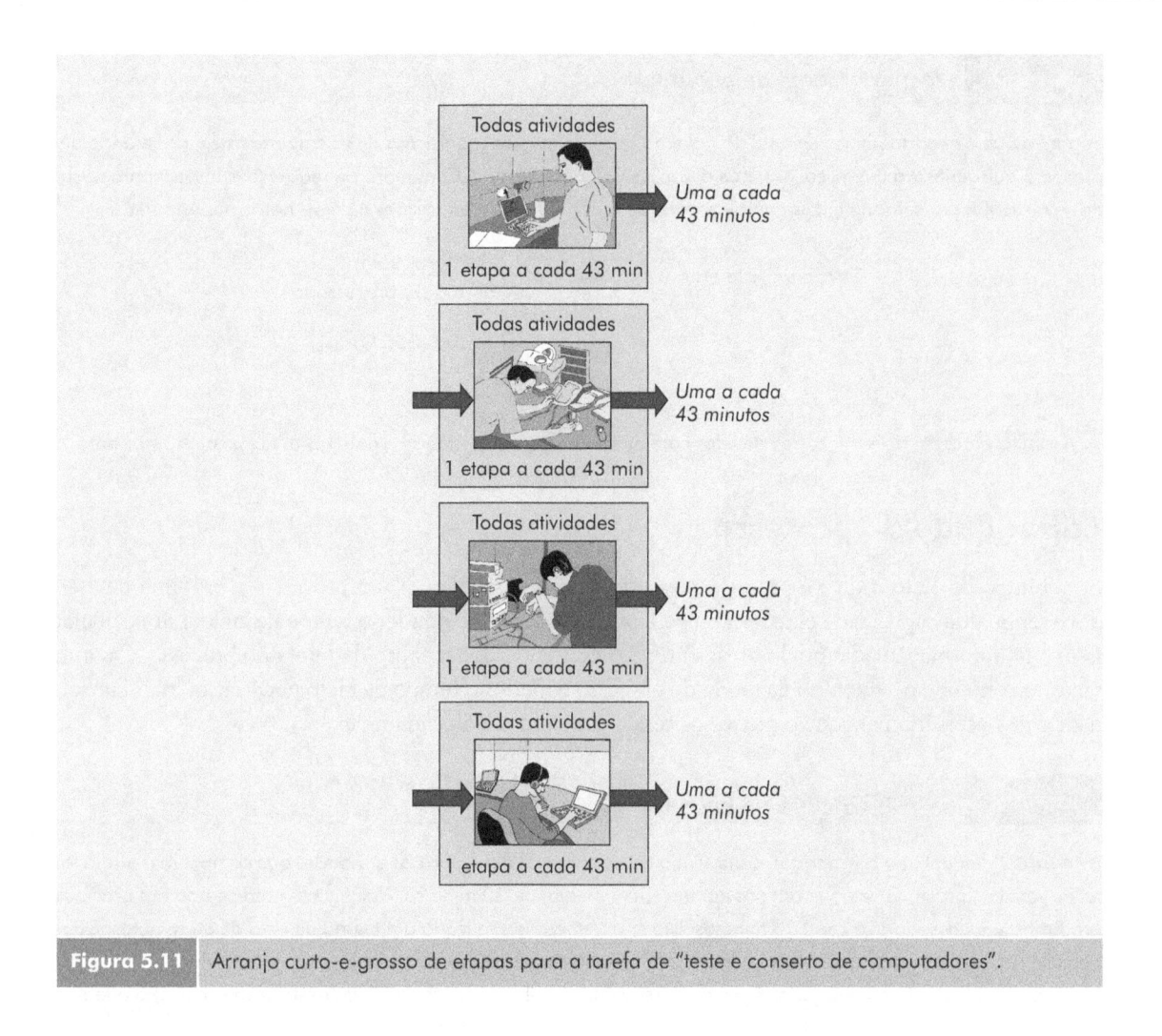

Figura 5.11 Arranjo curto-e-grosso de etapas para a tarefa de "teste e conserto de computadores".

- *Maior robustez.* Se uma etapa quebra ou cessa a operação de alguma forma, as outras etapas paralelas não são afetadas; um arranjo fino-e-comprido cessaria completamente de operar.
- *Menos trabalho monótono.* No exemplo do reparo do computador, a equipe no arranjo curto-e-grosso está repetindo suas tarefas apenas a cada 43 minutos; no arranjo fino-e-comprido isso ocorre a cada 12 minutos.

Tempo de ciclo e capacidade do processo

O tempo de ciclo de um processo é o tempo entre as unidades completadas que surgem dele. O tempo de ciclo é um fator vital no projeto de processos e tem uma influência significativa na maioria das decisões dos outros projetos detalhados. Em geral, é uma das primeiras coisas a ser calculada, pois pode ser usada para representar a demanda colocada num processo e a capacidade do processo. O tempo de ciclo também determina o passo ou a "batida do tambor" do processo. De qualquer maneira que o processo seja projetado, ele deve ser capaz de atender seu tempo de ciclo necessário, o qual é calculado considerando a demanda provável para os produtos ou serviços durante determinado período e a quantidade do tempo de produção disponível naquele período.

> **Princípio de operações**
> A análise de processos deriva de um entendimento do tempo de ciclo de processo necessário.

> **Exemplo** | **Departamento de passaportes**

Suponha que o departamento regional do governo que lida com as requisições de passaporte esteja projetando um processo que verificará as aplicações e as emissões dos documentos. O número de requisições a serem processadas é de 1.600 por semana e o tempo disponível para processar as requisições é de 40 horas por semana.

$$\text{Tempo de ciclo para o processo} = \frac{\text{tempo disponível}}{\text{número a ser processado}}$$

$$= \frac{40}{1.600} = 0{,}025 \text{ horas}$$

$$= 1{,}5 \text{ minutos}$$

Assim, o processo deve ser capaz de lidar com uma requisição completa a cada 1,5 minutos, ou 40 por hora.

Capacidade do processo

Se o tempo de ciclo indica a produção que deve ser alcançada por um processo, a próxima decisão deve ser quanta capacidade é necessária pelo processo a fim de atender o tempo de ciclo. Para calcular isso, uma informação adicional é necessária – o conteúdo do trabalho da tarefa do processo. Quanto maior o conteúdo do trabalho da tarefa do processo e menor o tempo de ciclo necessário, mais capacidade será necessária para que o processo atenda a demanda colocada nele.

> **Exemplo** | **Departamento de passaportes**

Para o departamento de passaportes, o conteúdo do trabalho total de todas as atividades que compõem a tarefa total de verificar, processar e emitir um passaporte é, em média, de 30 minutos. Assim, com uma pessoa um processo produziria um passaporte a cada 30 minutos. Isto é, uma pessoa realizaria um tempo de ciclo de 30 minutos. Duas pessoas realizariam um tempo de ciclo de 30/2 = 15 minutos, e assim por diante.

Portanto, relação geral entre o número de pessoas no processo (sua capacidade neste caso simples) e o tempo de ciclo do processo é:

$$\frac{\text{Conteúdo do trabalho}}{N} = \text{tempo de ciclo}$$

em que N é o número de pessoas no processo. Portanto, neste caso,

$$N = \frac{30}{\text{Tempo de ciclo}} = \frac{30}{1{,}5} = 20 \text{ pessoas}$$

Assim, a capacidade que este processo requer para atender a demanda é de 20 pessoas.

Balanceamento do processo

Balancear um processo envolve tentar alocar atividades para cada etapa o mais similar possível. Visto que o tempo de ciclo de todo o processo é limitado pela alocação mais longa dos tempos da atividade para uma etapa individual, quanto mais similar é o trabalho alocado, menos tempo será perdido nas outras etapas no processo. Na prática, é quase sempre impossível realizar o equilíbrio perfeito, de forma que ocorrerá algum grau de desbalanceamento na alocação do trabalho entre as etapas. A efetividade da atividade de balanceamento é medida pela perda do balanceamento. Este é o tempo perdido pela alocação desigual das atividades como uma porcentagem do tempo total investido no processamento. Isso é ilustrado na Figura 5.12. Aqui, a tarefa de teste e conserto de computadores é usada para ilustrar a perda do balanceamento para o arranjo fino-e-comprido das quatro etapas sequenciais e o arranjo intermediário de dois arranjos paralelos de duas etapas.

> **Princípio de operações**
> Alocar o trabalho igualmente para cada etapa num processo (balanceamento) regulariza o fluxo e evita gargalos.

A Figura 5.12(a) mostra a alocação ideal das atividades com cada etapa perfeitamente balanceada. Aqui, exatamente um quarto do conteúdo total de trabalho (10,75 minutos) foi alocado para cada uma das quatro etapas. Cada 10,75 minutos de cada etapa desempenha suas atividades e passa um computador para a próxima etapa, ou para fora do processo no caso da etapa 4. Nenhuma etapa apresenta qualquer tempo ocioso e, como as etapas são perfeitamente balanceadas, a perda do balanceamento = 0. Na verdade, por causa dos tempos reais de cada atividade, não é possível alocar trabalho igualmente para cada etapa. A Figura 5.12(b) mostra a melhor alocação de atividades. A maior parte do trabalho é alocada para a etapa 2, de forma que aquela etapa ditará o tempo de ciclo de todo o processo. A etapa 1 tem apenas 11 minutos de trabalho e assim estará ociosa por (12-11) = 1 minuto a cada ciclo (ou alternativamente continuará a processar um computador a cada 11 minutos e a preparação do estoque entre a etapa 1 e a etapa 2 cresceria de modo indefinido). Da mesma forma, as etapas 3 e 4 têm tempo ocioso, em ambos os casos (12-10) = 2 minutos de tempo ocioso. Elas podem processar um computador apenas a cada 12 minutos porque a etapa 2 enviará para elas um computador apenas a cada 12 minutos. Assim, estão cada uma com falta de trabalho por 2 minutos em cada 12 minutos. Na prática, aquelas que não são as etapas gargalo não podem estar ociosas por um período de tempo a cada ciclo, pois, diariamente, diminuirão o ritmo de trabalho para atender o tempo da etapa gargalo. Apesar disso, este ainda é um tempo ocioso eficaz porque sob condições de balanceamento perfeito elas poderiam estar desempenhando um trabalho útil.

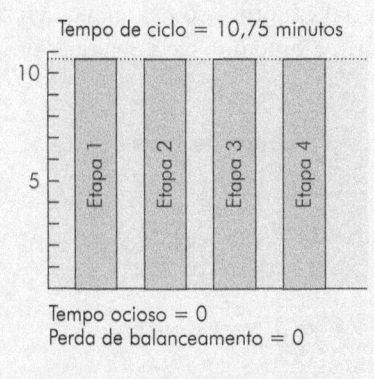

Figura 5.12 A perda de balanceamento é aquela proporção de tempo investido no processamento do produto ou serviço que não é usada produtivamente. Para o processo de "teste e conserto de computadores", (a) é o equilíbrio teoricamente perfeito, (b) é o melhor equilíbrio para as quatro etapas e (c) é o melhor equilíbrio para as duas etapas.

(a) Um equilíbrio ideal em que as atividades são alocadas igualmente entre as etapas

Tempo de ciclo = 10,75 minutos

Tempo ocioso = 0
Perda de balanceamento = 0

(b) O melhor equilíbrio alcançável no qual as atividades são alocadas entre as etapas de um arranjo em quatro etapas

Tempo de ciclo = 12 minutos

Tempo ocioso = (12 − 11) + (12 − 10) + (12 − 10) = 5 minutos

Perda de balanceamento = $\dfrac{5}{4 \times 12}$ = 0,104 = 10,4%

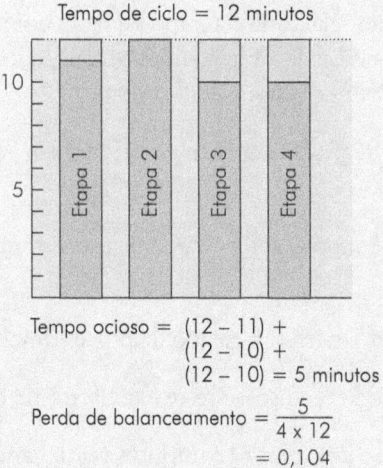

(c) O melhor equilíbrio alcançável em que as atividades são alocadas entre as etapas de um arranjo em duas etapas

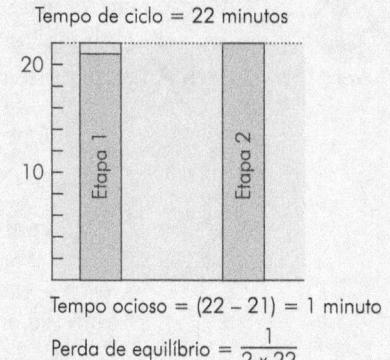

Tempo de ciclo = 22 minutos

Tempo ocioso = (22 − 21) = 1 minuto

Perda de equilíbrio = $\dfrac{1}{2 \times 22}$ = 0,023 = 2,3%

Assim, cada ciclo das quatro etapas está investindo uma quantidade de tempo equivalente ao tempo de ciclo para produzir um computador completo. A quantidade total de tempo investido, portanto, é o número de etapas no processo multiplicado pelo tempo de ciclo. Neste caso, o tempo total investido = 4 × 12 = 48 minutos.

O tempo ocioso total de cada computador processado é a soma dos tempos ociosos nas etapas não gargalos, neste caso 5 minutos.

A perda do balanceamento é a quantidade de tempo ocioso como uma porcentagem do tempo total investido. Neste caso, a perda do balanceamento = 5/(4 × 12) = 0,104 = 10,4%.

A Figura 5.12 (c) faz o mesmo cálculo para o processo intermediário descrito antes. Aqui também os arranjos em duas etapas são colocados em paralelo. A etapa 2 tem a maior alocação do trabalho em 22 minutos, sendo, portanto, o gargalo do processo. A etapa 1 tem o valor de 21 minutos de trabalho e, portanto, um minuto de tempo ocioso a cada ciclo. Visto que o tempo total investido no processo em cada ciclo = 2 × 22 minutos, a perda do equilíbrio = 1(2 × 22) = 0,023 = 2,3%.

Processamento, tempo de ciclo e material em processo

O tempo de ciclo de um processo é uma função da sua capacidade. Para uma dada quantidade de conteúdo de trabalho na tarefa do processo, quanto maior a capacidade do processo, menor seu tempo de ciclo. Na verdade, a capacidade de um processo é muitas vezes medida em termos do seu tempo de ciclo, ou, mais frequentemente, na recíproca do tempo de ciclo que é chamada "taxa de processamento". Assim, por exemplo, um passeio em um grande parque temático é descrito como tendo uma capacidade de 1.000 clientes por hora, ou uma linha automática de envasamento seria descrita como tendo uma capacidade de 100 garrafas por minuto e assim por diante. Entretanto, um alto nível de capacidade (tempo de ciclo curto e taxa de processamento rápida) não significa necessariamente que o material, as informações ou os clientes podem mover-se rapidamente pelo processo. Isso dependerá de quantas outras unidades o processo contém. Se existe um grande número de unidades dentro do processo, elas podem ter de esperar nos estoques de material em processo durante parte do tempo que elas estão dentro do processo (tempo de processamento).

Lei de Little

A relação matemática que relaciona o tempo de ciclo ao material em processo e o tempo de processamento é chamada Lei de Little.[5] Ela é simples, mas muito útil, e funciona para qualquer processo estável. A Lei de Little pode ser estabelecida como:

Tempo de processamento = material em processo × tempo de ciclo

ou

Material em processo = tempo de processamento × (1/tempo de ciclo)

que é

Material em processo = tempo de processamento × taxa de processamento

Por exemplo, no caso do processo de teste e conserto de computadores com quatro etapas,

Tempo de ciclo = 12 minutos (carregando na estação gargalo)

Material em processo = 4 unidades (uma em cada etapa do processo, assumindo que não existe espaço para estoque a preparar entre as etapas).

Portanto,

Tempo de processamento = material em processo × tempo de ciclo
= 12 × 4 = 48 minutos

Da mesma forma, para o exemplo do departamento de passaportes, suponha que o escritório tenha uma política de mesa limpa, o que significa que todas as mesas devem estar sem material ao final do dia. Quantas requisições devem ser carregadas no processo da manhã a fim de assegurar que cada uma está concluída e que as mesas estão limpas no final do dia?

> **Princípio de operações**
> A Lei de Little estabelece que o tempo de processamento = material em processo × tempo de ciclo.

Retomando,

$$\text{Tempo de ciclo} = 1{,}5 \text{ minutos}$$

Da Lei de Little, assumindo um dia de trabalho de 7,5 horas (450 minutos),

$$\text{Tempo de processamento} = \text{material em processo} \times \text{tempo de ciclo}$$
$$450 \text{ minutos} = \text{material em processo} \times 1{,}5$$

Portanto,

$$\text{Material em processo} = 450 / 1{,}5 = 300$$

Assim, 300 requisições podem ser carregadas no processo da manhã e concluídas ao final do dia de trabalho.

Exemplo — A Lei de Little em um seminário

Mike estava totalmente confiante em seu julgamento: *"Você nunca os conseguirá de volta em tempo"*, ele disse. *"Eles estão apenas perdendo tempo, o processo não permitirá que todos tenham seu café e voltem às 11 horas."* Olhando para fora da sala de conferência, Mike e seu colega Dick estavam observando os 20 homens de negócio que estavam presentes no seminário, em fila para se servir de café e biscoitos. Eram 10:45 e Dick sabia que a menos que eles voltassem para a sala de conferência às 11 horas não haveria como terminar sua apresentação antes do almoço. *"Não sei porque você é tão pessimista"*, disse Dick. *"Eles parecem estar interessados no que tenho a dizer e acho que eles vão querer voltar para ouvir como o gerenciamento de operações mudará suas vidas."* Mike sacudiu sua cabeça. *"Eu não estou questionando a motivação deles"*, ele disse, *"Estou questionando a capacidade do processo subjacente ser entendido por todos a tempo. Eu tenho observado quanto tempo leva para servir o café e os biscoitos. Cada café está sendo passado e o tempo entre o servente perguntar a cada cliente o que eles querem e eles saírem com seus cafés e biscoitos está levando 48 segundos. Lembre que, de acordo com a Lei de Little, o processamento é igual ao material em processo multiplicado pelo tempo de ciclo. Se os materiais em processo são os 20 gerentes na fila e o tempo de ciclo é 48 segundos, o tempo total de processamento vai para 20 multiplicado por 0,8 minutos, o que dá 16 minutos. Adicione aquele tempo suficiente para a última pessoa beber seu café e você deve esperar um tempo total de processamento de um pouco mais de 20 minutos. Você simplesmente não deu tempo suficiente para processo."* Dick estava impressionado. *"Ahn... como é mesmo o nome dessa lei?"*. *"A Lei de Little"*, respondeu Mike.

Exemplo — A Lei de Little em uma unidade de suporte de TI

Todo ano era a mesma coisa. Todos os computadores no edifício tinham de ser renovados (testados, instalado novo programa, etc.) e havia apenas uma semana para fazê-lo. A tal semana caiu em agosto, no meio do período de férias, quando o processo de renovação causaria mínimo incômodo ao trabalho normal. No ano passado, os 500 computadores da empresa tinham sido renovados dentro de uma semana de trabalho (40 horas). Cada renovação no ano anterior levou em média 2 horas, e 25 técnicos completaram o processo dentro da semana. Este ano seriam 530 computadores para renovar, mas a unidade de suporte de TI da empresa tinha inventado uma rotina de teste e renovação mais rápida que levaria em média 1 ½ hora em vez de 2 horas. Quantos técnicos serão necessários este ano para completar os processos de renovação dentro da semana?

Ano passado:

$$\text{Material em processo (MEP)} = 500 \text{ computadores}$$
$$\text{Tempo disponível } (T_t) = 40 \text{ horas}$$
$$\text{Tempo médio para renovar} = 2 \text{ horas}$$

Portanto:

$$\text{Taxa de processamento } (T_r) = 0{,}5 \text{ hora por técnico}$$
$$= 0{,}5N$$

em que N é o número de técnicos. Aplicando a Lei de Little:

$$\text{MEP} = T_t \times T_r$$
$$500 = 40 \times 0{,}5N$$
$$N = \frac{500}{40 \times 0{,}5}$$
$$= 25 \text{ técnicos}$$

Este ano:

$$\text{Material em processo (MEP)} = 530 \text{ computadores}$$
$$\text{Tempo disponível } (T_z) = 40 \text{ horas}$$
$$\text{Tempo médio para renovar} = 1{,}5 \text{ hora}$$
$$\text{Taxa de processamento } (T_r) = 1/1{,}5 \text{ hora por técnico}$$
$$= 0{,}67N$$

em que N é o número de técnicos. Aplicando a Lei de Little:

$$\text{MEP} = T_t \times T_r$$
$$530 = 40 \times 0{,}67N$$
$$N = \frac{530}{40 \times 0{,}67}$$
$$= 19{,}88 \text{ técnicos}$$

QUESTÕES DIAGNÓSTICAS

A variabilidade do processo é reconhecida?

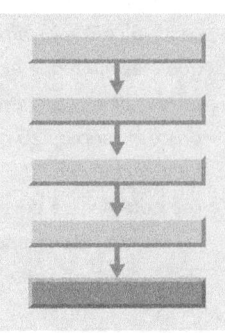

Até a que em nosso tratamento da análise do processo temos assumido que não existe variabilidade significativa na demanda que se espera que o processo responda, ou no tempo que o processo leva para desempenhar suas atividades variadas. Claramente, não é assim que as coisas funcionam na realidade. Assim, é importante olhar para a variabilidade que pode afetar os processos e levá-la em consideração. Entretanto, não dispense a análise determinista que temos examinado até este ponto. Na pior das hipóteses, ela fornece uma boa primeira aproximação para analisar os processos, enquanto na melhor das hipóteses, as relações até aqui discutidas realmente sustentam a média dos valores de desempenho.

Fontes de variabilidade em processos

Existem muitas razões para ocorrer a variabilidade em processos. Algumas dessas possíveis fontes de variação são listadas abaixo.

- A chegada atrasada (ou antecipada) dos materiais, informações ou clientes em uma etapa dentro do processo.
- O mau funcionamento ou o colapso da tecnologia do processo dentro de uma de suas etapas.
- A necessidade de reciclar materiais mal processados, informações ou clientes para uma etapa anterior no processo.
- A má coordenação de materiais, informações ou clientes dentro do processo que então necessita ser redirecionado.
- Cada produto ou serviço sendo processado poderá ser diferente; por exemplo, modelos diferentes de automóveis descendo a mesma linha.
- Produtos ou serviços, embora essencialmente os mesmos, poderão necessitar de um tratamento levemente diferente. Por exemplo, no processo de teste e conserto de computadores, o tempo para algumas atividades irá variar dependendo dos resultados das verificações diagnósticas.
- Em qualquer atividade humana existem leves variações no esforço e coordenação física da pessoa que está desempenhando a tarefa que resulta na variação nos tempos da atividade, mesmo nas atividades de rotina.

Todas essas fontes de variação dentro de um processo irão interagir umas com as outras, mas resultarão em dois tipos fundamentais de variabilidade:

- A variabilidade na demanda para processar numa etapa individual dentro do processo, normalmente expressa em termos da variação nos tempos entre a chegada das unidades a serem processadas.
- A variação no tempo que leva para desempenhar as atividades (isto é, processar uma unidade) em cada etapa.

Variabilidade do tempo da atividade

Os efeitos da variabilidade dentro de um processo dependerão de os movimentos das unidades entre as etapas, e por essa razão os tempos entre a chegada das unidades nas etapas, serem sincronizados ou não. Por exemplo, considere o processo de teste e conserto de computadores descrito previamente. A Figura 5.13 mostra o tempo médio de

> **Princípio de operações**
> A variabilidade em um processo age para reduzir sua eficiência.

Tempo de ciclo = 15 minutos

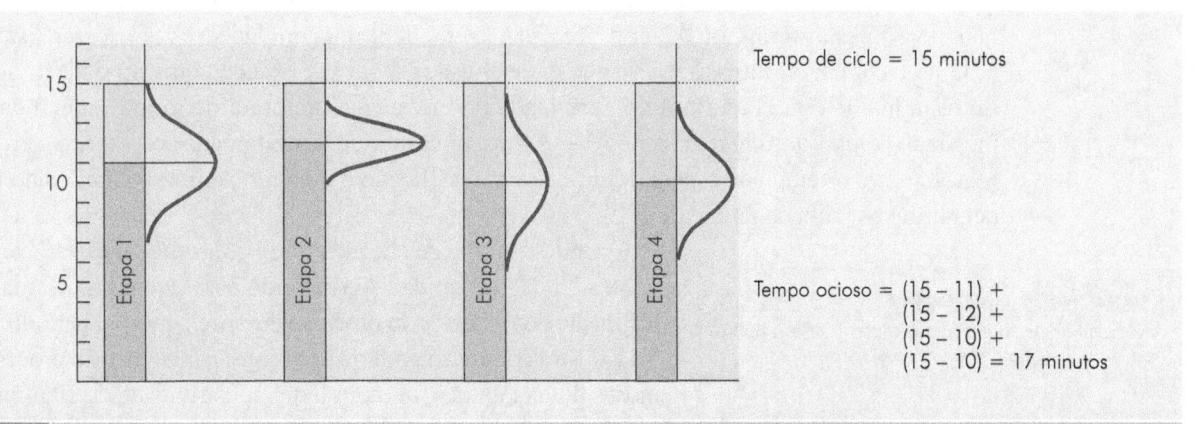

Tempo ocioso = (15 − 11) +
(15 − 12) +
(15 − 10) +
(15 − 10) = 17 minutos

Figura 5.13 Variabilidade do tempo de processamento em um processo sincronizado. O tempo de ciclo necessitará acomodar o tempo mais longo de atividade em qualquer das etapas.

atividade em cada etapa do processo, mas também a variabilidade em torno do tempo médio. Suponha que foi decidido sincronizar o fluxo entre as quatro etapas usando uma esteira ou um simples semáforo, o que fez com que todo movimento entre as etapas ocorresse simultaneamente. O intervalo entre cada movimento sincronizado teria de ser determinado de forma a permitir a todas as etapas terminarem suas atividades, independentemente de elas terem um tempo de atividade particularmente lento ou rápido. No caso da Figura 5.12, este tempo sincronizado deveria ser estabelecido em 15 minutos. Esse se tornou o tempo de ciclo efetivo do processo. Observe que a etapa gargalo é agora a etapa 1em vez da etapa 2. Embora a etapa 2 tenha um tempo médio de atividade mais longo (12 minutos), a atividade 1, com um tempo médio de atividade de 11 minutos, tem um grau de variabilidade que resulta numa atividade máxima de 15 minutos. Observe também que cada etapa terá algum tempo ocioso, sendo o tempo médio ocioso em cada etapa o tempo de ciclo menos o tempo médio da atividade naquela estação. Essa redução na eficiência do processo é apenas um resultado parcial do seu desbalanceamento. A perda de tempo extra é resultado da variabilidade do tempo da atividade.

Esse tipo de efeito não é de todo incomum. Por exemplo, automóveis são montados usando uma linha de montagem com uma cinta móvel cuja velocidade é determinada para alcançar o tempo de ciclo que pode acomodar a variabilidade do tempo da atividade. Entretanto, um arranjo mais comum, especialmente quando processa informações ou clientes, é transportar unidades entre as etapas assim que as atividades desempenhadas em cada etapa sejam completadas. Aqui, as unidades movem-se pelo processo numa forma dessincronizada em vez de ter de esperar por um tempo de movimento imposto. Isso significa que cada etapa pode gastar menos tempo esperando mover sua unidade adiante, mas na verdade introduz mais variação na demanda colocada nas estações subsequentes. Quando o movimento foi sincronizado, o tempo entre a chegada de unidades em cada etapa foi fixado no tempo de ciclo. Sem sincronização, o tempo entre chegadas em cada etapa será variável.

Variabilidade do tempo de chegada

Para entender o efeito da variabilidade de chegada no desempenho do processo, é útil examinar primeiro o que acontece com o desempenho de um processo simples como mudanças no tempo de chegada sem nenhuma variabilidade. Por exemplo, o simples processo mostrado na Figura 5.14 é compreendido numa etapa que desempenha exatamente 10 minutos de trabalho. As unidades chegam no processo a uma taxa constante e previsível. Se a taxa de chegada é de uma unidade a cada 30 minutos, então o processo será utilizado por apenas 33,33% do tempo, e as unidades nunca terão de esperar para serem processadas. Isso é mostrado como ponto A na Figura 5.14. Se a taxa de chegada aumenta para 20 minutos, a utilização aumenta para 50%, e novamente as unidades não terão de esperar para serem processadas (ponto B na Figura 5.14). Se a taxa de chegada aumenta para uma chegada a cada 10 minutos, o processo agora é totalmente utilizado, isto porque uma unidade chega exatamente quando a anterior terminou de ser processada; assim, nenhuma unidade tem de esperar. Este é o ponto C na Figura 5.14. Entretanto, se a taxa de chegada desta vez excedeu uma unidade a cada 10 minutos, a fila de espera na frente da atividade do processo aumentará de forma indefinida, como é mostrado como ponto D na Figura 5.14. Assim, num mundo perfeitamente constante e previsível, a relação entre o tempo de espera do processo e a utilização é uma função retangular, como mostrado pela linha pontilhada na Figura 5.14.

> **Princípio de operações**
> A variabilidade do processo resulta numa simultânea subutilização de recurso e espera.

Quando o tempo de chegada não é constante, mas variável, então o processo pode ter unidades esperando para serem processadas e a subutilização dos recursos do processo durante o mesmo período. A Figura 5.15 ilustra como isso poderia acontecer para o mesmo processo, como mostrado na Figura 5.14, com tempo de atividade de 10 minutos, mas agora com tempo variável de chegada. A tabela dá detalhes da chegada de cada unidade no processo e quanto foi processado, e o gráfico de barras ilustra isto graficamente. Seis unidades chegam com um

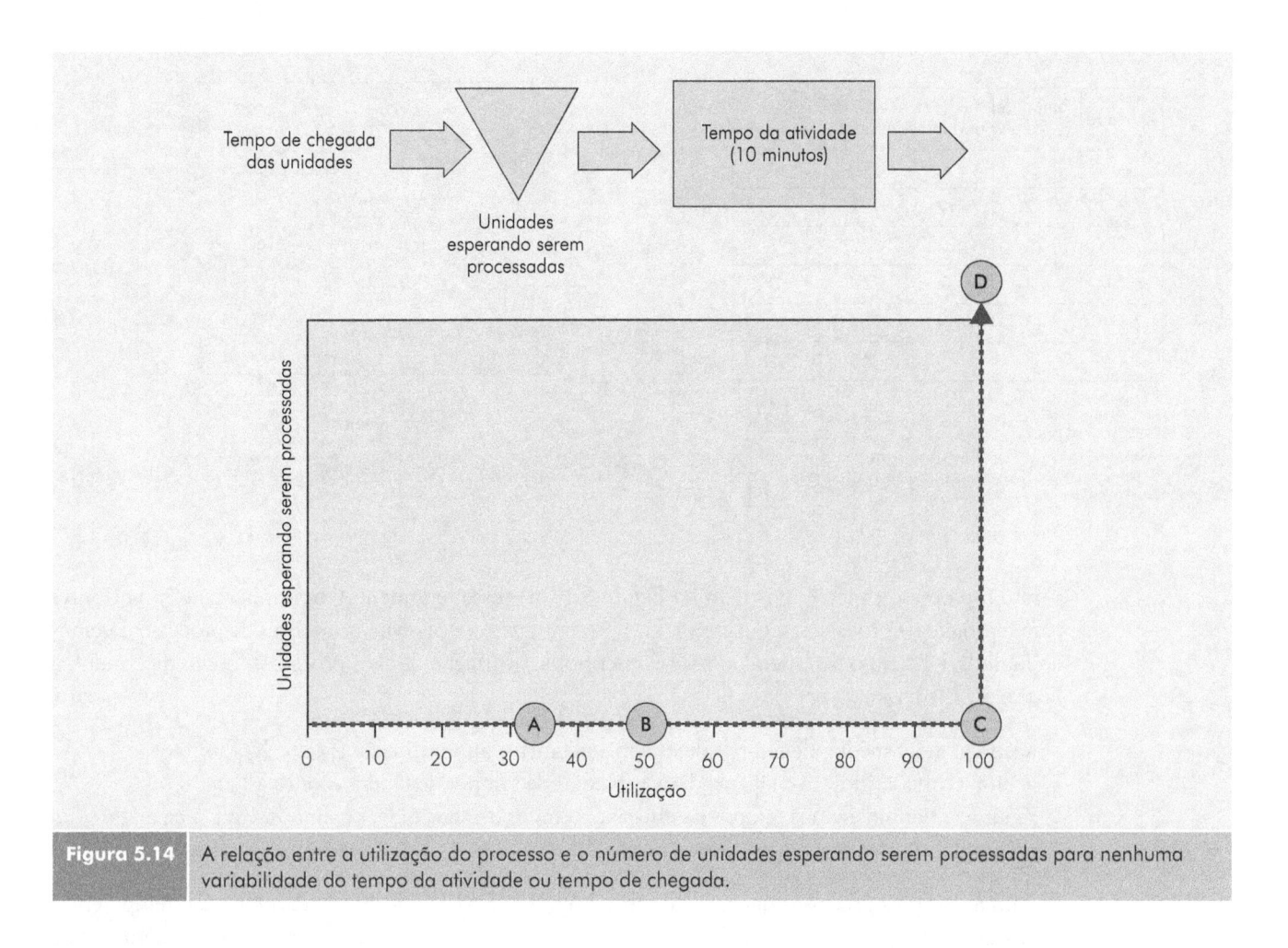

Figura 5.14 A relação entre a utilização do processo e o número de unidades esperando serem processadas para nenhuma variabilidade do tempo da atividade ou tempo de chegada.

tempo médio de 11 minutos, algumas das quais podem ser processadas assim que chegam (unidades A, D e F) enquanto outras têm de esperar por um curto período. Durante o mesmo período, o processo tem de esperar por trabalho três vezes.

Durante o período observado,

$$\text{Tempo quando uma única unidade estava esperando} = 3 \text{ minutos}$$
$$\text{Tempo necessário para processar as seis unidades} = 65 \text{ minutos}$$
$$\text{Número médio de unidades esperando} = 3/65$$
$$= 0{,}046 \text{ unidade}$$
$$\text{Tempo ocioso do processo} = 5 \text{ minutos}$$
$$\text{Logo, a porcentagem ociosa do processo} = 5 \times 100/65$$
$$= 7{,}7\%$$
$$\text{Logo, a utilização do processo} = 92{,}3\%$$

Este ponto é mostrado como ponto X na Figura 5.16. Se o tempo médio de chegada fosse mudado com a mesma variabilidade, a linha pontilhada na Figura 5.16 mostraria a relação entre o tempo médio de espera e a utilização do processo. Conforme o processo se aproxima de 100% de utilização, o tempo médio de espera se tornará mais alto. Em outras palavras, a única forma de garantir baixíssimos tempos de espera para as unidades é aceitar a baixa utilização do processo.

Quando os tempos de chegada e os tempos de atividade são variáveis, esse efeito é bem mais pronunciado. E, quanto maior a variabilidade, mais o tempo de espera se afasta das condições de nenhuma variabilidade da função retangular simples, que foi mostrada na Figura 5.14. Um conjunto de curvas

Unidade	Tempo de chegada	Início da atividade	Fim da atividade	Tempo de espera
A	0	0	10	0
B	12	12	22	0
C	20	22	32	2
D	34	34	44	0
E	43	44	54	1
F	55	55	65	0

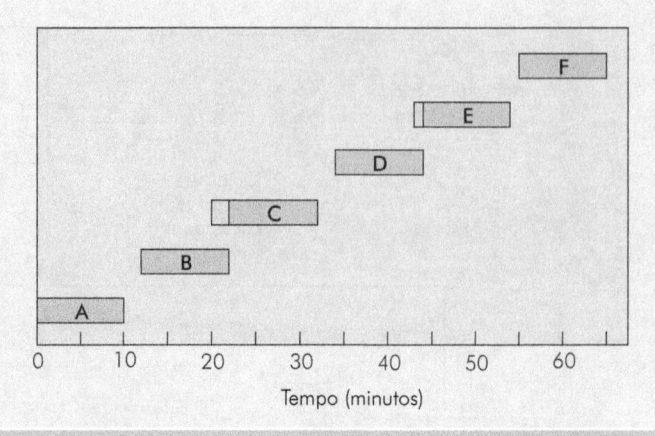

Figura 5.15 Unidades chegando num processo com tempos variáveis de chegada e um tempo constante de atividade (10 minutos).

para um processo típico é mostrado na Figura 5.17(a). Esse fenômeno tem implicações importantes para o projeto de processos. Com efeito, ele apresenta três opções para projetistas de processo desejando melhorar o tempo de espera ou o desempenho da utilização de seus processos, como mostrado na Figura 5.17 (b). Ou:

- aceita grandes médias de tempos de espera e alcança a alta utilização (ponto X), ou
- aceita a baixa utilização e alcança baixas médias de tempos de espera (ponto Y), ou
- reduz a variabilidade nos tempos de chegada, tempos de atividade, ou ambos, e alcança a mais alta utilização e curtos tempos de espera (ponto Z).

Para analisar os processos que variam tanto com o tempo da atividade quanto com o tempo entre as chegadas, pode ser usada a análise das filas ou da "fila de espera", abordadas no suplemento deste capítulo. Mas isso não descarta a relação mostrada nas Figuras 5.16 e 5.17 como sendo um fenômeno técnico menor. É muito mais que isso. Essa relação identifica uma escolha importante no projeto de

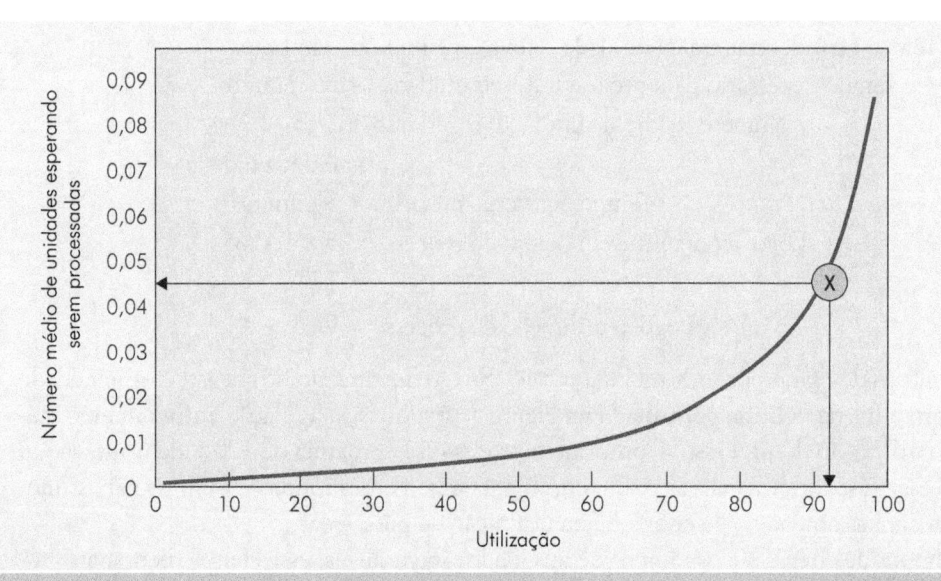

Figura 5.16 A relação entre a utilização de processos e o número de unidades esperando serem processadas para os tempos variáveis de chegada no exemplo.

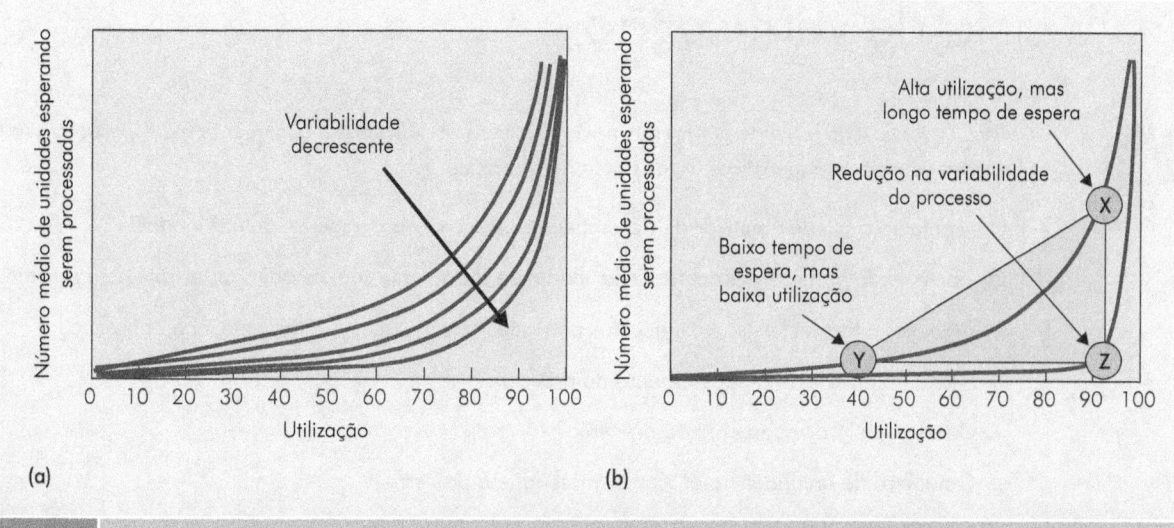

Figura 5.17 A relação entre a utilização do processo e o número de unidades esperando serem processadas para tempos de atividade e de chegada variável. (a) Diminuir a variabilidade permite maior utilização sem longos tempos de espera. (b) Gerenciar a capacidade e/ou a variabilidade.

processo que poderia ter implicações estratégicas. O que é mais importante para uma empresa – tempo de processamento rápido ou alta utilização de seus recursos? A única forma de ter ambos simultaneamente é reduzindo a variabilidade em seus processos, o que pode requerer decisões estratégicas como limitar o grau de personalização dos produtos ou serviços, ou impor limites estritos em como os produtos ou serviços podem ser entregues para os clientes e assim por diante. Também demonstra um ponto importante relacionado com o gerenciamento do processo diário – a única forma de garantir absolutamente 100% da utilização dos recursos é aceitar uma quantidade infinita de material em processo e/ou tempo de espera. Levantaremos esse ponto mais tarde no Capítulo 8, quando tratarmos do gerenciamento da capacidade.

> **Princípio de operações**
> O projeto de processos envolve uma escolha entre a utilização, os tempos de espera e a redução da variabilidade.

Comentário crítico

Cada capítulo contém um breve comentário crítico sobre as principais ideias nele abordadas. Seu propósito não é minar as questões discutidas, mas enfatizar que, embora apresentemos uma visão relativamente ortodoxa da operação, existem outras perspectivas.

■ Não há muito que possa ser considerado controverso neste capítulo. Entretanto, alguns profissionais rejeitariam a ideia de mapear processos conforme eles existem atualmente. Certamente, eles defenderiam uma abordagem mais radical de "folha de papel em branco". Somente fazendo isso, eles diriam, alguém pode ser suficientemente imaginativo no reprojeto de processos. O outro ponto potencial da controvérsia relacionaria a viabilidade do que nós chamamos de projetos de processo "fino-e-comprido". Como foi discutido no capítulo anterior, isso assume um grau de divisão da mão de obra e sistematização do trabalho que é julgado por alguns como "desumano".

Lista de verificação

Esta lista de verificação inclui perguntas que podem ser úteis se aplicadas a qualquer tipo de operação e refletem as principais questões diagnósticas usadas dentro do capítulo.

☐ Um conjunto claro de objetivos de desempenho para cada processo foi determinado?

☐ Os objetivos do projeto de processos relacionam-se claramente com os objetivos estratégicos da empresa?

☐ As seguintes informações são conhecidas por todos os processos fundamentais na operação?

— A taxa do fluxo e do processamento do processo?

— O tempo de processamento do processo?

— O número de unidades no processo (material em processo)?

— A utilização dos recursos do processo?

☐ Os processos são documentados usando técnicas de mapeamento de processo?

☐ As descrições formais do processo são seguidas na prática?

☐ Caso contrário, as descrições de processos deveriam ser alteradas ou as descrições de processos existentes deveriam ser reforçadas?

☐ É necessário para as descrições de processos incluir o grau de visibilidade de cada etapa do processo?

☐ Os detalhes da precedência de tarefas são conhecidos para cada processo?

☐ As vantagens e desvantagens das configurações em série e paralelas já foram exploradas?

☐ O processo é balanceado? Caso contrário, as etapas gargalo podem ser reprojetadas para alcançar melhor equilíbrio?

☐ As relações entre processamento, tempo de ciclo e material em processo são entendidas (Lei de Little)?

☐ As fontes da variabilidade do processo são reconhecidas?

☐ O efeito da variabilidade é levado em consideração no projeto de processos?

Estudo de caso: Banco North West Constructive – O Novo Centro de Financiamento 2

Andy Curtis, o gerente de operações de financiamento do Banco North West Constructive (NWCB), iniciou uma investigação maior dentro de seus processos e de como eles poderiam ser reprojetados (veja Parte 1 deste caso de estudo no Capítulo 4). As falhas na operação tinham-no instigado a melhorar consolidando os três locais separados em um único local. As equipes dos três antigos centros que cobriram as áreas Norte, Sul e Oeste da base de clientes do banco tinham sido mantidas praticamente intactas no novo local. Andy e seu time suspeitavam que isso podia ter contribuído para melhorar o desempenho, especialmente o do tempo de processamento, imediatamente depois da mudança.

Andy iniciou uma investigação que forneceria os dados básicos para o exame completo de como os processos do centro de financiamento poderiam ser reprojetados. Os resultados desta investigação são mostrados na Figura 5.18 e na Tabela 5.4. Elas detalham as atividades contidas dentro de cada etapa do processo global, junto com cada precedente imediato da atividade, o tipo de habilidade necessária para executar cada atividade, o tempo permitido para cada atividade (isto tinha variado levemente entre os três escritórios regionais, de forma que uma média tinha sido considerada) e uma estimativa dos tempos mínimo e máximo necessários para desempenhar cada atividade.

Também é mostrado para cada atividade a porcentagem de requisições que necessitaram ser "recicladas" (requisições que continham ambiguidades, erros ou omissões nos dados fornecidos e, portanto, tinham de ser retornadas para uma atividade anterior) ou "rejeitadas" (o financiamento estava sendo recusado por alguma razão). Duas das atividades (atividade b e atividade h) eram necessárias apenas por aproximadamente 40% das requisições. Além disso, Andy tinha pedido para cada seção fazer um "ponto de verificação" de quantas requisições estavam atualmente sendo processadas. Para sua surpresa, isto trouxe algo em torno de 5.000 requisições que estavam em processo, com a maioria delas nas partes de oferta e conclusão do processo. "Eu não estou surpreso que as ofertas gastem um longo tempo nas partes da oferta e conclusão do processo", explicou Andy. "Aquelas são as seções em que estamos esperando chegar os resultados do levantamento ou informação adicional dos representantes legais. Apesar disso, são realmente muitas requisições passando muito tempo no processo."

Além disso, 40 minutos são permitidos para chamadas extras no telefone, etc., que não são alocadas em alguma atividade ou etapa específica.

Habilidades necessárias para desempenhar a tarefa:

- Crédito – Habilidades de avaliação do crédito
- Hg – Habilidades de garantia
- Local – Conhecimento do mercado de propriedade local
- Legal – Conhecimento da lei de propriedade
- Rel. – Habilidades de relacionamentos

Toda a equipe de gerenciamento achou que seguir os detalhes de cada parte do processo tinha sido útil. Foram produzidas informações que não tinham sido coletadas antes, tal como a verdadeira porcentagem das requisições rejeitadas e recicladas em cada etapa. Também foi instigado um debate interessante sobre as permissões de apropriação do tempo para cada atividade e a sequência das atividades. Por exemplo, as atividades de garantia tinham sempre precedido as atividades da etapa da oferta em todos os centros. Já não existia razão técnica para que as atividades de garantia e oferta não pudessem ser desempenhadas em paralelo. "Quando todas as requisições eram puramente registra-

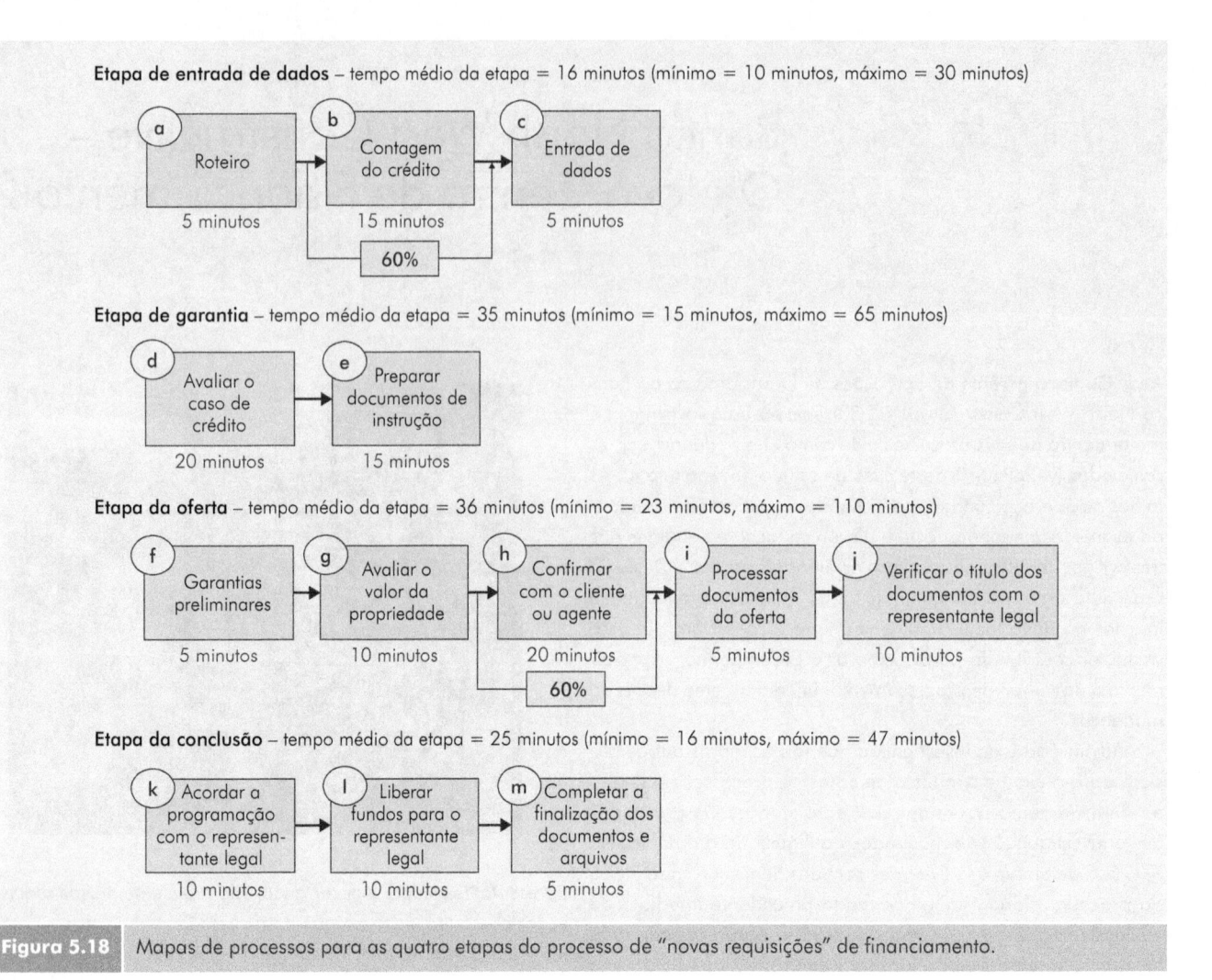

Etapa de entrada de dados – tempo médio da etapa = 16 minutos (mínimo = 10 minutos, máximo = 30 minutos)

- (a) Roteiro — 5 minutos
- (b) Contagem do crédito — 15 minutos — 60%
- (c) Entrada de dados — 5 minutos

Etapa de garantia – tempo médio da etapa = 35 minutos (mínimo = 15 minutos, máximo = 65 minutos)

- (d) Avaliar o caso de crédito — 20 minutos
- (e) Preparar documentos de instrução — 15 minutos

Etapa da oferta – tempo médio da etapa = 36 minutos (mínimo = 23 minutos, máximo = 110 minutos)

- (f) Garantias preliminares — 5 minutos
- (g) Avaliar o valor da propriedade — 10 minutos
- (h) Confirmar com o cliente ou agente — 20 minutos — 60%
- (i) Processar documentos da oferta — 5 minutos
- (j) Verificar o título dos documentos com o representante legal — 10 minutos

Etapa da conclusão – tempo médio da etapa = 25 minutos (mínimo = 16 minutos, máximo = 47 minutos)

- (k) Acordar a programação com o representante legal — 10 minutos
- (l) Liberar fundos para o representante legal — 10 minutos
- (m) Completar a finalização dos documentos e arquivos — 5 minutos

Figura 5.18 Mapas de processos para as quatro etapas do processo de "novas requisições" de financiamento.

das em papel não teria sido possível desempenhar as atividades em paralelo a menos que os documentos tivessem sido fisicamente copiados e mesmo assim teria levado à confusão. Agora, embora existam arquivos baseados em papel, o sistema de informação permite atualizar em tempo real o arquivo de cada requisição. O único argumento restante em favor de fazer as etapas de garantia e oferta sequenciais é que o trabalho executado nas requisições que são subsequentemente rejeitadas ou recicladas pode ser perdido. Também estou satisfeito que tenhamos concordado sobre as permissões do tempo para cada atividade bem como em obter um senso de tempos mínimo e máximo realistas. Mesmo assim, tenho dúvidas se já é possível neste tipo de trabalho estipular tempos muito precisos. Existem muitas situações diferentes que podem ocorrer. Por isso, temos tido de incorporar o adicional de 40 minutos do tempo não distribuído para todo o processo. Aposto que poderíamos dividir isso entre as etapas, mas não estou certo de que seria de grande ajuda. Sabemos que a maior parte deste tempo extra permitido é necessário nas etapas de oferta e conclusão em vez de nas duas primeiras etapas, mas eu particularmente não cairia na armadilha da falsa precisão."

Reprojetando o processo

Três opções separadas para o projeto dos processos estavam sendo ativamente consideradas pela equipe de gerenciamento.

- **Opção 1** – Manter o processo como ele está atualmente no novo centro, com uma etapa comum de entrada de dados, servindo todas as regiões e com cada uma das três regiões tendo suas próprias etapas de garantia, oferta e conclusão funcionando em série. Este arranjo tinha a vantagem de não romper a forma existente de funcionamento e de manter a coerência organizacional dos três times que estavam cada um já desenvolvendo suas próprias culturas.
- **Opção 2** – Reorganizar o processo todo abandonando a estrutura regional atual e organizando as quatro equipes sequenciais em torno de cada uma das quatro etapas de en-

Tabela 5.4 Total de atividades para todas as etapas do processo de "novas requisições"

Etapa	Código da atividade	Descrição da atividade	Precedente imediato	Habilidades especiais necessárias?*	Porcentagem do reciclado e rejeitado	Tempo permitido	Tempo mínimo	Tempo máximo
Entrada de dados	a	Roteiro	Nenhum	Nenhuma	Reciclado 2,2% Rejeitado 0,5%	5	5	5
	b	Contagem do crédito (40% de requisições apenas)	a	Nenhuma	Reciclado 0 Rejeitado 0	15 (6 em média)	10	20
	c	Entrada de dados	b	Nenhuma	Reciclado 0 Rejeitado 0	5	5	5
Garantia	d	Avaliar o caso de crédito	c	Crédito	Reciclado 9,1% Rejeitado 5%	20	5	45
	e	Preparar documentos de instrução	d	Crédito	Reciclado 1,3% Rejeitado 0	15	10	20
Oferta	f	Garantia preliminar	e?	Hg	Reciclado 0 Rejeitado 0	5	5	5
	g	Avaliar o valor da propriedade	f	Hg Local	Reciclado 7,7% Rejeitado 5%	10	8	30
	h	Confirmar com o cliente ou agente (4% das requisições apenas)	g	Hg Local Rel.	Reciclado 6,4% Rejeitado 3,2% (de todas as aplicações)	20 (8 em média)	10	40
	i	Processar os documentos da oferta	h	Hg	Reciclado 0 Rejeitado 0	5	5	5
	j	Verificar os títulos dos documentos com os representantes legais.	i	Hg Legal Rel.	Reciclado 4,5% Rejeitado 2,8%	8	5	30
Conclusão	k	Acordar a programação com o representante legal	j	Rel. Legal	Reciclado 2,8%	10	5	20
	l	Liberar fundos para o representante legal	k	Rel. Legal	Reciclado 1,8% Rejeitado 0	10	8	15
	m	Completar a finalização dos documentos e arquivo	l	Legal	Reciclado 0,9% Rejeitado 0	5	3	12
					Total	112		

*Veja o texto para abreviações.

trada de dados, garantia, oferta e conclusão. Este arranjo foi visto como sendo mais apropriado pelo volume mais alto que o novo centro combinado estava processando. Isto também permitiria que algumas habilidades, como habilidades de garantia e habilidades legais, fossem desenvolvidas por causa do maior número de equipes com esses conhecimentos trabalhando juntas. Entretanto, a equipe viu duas desvantagens neste arranjo. Primeiro, afetaria a moral das equipes existentes regionalmente, em especial a equipe do sul, que tinha trabalhado junto por muitos anos. Segundo, para algumas atividades na etapa de oferta era ainda uma vantagem ter algum conhecimento local dos mercados de propriedade regionais. Mesmo se essa opção fosse adotada, a equipe da oferta provavelmente ainda teria de reter algumas "células" locais dentro do processo.

- Opção 3 – De alguma forma, esta foi a opção de projeto mais radical a ser considerada. Ela envolveu reorganizar quatro equipes em torno das quatro etapas dentro do processo, mas operando a etapa de garantia e a etapa da oferta em paralelo. Isto foi visto como arriscado, especialmente com os altos níveis de requisições recicladas, mas ofereceu a vantagem dos curtos tempos de processamento.

O problema da reciclagem

Andy tinha sido alertado sobre os problemas que existiam em torno da quantidade de "retrabalho" mesmo antes da reorganização. Ele já tinha solicitado uma análise das razões por trás desta reciclagem. No ano passado, um total de 76.250 requisições tinham sido recebidas e 60.921 ofertas foram "emitidas" (feitas) pelo Centro de Financiamento. No mesmo período, um total de 21.735 destas necessitavam de alguma reciclagem ao menos uma vez durante seu processamento. A maioria delas era resultado de documentos submetidos com a requisição ou de informações na requisição faltando, incompletas, ou incorretas de alguma forma. Algumas reciclagens eram resultado da mudança de ideia quanto aos detalhes do financiamento durante o período de processamento; normalmente isto ocorria porque eles necessitavam pegar emprestado uma quantia diferente. Alguma reciclagem era causada diretamente por erros ocorridos dentro do Centro de Financiamento durante etapas anteriores do processo. A maior fonte de erros era pela coleta de dados incorreta ou incompleta quando o cliente e a informação da propriedade eram obtidos. Os agentes eram muito piores nisso do que as próprias filiais do Banco. Mesmo aqueles erros atribuídos aos clientes eram frequentemente o resultado da equipe não ter dado a orientação adequada aos escritórios dos agentes ou às filiais.

Quando uma requisição necessitava reciclagem dentro do processo, a requisição e os documentos que a acompanham eram colocados numa pasta amarela, o arquivo do cliente na base de dados era "marcado" com uma bandeira amarela e a aplicação era revista pelo supervisor da equipe, que avaliava como deveria ser tratada. Normalmente isto significava enviar a requisição de volta para uma etapa anterior no processo. Isto resultou numa "filtragem" contínua de algumas requisições sendo recicladas pelo processo.

"Ambas as requisições rejeitadas e recicladas causam problemas porque elas representam 'perda' de trabalho. Rejeições são menos sérias no sentido de que todo o propósito deste processo é 'livrar-se' das requisições que nós não queremos empregar capital. Mesmo assim, eu pergunto se nós poderíamos não permitir estas requisições antes no processo. As aplicações recicladas são mais sérias. Um problema é que, embora saibamos a porcentagem das requisições recicladas de cada atividade, não temos registro de onde no processo elas são recicladas. Uma opção que temos é redefinir a primeira atividade do 'roteiro' na entrada dos dados e fazer dela uma atividade de escrutínio inicial que tentaria livrar-se das requisições que provavelmente seriam recicladas mais tarde no processo. Em outras palavras, nós deveríamos prosseguir somente com aquelas requisições que provavelmente não seriam recicladas. Efetivamente, estaríamos fazendo da atividade inicial a mais importante em todo o processo. Isto significaria que poderíamos ter de equipar a atividade com pessoas com uma variedade muito ampla de habilidades e permitir a elas tempo suficiente para fazer o escrutínio inicial, talvez acima de 20 minutos para cada requisição. Dependeria da redução na reciclagem para isto valer a pena. Alguns da equipe sentem que a reciclagem poderia ser cortada em pelo menos 75% se fizermos isso."

Níveis da equipe

A questão final considerada pela equipe foi quantas pessoas o processo deveria empregar. Juntando toda atividade de entrada de dados em uma etapa, o processo já tinha economizado 11 equipes e existia um sentimento geral de que economias similares poderiam ser feitas em todo o processo se fosse reprojetado de acordo com a Opção 2 ou a Opção 3 explicadas previamente. Na verdade, independente de qual opção de projeto escolhida, as permissões de tempo acordadas para as atividades parecem indicar que o processo seria capaz de operar com poucas pessoas.

Andy percebeu que sua operação estava se deparando com inúmeras decisões. Ele também percebeu que nenhuma delas era fácil. "Nosso problema real é que tudo está inter-relacionado. As opções de reprojeto do processo que temos poderiam afetar nossa habilidade de reduzir o tempo gasto nas requisições recicladas bem como no número de equipes que necessitamos. Contudo, aumentando o investimento do tempo da equipe e esforço em certas partes do processo seremos capazes de reduzir a reciclagem e ainda de alcançar uma redução global na equipe. E a longo prazo, o que é o importante. Precisamos ser capazes de reduzir o custo de processar as requisições de financiamento se quisermos sobreviver como uma operação caseira. O nosso é exatamente o tipo de processo que poderia ser terceirizado se não fornecermos um serviço eficaz e eficiente para a empresa."

PERGUNTAS

1 É importante que Andy e sua equipe não podem alocar todo o tempo necessário para processar uma requisição de financiamento para atividades individuais?

2 O processo deveria ser reprojetado? Neste caso, qual opção deveria ser adotada?

3 Como o problema da "reciclagem" poderia ser reduzido e quais benefícios isso traria?

Estudo de caso ativo — Action Response

A Action Response é uma organização de caridade de sucesso que fornece respostas rápidas para situações críticas por todo o mundo. Elas são necessárias para processar solicitações de dinheiro com agilidade e precisão a fim de obtê-lo para onde é necessário, a tempo de fazer diferença. Entretanto, reclamações sobre o dinheiro que não chega rápido o suficiente e o aumento dos custos operacionais são uma preocupação para a organização de caridade.

- Como você avaliaria e reconfiguraria os processos empregados para melhorar a presteza e a eficiência da Action Response?

Recorra ao caso ativo no CD que acompanha este livro para ouvir as opiniões dos envolvidos.

Aplicando os princípios

Alguns destes exercícios podem ser respondidos a partir da leitura do capítulo. Outros vão requerer algum conhecimento geral da atividade de negócios e alguns poderão requerer pesquisa. Todos têm sugestões de como podem ser respondidos no CD que acompanha este livro.

1. Escolha um processo com o qual você está familiarizado. Por exemplo, um processo no trabalho, inscrição para um curso da universidade, associar-se a um serviço de uma locadora de vídeo, matricular-se num clube de esportes ou ginástica, registrar-se numa biblioteca, obter uma permissão de estacionamento de carro, etc. Mapeie o processo pelo qual você passou na sua perspectiva, usando os símbolos de mapeamento de processo explicados neste capítulo. Tente mapear como seria o processo de "fundo de loja" (essa é a parte do processo que é vital para alcançar seus objetivos, mas que você não consegue ver). Você pode ter de especulá-lo, mas poderia falar com alguém que conhece o processo.

    - Como o processo poderá ser melhorado de sua perspectiva (do cliente) e da perspectiva da própria operação?

2. *"É realmente um problema para nós"*, disse Angnyeta Larson. *"Agora temos apenas 10 dias de trabalho entre as reclamações dos gastos vindas dos coordenadores de departamentos e as autorizações de pagamentos na folha de pagamento do próximo mês. Isso realmente não é tempo suficiente e já estamos tendo problemas durante os momentos de pico."* Angnyeta era a chefe do departamento de controle financeiro interno de um orgão metropolitano no sul da Suécia. Parte das responsabilidades do seu departamento incluía verificar e processar as reclamações dos gastos da equipe de todo orgão metropolitano e autorizar os pagamentos para a seção de folha de pagamento de salários. Ela coordenava 12 equipes que foram treinadas para verificar as reclamações de gastos e todas trabalhavam em tempo integral para processar as reclamações em duas semanas (10 dias de trabalho) antes da data final para informar a seção de salários. O número de reclamações encaminhadas durante o ano era em média de 3.200, mas poderia variar entre 1.000 durante os meses calmos de verão e 4.300 nos meses de pico. Processar reclamações envolvia verificar recibos, comprovar se as reclamações estavam de acordo com as rigorosas permissões financeiras para diferentes tipos de despesa, confirmar todos os cálculos, obter mais dados do reclamante se necessário e (eventualmente) enviar uma notificação de aprovação para salários. O tempo total de processamento era de, em média, 20 minutos por reclamação.

    - Quantas equipes o processo necessita, em média, para a demanda mais baixa e para a mais alta?
    - Se um processo mais automatizado envolvendo o encaminhamento eletrônico de reclamações pudesse reduzir o tempo médio de processamento para 15 minutos, que efeito isto teria nos níveis de equipes necessários?

- Se os coordenadores departamentais pudessem ser persuadidos a encaminhar suas reclamações em lote mais cedo (nem sempre possível para todos os departamentos) de forma que o tempo médio entre o encaminhamento das reclamações para o departamento financeiro e a data final para informar à seção de salários fosse aumentado para 15 dias de trabalho, que efeito isto teria?

3. A matriz de uma agência de criação ofereceu um serviço para todas as suas subsidiárias globais em que incluia a preparação de uma estimativa de orçamento que foi submetida a clientes potenciais depois de fazer uma proposta para um novo trabalho. Este serviço tinha sido oferecido previamente somente para poucas empresas subsidiárias do grupo. Agora que era para ser oferecido no mundo todo, foi considerado adequado para organizar o processo de compilar as estimativas do orçamento mais sistematicamente. Foi estimado que a demanda mundial para este serviço seria em torno de 20 estimativas de orçamento por semana, e que, em média, a equipe que agruparia essas estimativas estaria trabalhando 35 horas por semana. Os elementos dentro da tarefa total de compilar a estimativa do orçamento são mostrados na tabela seguinte.

Elemento	Tempo (minutos)	Que elemento(s) deve(m) ser feito(s) antes deste?
A – obtém a estimativa de tempo do departamento de criação	20	Nenhum
B – obtém as datas finais do dono da conta	15	Nenhum
C – obtém a estimativa da produção do trabalho de arte	80	Nenhum
D – cálculos preliminares do orçamento	65	A, B e C
E – verifica o orçamento do cliente	20	D
F – verifica a disponibilidade de recurso e a estimativa de ajuste	80	D
G – completa a estimativa final do orçamento	80	E e F

- Qual é o tempo de ciclo necessário para este processo?
- Quantas pessoas o processo necessitará para atender a demanda antecipada de 20 estimativas por semana?
- Assumindo que o processo é para ser projetado numa base "fino-e-comprido", que elementos cada etapa seria responsável por completar? E o que seria a perda de balanceamento para este processo?
- Assumindo que, em vez do projeto fino-e-comprido, dois processos paralelos serão projetados, cada um com metade do número de estações do projeto fino-e-comprido, o que agora seria a perda de balanceamento?

4. A empresa decidiu fabricar um "cepilho" de finalidade geral, uma ferramenta que aplaina e molda a madeira. Seus engenheiros estimaram o tempo que ela levaria para desempenhar cada elemento no processo de montagem. O departamento de *marketing* também estimou que a demanda provável para o novo produto seria de 98.000 unidades. Embora o departamento não estivesse totalmente confiante na sua previsão, *"uma proporção substancial de demanda provavelmente será para vendas de exportação, as quais nós achamos difícil prever. Mas qualquer que seja a demanda da produção, teremos que reagir rapidamente para atendê-la. Quanto mais entramos nestas partes do mercado, mais estamos comprando no impulso e mais vendas perdemos se não fornecemos"*.

Uma ideia da tarefa de montagem pode ser obtida da tabela a seguir, que mostra o tempo padrão de cada elemento da tarefa de montagem.

Tempos padrão para cada elemento da tarefa de montagem em minutos padrão (MP)

Elementos de pressão	
Impulso de montagem	0,12 minutos
Impulso de encaixe para frente	0,10 minutos
Manivela de ajuste do rebite para frente	0,15 minutos
Ajuste da pressão da porca para frente	0,08 minutos

Elementos do assento

Ajuste do encaixe da porca para frente	0,15 minutos
Encaixe da alça do parafuso para frente	0,05 minutos
Encaixe da maçaneta à base	0,15 minutos
Encaixe do puxador à base	0,17 minutos
Encaixe da montagem frontal à base	0,15 minutos
Unidade de montagem da haste	0,08 minutos
Montagem final	0,20 minutos

Elemento de embalagem

Fazer caixa, embrulhar a plaina, empacotar	0,20 minutos
Tempo total	**1,60 minutos**

Todos os elementos devem ser executados sequencialmente na ordem listada.

O sistema de custo padrão na empresa envolve adicionar uma carga de custo fixo de 150% para o custo de mão de obra direta da fabricação do produto, e ele seria revendido pelo equivalente a € 35 na Europa, onde a maioria dos varejistas venderá este tipo de produto por aproximadamente 70 –100% a mais do que eles compram-no dos fabricantes.

- Quantas pessoas serão necessárias para montar este produto?

- Projete um processo para a operação de montagem (incluir o trabalho da prensa), abrangendo as tarefas a serem desempenhadas em cada parte do sistema.

- Como o projeto de processos poderá necessitar ser ajustado conforme aumenta a demanda deste e de produtos similares?

Notas do capítulo

1. Fonte: Horovitz, A. (2002) "Fast food world ways *drive-thru* is the way to go", *USA Today*, 3 April.
2. Carr-Brown, J (2005) "French factory surgeon cuts NHS queues", *Sunday Times*, 23 outubro.
3. Nem todo mundo usa exatamente a mesma terminologia nesta área. Por exemplo, algumas publicações usam o termo "tempo de ciclo" para designar o que chamamos de "taxa de processamento".
4. O conceito de visibilidade é explicado em Shostack, G. L. (1984) "Designing services that deliver", *Harvard Business Review*, Jan.-Feb., pp. 133-9.
5. A Lei de Little é melhor explicada em Hopp, W. J. and Spearman, M. L. (2001) *Factory Physics* (2ª ed), McGraw-Hill, New York.

Indo além

Anupindi, R., Chopra, S., Deshmukh, S.D., Van Mieghem, J.A. and Zemel, E. (1999) *Managing Business Process Flows*, Prentice Hall, New Jersey. Uma excelente abordagem, embora matemática, para o projeto de processos em geral.

Hammer, M. (1990) "Reengineering work: don't automate, obliterate", *Harvard Business Review*, July-August. Este é o artigo que lançou a ideia toda do gerenciamento de processos e processos de negócio em geral para um público mais amplo gerencial. Um pouco antiga, mas vale a pena ler.

Ramaswamy, R. (1996) *Design and Management of Service Processes*, Addison-Wesley Longman. Uma abordagem relativamente técnica para o projeto de processos num ambiente de serviço.

Shostak, G.L. (1982) "How to *design* a service", *European Journal of Marketing*, Vol. 16, No. 1. Uma abordagem muito menos técnica e mais baseada na experiência para o projeto de processos de serviço.

RECURSOS ADICIONAIS Para recursos adicionais incluindo exemplos, diagramas animados, questões de autoavaliação, planilhas Excel, estudos de caso ativos e materiais de vídeo, acesse o CD que acompanha este livro.

Suplemento do Capítulo 5

Análise das Filas

Introdução

A análise das filas (em muitas partes do mundo é chamada análise das "filas de espera") é frequentemente explicada como sendo exclusivamente o processamento dos clientes pelas operações de serviço. Isto é ilusório. Embora a análise das filas possa ser bastante importante nas operações de serviço, em especial onde os clientes realmente fazem fila para o serviço, a abordagem é útil em qualquer tipo de operação. A Figura 5.19 mostra a forma geral da análise das filas.

A forma geral da análise das filas

Os clientes chegam de acordo com uma distribuição de probabilidade e esperam ser processados (a menos que parte da operação esteja ociosa); quando eles chegam na frente da fila, eles são processados por um dos *n* servidores paralelos (seu tempo de processamento também sendo descrito por uma distribuição de probabilidade) e depois deixam a operação. Existem muitos exemplos desse tipo de sistema. A Tabela 5.5 ilustra alguns deles. Todos estes exemplos podem ser descritos por um conjunto comum de elementos que definem seu comportamento de fila.

- A *fonte de clientes*, algumas vezes chamada de população, é a fonte de suprimento de clientes. No gerenciamento da fila os clientes nem sempre são humanos. Os clientes poderiam, por exemplo, ser caminhões chegando numa balança, pedidos chegando para serem processados, máquinas esperando serem utilizadas, etc.

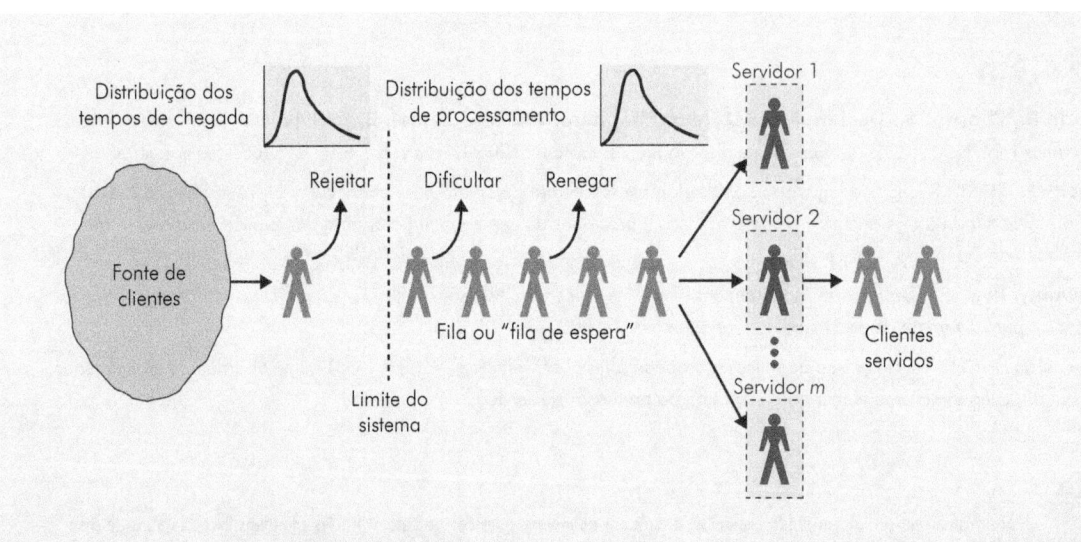

Figura 5.19 A forma geral da análise das filas.

Tabela 5.5	Exemplos de processos que podem ser analisados usando a análise das filas	
Operação	Chegadas	Capacidade de processamento
Banco	Clientes	Caixas
Supermercado	Consumidores	Caixa para pagamento
Clínica do hospital	Pacientes	Médicos
Artista gráfico	Comissões	Artistas
Decoradores de bolo	Pedidos	Decoradores de bolo
Serviço de ambulância	Emergências	Ambulâncias com equipe
Central telefônica	Chamadas	Telefonistas
Departamento de manutenção	Quebras	Equipe de manutenção

- A *taxa de chegada* é a taxa na qual os clientes aguardando atendimento chegam ao servidor ou servidores. Raramente os clientes chegam a uma taxa estável e previsível. Normalmente, existe uma variabilidade em sua taxa de chegada; por isso, é necessário descrever as taxas de chegada em termos de distribuições de probabilidade.
- A *fila*. Os clientes esperando atendimento formam filas de espera. Não existem muitas restrições sobre o tamanho da fila em qualquer momento, podemos assumir que, para todas as finalidades práticas, uma fila infinita é possível. Às vezes, entretanto, existe um limite de quantos clientes podem estar na fila em determinado momento.
- *Disciplina da fila* é o conjunto de regras que determina a ordem em que os clientes que estão esperando na fila serão atendidos. A maioria das filas simples, como as filas numa loja, usam uma disciplina de fila *primeiro a chegar, primeiro a ser atendido*.
- *Servidores*. Um servidor é o recurso que processa os clientes na fila. Em qualquer sistema de fila pode existir alguns servidores configurados de diferentes formas. Na Figura 5.19, os servidores são configurados em paralelo, mas alguns sistemas podem ter servidores numa disposição em série. É também provável existir variação em quanto tempo leva para processar cada cliente. Por isso, o tempo de processamento, como o tempo de chegada, é geralmente descrito por uma distribuição de probabilidade.

Calculando o comportamento da fila

Pesquisadores de gestão têm desenvolvido fórmulas que podem prever o comportamento de diferentes tipos de sistema de filas. Infelizmente, muitas dessas fórmulas são extremamente complicadas, em especial para sistemas complexos de fila, e estão além do escopo deste livro. Na prática, programas de computador são usados para prever o comportamento dos sistemas de fila. Entretanto, estudar a fórmula das filas pode ilustrar algumas características úteis da forma que se comportam os sistemas de fila. Mais do que isso, para sistemas relativamente simples, usar a fórmula (mesmo com algumas simplificações) pode fornecer uma aproximação útil para o desempenho do processo.

Notação

Existem várias convenções diferentes para a notação usada em diversos aspectos do comportamento do sistema de filas. É sempre sugerido verificar a notação usada por outros autores antes de usar sua fórmula. Usaremos a seguinte notação:

t_a = tempo médio entre as chegadas
r_a = taxa de chegada (itens por unidade de tempo) = $1/t_a$
c_a = coeficiente de variação dos tempos de chegada
m = número de servidores paralelos numa estação

t_e = tempo médio de processamento
r_e = taxa de processamento (itens por unidade de tempo) = m/t_e
c_e = coeficiente de variação do tempo de processamento
u = utilização da estação = r_a/r_e = $(r_a t_e)/m$
WIP = média do material em processo (número de itens) no sistema
WIP_q = material em processo (número de itens) esperado na fila
W_q = expectativa de tempo de espera na fila
W = expectativa de tempo de espera no sistema (tempo de fila + tempo de processamento)

Variabilidade

O conceito de variabilidade é fundamental para entender o comportamento das filas. Se não existisse variabilidade, não existiria a necessidade de ocorrer filas, já que a capacidade de um processo poderia ser facilmente ajustada para atender a demanda. Por exemplo, suponha que um membro da equipe (um servidor) atenda clientes em um caixa do banco e que sempre chega um cliente a cada cinco minutos (isto é, 12 por hora). Suponha também que cada cliente leva exatamente cinco minutos para ser atendido. Então, visto que:

(a) a taxa de chegada é menor ou igual à taxa de processamento, e
(b) não existe variação,

nenhum cliente precisa esperar, já que o próximo chegará no momento, ou imediatamente antes, que o cliente anterior sair. Isto é, $\text{WIP}_q = 0$.

Também, neste caso, o servidor está trabalhando todo o tempo, novamente porque quando um cliente sai, o próximo está chegando. Isto é, $u = 1$.

Mesmo com mais de um servidor, pode-se aplicar o mesmo. Por exemplo, se o tempo de chegada no caixa é de cinco minutos (12 por hora) e agora o tempo de processamento para cada cliente é de exatos 10 minutos (6 por hora), o caixa necessitaria de dois servidores ($m = 2$). Assim, uma vez que:

(a) a taxa de chegada é menor ou igual à taxa de processamento × m, e
(b) não existe variação,

novamente, $\text{WIP}_q = 0$ e $u = 1$.

Naturalmente, é conveniente (mas não usual) que a taxa de chegada dividida pela taxa de processamento seja um número inteiro. Quando este não é o caso (para este simples exemplo com nenhuma variação):

$$\text{Utilização = taxa de processamento / (taxa de chegada} \times m)$$

Por exemplo, se a taxa de chegada r_a = 5 minutos, a taxa de processamento r_e = 8 minutos e o número de servidores $m = 2$, então:

$$\text{Utilização } u = 8/(5 \times 2) = 0{,}8 \text{ ou } 80\%$$

Incorporando a variabilidade

Os exemplos oferecidos não são realistas porque eles não têm variação na chegada ou nos tempos de processamento. Também precisamos levar em consideração a variação em torno dessas médias. Para fazer isso, precisamos usar uma distribuição de probabilidades. A Figura 5.20 compara dois processos com diferentes distribuições de chegada. As unidades chegando são mostradas como pessoas, mas elas poderiam ser tarefas chegando numa máquina, caminhões necessitando de conserto ou qualquer outro

Figura 5.20 Baixa e alta variação de chegada.

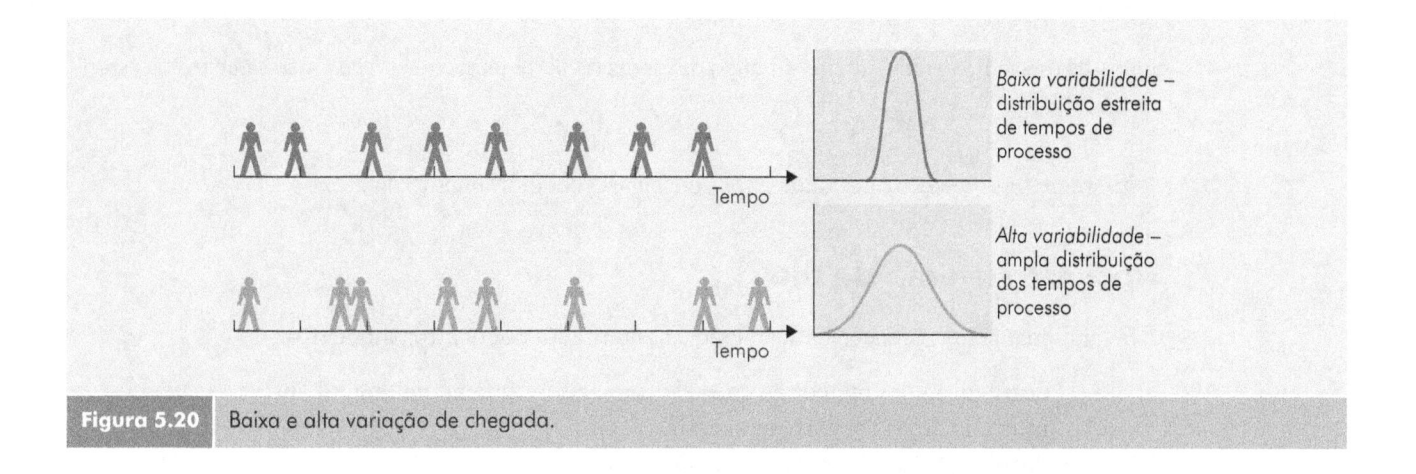

evento incerto. O primeiro exemplo mostra baixa variação no tempo de chegada, onde os clientes chegam de forma relativamente previsível. O outro exemplo tem o mesmo número médio de clientes chegando, mas desta vez eles chegam imprevisivelmente, com, às vezes, longos intervalos entre as chegadas e em outras vezes dois ou três clientes chegando juntos. Poderíamos fazer uma análise similar para descrever os tempos de processamento.

Na Figura 5.20, uma alta variação de chegada tem uma distribuição com uma dispersão maior do que a distribuição com variabilidade mais baixa. Estatisticamente, a medida usual para indicar a divulgação de uma distribuição é seu desvio padrão σ. Mas a variação depende não apenas do desvio padrão. Por exemplo, uma distribuição de tempos de chegada pode ter um desvio padrão de 2 minutos. Isso pode indicar pouca variação quando o tempo médio de chegada é de 60 minutos, mas significa muita variação quando o tempo médio de chegada é de 3 minutos. Portanto, para normalizar o desvio padrão, ele é dividido pela média de suas distribuições. Essa medida é chamada de coeficiente de variação da distribuição. Assim,

$$c_a = \text{coeficiente de variação dos tempos de chegada} = \sigma_a/t_a$$

$$c_e = \text{coeficiente de variação dos tempos de processamento} = \sigma_e/t_e$$

Incorporando a Lei de Little

A Lei de Little (comentada anteriormente no capítulo) descreve a relação entre o tempo de ciclo, o material em processo e o tempo de processamento. Ela é representada pela seguinte relação simples:

$$\text{Tempo de processamento} = \text{material em processo} \times \text{tempo de ciclo}$$

ou

$$T = WIP \times C$$

A Lei de Little pode ajudar a entender o comportamento das filas. Considere a fila defronte à estação de trabalho.

Material em processo na fila = taxa de chegada na fila (equivalente ao tempo de ciclo) × tempo de espera na fila (equivalente ao tempo de processamento)

$$WIP_q = r_a \times W_q$$

e

tempo de espera no sistema inteiro = tempo de espera na fila + tempo médio de processamento na estação

$$W = W_q + t_e$$

Usaremos essa relação mais tarde para investigar o comportamento da fila.

Tipos de sistema de fila

Convencionalmente, os sistemas de fila são caracterizados por quatro parâmetros:

A = distribuição dos tempos de chegada (ou mais propriamente tempos entre chegadas, o intervalo de espera entre as chegadas)
B = distribuição dos tempos de processo
m = número de servidores em cada estação
b = número máximo de itens permitidos no sistema

As distribuições mais comuns usadas para descrever A ou B são:

- a distribuição exponencial (ou markoviana), denotada por M
- a distribuição geral (por exemplo, normal), denotado por G

Assim, por exemplo, um sistema de fila M/G/1/5 indicaria um sistema com chegadas distribuídas de modo exponencial, tempos de processo descritos por uma distribuição geral tal como uma distribuição normal, com um servidor, e um número máximo de 5 itens permitidos no sistema. Este tipo de notação é chamado Notação de Kendall.

A teoria das filas pode ajudar-nos a investigar qualquer tipo de sistema de fila, mas a fim de simplificar a matemática, lidaremos aqui apenas com as duas situações mais comuns, denominadas:

- M/M/m – os tempos de processamento e chegada exponencial com m servidores e nenhum limite máximo para a fila
- G/G/m – distribuição geral de processamento e chegada com m servidores e nenhum limite para a fila.

Primeiro, começaremos examinando o caso simples quando m = 1.

Para sistemas de fila M/M/1

As fórmulas para este tipo de sistema são as seguintes:

$$\text{WIP} = \frac{u}{1-u}$$

usando a Lei de Little,

$$\text{WIP} = \text{tempo de processamento} / \text{tempo de ciclo}$$
$$\text{Tempo de processamento} = \text{WIP} \times \text{tempo de ciclo}$$

Então

$$\text{Tempo de processamento} = \frac{u}{1-u} \times \frac{1}{r_a} = \frac{t_e}{1-u}$$

e, uma vez que o tempo de processamento na fila = tempo total de processamento − tempo médio de processamento,

$$W_q = W - t_e$$
$$= \frac{t_e}{1-u} - t_e$$
$$= \frac{t_e - t_e(1-u)}{1-u} = \frac{t_e - t_e - ut_e}{1-u}$$
$$= \left(\frac{u}{1-u}\right)t_e$$

Novamente, usando a Lei de Little,

$$WIP_q = r_a \times W_q = \left(\frac{u}{1-u}\right)t_e r_a$$

e uma vez que

$$u = \frac{r_a}{r_e} = r_a t_e$$
$$r_a = \frac{u}{t_e}$$

então

$$WIP_q = \frac{u}{1-u} \times t_e \times \frac{u}{t_e}$$
$$= \frac{u^2}{1-u}$$

Para sistemas M/M/*m*

Quando existem *m* servidores em uma estação, a fórmula para o tempo de espera na fila (e, portanto, todas as outras fórmulas) necessita ser modificada. Novamente, não derivaremos essas fórmulas, mas apenas as estabeleceremos:

$$W_q = \frac{u^{\sqrt{2(m+1)}-1}}{m(1-u)}t_e$$

de onde as outras fórmulas podem ser derivadas como antes.

Para sistemas G/G/1

A suposição dos tempos de processamento e chegada exponenciais é conveniente quando as derivações matemáticas de várias fórmulas estão relacionadas. Entretanto, na prática, é raro os tempos de processo em particular serem verdadeiramente exponenciais. Por isso, é importante ter alguma ideia de como se comportam as filas G/G/1 e G/G/*m*. Entretanto, relações matemáticas exatas não são possíveis com tais distribuições. Portanto, algum tipo de aproximação é necessário. A aproximação aqui é usual e, embora não seja sempre precisa, é assim por finalidades práticas. Para sistemas G/G/1, a fórmula para o tempo de espera na fila é:

$$W_q = \left(\frac{c_a^2 + c_e^2}{2}\right)\left(\frac{u}{1-u}\right)t_e$$

Existem duas considerações sobre esta equação. A primeira é que ela é exatamente a mesma que a equação equivalente para um sistema M/M/1, mas com um fator para a variabilidade dos tempos de processo e de chegada. A segunda é que esta fórmula é, às vezes, conhecida como a fórmula VUT, porque ela descreve o tempo de espera numa fila como uma função de:

V (a variabilidade no sistema de fila),
U (a utilização do sistema de fila, ou seja, demanda *versus* capacidade), e
T (os tempos de processamento na estação de trabalho).

Em outras palavras, podemos concluir intuitivamente que o tempo de fila aumentará conforme a variabilidade, a utilização ou o tempo de processamento aumentarem.

Para sistemas G/G/m

A mesma modificação aplica-se aos sistemas de fila usando equações gerais e *m* servidores. A fórmula para o tempo de espera na fila é agora como segue:

$$W_q = \left(\frac{c_a^2 + c_e^2}{2}\right)\left(\frac{u^{\sqrt{2(m+1)}-1}}{m(1-u)}\right)t_e$$

Exemplo

"Não consigo entender. Estabelecemos nossa capacidade e estou certa de que cada membro da equipe é capaz de suprir a demanda. Sabemos que os clientes chegam a uma taxa de aproximadamente seis a cada hora e também sabemos que qualquer membro treinado da equipe pode processá-los a uma taxa de oito por hora. Então porque a fila é tão grande e a espera tão longa? Fique atento ao que está acontecendo lá, por favor."

Sara sabia que provavelmente era a variação na chegada dos clientes e o tempo de processamento de cada um deles que estavam causando o problema. Durante um período de dois dias, quando lhe disseram que a demanda era mais ou menos normal, ela mediu os tempos exatos de chegada e de processamento de cada cliente. Seus resultados foram como segue.

Coeficiente de variação das chegadas de clientes, $c_a = 1$
Coeficiente de variação do tempo de processamento, $c_e = 3,5$
Taxa média de chegada dos clientes, $r_a = 6$ por hora
Portanto, o tempo médio entre as chegadas = 10 minutos
Taxa média de processamento, $r_e = 8$ por hora
Portanto, o tempo médio de processamento = 7,5 minutos
Portanto, a utilização de um único servidor, $u = 6/8 = 0,75$

Usando a fórmula do tempo de processamento para um sistema de fila G/G/1,

$$W_q = \left(\frac{1+12,25}{2}\right)\left(\frac{0,75}{1-0,75}\right) \times 7,5$$
$$= 6,625 \times 3 \times 7,5 = 149,06 \text{ min}$$
$$= 2,48 \text{ horas}$$

Além disso,

$$WIP_q = \text{tempo de ciclo/tempo de processamento}$$
$$= 6 \times 2,48 = 14,88$$

Assim, Sara descobrira que a média de espera possível para os clientes era 2,48 horas e que existia uma média de 14,88 pessoas na fila.

"OK, vejo que é a alta variação do tempo de processamento que está causando a fila de espera. Que tal investir num novo sistema de computador que padronizaria o tempo de processamento? Já falei com nossos técnicos e eles acham que, se nós investíssemos num novo sistema, poderíamos baixar o coeficiente de variação do tempo de processamento para 1,5. Que tipo de diferença isso faria?"

Sob estas condições com $c_e = 1,5$

$$W_q = \left(\frac{1+2,25}{2}\right)\left(\frac{0,75}{1-0,75}\right) \times 7,5$$
$$= 1,625 \times 3 \times 7,5 = 36,56 \text{ min}$$
$$= 0,61 \text{ horas}$$

Portanto,

$$WIP_q = 6 \times 0,61 = 3,66$$

Em outras palavras, reduzir a variação do tempo de processamento reduz o tempo médio de fila de 2,48 horas para 0,61 horas e reduz o número esperado de pessoas na fila de 14,88 para 3,66.

Exemplo

Um banco deseja decidir quantas equipes manter durante seu período de almoço. Durante este tempo, os clientes chegam a uma taxa de nove por hora e as informações que os clientes querem (tais como abrir novas contas, arranjar empréstimos, etc.) levam em média 15 minutos para serem processadas. O gerente do banco crê que quatro equipes deveriam estar de serviço durante este período, mas querem ter certeza de que os clientes não esperem mais que 3 minutos em média para serem atendidos. O gerente aprendeu com sua filha pequena que as distribuições que descrevem os tempos de processamento e de chegada provavelmente são exponenciais. Portanto, $r_a = 9$ por hora, logo $t_a = 6,67$ minutos; e $r_e = 4$ por hora, logo $t_e = 15$ minutos. O número proposto de servidores, $m = 4$, portanto a utilização do sistema, $u = 9/(4 \times 4) = 0,5625$.

A partir da fórmula do tempo de espera para um sistema M/M/m,

$$W_q = \frac{u^{\sqrt{2(m+1)}-1}}{m(1-u)} t_e$$
$$= \frac{0,5625^{\sqrt{10}-1}}{4(1-0,5625)} \times 0,25$$
$$= \frac{0,5625^{2,162}}{1,75} \times 0,25$$
$$= 0,042 \text{ horas}$$
$$= 2,52 \text{ minutos}$$

Então, o tempo médio de espera com quatro servidores seria de 2,52 minutos, o que está dentro da tolerância aceitável de espera do gerente.

Notas do suplemento do capítulo

1. Maister, D. (1983) "The psychology of waiting lines", *Harvard Business Review*, Jan-Feb.

Indo além

Hopp, W.J. and Spearman, M.L. (2001) *Factory Physics* (2nd ed), McGraw-Hill, New York. Muito técnico, por isso não o consulte se você não estiver preparado para encarar a matemática. Entretanto, algumas análises são fascinantes, especialmente a respeito da Lei de Little.

Capítulo 6
PROCESSOS DE PROJETO DE PRODUTOS E SERVIÇOS

Introdução

Os produtos e os serviços produzidos por uma operação são a sua face pública. É por meio deles que os clientes julgam uma empresa: uma boa organização é igual a bons produtos e serviços. Bons projetos de novos produtos e serviços sempre tiveram impacto estratégico nesta área. O que mudou durante os últimos anos foi a velocidade e o grau de mudanças nos projetos. Aceita-se agora que existe uma conexão entre os processos de projeto e o sucesso dos produtos e serviços no mercado. Isso ocorre porque os processos que projetam novos produtos e serviços são muito importantes. (Veja a Figura 6.1.)

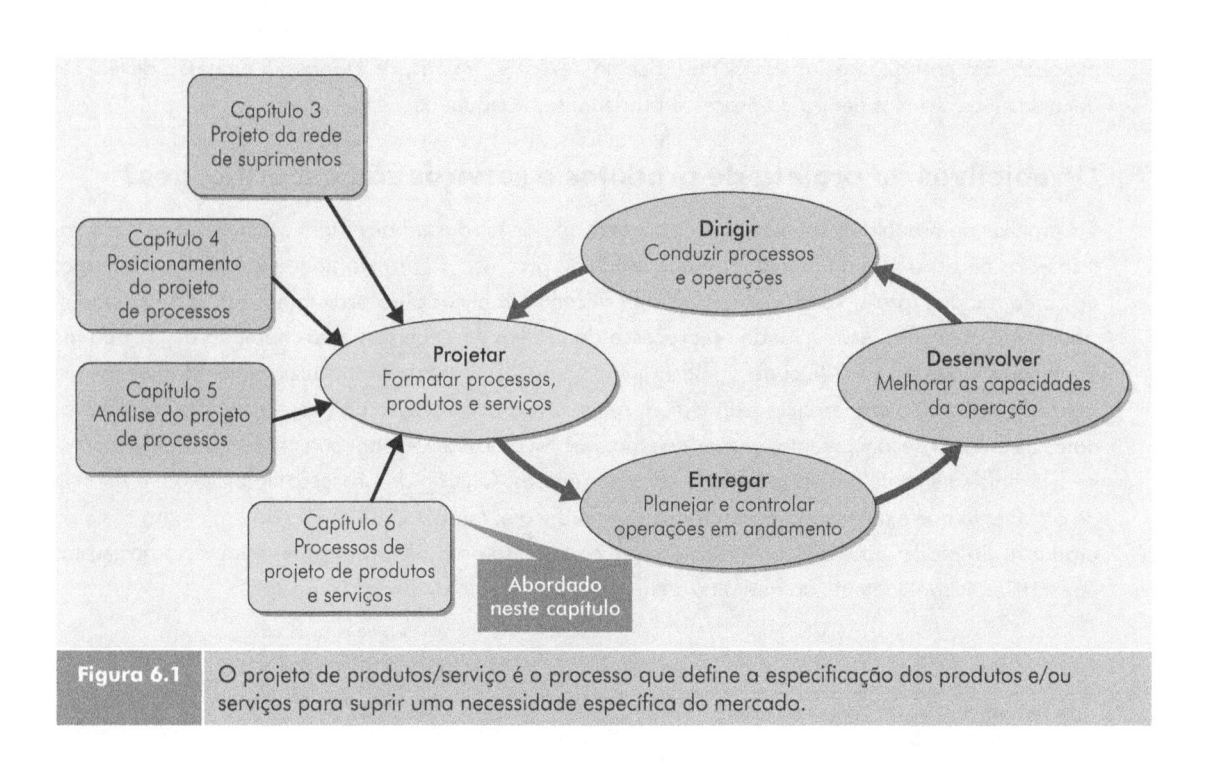

Figura 6.1 O projeto de produtos/serviço é o processo que define a especificação dos produtos e/ou serviços para suprir uma necessidade específica do mercado.

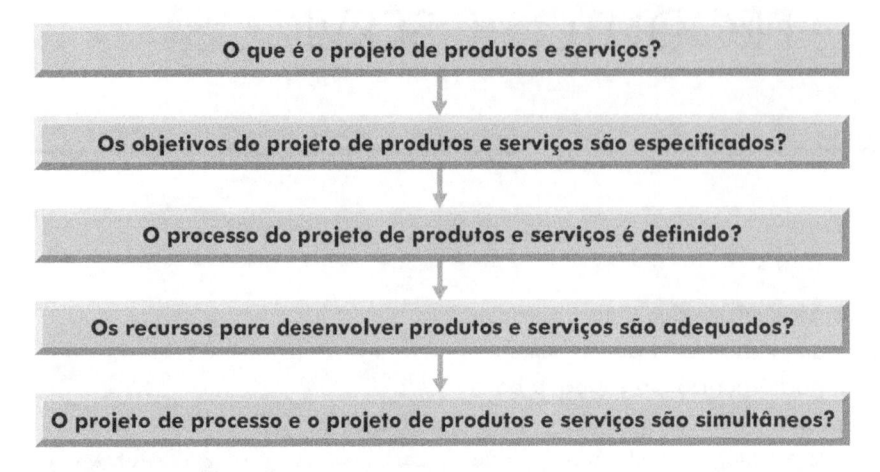

Sumário executivo

VÍDEO
informações adicionais

- O que é o projeto de produtos e serviços?
- Os objetivos do projeto de produtos e serviços são especificados?
- O processo do projeto de produtos e serviços é definido?
- Os recursos para desenvolver produtos e serviços são adequados?
- O projeto de processo e o projeto de produtos e serviços são simultâneos?

Cadeia lógica de decisões para os processos de projeto de produtos e serviços

Cada capítulo é estruturado em torno de um grupo de questões diagnósticas. Essas questões sugerem o que você poderia perguntar para entender as questões importantes de um tópico e, como resultado, melhorar sua tomada de decisão. Um sumário executivo, tratando dessas questões, é fornecido a seguir.

O que é o projeto de produtos e serviços?

O projeto de produtos e serviços é o processo de definição da especificação dos produtos e/ou serviços a fim de atender uma necessidade específica do mercado. É (ou deveria ser) um processo interfuncional que deve superar as tradicionais barreiras da comunicação entre as funções enquanto, ao mesmo tempo, promove a criatividade e a inovação que frequentemente é necessária no projeto de novos produtos e serviços. O projeto de produtos e serviços é também um processo por si só que deve ser ele mesmo projetado. Isto envolve muito das mesmas questões que têm relação com o projeto de qualquer outro processo. Em particular, os objetivos do processo devem ser claros, as etapas do processo devem ser definidas e os recursos dentro do processo precisam ser adequados.

Os objetivos do projeto de produtos e serviços são especificados?

Os projetos de produtos e serviços e os processos que os produzem deveriam ser projetados para satisfazer as necessidades do mercado. A qualidade do processo do projeto pode ser julgada em termos da conformidade (projeto sem erros) e da especificação (a eficácia do projeto em satisfazer as necessidades do mercado). A velocidade no processo do projeto é frequentemente chamada de "tempo até o mercado"* (TAM). Um TAM curto significa que os projetos podem ser introduzidos com frequência no mercado, causando um impacto estratégico. A confiança no processo do projeto significa atender as datas de entrega de lançamento, apesar das rupturas no processo. Isto por sua vez requer que o processo seja suficientemente flexível para lidar com as rupturas. O custo do processo do projeto é a quantia de orçamento que é necessária para produzir um projeto e, também, o impacto do projeto no custo de produção do produto ou serviço. À medida que o processo do projeto progride, o impacto nos custos aumenta mais rapidamente do que a taxa em que o orçamento do projeto é gasto.

---

* N. de R. T.: Em inglês, TTM – *time-to-market*.

O processo do projeto de produtos e serviços é definido?

Embora não haja nenhum conjunto de etapas universalmente acordado para o processo do projeto, quase todos os modelos de etapas começam com uma ideia geral ou "conceito" e progridem para uma especificação do produto ou serviço completamente definida. Entre essas duas etapas, o projeto pode passar por etapas como geração e avaliação do conceito, projeto preliminar (incluindo a consideração da padronização, comunalidade, modularização e personalização em massa), melhoria e avaliação do projeto, criação do protótipo e o projeto final.

Os recursos para desenvolver produtos e serviços são adequados?

Todos os processos, incluindo os processos do projeto, precisam ser projetados e obter recursos de modo adequado. Os princípios do projeto abordados nos Capítulos 4 e 5 aplicam-se igualmente no projeto de produtos e serviços. Em particular, as decisões sobre a capacidade dos recursos dedicados ao processo do projeto, sobre a terceirização do processo do projeto e sobre o uso das tecnologias de processo devem ser tomadas de forma que reflitam os objetivos estratégicos.

O projeto de processo e o projeto de produtos e serviços são simultâneos?

No fim do processo do projeto, o processo de operações que produzirá o produto ou o serviço deve ser projetado. Normalmente, é melhor pensar em projetar o processo das operações como uma continuação do projeto de produtos e serviços. Examinar todas as etapas do projeto de processo e do projeto de produtos/serviços em conjunto normalmente é chamado de projeto simultâneo. Nos últimos anos, o projeto simultâneo (ou concorrente) tem sido usado para reduzir o tempo até o mercado. Em particular, quatro fatores de projeto simultâneos que promovem tempo rápido até o mercado podem ser identificados: a integração rotineira do processo do projeto, a sobreposição das etapas do projeto, o desdobramento antecipado da tomada de decisão estratégica para resolver o conflito do projeto e a estrutura organizacional que reflete a natureza do processo de projeto.

QUESTÕES DIAGNÓSTICAS

O que é projeto de produtos e serviços?

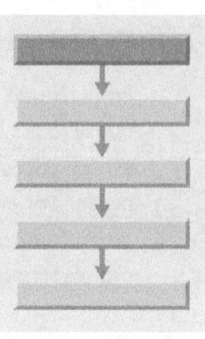

O projeto de produtos e serviços é o processo que define a especificação dos produtos e/ou dos serviços para que eles atendam uma necessidade específica do mercado. O resultado do processo de projeto de produtos e serviços é um produto ou um serviço completamente detalhado que pode ser produzido pela operação. Este deveria ser um processo interfuncional. São necessárias as contribuições dos que compreendem os requisitos de mercado, dos que entendem os aspectos técnicos do produto ou do serviço, dos que têm acesso à informação de investimento e custo, dos que podem proteger a propriedade intelectual do projeto e, o mais importante de tudo, das pessoas das operações que terão de produzir o produto ou o serviço de forma contínua. Além das questões usuais do projeto de processos que foram tratadas nos dois capítulos anteriores, neste tipo de processo há quase sempre questões de responsabilidade e de comunicação interfuncional. O projeto de produtos e serviços é também uma atividade que depende da imaginação, da inovação e da criatividade, atributos que são considerados quase como sinônimos de projeto. E, embora se aceite que o projeto é essencialmente um processo criativo, ele *é* também um processo. E como qualquer processo, ele deve ser bem projetado para que possa contribuir para a competitividade global do negócio.

Os dois exemplos a seguir são processos de projeto. Mesmo que não possamos ver o *software* como tendo de ser projetado, a forma na qual ele é especificado é essencialmente um processo de projeto. Na verdade, ele é provavelmente o processo mais importante para empresas como a Microsoft. A produção em massa de *software* é importante, mas não tão importante quanto projetar (e reprojetar) o próprio produto do *software*. Da mesma forma, podemos não ver produtos farmacêuticos como sendo projetados. Contudo, novamente, eles atravessam um longo e rigoroso processo que conduz à sua especificação final.

Exemplo | O Salão-Bar de Daniel Hersheson na Top Shop

Mesmo no extremo chique e elegante do ramo de salões de beleza, próximo como está do mundo das tendências da moda em constante mutação, a inovação verdadeira e os serviços genuinamente novos são quase uma raridade. Contudo, uma inovação real nos serviços pode colher resultados significativos, como Daniel e Luke Hersheson, pai e filho por trás dos salões Daniel Hersheson, entendem bem. A marca Hersheson preencheu com sucesso a lacuna entre o salão, a sessão de fotos e a passarela de moda. A equipe primeiro se colocou no mapa da moda com um salão no bairro Mayfair, de Londres, seguido por um salão e spa na loja londrina capitaneada pela Harvey Nichols.

Sua última inovação é o "Salão-Bar na Top Shop". Este é um conceito único destinado aos clientes que desejam um penteado elegante e com qualidade de passarela por um preço acessível, sem o tratamento completo de corte e secagem. O Salão-Bar de Hersheson foi lançado em dezembro de 2006 na loja Top Shop de Oxford Circus com a cobertura da imprensa em êxtase. O casulo rosa com quatro assentos dentro da loja Top Shop é uma zona sem tesouras dedicada ao penteado rápido. Visto originalmente como um formato de atendimento sem hora marcada, a demanda se mostrou tão alta que foi implementado um sistema de marcação de horário para não decepcionar os clientes. Uma vez no casulo, os clientes podem escolher a partir de um menu de figuras personalizadas com nove estilos da moda, tendo nomes como "Super Liso", "O Clássico Vivo e Volumoso" e "Brilho Ondulado". Tipicamente, a lavagem e a secagem demoram cerca de 30 minutos. *"É perfeito para um cliente que queira parecer um pouco especial para uma grande noite, mas que não deseja um corte completo"*, diz Ryan Wilkes, um dos cabelereiros no Salão-Bar. *"Alguns clientes são promovidos e se tornam clientes regulares nos principais salões Daniel Hersheson. Tenho clientes que começaram usando o Salão-Bar, mas que agora cortam seus cabelos comigo no salão."*

Ser parceiro da Top Shop é um elemento importante no projeto do serviço, afirma Daniel Hersheson. *"Estamos contentes pela abertura do primeiro salão-bar do Reino Unido na Top Shop. Nossa filosofia de associar constantemente o cabelo com a moda significa que estaremos perfeitamente em casa na loja mais criativa da British High Street."* A Top Shop também reconhece a adequação. *"O Salão-Bar de Daniel Hersheson é realmente um acréscimo de serviço estimulante para a Oxford Circus e oferece o toque final perfeito para uma excelente experiência de compras na Top Shop"*, diz Jane Sheperdson, diretora de marca da Top Shop.

Mas o novo serviço não foi apenas um sucesso no mercado; ele também tem vantagens para a operação em si. *"É uma ótima oportunidade para os estilistas jovens não só desenvolverem suas qualificações estilísticas, mas também para desenvolverem a confiança necessária para interagir com os clientes"*, afirma Geroge Northwood, gerente do salão Daniel Hersheson em Mayfair. *"Você pode ver uma diferença real depois de um estilista em treinamento ter trabalhado no salão-bar. Eles aprendem a falar com os clientes, a entender suas necessidades e a aconselhá-los. É a confiança que eles adquirem que é tão importante para ajudá-los a se tornarem cabelereiros totalmente qualificados e bem-sucedidos por si."*

Exemplo   Spangler, Hoover e Dyson[1]

Em 1907, um zelador chamado Murray Spangler juntou uma fronha, um ventilador, uma velha lata de biscoito e um cabo de vassoura. Foi o primeiro aspirador do mundo. Um ano mais tarde, ele vendeu a sua ideia patenteada para Willian Hoover, cuja empresa dominou o mercado de aspiradores durante décadas, especialmente nos Estados Unidos, sua terra natal. Contudo, entre 2002 e 2005 a participação de mercado da Hoover caiu de 36% para 13,5%. Por quê? Porque um produto rival com aspecto futurista e comparativamente mais caro, o aspirador Dyson, tinha saltado do nada para mais de 20% do mercado.

Na verdade, o produto da Dyson é de 1978, quando James Dyson observou como o filtro de ar da sala de acabamento em spray de uma empresa onde ele estava trabalhando entupia constantemente com partículas de pó (assim como o saco de um aspirador de pó entope com a poeira). Assim, ele projetou e construiu uma torre de ciclone industrial que removia as partículas de pó por meio da força centrífuga. A questão que o intrigava, era: "O mesmo princípio funcionaria em um aspirador doméstico?". Cinco anos e cinco mil protótipos mais tarde, ele obteve um projeto funcional, desde então elogiado por sua "singularidade e funcionalidade". Entretanto, os fabricantes de aspiradores existentes não ficaram tão impressionados – dois rejeitaram inteiramente o projeto. Logo, Dyson começou a produzir ele mesmo o seu novo projeto. Em poucos anos, os aspiradores Dyson estavam (no Reino Unido) vendendo mais que os rivais que uma vez os rejeitaram. A estética e a funcionalidade do projeto ajudaram a manter as vendas crescendo, apesar de um preço mais alto no varejo. Para Dyson, bom *"é olhar os objetos cotidianos com novos olhos e trabalhar para que fiquem melhores. Trata-se de desafiar a tecnologia existente"*.

Os engenheiros da Dyson levaram essa tecnologia um passo adiante e desenvolveram a tecnologia de núcleo separador para capturar a poeira ainda mais microscópica. A poeira passa agora por três estágios de separação. Primeiro, a poeira é direcionada a um poderoso ciclone externo. A força centrífuga lança os resíduos maiores, tais como pelo de animais domésticos e partículas de poeira, na caixa limpa a 500G (a força G máxima que o corpo humano pode suportar é de 8G). Segundo, um estágio ciclônico adicional, o núcleo separador, remove do fluxo de ar as partículas de poeira tão pequenas quanto 0,5 mícrons – partículas tão pequenas que você poderia encaixar 200 delas sobre este ponto final. Finalmente, um agrupamento de ciclones menores e ainda mais velozes gera forças centrífugas de até 150.000G – extraindo partículas tão ínfimas quanto o mofo e as bactérias.

O que esses dois exemplos têm em comum?

A natureza do projeto de produtos e serviços, em algum ponto, será diferente em diversos tipos de operação; as questões técnicas serão variadas bem como as escalas de tempo envolvidas. Os produtos e serviços de alto estilo podem nem mesmo durar três ou quatro anos. Existe também uma diferença entre projetar produtos e projetar serviços, especialmente serviços de alta visibilidade onde o cliente está dentro do serviço, experimentando-o. No caso de produtos, os clientes julgam os atributos do próprio produto tal como sua funcionalidade, sua estética e assim por diante. Mas no caso de serviços, os clientes julgarão não somente a funcionalidade do que eles recebem, mas também o processo pelo qual passaram ao recebê-lo. Por exemplo, um banco de varejo pode projetar os produtos que estão disponíveis em suas filiais ou seu *website*, e o cliente fará um julgamento sobre a utilidade e o valor destes serviços. Mas eles também julgarão sua experiência em visitar a filial ou em usar o *website*. Assim, enquanto o projeto de um serviço não pode ser considerado independentemente do projeto do processo que o cria, no caso dos produtos, o projeto do próprio produto e o projeto do processo que o produz podem ser considerados como duas atividades separadas (embora isso possa ser um erro, como veremos mais tarde).

Contudo, apesar dessas diferenças, o *processo* do projeto é essencialmente muito parecido, independente do que está sendo projetado. Acima de tudo, é um processo que é visto como cada vez mais importante. Um projeto e desenvolvimento de novos produtos com qualidade abaixo da esperada na Daniel Hersheson ou na Dyson obviamente teria sérias consequências para as empresas. Por outro lado, um bom projeto que incorpora a inovação e a criatividade dentro de um processo de projeto bem gerenciado pode ter um impacto estratégico enorme. Mas a atividade de projeto ainda é um processo que deve ser projetado sozinho. Ele tem etapas que o projeto deve passar. Deve ser claro sobre seus objetivos de processo e deve ser estruturado e abastecido de recursos a fim de alcançar aqueles objetivos. A Figura 6.2 mostra a atividade do projeto como um processo, com entradas e saídas, como em qualquer outro processo.

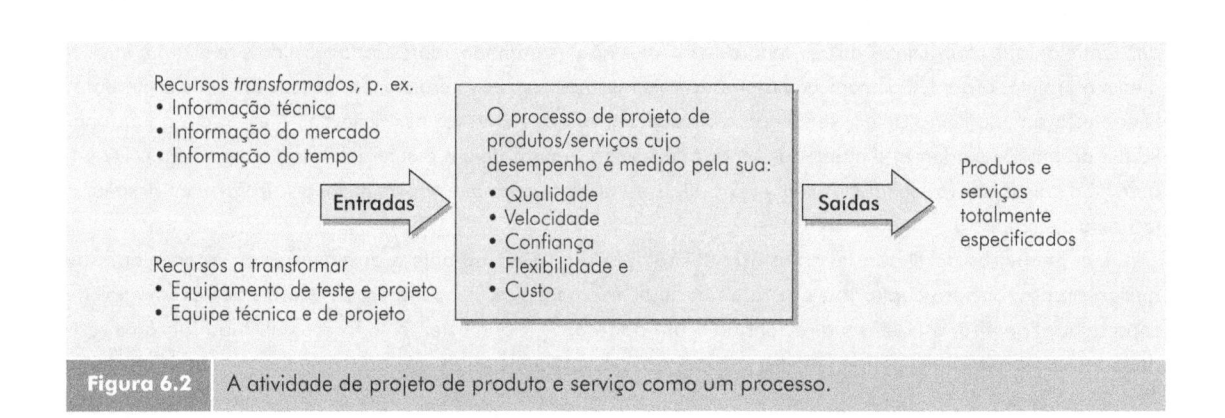

> **Princípio de operações**
> O projeto de produtos e serviços é um processo e pode ser gerenciado usando-se os mesmos princípios que qualquer outro processo.

Recursos *transformados*, p. ex.
- Informação técnica
- Informação do mercado
- Informação do tempo

Recursos a transformar
- Equipamento de teste e projeto
- Equipe técnica e de projeto

Entradas → O processo de projeto de produtos/serviços cujo desempenho é medido pela sua:
- Qualidade
- Velocidade
- Confiança
- Flexibilidade e
- Custo

Saídas → Produtos e serviços totalmente especificados

Figura 6.2 A atividade de projeto de produto e serviço como um processo.

QUESTÕES DIAGNÓSTICAS

Os objetivos do projeto de produtos e serviços são especificados?

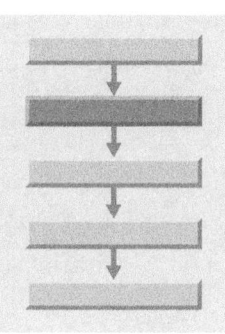

Os produtos e os serviços são projetados para satisfazer as necessidades do mercado, e o processo que produz esses projetos deve ser avaliado em termos do que o mercado esperará de qualquer processo, a saber qualidade, velocidade, confiança, flexibilidade e custo. Estes objetivos de desempenho têm tanta relevância nos projetos do novo produto e serviço quanto para a produção existente a partir de onde os produtos são introduzidos no mercado.

> **Princípio de operações**
> Os processos de projeto de produto e serviço podem ser julgados em termos de seus níveis de qualidade, velocidade, confiança, flexibilidade e custo.

O que é a qualidade dos processos de projeto de produtos e serviços?

A qualidade do projeto nem sempre é fácil de definir de forma precisa, em especial se os clientes estão relativamente satisfeitos com os produtos e serviços existentes. Muitas empresas de *software* falam sobre a síndrome do "eu não sei o que eu quero, mas eu saberei quando eu o vir", significando que somente quando os clientes usam o *software* estão numa posição para articular o que eles precisam ou não precisam. Apesar disso, é possível distinguir projetos de alta e baixa qualidade (embora isso seja mais fácil fazer em uma visão em retrospecto), julgando-os em termos da sua capacidade de atender os requisitos de mercado. Fazendo isto, a distinção entre a qualidade da especificação e a qualidade da conformidade dos projetos é importante. Nenhuma empresa iria querer um processo de projeto que fosse indiferente aos erros em seus projetos, mas algumas são mais tolerantes do que outras. Na elaboração de produtos farmacêuticos, por exemplo, as autoridades insistem em um processo de projeto prolongado e completo. Embora retirar uma droga do mercado seja incomum, isso ocorre ocasionalmente. Muito mais frequentes são os chamados "*recalls* de produtos", por exemplo, na indústria automotiva. Muitos deles são relacionados ao projeto e o resultado das falhas de conformidade no processo de projeto. A qualidade da especificação do projeto é diferente. Significa o grau de funcionalidade, ou experiência, ou estética, ou principalmente o que quer que o produto ou o serviço esteja competindo. Alguns ramos requerem projetos de produto ou serviço que sejam relativamente básicos (embora livre de erros), enquanto outros requerem projetos que são claramente especiais em termos da resposta do cliente que eles esperam obter.

Qual é a velocidade dos processos de projeto de produtos e serviços?

Projetos de produtos e serviços rápidos têm se tornado a norma em muitos ramos, frequentemente porque a competição do mercado tem forçado as empresas a capturar a imaginação dos mercados com a introdução frequente de novas ofertas. Às vezes, isso é resultado da rápida mudança na moda do consumidor, mas em outras, é forçado por uma mudança rápida na base tecnológica. Os produtos de telecomunicação necessitam ser atualizados com frequência porque sua tecnologia subjacente está melhorando de forma constante. Às vezes, ambas pressões são evidentes, como em muitos serviços baseados na Internet. Mas não importa qual a motivação, projetos rápidos trazem inúmeras vantagens.

- *Lançamento de mercado antecipado*. Uma habilidade de projetar de modo rápido produtos e serviços significa que eles podem ser introduzidos no mercado mais cedo e assim ganhar receitas por mais tempo, e podem comandar a corrida dos preços.
- *Iniciar o projeto atrasado*. De forma alternativa, iniciar o processo do projeto atrasado ao invés de antecipar a introdução de um produto ou serviço pode ser vantajoso, especialmente onde a natureza da demanda do cliente ou a disponibilidade da tecnologia é incerta e dinâmica, de forma que o rápido projeto permite que as suas decisões sejam tomadas mais perto do momento em que eles são introduzidos no mercado.
- *Estímulo frequente do mercado*. Projetos rápidos permitem frequentes introduções de produtos e serviços novos ou atualizados.
- *Mais oportunidades para inovação*. Onde a base de tecnologia subjacente está se movendo depressa, os curtos tempos de projeto permitem mais janelas de oportunidade para introduzir as inovações.

Qual é a confiabilidade dos processos de projeto de produtos e serviços?

Aqueles processos rápidos de projeto de produtos e serviços que não podem ser confiados na entrega de inovações pendentes, na verdade, não são rápidos. Um pequeno erro na programação do projeto pode estender os tempos do projeto, mas pior, uma falta de confiabilidade aumenta a incerteza que cerca o processo de projeto. Em contraste, os processos que são confiáveis minimizam a incerteza do projeto. Dificuldades técnicas inesperadas, como fornecedores que não entregam as soluções no prazo, clientes ou mercados que mudam durante o próprio processo do projeto e assim por diante, todos contribuem para um ambiente incerto e ambíguo de projeto. O gerenciamento profissional do processo do projeto (veja o Capítulo 15) pode ajudar a reduzir a incerteza e minimizar o risco do distúrbio interno para o processo do projeto e pode impedir (ou avisar antecipadamente) prazos perdidos, gargalos de processo e faltas de recurso. Entretanto, os distúrbios externos ao processo permanecerão. Eles podem ser minimizados por meio de uma ligação próxima com os fornecedores e o monitoramento do ambiente ou do mercado. Apesar disso, os distúrbios inesperados sempre ocorrerão, e quanto mais inovador for o projeto, mais provável será de eles ocorrerem. É por isso que a flexibilidade dentro do processo do projeto é uma das maneiras mais importantes de assegurar a entrega confiável de novos produtos e serviços.

Qual é a flexibilidade dos processos de projeto de produtos e serviços?

A flexibilidade no projeto de produtos e serviços é a capacidade do processo do projeto de lidar com a mudança externa ou interna. A razão mais comum para a mudança externa é que os mercados, ou os clientes específicos, mudam suas necessidades. Embora a flexibilidade não possa ser necessária em ambientes relativamente previsíveis, ela é claramente valiosa nos ambientes que mudam mais depressa e que são mais inconstantes, onde os próprios clientes ou os mercados mudam, ou onde os projetos de produtos ou serviços dos concorrentes ditam um movimento de correspondência ou ultrapassagem. As mudanças internas incluem o surgimento de soluções técnicas superiores. Além disso, o aumento da complexidade e da interconectividade dos produtos e serviços pode requerer flexibilidade. Um banco, por exemplo, pode agrupar inúmeros serviços distintos para um segmento particular de seu mercado. Os correntistas privilegiados podem obter taxas de depósito especiais, cartões de crédito superiores, ofertas de seguro, facilidades para viagem e assim por diante em conjunto no mesmo produto. Mudar um aspecto deste pacote pode requerer mudanças a serem feitas em outros elementos. Assim, estender os benefícios do cartão de crédito para incluir o seguro extra de viagem pode também significar o reprojeto do elemento do seguro separado do pacote. Uma maneira de medir a flexibilidade do projeto é comparar o custo de modificar um projeto de produto ou serviço em resposta a tais mudanças com as consequências para a lucratividade se nenhuma mudança for feita. Quanto mais elevado o custo de modificar um produto ou serviço em resposta a uma dada mudança, mais baixa é a flexibilidade do projeto.

Qual é o custo dos processos de projeto de produtos e serviços?

O custo de projetar produtos e serviços é analisado geralmente de uma maneira similar ao custo existente de produzir as mercadorias e os serviços. Em outras palavras, os fatores de custo são divididos em três categorias: o custo de comprar as entradas para o processo, o custo de fornecer a mão de obra no processo e os outros custos fixos gerais de dirigir o processo. Na maioria dos processos de projeto feitos internamente, os últimos dois custos compensam o primeiro.

Uma maneira de pensar sobre o efeito dos outros objetivos de desempenho do projeto no custo é mostrado na Figura 6.3. Seja por meio de erros da qualidade, de processos de projeto intrinsecamente lentos, de uma falta de confiabilidade do projeto, ou de atrasos causados por processos inflexíveis de projeto, o resultado final é que o projeto está atrasado. A conclusão atrasada do projeto resulta em mais despesa no projeto e na receita atrasada (e provavelmente reduzida). A combinação destes efeitos normalmente significa que o ponto de equilíbrio financeiro para um novo produto ou serviço está muito mais atrasado do que o atraso original no lançamento do produto ou serviço.

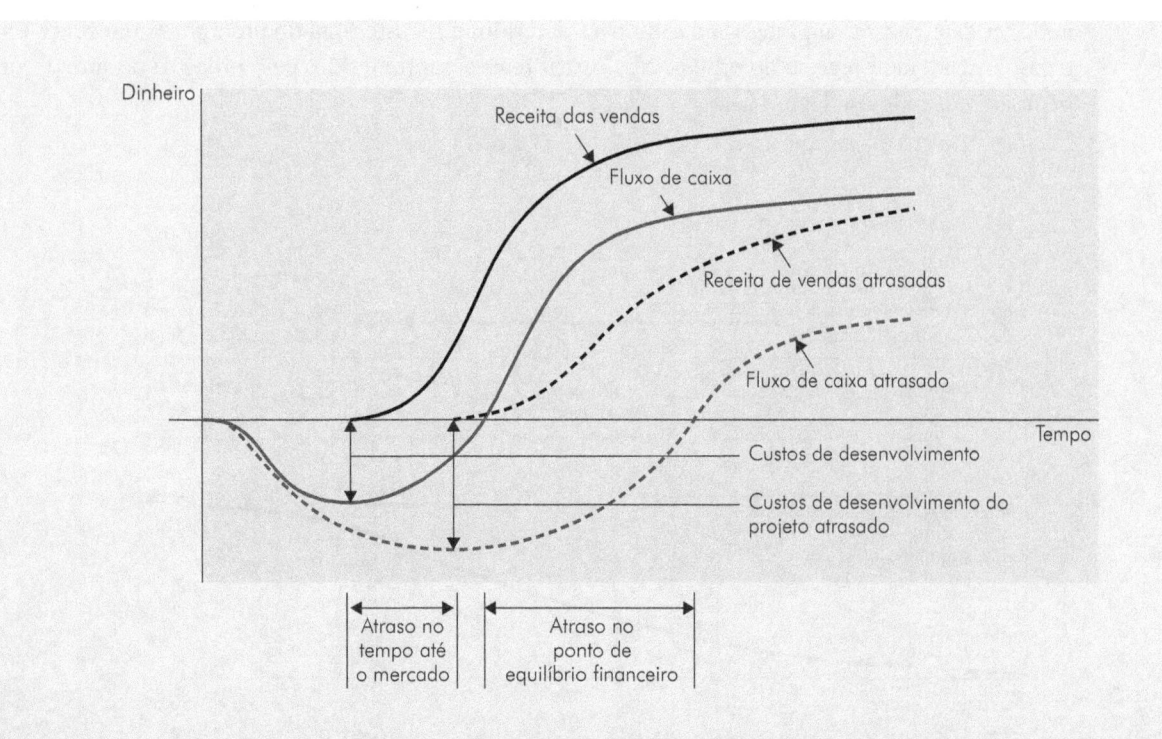

Figura 6.3 O atraso no Tempo até o Mercado de novos produtos e serviços não somente reduz e atrasa as receitas, como também aumenta os custos de desenvolvimento. A combinação de ambos os efeitos normalmente atrasa o ponto de equilíbrio financeiro muito mais do que o atraso no Tempo até o Mercado.

QUESTÕES DIAGNÓSTICAS

O processo do projeto de produtos e serviços é definido?

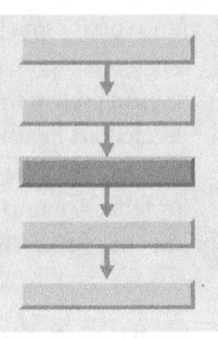

Para produzir um produto ou serviço totalmente especificado, um projeto potencial deve passar por diversas etapas. Estas formam uma sequência aproximada, embora na prática os projetistas frequentemente reciclem ou remodelem ao longo das etapas. As etapas num processo típico de projeto são mostradas na Figura 6.4, embora estas etapas exatas não sejam usadas por todas as empresas. Processos diferentes são usados por empresas diferentes. Entretanto, existe uma similaridade considerável entre as etapas usadas e sua sequência. Além disso, eles têm o mesmo princípio subjacente: que o tempo em cima de uma ideia original, ou o conceito, é refinado e tornado progressivamente mais detalhado até conter informação suficiente para ser transformado em um produto, serviço ou processo real. Em cada etapa nesta progressão, o nível de certeza a respeito do projeto final aumenta conforme as opções do projeto são descartadas. O projeto final não será evidente até o fim do processo. Ainda que relativamente cedo, muitas das decisões que afetarão o custo eventual de produzir o produto ou serviço terão sido tomadas. Por exemplo, escolher fazer uma caixa de telefone móvel sem uma liga de magnésio será uma decisão relativamente antecipada que pode levar a pouca investigação. Contudo, essa decisão, embora responsável por uma parte pequena do orçamento total do projeto, pode ter de percorrer um longo caminho para determinar o custo final do produto. A diferença entre o gasto orçado do processo do projeto e os custos reais comprometidos pelo processo do projeto também são mostrados na Figura 6.4.

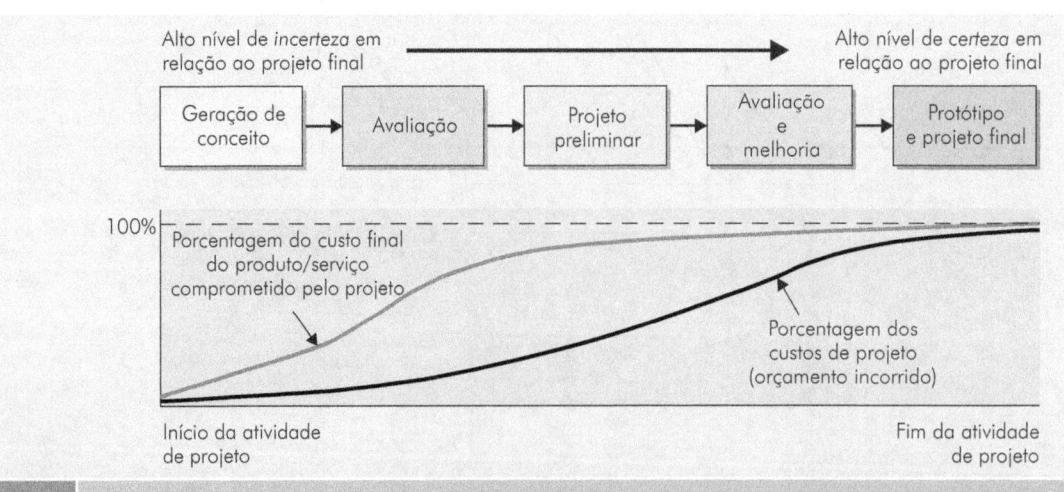

> **Princípio de operações**
> Qualquer processo do projeto de produto e serviço deveria envolver um número de etapas que transforma um projeto de um "conceito" para um estado totalmente especificado.

Figura 6.4 As etapas em um processo típico do projeto de produtos e serviços. Conforme o processo progride, o nível de incerteza em relação ao projeto final é reduzido e a porcentagem do custo final do produto ou do serviço comprometido pelo projeto aumenta.

Geração de conceitos

As ideias para novos produtos e serviços podem vir de qualquer lugar. Espera-se que elas surjam das partes da empresa que têm essa responsabilidade formal, tal como, departamentos de pesquisa e desenvolvimento (P&D) ou de pesquisa do mercado, mas qualquer empresa que se restringir estritamente a tais fontes internas está deixando em explorar outras fontes menos formais, mas potencialmente úteis. Por exemplo, embora uma empresa possa usar ferramentas formais de pesquisa de mercado, tais como grupos de foco, questionários, etc., capturar as opiniões da equipe que serve os clientes pode frequentemente conduzir a entendimentos mais profundos em preferências e opiniões reais dos clientes do que exames mais formais. Da mesma forma, as reclamações dos clientes podem ser tratadas em um nível relativamente operacional, visto que na verdade elas podem ser uma fonte recompensadora da opinião do cliente que deveria estar causando um impacto no nível mais estratégico que determina os objetivos para o projeto de produtos e serviços. Analisar de perto os projetos dos concorrentes (conhecidos como a engenharia reversa) pode também ajudar a isolar as características-chave do projeto que valem a pena emular. Alguns aspectos de serviços (mais de retaguarda) podem ser difíceis para a engenheira reversa, mas pelo consumidor que testa um serviço pode ser possível fazer suposições embasadas sobre como foi criado. Muitas organizações de serviço empregam "testadores" para verificar a saída dos serviços fornecidos pelos concorrentes.

Avaliando conceitos

Nem todos os conceitos poderão ser desenvolvidos em produtos e serviços. Os projetistas devem ser seletivos. A finalidade da avaliação é seguir o fluxo dos conceitos e avaliá-los quanto à sua praticidade (nós podemos fazê-lo?), aceitabilidade (nós queremos fazê-lo?) e vulnerabilidade (quais são os riscos de fazê-lo?). Os conceitos podem ter de passar por muitas vistorias, e diversas funções poderão ser envolvidas (por exemplo, *marketing*, operações e finanças). A Tabela 6.1 fornece perguntas típicas da praticidade, da aceitabilidade e da vulnerabilidade para cada um desses três filtros funcionais.

Projeto preliminar

Tendo gerado um ou mais conceitos adequados, a etapa seguinte é criar projetos preliminares. É nesta etapa que aumentam as oportunidades para se reduzir a complexidade do projeto que pode gerar custo em produtos e em serviços quando forem produzidos. As soluções mais elegantes de projeto muitas vezes são as mais simples. No entanto, quando uma operação produz uma diversidade de produtos ou serviços (como a maioria faz), a variedade, considerada como um todo, pode se tornar complexa, aumentando novamente os custos. Os projetistas podem adotar algumas abordagens para reduzir a complexidade inerente do projeto.

Tabela 6.1 Algumas perguntas típicas de avaliação para *marketing*, operações e finanças

Critério de avaliação	Marketing	Operações	Finanças
Viabilidade	O mercado é grande o suficiente?	Nós temos a capacidade para produzi-lo?	Nós temos o acesso às finanças suficiente para desenvolver e lançá-lo?
Aceitabilidade	Quanto compartilhamento de mercado isso poderia ganhar?	Quanto temos que reorganizar nossas atividades para produzi-lo?	Quanto retorno financeiro existirá em nosso investimento?
Vulnerabilidade	Qual é o risco disso fracassar no mercado?	Qual é o risco de sermos incapazes de produzi-lo de forma aceitável?	Quanto dinheiro poderíamos perder se as coisas não saírem conforme planejado?

Padronização

Esta é uma tentativa de superar o custo da alta variedade padronizando os produtos e serviços, geralmente restringindo a variedade somente ao que tiver valor real para o cliente final. Os exemplos incluem restaurantes de lanche rápido, supermercados de descontos ou companhias de seguro por telefone. Do mesmo modo, embora a forma do corpo de todo mundo seja diferente, os fabricantes de vestuário produzem roupas em somente um número limitado de tamanhos. A variedade de tamanhos é escolhida para dar um ajuste razoável para a maioria, mas não para todas, as formas de corpo. Controlar a variedade é uma questão importante para a maioria das empresas, que podem todas enfrentar o perigo de permitir que a variedade cresça excessivamente. Muitas organizações melhoraram sua lucratividade de forma significativa com a redução cuidadosa da variedade, frequentemente avaliando o lucro ou a contribuição real de cada produto ou serviço.

Comunalidade

Os elementos comuns são usados para simplificar a complexidade do projeto, usando, por exemplo, os mesmos componentes por toda uma variedade de automóveis. Do mesmo modo, padronizar o formato das entradas de informação para um processo pode ser realizado usando formatos de tela ou formulários adequadamente projetados. Quanto mais produtos e serviços diferentes podem ser baseados em componentes comuns, menos complexo é produzi-los. Por exemplo, o fabricante europeu do avião Airbus projetou sua nova geração do avião civil com um alto grau de comunalidade com a introdução da tecnologia por fibra ótica. Isto significou que 10 modelos do avião caracterizaram plataformas de voo virtualmente idênticas, características de manuseio similares e sistemas comuns. As vantagens da comunalidade para os operadores da companhia aérea incluem um tempo de treinamento muito mais curto para os pilotos e engenheiros quando eles mudam de um avião para outro. Isto oferece aos pilotos a possibilidade de voar em uma ampla variedade de rotas desde curtos trajetos até trechos bastante longos, e os leva a uma maior eficiência, já que os procedimentos comuns de reparos podem ser projetados com as equipes da manutenção capazes de prestar serviços para qualquer avião na mesma família. Além disso, quando acima de 90% de todas as peças são comuns dentro de uma variedade de aviões, existe uma necessidade reduzida de carregar uma ampla variedade de peças de reposição.

> **Princípio de operações**
> Um objetivo-chave do processo de projeto deveria ser reduzir a complexidade do projeto através da padronização, comunalidade e modularização.

Modularização

Isto envolve projetar subcomponentes padronizados de um produto ou serviço que podem ser reunidos de maneiras diferentes. É possível criar várias opções a partir do agrupamento totalmente permutável de várias combinações de um menor número de subgrupos padrão; os computadores são projetados desta maneira, por exemplo. Estes módulos padronizados, ou subgrupos, podem ser produzidos em mais alto volume, reduzindo desse modo seu custo. Da mesma forma, o setor de pacotes turísticos pode montar passeios de feriado para atender uma necessidade específica do cliente, da viagem aérea planejada e comprada, acomodação, seguro e assim por diante. Na educação também existe um uso cada vez maior de cursos modulares que permitem a escolha dos clientes, mas permite a cada módulo ter números economicamente viáveis de estudantes.

A personalização em massa[2]

A flexibilidade no projeto pode permitir que se ofereçam coisas diferentes para clientes diferentes. Normalmente, a alta variedade significa alto custo, mas algumas empresas têm desenvolvido sua flexibilidade de tal maneira que os produtos e os serviços são personalizados para cada cliente individual, apesar de produzidos em massa e em grande volume, o que mantém os custos baixos. Esta abordagem é chamada de personalização em massa. Às vezes, isso é alcançado pela flexibilidade no projeto. Por exemplo, a Dell é o produtor do maior volume de computadores pessoais no mundo; apesar disso, permite a cada cliente projetar (embora em um sentido limitado) sua própria configuração. A tecnologia flexível às vezes é usada para alcançar o mesmo efeito. Por exemplo, Paris Miki, um moderno varejista de óculos que tem o maior número de óticas no mundo, usa seu próprio Sistema de Projeto de Mikissimes para capturar uma imagem digital do cliente e analisar suas características faciais. Junto com uma lista de preferências pessoais dos clientes, o sistema então recomenda um projeto particular e mostra-o sobre a imagem do rosto do cliente. Consultando o oculista, o cliente pode ajustar as formas e os tamanhos até que o projeto final seja escolhido. Dentro da loja, as armações são montadas com uma variedade de componentes pré-fabricados e as lentes fixadas e ajustadas às armações. Todo o processo leva em torno de uma hora.

> **Exemplo** | **Personalização para crianças**[3]
>
> Reduzir a complexidade do projeto é um princípio que se aplica tanto a serviços quanto a produtos. Por exemplo, os programas de televisão são feitos cada vez mais visando o mercado mundial. Entretanto, a maioria das audiências da televisão pelo mundo tem uma preferência distinta pelos programas que respeitam seus gostos regionais, cultura e linguagem. O desafio que enfrentam os produtores dos programas globais é, portanto, tentar alcançar as economias provenientes do alto volume de produção enquanto permitem que os programas sejam personalizados para diferentes mercados. Por exemplo, há o caso do programa "Art Attack!" feito para o canal da Disney, um canal de tevê para crianças exibido em todo o mundo. Tipicamente, mais de 200 episódios do programa são feitos em seis versões de idioma diferentes. Aproximadamente 60% de cada programa são iguais para todas as versões. Cenas sem fala ou onde o rosto do apresentador não está visível são filmadas separadamente. Por exemplo, se um simples modelo de cartolina estiver sendo feito, todas as versões compartilharão as cenas onde somente as mãos do apresentador são visíveis. O comentário no idioma adequado é colocado nas cenas que são editadas, diferentemente das outras cenas do apresentador. O produto final terá a cabeça e os ombros de um apresentador brasileiro, francês, italiano, alemão ou espanhol perfeitamente misturados com o mesmo par de mãos (britânico) construindo o modelo. O resultado é que os telespectadores de cada mercado veem o programa conforme sua cultura. Mesmo que os apresentadores sejam filmados nos estúdios de produção britânicos, o custo de fazer cada episódio é de apenas um terço de produzir programas separados para cada mercado.

A avaliação e a melhoria do projeto

A finalidade desta etapa na atividade de projeto é a de fazer um projeto preliminar e ver se ele pode ser melhorado antes do produto ou serviço ser testado no mercado. Há inúmeras técnicas que podem ser empregadas nesta etapa para avaliar e melhorar o projeto preliminar. Talvez a mais conhecida seja o Desdobramento da Função Qualidade (DFQ). A finalidade-chave do DFQ é tentar assegurar que o projeto de um produto ou serviço realmente atenda as necessidades de seus clientes. Os clientes podem não ter sido levados em consideração explicitamente desde a etapa da geração do conceito e, portanto, é adequado verificar se o que está sendo proposto para o projeto do produto ou serviço atenderá suas necessidades. É uma técnica que foi desenvolvida no Japão, no pátio da Mitsubishi, em Kobe, e é usada extensivamente pela Toyota, o fabricante do motor do veículo e seus fornecedores. É também conhecida como a casa da qualidade (por causa de sua forma) e a voz do cliente (por causa de sua finalidade). A técnica tenta capturar quais as necessidades do cliente e como elas poderiam ser alcançadas. A Figura 6.5 mostra uma matriz simples de DFQ usada no projeto de um *pendrive* USB promocional (brinde). É uma articulação formal de como os projetistas veem o relacionamento entre as necessidades do cliente e as características do projeto do novo produto ou serviço.

É nesta etapa do processo que a criatividade e a persistência são necessárias para ir de uma ideia potencialmente boa até um projeto funcional. Um produto comemorou a persistência de seus engenheiros

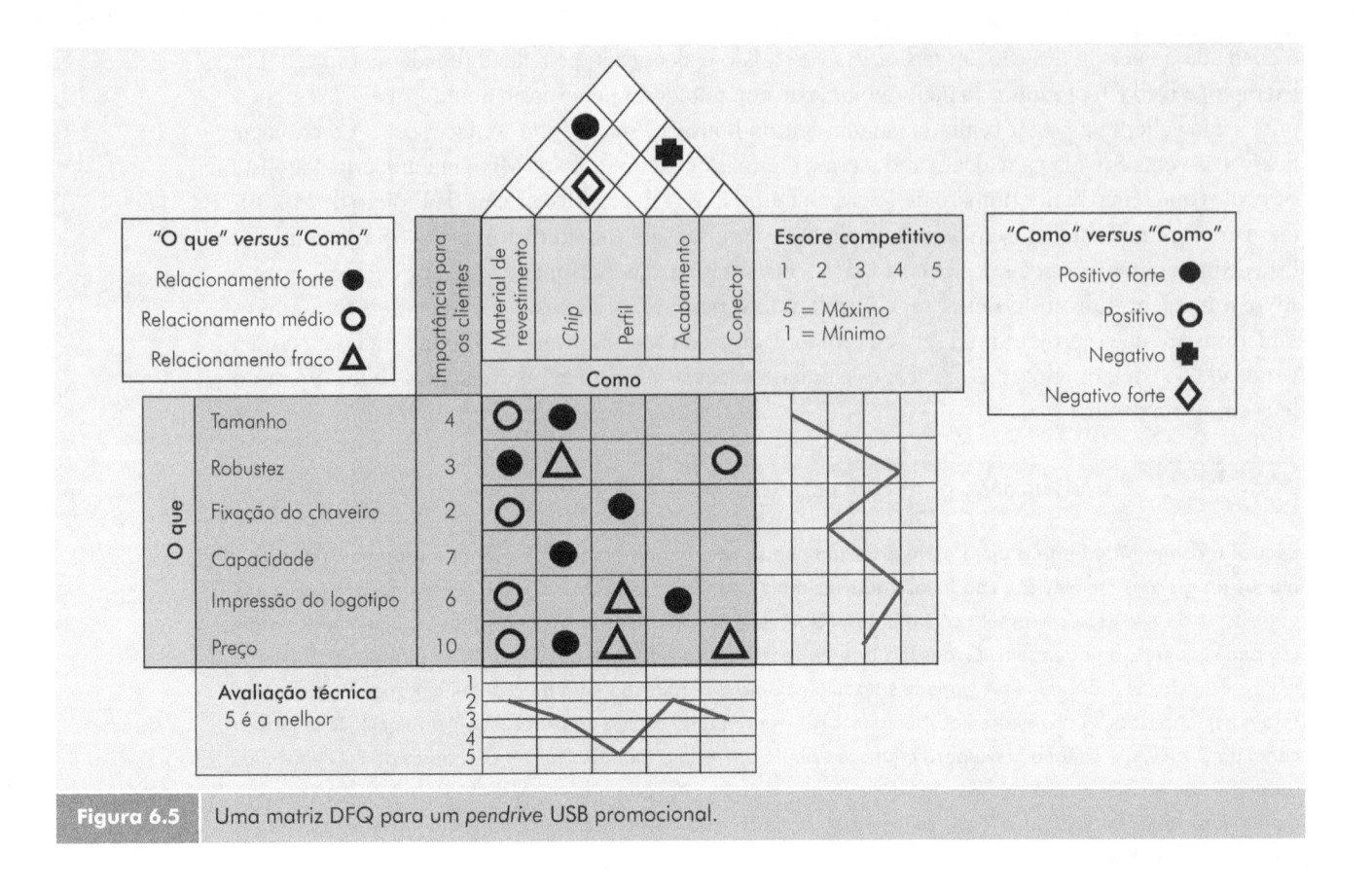

Figura 6.5 Uma matriz DFQ para um *pendrive* USB promocional.

de projeto em nome de sua empresa. Em 1953, a Empresa Química Rocket começou a criar um solvente de prevenção de oxidação e um desengraxador para serem usados na indústria aeroespacial. Trabalhando em seu laboratório em San Diego, Califórnia, eles fizeram 40 tentativas para fazer a fórmula de deslocamento da água funcionar, daí o nome WD-40, ou literalmente Deslocamento da Água (*Water Displacement*), quadragésima tentativa. Era o nome usado no livro do laboratório. Utilizado originalmente para proteger a parte externa do Míssil Atlas contra a oxidação e a corrosão, o produto funcionava tão bem que os empregados continuaram levando as latas para casa para uso doméstico. Logo em seguida, o produto foi lançado com grande sucesso no mercado consumidor.

Protótipo e projeto final

Em torno desta etapa na atividade de projeto é necessário melhorar o projeto fazendo um protótipo que possa ser testado. Os protótipos do produto incluem desde os modelos de argila até as simulações computacionais. Podem também incluir a implementação-piloto do serviço, por exemplo, organizações de venda a varejo testando novos serviços num número pequeno de lojas a fim de testar a reação dos clientes. É também possível testar virtualmente em vez de construir um protótipo físico. Esta é uma ideia costumeira em alguns ramos tais como publicações de revistas, onde as imagens e o texto podem ser reorganizados e sujeitos ao escrutínio antes de se decidir pela forma física, permitindo que sejam corrigidos até o momento da produção. Embora os significados dos protótipos possam variar, o princípio é sempre o mesmo: testar todo o possível no projeto antes que qualquer erro eventual possa prejudicar as finanças e a reputação da empresa. Isto pode ser tão simples quanto debater profundamente, na empresa e com os clientes e/ou fornecedores, o novo produto ou fazer uma modelagem ou simulação matemática altamente sofisticada. O importante é que o projeto deve ser testado de alguma maneira e os resultados devem servir para produzir um projeto superior e refinado.

QUESTÕES DIAGNÓSTICAS

Os recursos para desenvolver produtos e serviços são adequados?

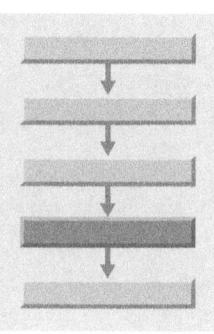

Para qualquer processo operar de forma eficaz ele deve ser adequadamente projetado e suprido de recursos. Os processos de projeto não são diferentes. Os princípios detalhados do projeto de processo que foram discutidos nos Capítulos 4 e 5 são tão aplicáveis aqui como são para qualquer outro processo na empresa. Mas, além disso, sendo os processos de projeto normalmente uma operação dentro da empresa, existem mais alguns aspectos estratégicos na organização dos processos de projeto que precisam ser gerenciados. Em particular, existem as perguntas sobre a alocação de capacidade ao projeto, sobre a terceirização da atividade de projeto e sobre a organização dos recursos relacionados ao projeto.[4]

> **Princípio de operações**
> Para os procesessos de projeto de produtos e serviços serem eficazes, eles devem ser adequadamente supridos de recursos.

Há capacidade suficiente de projeto de produtos e serviços?

Como em qualquer outro processo, o gerenciamento da capacidade decide qual o nível adequado de capacidade necessária para o processo e como essa capacidade pode ser mudada a fim de responder às prováveis mudanças na demanda. A demanda neste caso é o número de novos projetos necessitados pelo negócio. A dificuldade principal é que, mesmo em empresas muito grandes, a taxa de introdução de um novo serviço ou produto não é constante. Isso significa que os processos de projeto de produtos e serviços estão sujeitos à demanda interna desigual para projetos, possivelmente com diversas novas ofertas sendo introduzidas para o mercado próximas umas das outras num determinado momento, enquanto em outros momentos não há projetos. Isso cria um problema de recursos, pois a capacidade de um processo de projeto é frequentemente difícil de flexibilizar. A especialização necessária para projetar pertence aos projetistas, técnicos, analistas de mercado e assim por diante. Algum especialista pode ser contratado quando for necessário, mas a maioria dos recursos de projeto é, na verdade, fixo.

A combinação da demanda variada com a capacidade de projeto relativamente fixa torna algumas organizações relutantes em investir em processos de projeto, já que elas os veem como um recurso subutilizado. Isto pode levar a um ciclo vicioso em que, embora exista uma necessidade a curto prazo de recursos de projeto, as empresas deixam de investir naqueles recursos porque muitos deles (tais como equipe de projeto habilitada) não podem ser contratados a curto prazo, o que leva a projetar projetos com poucos recursos, com uma grande chance de superdimensionar o projeto ou falhar na entrega de soluções técnicas adequadas. Isso pode levar a empresa a perder um negócio ou a sofrer no mercado, o que torna a empresa em si menos disposta a investir em recursos do projeto. Esta questão está ligada ao relacionamento entre a utilização da capacidade e o tempo de processamento que foi discutido no Capítulo 4. Ou a empresa aceita a utilização relativamente baixa de seus recursos de projeto, se quiser agilidade no tempo até o mercado (TAM), ou mantém altos níveis de utilização dos recursos de projeto, aceitando tempos de projeto mais longos. Ou, ainda, tenta reduzir, de alguma maneira, a variabilidade no processo. Reduzir a variabilidade pode significar introduzir novos projetos em períodos fixos, por exemplo, a cada ano. Veja a Figura 6.6.

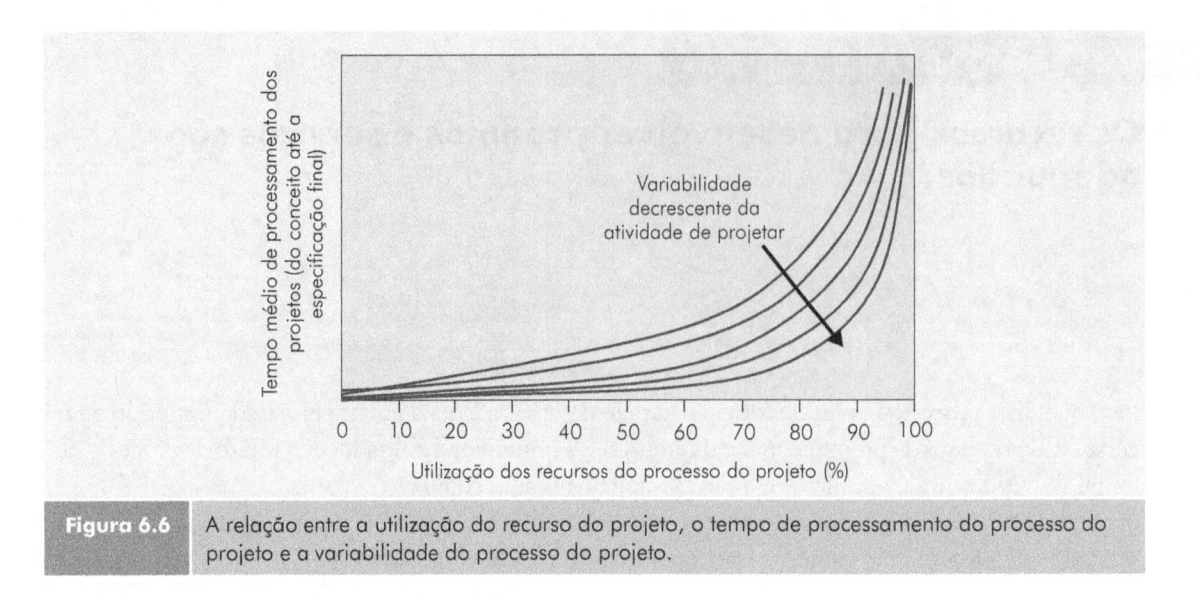

Figura 6.6 A relação entre a utilização do recurso do projeto, o tempo de processamento do processo do projeto e a variabilidade do processo do projeto.

Todo o projeto deveria ser feito internamente?

Assim como existem redes de suprimento que produzem produtos e serviços, existe também uma rede de suprimentos de conhecimentos sobre projeto que conecta fornecedores e clientes no processo do projeto. Esta rede de troca de conhecimento é chamada, às vezes, de rede de projeto (ou desenvolvimento). Os processos de projeto podem adotar qualquer posição em um *continuum* com graus variados de engajamento no projeto com fornecedores, que varia desde manter todas as capacidades de projeto em casa, até terceirizar todo o trabalho de projeto. Entre estes extremos, as capacidades interna e externa de projeto são variáveis. A Figura 6.7 mostra alguns dos fatores mais importantes que variam dependendo de onde um processo do projeto se posiciona no *continuum*. Os recursos do projeto serão fáceis de controlar se eles forem mantidos em casa, pois estão proximamente alinhados às estruturas organizacionais normais da empresa, mas o controle deveria ser relativamente flexível por causa da confiança extra presente ao se trabalhar com colegas. O projeto de terceirização requer um controle maior e, como ele é aplicado a distância, os contratos, frequentemente com cláusulas de penalidade para atrasos, podem ser necessários.

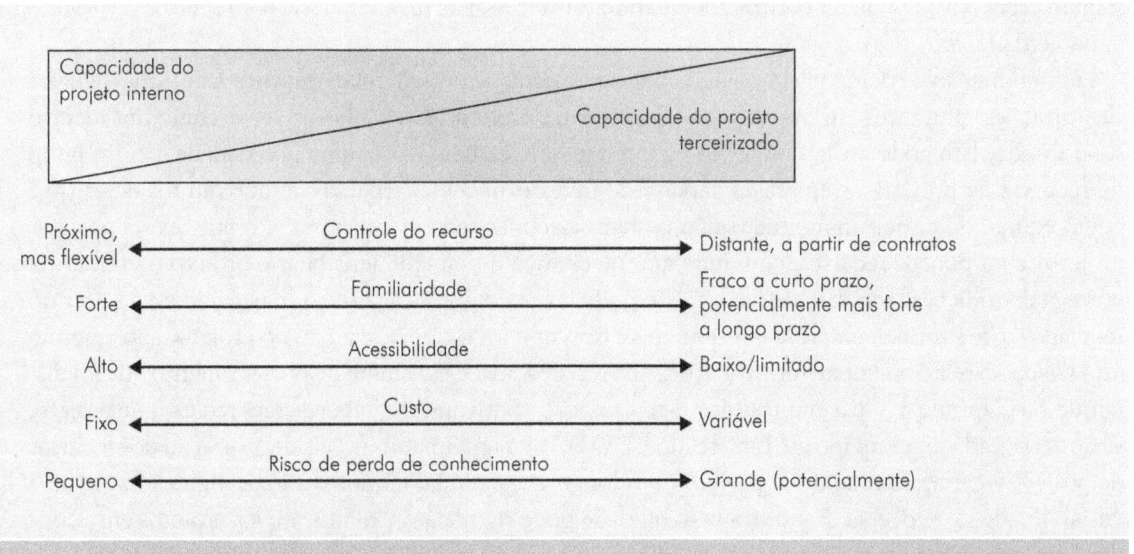

Figura 6.7 Algumas implicações do *continuum* interno – terceirizado.

O custo total de projetos feitos em casa *versus* projetos terceirizados irá variar dependendo da empresa e do projeto. Uma diferença importante, entretanto, é que os projetos externos tendem a ser considerados como um custo variável. Quanto mais os recursos externos são usados, maior será o custo. O projeto em casa é predominantemente um custo fixo. Certamente a terceirização pode ser feita se os custos fixos do projeto são muito grandes. Além disso, um direcionador principal desta decisão pode ser o risco da perda de conhecimento. As empresas tornam-se conscientes de que a experiência ganha com um fornecedor a partir da colaboração do especialista em projetos pode ser transferida aos concorrentes. Existe um paradoxo aqui. As empresas em geral terceirizam o projeto primordialmente por causa das capacidades do fornecedor, que são elas mesmas um acúmulo do conhecimento do especialista em trabalhar com uma variedade de clientes. Sem tal "perda" de conhecimento, os benefícios das capacidades de projeto acumuladas do fornecedor nem mesmo existiriam.

Envolvendo clientes no projeto

Poucas pessoas conhecem os méritos e as limitações dos produtos e dos serviços melhor do que os clientes que os usam, o que faz deles uma fonte óbvia de retorno. Os diferentes tipos de cliente têm o potencial de fornecerem tipos diferentes de informação. Os usuários novos podem localizar características mais atrativas de produtos e serviços; aqueles que optaram por uma oferta do concorrente podem revelar os problemas existentes. Um grupo de clientes particularmente interessante são os assim chamados "usuários líderes", que têm necessidades de um produto ou serviço bem à frente do resto do mercado, e que se beneficiarão encontrando uma solução para suas necessidades. Um exemplo relatado da pesquisa do usuário líder diz respeito a um gerente de projeto de um novo produto na Bose, a empresa de alto-falantes e aparelhos de som de alta qualidade. Ao visitar sua loja de música local, ele observou a alta qualidade da música de fundo. Ele descobriu que o gerente de loja estava usando os alto-falantes da Bose projetados para uso doméstico, mas que tinha anexado tiras de metal em torno das caixas do alto-falante, de modo que eles poderiam ser suspensos do teto. Inspirado nisso, a Bose construiu protótipos de alto-falantes que satisfariam a necessidade dos alto-falantes de qualidade na loja. Finalmente, estes foram levados para a loja de música para testes adicionais, o que ajudou a empresa ter sucesso nesse mercado.

A tecnologia do projeto de produtos e serviços está sendo utilizada?

A tecnologia no processo tornou-se importante nos processos de projeto de produtos/serviços. Programas de simulação, por exemplo, são agora comuns no projeto de tudo, desde serviços de transporte até fábricas químicas. Eles permitem aos desenvolvedores tomarem decisões do projeto antes do produto ou serviço real ser criado. Além disso, permitem aos projetistas experimentarem o uso do serviço ou do produto e aprender mais sobre como poderia funcionar na prática. Os programas de simulação podem explorar possibilidades, ajudar a entender e, o mais importante, explorar as consequências das decisões.

Projeto auxiliado por computador (CAD*)

A tecnologia de processo mais conhecida no projeto de produtos é o projeto auxiliado por computador (CAD). Os sistemas CAD armazenam e categorizam a informação do produto e do componente, permitindo que os projetos sejam construídos na tela e executados por meio de cálculos básicos de engenharia para testar a adequação das soluções de projeto propostas. Eles fornecem a habilidade auxiliada pelo computador para criar um desenho modificado do produto e permitir que as formas convencionalmente usadas sejam adicionadas rapidamente à representação de um produto no computador. Os projetos criados na tela podem ser salvos e recuperados para uso posterior, possibilitando a criação de uma biblioteca de projetos de peças e componentes padronizados. Outras coisas podem aumentar radicalmente a produtivi-

---

* N. de R.T.: Do inglês, *Computer Aided Design*.

dade do processo do projeto, mas o CAD auxilia também na padronização das peças durante a atividade de projeto. Os sistemas de CAD geralmente vêm com sua própria biblioteca de peças padrão.

Tecnologias da gestão do conhecimento

Em muitas empresas de serviços profissionais, tais como consultorias de gestão, o projeto do serviço abrange a avaliação dos conceitos e das estruturas que podem ser usados nas organizações do cliente para diagnosticar problemas, analisar o desempenho e construir soluções possíveis. Também pode fazer parte do projeto do serviço as melhores práticas do setor, *benchmarks* de desempenho e ideias que podem ser transportadas através dos limites do setor. Entretanto, a característica das empresas de consultoria de gestão é a dispersão geográfica e raramente os consultores estão nos seus escritórios. Os consultores estão, na maior parte de seu tempo, nas organizações do cliente adquirindo conhecimento cotidiano. Contudo, ao mesmo tempo é vital para tais empresas evitar "reinventar a roda" continuamente. Qualquer meio de coletivizar o conhecimento e a experiência cumulativa dentro da organização deve ajudar extremamente o projeto de novos conceitos e estruturas. A maioria das empresas de consultoria tenta abordar este problema usando as rotinas de gestão do conhecimento baseadas nas capacidades da sua intranet. Isto permite que os consultores coloquem suas experiências numa base comum de conhecimento, contatem outra equipe dentro da empresa que tenha as habilidades relevantes para uma atribuição atual e identifiquem atividades similares feitas anteriormente. Desta maneira, a informação é integrada no processo de projeto do conhecimento da empresa e pode ser usada por aqueles responsáveis pelo desenvolvimento de novos produtos.

As tecnologias de projeto são particularmente úteis quando a tarefa do projeto é incerta e complexa. As tecnologias de simulação permitem aos desenvolvedores reduzir a incerteza sobre o funcionamento dos produtos e serviços na prática. Da mesma forma, os sistemas de gestão do conhecimento consolidam e justapõem a informação sobre o que está acontecendo dentro da organização, fornecendo uma visão mais abrangente e reduzindo as incertezas. Os sistemas de CAD ajudam também a lidar com a complexidade, armazenando os dados de componentes em detalhes conforme eles se desenvolvem ao longo de várias interações. O tamanho absoluto e a inter-relação de alguns grandes produtos requerem sistemas de CAD sofisticados para serem desenvolvidos de uma forma eficaz. Um dos exemplos mais relatados foi o projeto do avião 777 da Boeing. O poderoso sistema de CAD usado neste projeto ganhou credibilidade com o sucesso da Boeing no envolvimento de seus clientes no processo de projeto, na flexibilidade da configuração do produto (tal como a proporção de assentos em cada classe, etc.) e por ter concluído o enorme projeto com sucesso.

QUESTÕES DIAGNÓSTICAS

O projeto de processo e o projeto de produtos e serviços são simultâneos?

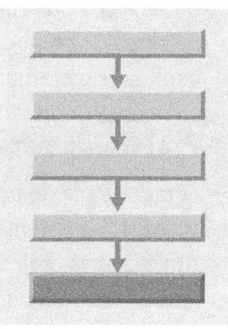

As saídas dos processos que projetam produtos e serviços (projetos concluídos) tornam-se importantes entradas para os processos existentes que produzem estes produtos e serviços. Por isso, é um erro separar o projeto dos produtos e serviços do projeto dos processos que os produzirão. Os gerentes dos processos de operações deveriam se envolver desde a avaliação inicial do conceito correto até a produção do produto ou serviço e sua introdução no mercado. Consolidar o projeto de produtos/serviços e os processos que os criam é às vezes chamado de projeto simultâneo ou interativo. Seus benefícios vêm do tempo total decorrido para toda a atividade do projeto, do conceito até a introdução no mercado – o tempo até o mercado do projeto (TAM). Reduzir o tempo até o mercado aumenta a vantagem competitiva. Por exemplo, se uma empresa leva três anos para desenvolver um produto do conceito até o mercado com um determinado conjunto de recursos, pode introduzir um novo produto somente uma vez a cada três anos. Se o seu rival puder desenvolver produtos em dois anos, pode introduzir o seu novo produto melhorado (pressupõe-se) uma vez a cada dois anos. Assim, ele não tem de fazer melhorias radicais no desempenho cada vez que introduz um novo produto, porque está introduzindo seus novos produtos de modo mais frequente. Um TAM mais curto significa que as empresas terão mais oportunidades para melhorar o desempenho de seus produtos ou serviços.

> **Princípio de operações**
> Projeto simultâneo eficaz reduz o tempo até o mercado.

Alguns fatores podem reduzir de forma significativa o tempo até o mercado para um produto ou serviço:

- fazer o projeto de produtos/serviços e de processo simultaneamente como um projeto integrado;
- sobrepor (simultaneamente) o projeto das etapas ao processo do projeto;
- desdobrar antecipadamente a tomada de decisão estratégica e resolução do conflito do projeto;
- utilizar uma estrutura organizacional que reflita a natureza do processo do projeto.

Conduzir o projeto de produtos e serviços e de processo simultaneamente

Um projeto de produto ou serviço bom e elegante pode ser difícil de ser realizado na produção existente. Um processo de operações projetado para um conjunto de produtos e serviços pode ser incapaz de produzir novos produtos e serviços. Claramente, faz sentido projetar processos de produtos, serviços e de operações simultaneamente. Entretanto, o fato de muitas empresas não o fazerem é, em parte, resultado de sua ignorância ou falta de competência no assunto. Existem barreiras reais para o projeto simultâneo. Primeiro, as escalas de tempo envolvidas podem ser muito diferentes. Os produtos e os serviços podem ser modificados, ou mesmo reprojetados, com relativa frequência. Os processos usados para produzir aqueles produtos e serviços podem ser muito caros para serem modificados toda vez que o projeto de produto ou serviço muda. Segundo, as pessoas envolvidas com os projetos de produto ou serviço, por um lado, e o projeto do processo existente, por outro, provavelmente estarão organizacionalmente separados. Por fim, às vezes não é possível projetar um processo existente para a produção de produtos e serviços até o próprio produto ou serviço ser totalmente definido.

Contudo, nenhuma dessas barreiras é insuperável. Embora os processos existentes possam não ser mudados toda vez que existe uma mudança no projeto de produto ou serviço, eles podem ser projetados para lidar com uma variedade potencial de produtos e serviços. O fato de a equipe de projeto e a equipe de operações estarem quase sempre separadas na organização pode também ser superado. Se não for sensato fundir as duas funções, existem mecanismos de comunicação e organizacionais para incentivar que as duas funções trabalhem juntas. A alegação de que os processos existentes não podem ser projetados até que a equipe do projeto conheça a natureza dos produtos e serviços que vão produzir não é totalmente verdadeira. Podem existir informações suficientes emergindo do projeto de produtos e serviços para a equipe do projeto do processo avaliar como poderiam modificar os processos existentes. Este é um princípio fundamental do projeto simultâneo, examinando a seguir.

Incentivando o projeto simultâneo

Descrevemos o processo do projeto como um conjunto de etapas individuais, etapas predeterminadas, com uma etapa sendo completada antes de começar a seguinte. Essa abordagem, passo a passo ou sequencial, tem sido tradicionalmente a forma típica dos processos de projeto de produtos/serviços.

Isso tem algumas vantagens. É fácil gerenciar e controlar os processos de projeto organizados desta forma porque cada etapa é claramente definida. Além disso, cada etapa é concluída antes que a etapa seguinte comece, de forma que cada uma pode focar suas habilidades e conhecimentos num conjunto limitado de tarefas. O problema principal da abordagem sequencial é que ela é cara e consome tempo. Quando cada etapa é separada, com um conjunto de tarefas claramente definido, quaisquer dificuldades encontradas numa etapa durante o projeto poderão requerer que o projeto seja parado enquanto a responsabilidade volta para a etapa anterior. Esta abordagem sequencial é mostrada na Figura 6.8(a).

Normalmente, não há muita necessidade de esperar até a finalização completa de uma etapa antes de começar a próxima.[5] Por exemplo, enquanto o conceito é gerado, a atividade de avaliação e seleção poderia ser iniciada. É provável que alguns conceitos pudessem ser avaliados como "não iniciáveis" relativamente cedo no processo da geração das ideias. Da mesma forma, durante a etapa de avaliação, é provável que alguns aspectos do projeto se tornem óbvios antes da fase ser finalmente completada. Portanto, o trabalho preliminar nestas partes do projeto já poderia ser iniciado. Este princípio, uma etapa começando antes da anterior ter terminado, pode ser empregado ao longo de todas as etapas, de forma que haja um trabalho simultâneo às etapas (veja a Figura 6.8(b)).

Podemos vincular essa ideia com a da redução da incerteza, discutida antes, quando assumimos que a incerteza diminui à medida que o projeto progride. Isto também se aplica a cada etapa do projeto. Portanto, a etapa seguinte pode ter algum grau de certeza quando o ponto de partida ocorre antes do fim da etapa anterior. Em outras palavras, os projetistas podem estar continuamente reagindo a uma série de decisões e informações que lhes são fornecidas pelos projetistas que trabalham na etapa anterior. Entretanto, isso só pode funcionar se existir uma comunicação eficaz entre cada par das etapas.

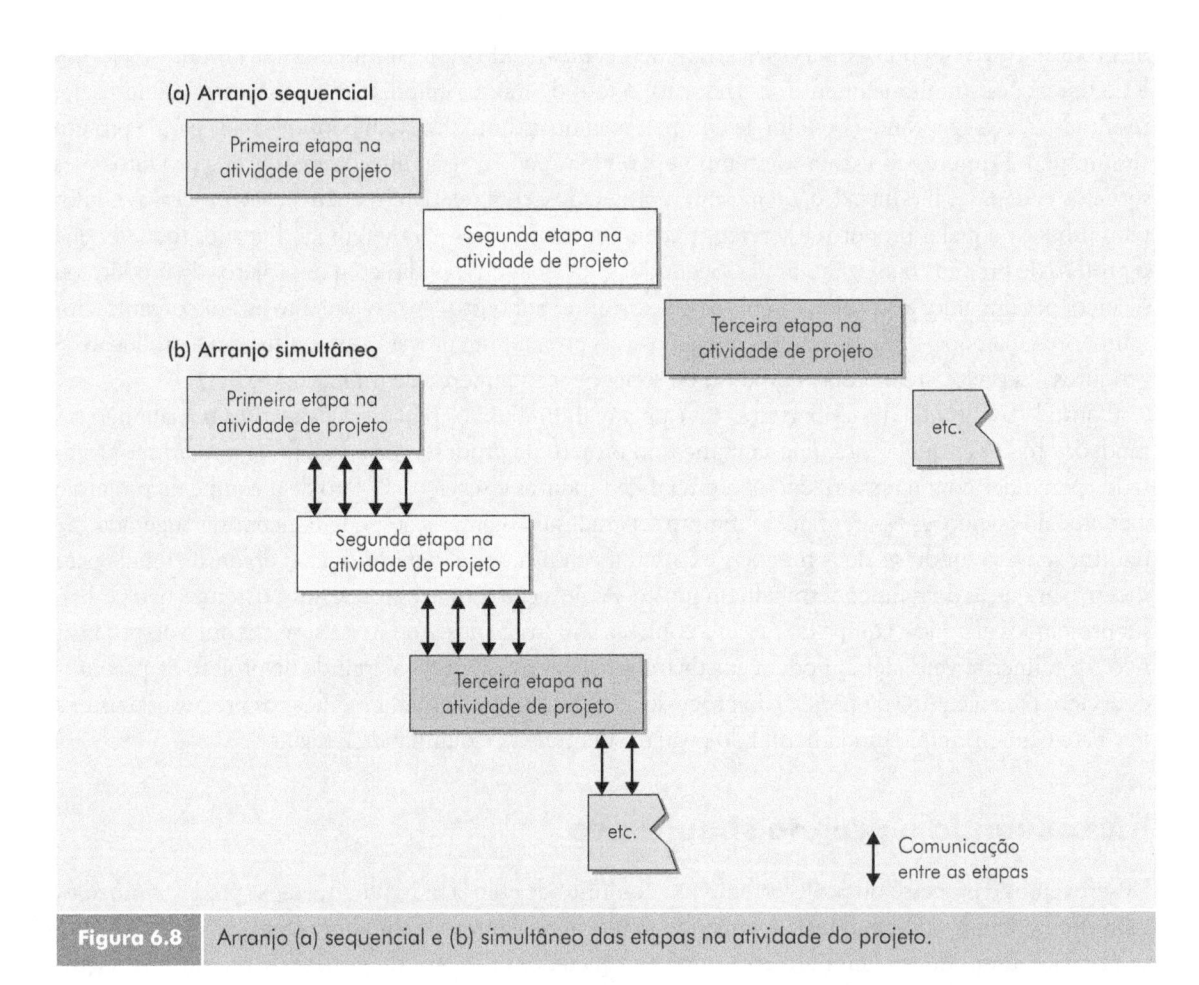

Figura 6.8 Arranjo (a) sequencial e (b) simultâneo das etapas na atividade do projeto.

Desdobrando a intervenção estratégica e resolvendo os conflitos antecipadamente

Uma decisão de projeto, uma vez tomada, não precisa irrevogavelmente formatar o projeto final. Todas as decisões podem ser mudadas, mas isso se torna cada vez mais difícil à medida que o processo do projeto progride. Ao mesmo tempo, as decisões antecipadas de projeto são muitas vezes as mais difíceis de serem tomadas devido à incerteza em torno do que pode ou não funcionar no projeto final. Por isso, o nível do debate, e mesmo a discordância, sobre as características de um projeto geralmente é mais acalorado nas etapas iniciais do processo. Uma abordagem é atrasar a tomada de decisão na esperança de que uma "resposta" óbvia emergirá. No entanto, se as decisões forem atrasadas e isso causar modificações a serem feitas mais tarde no processo do projeto, essas modificações provocarão mais rupturas no futuro do que provocariam se fossem feitas antes. As implicações disso são, primeiro, que vale a pena tentar alcançar o consenso nas etapas iniciais do processo do projeto, mesmo que isso pareça estar atrasando o processo total a curto prazo; e segundo, que a intervenção estratégica no processo do projeto pelo gerente sênior é particularmente necessária nessas etapas antecipadas no processo.

> **Princípio de operações**
> O processo do projeto de produtos/serviços necessita de atenção estratégica antecipada quando existe um potencial maior de afetar as decisões de projeto.

Infelizmente, existe uma tendência de os gerentes seniores, após a definição dos objetivos iniciais do processo do projeto, "deixarem os detalhes" para os especialistas técnicos. Eles só se envolverão novamente no processo nas últimas etapas, à medida que começam a emergir problemas necessitando de reconciliação ou de recursos extras. A Figura 6.9 ilustra isso em termos da diferença entre a habilidade de gerenciamento sênior de influenciar o processo do projeto e o que, em algumas organizações, é o verdadeiro padrão da intervenção.[6]

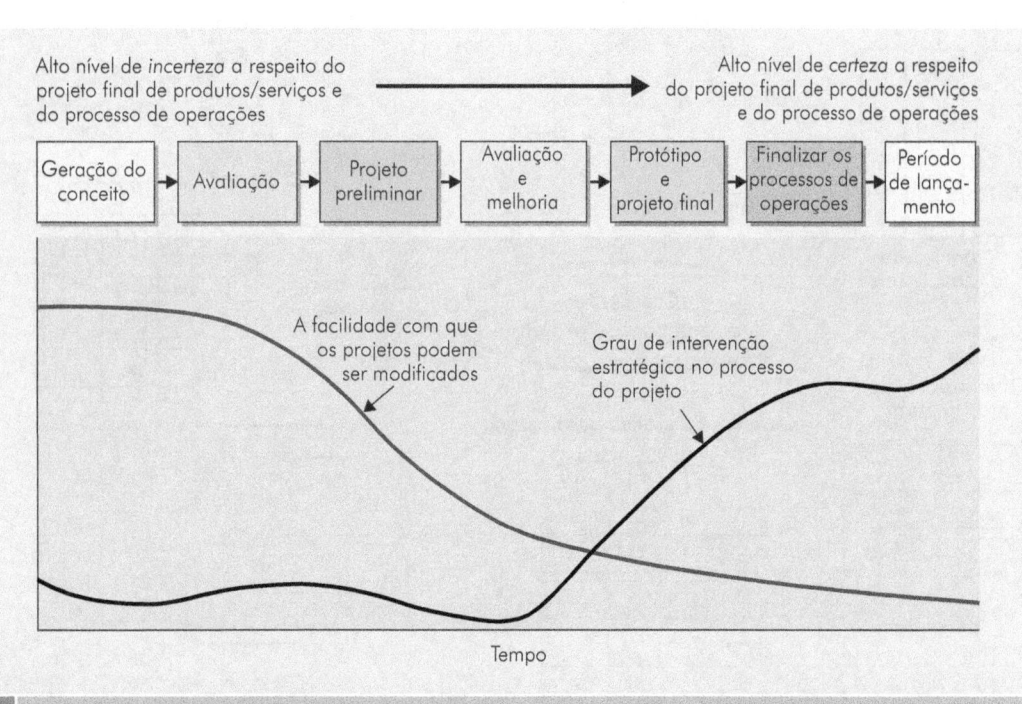

Figura 6.9 O grau de intervenção estratégica no processo do projeto é ditado frequentemente pela necessidade de resolver conflitos importantes em vez das necessidades do próprio processo do projeto.

Organizando o processo do projeto de uma forma que reflita a natureza do projeto

O processo (do projeto) de desenvolver conceitos para todo o mercado envolve pessoas de diferentes áreas da empresa, as quais terão alguma participação na tomada das decisões que formatam o projeto final. Contudo, qualquer projeto também terá sua própria existência. Terá um nome de projeto, um gerente individual ou equipe o defendendo, um orçamento e, esperançosamente, uma clara finalidade estratégica na organização. A pergunta organizacional é qual dessas duas ideias – as várias funções organizacionais que contribuem para o projeto ou o próprio *design* de projeto – deveria dominar a maneira que a atividade do projeto é gerenciada?

Existe uma variedade de estruturas organizacionais possíveis – da exclusivamente funcional à exclusivamente de projeto. Numa organização funcional pura, todas as equipes associadas ao *design* do projeto são sempre baseadas em seus grupos funcionais. Não há grupo baseado totalmente no projeto. Eles podem trabalhar em tempo integral no projeto, mas toda a comunicação e ligação é realizada por meio de seu gerente funcional. O projeto existe por causa do acordo entre esses gerentes funcionais. No outro extremo, todos os membros individuais da equipe de cada função envolvida no projeto poderiam ser tirados de suas funções e, talvez, realocados (trabalhando fisicamente perto uns dos outros) em uma força-tarefa dedicada unicamente ao projeto. A força-tarefa poderia ser conduzida por um gerente de projeto que poderia manter todo o orçamento alocado para o *design* do projeto. Nem todos os membros da força-tarefa têm de permanecer na equipe de projeto durante todo o projeto, mas um grupo substancial poderá estar no projeto do começo ao fim. Alguns membros de uma equipe de projeto podem até mesmo ser de outras empresas. Entre esses dois extremos existem vários tipos de organização matricial com ênfase variada nestes dois aspectos da organização[7] (veja a Figura 6.10).

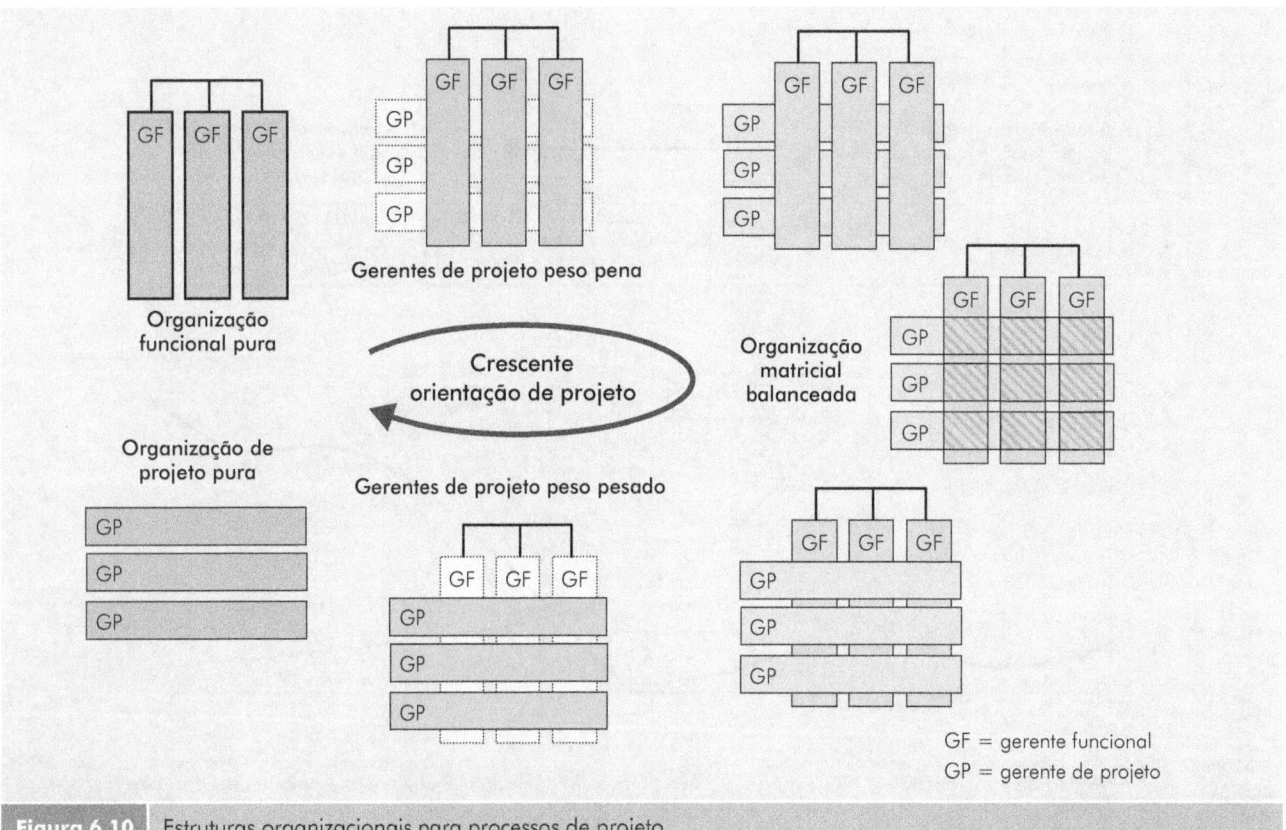

Figura 6.10 Estruturas organizacionais para processos de projeto.

- **Organização funcional**. O projeto é dividido em segmentos e atribuído às áreas e/ou aos grupos funcionais relevantes dentro das áreas funcionais. O projeto é coordenado conjuntamente pela gerência funcional e sênior.
- **Matriz funcional (ou gerente de projeto peso pena)**. Uma pessoa é designada formalmente para supervisionar o projeto a partir das diferentes áreas funcionais. Essa pessoa pode ter autoridade limitada sobre a equipe funcional envolvida e serve primordialmente para planejar e coordenar o projeto. Os gerentes funcionais retêm a responsabilidade primária por seus segmentos específicos do projeto.
- **Matriz balanceada**. Uma pessoa é designada para supervisionar o projeto e interagir em pé de igualdade com os gerentes funcionais. Essa pessoa e os gerentes funcionais dirigem conjuntamente segmentos do fluxo do trabalho e aprovam decisões técnicas e operacionais.
- **Matriz do projeto (ou gerente de projeto *peso pesado*)**. Um gerente é designado para supervisionar o projeto e é responsável por sua conclusão. O envolvimento dos gerentes funcionais é limitado a designar pessoal conforme necessário e fornecer consultores.
- **Equipe de projeto (ou equipe *tigre*)**. A um gerente é atribuída a responsabilidade de uma equipe de projeto composta de um grupo central de pessoas de diversas áreas funcionais e/ou grupos, alocados em tempo integral. Os gerentes funcionais não têm nenhum envolvimento formal.

Embora não haja uma "dominante" entre as estruturas organizacionais alternativas, as estruturas orientadas para a conclusão do projeto são amplamente defendidas, em detrimento daquelas na extremidade funcional do *continuum*. Num estudo muito respeitado, os professores Clark e Fujimoto discutiram que as estruturas do gerente de projeto peso pesado e as equipes de projeto dedicadas são as formas mais eficientes de organização para a competitividade do produto, prazos de entrega mais curtos e eficiência técnica. Outros estudos, embora em certos aspectos um tanto equivocados, têm mostrado que, em termos do melhor resultado total do processo de desenvolvimento, as estruturas *desde* a matriz balanceada *até* as equipes de projeto podem todas fornecer altas taxas de sucesso. Talvez seja mais interessante a adequação das estruturas alternativas para tipos diferentes do projeto de desenvolvimento de produto ou serviço. As estruturas matriciais são geralmente consideradas adequadas tanto para os projetos simples quanto para os altamente complexos. As equipes de projeto dedicadas, por outro lado, são vistas como adequadas para projetos com um alto grau de incerteza, nos quais sua flexibilidade se torna valiosa.

Processos de projeto baseados funcionalmente, com os recursos agrupados em torno de uma especialização funcional, ajudam no desenvolvimento do conhecimento técnico. Algumas organizações conseguem capturar as profundas vantagens do desenvolvimento tecnológico e das habilidades de estruturas funcionais, enquanto ao mesmo tempo coordenam entre as funções assim como asseguram a entrega satisfatória do novo produto e ideias de serviço. Talvez a mais conhecida destas organizações seja a Toyota. Ela tem uma forte organização baseada na funcionalidade do desenvolvimento de seus produtos. Além disso, adota procedimentos altamente formalizados de desenvolvimento para se comunicar entre os limites estritos de lugares e funções no uso de equipes interfuncionais. Mas o que é realmente diferente é sua abordagem para planejar uma estrutura organizacional para o desenvolvimento do produto adequado. O argumento que a maioria das empresas têm adotado para justificar as equipes de projeto interfuncionais é algo como: "*Os problemas com a comunicação entre funções tradicionais têm sido as principais razões para, no passado, mostrar-se incapaz de entregar ideias de um novo produto e serviço de acordo com a especificação, na hora e dentro do orçamento. Portanto, vamos derrubar as paredes entre as funções e organizar os recursos em torno de cada um dos projetos de desenvolvimento. Isso vai assegurar uma boa comunicação e uma cultura orientada para o mercado*". A Toyota e empresas similares, por outro lado, adotaram uma abordagem diferente. Seu argumento é algo como: "*O problema com as equipes interfuncionais é que elas podem dissipar o conhecimento cuidadosamente cultivado que existe dentro das funções especialistas. O verdadeiro problema é como reter este conhecimento do qual o desenvolvimento de nosso futuro produto depende, e, ao mesmo tempo, superar algumas das barreiras funcionais tradicionais que têm inibido a comunicação entre as funções. A solução não é destruir a função, mas imaginar os mecanismos organizacionais para assegurar o controle rigoroso e a liderança integradora que farão a organização funcional funcionar*".[8]

Comentário crítico

Cada capítulo contém um breve comentário crítico sobre as principais ideias nele abordadas. Seu propósito não é minar as questões discutidas, mas enfatizar que, embora apresentemos uma visão relativamente ortodoxa da operação, existem outras perspectivas.

■ Toda abordagem baseada no processo para o projeto de produtos e serviços poderia ser interpretada como se todos os novos produtos e serviços fossem criados em resposta a uma clara e articulada necessidade do cliente. Embora este seja normalmente o caso, especialmente para os produtos e serviços que são similares a (mas pressupõe-se melhores do que) seus predecessores, inovações mais radicais são causadas frequentemente pela própria inovação que cria a demanda. Os clientes geralmente não sabem que necessitam de algo radical. Por exemplo, as pessoas dos anos 1970 não demandavam, microprocessadores – elas nem mesmo sabiam o que eles eram. Eles foram improvisados por um engenheiro nos EUA para um cliente japonês que fazia calculadoras. Somente mais tarde eles se tornaram a tecnologia que permitiu o surgimento dos PCs e depois disso dos inumeráveis dispositivos que agora dominam nossas vidas.

■ Nem todos os projetistas concordam com o conceito das possíveis opções de projeto que são progressivamente reduzidas etapa por etapa. Para alguns, é uma ideia muito limpa e ordenada para refletir exatamente a criatividade, os argumentos e o caos que às vezes caracteriza a atividade do projeto. Primeiro, eles argumentam, os gerentes não começam com um número infinito de opções. Ninguém poderia processar tal quantidade de informações – e, de qualquer maneira, os projetistas têm frequentemente algum conjunto de soluções em sua mente, procurando uma oportunidade para ser usado. Segundo, o número de opções que está sendo considerado normalmente aumenta com o tempo. Isso pode realmente ser uma coisa boa, em especial se a atividade foi especificada sem imaginação em primeiro lugar. Terceiro, o processo real do projeto com frequência roda muitas vezes o ciclo, à medida que as soluções potenciais do projeto levantam novas questões ou ficam sem saída. Em resumo, a ideia do funil do projeto não descreve o que acontece realmente na atividade de projeto. Nem mesmo descreve necessariamente o que deveria acontecer.

Lista de verificação

Esta lista de verificação inclui perguntas que podem ser úteis se aplicadas a qualquer tipo de operação e refletem as principais questões diagnósticas usadas dentro do capítulo.

☐ A importância do projeto de produto ou serviço como um facilitador para alcançar o impacto estratégico é totalmente compreendida?

☐ Algumas funções do negócio são mais comprometidas com o projeto de produtos/serviços do que outras?

☐ Se sim, as barreiras ao compromisso interfuncional já foram identificadas e tratadas?

☐ O processo do projeto é tratado realmente como um processo?

☐ O próprio processo do projeto é elaborado com a mesma atenção ao detalhe que qualquer outro processo?

☐ Os objetivos do projeto são especificados de forma a fornecer uma clara prioridade entre qualidade, velocidade, confiança, flexibilidade e custo?

☐ As etapas no processo de produtos/serviços estão claramente definidas?

☐ As ideias para novos produtos e serviços são obtidas de todas as fontes adequadas (incluindo os empregados)?

☐ Os projetos potenciais são exibidos de uma forma sistemática em termos de sua praticidade, aceitabilidade e vulnerabilidade?

☐ Todas as possibilidades para a padronização do projeto foram exploradas?

☐ Todas as possibilidades para a comunalidade do projeto foram exploradas?

☐ Todas as possibilidades para a modularização dos elementos do projeto foram exploradas?

☐ O conceito da personalização em massa tem sido vinculado ao processo do projeto?

☐ Os projetos potenciais são completamente avaliados e testados antes que possam expor a empresa ao risco financeiro e/ou de sua reputação?

☐ A capacidade suficiente é dedicada ao processo do projeto?

☐ Todas as opções para terceirizar as partes do processo do projeto foram exploradas?

☐ A possibilidade de envolver formalmente os clientes no projeto de novos produtos e serviços tem sido explorada?

☐ As tecnologias do projeto tais como o gerenciamento do CAD e do conhecimento são usadas no processo do projeto?

☐ Os projetos de produtos/serviços e o projeto do processo são considerados como um processo integrado?

☐ O projeto sobreposto (simultâneo) das etapas no processo é usado?

☐ O esforço da gerência sênior é alocado com antecedência suficiente para assegurar a resolução prévia do conflito do projeto?

☐ A estrutura organizacional do processo do projeto reflete sua natureza?

Estudo de caso: Chatsworth – A decisão do parque de aventuras

Chatsworth, o lar do duque e da duquesa de Devonshire, é uma das casas palacianas mais elegantes do Reino Unido, assentada sobre 1.000 acres do Parque Nacional de Peak District, Inglaterra. A casa original foi construída mais de 400 anos atrás e a reconstrução começou no século XVII. A casa é ampla, com 175 ambientes, iluminados por mais de 2.000 lâmpadas e com um telhado que cobre 1,3 acres. Os muitos quartos de Chatsworth estão cheios de tesouros, incluindo obras e arte famosas de pintores como Rembrandt, além de tapeçarias, esculturas, móveis valiosos, instrumentos musicais e mais de 63 relógios antigos que precisam de corda diariamente. Os jardins cobrem mais de 105 acres, com mais de oito quilômetros de caminhos que guiam os visitantes para as fontes, pequenas e grandes (a maior com 28 metros e altura), cascatas, riachos e lagos, todos alimentados por gravidade a partir de quatro lagos artificiais nas áreas mais altas. Os jardins são uma composição de áreas formais e informais. Existem esculturas, estátuas, jardins de pedra, um labirinto em forma de jardim que muda constantemente com as estações – tudo administrado e mantido por uma pequena equipe de 20 jardineiros. Tanto a casa quanto os jardins são abertos de março a dezembro e são apenas duas das atrações disponíveis para os visitantes. As demais incluem uma loja de presentes num laranjal, um restaurante e uma loja de fazenda, que ficam abertas o ano inteiro, e a terra em volta do parque fica aberta para os visitantes caminharem, fazerem piquenique e nadarem no rio. O imóvel inteiro é possuído e administrado por uma instituição de caridade independente.

Perto da casa e dos jardins, pagando uma outra entrada, encontra-se o pátio da fazenda e área de recreação. O pátio da fazenda é uma atração popular entre as famílias e proporciona contatos imediatos com vários animais, incluindo porcos, ovelhas, vacas, galinhas e peixes. A equipe faz exibições diárias de ordenha e sessões de manejo dos animais. O parque de aventuras na floresta é acessado a partir do pátio da fazenda, sendo um dos maiores do país, com uma variedade de estruturas, pontes, caminhos suspensos, balanços, rampas e escorregadores.

Simon Seligman é o gerente de Promoções e Educação em Chatsworth. Como chefe de *marketing*, ele está intimamente envolvido no projeto e desenvolvimento dos novos serviços e facilidades. Ele explicou como isso é feito em Chatsworth. *"É um processo bem abstrato e orgânico. Olhando para trás, nos últimos 25 anos, fizemos grandes avanços ou fizemos algumas confusões frequentes. As pequenas confusões tendem a ser mudanças orgânicas, geralmente em resposta aos comentários dos usuários. Os grandes avanços foram as poucas mudanças importantes que decidimos realizar."*

Um desses grandes avanços foi a decisão de substituir o parque de aventuras infantil anexo ao pátio da fazenda, explicou Simon. *"O parque de aventuras existente estava claramente chegando ao fim de sua vida útil e era o momento de decidir o que fazer com ele. Ele estava nos custando cerca de £18.000 a cada inverno para mantê-lo e esses custos estavam aumentando ano após ano. Nós acreditávamos que poderíamos ter um melhor por algo em torno de £100.000. Os curadores pediram a mim, ao gerente-adjunto da propriedade e ao gerente do pátio da fazenda para formarmos um grupo e elaborarmos um relatório para esses curadores estabelecendo todas as opções. Fizemo-nos várias perguntas detalhadas e algumas também fundamentais, tais como porque o estávamos substituindo e se devíamos substituí-lo? Chegamos a quatro opções: removê-lo, não fazer nada, substituí-lo por outro similar ou por um outro substancialmente melhor."*

Decidiu-se que a remoção de todo o parque seria era uma opção mais realista. O duque e a duquesa tinham uma visão de que Chatsworth devia ser fiel a suas raízes e tradições. Considerando que se poderia argumentar que um pátio de fazenda fazia parte de uma propriedade rural, um parque de aventuras não se encaixava tão bem. A desvantagem seria que a ausência de um parque de aventuras, que é uma grande atração paras famílias com filhos pequenos, poderia causar um impacto na frequência de visitação. Entretanto, haveria economia em termos de manutenção do local.

A opção de "não fazer nada" implicaria em remendar o parque a cada ano e absorver os custos de manutenção crescentes. Esta poderia ser uma opção de baixo impacto, pelo menos a curto prazo. Porém, sentiu-se que essa opção simplesmente retardaria a decisão de substituição/remoção em no máximo cinco anos. O parque atual já não satisfazia os padrões internacionais de segurança, assim esta poderia ser uma boa oportunidade de substituir o parque por algo similar. Estimou-se que uma troca por algo bem parecido custaria em torno de £100.000. A substituição do parque por um substancialmente melhor implicaria num custo muito maior, mas poderia aumentar a frequência de visitação. Simon e sua equipe vigiavam de perto os seus concorrentes e os visitavam sempre que podiam. Eles relataram que várias outras atrações tinham excelentes parques de aventura. A instalação de um parque substancialmente melhor poderia proporcionar uma oportunidade da Chatsworth ultrapassá-los e oferecer algo realmente especial.

"Tentamos calcular os custos das quatro alternativas e estimar qual seria o impacto na frequência de visitação. Apresentamos um relatório provisório para o duque e os demais curadores. Sentimos que era inapropriado manter a situação atual e que sairia caro uma substituição por um parque similar, dado especialmente que isso atrairia pouca publicidade e poucos visitantes adicionais. Recomendamos veementemente duas opções: remover o parque ou dar um grande salto adiante. Os curadores nos pediram para termos em mente a opção de 'remover' e para examinarmos melhor a opção de 'um parque substancialmente melhor'."

Três empresas foram solicitadas a visitar o local, propor um novo parque de aventuras e elaborar um plano e um projeto inicial dentro de um orçamento de £150.000. Todas as três empresas delinearam algumas propostas dentro desses números, mas todas alegaram que por £200.000 poderiam fornecer algo realmente especial. Além disso, a equipe percebeu que teria que gastar mais dinheiro colocando uma nova rampa e um elevador no pátio da fazenda a um custo estimado de £50.000. Estava começando a parecer um projeto muito caro. Simon retorna à história. "Uma das empresas veio com uma ideia completa para o local, baseada em água, o que é um tema recorrente no jardim de Chatsworth. Eles observaram o riacho que corre pelo parque e pensaram que poderia ser uma característica maravilhosa. Eles nos disseram que estavam relutantes em apresentar uma única solução, mas queriam trabalhar conosco para explorar o que realmente iria funcionar para nós e com isso poderia ser alcançado. Eles também queriam que visitássemos seu parceiro alemão que criou todos os componentes principais do equipamento. Assim, durante os meses seguintes, trabalhamos juntos uma proposta completa para um parque de aventuras o mais sofisticado possível, incluindo as mudanças estruturais no pátio da fazenda. O orçamento era de £250.000. Para ser honesto, era impossível saber que efeito isso teria na frequência de visitação, então no final estabelecemos uma estimativa bem conservadora sugerindo que teríamos o retorno do investimento em sete anos. Nos anos seguintes, calculamos que o parque levou a um aumento de 85.000 visitantes por ano e com isso recuperamos o nosso investimento em apenas três anos."

PERGUNTAS

1. Em que você acha que consistia o conceito global do parque de aventuras?
2. Descreva as quatro opções destacadas no estudo de caso em função de sua viabilidade, aceitabilidade e vulnerabilidade.
3. O que significa o conceito de projeto interativo para um serviço como o parque de aventuras descrito aqui?

Estudo de caso ativo — Conseguir o Cliente nº 1

A Rellacast AG é especializada em fundição de precisão de ligas de zinco, magnésio e alumínio. Foi pedido que desenvolvessem um componente para grandes fornecedores de sistemas de telecomunicações e Internet conhecidos internamente como Cliente nº 1. Na verdade, o Cliente nº 1 não é ainda um cliente completo. Entretanto, por algum tempo, tem sido o cliente-alvo mais importante nas mentes dos executivos de *marketing* da Rellacast.

- Como você aconselharia a Rellacast sobre o desenvolvimento do componente e os dilemas que emergem para assegurar que eles ganhem o negócio do Cliente nº 1?

Consulte o caso ativo no CD que acompanha este livro para saber mais sobre a empresa e as decisões que eles encararam no desenvolvimento do componente.

Aplicando os princípios

Alguns destes exercícios podem ser respondidos a partir da leitura do capítulo. Outros vão requerer algum conhecimento geral da atividade de negócios e alguns poderão requerer pesquisa. Todos têm sugestões de como podem ser respondidos no CD que acompanha este livro.

DICAS

1. Um produto em que uma grande diversidade é valorizada pelo cliente é a pintura da casa. A maioria das pessoas gosta de expressar sua criatividade na escolha das tintas e de outros produtos de decoração que usam em suas casas. Claramente, oferecer uma grande variedade de tintas deve ter sérias implicações no custo para as empresas que produzem, distribuem e vendem o produto. Visite uma loja que venda tintas e tenha uma ideia da variedade de produtos disponíveis no mercado. Como você acha que os fabricantes de tintas e os gerentes de varejo projetam seus produtos e serviços de forma a manter a alta variedade, mas manter custos sob controle?

2. O projeto torna-se particularmente importante na relação entre os produtos ou serviços e as pessoas que os usam. Isso é especialmente verdadeiro para serviços baseados na Internet. Considere dois tipos de *website*:

    (a) aqueles que estão tentando vender algo tal como a Amazon.com, e
    (b) aqueles que têm a informação como foco primordial, por exemplo, bbc.co.uk.

    Para cada uma destas categorias, o que parece ser um "bom projeto"? Encontre exemplos de projetos da Internet particularmente bons e particularmente ruins e explique o que os torna bons ou ruins.

3. Visite o *website* do Conselho de Projeto do Reino Unido (**www.design-council.org.uk**). Lá você encontrará exemplos de como o projeto tem fornecido inovação em muitos campos. Olhe alguns desses exemplos e encontre um que você acha que representa a excelência no projeto e um que você não gosta (por exemplo, porque parece trivial, ou pode não ser prático, ou para o qual não existe mercado, etc.). Prepare um caso que suporte sua visão de por que um é bom e o outro ruim. Fazendo isto, derive uma lista de verificação das perguntas que poderiam ser usadas para avaliar o valor de qualquer ideia de projeto.

4. Como pode o projeto de produtos e serviços de restaurante de serviço rápido (lanche rápido) ser melhorado do ponto de vista da sustentabilidade ambiental? Visite duas ou três lojas de lanche rápido e compare sua abordagem aos projetos ambientalmente sensíveis.

Notas do capítulo

1. As fontes incluem Doran, J. (2006) "Hoover heading for a sell-off as Dyson sweeps up in America", *The Times*, 4 de fevereiro.
2. A personalização em massa foi totalmente articulada pela primeira vez em Pine, B.J. (1993) *Mass Customization: The new frontier in business competition,* Harvard Business School Press, Boston, MA.
3. Fonte: *The Economist* (2002) "Think Local", 13 de abril.
4. Esta seção sobre recursos se baseia no material de Slack, N. E Lewis, M.A. (2008) *Operations Strategy,* Segunda Edição, Financial Times Prentice Hall, Harlow, UK.
5. Wheelwright, S.C. E Clark, K.B. (1988) *Leading Product Development,* Free Press, New York.
6. Esta ideia se baseia em outra apresentada por Hayes, Wheelwright e Clark, em Hayes, R.H., Wheelwright, S.C. E Clark, K.B. (1988) *Dynamic Manufacturing,* Free Press, New York.
7. A partir de uma ideia de Hayes, Wheelwright e Clark, op. cit.
8. Sobek, D.K. II, Liker, J.K. E Ward, A.K. (1988) "Another look at how Toyota integrates product development", *Harvard Business Review*, Julho-Agosto.

Indo além

Bangle, C. (2001) "The ultimate creativity machine: How BMW turns art into profit", *Harvard Business Review*, January, pp. 47-55. Uma boa descrição de como um bom projeto estético se traduz em um negócio de sucesso.

Baxter, M. (1995) *Product Design*, Chapman e Hall. Apresenta uma estrutura para o projeto do produto que será do interesse dos gerentes praticantes.

Blackburn, J.D. (ed.) (1991) *Time Based Competition: The next battle ground in American manufacturing*, Irwin, Homewood, IL. Um bom sumário de por que o projeto interativo fornece o rápido tempo para o mercado e por que isto é importante.

Bruce, M. and Bessant, J. (2002) *Design In Business: Strategic innovation through design*, Financial Times Prentice Hall and The *Design* Council. Provavelmente uma das melhores visões gerais do projeto num contexto de negócio disponível atualmente.

Bruce, M. and Cooper, R. (2000) *Creative Product Design: A practical guide to requirements capture management*, Wiley, Chichester. Exatamente o que diz.

Cooper, R. and Chew, W. B. (1996) "Control tomorrow's cost through today's designs", *Harvard Business Review*, Jan.-Feb., pp. 88-98. Uma descrição realmente boa sobre por que é importante pensar sobre os custos na etapa do projeto.

Dyson, J. (1997) *Against the Odds: An autobiography*, Orion Business Books, Londres. Um dos mais famosos projetistas da Europa nos fornece sua filosofia.

Lowe, A. and Ridgway, K. (2000) "A user's guide to quality function deployment", *Engineering Management Journal*, June. Uma boa visão geral de DFQ explicado na linguagem direta não técnica.

Websites úteis

www.cfsd.org.uk O *site* do Centro para o Projeto Sustentável. Alguns recursos úteis, mas obviamente bastante restrito a questões sustentáveis.

www.conceptcar.co.uk Um *site* dedicado para o projeto de automóveis. Divertido se você gosta de projetos de novos carros!

www.betterproductdesign.net Um *site* que age como um recurso para a boa prática do projeto. Preparado pela Universidade de Cambridge e pela Faculdade Real de Artes. Um bom material que suporta todos os aspectos do projeto.

www.ocw.mit.edu/OcwWeb/Sloan-School-of-Management Boa fonte do curso aberto do MIT.

www.design-council.org.uk Site do Conselho do Projeto do Reino Unido. Um dos melhores *sites* no mundo para as questões relacionadas ao projeto.

www.nathan.com/ed/glossary/#ED Glossário dos termos de projeto.

RECURSOS ADICIONAIS — Para recursos adicionais incluindo exemplos, diagramas animados, questões de autoavaliação, planilhas Excel, estudos de caso ativos e materiais de vídeo, acesse o CD que acompanha este livro.

Capítulo 7
GERENCIAMENTO DA CADEIA DE SUPRIMENTOS

Introdução

A capacidade que uma operação tem de entregar produtos ou serviços para os clientes é influenciada fundamentalmente pelo gerenciamento da cadeia de suprimentos. O Capítulo 3 tratou do projeto estratégico das redes de suprimentos. O presente capítulo considera o planejamento e a atividade de controle para as cadeias de suprimento individuais na rede. O gerenciamento da cadeia de suprimentos é a atividade principal do gerenciamento de operações que define o desempenho de *entrega* da operação, porque ele controla o fluxo dos produtos e serviços desde os fornecedores até o consumidor final. É por isso que o primeiro capítulo trata do planejamento e controle da entrega. Mas o planejamento e controle da entrega é um tópico muito maior e inclui o gerenciamento da capacidade (Capítulo 8), o gerenciamento de estoques (Capítulo 9), o planejamento e controle de recursos (Capítulo 10) e a sincronização enxuta (Capítulo 11). A Figura 7.1 ilustra esses tópicos de entrega tratados neste capítulo.

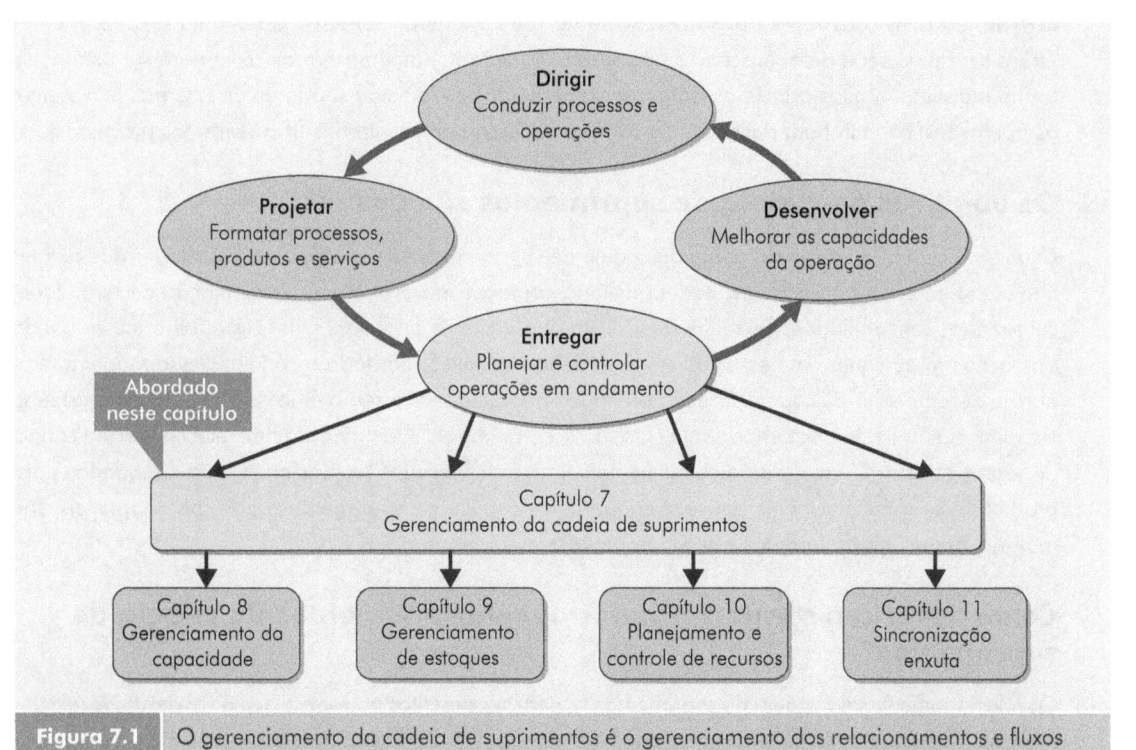

Figura 7.1 O gerenciamento da cadeia de suprimentos é o gerenciamento dos relacionamentos e fluxos entre as operações e os processos; este é o tópico que integra todas as questões relacionadas à entrega de produtos e serviços.

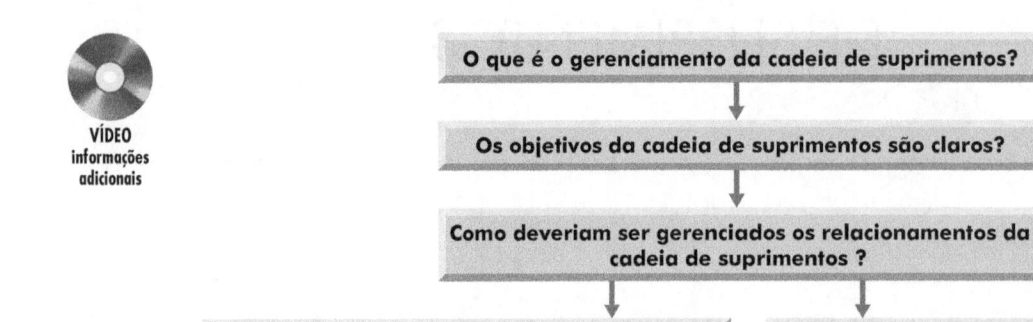

Sumário executivo

VÍDEO
informações adicionais

- O que é o gerenciamento da cadeia de suprimentos?
- Os objetivos da cadeia de suprimentos são claros?
- Como deveriam ser gerenciados os relacionamentos da cadeia de suprimentos?
- Como os suprimentos deveriam ser gerenciados?
- Como a demanda deveria ser gerenciada?
- A dinâmica da cadeia de suprimentos está sob controle?

Cadeia lógica de decisões para o gerenciamento da cadeia de suprimentos

Cada capítulo é estruturado em torno de um grupo de questões diagnósticas. Essas questões sugerem o que você poderia perguntar para entender as questões importantes de um tópico e, como resultado, melhorar sua tomada de decisão. Um sumário executivo, tratando dessas questões, é fornecido a seguir.

O que é o gerenciamento da cadeia de suprimentos?

O gerenciamento da cadeia de suprimentos é o gerenciamento dos relacionamentos e fluxos entre os processos e as operações. Tecnicamente, é diferente do gerenciamento da rede de suprimentos, que aborda todas as operações ou processos numa rede. O gerenciamento da cadeia de suprimentos refere-se a uma série de operações e processos. No entanto, os dois termos costumam ser usados de forma indistinta. Muitos princípios do gerenciamento das cadeias de suprimentos externas (fluxo entre as operações) são também aplicados às cadeias de suprimentos internas (fluxo entre os processos).

Os objetivos da cadeia de suprimentos são claros?

O objetivo central do gerenciamento da cadeia de suprimentos é satisfazer as necessidades dos clientes finais. Assim, cada operação na cadeia deveria contribuir para qualquer combinação de qualidade, velocidade, confiabilidade, flexibilidade e custo que o cliente final necessite. Uma falha individual da operação em qualquer um desses objetivos pode se multiplicar por toda a cadeia. Dessa maneira, embora o desempenho de cada operação possa ser adequado, o desempenho de toda a cadeia poderia ser ruim. Há uma diferença importante entre o desempenho da cadeia de suprimentos enxuta e a cadeia de suprimentos ágil. Em geral, as cadeias de suprimentos enxutas (ou eficientes) são adequadas para produtos e serviços funcionais estáveis, enquanto as cadeias de suprimentos ágeis (ou adaptáveis) são mais adequadas para produtos e serviços inovadores e menos previsíveis.

Como deveriam ser gerenciados os relacionamentos da cadeia de suprimentos?

Os relacionamentos da cadeia de suprimentos podem ser descritos no espectro que vai desde os relacionamentos distantes, transacionais, baseados no mercado, até os relacionamentos próximos, de parceria de longo prazo. Cada um tem suas vantagens e desvantagens. Desenvolver relacionamentos é avaliar quais são os relacionamentos com melhor potencial para melhorar o desempenho global. No entanto, os tipos de relacionamentos adotados podem ser sugeridos pela própria estrutura do mercado. Se o número de fornecedores potenciais é pequeno, existem poucas oportunidades para usar os mecanismos do mercado para obter qualquer tipo de vantagem.

Como os suprimentos deveriam ser gerenciados?

Gerenciar os relacionamentos na ponta do fornecedor envolve três atividades principais: selecionar os fornecedores adequados, planejar e controlar a atividade de suprimento em andamento e desenvolver fornecedores. A seleção de fornecedores leva em conta a compensação de seus diferentes atributos, normalmente usando métodos de avaliação por escore. O gerenciamento dos suprimentos existentes leva em conta as expectativas de suprimento, normalmente usando os acordos sobre o nível de serviço para gerenciar os relacionamentos do suprimento. O desenvolvimento de fornecedores pode beneficiar tanto os fornecedores quanto os clientes, sobretudo nos relacionamentos de parceria. Às vezes, as barreiras para isso são as diferenças na percepção entre os clientes e os fornecedores.

Como a demanda deveria ser gerenciada?

Isso dependerá, em parte, se a demanda é dependente de algum fator conhecido e, portanto, previsível, ou independente de qualquer fator conhecido e, portanto, menos previsível. Abordagens como o planejamento das necessidades de materiais (MRP) são usadas no primeiro caso, enquanto abordagens como o gerenciamento de estoques são usadas no último caso. A crescente terceirização da distribuição física e o uso de novas tecnologias de acompanhamento, como o RFID,* têm trazido eficiência para a movimentação das mercadorias físicas e para o serviço ao cliente. Mas o serviço ao cliente pode ser melhorado ainda mais se os fornecedores assumirem a responsabilidade do desenvolvimento do cliente, isto é, se ajudarem os clientes a ajudá-los.

A dinâmica da cadeia de suprimentos está sob controle?

As cadeias de suprimentos têm uma dinâmica própria que geralmente é chamada de efeito *chicote*. Isso significa que mudanças relativamente pequenas na demanda final da cadeia ampliam-se cada vez mais em grandes distúrbios conforme elas se movem a montante. Três métodos podem ser usados para reduzir esse efeito. A troca de informação pode prevenir uma reação maior ao estímulo imediato e fornecer uma melhor visão de toda a cadeia. Alinhar o canal pelos métodos de planejamento e controle padronizado permite uma coordenação mais fácil de toda a cadeia. Melhorar a eficiência operacional de cada parte da cadeia evita que o aumento dos erros locais afete toda a cadeia.

---

* N. de R. T.: Sigla em inglês de *Radio Frequency Identification* (Identificação por radiofrequência).

QUESTÕES DIAGNÓSTICAS

O que é o gerenciamento da cadeia de suprimentos?

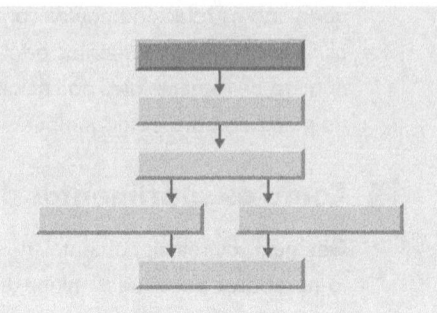

O gerenciamento da cadeia de suprimentos (SCM – *Supply Chain Management*) é o gerenciamento dos relacionamentos e dos fluxos entre a série de operações e processos que produzem valor em forma de produtos e serviços para o cliente final. É uma abordagem holística para gerenciar além das fronteiras das empresas e dos processos. Tecnicamente, as *cadeias* de suprimentos são diferentes das *redes* de suprimentos. A rede de suprimentos são *todas* as operações que estão interligadas para fornecer mercadorias e serviços até os clientes finais. Em grandes redes de suprimentos podem existir centenas de cadeias de suprimentos de operações interligadas passando por uma única operação. A mesma diferença existe dentro de operações. O gerenciamento da rede interna e da cadeia de suprimentos se preocupa com o fluxo entre os processos ou departamentos. Veja a Figura 7.2. De uma forma confusa, os termos gerenciamento da rede de suprimentos e do gerenciamento da cadeia de suprimentos são normalmente usados de modo indistinto.

Vale a pena enfatizar novamente que o conceito da cadeia de suprimentos refere-se tanto às redes internas de processo quanto às redes externas de suprimentos. Muitas das ideias discutidas no contexto da cadeia de suprimentos de "operação a operação" também se referem à cadeia interna de suprimentos de "processo a processo".

> **Princípio de operações**
> O conceito da cadeia de suprimentos refere-se aos relacionamentos internos entre os processos bem como aos relacionamentos externos entre as operações.

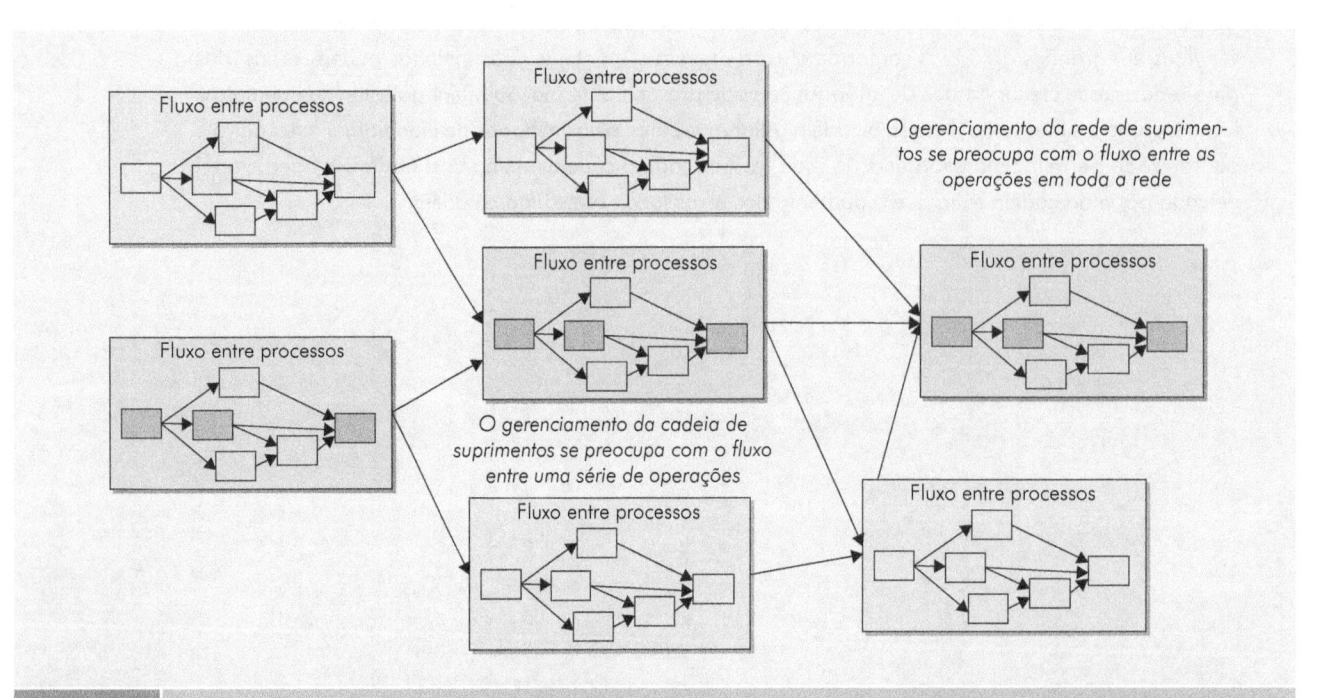

Figura 7.2 O gerenciamento da cadeia de suprimentos se preocupa com o gerenciamento do fluxo de materiais e de informações entre uma série de operações que formam os canais ou "cadeias" de uma rede de suprimentos.

Figura 7.3 O gerenciamento da cadeia de suprimentos se preocupa com o fluxo da informação bem como com o fluxo de produtos e serviços.

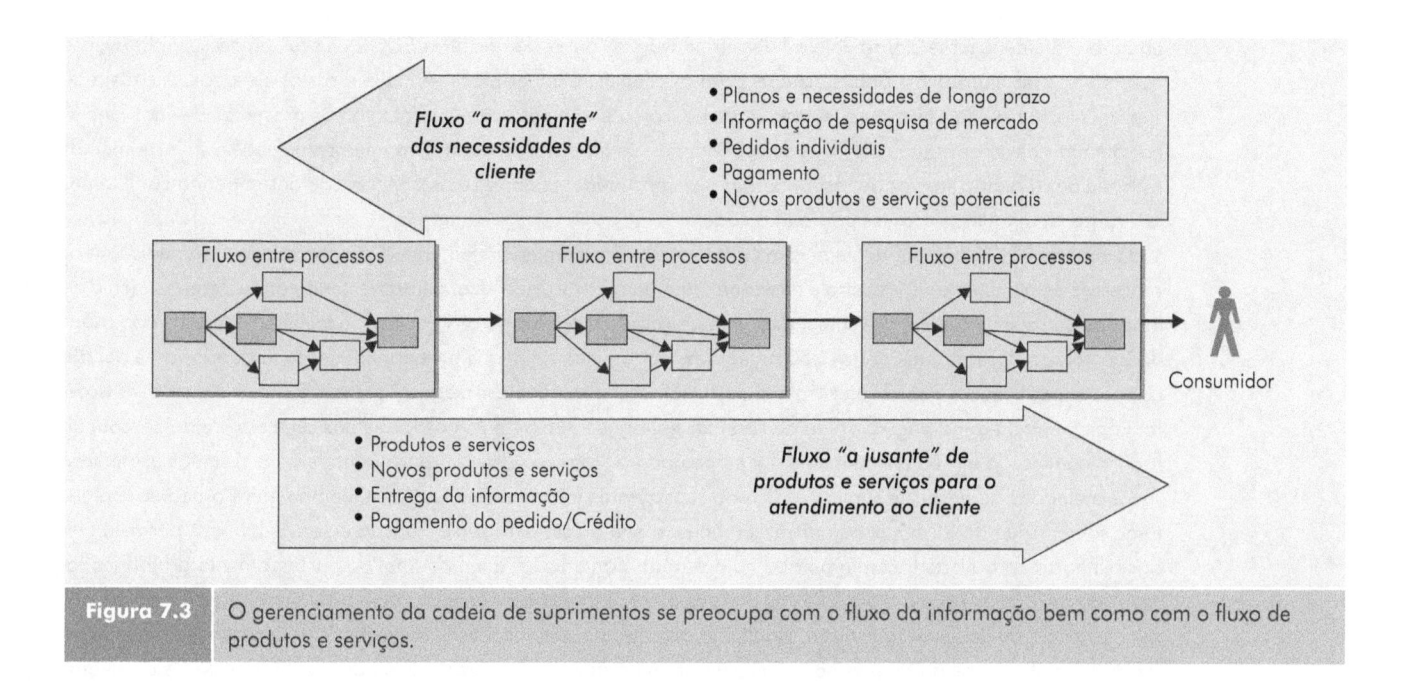

Fluxo "a montante" das necessidades do cliente:
- Planos e necessidades de longo prazo
- Informação de pesquisa de mercado
- Pedidos individuais
- Pagamento
- Novos produtos e serviços potenciais

Fluxo "a jusante" de produtos e serviços para o atendimento ao cliente:
- Produtos e serviços
- Novos produtos e serviços
- Entrega da informação
- Pagamento do pedido/Crédito

Também vale a pena observar que os "fluxos" nas cadeias de suprimentos não estão restritos ao fluxo a jusante de produtos e serviços dos fornecedores até os clientes. Embora a falha mais óbvia no gerenciamento da cadeia de suprimentos ocorra quando o fluxo a jusante se mostra incapaz de atender as necessidades do cliente, a principal causa pode ser uma falha no fluxo de informações a montante. O gerenciamento moderno da cadeia de suprimentos está tão preocupado com o gerenciamento dos fluxos de informações (a montante ou a jusante) quanto está com o gerenciamento do fluxo dos produtos e dos serviços – veja a Figura 7.3.

Os dois exemplos seguintes de gerenciamento da cadeia de suprimentos ilustram algumas das questões que são discutidas neste capítulo.

Exemplo: A Siemens usa um SCOR de sucesso[1]

A Siemens AG, com mais de 450 mil funcionários, vendas em torno de €70 bilhões e operando em mais de 190 países, é uma das cinco maiores empresas de engenharia elétrica e eletrônica do mundo, criando produtos que vão desde telefones celulares a usinas hidrelétricas. Desde o final dos anos 1990, a Siemens utiliza o modelo de Referência para a Cadeia de Suprimentos (SCOR – do inglês *Supply Chain Operations Reference*) para melhorar a eficiência de sua cadeia de suprimentos e o desempenho dos seus processos. (O modelo SCOR é explicado mais adiante neste capítulo.) A implementação do modelo foi concebida inicialmente para apoiar a passagem da empresa para um foco consideravelmente mais forte no comércio eletrônico (*e-business*). Foram formadas equipes com mais de 250 agentes de mudança internos, os quais começaram a examinar estratégias, oportunidades e desafios.

A Siemens desenvolveu inicialmente o que se conhece como a sua versão do modelo SCOR, chamada "Processo de Negócio Genérico", de modo a ser aplicado em todos os mercados. Entretanto, ela percebeu logo que os diferentes tipos de negócio exigiam diferentes soluções de cadeia de suprimentos. Por exemplo, a Siemens usou o SCOR para racionalizar os processos de produção sob pedido do seu negócio "Siemens Soluções Médicas", cujos dispositivos de tomografia computadorizada (TC) são feitos na Alemanha e na China. Este foi um negócio particularmente difícil envolvendo funções de produção sob pedido, tais como a gestão global dos pedidos dos clientes, gestão de materiais abrangente e complexa, personalização e produção, suporte técnico, despacho mundial e logística, além da instalação no local do cliente. Contudo, embora a Siemens fosse claramente a líder em inovação, antes da iniciativa SCOR os seus processos inflexíveis e burocráticos resultaram em longas esperas para os clientes, altos níveis de estoque e custos elevados. A cadeia de suprimentos de TC não estava conectada, com pouco entendimento comum de como os processos deviam funcionar ou quais deveriam ser os objetivos de suprimento. Os gerentes de operações internas na cadeia de suprimentos respondiam à matriz em vez de responderem aos consumidores finais, e os objetivos de desempenho conflitantes levaram a demandas flutuantes por toda a cadeia.

O processo SCOR ajudou a Siemens a cuidar desses problemas diretamente. O gerenciamento de pedidos e os processos de planejamento e controle passaram da manipulação individual e fragmentada para o gerenciamento de todos os pedidos de cliente a nível mundial, a aquisição de produtos ou serviços ficou simplificada e integrada usando 22 "fornecedores A" em vez dos 250 anteriores, a produção de pequenas quantidades foi organizada de acordo com as especificações dos clientes, foram desenvolvidas parcerias estratégicas com os fornecedores de serviços, foi implementada a instalação rápida de sistemas entregues diretamente nos locais dos clientes usando pessoal de fábrica qualificado em TC e, finalmente, foi empregada a "logística reversa" para remodelar os sistemas existentes.

As melhorias no desempenho da cadeia de suprimentos foram espetaculares. O tempo entre o pedido e a entrega foi reduzido de 22 semanas para 2 semanas, o pedido simplificado e transparente nas fábricas permitiu que duas linhas de produção fizessem o trabalho das quatro anteriores, o tempo total de processamento da fábrica foi reduzido de 13 dias para 6 dias, a flexibilidade aumentou tremendamente para um nível de ±50% de pedidos por mês, os níveis de estoque diminuíram significativamente, permitindo ao TC se desfazer de um depósito, os envios diretos e ininterruptos da fábrica para o cliente permitiram a entrega nos locais dos clientes dentro de cinco dias úteis e também permitiram aos clientes rastrear os embarques.

Exemplo — Suprimento de risco na Gap Inc.[2]

A Gap é uma empresa de US$15,9 bilhões que lidera a venda internacional no varejo de roupas, acessórios e produtos de cuidado pessoal. Suas marcas incluem nomes como Banana Republic, Old Navy e Piperlime, mas é mais conhecida por sua cadeia de lojas Gap espalhadas por todos os Estados Unidos, Reino Unido, Canadá, França, Irlanda e Japão, bem como Ásia e Oriente Médio. Os países onde seus produtos são fabricados são similarmente internacionais, do Sri Lanka ao Lesoto, dos Estados Unidos a El Salvador. Porém, uma base internacional de suprimentos traz alguns riscos significativos.

Em outubro de 2007, apareceram indícios no *The Observer*, um jornal britânico, de que um subempreiteiro não autorizado havia empregado trabalhadores infantis para fazer blusas para a GapKids em uma fábrica em Nova Deli. Como resposta, a Gap emitiu imediatamente uma declaração: "*No início dessa semana, a empresa foi informada sobre uma alegação de trabalho infantil em uma instalação na Índia que estava trabalhando num produto para a GapKids. Começamos imediatamente a investigar. A empresa observou que uma parcela muito pequena de um determinado pedido feito a um de nossos vendedores foi aparentemente subcontratada de um subempreiteiro não autorizado sem conhecimento ou aprovação da empresa. Isto viola diretamente o acordo da empresa com o vendedor em seu Código de Conduta do Fornecedor. Marka Hansen, presidente da Gap North America, fez a seguinte declaração hoje.*

'*Nós proibimos estritamente o uso de trabalho infantil. Para nós, isso é inegociável – e estamos profundamente preocupados e aborrecidos com essa alegação. Como demonstramos no passado, a Gap tem uma história de abordagem direta de desafios como esse e o nosso comportamento nessa situação não será uma exceção. Em 2006, a Gap parou de fazer negócios com 23 fábricas devido a violações do código de conduta. Temos 90 pessoas espalhadas pelo mundo cuja função é assegurar o cumprimento do nosso Código de Conduta do Fornecedor. Logo que fomos alertados em relação a essa situação, paramos a ordem de serviço e impedimos que o produto fosse vendido nas lojas. Ainda que as violações à nossa proibição estrita de trabalho infantil nas fábricas que manufaturam produtos para a empresa sejam extremamente raras, convocamos uma reunião urgente com nossos fornecedores na região para reforçar as nossas políticas. A Gap possui um dos programas mais abrangentes da indústria na luta pelos direitos dos trabalhadores estrangeiros. Continuaremos a trabalhar com o governo, as ONGs, sindicatos e outras organizações que detenham interesses na empresa, em um esforço para acabar com o uso do trabalho infantil.*'"

A nova política da Gap sobre violações de suas regras em relação ao trabalho infantil podem ajudar a limitar o dano à sua reputação como um dos varejistas mais éticos. Em vez de fechar imediatamente as fábricas dos fornecedores que empregam trabalhadores infantis, agora ela os impede de usar crianças, continua a pagá-los, mas insiste que os fornecedores lhes ofereçam educação e que garantam um emprego assim que alcançarem a idade legal.

Para qualquer empresa que terceirize seus produtos pelo mundo, nunca é fácil manter um regime de monitoramento rigoroso dos subempreiteiros distantes. Muitas das roupas da Gap são feitas na Índia, onde estima-se que 50.000.000 de crianças estejam empregadas. Contudo, a Organização Internacional do Trabalho (OIT) das Nações Unidas acredita que todas as empresas poderiam fazer mais. *"Se as empresas são capazes de supervisionar a qualidade de seus produtos, elas também deveriam ser capazes de fiscalizar a sua produção"*, diz Geir Myrstad, chefe do programa da OIT para erradicar o trabalho infantil.

O que esses dois exemplos têm em comum?

A primeira lição dessas duas empresas é que ambas levam a sério o gerenciamento da cadeia de suprimentos. Elas entendem que, não importa o quanto sejam boas as operações individuais ou os processos, o desempenho global de um negócio é uma função de toda a cadeia da qual ele faz parte. É por isso que essas empresas empregam muito esforço no gerenciamento de toda a cadeia. Isto não significa que adotem a mesma abordagem, ou até parecida, para o gerenciamento da cadeia de suprimentos. Cada uma tem um conjunto levemente diferente de prioridades. A questão-chave para a Siemens era melhorar o desempenho de uma de suas cadeias de suprimento para torná-la mais apropriada para o mercado que atendia. A questão da Gap, neste exemplo em particular, era superar a publicidade negativa que recebeu apesar dos seus esforços significativos para assegurar as credenciais éticas de sua rede de suprimento. Entre eles, esses dois exemplos ilustram dois dos debates dentro da gestão da cadeia de suprimentos. Primeiro, as estruturas como o modelo SCOR podem ajudar a melhorar o desempenho da cadeia de suprimentos? Segundo, quais os riscos inerentes à maneira pela qual as empresas gerenciam suas cadeias de suprimentos? O ponto comum às duas empresas é que, embora as questões de suas cadeias de suprimentos sejam diferentes, ambas tem uma ideia clara de quais são elas. De modo similar, ambas as empresas entendem a importância de gerenciar relacionamentos. O tema comum é a importância de investir nos relacionamentos. Além disso, as duas empresas investiram em mecanismos para se comunicar ao longo da cadeia de suprimentos e coordenar os fluxos de materiais e de informações. O restante deste capítulo está estruturado em torno destas três questões principais: esclarecer os objetivos da cadeia de suprimentos; examinar os relacionamentos da cadeia de suprimentos com os fornecedores e com os clientes; e controlar e coordenar o fluxo.

QUESTÕES DIAGNÓSTICAS

Os objetivos da cadeia de suprimentos são claros?

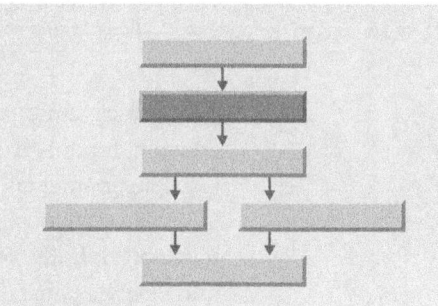

Todo gerenciamento da cadeia de suprimentos compartilha um objetivo central em comum: satisfazer o cliente final. Todas as etapas numa cadeia devem se voltar, cedo ou tarde, para o cliente final, não importa o quanto uma operação individual esteja longe dele. Quando um cliente decide comprar, ele desencadeia uma ação por toda a cadeia. Todos os negócios na cadeia de suprimentos passam uma parte do dinheiro daquele cliente final para o outro, cada um retendo uma margem do valor que adicionou. Cada operação da cadeia deveria satisfazer seu próprio cliente, mas também ter certeza de que o cliente final também está satisfeito.

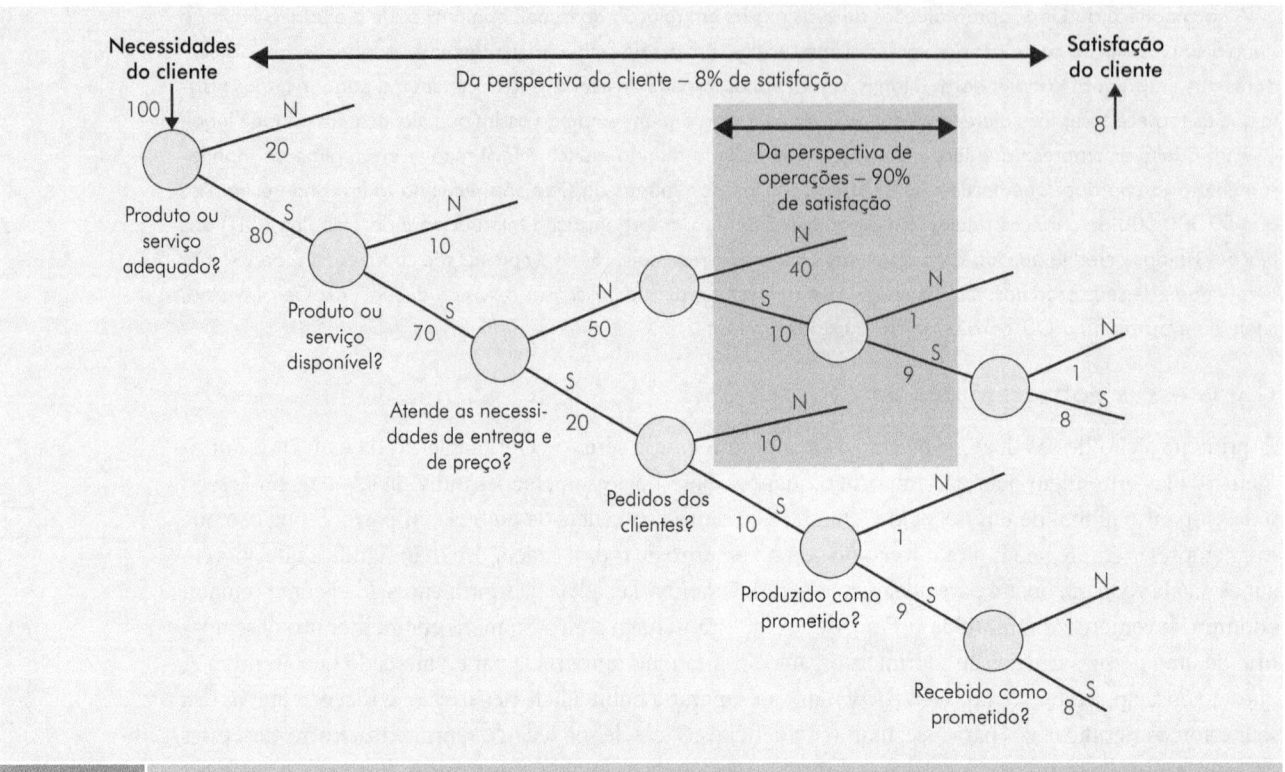

Figura 7.4 Adotar a perspectiva de um cliente quanto ao desempenho de suprimentos pode levar a conclusões muito diferentes.

Para uma demonstração de como as percepções do cliente final quanto à satisfação de suprimentos podem ser muito diferentes da percepção de uma única operação, examine a árvore de decisão na Figura 7.4. Ela representa em um gráfico o progresso hipotético de 100 clientes necessitando do serviço (ou produtos) de uma empresa (por exemplo, uma gráfica necessitando de papel de um distribuidor de papel industrial). O desempenho de suprimentos, como visto pela operação central (o armazém), é representado pela parte escura do diagrama. Foram recebidos 20 pedidos, 18 dos quais foram "produzidos" (enviados para os clientes) como prometido (total e pontualmente). No entanto, originalmente 100 clientes podem ter solicitado serviço, 20 dos quais acharam que a empresa não tinha os produtos adequados (não estocavam o papel correto), 10 dos quais não poderiam ser atendidos porque os produtos não estavam disponíveis (sem estoque) e 50 dos quais não estavam satisfeitos com o preço e/ou a entrega (10 deles fizeram um pedido mesmo assim). Dos 20 pedidos recebidos, 18 foram produzidos como prometidos (enviados), mas dois não foram entregues como combinado (atrasados ou danificados no transporte). Então o que parece um desempenho de suprimentos de 90%, é, na verdade, um desempenho de 8% a partir da perspectiva do cliente.

> **Princípio de operações**
>
> O desempenho de uma operação em uma cadeia de suprimento não necessariamente reflete o desempenho de toda a cadeia de suprimentos.

Esta é apenas uma operação em toda a rede. Inclui o efeito cumulativo de reduções similares no desempenho de todas as operações numa cadeia, e poderia se tornar remota a probabilidade de que o cliente final seja adequadamente servido. A questão principal aqui não é que todas as cadeias de suprimentos apresentam um desempenho de suprimentos insatisfatório (embora a maioria das cadeias de suprimentos tenha um potencial considerável para melhorias). Ao contrário, a questão é que o desempenho da cadeia de suprimentos como um todo e de suas operações constituintes deveriam ser julgados em termos de como são satisfeitas todas as necessidades dos clientes finais.

Objetivos da cadeia de suprimentos

O objetivo do gerenciamento da cadeia de suprimentos é atender às necessidades dos clientes finais fornecendo produtos e serviços adequados quando eles são necessários, a um preço competitivo. Fazer isso requer que a cadeia de suprimentos alcance níveis adequados dos cinco objetivos de desempenho de operações: qualidade, velocidade, confiabilidade, flexibilidade e custo.

Qualidade

A qualidade de um produto ou serviço quando alcança o cliente é uma função do desempenho da qualidade de cada operação na cadeia que o forneceu. A implicação disso é que os erros em cada etapa da cadeia podem se tornar um multiplicador em seu efeito no atendimento do cliente final. Por exemplo, se cada uma das sete etapas numa cadeia de suprimentos tem 1% de taxa de erro, apenas 93,2% dos produtos ou serviços serão de boa qualidade ao alcançarem o cliente final (isto é, 0,99). É por isso que somente se cada etapa assumir a responsabilidade por seu próprio desempenho *e o de seus fornecedores*, a cadeia de suprimentos pode obter uma alta qualidade no cliente final.

Velocidade

A velocidade tem dois significados no contexto de uma cadeia de suprimentos. O primeiro é a rapidez com que os clientes podem ser atendidos (o período de tempo entre um cliente pedindo um produto ou serviço e recebendo-o completo), um elemento importante na capacidadde competitiva de qualquer empresa. No entanto, a resposta rápida ao cliente pode ser realizada simplesmente aumentando-se os recursos ou elevando o estoque dentro de uma cadeia de suprimentos. Por exemplo, grandes estoques numa operação de varejo podem reduzir as chances de faltas quase a zero, de forma a reduzir o tempo de espera do cliente praticamente a zero. Da mesma maneira, uma empresa de contabilidade pode ser capaz de responder rapidamente à demanda tendo um grupo de contadores na reserva, esperando pela demanda que pode (ou não) ocorrer. Uma perspectiva alternativa à velocidade é o tempo que as mercadorias e serviços passam dentro da cadeia. Por exemplo, produtos que se movem rapidamente por uma cadeia de suprimentos, desde os fornecedores de matéria-prima até os varejistas, perderão pouco tempo estocadas, porque, com um tempo de atravessamento* pequeno, o material não pode estar por períodos significativos no estoque. Isto, por sua vez, reduz as necessidades de capital de giro e outros custos na cadeia de suprimentos, reduzindo assim o custo geral de entrega até o cliente final. Alcançar um equilíbrio entre a velocidade, como sensibilidade às demandas dos clientes, e a velocidade, como tempo de processamento pequeno, (embora não sejam incompatíveis) depende de como a cadeia de suprimentos decide competir.

Confiabilidade

A confiabilidade no contexto de uma cadeia de suprimentos é similar à velocidade, embora se possa quase garantir a entrega pontual mantendo recursos excessivos, como, por exemplo, estoques, dentro da cadeia. No entanto, a confiabilidade do tempo de atravessamento é um objetivo muito mais desejável porque reduz a incerteza dentro da cadeia. Se as operações individuais numa cadeia não entregarem no tempo prometido, há uma tendência de os clientes fazerem pedidos maiores, ou anteciparem os pedidos, como forma de se proteger dos atrasos nas entregas. O mesmo argumento se aplica caso ocorra uma incerteza em relação à *quantidade* de produtos ou serviços entregues. Por isso, a confiabilidade da entrega é frequentemente medida como "dentro do prazo, completa" nas cadeias de suprimentos.

Flexibilidade

No contexto de uma cadeia de suprimentos, a flexibilidade é normalmente entendida como a capacidade da cadeia de lidar com as mudanças e perturbações. Frequentemente, refere-se a ela como a agilidade da

---

*N. de R. T.: O autor refere-se ao tempo para atravessar a cadeia de suprimentos (tempo de atravessamento ou *lead time*).

cadeia de suprimentos. O conceito de agilidade inclui as questões previamente discutidas, tais como focar no cliente final e assegurar o processamento rápido e a adaptabilidade às necessidades dos clientes. Mas, além disso, as cadeias de suprimentos ágeis são suficientemente flexíveis para lidar com as mudanças na natureza da demanda do cliente ou nas capacidades de suprimento das operações dentro da cadeia.

Custo

Além dos custos incorridos dentro de cada operação para transformar suas entradas em saídas, a cadeia de suprimentos como um todo incorre em custos adicionais provenientes de cada operação numa cadeia que faz negócios com a outra. Os custos dessas transações podem incluir coisas como os custos de encontrar fornecedores adequados, preparar acordos contratuais, monitorar o desempenho do suprimento, transportar produtos entre as operações, manter estoques e assim por diante. Muitos dos recentes desenvolvimentos no gerenciamento da cadeia de suprimentos, como acordos de parcerias ou redução do número de fornecedores, são uma tentativa de minimizar os custos de transação.

A cadeia de suprimentos deveria ser enxuta ou ágil?

Há, com frequência, uma distinção entre as cadeias de suprimentos que são gerenciadas para enfatizar a eficiência da cadeia de suprimentos (cadeias de suprimentos enxutas) e aquelas que enfatizam a adaptabilidade e flexibilidade da cadeia de suprimentos (cadeias de suprimentos ágeis). Esses dois modos de gerenciar as cadeias de suprimentos são refletidos numa ideia proposta pelo professor Marshall Fisher, da Wharton Business School,[3] de que as cadeias de suprimentos que servem diferentes mercados deveriam ser gerenciadas de maneiras diferentes. Mesmo as empresas que possuem produtos ou serviços similares, podem, na verdade, competir de modos distintos com diferentes produtos. Por exemplo, fábricas de calçados podem produzir clássicos que mudam pouco com o passar dos anos, assim como os calçados da moda que duram apenas uma estação. Fabricantes de chocolates têm linhas estáveis que são vendidas a mais de 50 anos, mas também produtos especiais associados a um evento ou filme lançado, que acabam sendo vendidos somente por alguns meses. Hospitais têm procedimentos cirúrgicos "padronizados" de rotina, como remoção de catarata, mas também tem de providenciar cirurgia de traumatologia de emergência. A demanda dos primeiros produtos será relativamente estável e previsível, mas a demanda dos últimos será muito mais incerta. Além disso, a margem de lucro gerada pelo produto inovador provavelmente será maior que a do produto funcional. No entanto, o preço (e, portanto, a margem) do produto inovador pode cair rapidamente uma vez que ele se tornou fora de moda no mercado.

As políticas da cadeia de suprimentos que são vistas como adequadas para os produtos funcionais e para os produtos inovadores são chamadas políticas da cadeia de suprimentos eficientes (ou enxutas) e adaptáveis (ou ágeis), respectivamente. A política da cadeia de suprimentos eficiente mantém os estoques baixos, especialmente nas partes da rede a jusante, de forma a manter o processamento rápido e reduzir a quantidade de capital de giro capturada pelo estoque. O estoque que existe na rede está concentrado principalmente na operação de fabricação, onde ele pode manter alta utilização e, portanto, baixos custos de fabricação.

> **Princípio de operações**
> As cadeias de suprimentos com objetivos finais diferentes precisam ser gerenciadas de forma diferente.

A informação deve fluir rapidamente para cima e para baixo na cadeia das lojas de promoções até o fabricante, de forma que a programação possa ser fornecida com o máximo de tempo para se ajustar de forma eficiente. Assim, a cadeia é gerenciada para assegurar que os produtos fluam o mais rápido possível para baixo na cadeia para repor aqueles poucos estoques mantidos a jusante.

> **Princípio de operações**
> Produtos funcionais necessitam de gerenciamento da cadeia de suprimentos enxuta; produtos inovadores requerem gerenciamento da cadeia de suprimentos ágil.

Diferentemente, a política da cadeia de suprimentos adaptável ressalta os altos níveis de serviços e o suprimento sensível ao cliente final. O estoque na rede será alocado o mais próximo possível do cliente final. Desta forma, a cadeia ainda pode atender o cliente até mesmo quando ocorrerem mudanças drásticas na demanda. O processamento rápido das

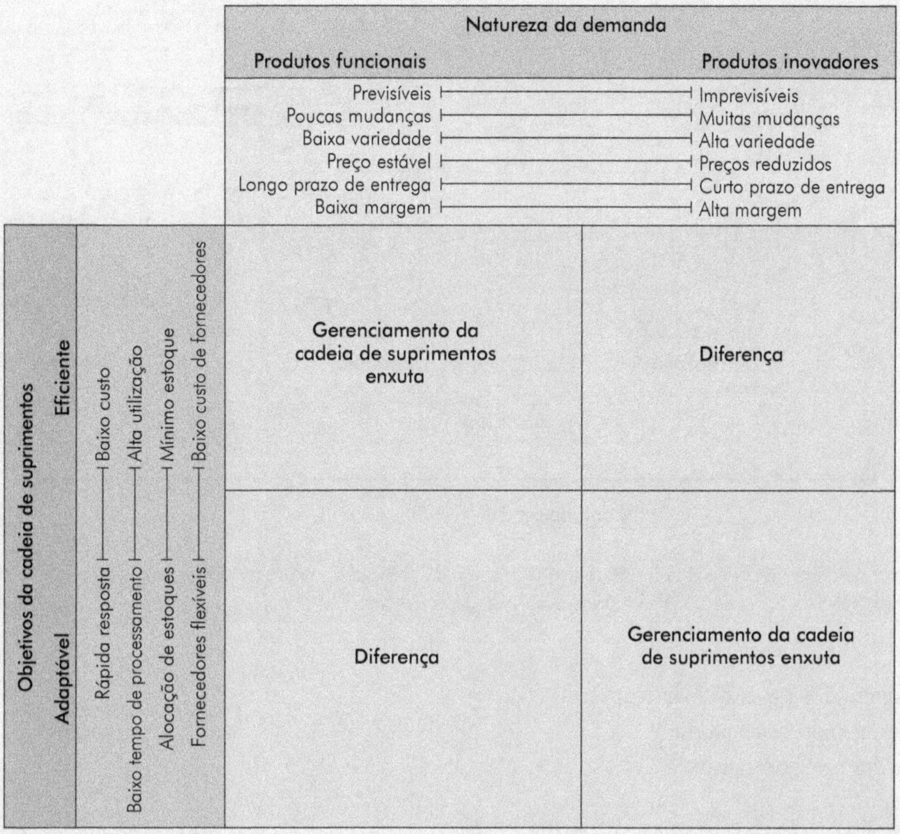

Figura 7.5 Combinando os recursos das operações na cadeia de suprimentos com as necessidades do mercado.
Fonte: Adaptado de Fisher, M.C. (1997) "What is the Right Supply Chain for Your Product?" *Harvard Business Review*, March-April, pp 105-116.

partes a montante da cadeia ainda será necessário para repor os estoques a jusante. Mas esses estoques a jusante são necessários para garantir altos níveis de disponibilidade para os clientes finais. A Figura 7.5 ilustra como as diferentes políticas da cadeia de suprimentos atendem as diferentes necessidades do mercado sugeridas pelos produtos funcionais e inovadores.

O Modelo SCOR[4]

O modelo de Referência para a Cadeia de Suprimentos (SCOR) é uma estrutura ampla, porém altamente estruturada e sistemática para o aprimoramento da cadeia de suprimentos, que foi desenvolvida pelo Supply Chain Council (SCC), um consórcio global sem fins lucrativos. A estrutura usa uma metodologia, além de ferramentas diagnósticas e de *benchmarking*, que são cada vez mais aceitas para a avaliação e comparação das atividades da cadeia de suprimentos e do seu desempenho. Tão importante quanto, o modelo SCOR permite que seus usuários aprimorem e divulguem as práticas gerenciais da cadeia de suprimentos internamente e entre as partes interessadas nessa cadeia de suprimentos utilizando uma linguagem padrão e um conjunto de definições estruturadas. O SCC também fornece um banco de dados de *benchmarking* a partir do qual as empresas podem comparar o desempenho de sua cadeia de suprimentos com os das outras empresas em seu ramo e nas sessões de treinamento. As empresas que têm utilizado o modelo incluem a BP, AstraZeneca, Shell, SAP AG, Siemens AG e Bayer.

O modelo emprega três técnicas individuais bem conhecidas transformadas em uma única abordagem. Elas são:

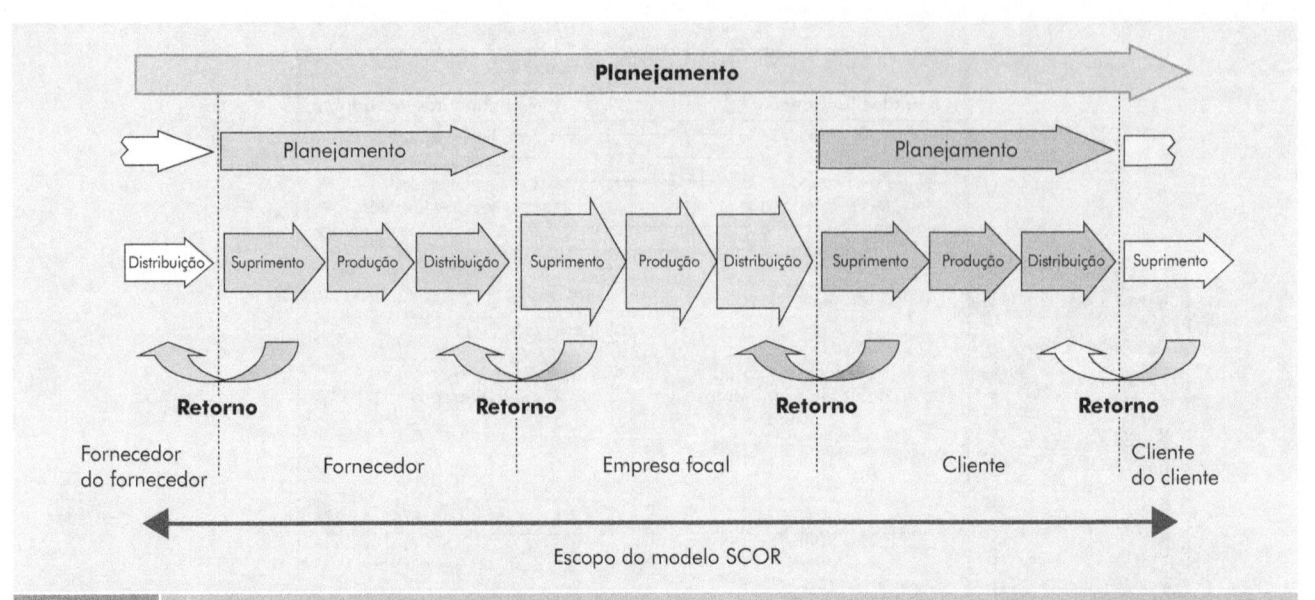

Figura 7.6 Estrutura das cadeias de suprimentos implícita no modelo SCOR, exibindo o relacionamento entre os elementos do modelo: Planejamento, Suprimento, Produção, Distribuição e Retorno.

- modelagem dos processos da empresa;
- desempenho do *benchmarking*;
- análise das melhores práticas.

Modelagem dos processos da empresa

O SCOR não representa as organizações ou funções, mas sim uma rede de processos. Cada "conexão" básica na cadeia de suprimentos é composta por cinco tipos de processo, cada um deles sendo um relacionamento "fornecedor-consumidor" (veja a Figura 7.6).

- Os processos de "planejamento" gerenciam cada uma dessas conexões cliente-fornecedor e equilibram a atividade da cadeia de suprimentos. Eles são os processos de reconciliação do suprimento e da demanda, os quais, quando necessário, incluem a priorização.
- "Suprimento" é a aquisição, entrega, recepção e transferência de itens de matéria-prima, submontagens, produtos e/ou serviços.
- "Produção" é o processo de transformação para agregar valor aos produtos e serviços a partir da combinação de processos da operação de produção.
- Os processos de "distribuição" executam todas as atividades voltadas ao cliente no gerenciamento de pedidos e atendimento dos mesmos, incluindo a logística de saída.
- Os processos de "retorno" tratam do fluxo da logística reversa que envia os materiais de volta para os consumidores finais a montante da cadeia de suprimentos devido a defeitos do produto ou suporte pós-entrega ao cliente.

Todos esses processos são modelados em níveis cada vez mais detalhados (veja no Capítulo 4 uma descrição dos diferentes níveis de análise de processo). O primeiro nível (nível 1) identifica os cinco processos e permite que os gestores estabeleçam o escopo das questões do negócio. O SCC defende a ideia de que "se não houver problemas, não o modele". Se nenhum problema tiver sido identificado em uma determinada área, será de pouca ajuda mapear os processos em mais detalhes. A modelagem num nível mais detalhado (nível 2) identifica que tipo de configuração de cadeia de suprimentos a empresa opera, por exemplo: ambiente de produção para estoque, de produção sob pedido ou de projeto sob pedido. Uma modelagem de processo ainda mais detalhada (nível 3) é feita em termos da capacidade da empresa para competir com sucesso nos seus mercados escolhidos.

Desempenho do *benchmarking*

Os indicadores de desempenho do modelo SCOR também são estruturados por nível, assim como na análise de processo. Os indicadores de nível 1 são os parâmetros a partir dos quais uma organização pode medir o quanto está alcançando o seu posicionamento desejado dentro do ambiente competitivo, conforme medido pelo desempenho de uma determinada cadeia de suprimentos. Esses indicadores de nível 1 são os indicadores-chave de desempenho da cadeia e são criados a partir de indicadores de nível mais baixo (chamados "diagnósticos" ou indicadores de nível 2 e nível 3), que são calculados no desempenho dos processos de nível inferior. Alguns indicadores não "se desdobram" até o nível 1 – eles servem para diagnosticar variações no desempenho em relação ao planejamento.

Análise das melhores práticas

A análise das melhores práticas sucede a atividade de *benchmarking* que deve ter medido o desempenho dos processos da cadeia de suprimentos e identificado as principais lacunas de desempenho. A análise das melhores práticas identifica as atividades que precisam ser executadas para preencher as lacunas. Os membros do SCC identificaram mais de 400 "melhores práticas" derivadas de sua experiência. A "melhor prática" no modelo SCOR é definida como sendo:

- atual – já testada (emergente) e ainda não ultrapassada
- estruturada – que tenha objetivos, escopo e processos claramente definidos
- provada – que tenha demonstrado claramente algum sucesso
- replicável – que tenha se demonstrado eficaz em vários contextos
- um método sem ambiguidades – a prática pode ser conectada aos processos, estratégia de operações, relacionamentos de suprimento e sistemas de gestão da informação ou do conhecimento da empresa
- um impacto positivo nos resultados – a melhoria das operações pode ser ligada aos KPIs

O roteiro do SCOR

O modelo SCOR pode ser implementado empregando-se um roteiro de projeto com "cinco fases". Dentro desse roteiro, reside um conjunto de ferramentas e técnicas que ajudam a implementar e apoiar a estrutura do SCOR. Na verdade, muitas dessas são ferramentas de tomada de decisão usadas comumente, tais como gráficos de Pareto, diagramas causa-efeito, mapas de fluxo de materiais, *brainstorming* etc.

O roteiro tem os cinco estágios a seguir.

Fase 1: Descobrir – envolve a definição e a priorização da cadeia de suprimentos, onde o "escape de projeto" estabelece a finalidade do mesmo. Esse estágio identifica o agrupamento lógico das cadeias de suprimentos dentro do escopo do projeto. As prioridades, baseadas num método de classificação ponderada, determinam quais redes de suprimentos precisam ser tratadas primeiro. Essa fase também identifica os recursos que são requeridos, identificados e assegurados a partir dos donos/atores dos processos do negócio.

Fase 2: Analisar – usando dados de *benchmarking* e de análise competitiva, é identificado o nível apropriado do indicador de desempenho que irá definir os requisitos estratégicos de cada rede de suprimentos.

Fase 3: Projeto do fluxo de materiais – nesta fase, as equipes de projeto têm o seu primeiro sinal verde para criar um entendimento comum de como os processos podem ser elaborados. O estado atual dos processos é identificado e uma análise inicial tenta enxergar onde existem oportunidades de melhoria.

Fase 4: Projeto do fluxo de trabalho e de informações – as equipes de projeto coletam e analisam o trabalho envolvido em todos os processos relevantes (planejamento, suprimento, produção, distribuição e retorno) e mapeia a produtividade e o rendimento de todas as transações.

Fase 5: Planejamento da implementação – esta é a fase final para comunicar as descobertas do projeto. Sua finalidade é a de transferir o conhecimento da(s) equipe(s) de SCOR para as equipes individuais de implementação ou de desdobramento do plano.

Benefícios do modelo SCOR

Os benefícios reivindicados pelo uso do modelo SCOR incluem a compreensão e a melhoria de desempenho do processo, o melhor desempenho da cadeia de suprimentos, a melhor satisfação e retenção do cliente, uma diminuição do capital exigido, mais lucratividade e retorno sobre o investimento, além de uma maior produtividade. Apesar da maioria desses resultados poder ser indiscutivelmente esperada quando uma empresa começa a se concentrar nas melhorias dos processos do negócio, os proponentes do SCOR argumentam que usar o modelo gera uma melhoria acima da média e focada no suprimento.

QUESTÕES DIAGNÓSTICAS

Como deveriam ser gerenciados os relacionamentos da cadeia de suprimentos?

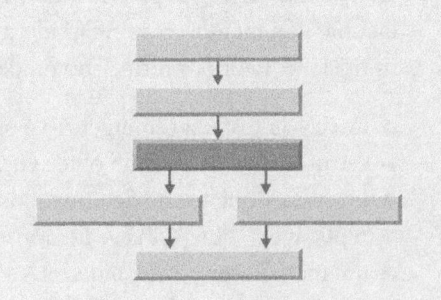

O relacionamento entre as operações numa cadeia de suprimentos é a base sobre a qual a troca de produtos, serviços, informações e dinheiro é conduzida. Gerenciar cadeias de suprimentos é gerenciar relacionamentos, porque o relacionamento influencia o fluxo regular entre as operações e processos. Diferentes formas de relacionamento serão adequadas em diferentes circunstâncias. Um fator óbvio, porém importante, em determinar a importância dos relacionamentos nas operações é o momento em que elas terceirizam suas atividades. No Capítulo 3, estabelecemos uma distinção entre as operações integradas de forma não vertical que terceirizam quase todas as atividades e as operações integradas verticalmente que terceirizam quase nada. Somente as empresas extremamente integradas verticalmente são capazes de ignorar as questões de como gerenciar os relacionamentos cliente-fornecedor (porque elas próprias fazem tudo). Inicialmente, podemos examinar essa questão descrevendo duas abordagens aparentemente opostas de como gerenciar os relacionamentos – relacionamentos *transacionais*, distanciados, baseados no mercado, e relacionamentos de *parceria*, próximos, de longo prazo.

Relacionamentos "transacionais" baseados no mercado

Os relacionamentos transacionais envolvem as compras de bens e serviços no estilo de um mercado puro, normalmente à procura do melhor fornecedor, cada vez que é necessário fazer uma compra. Cada transação efetivamente torna-se uma decisão separada. O relacionamento pode ser de curto prazo, com nenhuma garantia de negociação futura entre as partes depois os bens ou serviços são entregues e o pagamento é feito.[5] As *vantagens* dos relacionamentos transacionais tradicionais do mercado são normalmente vistas da seguinte maneira:

- eles mantêm a competição entre os fornecedores alternativos. Isso promove um esforço constante entre os fornecedores para oferecer o melhor preço;

- um fornecedor se especializando num número menor de produtos ou serviços, porém fornecendo-os para muitos clientes, pode ganhar economias de escala naturais, permitindo ao fornecedor oferecer os produtos e serviços a um preço mais baixo do que se os próprios clientes desempenhassem as atividades numa menor escala;
- existe uma flexibilidade inerente em terceirizar fornecedores. Se a demanda muda, os clientes podem simplesmente mudar o número e tipo de fornecedores – uma alternativa mais rápida e mais barata para redirecionar as atividades internas;
- as inovações podem ser exploradas, não importa de onde se originaram. Fornecedores especialistas têm mais possibilidade de apresentar inovações que podem ser adquiridas rapidamente e a um custo menor do que desenvolvê-las em casa.

Existem, no entanto, *desvantagens* em comprar num mercado totalmente livre:

- os fornecedores devem pouca lealdade aos clientes. Se o suprimento está difícil, não existe nenhuma garantia de receber o suprimento;
- escolher de quem comprar toma tempo e esforço. Reunir informação suficiente e tomar decisões continuamente são, por si só, atividades que absorvem recursos.

Relacionamentos de curto prazo, baseados no mercado, podem ser adequados quando novas empresas são consideradas como fornecedores mais regulares, ou quando as compras são únicas ou muito irregulares. Por exemplo, a substituição de todas as janelas do edifício de uma empresa normalmente envolve este tipo de relacionamento de mercado competitivo.

As relações de "parceria" de longo prazo

As relações de parceria nas cadeias de suprimentos são às vezes vistas como um compromisso entre a integração vertical por um lado (possuir os recursos que suprem você) e o relacionamento transacional por outro. Os relacionamentos de parceria são definidos como:[6]

> ... acordos cooperativos relativamente duradouros entre empresas, envolvendo fluxos e ligações que usam estruturas de administração e/ou recursos de organizações autônomas, para a realização conjunta dos objetivos individuais ligados à missão corporativa de cada empresa patrocinadora.

Isso significa que é esperado dos clientes e dos fornecedores que cooperem, mesmo a ponto de compartilhar habilidades e recursos, para alcançar os benefícios conjuntos além daqueles que eles atingiriam agindo sozinhos. No cerne do conceito da parceria está a questão da *proximidade* do relacionamento. Parcerias são relacionamentos próximos, cujo grau é influenciado por inúmeros fatores, conforme segue:

- *compartilhar o sucesso*: ambos os parceiros se beneficiam conjuntamente da cooperação em vez de manobrar para maximizar suas próprias contribuições individuais;
- *expectativas a longo prazo*: comprometimentos relativamente a longo prazo, mas não necessariamente permanentes;
- *múltiplos pontos de contato*: a comunicação não se restringe a canais formais, mas pode se colocar entre muitos indivíduos em ambas organizações;
- *aprendizado em conjunto*: um compromisso de relacionamento para aprender da experiência um do outro;
- *poucos relacionamentos*: um compromisso por parte de ambos de limitar o número de clientes ou fornecedores com quem eles fazem negócio;
- *coordenação conjunta de atividades*: poucos relacionamentos permitem a coordenação *conjunta* de atividades como o fluxo de materiais ou serviço, pagamento e assim por diante;

- *transparência da informação*: a confiança construída pela troca de informações entre os parceiros;
- *solução conjunta de problemas*: abordar problemas conjuntamente pode aumentar a proximidade com o passar do tempo;
- *confiança*: provavelmente o elemento-chave nos relacionamentos de parceria. Nesse contexto, a confiança significa a vontade de uma parte em relação à outra em entender que o relacionamento beneficiará ambos, mesmo que não seja garantido. A confiança geralmente é considerada a questão-chave do sucesso da parceria, mas também, em alto grau, o elemento mais difícil de desenvolver e manter.

Que tipo de relacionamento?

É improvável que alguma empresa ache sensato se envolver exclusivamente num tipo de relacionamento ou noutro. A maioria dos negócios terá, talvez, um *portfolio* de relacionamentos amplamente diferentes. Além disso, existem níveis para gerenciar qualquer relacionamento particular como transacional ou como de parceria. A pergunta real é: onde, no espectro que vai do transacional até parceria, cada relacionamento deveria ser posicionado? E, enquanto não houver uma fórmula simples para escolher a forma ideal do relacionamento em cada caso, existem alguns fatores importantes que podem influenciar a decisão?

> **Princípio de operações**
> Todos os relacionamentos na cadeia de suprimentos se enquadram no espectro do "transacional" a "parcerias".

A questão mais óbvia dirá respeito a como uma empresa pretende competir em seu mercado. Se o preço é o principal fator competitivo, então o relacionamento poderia ser determinado por qual abordagem oferece as economias potenciais mais altas. Por um lado, os relacionamentos transacionais baseados no mercado podem minimizar o preço atual pago por produtos e serviços comprados, enquanto as parcerias poderiam minimizar os custos de transação de fazer negócios. Se uma empresa está competindo principalmente na inovação do produto ou serviços, o tipo de relacionamento pode depender de onde a inovação provavelmente acontecerá. Se a inovação depende de uma colaboração íntima entre o fornecedor e o cliente, os relacionamentos de parceria são necessários. Por outro lado, se os fornecedores estão competindo ativamente para fazer melhores inovações do que o outro, e especialmente, se o mercado é turbulento e de rápido crescimento (como os setores da Internet e de *software*), então seria preferível manter a liberdade de trocar os fornecedores rapidamente usando os mecanismos do mercado. No entanto, se os mercados estão muito turbulentos, os relacionamentos de parceria podem reduzir os riscos de falta de suprimentos.

A diferença principal entre os dois extremos desse espectro de relacionamentos é se o cliente vê vantagem nos relacionamentos de longo prazo ou de curto prazo. Relacionamentos transacionais podem ser de longo ou curto prazo, mas não há garantias além da transação imediata. Eles são adequados quando os benefícios a curto prazo são importantes. Muitos relacionamentos e muitos negócios ficam melhor concentrando-se no curto prazo (especialmente porque, sem sucesso a curto prazo, não há longo prazo). Relacionamentos de parceria são, por definição, de longo prazo. Existe um comprometimento em trabalhar junto por um tempo para obter vantagem mútua. O conceito da reciprocidade é importante aqui. Um fornecedor não se torna um parceiro simplesmente por ser chamado assim. Relacionamentos verdadeiros significam benefício mútuo e, frequentemente, sacrifício mútuo. Parceria significa abrir mão de um pouco da liberdade de ação para ganhar algo mais benéfico a longo prazo. Se não faz parte da cultura de uma empresa abrir mão dessa liberdade de ação, é muito improvável, algum dia, haver uma parceria de sucesso.

> **Princípio de operações**
> Os verdadeiros relacionamentos de parceria envolvem sacrifício mútuo bem como benefício mútuo.

As oportunidades para se desenvolver relacionamentos podem estar limitadas pela estrutura do próprio mercado. Se o número de fornecedores potenciais é pequeno, pode haver poucas oportunidades para usar os mecanismos do mercado para ganhar qualquer tipo de vantagem de suprimento e, provavelmente, seria sensato desenvolver um relacionamento íntimo com pelo menos um fornecedor. Por outro lado, se existem muitos fornecedores em potencial, e, especialmente, se é fácil julgar as capacidades dos fornecedores, as relações transacionais provavelmente são melhores.

QUESTÕES DIAGNÓSTICAS

Como os suprimentos deveriam ser gerenciados?

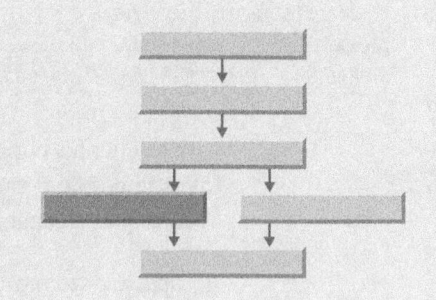

A capacidade de qualquer processo ou operação em produzir saídas depende das entradas que ele recebe. Por isso, um bom gerenciamento do suprimento é uma condição necessária (mas não suficiente) para o gerenciamento eficaz das operações em geral. São três as atividades principais: selecionar fornecedores adequados, planejar e controlar as atividades de suprimento em andamento e desenvolver e melhorar as capacidades dos fornecedores. Normalmente todas são responsabilidade da função de compras ou aquisição dentro da empresa. As compras deveria fornecer uma ligação vital entre a própria operação e seus fornecedores. Eles deveriam entender as necessidades de todos os processos dentro de sua própria operação e também as capacidades dos fornecedores que poderiam potencialmente fornecer produtos e serviços para a operação.

Seleção de fornecedor

Para escolher fornecedores adequados, as compensações de atributos alternativos deveriam ser avaliadas. Raramente os fornecedores potenciais são claramente superiores aos seus concorrentes, e, portanto, a decisão não é evidente. Muitas empresas preferem adotar algum tipo de pontuação ou processo de avaliação para a seleção de fornecedores. Ele deveria ser capaz de classificar fornecedores alternativos em termos de fatores, como os seguintes:

- variedade de produtos ou serviços fornecidos;
- qualidade dos produtos ou serviços;
- presteza;
- confiabilidade do suprimento;
- flexibilidade de entrega e volume;
- custo total do que é fornecido;
- habilidade para fornecer na quantidade requerida.

Além disso, existem fatores provavelmente menos quantificáveis ou de longo prazo que deverão ser levados em consideração, tais como:

- potencial para inovação;
- facilidade de se fazer negócio;
- vontade de compartilhar o risco;
- comprometimento de fornecer a longo prazo;
- possibilidade de se transferir conhecimento bem como produtos e serviços.

A avaliação da importância relativa de todos esses fatores deveria fazer parte da escolha dos fornecedores. Assim, por exemplo, uma empresa poderá escolher um fornecedor que, embora mais caro que os fornecedores alternativos, tem uma reputação excelente por ser pontual nas entregas, porque é mais adequado para a competitividade do negócio, ou porque o alto nível de confiabilidade do suprimento permite manter níveis de estoque mais baixos, o que pode reduzir os custos em geral. Outras compensações podem ser difíceis de calcular. Por exemplo, um fornecedor potencial pode ter altos níveis de capacidade técnica, mas pode ser financeiramente fraco, com um pequeno risco de falência. Outros fornecedores podem ter um histórico pequeno de fornecimento dos produtos ou serviços requeridos, mas mostram o talento gerencial e a energia para os clientes potenciais verem o desenvolvimento de um relacionamento de suprimento como um investimento na competência futura. Mas para fazer análises sensatas de compensações é importante avaliar quatro capacidades básicas:

> **Princípio de operações**
> A seleção do fornecedor deve refletir os objetivos globais da cadeia de suprimentos.

- *capacidade técnica*: o conhecimento do produto ou serviço para suprir altos níveis de especificação;
- *capacidade de operações*: o conhecimento do processo para assegurar o suprimento consistente, prestativo, confiável e a custos razoáveis;
- *capacidade financeira*: a força financeira para empregar capital no negócio a curto e longo prazo;
- *capacidade gerencial*: o talento para gerenciar e a energia para desenvolver um suprimento potencial no futuro.

Fonte única ou múltipla

Comprar cada produto ou serviço de um fornecedor ou de mais de um fornecedor (fonte única ou múltipla) é uma decisão intimamente relacionada com a seleção de fornecedores. Algumas das vantagens e desvantagens de fontes únicas e múltiplas são mostradas na Tabela 7.1.

Tabela 7.1 Vantagens e desvantagens da fonte única e múltipla

	Fonte única	*Fonte múltipla*
Vantagens	• Qualidade potencialmente melhor devido às possibilidades de mais garantia da qualidade do fornecedor • Relacionamentos fortes que são mais duradouros • Maior confiabilidade estimula maior comprometimento e esforço • Melhor comunicação • Mais fácil cooperar no desenvolvimento de novo produto/serviço • Mais economias de escala • Maior confidencialidade	• Comprador pode baixar o preço pela tendência competitiva • Pode trocar as fontes no caso de falha no suprimento • Amplas fontes para extrair conhecimento e habilidades
Desvantagens	• Mais vulnerável à ruptura se ocorrer falha no suprimento • Fornecedor individual mais afetado pelas flutuações do volume • O fornecedor poderá pressionar o aumento nos preços se nenhum fornecedor alternativo estiver disponível	• Difícil de incentivar o comprometimento dos fornecedores • Difícil para desenvolver a garantia da qualidade do fornecedor eficaz • Mais esforço necessário para comunicação • Fornecedores menos propensos a investirem em novos processos • Mais difícil de obter economias de escala

Dizem que as empresas procuram fontes múltiplas exclusivamente para seu próprio benefício a curto prazo. No entanto, nem sempre é assim: fontes múltiplas podem ter um motivo altruísta ou ao menos que traga benefícios para ambos fornecedores e compradores a longo prazo. Por exemplo, a Robert Bosch GmbH, distribuidora e fabricante de componentes automotivos alemã, uma vez requisitou que seus subcontratados não fizessem mais que 20% do total de seu negócio com eles,[7] para prevenir que os fornecedores se tornassem muito dependentes deles. A organização de compras poderia então aumentar e reduzir os volume sem causar a falência do fornecedor. No entanto, apesar destas vantagens perceptíveis, existe uma tendência da função de compras de reduzir a base de seus fornecedores em termos de número de empresas suprindo peças ou serviços, principalmente porque isso reduz os custos das transações do negócio.

Compras, a Internet e o comércio eletrônico

Já faz alguns anos, os meios eletrônicos vêm sendo usados por empresas para confirmar os pedidos de compra e garantir o pagamento aos fornecedores. O rápido desenvolvimento da Internet, no entanto, abriu potencial para mudanças mais fundamentais no comportamento de compras. Parte disto foi resultado da disponibilização das informações do fornecedor na Internet. Anteriormente, um comprador de componentes industriais poderia estar predisposto a retomar seus antigos fornecedores. Havia inércia no processo de compra devido aos custos de procura por novos fornecedores. A Internet facilitou a procura por fornecedores alternativos, tornou o processo de busca mais econômico, ampliou o potencial de buscas e, também, mudou a economia de escala na compra. Compradores que requerem volumes relativamente baixos acham mais fácil agrupá-los a fim de criar pedidos de tamanho suficiente para garantir preços baixos. Na verdade, a influência da Internet no comportamento de compras não está reduzida ao *comércio eletrônico*. Normalmente, o comércio eletrônico significa o comércio que realmente acontece na Internet. Presume-se que um comprador visite a página do vendedor, colocando um pedido de peças e fazendo o pagamento (também pelo *site*). Mas a Web também é uma fonte importante de informação de compra. Para cada 1% de negócio transacionado diretamente via Internet, existe talvez 5 ou 6% de negócios que, em algum ponto, envolvem a rede, provavelmente com compradores potenciais usando a rede para comparar preços ou obter informações técnicas.

Um uso cada vez mais comum da Internet em compras (ou aquisição eletrônica, como às vezes é conhecida) é a ligação dos sistemas de comércio eletrônico das grandes empresas, ou de grupos de empresas. Em sua forma mais sofisticada, tal troca pode ser ligada aos próprios sistemas de informação de compras das empresas (veja a explicação do ERP no Capítulo 10). Muitas das grandes empresas automotivas, de engenharia e petroquímicas, por exemplo, têm adotado tal abordagem. Os motivos usuais dessas empresas são aqueles propostos pela Shell Services International:[8] "A *aquisição é um primeiro passo óbvio no comércio eletrônico. Primeiro, comprar pela* Web *é tão rápido e barato comparado a fazê-lo de qualquer outra maneira. Segundo, permite agregar, gastar e perguntar: por que estou gastando esta quantia, ou, eu não deveria estar ganhando um desconto maior? Terceiro, incentiva que outros serviços sejam construídos em torno dos novos serviços de crédito, seguro e certificação".*

Gerenciando os suprimentos no dia a dia

Gerenciar os relacionamentos de suprimentos não é só uma questão de escolher os fornecedores certos e então deixá-los continuar fornecendo. É também garantir que seja dada aos fornecedores a informação correta e o estímulo para que mantenham o suprimento regular e para que inconsistências internas não afetem negativamente sua habilidade de suprir. Um requisito básico é existência de algum mecanismo que assegure o fluxo da informação nas duas direções entre o fornecedor e o cliente. É fácil tanto para os fornecedores quanto para os clientes esquecerem de informar ao outro sobre os desenvolvimentos internos que poderiam afetar o suprimento. Clientes podem ver os fornecedores como responsáveis por garantir o suprimento adequado "em qualquer circunstância". Ou, os fornecedores podem relutar em informar aos clientes sobre problemas potenciais com o suprimento porque veem isto como um risco ao relacionamento. Contudo, se o cliente e o fornecedor se veem como "parceiros", o fluxo livre das informações e uma tolerância mutuamente suportável aos problemas ocasionais são a melhor maneira de garantir um suprimento tranquilo. Frequentemente os relacionamentos dos fornecedores no dia a dia são prejudicados pelas inconsistências internas. Por exemplo, uma parte de uma empresa pode estar pedindo ao fornecedor um serviço especial, além da estrita natureza de seu acordo, enquanto uma outra parte da empresa não está pagando os fornecedores em dia.[9]

Contratos do nível de serviço

Algumas organizações trazem um nível de formalidade para os relacionamentos dos fornecedores incentivando (ou requerendo) todos eles a concordarem com os contratos de nível de serviço (CNSs). Os CNSs são definições formais das dimensões do serviço e o relacionamento entre os fornecedores e a organização. O tipo de questões cobertas pelo tal contrato pode incluir tempos de resposta, da variedade dos serviços, confiabilidade do suprimento do serviço e assim por diante. Os limites da responsabilidade e medidas de desempenho adequadas também poderiam ser acordados. Por exemplo, um CNS entre a unidade de suporte de sistemas de informação e uma unidade de pesquisa nos laboratórios de uma grande empresa farmacêutica poderia definir algumas medidas de desempenho:

- os tipos de serviços da rede de informação que podem ser fornecidos como "padrão";
- a variedade de serviços de informação especiais que pode estar disponível em diferentes períodos do dia;
- o mínimo de tempo ativo, isto é, a proporção de tempo que o sistema estará disponível em diferentes períodos do dia;
- o tempo de resposta máximo e o tempo de resposta médio para manter o sistema totalmente operacional se houvesse falha;
- o tempo máximo de resposta para fornecer serviços especiais e assim por diante.

Embora os CNSs sejam descritos aqui como mecanismos para governar o relacionamento em andamento entre os clientes e os fornecedores, eles muitas vezes se revelam inadequados porque são vistos como sendo inúteis na preparação dos termos do relacionamento, sendo somente usados para resolver os litígios. Para os CNSs funcionarem de forma eficaz, eles devem ser tratados como documentos de trabalho que estabelecem os detalhes dos relacionamentos em andamento *à luz da experiência*. Usados propriamente, eles são um depósito do conhecimento que ambos os lados adquirem a partir do trabalho conjunto. Qualquer CNS que fica sem mudar durante um tempo está, na melhor das hipóteses, deixando de incentivar melhorias no suprimento.

Como os fornecedores podem ser desenvolvidos?

Em qualquer relacionamento diferente dos relacionamentos puramente transacionais de mercado, assumir a responsabilidade pelo desenvolvimento das capacidades do fornecedor é do interesse de longo prazo dos clientes. Ajudar um fornecedor a fazer melhorias, não somente no serviço (e no preço) do fornecedor pode também levar a uma maior lealdade do fornecedor e a um comprometimento de longo prazo. É por isso que algumas empresas particularmente bem-sucedidas (incluindo fabricantes de automóveis japoneses) investem em equipes de desenvolvimento de fornecedores cuja responsabilidade é de ajudar os fornecedores a melhorarem seus próprios processos de operações. É claro, só é válido comprometer recursos para ajudar os fornecedores se houver melhoria na eficácia da cadeia de suprimentos como um todo. No entanto, o potencial para esse interesse próprio inteligente pode ser significativo.

Como os fornecedores e os clientes veem uns aos outros?[10]

Uma das maiores barreiras para o desenvolvimento de fornecedores é a diferença entre a visão de clientes e fornecedores sobre o que é necessário e como o relacionamento funciona. Explorar as diferenças potenciais é em geral um exercício revelador, tanto para os clientes quanto para os fornecedores. A Figura 7.7 ilustra isso. Ela mostra aquelas diferenças que podem existir entre os quatro conjuntos de ideias. Como um cliente, você (supostamente) tem uma ideia sobre o que realmente quer de um fornecedor. Isto pode, ou não, ser formalizado na forma de um contrato de nível de serviço. Mas nenhum CNS pode capturar tudo o que é necessário. Pode haver uma diferença entre como você como um cliente interpreta o que é necessário e como o fornecedor interpreta isso. Isso é chamado de *diferença de percepção das necessidades*. Da mesma forma, como cliente, você (mais uma vez

> **Princípio de operações**
> Os relacionamentos insatisfatórios do fornecedor podem ser causados pelas necessidades e pelas diferenças da percepção das realizações.

supostamente) tem uma visão de como seu fornecedor está desempenhando em termos de atendimento de suas necessidades, o que pode não coincidir com o desempenho percebido pelo fornecedor. Isso é chamado *diferença de percepção do atendimento*. Essas duas diferenças são uma função da eficácia da comunicação entre fornecedor e cliente. Mas existem também duas outras diferenças. A diferença entre o desempenho do seu fornecedor e o desempenho que você deseja indica o tipo de informação que, como cliente, você deveria transmitir para o seu fornecedor. Da mesma forma, a diferença entre as percepções do seu fornecedor sobre as necessidades do cliente e o desempenho indica como eles deveriam inicialmente melhorar seu próprio desempenho. Por fim, é claro, a responsabilidade do fornecedor pelas melhorias deveria coincidir com a visão do cliente sobre as necessidades e o desempenho.

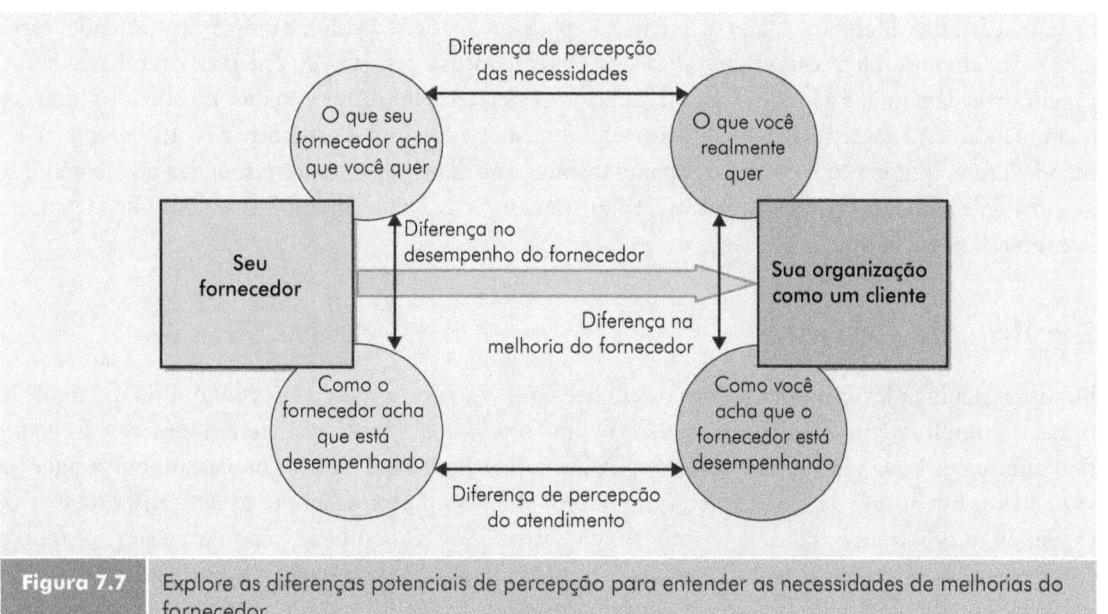

Figura 7.7 Explore as diferenças potenciais de percepção para entender as necessidades de melhorias do fornecedor.

QUESTÕES DIAGNÓSTICAS
Como a demanda deveria ser gerenciada?

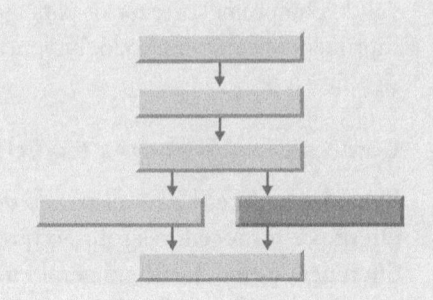

O gerenciamento dos relacionamentos no lado da demanda dependerá em parte da natureza da demanda, em particular de sua incerteza. Conhecer as demandas exatas dos clientes permite ao fornecedor planejar seus processos internos de uma maneira sistemática. A demanda interna (planejamento dos processos internos) é chamada de demanda "dependente"; é relativamente previsível porque depende de um fator previsível. Por exemplo, fornecer pneus para uma fábrica de automóveis envolve examinar a programação de produção na fábrica do carro e, a partir daí, obter a demanda para os pneus. Se 200 carros devem ser fabricados num dia, então é simples calcular que 1.000 pneus serão pedidos pela fábrica do carro (cada carro tem 5 pneus). Por causa disto, os pneus podem ser pedidos diretamente ao fabricante por meio de um programa de entrega que está em sincronia com a demanda dos pneus da fábrica de carros. De fato, a demanda para cada peça da fábrica do carro será obtida do programa de montagem dos carros. Instruções de fabricação e pedidos de compras dependerão deste número. Gerenciar redes de processos internos quando a demanda interna é dependente da demanda externa é somente uma questão de cálculo, numa maneira mais precisa possível, das consequências internas da demanda. O MRP, tratado no Capítulo 10, é a abordagem mais conhecida de demanda dependente.

Mas nem todas as operações têm demanda previsível. Algumas operações têm demanda independente. Existe um elemento aleatório na demanda que é independente de qualquer fator óbvio. As empresas são seguidamente solicitadas a atender a demanda sem uma visibilidade firme dos pedidos futuros dos clientes. Uma loja *drive-in* de troca de pneus precisa gerenciar o estoque de pneus. Neste sentido, é exatamente a mesma tarefa que os fornecedores de pneus têm para as plantas de carro, mas a demanda é muito diferente. A loja de pneus não pode prever nem o volume nem as necessidades específicas dos clientes. Ela precisa tomar decisões sobre quantos e que tipo de pneus estocar, baseado nas previsões da demanda e à luz dos riscos de ficar sem estoques. Gerenciar as redes de processos internos quando a demanda externa é independente envolve fazer as melhores estimativas, considerando a demanda futura, tentar alocar os recursos para satisfazer essa demanda e tentar responder rapidamente se a demanda real for diferente da previsão. O planejamento e controle dos estoques, tratado no Capítulo 9, é uma abordagem típica.

Serviços de logística

Logística significa levar produtos para os clientes. Às vezes, o termo gerenciamento da distribuição física, ou simplesmente distribuição, é usado como sendo análogo à logística. A logística é frequentemente terceirizada para fornecedores logísticos terceirizados (ou 3PL), que variam em termos da variedade e integração de seus serviços. Em um nível mais simples, as empresas de transporte e estocagem ou transportam os bens ou os estocam em armazéns. Os clientes se responsabilizam por todo o planejamento. As empresas de distribuição física fazem também o transporte e a estocagem, coletando produtos nos clientes, colocando-os nas instalações de estocagem e entregando-os para o cliente final conforme solicitado. Provedores de serviço logísticos contratados tendem a ter clientes mais sofisticados com operações mais complexas. Os provedores de gerenciamento da cadeia de suprimentos completo (ou 4PL) se oferecem para gerenciar as cadeias de suprimentos desde do início até o final, em geral para vários clientes simultaneamente. Fazer isto requer um grau muito maior de capacidade analítica e de modelagem, reengenharia do processo de negócio e habilidades de consultoria.

Gerenciamento da logística e a Internet

A comunicação baseada na Internet teve um impacto significativo no gerenciamento da distribuição física. A informação pode estar disponível de forma mais rápida ao longo da cadeia de distribuição, de modo que as empresas de transporte, armazéns, fornecedores e clientes podem compartilhar o conhecimento sobre onde os bens se encontram dentro na cadeia (e, às vezes, para onde eles vão depois). Isto permite às operações dentro da cadeia coordenarem suas atividades mais prontamente. Fornece também o potencial para algumas economias de custo significativas. Por exemplo, uma questão importante para as empresas de transporte é o frete de retorno. Quando uma empresa é contratada para transportar bens de A para B, seus veículos podem ter de retornar de B para A vazios. Contratar frete de retorno significa encontrar um cliente potencial que queira seus bens transportados de B para A no mesmo período de tempo. Com o aumento na disponibilidade da informação pela Internet, a possibilidade de encontrar um frete de retorno aumenta. Empresas capazes de carregar seus veículos em ambas as jornadas de ida e volta terão custos significativamente menores por distância viajada do que aqueles veículos que ficam vazios pela metade da jornada total. Da mesma forma, a tecnologia baseada na Internet que permite aos clientes terem a visibilidade do progresso da distribuição pode ser usada para melhorar a percepção do serviço ao cliente. As tecnologias de monitoramento e rastreamento, por exemplo, permitem que as empresas de distribuição de embalagem informem e assegurem aos clientes que seu serviço está sendo entregue como prometido.

Tecnologias de identificação automática

Traçar o progresso de itens pela cadeia de suprimentos envolve o uso de códigos de barra para registrar o progresso. Durante a fabricação, os códigos de barra são usados para identificar o número de produtos passando por um ponto particular no processo. Em armazéns, os códigos de barra são usados para manter o acompanhamento de quantos produtos estão estocados em locais particulares. Mas os códigos de barra têm suas desvantagens. Às vezes é difícil alinhar o item para que o código de barras possa ser lido de forma conveniente. Os itens só podem ser lidos um por um, e o código de barras identifica somente o *tipo* e não o item. Isto é, o código identifica que um item é, digamos, uma lata de um tipo de bebida em vez de uma lata específica. Estes inconvenientes podem ser superados pelo uso da identificação automatizada, ou Auto-ID, que normalmente significa a Identificação por Radiofrequência (RFID). Aqui, um Código de Produto Eletrônico (ePC) que é um número único, com 96 *bits* de tamanho, é inserido num *chip* de memória ou numa etiqueta inteligente. Essas etiquetas são fixadas em itens individuais de forma que cada item tenha seu próprio código único de identificação. Em vários pontos durante sua fabricação, distribuição, estocagem e venda, cada etiqueta inteligente pode ser escaneada por um leitor de radiofrequência sem fio. Esse transmite o código de identificação do item para uma rede como a Internet, descrevendo, por exemplo, quando e onde ele foi feito, onde foi estocado, etc. Essa informação pode ser alimentada nos sistemas de controle. Há, também, polêmica sobre esta tecnologia – veja mais tarde o comentário crítico.

Desenvolvimento do cliente

Anteriormente no capítulo, a Figura 7.7 ilustrou algumas das diferenças na percepção e desempenho que podem ocorrer entre os clientes e os fornecedores. A proposta era demonstrar a natureza do desenvolvimento do fornecedor. A mesma abordagem pode ser usada para analisar a natureza das necessidades e do desempenho com os clientes. Neste caso, a ordem é entender as percepções dos clientes, de suas necessidades e de sua visão de seu desempenho, e alimentar essas percepções nos planos de melhoria de desempenho do fornecedor. O que é menos comum, mas pode ser igualmente valioso, é usar essas diferen-

> **Princípio de operações**
> Os relacionamentos insatisfatórios do fornecedor podem ser causados pelas necessidades e pelas diferenças da percepção das realizações.

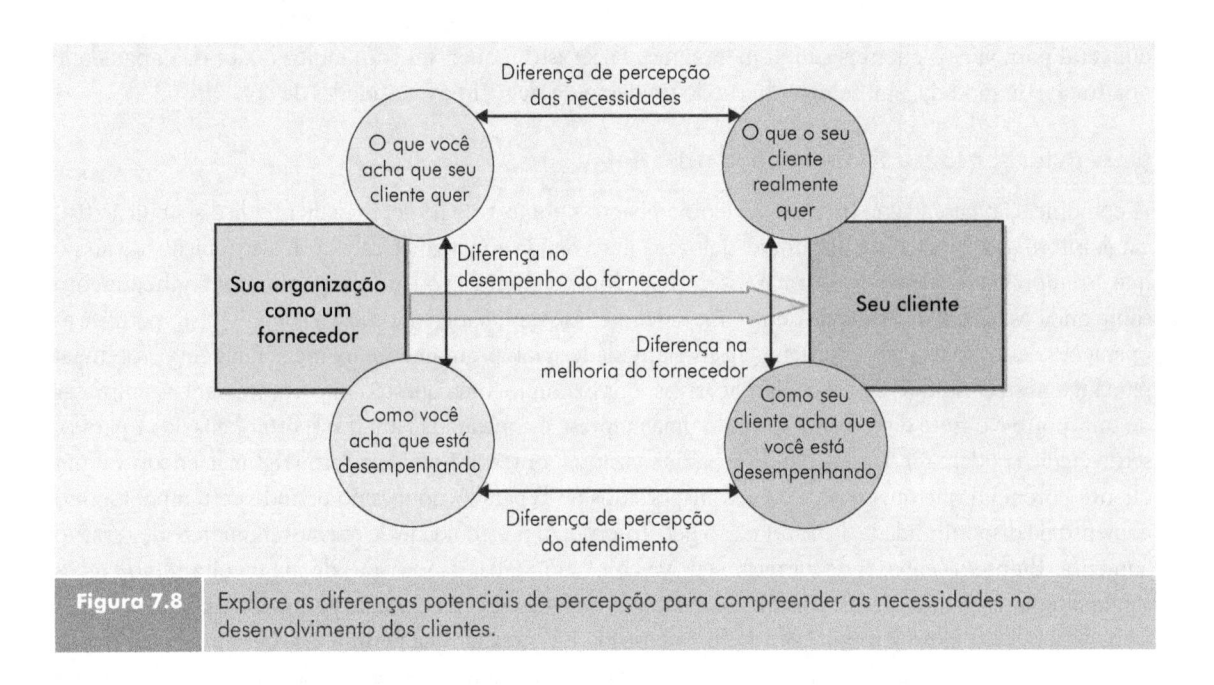

Figura 7.8 Explore as diferenças potenciais de percepção para compreender as necessidades no desenvolvimento dos clientes.

ças (mostradas na Figura 7.8) para examinar se as necessidades dos clientes e as percepções de desempenho são exatas ou razoáveis. Por exemplo, os clientes podem estar apresentando demandas para os fornecedores sem considerarem completamente suas consequências. Pode ser que leves modificações no que é demandado não incomodem os clientes e gerem, para os fornecedores, benefícios significativos que poderiam então ser repassados aos clientes. Da mesma forma, os clientes podem ser incompetentes ao medir o desempenho do fornecedor, e, neste caso, os benefícios de um serviço excelente feito pelo fornecedor não serão reconhecidos. Portanto, assim como os clientes têm a responsabilidade de ajudar a desenvolver o desempenho de seu próprio fornecedor, no seu próprio interesse bem como de seus fornecedores, os fornecedores têm a responsabilidade de desenvolver a compreensão de seus clientes sobre como o suprimento deve ser gerenciado.

QUESTÕES DIAGNÓSTICAS

A dinâmica da cadeia de suprimentos está sob controle?

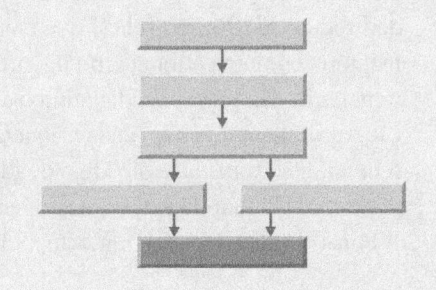

Há dinâmicas entre as empresas na cadeia de suprimentos que causam erros, falta de exatidão e volatilidade, e isso aumenta as operações futuras a montante na cadeia de suprimentos. Esse efeito é conhecido como Efeito Chicote,[11] assim chamado porque um pequeno distúrbio em um extremo da cadeia causa distúrbios cada vez maiores ao se aproximar do extremo oposto. Sua principal causa é a sensibilidade aos níveis de estoque e um desejo racional e perfeitamente compreensível dos diferentes elos da cadeia de suprimentos de gerenciar seus níveis de atividade. Para demonstrar isso, examine a taxa de produção e os níveis de estoque para a cadeia de suprimentos mostrada na Tabela 7.2. Trata-se de uma cadeia de suprimentos de quatro etapas onde o fabricante de peças originais (OEM – *original equipment manufacturer*) é servido por três níveis de fornecedores.

Tabela 7.2 Flutuações de níveis de produção ao longo da cadeia de suprimento em resposta a uma pequena mudança na demanda do cliente final

Período	Fornecedor de terceiro nível		Fornecedor de segundo nível		Fornecedor de primeiro nível		Fabricação do equipamento original		Demanda
	Produção	Estoque	Produção	Estoque	Produção	Estoque	Produção	Estoque	
1	100	100 100	100	100 100	100	100 100	100	100 100	100
2	20	100 60	60	100 80	80[b]	100[a] 90[c]	90[d]	100 95	95
3	180	60 120	120	80 100	100	90 95	95	95 95	95
4	60	120 90	90	100 95	95	95 95	95	95 95	95
5	100	90 95	95	95 95	95	95 95	95	95 95	95
6	95	95 95	95	95 95	95	95 95	95	95 95	95

Estoque inicial (a) + produção (b) = estoque final (c) + demanda, isto é, produção no nível anterior (d): veja a explicação no texto.
Todas as etapas na cadeia de suprimento mantêm um estoque do período: c = d

A demanda do mercado de OEM tem sido de 100 itens por período, mas no período 2, a demanda cai para 95 itens por período. Todas as etapas na cadeia de suprimentos trabalham com o princípio de que eles manterão o estoque da demanda de um período. Isto é uma simplificação não muito grande. Muitas operações adaptam seus níveis de estoques à sua taxa de demanda. A coluna chamada "estoque" para cada nível de suprimento mostra o estoque inicial no começo do período e o estoque no final do período. No começo do período 2, o OEM tem 100 unidades em estoque (sendo a taxa da demanda até o período 2). A demanda no período 2 é de 95 e assim o OEM sabe que precisaria produzir itens suficientes para terminar no final do período com 95 unidades em estoque (sendo a nova taxa da demanda). Para fazer isto, é necessário fabricar somente 90 itens; esses, junto com os 5 itens tomados do estoque inicial, suprirão a demanda e totalizarão um estoque final de 95 itens. No começo do período 3, o OEM tem 95 itens em estoque. A demanda é também de 95 itens e, portanto, sua taxa de produção para manter um nível de estoque de 95 será de 95 itens por período. O fabricante de peças originais agora opera numa taxa fixa de produção de 95 itens por período. Observe, entretanto, que uma mudança na demanda de somente 5 itens produziu uma flutuação de 10 itens na taxa de produção da OEM.

Levando essa mesma lógica para o fornecedor de primeiro nível, no começo do período 2, o fornecedor de primeiro nível tem 100 itens em estoque. A demanda que tem para suprir no período 2 é obtida da taxa de produção do OEM. Essa caiu para 90 no período 2. O fornecedor de primeiro nível, portanto, tem de produzir o suficiente para suprir a demanda de 90 itens (ou o equivalente) e deixar a demanda de um mês (agora de 90 itens) como seu estoque final, ou seja, realizar uma taxa de produção de 80 itens por mês. Portanto, o período 3 começará com um estoque inicial de 90 itens, mas a demanda do OEM agora aumentou para 95 itens. Portanto, tem de produzir o suficiente para atender esta demanda de 95 itens e deixar 95 itens no estoque. Para isso, deverá produzir 100 itens no período 3. Depois do período 3, o fornecedor de primeiro nível entra então em estado permanente, produzindo 95 itens por mês. Observe novamente, entretanto, que a flutuação foi ainda maior do que aquela na taxa de produção do OEM, caindo para 80 itens em um período, aumentando para 100 itens em outro período, e então atingindo uma taxa fixa de 95 itens em um período. Estendendo a lógica para o fornecedor

Princípio de operações
As flutuações da demanda se tornam progressivamente amplificadas conforme seus efeitos avançam na cadeia de suprimentos.

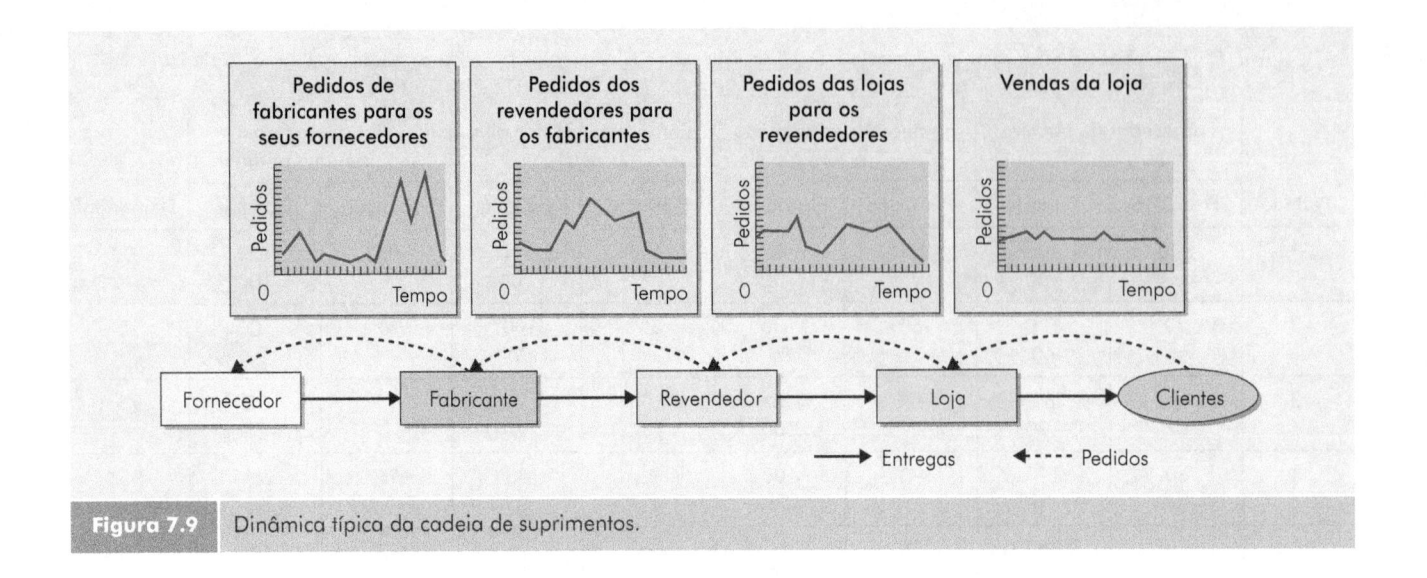

Figura 7.9 Dinâmica típica da cadeia de suprimentos.

de terceiro nível, fica claro que quanto mais a montante da cadeia de suprimentos está uma operação, mais drásticas são as flutuações.

Esta demonstração relativamente simples ignora qualquer defasagem de tempo no fluxo de materiais e de informações entre as etapas. Na prática, existirá grande defasagem, e isso fará a flutuação ainda mais marcante. A Figura 7.9 mostra o resultado na rede de todos esses efeitos numa típica cadeia de suprimentos. Observe a crescente volatilidade mais para trás (a montante) na cadeia de suprimentos.

Controlando a dinâmica da cadeia de suprimentos

O primeiro passo para melhorar o desempenho na cadeia de suprimentos é tentar reduzir o efeito chicote. Isso normalmente significa coordenar as atividades das operações na cadeia das seguintes maneiras.[12]

Compartilhar as informações ao longo da cadeia de suprimentos

Princípio de operações
O efeito chicote pode ser reduzido pelo compartilhamento da informação, alinhando as decisões do planejamento e controle, melhorando a eficiência do fluxo, além de melhores previsões.

Uma razão para o efeito chicote é que cada operação na cadeia reage somente aos pedidos colocados por seu cliente *imediato*. Elas têm pouca visão do que está acontecendo ao longo da cadeia de suprimentos. Mas se as informações sobre toda cadeia forem compartilhadas ao longo da cadeia de suprimentos, é improvável que flutuações sérias venham a ocorrer. Com a informação transmitida pela cadeia, todas as operações podem monitorar a verdadeira demanda, livre de distorções. Então, por exemplo, as informações relacionadas aos problemas de suprimento, ou faltas, podem ser transmitidas para a cadeia de forma que os clientes a jusante possam modificar seus programas e planos de vendas. Por exemplo, os sistemas de ponto de venda eletrônico (PDVE), usados por muitos varejistas, informa a demanda atual a jusante na cadeia de suprimentos para as operações a montante. Os dados das vendas dos caixas são consolidados e transmitidos para os armazéns, empresas de transporte e para as operações do fornecedor na cadeia de suprimentos. Isso significa que os fornecedores podem ser avisados sobre a verdadeira movimentação no mercado.

Alinhar todos os canais de informação e suprimentos

Alinhamento de canais significa o ajuste da programação, movimentação de materiais, níveis de estoque, colocação de preços e outras estratégias de vendas como alinhar todas as operações na cadeia umas com as outras. Isso vai além da provisão da informação. Significa que os sistemas e métodos de planejamento e controle das tomadas de decisão estão harmonizados ao longo da cadeia. Por exemplo, mesmo quando usada uma semelhante informação, diferentes métodos de previsão ou nas práticas de compras podem levar a flutuações nos pedidos entre as operações na cadeia. Um modo de evitar isto é permitir que um fornecedor a montante gerencie os estoques de seus clientes a jusante. Isto é conhecido como estoque gerenciado pelo fornecedor (VMI – *vendor-managed inventory*). Assim, por exemplo, um fornecedor de embalagem poderia se responsabilizar pelos estoques de materiais de embalagem mantidos por um cliente de uma fábrica de alimentos. Por sua vez, o fabricante de alimentos assume a responsabilidade pelos estoques de seus produtos que são guardados nos armazéns de seus clientes (dos supermercados).

Aumentar a eficiência operacional pela cadeia

Eficiência operacional, neste contexto, significa os esforços que cada operação faz na cadeia para reduzir sua própria complexidade, o custo de fazer negócio com outras operações na cadeia e seu tempo de processamento. O efeito cumulativo disso é a simplificação do processamento em toda a cadeia. Por exemplo, imagine uma cadeia de operações cujo nível de desempenho é relativamente baixo: defeitos de qualidade são frequentes, o *lead time* dos pedidos de produtos e serviços é longo, a entrega não é confiável e assim por diante. O comportamento da cadeia seria uma sequência contínua de erros e de esforços gastos no replanejamento para remediar os erros. Uma baixa qualidade poderia significar a colocação de pedidos extras e não planejados, entregas não confiáveis e prazos de entrega longos significariam altos estoques de segurança. Igualmente importante: a maior parte do tempo dos gerentes das operações seria gasto lidando com a ineficiência. Por outro lado, uma cadeia cujas operações apresentassem altos níveis de desempenho seria mais previsível e teria um processamento mais rápido, o que ajudaria a minimizar as flutuações da cadeia de fornecimento.

Melhorar as previsões

Uma melhor exatidão nas previsões ajuda a reduzir o efeito chicote. O efeito chicote é causado por um padrão de demanda, *lead times*, mecanismos de previsão e as decisões de reposição usadas para pedir produtos das instalações de produção ou dos fornecedores. Melhorar a exatidão das suas previsões reduz diretamente as necessidades de participação no estoque que atingirão as metas do nível de serviço ao cliente. Reduzir os *lead times* significa que você terá de prever um futuro mais próximo e, por isso, os *lead times* têm um grande impacto no efeito chicote e nos custos de estoque. A forma como o efeito chicote se espalha numa cadeia de suprimentos também é dependente da natureza do padrão de demanda. As demandas negativamente correlacionadas requerem menos estoques na cadeia de suprimento do que a demanda padrão positivamente correlacionada, por exemplo. Mas o efeito chicote é evitável. Usando uma política de reposição sofisticada, projetada usando os princípios de engenharia de controle, muitas empresas eliminaram o efeito chicote. Mas há custos envolvidos. Um estoque extra pode ser necessário em algumas partes da cadeia, caso contrário os níveis de serviços ao cliente podem cair. Mas, na maioria das vezes, evitar o efeito chicote gera uma situação ganha-ganha. Ela reduz as necessidades de estoque e melhora o serviço ao cliente.[13]

Comentário crítico

Cada capítulo contém um breve comentário crítico sobre as principais ideias nele abordadas. Seu propósito não é minar as questões discutidas, mas enfatizar que, embora apresentemos uma visão relativamente ortodoxa da operação, existem outras perspectivas.

■ A ênfase em compreender o cliente final numa cadeia de suprimentos tem levado algumas autoridades a se oporem ao termo cadeia de *suprimentos*. Ao contrário, eles dizem que ela deveria ser designada como cadeia de *demanda*. O argumento deles é baseado na ideia de que o conceito de suprimento significa a mentalidade de empurrar. Qualquer ênfase em empurrar bens ao longo da cadeia de suprimentos deveria ser evitada. Empurrar significa que os clientes deveriam consumir o que os fornecedores produzem. Por outro lado, o termo cadeias de demanda coloca ênfase na importância em puxar a demanda a partir dos clientes a longo da cadeia. Contudo, "cadeia de suprimentos" continua sendo o termo mais comumente usado.

■ Embora o modelo SCOR seja cada vez mais adotado, ele tem sido criticado por não dar a devida ênfase às questões envolvendo as pessoas. O modelo SCOR pressupõe, mas não aborda diretamente, o conjunto de qualificações básicas dos recursos humanos, apesar da forte dependência do modelo em relação ao conhecimento da cadeia de suprimentos para entender adequadamente o modelo e a metodologia. Muitas vezes, são necessários especialistas externos para apoiar o processo. Isso, juntamente com a natureza da composição do SCC, implica que o modelo SCOR pode ser apropriado apenas para as empresas relativamente grandes que têm mais probabilidade de possuir as competências de negócio necessárias para implementar o modelo. Muitas empresas de porte pequeno até médio podem encontrar dificuldades em lidar com a implementação do modelo em grande escala. Alguns críticos também argumentariam que o modelo carece de uma conexão com os planos financeiros de uma empresa, tornando muito difícil destacar os benefícios que podem ser obtidos, bem como inibindo o suporte da gestão sênior.

■ O uso da tecnologia no gerenciamento da cadeia de suprimentos não é universalmente bem-vindo. Mesmo a aquisição eletrônica (via Internet) é vista por alguns como prejudicial aos relacionamentos íntimos (parcerias) que a longo prazo podem ser mais benéficos. Da mesma forma, a tecnologia de monitoramento e rastreamento é vista por alguns como uma perda de tempo e dinheiro. "O que nós precisamos", eles argumentam, "é saber que podemos confiar que a entrega chegará na hora; não precisamos desperdiçar nosso tempo descobrindo onde está a entrega."

■ A ideia da autoidentificação também abre muitas questões éticas. As pessoas veem seu potencial e seu perigo de muitas formas diferentes. Considere as duas frases a seguir:[14]

> *"Estamos a ponto de uma revolução dos 'produtos inteligentes' que irão interconectar objetos, clientes e fábricas todos os dias num ciclo dinâmico do comércio mundial... A visão de um centro de autoidentificação é criar um ambiente universal no qual computadores compreendam o mundo sem a ajuda de seres humanos."*

> *"Cartões de supermercados e outros mecanismos de segurança do varejo são meramente o início da guerra de insultos dos vendedores contra os clientes. Se os clientes não se opuserem a essas práticas agora, nossas perspectivas a longo prazo podem parecer uma terrível novela de ficção científica... a partir de muitos proponentes de Auto-ID que aparecem focados no estoque e na eficiência da cadeia de suprimentos, outros estão desenvolvendo aplicações financeiras e de consumo que, se adotadas, terão efeitos amedrontadores na capacidade dos clientes de escaparem da segurança opressiva de fabricantes, lojistas e vendedores. É claro, a força do governo e da lei será rápida em adotar a tecnologia para manter vigiados os cidadãos também."*

É esta última questão que, particularmente, assusta alguns ativistas das liberdades civis. Manter o acompanhamento dos itens dentro de uma cadeia de suprimentos é uma questão relativamente indiscutível. Manter o acompanhamento dos itens, quando são identificados com a vida cotidiana de um indivíduo, é muito mais problemático. Por isso, além da argumentável aplicação benéfica existe também um potencial para o mau uso. Por exemplo, etiquetas inteligentes poderiam reduzir drasticamente os roubos, porque os itens poderiam informar automaticamente quando são roubados; suas etiquetas serviriam como um dispositivo caseiro de informação sobre seu local exato. Mas uma tecnologia similar poderia ser usada para rastrear qualquer cidadão, honesto ou não.

Lista de verificação

Esta lista de verificação inclui perguntas que podem ser úteis se aplicadas a qualquer tipo de operação e refletem as principais questões diagnósticas usadas dentro do capítulo.

- [ ] Está claro que o desempenho de qualquer operação é em parte uma função de todas as outras operações na cadeia de suprimentos?
- [ ] Os conceitos da cadeia de suprimentos são aplicados tanto internamente quanto externamente?
- [ ] Os objetivos da cadeia de suprimentos são compreendidos no contexto de toda a cadeia em vez de uma única operação?
- [ ] Quais grupos de produtos ou serviços são funcionais e quais são inovadores?
- [ ] Sendo assim, quais grupos de produtos ou serviços necessitam de um gerenciamento enxuto da cadeia de suprimentos e quais necessitam de gerenciamento ágil?
- [ ] A posição no espectro transacional para parceria é compreendida pelo relacionamento de cada cliente e fornecedor?
- [ ] Os relacionamentos entre cliente e fornecedor estão num momento adequado no espectro transacional para parceria?
- [ ] Os relacionamentos de parcerias são realmente parcerias ou simplesmente são chamados assim?
- [ ] Os fornecedores e os fornecedores potenciais são rigorosamente avaliados usando algum tipo de processo de pontuação?
- [ ] As compensações inerentes na seleção de fornecedores são entendidas?
- [ ] A abordagem para fonte única ou múltipla é adequada?
- [ ] A atividade de compra está fazendo um uso completo dos mecanismos da Internet?
- [ ] Os contratos de nível de serviços são usados? E eles usam horas extras?
- [ ] O desenvolvimento do fornecedor recebe atenção suficiente?
- [ ] As atuais e potenciais diferenças de percepção nos relacionamentos do fornecedor são exploradas?
- [ ] A diferença entre a demanda dependente e independente é entendida?
- [ ] O potencial para serviços de logística terceirizados é regularmente explorado?
- [ ] Novas tecnologias, tal como a RFID, poderiam ter algum benefício?
- [ ] A ideia do desenvolvimento do cliente é explorada?
- [ ] Os mecanismos para reduzir o impacto do efeito chicote têm sido explorados?
- [ ] Tem existido um risco calculado para avaliar a vulnerabilidade da cadeia de suprimentos?

Estudo de caso: Suprindo a moda rápida[15]

O mercado de roupas tem mudado. Não existe mais um padrão visual a que todas as lojas aderem por toda uma estação. A moda é rápida, complexa e impositiva. Tendências diferentes se sobrepõem e ideias de moda que não estão nem na mira das lojas podem se tornar um "imperativo" em seis meses. Muitas empresas de lojas com marcas próprias como a H&M e a Zara vendem a última moda a preços baixos, em lojas que estão claramente focadas num mercado em particular. No mundo da moda rápida, os projetos das passarelas seguem seu caminho em grandes lojas de rua a um preço que qualquer um pode pagar. A qualidade das roupas significa que elas podem durar apenas uma estação, mas os clientes da moda rápida não querem tendências passadas. Como a Newsweek diz, "... a rapidez é o que faz as lojas da moda como a H&M e a Zara terem sucesso. [Elas] prosperam praticando a nova ciência da 'moda rápida'; comprimindo os ciclos de desenvolvimento de produtos em até seis vezes". Mas as operações da loja que os clientes veem são somente a ponta final da cadeia de suprimentos que as alimenta. E isso também tem mudado.

Em seu nível mais simples, a cadeia de suprimentos da moda rápida tem quatro etapas. Primeiro, as roupas são desenhadas, depois disso são fabricadas e então distribuídas para grandes lojas, onde são exibidas e vendidas em operações de venda projetadas para refletir os valores da marca das empresas. Neste pequeno caso, examinaremos duas operações da moda rápida, Hennes e Mauritz (conhecidas como H&M) e Zara, junto com a United Colors of Benetton (UCB), uma rede similar, mas com uma posição de mercado diferente.

Benetton

Há quase 50 anos, Luciano Benetton impressionou o mundo da moda vendendo suéteres casuais com cores vibrantes, desenhados por sua irmã, para toda a Europa (e mais tarde pelo resto do mundo), promovido por propagandas polêmicas. Em 2005, o grupo Benetton estava presente em 120 países do mundo. Vendendo roupas casuais, principalmente sob sua marca United Colors of Benetton (UCB) e Sisley, a mais orientada para a moda, ela produz 110 milhões de roupas por ano, mais de 90% delas na Europa. Sua rede com mais de 5.000 lojas tem uma receita de aproximadamente 2 bilhões de euros. Os produtos Benetton são vistos menos como "alta moda", mas com mais qualidade e durabilidade, com maiores preços, que a H&M e a Zara.

H&M

Fundada na Suécia, em 1974, a H&M vende roupas e cosméticos em mais de 1.000 lojas em 21 países pelo mundo. O conceito da empresa é a "moda e qualidade ao melhor preço". Com mais de 45 mil empregados e receitas em torno de 60 milhões de coroas suecas, seu maior mercado é a Alemanha, seguido pela Suécia e a Rússia. A H&M é vista por muitos como a criadora do conceito da moda rápida. Certamente, ela tem anos de experiência em baixar os preços das modas recentes. "Nós garantimos o melhor preço", dizem, "tendo poucos intermediários, comprando em grandes volumes, tendo grande experiência da indústria do vestuário, um bom conhecimento de quais bens devem ser comprados de quais mercados, tendo sistemas de distribuição eficientes e conhecendo os custos em cada estágio."

Zara

A primeira loja foi aberta, quase que por acidente, em 1975, quando Amâncio Ortega Gaona, um fabricante de pijamas femininos, teve um grande pedido cancelado. A loja que ele abriu tinha a intenção de ser somente um lugar para vender pedidos cancelados. Atualmente, a Inditex, o grupo acionista que inclui a marca Zara, tem mais de 1.300 lojas em 39 países, com vendas acima de 3 bilhões de euros. A marca Zara conta com mais de 75% do total de vendas das lojas do grupo e está ainda situada no noroeste da Espanha. Em 2003, tornou-se a loja de vestuário com mais rápido crescimento de volume do mundo. O grupo Inditex também possui diversas outras cadeias de marcas, incluindo Pull and Bear, e Massimo Dutti. No total, emprega quase 40 mil pessoas em um ramo conhecido por ter um alto nível de integração vertical, comparado com a maioria das empresas da moda rápida. A empresa acredita que sua integração ao longo da cadeia de suprimentos lhe permite responder rapidamente e com flexibilidade à demanda de seus clientes enquanto mantém seu estoque a um nível mínimo.

Projeto

As três empresas enfatizam a importância do projeto em seu mercado. Embora não seja alta costura, capturar tendências de projeto é vital para o sucesso. A fronteira entre a alta moda e a moda rápida está começando a ficar mais indefinida. Em 2004, a H&M contratou o estilista da alta costura Karl Lagerfeld, previamente observado pelo seu trabalho com marcas mais exclusivas. Para a H&M, seus projetos eram tabelados por valor em vez de exclusividade. *"Por que trabalho para a H&M? Porque acredito em roupas menos caras, não em roupas 'baratas'"*, disse Lagerfeld. Contudo, a maioria dos produtos H&M vem de mais de 100 estilistas em Estocolmo que trabalham numa equipe de 50 estilistas-padrão, em torno de 100 compradores e um número de *controllers* de orçamento. A tarefa do departamento é encontrar um perfeito equilíbrio entre os três componentes compreendidos no conceito de negócio da H&M – moda, preço e qualidade. Depois disso, a compra de volumes e as datas de entrega são decididas.

As funções do projeto da Zara são organizadas num modo diferente das outras empresas similares. Normalmente, a entrada para o projeto vem de três funções *separadas*: os próprios estilistas, especialistas de mercado e compradores que fazem seus pedidos para os fornecedores. Na Zara, a etapa de projeto é dividida em três áreas de produto: roupas femininas, masculinas e infantis. Em cada área, os estilistas, especialistas de mercado e compradores são relocados nos salões de projeto que também contêm pequenos seminários para testar projetos de protótipos. Os especialistas de mercado em todos os três salões de projeto estão em contato contínuo com as lojas de varejo da Zara, discutindo a reação dos clientes a novos projetos. Desta maneira, as lojas de varejo não são o fim de toda cadeia de suprimento, mas o começo da etapa do projeto da cadeia. A Zara tem em torno de 300 estilistas, com uma média de idade de 26 anos, que criam aproximadamente 40 mil itens por ano, dos quais cerca de 10 mil vão para a produção.

A Benetton também tem em torno de 300 estilistas, que não somente desenham para suas marcas, mas também participam da pesquisa de novos materiais e conceitos de roupas. Desde 2000, a empresa padroniza sua oferta globalmente. No início, mais de 20% de sua produção era customizada para as necessidades específicas de cada país; agora somente 5% a 10% das roupas são customizadas. Isso reduz o número de projetos individuais oferecidos globalmente em mais de 30%, fortalecendo a imagem da marca global e reduzindo custos de produção.

Tanto a H&M quanto a Zara mudaram a prática da indústria tradicional de oferecer duas coleções por ano para primavera/verão e outono/inverno. Seu ciclo fora de estação envolve a introdução contínua de novos produtos sem interrupções durante o ano. Isso permite aos desenhistas aprenderem com as reações dos clientes para seus novos produtos e incorporá-los rapidamente em produtos mais novos. A versão mais extrema desta ideia é praticada pela Zara. A roupa é desenhada; o lote é fabricado e "enviado" pela cadeia de suprimentos. Geralmente, o *design* não é repetido; pode ser modificado e produzido um outro lote, mas não existem *designs* "recorrentes". Até a Benetton aumentou a proporção das chamadas coleções "rápidas" – pequenas coleções que são colocadas nas lojas durante a estação.

Fabricação

Inicialmente, a Benetton concentrou sua produção em suas plantas italianas. Depois aumentou de forma significativa sua produção fora da Itália para obter a vantagem dos custos da mão de obra mais baixos. Operações não italianas incluem fábricas no Norte da África, Leste Europeu e Ásia. Contudo, cada lugar opera de uma maneira muito similar. Uma operação central da Benetton desempenha algumas operações de fabricação (especialmente aquelas que necessitam de tecnologia cara) e coordena as atividades de produção com mão de obra mais intensiva que são desempenhadas por uma rede de subcontratados menores (geralmente pertencentes e gerenciados por ex-empregados da Benetton). Estes subcontratados podem, por sua vez, subcontratar algumas de suas atividades. A instalação central da Benetton na Itália aloca produção para cada uma das redes não italianas, decidindo o que e quanto produzir. Existem algumas especializações; por exemplo, as jaquetas são feitas no Leste Europeu, enquanto as camisetas são feitas na Espanha. A Benetton também tem um controle compartilhado em seu principal fornecedor de matéria-prima, para assegurar o rápido suprimento de suas fábricas. A Benetton também é conhecida pela prática de tingir roupas depois de montadas em vez de usar fio ou tecido tingidos. Isso adia as decisões sobre as cores até o último momento no processo de suprimento, de forma que há uma maior chance de produzir o que é solicitado pelo mercado.

A H&M não possui fábrica própria. Ao contrário, trabalha com aproximadamente 750 fornecedores. Aproximadamente metade da produção é vendida na Europa e o resto principalmente na Ásia. Tem 21 escritórios de produção pelo mundo, que entre eles são responsáveis por coordenar os fornecedores que produzem mais de meio bilhão de itens para a H&M por ano. O relacionamento entre os escritórios de produção e os fornecedores é vital, porque permite comprar os tecidos antecipadamente. A coloração e o corte real das roupas podem ser então decididos numa etapa posterior na produção. Quanto mais tarde um pedido pode ser colocado para os fornecedores, menor é o risco de se comprar errado. Os *lead times* médios de suprimento variam de três semanas até seis meses, dependendo da natureza dos bens. No entanto, "*a coisa mais importante*" eles dizem, "*é encontrar o momento perfeito para pedir cada item. Lead times curtos nem sempre são melhores. Para alguns itens básicos da moda de alto volume, é vantajoso colocar pedidos adiantados. Roupas com mais tendência requerem um tempo consideravelmente mais curto*".

Os *lead times* da Zara são tidos como os menores da indústria, com um tempo "da passarela aos cabides" menor que 15 dias. De acordo com um analista, é porque eles "*possuem a maior parte da capacidade de fabricação para fazer seus produtos, que é utilizada como um meio de estimular e excitar a demanda do cliente*". Cerca de metade dos produtos da Zara são produzidos em sua rede de 20 fábricas espanholas, as quais, como a Benetton, tendem a concentrar-se nas operações mais intensivas de capital, como cortar e tingir. Subcontratados são usados pela maioria das operações de trabalho intensivo como as de costura. A Zara compra em torno de 40% de seus tecidos de sua própria subsidiária. A maior parte deles é descolorida para tingimento após a montagem. A maioria das fábricas da Zara e seus subcontratados trabalham num turno único para manter alguma flexibilidade de volume.

Distribuição

Benetton e Zara investiram em armazéns altamente automatizados, próximos aos seus centros principais de produção, que armazenam, embalam e montam pedidos individuais para suas redes do varejo. Esses armazéns representam o maior investimento para ambas as empresas. Em 2001, a Zara causou comentários na imprensa anunciando que iria abrir um segundo armazém automatizado mesmo que, segundo seus próprios cálculos, fosse usar somente metade da capacidade do seu armazém existente. Mais recentemente, a Benetton causou certa polêmica anunciando que iria explorar o uso de etiquetas RFID no acompanhamento de suas roupas.

Na H&M, embora o gerenciamento de estoque seja manuseado sobretudo internamente, a distribuição física é subcontratada. Grande parte do fluxo dos bens é enviada do local de produção para o país da loja, via um terminal de trânsito da H&M em Hamburgo. Ao chegarem, os bens são inspecionados e enviados às lojas ou ao estoque centralizado das lojas. O estoque centralizado das lojas, chamado dentro da H&M de "armazém de cancelamento", repõe as lojas ao nível de item de acordo com o que é vendido.

Lojas de varejo

Todas as lojas H&M (tamanho médio de 1.300 metros quadrados) pertencem e são administradas unicamente pela H&M. O propósito é "*criar uma atmosfera confortável e inspiradora na loja que torne fácil para os clientes encontrar o que eles querem e sentirem-se em casa*". Isto é similar às lojas Zara, embora elas tendam a ser menores (tamanho médio de 800 metros quadrados). Talvez a característica mais marcante das lojas Zara é que as roupas raramente ficam na loja por mais de duas semanas; isto porque os *designs* dos produtos não são repetidos e são produzidos em lotes relativamente pequenos, e a variedade de roupas mostradas na loja pode mudar radicalmente a cada duas ou três semanas. Isto encoraja os clientes a evitar que atrasem uma compra e a visitarem a loja frequentemente.

Desde 2000, a Benetton tem reformatado suas operações de vendas. No começo, as lojas da Benetton eram, em sua maioria, lojas pequenas dirigidas por terceiros. Agora, essas lojas pequenas se uniram em várias lojas maiores, possuídas e operadas pela Benetton (1.500 a 3.000 metros quadrados). Essas grandes lojas podem mostrar toda variedade dos produtos Benetton e reforçar a experiência de compras na Benetton.

PERGUNTAS

1 Compare e confronte as abordagens feitas pela H&M, Benetton e Zara para gerenciar sua cadeia de suprimentos.

Estudo de caso ativo — Gerenciamento de Frotas NK

A Gerenciamento de Frotas NK está querendo aumentar seus negócios. Responsável por gerenciar e prestar serviço às frotas de automóveis, o relacionamento da empresa com seu principal cliente (o fabricante de automóveis) é regido por um conjunto de contratos de nível de serviço (CNSS). Embora esses contratos sejam abrangentes, eles não cobrem todas as eventualidades. Nos próximos meses, a empresa terá de responder a muitos pedidos incomuns de seus clientes.

- Como você reagiria a cada um dos desafios de gerenciar o relacionamento com seu principal cliente?

Consulte o caso ativo no CD que acompanha este livro para trabalhar os dilemas encarados pela Gerenciamento de Frotas NK.

Aplicando os princípios

Alguns destes exercícios podem ser respondidos a partir da leitura do capítulo. Outros vão requerer algum conhecimento geral da atividade de negócios e alguns poderão requerer pesquisa. Todos têm sugestões de como podem ser respondidos no CD que acompanha este livro.

DICAS

1. Se você fosse o dono de uma pequena loja local, qual critério você usaria para selecionar os fornecedores dos bens que você deseja ter no estoque da sua loja? Visite três lojas próximas a você e pergunte aos donos como eles selecionam seus fornecedores. De que maneira suas respostas foram diferentes do que você achou que poderiam ser?

2. Qual é sua estratégia de compras? Como você aborda a compra dos produtos e serviços que precisa (ou deseja)? Classifique os tipos e produtos e serviços que você compra e registre o critério que você usa para comprar cada categoria. Discuta essas categorias e critério com outros. Por que suas visões são diferentes?

3. Visite um *site* de leilão C2C (cliente-para-cliente, como, por exemplo, eBay) e analise a função do *site* em termos da forma que ele facilita as transações. O que o tal *site* tem de melhorar para ter sucesso?

4. O exemplo apresentado na Tabela 7.2 do efeito chicote mostra como uma simples redução de 5% na demanda no final da cadeia de suprimento causa flutuações que aumentam em intensidade quanto mais uma operação está a montante na cadeia.

    (a) Usando a mesma lógica e as mesmas regras (isto é, todas operações mantêm um estoque correspondente a um período de demanda), qual seria o efeito na cadeia se a demanda flutuasse período a período entre 100 e 95? Isto é, o período 1 tem uma demanda de 100, o período 2 tem uma demanda de 95, o período 3 de 100, o período 4 de 95 e assim por diante?
    (b) O que acontece se todas as operações na cadeia de suprimento decidirem manter somente metade de cada demanda do período como estoque?
    (c) Encontre exemplos de como as cadeias de suprimentos tentam reduzir este efeito chicote.

5. Visite as páginas da Internet de algumas empresas de distribuição e logística. Por exemplo, você pode começar com as seguintes: **www.eddiestobart.co.uk, www.norbert-dentressangle.com, www.accenture.com** (sobre "serviços" procure por gerenciamento da cadeia de suprimento), **www.logisticsonline.com**.

    - Quais promessas você acha que essas empresas fazem para seus clientes e para os clientes em potencial?
    - Quais são as competências operacionais que eles precisam para suprir essas promessas com sucesso?

Notas do capítulo

1. Este exemplo foi preparado por Carsten Dittrich da University of Southern Denmark. Dados do caso da Siemens: © Siemens Archives 2007. As fontes incluem a *homepage* da Siemens: http://w1.siemens.com/entry/cc/en/. Agradecimentos especiais ao Dr. Christian Frühwald, Parceiro, Consultor de Cadeia de Suprimentos, Serviços de Aquisição e Logística da Siemens.
2. Fontes: Gap Inc. (2007) "Gap issues statement on media reports on child labor", *website* corporativo; "Clean, wholesome and American? A storm over the use of child labour clouds Gap's pristine image", *The Economist*, 1 de novembro de 2007.

3. Fisher, M.L. (1997) "What is the right supply chain for your product", *Harvard Business Review*, Março-Abril.
4. Novamente, somos gratos a Carsten Dittrich pela ajuda bastante significativa nesta seção.
5. Kapour, V. e Gupta, A. (1997) "Agressive sourcing: a free-market approach", *Sloan Management Review*, Fall.
6. Parkhe, A. (1993) "Strategic alliance structuring", *Academy of Management Journal*, Vol. 36, pp. 794-829.
7. Fonte: Grad, C. (2000) "A network of supplies to be woven into the Web", *Financial Times*, 9 de fevereiro.
8. Harney, A. (2000) "Up close but impersonal", *Financial Times*, 10 de março.
9. Lee, L. e Dobler, D.W. (1977) *Purchasing and Materials Management*, McGraw-Hill.
10. Harland, C.M. (1996) "Supply chain management relationships, chains and netowrks", *British Journal of Management*, Vol. 1, No. 7.
11. Lee, H.L., Padmanabhan, V. e Whang, S. (1997) "The bull whip effect in supply chains", *Sloan Management Review*, Spring.
12. Lee *et al.*, *op. cit.*
13. Obrigado a Stephen Disney, da Cardiff Business School, Reino Unido, pela ajuda nesta seção.
14. MIT Auto-ID *website* e Albrecht, K. (2002) "Supermarket cards: tip of the surveillance iceberg", *Denver University Law Review*, Junho.
15. Todos os dados provenientes de fontes públicas, refletindo o período 2004-2005.

Indo além

Bolstorff, P. (2004) "Supply chain by the numbers", *Logistics Today*, Julho, pp. 46-50

Bolstoff, P. And Rosembaum, R. (2008) *Supply chain Excellence – a handbook for dramatic improvement using the SCOR model* (2nd edn), American Management Association.

Child, J. and Faulkner, D. (1998). *Strategies of Cooperation: Managing alliances, networks and joint ventures*, Oxford University Press. Uma visão estratégica das redes de suprimento, mas de leitura agradável e interessante.

Christopher, M. (1998) *Logistics and Supply Chain Management: Strategies for reducing cost and improving services* (2nd edn), Financial Times Prentice Hall. Uma abordagem abrangente sobre o gerenciamento da cadeia de suprimentos de uma perspectiva de distribuição por um dos gurus do gerenciamento da cadeia de suprimentos.

Fisher, M.L. (1997). "What's the right supply chain for your product?", *Harvard Business Review*, vol. 75, n° 2. Um artigo particularmente influente que explora a questão de como as cadeias de suprimentos não são todas as mesmas.

Harland, C.M., Lamming, R.C. and Cousins, P. (1999). "Developing the concept of supply strategy", *International Journal of Operations and Production Management*. Vol, 19, n° 7. Um trabalho acadêmico, mas que fornece uma compreensão geral de como as ideias da cadeia de suprimentos têm se desenvolvido e poderiam se desenvolver.

Harrison, A. and van Hoek, R. (2002) *Logistics Management and Strategy*, Financial Times Prentice Hall. Um pequeno mas interessante livro que explica muitas das ideias modernas no gerenciamento da cadeia de suprimentos, incluindo as cadeias de suprimento enxutas e as cadeias de suprimento ágeis.

Hines, P. and Rich, N. (1997). "The seven value stream mapping tools", *International Journal of Operations and Production Management*, vol. 17, n° 1. Outro trabalho acadêmico, mas que explora algumas técnicas práticas que podem ser usadas para entender as cadeias de suprimentos.

Presutti Jr, W. D. and Mawhinney, J. R. (2007) 'The supply chain finance link', *Supply Chain Management Review*, September, pp. 32-8.

Websites úteis

www.cio.com/research/scm/edit/012202_scm *Site* do Centro de Pesquisa de Gerenciamento da Cadeia de Suprimentos da CIO. Inclui tópicos de aquisição e realização, com estudos de caso.

www.stanford.edu/group/scforum/ Fórum da cadeia de suprimentos da Universidade de Stanford. Debate interessante.

www.rfidc.com *Site* do Centro SFID, que contém demonstrações IRF e artigos para copiar.

www.spychips.com Um *site* veemente contra a IRF. Se você quer entender a natureza de algumas preocupações dos ativistas sobre o IRF, esse *site* fornece alguns argumentos.

www.cips.org O Instituto Chartered de Compras e Suprimento (ICCS) é uma organização internacional, servindo a profissão de compras e suprimentos e dedicado a fornecer melhores práticas. Alguns *links* interessantes.

www.supply-chain.org/cs/root/home *Homepage* do Supply Chain Council homepage.

RECURSOS ADICIONAIS — Para recursos adicionais incluindo exemplos, diagramas animados, questões de autoavaliação, planilhas Excel, estudos de caso ativos e materiais de vídeo, acesse o CD que acompanha este livro.

Capítulo 8
GERENCIAMENTO DA CAPACIDADE

Introdução

Fornecer a capacidade para satisfazer a demanda atual e futura é uma responsabilidade fundamental do gerenciamento das operações. O gerenciamento da capacidade está no cerne das compensações entre serviço ao cliente e custos. A capacidade insuficiente deixa os clientes sem atendimento e o excesso de capacidade incorre no aumento de custos. Neste capítulo, tratamos do gerenciamento da capacidade a *médio prazo*, às vezes também chamado de gerenciamento da capacidade *agregada*. A essência do gerenciamento da capacidade a médio prazo é reconciliar, em termos gerais, o suprimento da capacidade agregada com o nível da demanda agregada. (Veja a Figura 8.1.)

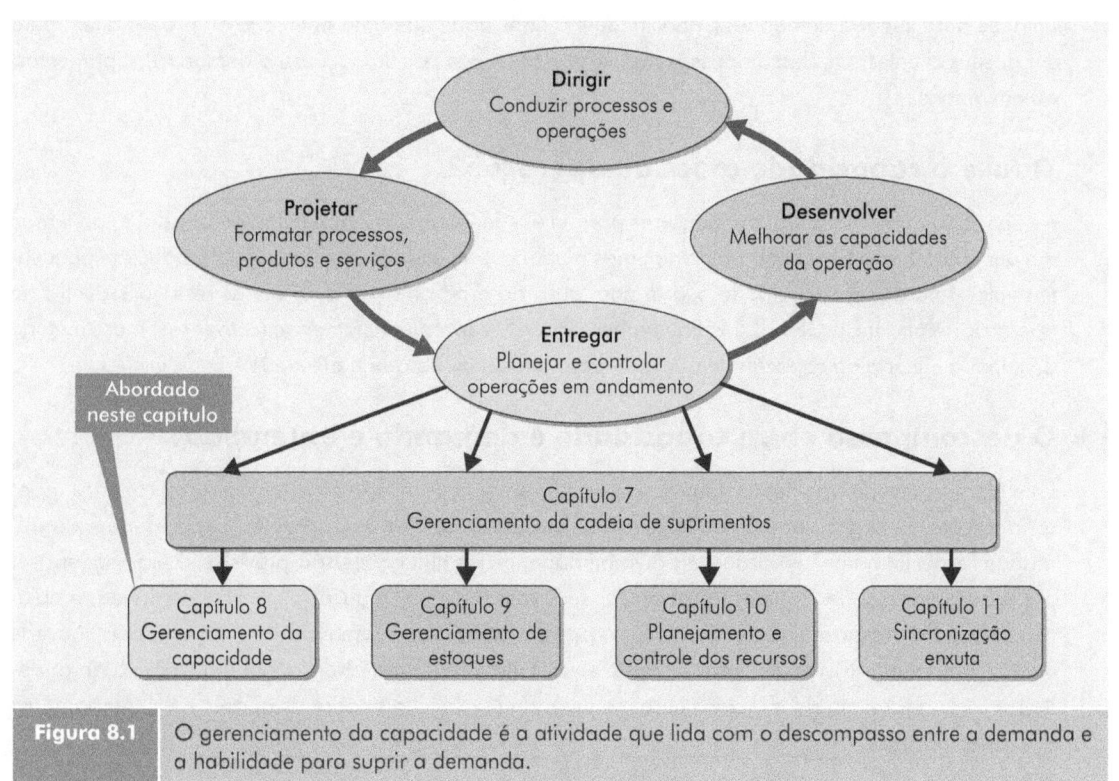

Figura 8.1 O gerenciamento da capacidade é a atividade que lida com o descompasso entre a demanda e a habilidade para suprir a demanda.

Sumário executivo

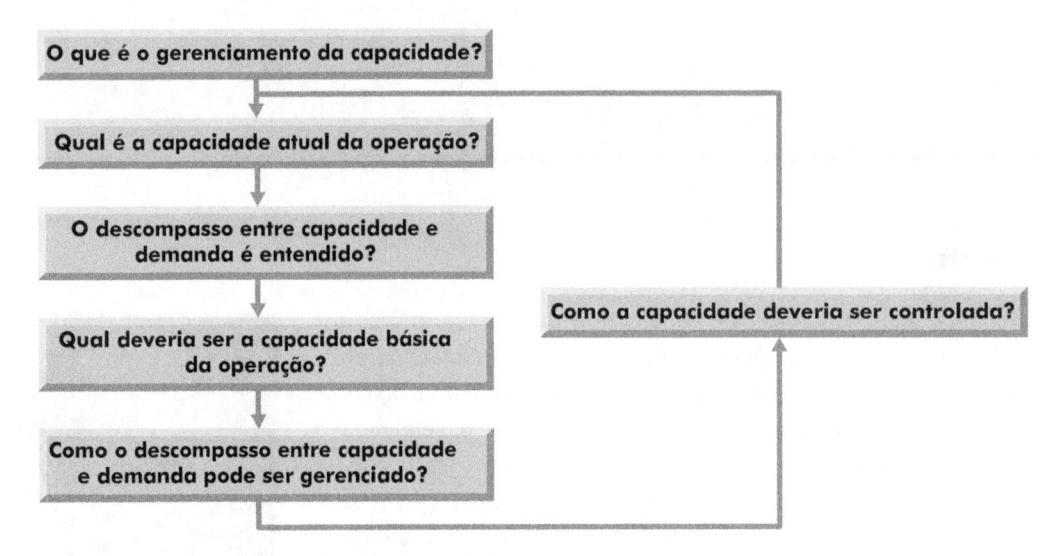

Cadeia lógica de decisões para o gerenciamento da capacidade

Fluxo:
- O que é o gerenciamento da capacidade?
- Qual é a capacidade atual da operação?
- O descompasso entre capacidade e demanda é entendido?
- Qual deveria ser a capacidade básica da operação?
- Como o descompasso entre capacidade e demanda pode ser gerenciado?
- Como a capacidade deveria ser controlada?

Cada capítulo é estruturado em torno de um grupo de questões diagnósticas. Essas questões sugerem o que você poderia perguntar para entender as questões importantes de um tópico e, como resultado, melhorar sua tomada de decisão. Um sumário executivo tratando dessas questões é fornecido a seguir.

O que é o gerenciamento da capacidade?

O gerenciamento da capacidade é a atividade que lida com o descompasso entre a demanda e a habilidade para suprir a demanda. Capacidade é a habilidade que uma operação ou processo tem para suprir seus clientes. Os descompassos podem ser causados por flutuações na demanda, suprimentos, ou em ambos.

Qual é a capacidade atual da operação?

A capacidade pode ser difícil de mensurar porque ela depende da combinação da atividade, do tempo em que a produção é requerida e de algumas mudanças na especificação atual da produção. Frequentemente, a perda de capacidade ocorre por causa da programação e de outras restrições dentro da operação. A Eficiência Global dos Equipamentos (OEE – *overall equipment effectiveness*) é um método de julgar a eficácia da capacidade que incorpora a ideia de perda de atividade.

O descompasso entre capacidade e demanda é entendido?

Entender a natureza dos descompassos potenciais entre capacidade e demanda é central para o gerenciamento da capacidade. A questão-chave é a natureza das flutuações da capacidade e da demanda, especialmente seu grau de previsibilidade. Se as flutuações são previsíveis, elas podem ser planejadas antecipadamente para minimizar seus custos. Se as flutuações não são previsíveis, o objetivo principal é reagir a elas rapidamente. A previsão simples e exata é uma vantagem, pois converte a variação de imprevisível em variação previsível. Entretanto, uma abordagem mais ampla para melhorar o conhecimento do mercado geralmente pode revelar mais sobre as opções de gerenciamento dos descompassos.

Qual deveria ser a capacidade básica da operação?

O planejamento da capacidade com frequência abrange a definição de um nível de capacidade básica e, então, o planejamento das flutuações de capacidade em torno dele. Esse nível depende de três principais fatores: a importância relativa dos objetivos de desempenho da operação, a perecibilidade dos produtos da operação e o grau de variabilidade da demanda ou do suprimento. Altos níveis de serviço, alta perecibilidade dos produtos de uma operação e um alto grau de variabilidade da demanda ou do suprimento significam um nível relativamente alto de capacidade básica.

Como o descompasso entre capacidade e demanda pode ser gerenciado?

O descompasso entre capacidade e demanda, com o tempo, precisa de ajuste na capacidade. Existem três métodos de realizar isso, embora, na prática, possa ser usada uma combinação de todos os três. Um plano de "nivelamento da capacidade" não implica em mudanças na capacidade e requer que a operação absorva o descompasso entre capacidade e demanda, normalmente a partir do uso de estoques, ou da sub ou superutilização de seus recursos ao longo do tempo. O plano de "acompanhamento da demanda" implica na mudança da capacidade por meio de métodos tais como horas extras, variação do tamanho da força de trabalho, subcontratação, etc. O plano de "gerenciamento da demanda" abrange uma tentativa de mudar a demanda" por meio de métodos de precificação ou de promoção, ou de mudança na combinação de produtos ou serviços para reduzir a flutuação nos níveis de atividade. O gerenciamento da oferta* é um método comum de lidar com o descompasso quando as operações têm capacidades relativamente fixas. As representações cumulativas são, às vezes, usadas para planejar a capacidade.

Como a capacidade deveria ser controlada?

Na prática, o gerenciamento da capacidade é um processo dinâmico com as decisões sendo revisadas período a período. É essencial que as decisões sobre a capacidade tomadas num período reflitam o conhecimento acumulado de experiências em períodos anteriores.

---

* N. de R. T.: O termo "gerenciamento da oferta" parece representar melhor as ações de ajuste para aproveitar a capacidade fixa das operações quando há excesso de oferta ou excesso de demanda. A expressão *yield management* tem aparecido na literatura brasileira como "gerenciamento de rendimentos", embora haja outra expressão em inglês para isso (*revenue management*).

QUESTÕES DIAGNÓSTICAS

O que é o gerenciamento da capacidade?

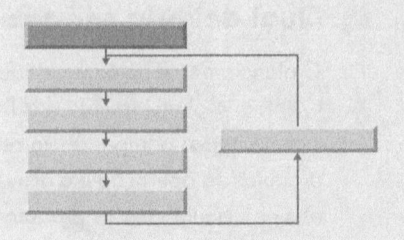

Capacidade é a produção que uma operação (ou um único processo) pode entregar numa unidade de tempo definida. Ela reflete uma habilidade para suprir, no sentido quantitativo. O gerenciamento da capacidade é a atividade que lida com o descompasso entre a demanda sobre uma operação e sua habilidade para suprir. Demanda é a quantidade de produtos ou serviços que os clientes requerem de uma operação ou processo a qualquer momento. Uma diferença entre a demanda e a capacidade pode ocorrer porque a demanda flutua com o tempo ou a capacidade flutua com o tempo, ou ambos.

Definir capacidade como "a habilidade para suprir" é adotar uma visão geral do termo. A habilidade para suprir depende não somente das limitações da etapa anterior numa rede de suprimentos, operações ou processos, mas de todas as etapas até aquele ponto. Assim, por exemplo, a capacidade de um fabricante de sorvete é uma função não só de quanto sorvete suas fábricas podem produzir num determinado momento, mas também de quanto material de embalagem, de matérias-primas, e assim por diante, seus fornecedores podem fornecer. Ele pode ter a capacidade de fazer 10.000 quilos de sorvete num dia, mas se seus fornecedores de laticínios puderem suprir somente 7.000 quilos por dia, então a capacidade efetiva (em termos de habilidade para suprir) será somente 7.000 quilos por dia. É claro, se a demanda permanece regular, qualquer operação tentará certificar-se de que a capacidade de suprimentos não limita sua própria capacidade de fornecimento. Mas o gerenciamento da capacidade está relacionado com as flutuações da demanda *e* de suprimentos. Ele lida com as dinâmicas de entrega de produtos e serviços para os clientes. Equilibrar as capacidades individuais de cada parte da rede é, portanto, uma tarefa difícil e contínua.

> **Princípio de operações**
> Qualquer medida da capacidade deveria refletir a habilidade de uma operação ou processo suprir a demanda.

Vale a pena observar que lidar com o descompasso entre a demanda e a capacidade não significa que a capacidade deveria atender a demanda. Uma operação poderia tomar a decisão deliberada de não atender a demanda, ou não utilizar totalmente sua capacidade de fornecimento. Por exemplo, um hotel pode não fazer qualquer esforço para atender a demanda em períodos de pico porque fazendo isso incorreria em custos de capital. Ele fica, portanto, contente em deixar alguma demanda insatisfeita, pois pode aumentar seus preços para refletir isso. Da mesma forma, um produtor de flores pode não fornecer toda a sua colheita (seu estoque potencial); se assim fizesse, simplesmente derrubaria os preços do mercado e reduziria sua receita total.

Níveis de gerenciamento da capacidade

A atividade de resolver o descompasso entre capacidade e demanda lida com várias escalas de tempo. A longo prazo, a capacidade física necessita ser ajustada para refletir o crescimento ou declínio da demanda a longo prazo. Essa tarefa implica em agrupar ou fechar unidades de capacidade física relativamente grandes por um período de tempo, possivelmente continuando por anos. Essa atividade foi tratada quando foi discutido o projeto das redes de suprimentos, no Capítulo 3. Além disso, e dentro das restrições físicas impostas pela capacidade a longo prazo, a maioria das operações necessitará lidar com o descompasso da capacidade e demanda a médio prazo, em que o médio prazo pode significar qualquer coisa de um dia até um ano. É nesse nível que discutiremos neste capítulo. A curto prazo, os processos individuais precisam lidar com o descompasso entre capacidade e demanda no dia a dia ou mesmo minuto a minuto. Essa é uma questão para o planejamento e controle de recursos, examinado no Capítulo 10.

Os dois exemplos a seguir ilustram a natureza do gerenciamento da capacidade.

Exemplo   O Penang Mutiara[1]

Uma das regiões turísticas do mundo, o Sudeste Asiático tem muitos hotéis luxuosos. Um dos melhores é o Penang Mutiara, um hotel top de mercado situado numa atrativa área verde da costa da Malásia, banhada pelo Oceano Índico. Sendo propriedade e gerenciado pelo PERNAS, o maior grupo de hotéis da Malásia, o Mutiara tem lidado com uma demanda flutuante, apesar do bom e relativamente constante clima da região. *"Gerenciar um hotel deste tamanho é uma tarefa muito complicada"*, diz o gerente. *"Nossos clientes têm todo o direito de serem exigentes. A qualidade dos serviços deve ser impecável. A equipe deve ser cortês e, ainda assim, hospitaleira e amigável em relação aos nossos hóspedes. E, é claro, eles devem ter conhecimento para serem capazes de responder às perguntas dos hóspedes. O principal, no entanto, é o bom serviço, o que significa antecipar as necessidades de nossos hóspedes, pensando na frente, de forma que você possa identificar o que e quanto eles provavelmente demandarão."*

O hotel tenta antecipar as necessidades dos hóspedes de diversas formas. Se o hóspede esteve no hotel em outra ocasião, suas prováveis preferências já foram observadas. *"Um hóspede jamais deve esperar. Nem sempre isso é fácil, mas fazemos o melhor que podemos. Por exemplo, se nesta noite todos os hóspedes decidirem pedir serviço de quarto e solicitar uma refeição em vez de ir ao restaurante, nosso departamento de serviço de quarto ficaria imensamente sobrecarregado, e os clientes teriam de esperar um longo e inaceitável tempo pelas refeições. Podemos prever isso até certo ponto, mas também nos mantemos alerta em relação ao aumento da demanda de serviço de quarto. Se acharmos que o tempo de resposta vai ficar acima do nível aceitável para os clientes, chamaremos a equipe de outros restaurantes do hotel. É claro, para fazer isso, teríamos de ter certeza de que nossa equipe é multifuncional. Na verdade, temos uma política para assegurar que a equipe do restaurante pode fazer mais de uma tarefa. É esse tipo de flexibilidade que nos permite manter respostas rápidas ao cliente."*

Embora o hotel necessite responder a algumas flutuações a curto prazo na demanda dos serviços individuais, pode prever a provável demanda de forma razoável porque, a cada dia, o número real de hóspedes é conhecido. A maioria dos hóspedes faz reserva de suas estadas, de forma que os níveis de atividade para o restaurante e outros serviços podem ser planejados antecipadamente. A demanda realmente varia durante o ano, chegando ao pico nos períodos de férias, e o hotel deve se adaptar a flutuações sazonais. Isso é feito parcialmente usando uma equipe temporária de meio turno. Para as atividades de *bastidores*, isso não é um problema. Na lavanderia, por exemplo, é relativamente fácil colocar um turno extra em período de muito trabalho, aumentando a equipe. Contudo, isso torna-se um problema nos setores de atendimento que têm contato direto com o cliente. Não se pode esperar que uma equipe temporária ou uma equipe nova tenha as mesmas habilidades no contato com o cliente que a regular. Uma solução seria manter uma equipe temporária em experiência probatória, enquanto for possível, e ter certeza de que somente uma equipe habilitada, bem treinada, interaja com os clientes. Por exemplo, um garçom que anota os pedidos, serve a refeição e retira os pratos da mesa, em momentos de pico restringiria suas atividades a anotar pedidos e servir a refeição. A tarefa menos qualificada, retirar os pratos, poderia ser delegada para a equipe temporária.

Exemplo   Madame Tussaud de Amsterdam[2]

Férias curtas em Amsterdam não seriam completas sem uma visita ao Madame Tussaud, localizado nos quatro andares superiores da loja de departamentos mais proeminente na Dam Square. Com mais de 600.000 visitantes por ano, essa é a terceira atração turística mais popular em Amsterdam, depois do mercado das flores e dos passeios pelo canal. No verão, o centro pode atender somente 5.000 visitantes. Num dia úmido em janeiro, pode haver somente 300 visitantes durante todo o dia. Mas embora a demanda *média* seja previsível, o número real de clientes pode flutuar significativamente. Por exemplo, um clima inesperadamente ruim quando existem muito visitantes em Amsterdam pode concentrar os turistas em locais abrigados de entretenimento.

No outro lado da rua, filas de turistas ansiosos se formam ao longo da calçada, olhando as exibições nas vitrines da loja. Neste espaço aberto ao público, o Tussaud pode trazer pouco entretenimento aos visitantes, mas músicos e artistas de rua são rápidos para tirarem proveito de um mercado atrativo. Chegando ao saguão de entrada, indivíduos, famílias e grupos compram seus ingressos. O saguão é no formato de uma grande ferradura, com a cabine de venda de ingresso ao centro. Nos dias de inverno ou em períodos calmos, há somente um assistente de vendas, mas em dias de mais trabalho, os visitantes podem pagar em qualquer um dos dois lados da cabine, para agilizar o processo. Após pago, os visitantes seguem com o grupo para os dois elevadores no outro lado do saguão. Enquanto esperam nessa área, um fotógrafo caminha ao redor oferecendo fotos aos visitantes ao lado das estátuas de cera de pessoas famosas no tamanho natural. Eles também podem ser entretidos por dublês vivos de personalidades famosas que atuam como guias para grupos de aproximadamente 25 clientes (a capacidade de cada elevador que leva os visitantes para a instalação superior). Os elevadores chegam a cada quatro minutos e os clientes simultaneamente desembarcam, formando um grupo de aproximadamente 50 clientes que ficam juntos por toda a seção.

O que esses dois exemplos têm em comum?

A similaridade óbvia entre essas operações é a demanda flutuante do cliente, e ambas encontraram formas de lidar com essas flutuações, pelo menos até certo ponto. Isso é bom porque as operações sofreriam aos olhos de seus clientes e perderiam eficiência se eles não conseguissem fazê-lo. Além disso, as duas operações são diferentes em um importante aspecto. Embora ambas tenham de lidar com a variação na demanda, e embora a demanda em ambas operações seja uma mistura do previsível e do imprevisível, o equilíbrio entre a variação previsível e a variação imprevisível na demanda é diferente. A demanda no Penang Mutiara é amplamente previsível. As flutuações sazonais estão relacionadas aos conhecidos períodos de férias e a maioria dos clientes reserva suas estadas. O Madame Tussaud, por outro lado, tem de lidar com a demanda amplamente imprevisível. Muitas mudanças, a curto prazo, no clima podem afetar de forma significativa a sua demanda.

Nos dois exemplos, o descompasso entre a demanda e a capacidade deriva da variação previsível e imprevisível na demanda. Embora os descompassos na maioria das empresas resultem das flutuações da demanda, algumas operações têm de lidar com a variação previsível e imprevisível na capacidade, caso a capacidade seja definida como a habilidade para suprir. Por exemplo, a Figura 8.2 mostra a variação da demanda e da capacidade de duas empresas. O primeiro é um serviço de conserto de utensílios domésticos. Tanto a demanda quanto a capacidade variam mês a mês. A capacidade varia porque os operadores de serviço de campo da empresa preferem tirar suas férias em momentos específicos do ano. Mesmo assim, a capacidade é relativamente estável durante o ano. A demanda, ao contrário, flutua mais significativamente. Parecia haver dois picos de demanda no ano, com o pico de demanda sendo aproximadamente o dobro do nível mais baixo da demanda. A segunda empresa é um fabricante de alimentos de espinafre congelado. A demanda desse produto é relativamente constante durante todo o ano, mas a capacidade da empresa (não em termos da capacidade de suas fábricas, mas de sua habilidade para suprir) varia de modo significativo. Durante a estação de crescimento e colheita, a capacidade é alta, mas ela cai quase a zero durante parte do ano. Contudo, embora a diferença entre a demanda e a capacidade seja movida principalmente pelas flutuações na demanda no primeiro caso, e pela capacidade no segundo caso, a atividade de gerenciamento da capacidade é essencialmente similar para ambos.

> **Princípio de operações**
> A decisão do gerenciamento da capacidade deve refletir as variações previsíveis e imprevisíveis na capacidade e demanda.

Figura 8.2 O descompasso entre capacidade e demanda para um serviço de conserto de utensílios domésticos e uma empresa de espinafre congelado.

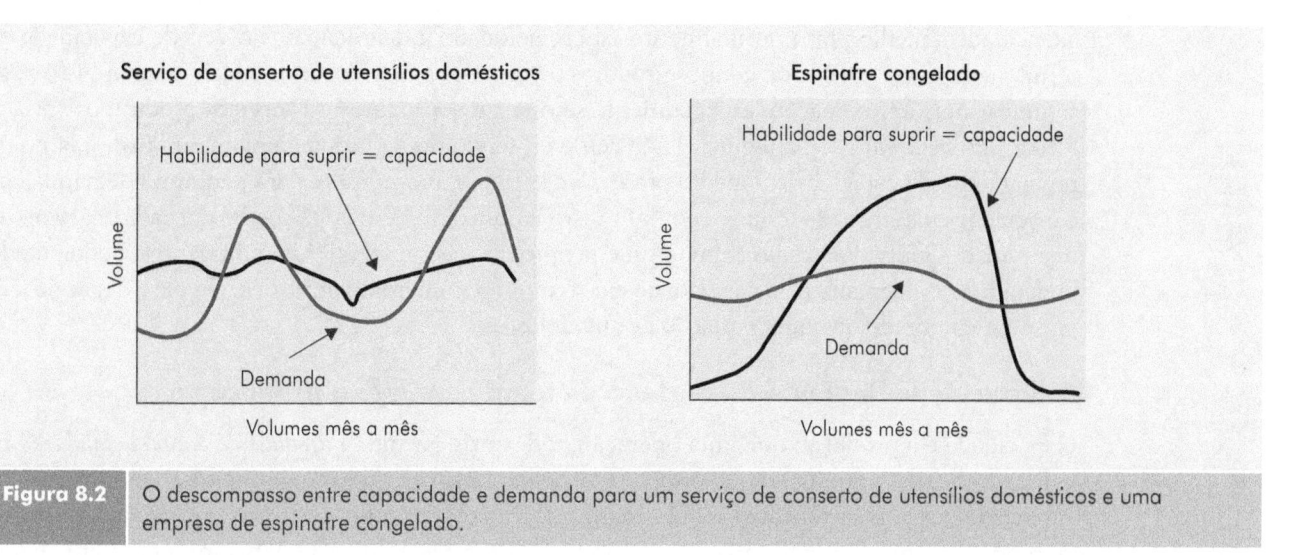

QUESTÕES DIAGNÓSTICAS

Qual é a capacidade atual da operação?

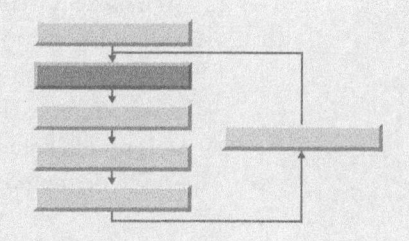

Todas as operações e processos precisam conhecer sua capacidade porque, se eles têm pouca capacidade, não podem atender a demanda e, se têm muita, estão pagando pelo seu excesso. Assim, o primeiro passo no gerenciamento da capacidade é ser capaz de medir a capacidade atual. Isso parece simples, mas frequentemente não é. Na verdade, somente quando a operação é relativamente padronizada e repetitiva é fácil definir a capacidade de modo claro. Qualquer medição da capacidade conterá suposições, podendo ser necessário uma estimativa de cada uma delas, mas cada uma oculta algum aspecto da realidade. Novamente, tomando a capacidade como a habilidade para suprir, essas suposições estão relacionadas ao *mix* de produtos ou serviços fornecidos, ao tempo no qual eles são fornecidos e à especificação do que é fornecido.

> **Princípio de operações**
> A capacidade é uma função do *mix* de produto/serviço, da duração e da especificação do produto/serviço.

Capacidade depende do *mix* de produto ou serviço

A capacidade de uma operação depende do que é requisitado. Por exemplo, para um hospital é um problema medir sua capacidade, em parte porque não existe um relacionamento claro entre sua escala (em termos do número de leitos que ele tem) e o número de pacientes que ele trata. Se todos os seus pacientes necessitarem de tratamento relativamente menor com estadas curtas no hospital, muitas pessoas poderiam ser tratadas por semana. Por outro lado, se a maioria de seus pacientes necessitarem de longos períodos de observação ou recuperação, poderiam ser tratadas bem menos pessoas. A produção depende do *mix* de atividades com o qual o hospital está envolvido e, visto que a maioria dos hospitais desempenha muitos tipos diferentes de atividades, é difícil de prever a produção. Alguns desses problemas causados pela variação do *mix* podem ser parcialmente superados usando indicadores de capacidade agregada. "Agregado" significa que diferentes produtos e serviços são agrupados a fim de se obter uma visão geral da demanda e da capacidade. O gerenciamento da capacidade a médio prazo normalmente está relacionado à definição dos níveis de capacidade em termos agregados, em vez de com os produtos detalhados e serviços individuais. Embora isso possa significar uma aproximação, especialmente se o *mix* dos produtos ou serviços produzidos varia de forma significativa, normalmente ela é aceitável, sendo uma prática amplamente utilizada no gerenciamento da capacidade a médio prazo. Por exemplo, um hotel poderá pensar na demanda e na capacidade em termos de "quartos por mês"; isto ignora o número de hóspedes em cada quarto e suas necessidades individuais, mas é uma primeira aproximação razoável. Um fabricante de computador poderá medir a demanda e a capacidade em termos do número de unidades que ele é capaz de fazer por mês, ignorando qualquer variação nos modelos.

A capacidade depende do período de tempo em que a produção é requerida

Capacidade é a produção que uma operação pode entregar numa *unidade de tempo definida*. O nível de atividade e produção que pode ser feita em curtos períodos de tempo não é o mesmo que capacidade, que é sustentável regularmente. Por exemplo, um escritório que processa imposto de renda, durante seus períodos de pico no final (ou início) do ano financeiro, pode ser capaz de processar 120.000 solicitações por semana, estendendo as horas de trabalho da equipe, desencorajando a equipe de tirar férias durante esse período, evitando qualquer ruptura potencial de seus sistemas de TI (não permitindo atualizações durante esse período, etc.) e, talvez, com trabalho árduo e intensivo. Contudo, a equipe realmente necessita de férias, nem pode trabalhar longas horas continuamente e, cedo ou tarde, o sistema de informações terá de ser atualizado. A capacidade em tempos de pico não é sustentável durante longos períodos. Frequentemente, capacidade é interpretada como o nível de atividade ou produção que pode ser sustentado durante um extenso período de tempo.

A capacidade depende da especificação da produção

Algumas operações podem aumentar sua produção mudando a especificação do produto ou serviço (embora isto seja mais aplicável a um serviço). Por exemplo, um serviço postal pode, efetivamente, reduzir sua confiabilidade na entrega em tempos de pico. Assim, durante o período movimentado de Natal, o número de cartas entregues no dia posterior ao que foram postadas pode cair de 95% para 85%. Isto nem sempre incomoda o cliente, que entende que o serviço postal está especialmente sobrecarregado nesta época. Da mesma forma, empresas de contabilidade evitam longas reuniões para desenvolver o relacionamento com clientes durante os períodos movimentados. Embora sejam importantes, elas em geral podem ser adiadas para momentos de menor movimento. O importante é distinguir entre os elementos do serviço que se "deve fazer" – que não deveria ser sacrificado – e as partes do serviço que "é bom fazer" – que podem ser omitidas ou atrasadas a fim de aumentar a capacidade.

A perda de capacidade

Mesmo depois de incluir todas as dificuldades inerentes à medição da capacidade, a capacidade teórica de um processo (a capacidade que foi projetada) não é sempre alcançada na prática. Algumas razões para isso são, até certo ponto, previsíveis. Diferentes produtos ou serviços podem ter diferentes necessidades, de forma que o processo precisará parar enquanto é substituído. A manutenção precisará ser feita. Dificuldades de programação podem significar perda de tempo adicional. Nem todas essas perdas são necessariamente evitáveis; elas podem ocorrer por causa das demandas técnica e de mercado sobre o processo. Contudo, alguma redução na capacidade pode ser o resultado de menos eventos previsíveis. Por exemplo, faltas ao trabalho, problemas de qualidade, atrasos na entrega dos produtos e serviços comprados, e paradas de máquina ou do sistema podem reduzir a capacidade. Essa redução na capacidade é, às vezes, chamada de perda de capacidade.

Eficiência Global dos Equipamentos[3]

A medida da Eficiência Global dos Equipamentos (OEE – *Overall Equipment Efficiency*) é um método popular de avaliação da eficácia da capacidade que incorpora o conceito de perda de capacidade. É baseado em três aspectos de desempenho:

- o *tempo* no qual o equipamento está disponível para operação;
- a *velocidade*, ou taxa de processamento, do equipamento;
- a *qualidade* do produto ou serviço que produz.

A Eficiência Global dos Equipamentos é calculada multiplicando uma taxa de disponibilidade por uma taxa de desempenho (ou velocidade) multiplicado por uma taxa de qualidade. A Figura 8.3 ilustra isso. Alguma redução na capacidade disponível de uma parte do equipamento (ou qualquer processo) é causada pelas perdas de tempo, perdas na preparação e substituição (quando o equipamento ou processo está sendo preparado para sua próxima atividade) e falhas de quebra (quando a máquina está sendo consertada). Certa capacidade é perdida pelas perdas de velocidade, quando o equipamento está ocioso (por exemplo, quando ele está temporariamente esperando por trabalho de um outro processo) e quando o equipamento está sendo processado abaixo de sua taxa normal de trabalho. Por fim, o que é processado pelo equipamento não está livre de erros, de forma que certa capacidade é perdida pelas perdas de qualidade.

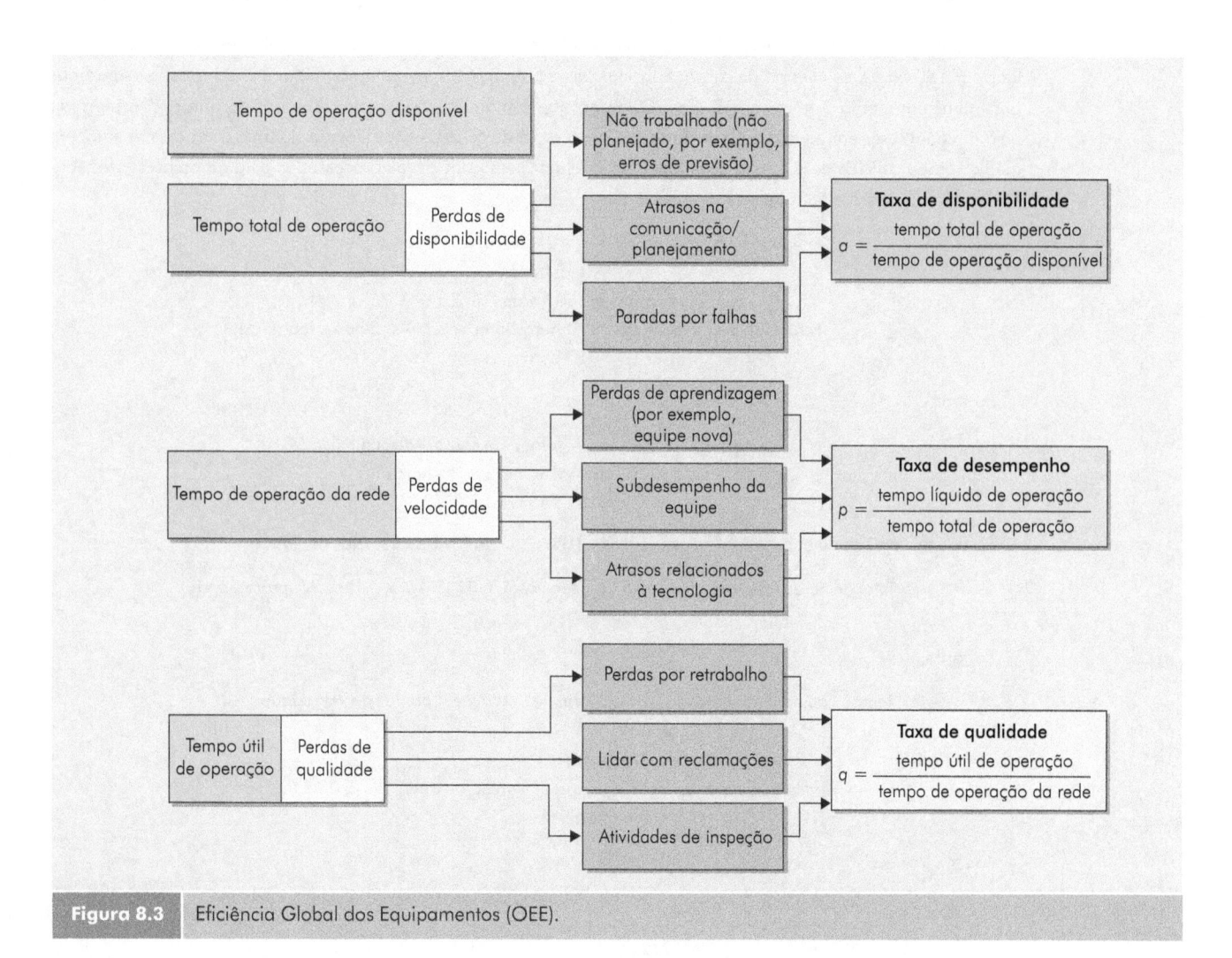

Figura 8.3 Eficiência Global dos Equipamentos (OEE).

$$a = \frac{\text{tempo total de operação}}{\text{tempo de operação disponível}}$$

$$p = \frac{\text{tempo líquido de operação}}{\text{tempo total de operação}}$$

$$q = \frac{\text{tempo útil de operação}}{\text{tempo de operação da rede}}$$

Adotando a notação na Figura 8.3:

$$OEE = a \times p \times q$$

Para que o equipamento opere de forma eficaz, ele precisa alcançar altos níveis de desempenho nessas três dimensões. Vistos isoladamente, esses indicadores individuais são medições importantes do desempenho da planta, mas não fornecem uma imagem completa da eficácia *global* da máquina. Isso somente pode ser entendido olhando o efeito combinado das três medidas calculado pela multiplicação dos três indicadores individuais. Todas essas perdas para o desempenho da OEE podem ser expressas em termos de unidades de tempo – o tempo de ciclo projetado para produzir uma boa peça. Assim, uma rejeição de uma peça equivale a uma perda de tempo. Com efeito, isto significa que uma OEE representa o tempo útil de operação como uma porcentagem da capacidade projetada.

A OEE pode ser usada para processos e operações de serviço, mas é difícil fazê-lo. Dos três fatores (tempo, velocidade e qualidade) somente o tempo é facilmente aplicável. Não existe equivalente direto da velocidade ou taxa de processamento que seja fácil de medir de forma objetiva. Da mesma forma, medir a qualidade de produção é mais fácil, mas fatores intangíveis, como "relacionamento", podem ser importantes, mas são mais difíceis de serem medidos. Apesar disso, dado um fator qualquer, pode-se aceitar um grau de aproximação; portanto, não existe uma razão teórica que justifique que a OEE não possa ser usada para serviços.

Exemplo

Num período normal de 7 dias, o departamento de planejamento programa uma máquina específica para trabalhar por 150 horas, seu tempo de carga. Substituições e preparações levam uma média de 10 horas, e as paradas por falhas em média 5 horas nos 7 dias. O tempo que a máquina não pode trabalhar porque está esperando pelo material a ser entregue de outras partes do processo é de 5 horas em média, e durante o processamento, em média, produz a 90% de sua taxa de velocidade. Três por cento das peças processadas pela máquina subsequentemente apresentam algum defeito.

$$\begin{aligned}
\text{Tempo máximo disponível} &= 7 \times 24 \text{ horas} \\
&= 168 \text{ horas} \\
\text{Tempo de carga} &= 150 \text{ horas} \\
\text{Perdas de disponibilidade} &= 10 \text{ horas (preparação)} + 5 \text{ horas (paradas)} \\
&= 15 \text{ horas}
\end{aligned}$$

Portanto,

$$\begin{aligned}
\text{Tempo total de operação} &= \text{tempo de carga} - \text{disponibilidade} \\
&= 150 \text{ horas} - 15 \text{ horas} \\
&= 135 \text{ horas}
\end{aligned}$$

Perdas de velocidade enquanto processa são de 10% (0,1) da taxa de velocidade, então

$$\begin{aligned}
\text{Total de perdas de velocidade} &= 5 \text{ horas (ocioso)} + ((135-5) \times 0,1) \text{ horas (processando)} \\
&= 18 \text{ horas}
\end{aligned}$$

Portanto,

$$\begin{aligned}
\text{Tempo líquido de operação} &= \text{tempo total de operação} - \text{perdas de velocidade} \\
&= 135 - 18 \\
&= 117 \text{ horas} \\
\text{Perdas de qualidade} &= 117 \text{ (tempo de líquido de operação)} \times 0,03 \text{ (taxa de erro)} \\
&= 3,51 \text{ horas}
\end{aligned}$$

Assim,

$$\begin{aligned}
\text{Tempo útil de operação} &= \text{tempo de líquido de operação} - \text{perdas de qualidade} \\
&= 117 - 3,51 \\
&= 113,49 \text{ horas}
\end{aligned}$$

Portanto,

$$\text{Taxa de disponibilidade} = a = \frac{\text{tempo total de operação}}{\text{tempo de operação disponível}}$$

$$= \frac{135}{150} = 90\%$$

$$\text{Taxa de desempenho} = p = \frac{\text{tempo líquido de operação}}{\text{tempo total de operação}}$$

$$= \frac{117}{135} = 86{,}67\%$$

$$\text{Taxa de qualidade} = q = \frac{\text{tempo útil de operação}}{\text{tempo líquido de operação}}$$

$$= \frac{113{,}49}{117} = 97\%$$

$$\text{OEE } (a \times p \times q) = 75{,}6$$

QUESTÕES DIAGNÓSTICAS

O descompasso entre capacidade e demanda é entendido?

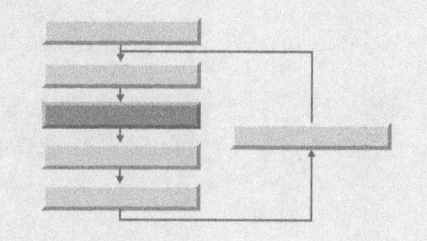

Entender a natureza dos descompassos potenciais entre a demanda e a capacidade é necessário para o gerenciamento eficaz da capacidade. Para a maioria das empresas, isso é igual a entender como a demanda poderá variar (embora a mesma lógica se aplique à variação na capacidade). Em particular, o equilíbrio entre a variação previsível e a imprevisível da demanda afeta a natureza do gerenciamento da capacidade. Quando a demanda é previsível (normalmente sob condições de demanda dependente – veja capítulo anterior), a capacidade pode necessitar de ajuste, mas o ajuste pode ser planejado de maneira antecipada, preferivelmente para minimizar os custos da mudança. Com a variação imprevisível da demanda (em geral sob condições de demanda independente), caso uma operação deva reagir à variação, pelo menos, ela deve fazê-lo muito rapidamente; de outra forma, a mudança na capacidade terá pouco efeito sobre a habilidade da operação lidar com a demanda modificada. A Figura 8.4 ilustra como o objetivo e as tarefas do gerenciamento da capacidade variam dependendo do equilíbrio entre a variação previsível e a imprevisível.

O conhecimento melhorado do mercado torna o planejamento da capacidade mais fácil

O planejamento da capacidade deve lidar com o descompasso entre a capacidade e a demanda. Portanto, entender profundamente as forças do mercado que irão gerar a demanda é, se não um pré-requisito absoluto, particularmente importante. Isto vai além da ideia da previsão como o prognóstico de eventos incontroláveis. O conhecimento melhorado do mercado é um conceito mais geral e é ilustrado na Figura 8.5. Quando a principal característica da diferença entre suprimento e demanda é a variação imprevisível, então a previsão no seu sentido convencional é importante, pois converte a variação imprevisível em variação previsível. Porém, quando o principal gerenciamento da capacidade é a variação previsível, então uma melhor previsão tem pouco valor, porque o descompasso entre suprimento e demanda é, por definição, já conhecido. O que é útil sob essas circunstâncias não é tanto um conhecimento de qual será o descompasso entre suprimento e demanda, mas de como ele pode

		Variação imprevisível	
		Baixa	**Alta**
Variação previsível	**Alta**	*Objetivo* – ajustar a capacidade planejada com o máximo de eficiência possível *Tarefas de gerenciamento da capacidade* • Avaliar ótimos mix de métodos para flutuação da capacidade • Trabalhar em como reduzir o custo de colocar em prática o plano	*Objetivo* – ajustar a capacidade planejada o mais eficientemente possível e melhorar a capacidade de ajustes rápidos futuros *Tarefas de gerenciamento da capacidade:* • Combinação daqueles para variação previsível e imprevisível
	Baixa	*Objetivo* – assegurar que a capacidade básica é adequada *Tarefas de gerenciamento da capacidade* • Pesquisar formas de fornecer capacidade fixa eficaz	*Objetivo* – ajustar a capacidade, o mais rápido possível *Tarefas de gerenciamento da capacidade* • Identificar fontes de capacidade extra e/ou uso para capacidade excedente • Investigar formas de ajustar a capacidade e/ou usos da capacidade rapidamente

Figura 8.4 A natureza do gerenciamento da capacidade depende da combinação de demandas previsíveis e imprevisíveis com a variação da capacidade.

> **Princípio de operações**
> Quanto maior o conhecimento do mercado da operação, mais o gerenciamento da capacidade focará no descompasso previsível entre capacidade e demanda.

ser modificado. Assim, por exemplo, será que um grande cliente pode ser persuadido a transferir sua demanda para um período mais calmo? Os preços, que aumentam em períodos de pico, moverão a demanda para períodos de não pico? As novas técnicas de armazenagem tornam possível o suprimento de alimentos durante todo o ano?

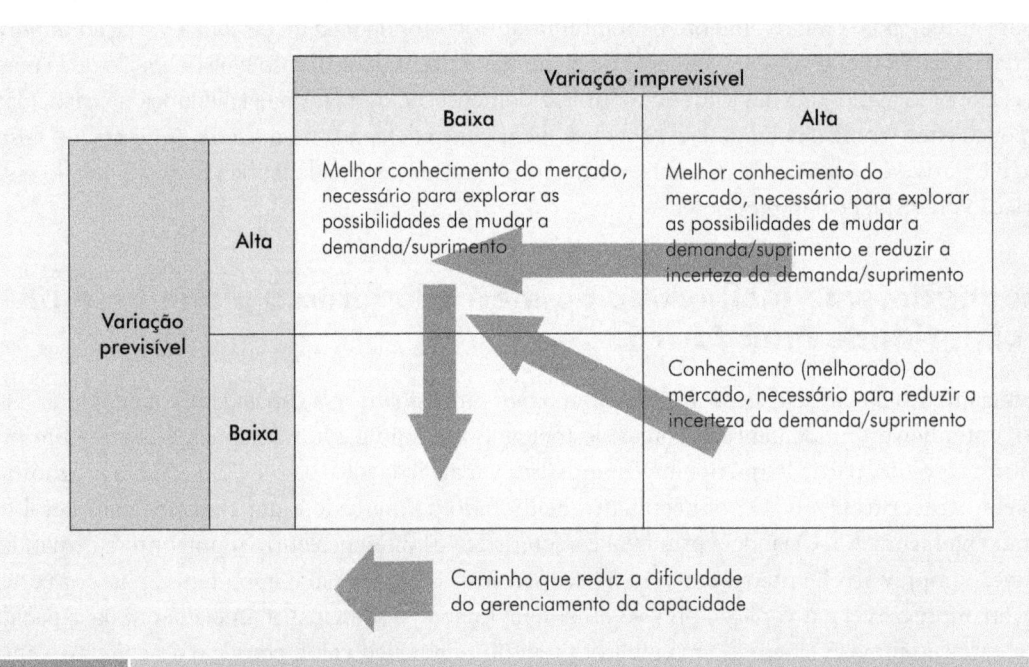

		Variação imprevisível	
		Baixa	**Alta**
Variação previsível	**Alta**	Melhor conhecimento do mercado, necessário para explorar as possibilidades de mudar a demanda/suprimento	Melhor conhecimento do mercado, necessário para explorar as possibilidades de mudar a demanda/suprimento e reduzir a incerteza da demanda/suprimento
	Baixa		Conhecimento (melhorado) do mercado, necessário para reduzir a incerteza da demanda/suprimento

← Caminho que reduz a dificuldade do gerenciamento da capacidade

Figura 8.5 O melhor conhecimento do mercado de suprimentos e da demanda pode tornar o gerenciamento da capacidade mais fácil.

Caso o gerenciamento da capacidade seja mais uma questão de lidar com diferenças significativas, mas previsíveis, entre demanda e suprimento, então o conhecimento sobre como os mercados podem ser modificados é importante. Contudo, quando a variação imprevisível é alta, a primeira tarefa é transformar a variação de imprevisível em previsível por meio de uma melhor previsão. É claro, a previsão não pode eliminar a variação previsível, mas é um primeiro passo em direção a minimizar os efeitos negativos da variação no gerenciamento da capacidade.

Tornando úteis as previsões para o gerenciamento da capacidade

Sem entender as flutuações do suprimento e da demanda futura, não é possível planejar de modo efetivo os eventos futuros, somente reagir a eles. Por isso, é importante entender como as previsões são feitas. As previsões foram discutidas no suplemento do Capítulo 3 e, claramente, ajudam a atividade de gerenciamento da capacidade a ter uma previsão exata. Contudo, além da exatidão, existem várias questões adicionais que tornam as previsões mais (ou menos) úteis como uma entrada para o planejamento da capacidade.

As previsões podem não ser exatas o tempo todo. Contudo, algumas vezes, os erros de previsão são mais prejudiciais que em outras. Por exemplo, se um processo está operando num nível próximo da sua capacidade máxima, previsões superotimistas poderiam levar o processo a se comprometer com gastos de capital desnecessários para aumentar sua capacidade. Previsões inexatas para um processo operando bem abaixo de seu limite da capacidade também resultarão num custo extra, mas provavelmente não na mesma extensão. Assim, o esforço colocado na previsão deveria refletir a sensibilidade variável para o erro de previsão. As previsões também precisam ser expressas em unidades que sejam úteis para o planejamento da capacidade. Se as previsões são expressas somente em termos de dinheiro e não fornecem indicações de demandas que serão colocadas sobre a capacidade de uma operação, elas necessitarão ser traduzidas em expectativas realistas de demanda, expressas na mesma unidade que a capacidade (por exemplo, horas-máquina por ano, necessidade de operadores, espaço, etc.). O ponto mais importante talvez seja que as previsões devem fornecer um indicador da incerteza relativa. A demanda em alguns períodos é mais incerta que em outros. Isso é importante porque os gerentes de operações precisam entender quando a incerteza torna necessária a aquisição de capacidade reserva. Uma previsão probabilística permite esse tipo de avaliação entre planos possíveis que garantiriam a habilidade da operação para atender a real demanda e planos para minimizar os custos. De forma ideal, esta avaliação deveria ser influenciada pela natureza da conquista de pedidos pela empresa: mercados sensíveis ao preço podem necessitar de um plano de risco, evitando a minimização de custo que nem sempre satisfaz a demanda de pico, mas os mercados que valorizam a adaptabilidade e a qualidade do serviço podem justificar uma provisão mais generosa de capacidade operacional. Lembre, contudo, que a ideia de que uma "melhor previsão" é necessária para o gerenciamento eficaz da capacidade é só parcialmente verdadeira. Uma abordagem melhor seria dizer que o melhor conhecimento do mercado (de demanda e de suprimentos) geralmente é importante.

Melhor previsão ou melhor adaptabilidade de operações?

O grau de esforço (e custo) para se dedicar à previsão é frequentemente uma fonte de grande debate dentro das empresas. Isto normalmente se resume a dois argumentos opostos. Um diz algo como: "*É claro que é importante que as previsões sejam mais exatas; não podemos planejar capacidade de operações de outra forma. Isso invariavelmente significa que terminamos com excesso de capacidade (portanto, custos) ou falta de capacidade (portanto, perdendo receita e não satisfazendo os clientes)*". O contra-argumento é muito diferente: "*A demanda sempre será incerta, pois esta é a natureza da demanda.*

> **Princípio de operações**
> A tentativa de aumentar o conhecimento do mercado e a tentativa de aumentar a flexibilidade de operações apresenta abordagens alternativas para o gerenciamento da capacidade, mas que não são mutuamente exclusivas.

Acostume-se com isso. A única forma de satisfazer os clientes é tornar a operação suficientemente adaptável para lidar com a demanda, quase independentemente do seu tamanho". Ambos os argumentos têm algum mérito, mas ambos são posições extremas. Na prática, as operações devem achar um equilíbrio entre ter melhores previsões e ser capaz de lidar sem previsões perfeitas.

Tentar obter previsões corretas tem um valor peculiar onde a operação acha difícil ou impossível reagir a flutuações inesperadas da demanda a curto prazo. Varejistas baseados na Internet, durante as festas de final de ano, por exemplo, acham difícil flexibilizar a quantidade de bens que eles têm no estoque a curto prazo. Os clientes possivelmente não querem esperar. Por outro lado, outros tipos de operação trabalhando em mercados intrinsecamente incertos podem desenvolver processos rápidos e flexíveis para compensar a dificuldade de obter previsões exatas. Por exemplo, fabricantes de roupas da moda tentam superar a incerteza em seu mercado reduzindo seu tempo de resposta às novas ideias da moda (tempo da passarela para o cabide) e o tempo para repor estoques nas lojas (tempo de reposição). Da mesma forma, quando o custo de não atender a demanda é muito alto, os processos também têm de confiar em sua adaptabilidade em vez de em previsões exatas. Por exemplo, departamentos de acidentes e emergências no hospital devem ser adaptáveis, mesmo se isto significa às vezes subutilizar os recursos.

QUESTÕES DIAGNÓSTICAS

Qual deveria ser a capacidade básica da operação?

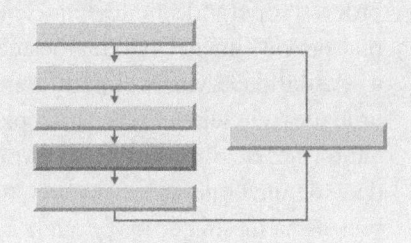

A forma mais comum de planejar a capacidade é decidir sobre um "nível básico" de capacidade e então ajustá-lo periodicamente para cima ou para baixo para refletir as flutuações na demanda. Na verdade, o conceito de capacidade "básica" não é comum porque, embora seja o nível de capacidade nominal em relação ao qual aumentos e reduções são planejados, em mercados muitos instáveis, onde as flutuações são significativas, ele possivelmente não vai ocorrer. Além disso, essas duas decisões de "qual deveria ser o nível básico da capacidade?" e "como ajustamos a capacidade em torno dessa base para refletir a demanda?" estão inter-relacionadas. Uma operação poderia determinar seu nível básico da capacidade num nível tão alto comparado à demanda que não haveria necessidade nem mesmo de ajustar os níveis de capacidade, pois eles nunca excederiam o seu nível básico. Contudo, isto é claramente um desperdício, e, por isso, a maioria das operações costuma ajustar seu nível de capacidade com o passar do tempo. Contudo, embora as duas decisões estejam inter-relacionadas, normalmente vale a pena determinar a capacidade nominal antes de continuar a explorar como ela pode ser ajustada.

> **Princípio de operações**
> Quanto mais alta a capacidade básica, menos flutuação da capacidade é necessária para satisfazer a demanda.

Definindo a capacidade básica

O nível básico de capacidade em qualquer operação é influenciado por muitos fatores, mas deveria estar claramente relacionado a três fatores em particular:

- a importância relativa dos objetivos de desempenho da operação;
- a perecibilidade da produção da operação;
- o grau de variabilidade da demanda ou do suprimento.

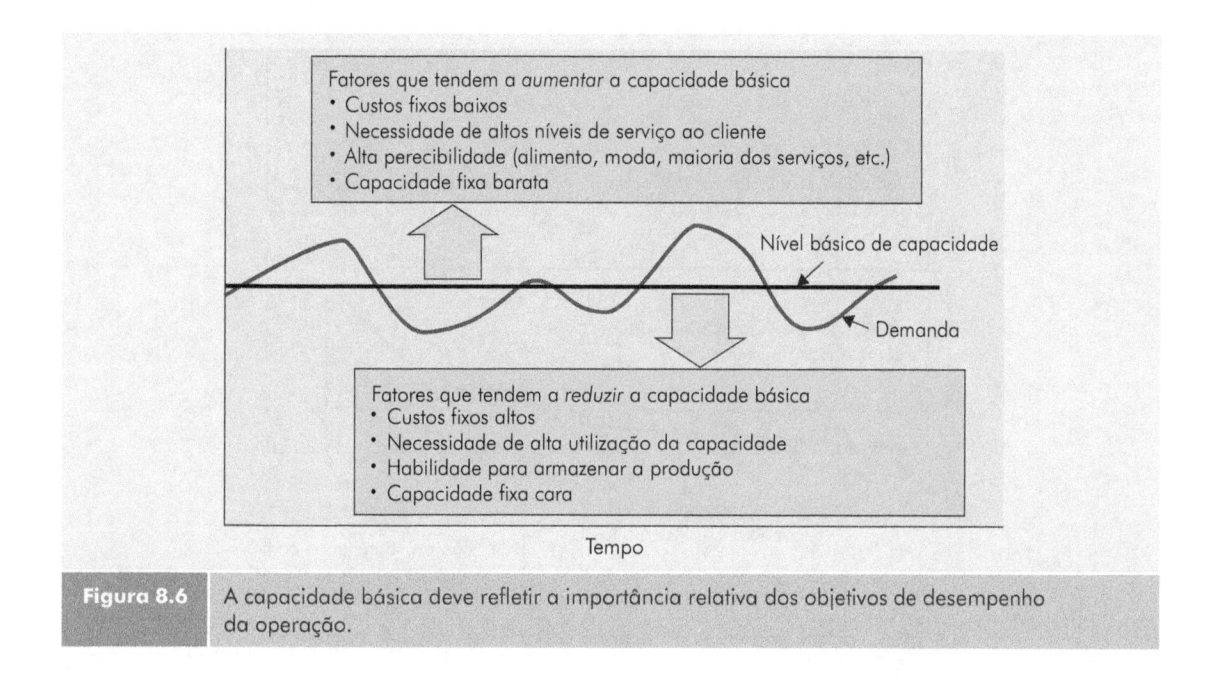

Figura 8.6 A capacidade básica deve refletir a importância relativa dos objetivos de desempenho da operação.

Fatores que tendem a *aumentar* a capacidade básica
- Custos fixos baixos
- Necessidade de altos níveis de serviço ao cliente
- Alta perecibilidade (alimento, moda, maioria dos serviços, etc.)
- Capacidade fixa barata

Fatores que tendem a *reduzir* a capacidade básica
- Custos fixos altos
- Necessidade de alta utilização da capacidade
- Habilidade para armazenar a produção
- Capacidade fixa cara

Objetivos de desempenho da operação

Os níveis básicos da capacidade devem ser definidos em primeiro lugar para refletir os objetivos de desempenho de uma operação (veja a Figura 8.6). Por exemplo, determinar a capacidade básica mais alta que a demanda média resultará em níveis relativamente altos de subutilização da capacidade e, portanto, altos custos. Isso é especialmente verdade quando os custos fixos de uma operação são altos e, portanto, as consequências da subutilização são altas também. De forma recíproca, altos níveis de capacidade básica resultam num "pulmão" de capacidade na maior parte do tempo, de forma que a habilidade para flexibilizar a produção para fornecer um serviço adaptável ao cliente melhorará. Quando a produção da operação pode ser armazenada, pode existir também uma compensação entre o capital fixo e o capital de giro, em que a capacidade básica é determinada. Um nível alto de capacidade básica pode requerer investimento considerável (a menos que o custo por unidade de capacidade seja relativamente baixo). Reduzir a capacidade básica reduziria a necessidade de investimento de capital, mas (onde possível) poderia ser necessário um aumento de estoques para satisfazer a demanda futura e, portanto, níveis de capital de giro maiores. Para algumas operações, aumentar o estoque também é arriscado, pois seus produtos têm uma validade curta (por exemplo, alimento perecível, computadores de alto desempenho ou itens da moda) ou impossível, pois sua produção não pode ser armazenada de maneira nenhuma (maioria dos serviços).

A perecibilidade da produção da operação

Quando o suprimento ou a demanda também é perecível, a capacidade básica deverá ser determinada num nível relativamente alto, já que as entradas para a operação ou as saídas da operação não podem ser armazenadas por longos períodos. Por exemplo, uma fábrica que produz frutas congeladas precisará de capacidade suficiente para congelar, embalar e armazenar para lidar com a taxa em que o tipo da fruta está sendo colhido durante sua estação de colheita. Da mesma forma, um hotel não pode armazenar seus serviços de acomodação. Se um quarto individual de hotel permanece desocupado, a habilidade de vender para aquela noite "pereceu". Na verdade, a menos que um hotel esteja cheio todas as noites, sua capacidade sempre será maior do que a demanda média dos seus serviços.

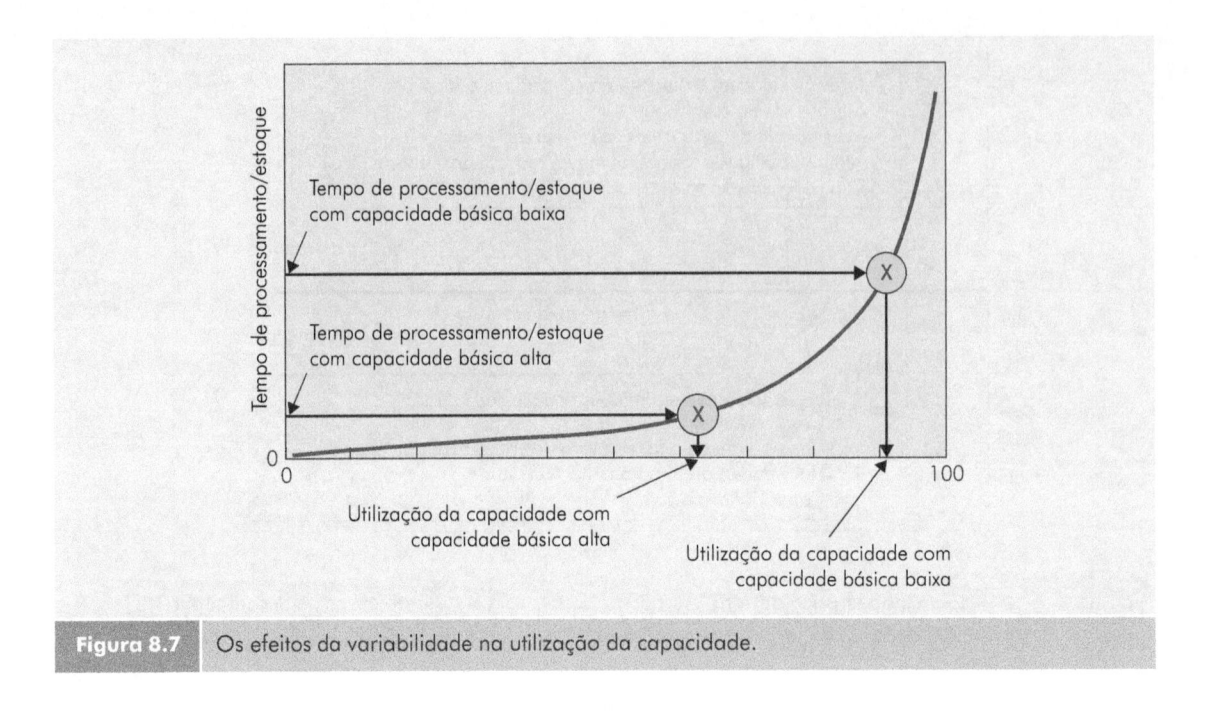

Figura 8.7 Os efeitos da variabilidade na utilização da capacidade.

O grau de variabilidade da demanda ou do suprimento

A variabilidade, da demanda ou da capacidade (ou da taxa de processamento), reduzirá a habilidade de uma operação processar suas entradas, isto é, reduzirá sua capacidade efetiva. Este efeito foi explicado no Capítulo 5, quando as consequências da variabilidade em processos individuais foram discutidas. Como um lembrete, quanto maior a variabilidade no tempo de chegada ou no tempo da atividade num processo, mais ele sofrerá altos tempos de processamento e terá utilização reduzida. Esse princípio se mantém verdadeiro para todas as operações e, visto que os tempos de processamento longos significam que as filas crescerão na operação, a alta variabilidade também afeta os níveis de estoque. Isso é ilustrado na Figura 8.7. A implicação disso é que quanto maior a variabilidade, mais capacidade extra deverá ser fornecida para compensar a utilização reduzida da capacidade disponível. Portanto, operações com altos níveis de variabilidade tenderão a estabelecer uma capacidade básica relativamente alta a fim de fornecer essa capacidade extra.

QUESTÕES DIAGNÓSTICAS

Como o descompasso entre capacidade e demanda pode ser gerenciado?

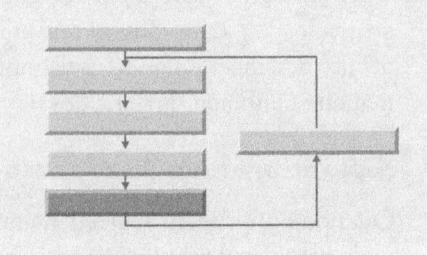

Quase todas as operações têm de lidar com a demanda ou suprimento variável; portanto, elas necessitarão fazer ajustes na capacidade em torno de seu nível básico. Existem três planos "puros" disponíveis para tratar tal variação, embora, na prática, a maioria das organizações use uma combinação de todos eles, mesmo se um plano prevalecer.

- ignore as flutuações da demanda e mantenha os níveis de capacidade nominal constantes (plano de nivelamento da capacidade);
- ajuste a capacidade para refletir as flutuações na demanda (plano de acompanhamento da demanda);
- tente mudar a demanda (gerenciamento da demanda).

Plano de nivelamento da capacidade

Num plano de nivelamento da capacidade, a capacidade de processamento é fixada num nível uniforme por todo o período de planejamento, sem considerar as flutuações na demanda prevista. Isso significa que a mesma equipe opera os mesmos processos e deve, portanto, ser capaz de produzir a mesma produção agregada em cada período. Quando materiais não perecíveis são processados, mas não imediatamente vendidos, eles podem ser transferidos para um estoque final de mercadorias em antecipação às vendas posteriores. Quando a estocagem não é possível, como em muitos serviços, as flutuações da demanda das operações são absorvidas pela subutilização dos recursos de operações e/ou mostram-se incapazes de atender a demanda imediatamente (veja Figura 8.8(a)). Quanto mais a demanda flutua, maior é o estoque ou a subutilização quando se usa um plano de nivelamento da capacidade. Ambos são caros, mas podem ser levados em consideração se o custo de ter estoque é baixo comparado com mudar os níveis de produção, ou nas operações de serviço se o custo da oportunidade da venda perdida individual é mais alto: por exemplo, no varejo de joalheria com margem alta e nas imobiliárias. Determinar a capacidade abaixo do nível da demanda de pico prevista reduzirá o grau de subutilização, mas nos períodos em que a demanda exceder a capacidade, o serviço ao cliente pode se deteriorar.

Plano de acompanhamento da demanda

Planos de acompanhamento da demanda tentam atender a capacidade próximo dos níveis de variação da demanda prevista, como na Figura 8.8(b). Eles são mais difíceis de realizar do que os planos de nivelamento da capacidade, porque tamanhos de equipe, horas de trabalho diferentes e mesmo diferentes quantidades de equipamento podem ser necessárias em cada período. Por essa razão, é improvável que planos puros de acompanhamento da demanda sejam adotados por operações que produzem produtos padronizados e não perecíveis, especialmente onde as operações são de capital intensivo. A política de acompanhamento da demanda necessitaria de um nível de capacidade física (ao contrário da capacidade efetiva), o qual ocasionalmente seria usado inteiramente. Um plano puro de acompanhamento da demanda normalmente é mais adotado pelas operações que não podem armazenar suas produções, como um centro de atendimento de chamadas. Ele evita o excesso de pessoas na equipe que ocorre com um plano de nivelamento da capacidade e, ainda, deve satisfazer a demanda do cliente durante todo o período planejado. Onde é possível estocar, uma política de acompanhamento da demanda poderá ser adotada a fim de minimizar estoques.

A abordagem do acompanhamento da demanda requer que a capacidade seja ajustada por alguns meios. Existem alguns métodos diferentes de realizar isto, embora não seja possível para todos os tipos de operação. Alguns desses métodos são mostrados na Tabela 8.1.

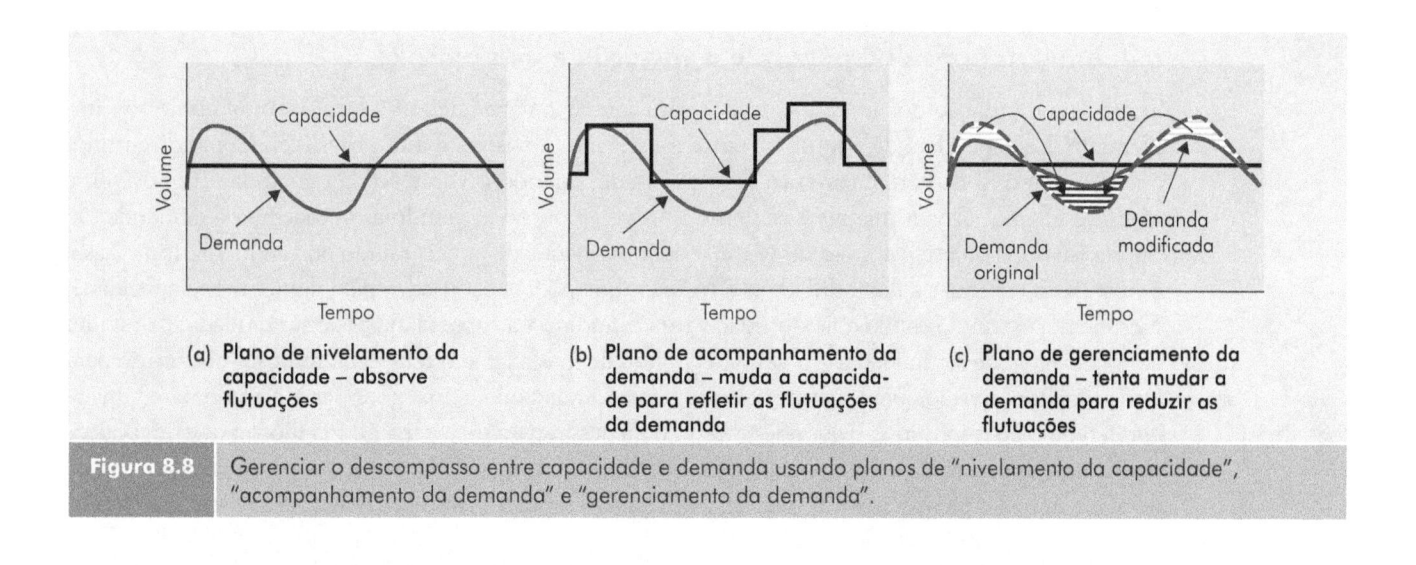

(a) Plano de nivelamento da capacidade – absorve flutuações

(b) Plano de acompanhamento da demanda – muda a capacidade para refletir as flutuações da demanda

(c) Plano de gerenciamento da demanda – tenta mudar a demanda para reduzir as flutuações

Figura 8.8 Gerenciar o descompasso entre capacidade e demanda usando planos de "nivelamento da capacidade", "acompanhamento da demanda" e "gerenciamento da demanda".

Tabela 8.1	Sumário das vantagens e desvantagens de alguns métodos de ajuste da capacidade	
Método de ajuste da capacidade	Vantagens	Desvantagens
Horas extras – a equipe trabalha mais tempo do que seu tempo de trabalho normal	Mais rápido e mais conveniente	Pagamento extra normalmente necessário, e o acordo com a equipe para trabalhar pode reduzir a produtividade durante períodos longos
Horas anualizadas – a equipe contratada trabalha um determinado número de horas por ano em vez de um determinado número de horas por semana	Sem muitos dos custos associados com as horas extras, a quantidade de tempo disponível da equipe para uma organização pode ser variado durante todo o ano para refletir a demanda	Quando flutuações muito grandes e inesperadas na demanda são possíveis, toda a flexibilidade do tempo de trabalho anual negociado pode ser comprometida antes do fim do ano
Programação da equipe – organizar os tempos de trabalho (tempos de início e fim) para variar o tamanho da equipe agregada disponível para trabalhar a qualquer momento	O tamanho da equipe pode ser ajustado para atender a demanda sem mudar as responsabilidades do trabalho ou contratar uma nova equipe	Pode ser difícil fornecer tempos de início e fim (turnos) que satisfaçam a necessidade da equipe por períodos razoáveis de trabalho e da empresa por turnos padronizados, bem como fornecer capacidade adequada
Variar o tamanho da força de trabalho – contratar equipe extra durante períodos de alta demanda e desempregá-los conforme a demanda cai, ou "contratar e despedir"	Reduz custos de mão de obra rapidamente	Custos de contratação e possível produtividade baixa enquanto a nova equipe passa pela curva de aprendizagem. Demissões podem resultar em pagamentos de indenizações e possível perda da moral na operação e do bom humor no mercado de trabalho local
Usar equipe de meio turno – recrutar equipe que trabalhe menos que o dia de trabalho normal (nos períodos mais movimentados)	Bom método de ajustar a capacidade para atender às flutuações da demanda previsível a curto prazo	Caro se os custos fixos de cada empregado (independente de quanto tempo ele ou ela trabalha) são altos
Flexibilidade de habilidades – projetar a flexibilidade no projeto do trabalho e na demarcação do trabalho de forma que a equipe possa ser trazida de partes menos movimentadas da operação	Método rápido de reagir às flutuações da demanda a curto prazo	É necessário investimento em treinamento das habilidades e pode causar algum distúrbio interno
Subcontratação/terceirização – comprar, alugar ou compartilhar capacidade ou produção de outras operações	Nenhuma ruptura para a operação	Pode ser muito caro, por causa da margem do subcontratante, e ele pode não estar tão motivado a fornecer o mesmo serviço ou qualidade. Também um risco de perda de conhecimento
Mudar a taxa de produção – é esperado que a equipe (e o equipamento) trabalhe mais rápido que o normal	Não necessita fornecer recursos extras	Só pode ser usado como uma medida temporária, embora possa causar insatisfação da equipe, uma redução na qualidade do trabalho, ou ambos

Mudando a capacidade quando a variação é imprevisível

Tanto a combinação dos métodos usados para mudar a capacidade quanto a forma como são implementados dependerá do equilíbrio entre a variação previsível e a imprevisível. Como discutimos antes, o objetivo do gerenciamento da capacidade, quando a variação da demanda é previsível, é afetar as mudanças da forma mais eficiente possível. Contudo, quando as flutuações da demanda são imprevisíveis, o objetivo é, normalmente, mudar a capacidade o mais rápido possível. No último caso, é necessário entender a flexibilidade dos recursos que podem ser usados para aumentar a capacidade. Neste caso, estamos usando a flexibilidade para dizer quanta capacidade pode ser mudada e a rapidez com que ela pode ser mudada. Na verdade, o grau de mudança e o tempo de resposta necessário para fazer a mudança estão quase sempre relacionados. O relacionamento pode ser mostrado na chamada curva tempo de resposta. A Figura 8.9 mostra uma dessas para uma central. Ela mostra que em poucos minutos de aumento da demanda para os serviços da central, ela é capaz de transferir uma proporção de suas chamadas para as centrais telefônicas de outra empresa. Contudo, nem todos nestas outras cen-

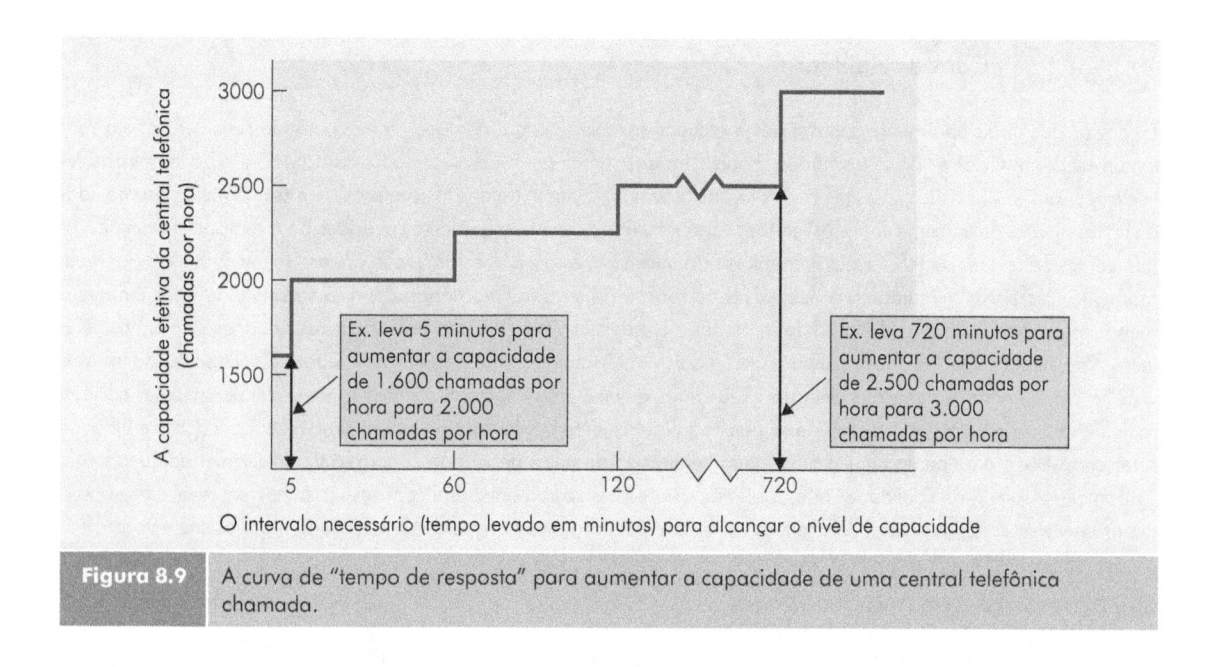

Figura 8.9 A curva de "tempo de resposta" para aumentar a capacidade de uma central telefônica chamada.

trais telefônicas estão treinados para atender tais chamadas, portanto, qualquer aumento adicional na capacidade deve vir da equipe atual, não no turno. Cedo ou tarde, a central telefônica alcançará seus limites de capacidade física (computadores, linhas telefônicas, etc.). Qualquer aumento de capacidade adicional terá de esperar até que seja adicionada mais capacidade física.

Plano de gerenciamento da demanda

O objetivo do gerenciamento da demanda é mudar o padrão da demanda para trazê-la para mais perto da capacidade disponível, normalmente transferindo a demanda do cliente dos períodos de pico para períodos mais calmos, como foi mostrado na Figura 8.8(c). Existem alguns métodos para realizar isto.

- *Restringir o acesso do cliente* – permitir aos clientes acessarem somente os produtos e serviços da operação em momentos particulares; por exemplo, sistemas de reserva e marcação de consultas nos hospitais.
- *Preços diferenciais* – ajustar o preço para refletir a demanda. Isto é, aumentar os preços durante períodos de alta demanda e reduzi-los durante períodos de baixa demanda.
- *Programar promoções* – variar o grau de estímulo ao mercado por meio de promoções e propagandas a fim de encorajar a demanda durante os períodos de demanda normalmente baixa.
- *Serviços diferenciais* – permitir níveis de serviço para refletir a demanda (implícita ou explicitamente), permitindo ao serviço deteriorar em períodos de alta demanda e aumentar em períodos de baixa demanda. Se esta estratégia for usada explicitamente, os clientes serão educados para esperar níveis variados de serviço e preferencialmente mudarem para períodos de demanda mais baixa.

Uma abordagem mais radical tenta criar produtos ou serviços alternativos para preencher a capacidade em períodos calmos. Isso pode ser um método eficaz de gerenciamento da demanda, mas, de forma ideal, novos produtos ou serviços deveriam atender três critérios: (a) eles podem ser produzidos nos mesmos processos, (b) eles têm diferentes padrões de demanda de ofertas existentes, e (c) eles são vendidos pelos mesmos canais de *marketing*. Por exemplo, estações de esqui podem fornecer, durante o verão, atividades de férias organizadas nas montanhas, e as empresas de cortadores de grama podem produzir movedores de neve durante o outono e o inverno. Contudo, os benefícios aparentes do preenchimento da capacidade dessa forma devem ser comparados com os riscos de danificar o produto ou serviço principal, e a operação deve ser totalmente capaz de servir ambos os mercados.

| Exemplo | Cartões Hallmark[4] |

Empresas que tradicionalmente operam nos mercados sazonais podem demonstrar ingenuidade considerável em suas tentativas de desenvolver produtos não sazonais. Um dos ramos de maior sucesso nesse aspecto é a de cartões de felicitações. O Dia das Mães, Dia dos Pais, Dia das Bruxas, Dia dos Namorados e outras ocasiões têm sido promovidos como momentos de enviar (e comprar) cartões especiais. Agora, tendo esgotado as ocasiões para realizar promoções, os fabricantes de cartões de felicitações vêm migrando para cartões "sem ocasião", que podem ser enviados em qualquer momento. Esses têm a vantagem considerável de ser menos sazonais, tornando assim a sazonalidade das empresas menos marcante. A Cartões Hallmark foi a pioneira em desenvolver esse tipo de cartão. Seus cartões incluem aqueles feitos para serem enviados de um pai para um filho com mensagens como "Um abraço ajudaria?", "Desculpe se magoei você" e "Você é perfeitamente maravilhosa – seu quarto é que é uma bagunça". Outros cartões lidam com temas adultos, mais sérios, como amizade ("Você é mais que um amigo, é como minha família") ou mesmo alcoolismo ("Isto é difícil de dizer, mas você é uma pessoa muito mais elegante quando não está bebendo"). Agora, a Cartões Hallmark fundou um "grupo de *marketing* de fidelidade" que "ajuda as empresas a se comunicarem com seus clientes num nível emocional". Ela promove o uso de cartões de felicitações em empresas, para mostrar que os clientes e empregados são valorizados.

Gerenciamento da oferta

Em operações que têm capacidades relativamente fixas, tais como companhias aéreas e hotéis, é importante usar a capacidade da operação para gerar todo seu potencial de receitas. Uma abordagem usada por tais operações é chamada gerenciamento da oferta.[5] Trata-se, na verdade, de um conjunto de métodos, alguns dos quais já discutimos, que podem ser usados para assegurar que uma operação maximiza seu potencial de geração de lucro. O gerenciamento da oferta é especialmente útil onde:

- a capacidade é relativamente fixa;
- o mercado pode ser segmentado de forma razoavelmente clara;
- o serviço não pode ser armazenado de nenhuma forma;
- os serviços são vendidos antecipadamente;
- o custo marginal de se fazer uma venda é relativamente baixo.

Companhias aéreas, por exemplo, se encaixam em todos esses critérios. Elas adotam um conjunto de métodos para tentar maximizar a ocupação de sua capacidade (isto é, lucro). A capacidade de reservas acima do disponível pode ser usada para compensar os passageiros que não se apresentam para o voo. Se a companhias aérea não preenche um assento, ela perde a receita correspondente, de forma que, regularmente, ela reserva mais passageiros nos voos do que com os quais a aeronave pode lidar. Contudo, caso se apresentem mais passageiros do que o esperado, a companhia aérea terá um número de passageiros descontentes (embora eles sejam capazes de oferecer incentivos financeiros para os passageiros tomarem um outro voo). Estudando dados passados sobre a demanda de voo, as companhias aéreas tentam equilibrar os riscos de reservar a mais ou de menos. As operações também podem usar descontos de preço em tempos de calmaria, quando é improvável que a demanda preencha a capacidade. As companhias aéreas também vendem passagens com desconto para agentes que, então, assumem o risco de encontrar os clientes para elas. Esse tipo de serviço pode também ser variado. Por exemplo, a demanda relativa para assentos na primeira classe, classe executiva e classe econômica, varia durante todo o ano. Não existe nenhuma motivação para se ter passagem com desconto numa classe para a qual a demanda será alta. O gerenciamento da oferta tenta ajustar a disponibilidade de diferentes classes de assento para refletir sua demanda. Eles também costumam variar o número de assentos disponível em cada classe passando certos passgeiros para uma classe superior ou mesmo mudando a configuração dos assentos da companhia aérea.

Usando as representações cumulativas para planejar a capacidade

Quando a produção de uma operação pode ser armazenada, um método útil de avaliar a possibilidade e as consequências de adotar os planos alternativos de capacidade é o uso das curvas de suprimentos

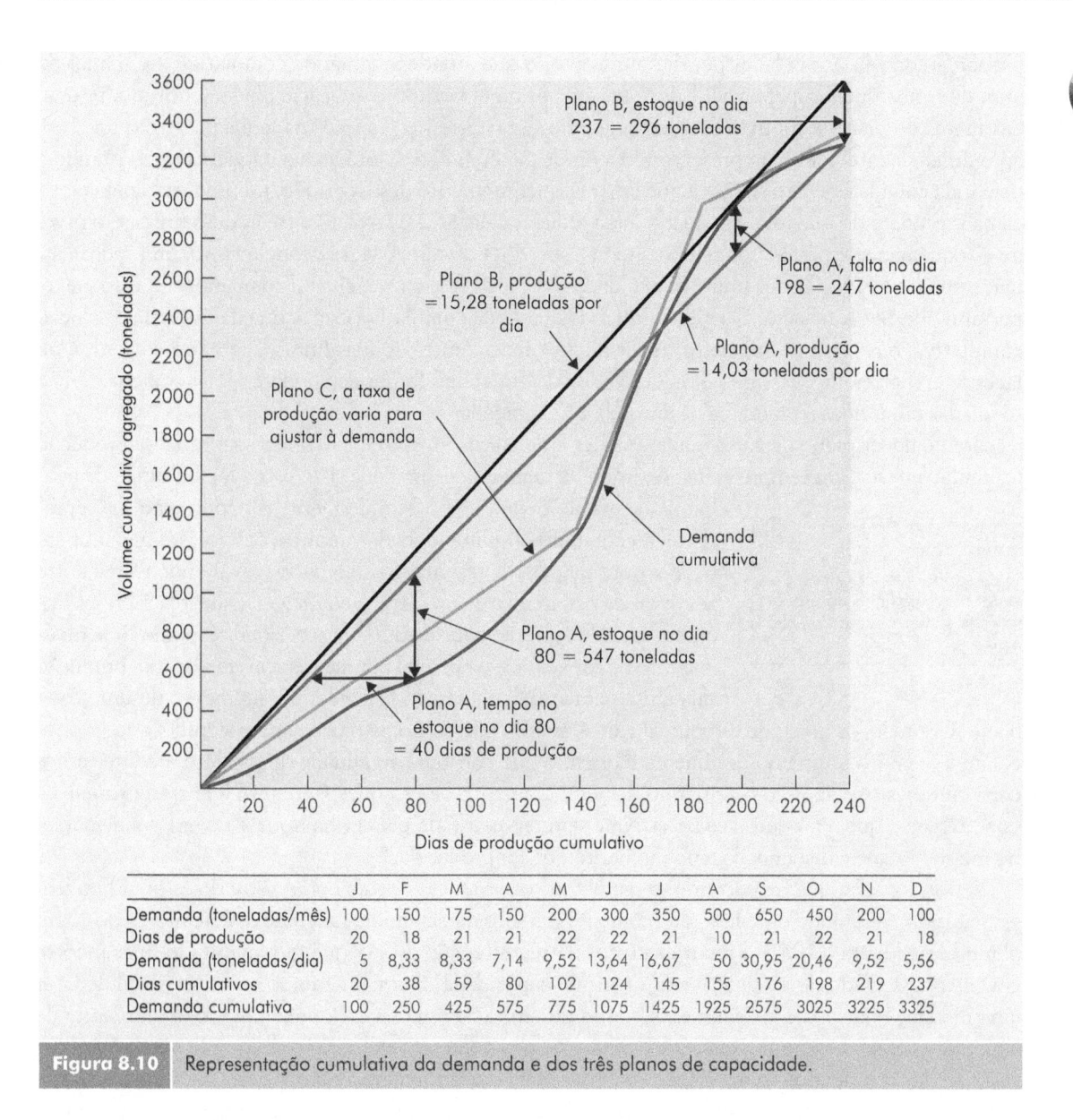

Figura 8.10 Representação cumulativa da demanda e dos três planos de capacidade.

	J	F	M	A	M	J	J	A	S	O	N	D
Demanda (toneladas/mês)	100	150	175	150	200	300	350	500	650	450	200	100
Dias de produção	20	18	21	21	22	22	21	10	21	22	21	18
Demanda (toneladas/dia)	5	8,33	8,33	7,14	9,52	13,64	16,67	50	30,95	20,46	9,52	5,56
Dias cumulativos	20	38	59	80	102	124	145	155	176	198	219	237
Demanda cumulativa	100	250	425	575	775	1075	1425	1925	2575	3025	3225	3325

e de demanda cumulativa. A curva planeja (ou calcula) a demanda cumulativa numa operação e sua habilidade cumulativa para suprir, com o passar do tempo.

Por exemplo, a Figura 8.10 mostra a previsão da demanda agregada para uma fábrica de chocolate que faz confeitos. A demanda para seus produtos nas lojas é maior em dezembro. Para atender essa demanda e dar tempo para os produtos realizarem seu caminho pela cadeia de suprimentos, a fábrica deve suprir uma demanda que chega ao pico em setembro. Mas a representação cumulativa da demanda em relação ao tempo de suprimento disponível (dias produtivos) mostrada na Figura 8.10 revela que, embora a demanda total chegue ao pico em setembro, por causa do número restrito de dias produtivos disponíveis, a demanda de pico por dia produtivo ocorre um mês antes, em agosto. Isso também mostra que a flutuação efetiva na demanda durante o ano é até mesmo maior do que parecia. A proporção da demanda de pico mensal sobre a demanda mensal mais baixa é de 6,5:1, mas a proporção da demanda de pico sobre a mais baixa por dia produtivo é 10:1. A demanda por dia produtivo é mais relevante para os gerentes de operações, porque dias produtivos representam a habilidade para suprir.

A viabilidade e as consequências de um plano de capacidade pode ser avaliada deste modo. A Figura 8.10 também mostra um plano de nivelamento da capacidade (A) que assume a produção numa proporção de 14,03 toneladas por dia produtivo, o que atende a demanda cumulativa até o final do ano, de forma que a supercapacidade total é igual ou maior que a subcapacidade. Contudo, se uma das metas do plano é suprir a demanda quando ela ocorrer, o plano é inadequado. Até o dia 168, aproximadamente, a linha representando a produção cumulativa está acima daquela representando a demanda cumulativa. Isso significa que em qualquer momento deste período, foi produzido pela fábrica mais produto do que foi demandado. Na verdade, a distância vertical entre as duas linhas é o nível de estoque naquele período de tempo. Assim, por volta do dia 80, 1.122 toneladas foram produzidas, mas somente 575 toneladas foram demandadas. A produção extra, acima da demanda, ou estoque, é, portanto, de 547 toneladas. Quando a linha da demanda cumulativa está acima da linha da produção cumulativa, o reverso é verdadeiro. A distância vertical entre as duas linhas agora indica a falta, ou lacuna de suprimento. Assim, pelo dia 198, 3.025 toneladas foram demandadas, mas somente 2.778 toneladas produzidas. A falta é, portanto, de 247 toneladas.

Para qualquer plano de capacidade atender a demanda quando ela ocorrer, sua linha de produção acumulada deve estar sempre acima da linha da demanda acumulada. Isto torna fácil a tarefa de avaliar a adequação de um plano, simplesmente olhando para sua representação cumulativa. Uma ideia das implicações do estoque também pode ser obtida pela representação cumulativa, avaliando a área entre as curvas da demanda e da produção acumulada. Esta área representa a quantidade de estoque mantida durante o período. O plano B de nivelamento da capacidade é possível porque ele sempre assegura produção suficiente para atender a demanda a qualquer momento durante todo o ano. Contudo, os níveis de estoque são altos usando este plano. Isto pode ainda significar que o chocolate fica muito tempo no estoque da fábrica, o que consome a validade do produto até chegar aos consumidores. Assumindo o princípio de gerenciamento de estoques "primeiro a entrar, primeiro a sair", o tempo que o produto fica no estoque será representado pela linha horizontal entre a demanda no momento que é demandada e no momento que foi produzida.

> **Princípio de operações**
> Para qualquer plano de capacidade atender a demanda conforme ela ocorre, sua linha da produção cumulativa deve estar sempre acima da linha da demanda cumulativa.

Os níveis de estoque (e, portanto, o tempo que os produtos passam como parte do estoque) podem ser reduzidos, adotando um plano de acompanhamento da demanda, tal como aquele mostrado como plano C na Figura 8.10. Isso reduz os custos de manutenção do estoque movimentado, mas incorre em custos associados às mudanças nos níveis de capacidade. Normalmente, o custo marginal de fazer uma mudança na capacidade aumenta com o tamanho da mudança. Por exemplo, se o fabricante de chocolate deseja aumentar a capacidade em 5%, isto pode ser realizado requisitando que sua equipe trabalhe em horas extras – uma opção simples, rápida e relativamente barata. Se a mudança é de 15%, as horas extras não podem fornecer capacidade extra suficiente e será preciso empregar uma equipe temporária – uma solução mais cara que também levaria mais tempo. Aumentos de capacidade acima de 15% só poderão ser realizados pela subcontratação de trabalho de fora. Isso seria ainda mais caro.

QUESTÕES DIAGNÓSTICAS

Como a capacidade deveria ser controlada?

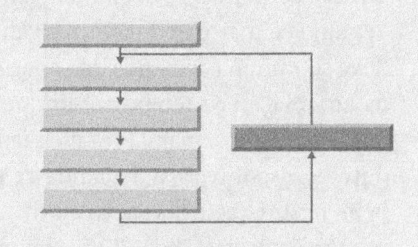

Planejar antecipadamente os níveis de capacidade e planejar como responder a mudanças inesperadas na demanda é uma parte importante do gerenciamento da capacidade, porém não reflete totalmente a natureza dinâmica da atividade. O gerenciamento da capacidade deve reagir à demanda *real* à medida que ela ocorre e com a capacidade *real*. Período a período, o gerenciamento de operações considera suas previsões de demanda, seu entendimento da capacidade atual e, se a produção pode ser estocada, quanto estoque foi transferido para o período seguinte. Baseado em todas essas informações, ele faz planos para a capacidade do período seguinte. A demanda poderá ou não ser conforme previsto e a capacidade real da operação poderá ou não produzir como planejado (por causa da perda de capacidade discutida anteriormente). Porém, quaisquer que sejam as reais condições durante aquele período, no começo do próximo período os mesmos tipos de decisões devem ser tomadas, à luz das novas circunstâncias. A Figura 8.11 mostra como isso funciona na prática. Ela mostra o desempenho global do gerenciamento da capacidade de uma operação como uma função da forma como se gerencia a capacidade e a forma como se gerencia (ou prevê) a demanda.

O sucesso do gerenciamento da capacidade geralmente é medido por alguma combinação de custos, receitas, capital de giro e satisfação do cliente (o qual continua a influenciar a receita). Isso é influenciado pela capacidade real disponível para a operação em um dado período e a demanda para aquele período. Se a capacidade excede a demanda, a demanda do cliente pode ser atendida, mas a capacidade e, possivelmente, o estoque subutilizado aumentará os custos. Se a capacidade é menor que a demanda, os recursos da operação serão totalmente utilizados, mas às custas de ser incapaz de atender toda a demanda. Contudo, algumas operações tratam com mais facilidade do descompasso entre a capacidade real e a demanda real. Se a estrutura dos custos subjacentes à operação é tal que as flutuações no nível de produção tem relativamente pouco efeito nos custos, então a operação será menos sensível a erros no gerenciamento da capacidade.

A previsão da demanda deveria ser sempre um processo contínuo que incorporasse os fatores gerais do mercado que influenciam a demanda. Além disso, a demanda real que ocorre a cada mês deveria ser levada em conta na previsão de cada período. Na verdade, todo o processo de controle da capacidade é de transferir, período por período, as decisões e os resultados dessas decisões de um período para o período seguinte. Fazendo isso, a operação deveria almejar o aumento da experiência no gerenciamen-

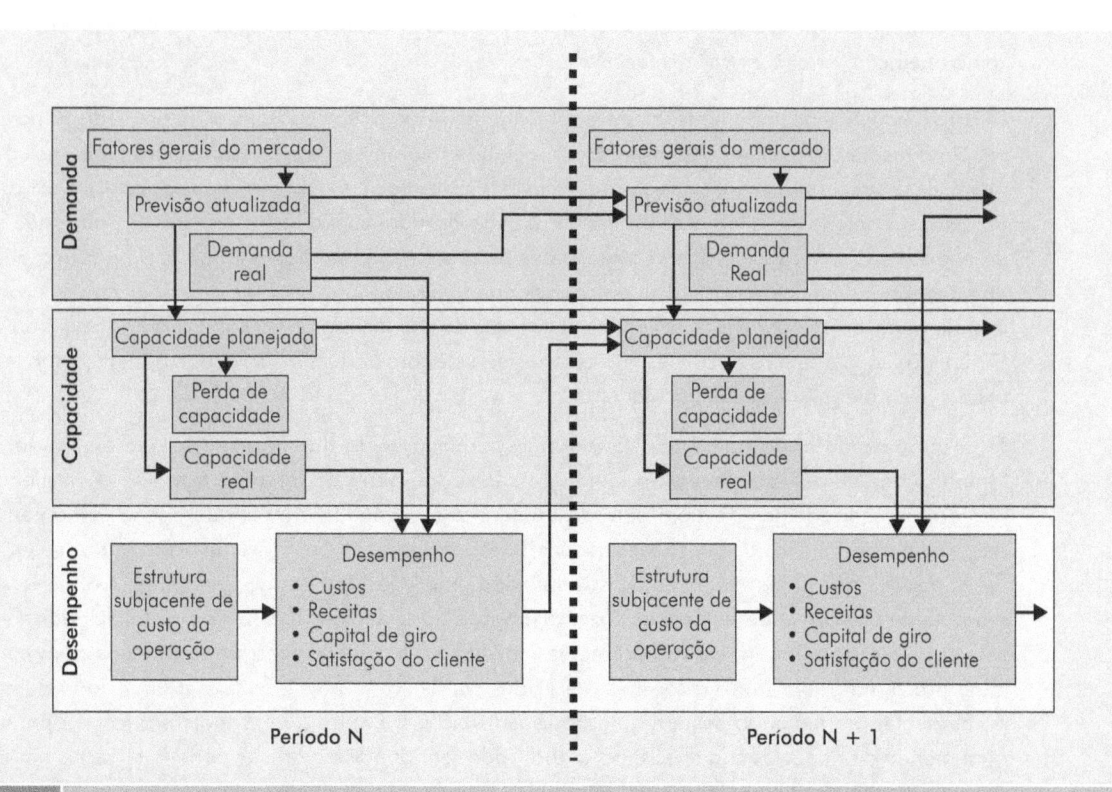

Figura 8.11 Como a capacidade deveria ser controlada – a dinâmica do gerenciamento da capacidade.

to da demanda e da capacidade, além de adaptar a operação para torná-la menos sensível às diferenças entre os dois.

> **Princípio de operações**
> O conhecimento advindo da capacidade de gerenciamento deve ser apreendido e usado para aprimorar tanto a previsão de demanda quanto o planejamento de capacidade.

O controle da capacidade bem-sucedido também requer que as empresas aprendam com seu controle de flutuações anteriores da demanda. Período por período, os gerentes de operações estão reagindo a um conjunto de estímulos, como ilustrado na Figura 8.11. Alguns desses estímulos podem ser ambíguos, como os objetivos globais da operação e sua abordagem para o risco. Outros serão incertos, como a demanda futura e (numa menor extensão) a capacidade futura. Este é um processo complexo de tomada de decisão que depende mais do que da disponibilidade e da exatidão das informações (embora isto seja importante). Também depende da habilidade para refinar o comportamento da tomada de decisão pelo aprendizado com sucessos e erros do passado. Por exemplo, alguns gerentes podem tender a reagir de modo exagerado ao estímulo imediato, pelo frequente aumento ou redução da capacidade, conforme as previsões da demanda futura são ajustadas. Nesse caso, precisará ser implantado algum mecanismo que regule as previsões e a resposta a elas.

Comentário crítico

Cada capítulo contém um breve comentário crítico sobre as principais ideias nele abordadas. Seu propósito não é minar as questões discutidas, mas enfatizar que, embora apresentemos uma visão relativamente ortodoxa da operação, existem outras perspectivas.

■ Para um tópico tão importante, existe surpreendentemente pouca padronização na medição da capacidade. Uma medida razoavelmente exata da capacidade não apenas é necessária para o gerenciamento das operações como também necessária para decidir se vale a pena investir em capacidade física extra, tal como máquinas. Contudo, nem todos os profissionais concordariam com a forma em que a capacidade foi definida ou medida neste capítulo (embora realmente represente uma prática ortodoxa). Uma forma de pensar é que quaisquer medidas da eficiência da capacidade que sejam usadas, elas deveriam ser úteis como medidas diagnósticas que podem ressaltar as causas-raiz do uso ineficiente da capacidade. A ideia da Eficiência Global dos Equipamentos (OEE) descrita anteriormente é com frequência colocada à frente como uma forma útil de medir a eficiência da capacidade.

■ O outro ponto principal de controvérsia no gerenciamento da capacidade refere-se à variação do tamanho da equipe. Para muitos, a ideia de variar o tamanho da força de trabalho para atender a demanda, ou usar equipes de meio período ou contratar e demitir, é mais que apenas uma controvérsia, é considerada antiética. É uma responsabilidade da empresa, eles argumentam, engajar um conjunto de atividades que sejam capazes de sustentar os empregados permanentemente. Contratar e demitir meramente por causa de flutuações sazonais, o que pode ser previsto de forma antecipada, é tratar os seres humanos de uma maneira totalmente inaceitável. Mesmo empregando pessoas num contrato de curto prazo, na prática, leva a ser-lhes oferecidas condições pobres e os leva a um estado de ansiedade permanente, perguntando-se se manterão seus trabalhos. Em uma nota mais prática, é apontado que, num mundo de negócios cada vez mais globalizado, em que as empresas podem ter sedes em diferentes países, aqueles países que permitem contratar e demitir são mais propensos a ver um *"downsizing"* de suas plantas do que aqueles em que a legislação dificulta isso.

Lista de verificação

Esta lista de verificação inclui perguntas que podem ser úteis se aplicadas a qualquer tipo de operação e reflete as principais questões diagnósticas usadas dentro do capítulo.

- [ ] A importância do gerenciamento eficaz da capacidade é totalmente compreendida?
- [ ] A capacidade atual da operação é medida?
- [ ] Nesse caso, todas as suposições inerentes à medição da capacidade realizada estão totalmente explícitas?
- [ ] Qual "perda" de capacidade é normal, e as opções para minimizar a perda de capacidade têm sido exploradas?
- [ ] Existe escopo para usar a Eficiência Global dos Equipamentos (OEE) como medida da capacidade?
- [ ] Qual é o equilíbrio entre a variação previsível e a variação imprevisível na demanda e na capacidade?
- [ ] De forma realista, qual potencial existe para tornar mais previsível a variabilidade imprevisível por meio de uma melhor previsão?
- [ ] O entendimento do mercado inclui o ponto no qual o comportamento dos clientes e/ou fornecedores pode ser influenciado para reduzir a variabilidade?
- [ ] A capacidade básica das operações reflete todos os fatores que a deveriam estar influenciando?
- [ ] Os métodos alternativos de ajustar (ou não) a capacidade têm sido totalmente explorados e avaliados?
- [ ] Se a variação é imprevisível, os métodos de acelerar a reação da operação ao descompasso entre capacidade e demanda têm sido explorados?
- [ ] Existe escopo para usar representações cumulativas da demanda e capacidade para finalidades de planejamento?
- [ ] O método de decidir período por período os níveis de capacidade é eficaz?
- [ ] Como o método de decidir período por período os níveis de capacidade reflete a experiência anterior?

Estudo de caso: A Fazenda Blackberry Hill

"Seis anos atrás, eu nunca tinha ouvido falar de turismo rural. Até onde eu sabia, eu tinha herdado uma fazenda e seria fazendeiro por toda minha vida." (Jim Walker, Fazenda Blackberry Hill)

O turismo rural a que Jim estava se referindo é "uma empresa comercial numa fazenda em funcionamento, ou outro centro agrícola, direcionada para entretenimento dos visitantes que geram rendimentos suplementares para o proprietário". "Ser fazendeiro tornou-se um negócio difícil", afirma Jim. "Baixos preços mundiais, redução nos subsídios e o comportamento do clima cada vez mais incerto tem feito deste um negócio muito mais arriscado do que quando eu herdei a fazenda. Contudo, por causa da nossa entrada no mercado do turismo, estamos crescendo. Além disso... nunca me diverti tanto na minha vida." Contudo, avisa Jim, turismo rural não é para qualquer um. "Você deve pensar cuidadosamente. Você realmente quer fazer isto? Que tipo de estilo de vida você quer? Você tem mente aberta para novas ideias? Você tem a mente voltada para negócios? Está disposto a colocar muito esforço no marketing do seu negócio? Acima de tudo, você gosta de trabalhar com pessoas? Se preferia estar ao redor de vacas do que de pessoas, este não é o negócio para você."

História

A Fazenda Blackberry Hill era uma fazenda mista de 200 hectares no sul da Inglaterra quando Jim e Mandy Walker herdaram-na 15 anos atrás. Era, principalmente, uma plantação de cereais com um pequeno rebanho de gado leiteiro, pequenas plantações de frutas e legumes crescendo e se misturando com a floresta que era protegida pelas leis de preservação local. Seis anos antes, tinha se tornado evidente para Jim e Mandy que eles teriam de repensar o gerenciamento da fazenda. "Começamos uma operação "colha você mesmo" (PYO – pick-your-own) porque nossa fazenda fica perto de diversos grandes centros populacionais. E também porque a quantidade de frutas e legumes que estávamos produzindo não era grande o suficiente para interessar os compradores comerciais. Entrar no mercado PYO trouxe um sucesso razoável e, apesar de alguns erros iniciais, nossa operação de plantação de frutas e legumes passou a gerar um pequeno lucro ao invés de gerar pequenas perdas. Mais importante, nos forneceu alguma experiência de como lidar com clientes cara a cara e de como lidar com a demanda imprevisível. A maior variável nas vendas PYO é o clima. A maioria dos negócios ocorre no final de semana entre o final da primavera e o início do outono. Se a chuva afasta os clientes durante parte desses finais de semana, quase todas as vendas têm de ocorrer em apenas poucos dias."

Depois de um ano de abertura da operação PYO, Jim e Mandy tinham decidido reduzir a área dedicada a cereais e aumentar sua capacidade de plantação de frutas e legumes. Ao mesmo tempo, organizaram um zoo de animais domésticos que permitiria às crianças se misturar aos animais, alimentá-los e tocá-los.

"Tínhamos nosso gado e aves domésticas, mas estendemos a área e trouxemos porcos e cabras. Mais tarde, introduzimos alguns coelhos, pôneis e macacos, e até mesmo um pequeno apiário." Ao mesmo tempo, a fazenda começou a preparar sua coleção de exibição das "heranças da fazenda". Tratava-se mostras estáticas dos velhos implementos da fazenda e "recreações" relacionadas aos processos da fazenda, além de quadros informativos. Isso sempre interessou a família de Jim e permitiu que ele convertesse dois prédios existentes na fazenda para criar um Museu da Herança da Fazenda.

Um ano depois, eles introduziram passeios de trator para os visitantes ao redor da fazenda e estenderam o zoo de animais domésticos e exibições da tradição da fazenda adicionais. Mas o investimento mais significativo foi na "Cozinha de Conservas". "Procurávamos por alguma forma de usar as frutas e os legumes extras que ocasionalmente se acumulavam e também por algum tipo de produto que poderíamos vender numa loja da fazenda. Começamos a Cozinha de Conservas para fazer geleias de frutas, legumes e molhos preservados em vidro. O projeto foi um sucesso imediato. Começamos fazendo apenas 50 quilos de conservas numa semana; dentro de três meses, cresceu para 300 quilos por semana e agora estamos produzindo em torno de 1.000 quilos por semana, tudo sob o título "Blackberry Hill Farm". No ano seguinte, a cozinha de conservas foi aumentada e uma área de

Tabela 8.2a	Número de visitantes no ano passado		
Mês	Total de visitantes	Mês	Total de visitantes
Janeiro	1.006	Agosto	15.023
Fevereiro	971	Setembro	12.938
Março	2.874	Outubro	6.687
Abril	6.622	Novembro	2.505
Maio	8.905	Dezembro	3.777
Junho	12.304	**Total**	**88.096**
Julho	14.484	Média	7.341,33

Tabela 8.2b	Horários de funcionamento da fazenda*	
Janeiro a meados de março	Quarta-domingo	10:00 – 16:00
Meados de março a maio	Terça-domingo	9:00 – 18:00
Maio a setembro	Toda semana	8:30 – 19:00
Outubro a novembro	Terça-domingo	10:00 – 16:00
Dezembro	Terça-domingo	9:00 – 18:00

* Eventos especiais na Páscoa, em fins de semana de verão e no Natal.

exibição foi adicionada. "Era uma grande atração do passado", diz Mandy. "Nós empregamos moças da vila local para fazer as conservas. Elas eram todas personagens extrovertidas, de forma que quando pedimos a elas para vestirem um tipo de roupa tradicional de 'esposas dos fazendeiros', elas ficaram felizes em fazer isso. Os visitantes adoram, especialmente os comentários gentis com nossas moças. As moças também apreciam dar lições informais de história quando há escolas nos visitando."

Nos últimos dois anos, a fazenda ampliou sua cozinha de conserva, sua loja da fazenda, as exibições e o zoo de animais domésticos. Tinha também introduzido um pequeno parque de diversões para as crianças, uma cafeteria servindo bebidas de sua própria produção, uma área de piquenique e um pequeno forno, o qual era também aberto para observação pelos clientes e equipado pelos assadores em traje tradicional. "*É uma pequena e bonita atração para o visitante*", diz Mandy, "*e ela nos dá uma outra oportunidade para obter mais valor de nossos próprios produtos*". A Tabela 8.2a mostra o número de visitantes do último ano, e a Tabela 8.2b lista os horários de abertura da fazenda.

Demanda

O número de visitantes na fazenda era extremamente sazonal. Variava de um ponto baixo em janeiro e fevereiro, quando a maioria das pessoas apenas visitava a loja da fazenda, até os meses de primavera e verão quando poderiam ser muito movimentados, especialmente nos feriados públicos.

No ano anterior, Mandy tinha acompanhado o número de visitantes que chegaram à fazenda todos os dias. "*É fácil registrar o número de pessoas visitando as atrações da fazenda, pois eles pagam a taxa de entrada. O que não tínhamos feito antes é incluir as pessoas que apenas visitavam a loja da fazenda e o forno, os quais podem ser acessados de dentro da fazenda e do estacionamento. Estimamos que o número de pessoas visitando a loja, mas não a fazenda, varia de 74% em fevereiro, baixando para aproximadamente 15% em agosto.*" A Figura 8.12 mostra o número de visitantes em agosto do ano passado. "*O que nossos quadros não incluem são aquelas pessoas que visitam a loja, mas não compram nada. É improvável que seja um grande número.*"

Mandy tinha também estimado a média do tempo de permanência na fazenda e/ou na loja da fazenda. Ela calculou que no inverno a média de tempo de permanência foi de 45 minutos, mas em agosto subiu para 3,1 horas (veja também a Figura 8.13).

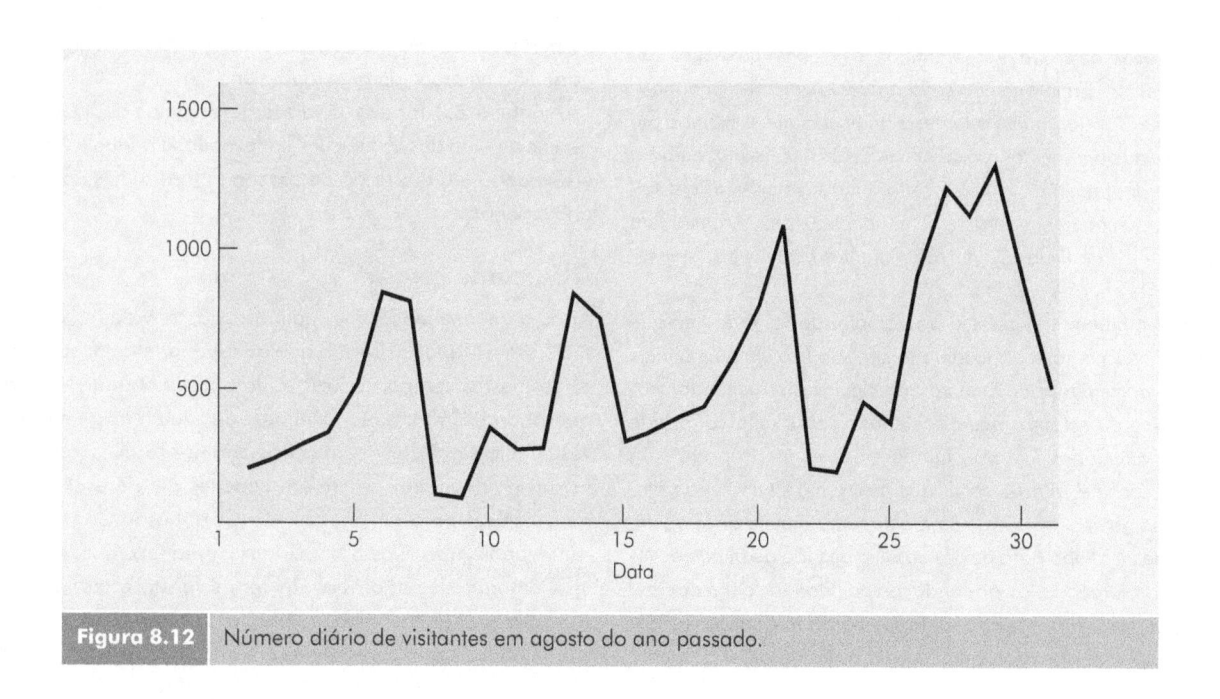

Figura 8.12 Número diário de visitantes em agosto do ano passado.

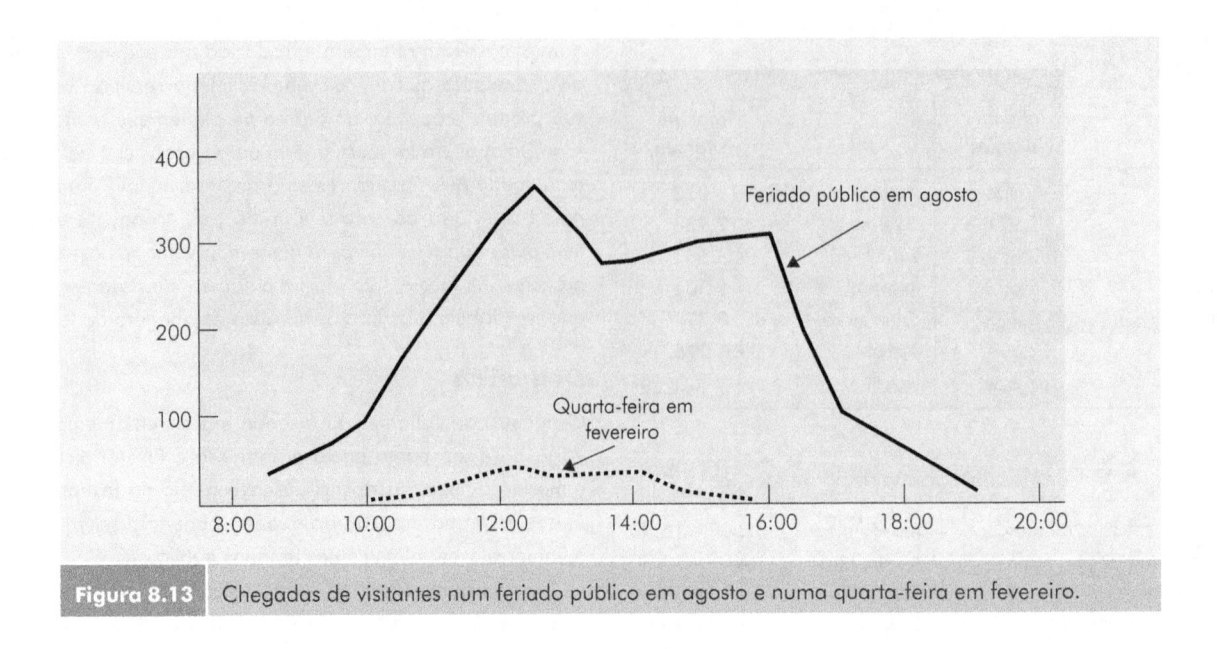

Figura 8.13 Chegadas de visitantes num feriado público em agosto e numa quarta-feira em fevereiro.

Questões atuais

Tanto Jim quanto Mandy concordam que suas vidas mudaram de forma significativa durante os últimos anos. Rendimentos de visitantes e da marca Blackberry Hill de conservas agora geram 70% da receita da fazenda. O mais importante, a empresa como um todo foi significativamente mais lucrativa do que jamais fora. Contudo, a fazenda enfrentava algumas questões.

A primeira era o equilíbrio entre suas diferentes atividades. Jim estava particularmente preocupado com que o negócio permanecesse uma fazenda genuína. "Quando você olha para a receita por hectare, o visitante e as atividades de produção trazem muito mais receita do que as atividades convencionais da agricultura. Contudo, se continuarmos avançando muito no turismo rural, nos tornaremos um pouco pior do que um parque temático. Representamos algo mais que isto para nossos visitantes. Eles vêm a nós em parte pelo que representamos, bem como pelo que realmente fazemos. Creio que não seria prudente crescer muito mais. De qualquer forma, mais visitantes significaria que devemos aumentar o estacionamento. Isto seria caro, mas necessário, embora não traga diretamente alguma receita a mais. Já existem problemas de estacionamento durante os períodos de pico e temos tido reclamações da polícia que nossos visitantes estacionam inapropriadamente em rodovias locais.

"Existe também o problema da complexidade. Toda vez que introduzimos uma nova atração, todo negócio fica um pouco mais complexo para gerenciar. Embora apreciemos isto tremendamente, Mandy e eu estamos nos dispersando sobre uma variedade ampla de atividades." Mandy também estava preocupada com isso. "Estou começando a sentir que meu tempo está sendo empregado no gerenciamento de problemas do dia a dia do negócio. Isso não deixa tempo para pensar sobre a direção geral que deveríamos estar tomando, ou gastando tempo falando com a equipe. Por isso, vemos o próximo ano como um momento para consolidar e para regularizar os problemas do dia a dia de gerenciamento do negócio, particularmente a fila, que está ficando excessiva nos tempos de grande movimento. Por isso, este ano, estamos nos limitando a apenas uma nova atração para a fazenda."

O gerenciamento da equipe era também uma preocupação para Mandy. A empresa tinha crescido para mais de 80 empregados (quase todos de meio turno e sazonais). "Nós nos tornamos um empregador significativo na área. A maioria dos nossos empregados é ainda de pessoas locais trabalhando meio turno por um rendimento extra, mas estamos também agora empregando 20 estudantes durante o período do verão e, no ano passado, oito estudantes de agronomia do Leste Europeu. Mas agora, a mão de obra é escassa nesta parte do país e está se tornando mais difícil atrair pessoas locais, especialmente para produzir as Conservas Blackberry Hill Farm. Metade da equipe da Cozinha de Conservas trabalha o ano todo, com outros empregados durante os períodos do verão e outono. Mas a maioria deles preferiria garantir o emprego durante todo o ano."

A Tabela 8.3 fornece detalhes de algumas das questões do gerenciamento das instalações na fazenda, e a Tabela 8.4 mostra a demanda e a produção de conservas mês a mês ao longo do ano anterior.

Que rumo tomar?

Após a "consolidação" e melhoria das atividades do "dia a dia", Jim e Mandy disseram que queriam aumentar sua receita, e, ao mesmo tempo, reduzir a fila ocasional que eles sabiam que poderia irritar seus visitantes, de preferência sem um investimento significativo em capacidade extra. Eles também estavam preocupados em serem capazes de oferecer emprego mais estável para as "moças" da Cozinha de Conservas durante todo o ano. Elas produziriam a uma taxa quase constante. Contudo, eles não estavam certos se isto poderia ser feito sem armazenar os produtos por tanto tempo, de modo que sua validade seria seriamente afetada. Não existia problema

Tabela 8.3	As principais instalações da fazenda e algumas das questões relacionadas com seu gerenciamento
Instalação	*Questões*
Estacionamento	Espaço para estacionar 85 carros, 4 espaços para ônibus de turismo de 40 assentos
Exibições fixas, etc. Recreação da velha cozinha da casa da fazenda, recreação no celeiro, ordenha à moda antiga, várias pequenas exibições sobre o passado e o presente da fazenda, parque de diversão, estande de sorvete e biscoitos.	• Maior parte das exibições no museu da fazenda ou adjacente a ele. • Em momentos de pico, ajudantes vestem trajes de época para entreter os visitantes. • Retorno recebido indica que os clientes acham as exibições mais interessantes do que eles pensavam que seriam. • Visitantes livres para observar quando desejarem ajudam a absorver a demanda das instalações atarefadas.
Passeios de trator Um trator puxando uma carroça coberta, decorada, com capacidade máxima de 30 pessoas; o passeio leva aproximadamente 20 minutos em média (incluindo paradas). Espera 10 minutos entre os passeios, exceto nos momentos de pico quando o trator circula continuamente.	• O trator atua como transporte e entretenimento; aproximadamente 60% dos visitantes permanecem durante todo o passeio, 40% usam-o como "leva-e-traz". • Sobrecarga em tempos de pico, formando longas filas. • Retorno recebido indica que é popular, exceto pela fila. • Jim é relutante em investir numa carroça e trator adicional.
Área "colha você mesmo" Maior instalação individual da fazenda. Usa o jornal local, linha de telefone dedicada (secretária eletrônica) e *website* para comunicar a disponibilidade das frutas e legumes. Área de caixas e pesagem próxima à loja da fazenda, também mostra produtos colhidos, conservas, etc., à venda.	• Muito sazonal e dependente do clima para suprimento e demanda. • A fazenda planeja exceder a demanda do visitante e usá-la nas conservas. • Seis estações de pesagem/pagamento na discreta área de caixas. Forma filas em tempos de pico. Retorno fornecido indica alguma insatisfação com isso. • Pode mudar a equipe da loja da fazenda para ajudar com verificações de saída em períodos movimentados, mas a loja da fazenda também tende a estar movimentada ao mesmo tempo. • Está considerando o uso de empacotadores nos caixas para acelerar o processo.
Zoo de animais de estimação Acomodação para animais menores incluindo ovelhas e porcos. Animais grandes (gado, cavalos) trazidos para a área de exibição diariamente. Os visitantes podem ver todos os animais e tocar/afagar a maioria dos animais sob supervisão.	• Aproximadamente 50% dos visitantes visitam o zoo de animais de estimação. • Número de equipes em atendimento varia entre nenhuma (sem pico) e cinco (períodos de pico). • A área pode ficar congestionada durante os períodos de pico. • Equipe necessita ser habilitada para lidar com crianças.
Cozinha de Conservas Tanque de cozimento, misturador, equipamento para esterilizar vidros, etc. A área de observação do visitante pode ter 15 pessoas confortavelmente. A estada média de 7 minutos quando fora da estação, 14 minutos na estação de pico.	• Capacidade da cozinha é teoricamente de 4.500 quilos por mês numa semana de 5 dias e de 6.000 quilos numa semana de 7 dias. • Na prática, a capacidade varia com a estação por causa da interação com os visitantes. Pode ser de apenas 5.000 quilos numa semana de 7 dias no verão, ou acima de 5.000 quilos numa semana de 5 dias no inverno. • Validade dos produtos está numa média de 12 meses. • Área de armazenagem atual pode ter 16.000 quilos.
Padaria Contém equipamento de mistura e formas, forno comercial, prateleiras de refrigerante, estandes de exibição, etc. Recentemente instalou-se máquina de fazer *donuts*. Todos pastéis contêm frutas em conserva da fazenda.	• Começa a tornar-se um gargalo desde que foi instalada a máquina de fazer *donuts*. Os visitantes gostam de observá-la. • Produtos também à venda na loja da fazenda adjacente ao forno. • Seria difícil expandir essa área por causa das restrições da construção.
Loja da fazenda e cafeteria Começou vendendo exclusivamente produtos próprios da fazenda. Agora vende uma variedade de produtos das fazendas da região e mais afastadas. Começou vendendo pratos congelados (lasanha, *goulash*, etc.) produzidos fora do pico na cozinha de conservas.	• Na parte mais lucrativa de toda a empresa, Jim e Mandy gostariam de estender a operação de varejo e cafeteria. • Loja inclui área para mostras de comidas, decoração de bolos, frutas em calda (no chocolate), etc. • Algum congestionamento na loja em tempos de pico, mas pouca insatisfação do visitante. • Filas mais significativas na cafeteria em períodos de pico. • Avaliar a solicitação dos clientes de fazerem o passeio nas instalações da fazenda e pegarem suas compras depois. • O varejo é mais lucrativo por metro quadrado do que a cafeteria

Tabela 8.4 — Demanda e produção de conserva (ano anterior)

Mês	Demanda (kg)	Demanda acumulada (kg)	Produção (kg)	Produto acumulado (kg)	Estoque (kg)
Janeiro	682	682	4.900	4.900	4.218
Fevereiro	794	1.476	4.620	9.520	8.044
Março	1.106	2.582	4.870	14.390	11.808
Abril	3.444	6.026	5.590	19.980	13.954
Maio	4.560	10.586	5.840	25.820	15.234
Junho	6.014	16.600	5.730	31.550	14.950
Julho	9.870	26.470	5.710	37.260	10.790
Agosto	13.616	40.086	5.910	43.170	3.084
Setembro	5.040	45.126	5.730	48.900	3.774
Outubro	1.993	47.119	1.570*	50.470	3.351
Novembro	2.652	49.771	2.770*	53.240	3.467
Dezembro	6.148	55.919	4.560	57.800	1.881
Média	**4.660**	–	–	–	**7.880**

*Problemas técnicos reduziram o nível da produção.

com os suprimentos para manter o nível da produção: menos de 2% das frutas e legumes que iam em suas conservas realmente eram plantados na fazenda. O resto era comprado em atacados, embora isto não fosse geralmente entendido pelos clientes.

Das muitas ideias discutidas como candidatas para "um novo empreendimento" para o próximo ano, duas estavam emergindo como particularmente atrativas. Jim gostou da ideia de desenvolver um Labirinto de Milho, um tipo de atração que tinha se tornado cada vez mais popular na Europa e na América do Norte nos últimos cinco anos. A ideia é plantar um campo de milho e, uma vez crescido, cortá-lo ao longo de uma série de caminhos complexos na forma de labirinto. A evidência de outras fazendas indicou que um labirinto seria extremamente atrativo para os visitantes e Jim achou que poderia obter um extra acima de 10.000 visitantes durante o período de verão. Projetado como uma atividade separada, com sua própria taxa de admissão, necessitaria de um investimento de aproximadamente £20.000, mas geraria mais que o dobro com os ingressos, bem como atrairia mais visitantes para a própria fazenda.

Mandy preferia a ideia alternativa – aquela de aumentar seu negócio com visitas de escolas. "No ano passado, nos unimos à Associação Nacional de Fazendas para Escolas. Sua sugestão é que poderíamos facilmente nos tornar uma das maiores atrações escolares nesta parte da Inglaterra. Educar os visitantes sobre a tradição na fazenda já é a maior parte de tudo o que fazemos. E muitos da nossa equipe desenvolveram as habilidades para comunicar para as crianças exatamente como é a vida na fazenda. Precisaríamos converter e estender uma de nossas fazendas subutilizadas já existente para fazer uma 'sala de aula', o que custaria entre £30.000 e £35.000. E, embora, necessitássemos dar descontos substanciais nos ingressos, acho que poderíamos ter o retorno do investimento dentro de aproximadamente dois anos."

PERGUNTAS

1 Como as operações do dia a dia da fazenda poderiam ser melhoradas?
2 Que conselho você daria para Jim e Mandy com relação ao "novo empreendimento" deste ano?

Estudo de caso ativo — Saladas Fresh Ltd.

A Saladas Fresh Ltd. é uma divisão importante de uma empresa privada especializada em plantação e distribuição de legumes. Seu grupo de clientes mais importante é o principal supermercado do Reino Unido, o qual requer produtos frescos a serem entregues para eles 364 dias no ano.

- Baseado na informação fornecida, como você avaliaria o gerenciamento da capacidade da empresa?

Consulte o caso ativo no CD que acompanha este livro para encontrar mais sobre os processos envolvidos em coletar e assegurar a entrega de legumes de alta qualidade para seus clientes.

Aplicando os princípios

Alguns destes exercícios podem ser respondidos a partir da leitura do capítulo. Outros vão requerer algum conhecimento geral da atividade de negócios e alguns poderão requerer pesquisa. Todos têm sugestões de como podem ser respondidos no CD que acompanha este livro.

DICAS

1. Um fabricante de pizzas tem uma previsão de demanda para os próximos 12 meses que é mostrada na tabela abaixo. A força de trabalho atual da equipe de 100 pode produzir 1.000 caixas de pizza por mês.

    (a) Prepare um plano de produção que mantenha o nível de produção. Quanto espaço de armazém a empresa necessitaria para este plano?

    (b) Prepare um plano de "acompanhamento da demanda". Quais implicações isto teria para os tamanhos da equipe, assumindo que a quantidade máxima de hora extra resultaria em níveis de produção só 10% maiores do que aqueles realizados nas horas de trabalho normal?

    Previsão da demanda de pizza

Mês	Demanda (caixas por mês)
Janeiro	600
Fevereiro	800
Março	1.000
Abril	1.500
Maio	2.000
Junho	1.700
Julho	1.200
Agosto	1.100
Setembro	900
Outubro	2.500
Novembro	3.200
Dezembro	900

2. Considere como as companhias aéreas lidam com o balanceamento da capacidade e da demanda. Em particular, analise o papel do gerenciamento da oferta. Faça isso visitando o *site* de uma companhia aérea de baixo custo e, para uma certa quantidade de voos, anote o preço da taxa que está sendo cobrada pela companhia aérea de amanhã em diante. Em outras palavras, quanto custaria se você precisasse voar amanhã, se precisasse voar semana que vem, se precisasse voar em 2 semanas, etc.? Imprima os resultados para diferentes voos e discuta os resultados.

3. Calcule a Eficiência Global dos Equipamentos (OEE) das seguintes instalações investigando seu uso:

    (a) uma sala de reuniões;
    (b) um cinema;
    (c) uma máquina de café.

    Discuta se vale à pena tentar aumentar a OEE dessas instalações e, neste caso, como você faria isso.

4. Como uma empresa deveria calcular o que está preparada para pagar por previsões do tempo cada vez mais sofisticadas?

5. Quais parecem ser as vantagens e desvantagens da estratégia adotada pela Cartões Hallmark descrita antes no capítulo? O que mais a Hallmark poderia fazer para lidar com as flutuações da demanda?

Notas do capítulo

1. Fonte: Entrevista com a equipe da empresa.
2. Fonte: Pela gentil permissão do Dr. Willem Bijleveld, Diretor, Madame Tussaud Scenerama BV, Amsterdam.
3. Com agradecimentos especiais para Philip Godfrey e Cormac Campbell do OEE Consulting Ltd (www.oeeconsulting.com).
4. Fontes incluem Robinette, S. (2001) "Get emotional", *Harvard Business Review*, May.
5. Kimes, S. (1989) "Yield management: a tool for capacity-constrained service firms", *Journal of Operations Management*, Vol. 8, N° 4.

Indo além

Brandimarte, P. and Villa, A. (1999) *Modeling Manufacturing Systems: From aggregate planning to real time control*, Springer, New York. Muito acadêmico, mas contém algumas partes interessantes se você quiser se aprofundar no assunto.

Buxey, G. (1993) "Production planning and scheduling for seasonal demand", *International Journal of Operations and Production Management*, Vol. 13, N° 7. Outro periódico acadêmico, mas que adota uma abordagem sistemática e compreensível.

Fisher, M.L., Hammond, J.H. and Obermeyer, W. (1994) "Making supply meet demand in an uncertain world", *Harvard Business Review*, Vol. 72, N° 3, May-June.

Websites úteis

www.dti.gov.uk/er/index O *site* do Diretório de Relações de Emprego desenvolveu uma estrutura para empregadores e empregados que promovem um mercado de trabalho flexível e habilitado, fundado sobre princípios de parceria.

www.worksmart.org.uk/index.php Este *site* é do Congresso da União do Comércio. Seu objetivo é "ajudar os trabalhadores de hoje a obterem a melhor saída do mundo do trabalho".

www.eoc-law.org.uk Este *site* almeja fornecer um recurso para conselhos legais e representativos que estão conduzindo as reclamações sobre comportamentos de candidatos na discriminação sexual e também casos pagos na Inglaterra e País de Gales. Ele cobre somente discriminação sexual relacionada a empregos.

www.dol.gov/index.htm *Site* do Departamento Americano do Trabalho com informação a respeito do uso de empregados meio período.

www.downtimecentral.com Muita informação sobre a Eficiência Global dos Equipamentos (OEE).

RECURSOS ADICIONAIS Para recursos adicionais incluindo exemplos, diagramas animados, questões de autoavaliação, planilhas Excel, estudos de caso ativos e materiais de vídeo, acesse o CD que acompanha este livro.

Capítulo 9
GERENCIAMENTO DE ESTOQUES

Introdução

Os gerentes de operações normalmente têm uma atitude ambivalente em relação ao estoque. Ele pode ser caro, comprometendo o capital de giro, e pode representar risco, já que os itens guardados no estoque podem se deteriorar, tornar-se obsoletos ou apenas serem perdidos. Pode também ocupar um espaço valioso da operação. Por outro lado, pode oferecer alguma segurança num ambiente incerto. Saber que você tem os itens no estoque é uma segurança contra a demanda inesperada. Este é o dilema do gerenciamento de estoques: apesar do custo e de outras desvantagens associadas à manutenção dos estoques, eles realmente facilitam a regularidade do suprimento e da demanda. Na verdade, eles só existem porque o suprimento e a demanda não estão exatamente em harmonia um com o outro. (Veja a Figura 9.1).

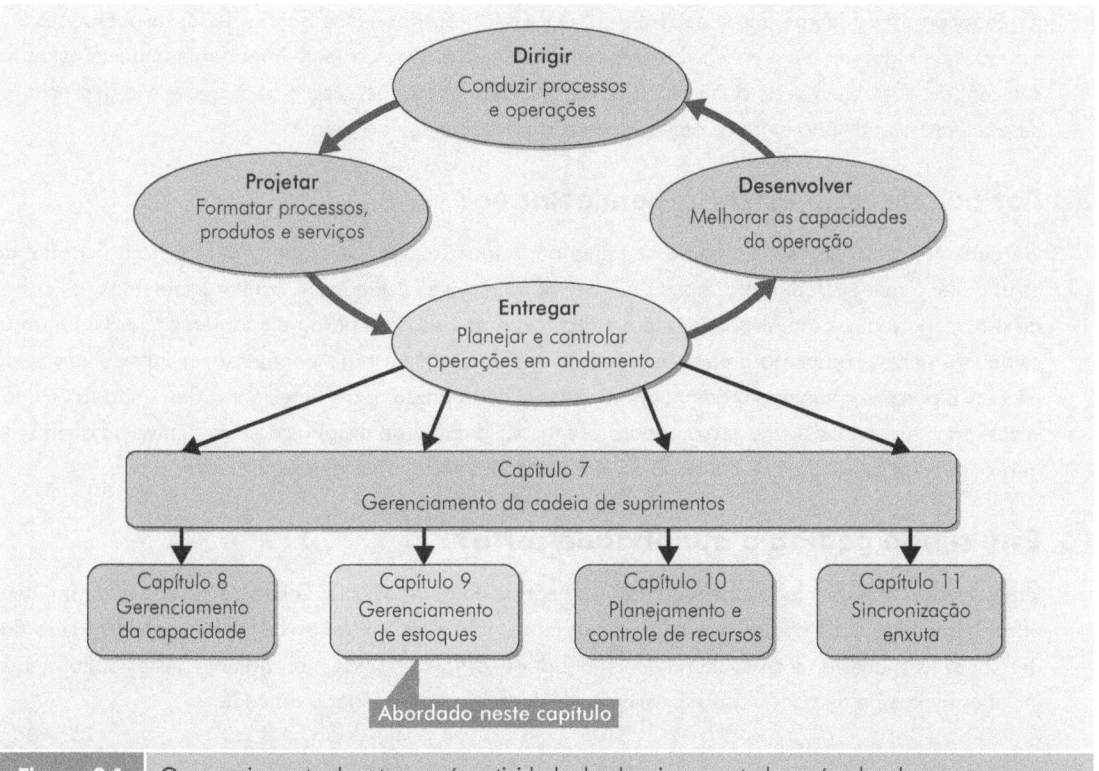

Figura 9.1 O gerenciamento de estoques é a atividade de planejar e controlar acúmulos de recursos transformados conforme eles se movem pelas cadeias de suprimentos, operações e processos.

Sumário executivo

VÍDEO
informações adicionais

- O que é o gerenciamento de estoques?
- Por que deveria existir algum estoque?
- Está sendo pedida a quantidade certa?
- Os pedidos de estoque estão sendo feitos no momento certo?
- O estoque está sendo controlado de forma eficaz?

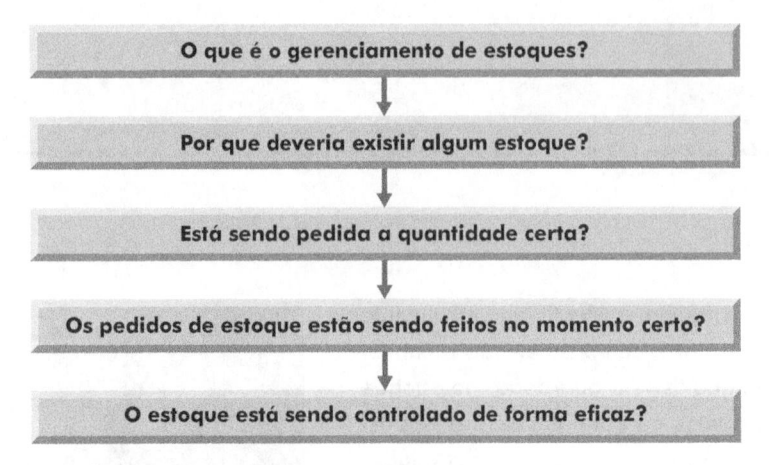

Cadeia lógica de decisões para o gerenciamento de estoques

Cada capítulo é estruturado em torno de um grupo de questões diagnósticas. Essas questões sugerem o que você poderia perguntar para entender as questões importantes de um tópico e, como resultado, melhorar sua tomada de decisão. Um sumário executivo tratando dessas questões é fornecido a seguir.

O que é o gerenciamento de estoques?

O gerenciamento de estoques é a atividade que planeja e controla os acúmulos de recursos transformados conforme eles se movem pelas cadeias de suprimentos, operações e processos. Os acúmulos de estoques ocorrem devido ao descompasso local entre o fornecedor e a demanda. Todas as operações têm estoques de algum tipo e o gerenciamento de estoques é particularmente importante onde os estoques são centrais aos objetivos da operação e/ou de alto valor. A maneira como os estoques são gerenciados determinará o equilíbrio entre os objetivos de custo e de serviço ao cliente.

Por que deveria existir algum estoque?

Geralmente, o estoque é visto como negativo por várias razões, incluindo seu impacto no capital de giro, o efeito que ele tem nos tempos de processamento, seu poder para ocultar problemas, os custos de armazenagem e administrativo que ele incorre, e os riscos de perda e obsolescência. Contudo, o estoque é necessário como uma segurança contra a incerteza, para compensar a inflexibilidade do processo, para tirar vantagem das oportunidades a curto prazo, para antecipar a demanda futura, (às vezes) para reduzir os custos gerais e para preencher o canal de distribuição. O objetivo adjacente do gerenciamento de estoques é minimizá-lo, mantendo o serviço ao cliente aceitável.

Está sendo pedida a quantidade certa?

Uma decisão fundamental é a decisão da "quantidade do pedido". Há várias fórmulas que tentam identificar a quantidade do pedido que minimiza os custos totais sob diferentes circunstâncias. Uma abordagem para essa questão é o problema do vendedor de jornal (discutido mais adiante neste capítulo), que inclui os efeitos da demanda probabilística em determinar a quantidade do pedido.

Os pedidos de estoque estão sendo feitos no momento certo?

Geralmente, existem duas abordagens para isto. A abordagem do ponto de reposição manda repor o estoque no instante equivalente a um prazo de entrega do pedido antes que o estoque caia para zero. Uma variação disso é repor o nível de estoque (abordagem do nível de reposição). Métodos de reposição num ponto ou nível fixo são chamados métodos de revisão contínua, pois requerem o monitoramento contínuo dos níveis de estoque. Uma abordagem diferente, chamada abordagem da revisão periódica, faz pedidos em tempos predeterminados, mas o tamanho do pedido varia dependendo do nível de estoque no momento. Tanto a revisão contínua quanto a periódica pode ser calculada probabilisticamente para incluir estoques de segurança.

O estoque está sendo controlado de forma eficaz?

A abordagem do controle de estoque mais comum é baseada na curva de Pareto (em 80:20). Classifica-se os itens estocados pelo seu valor de consumo (taxa de consumo multiplicada pelo valor). Os itens com alto valor de consumo são considerados classe A e controlados cuidadosamente, enquanto os itens de baixo valor de consumo (classe B e C) são controlados menos intensamente. Contudo, esta abordagem frequentemente tem de ser modificada para levar em consideração itens de baixa movimentação. Os sistemas de informação de estoques são usados geralmente para manter o acompanhamento do estoque, a previsão da demanda e os pedidos feitos automaticamente.

QUESTÕES DIAGNÓSTICAS

O que é o gerenciamento de estoques?

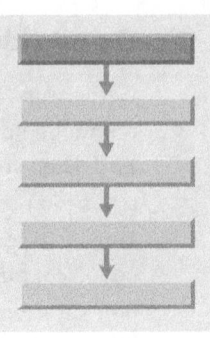

O estoque é o acúmulo de recursos transformados, como materiais, informação, dinheiro e, às vezes, clientes. Ocasionalmente, o termo também é usado para descrever o recurso a transformar, como quartos num hotel, ou carros numa empresa de aluguel de veículos, mas aqui usamos o termo exclusivamente para o acúmulo de recursos que fluem pelos processos, pelas operações ou pelas redes de suprimentos. Os estoques de clientes normalmente são chamados de filas e foram discutidos no Capítulo 5. O gerenciamento de estoques é a atividade que planeja e controla o acúmulo dos recursos que fluem pelas redes de suprimentos, operações e processos.

Todos os processos, redes de suprimentos e operações têm estoques

Todos os processos, redes de suprimentos e operações acumulam estoques. A Tabela 9.1 fornece alguns exemplos, mas nem todos os estoques têm a mesma importância. Alguns na Tabela 9.1 são relativamente triviais. Por exemplo, os materiais de limpeza na operação de montagem de computadores são de baixo valor e relativamente sem importância para a operação. Por outro lado, os estoques de componentes para montagem são de alto valor e vitais para a operação contínua. Entretanto, os materiais de limpeza seriam itens de estoque muito mais importantes para uma empresa de limpeza industrial, não somente porque ela usa muito mais dessa entrada, mas também porque sua principal operação pararia se eles acabassem.

Pode haver acúmulo de estoque entre as etapas de um processo, entre os processos de operação e entre as operações numa rede de suprimentos. Mas onde quer que o estoque se acumule, e o que quer

Tabela 9.1 Exemplos de estoques mantidos em processos, operações e nas redes de suprimentos

Processos, operações ou rede de suprimentos	Exemplos de estoques mantidos
Processo de faturamento para o cliente	Dinheiro, cliente e informação de entrega
Processo de uso do cartão de crédito	Detalhes pessoais e crédito do cliente
Processo de serviço de sistemas de ar condicionado	Peças de reposição, materiais de consumo
Hotel	Itens de alimentação, bebidas, itens de toalete, materiais de limpeza, informação do cliente
Hospital	Curativos, instrumentos disponíveis, sangue, comida, remédios, materiais de limpeza, registros médicos do paciente
Fabricante de computador	Componentes para montagem, equipamento periférico para revenda, materiais de embalagem, materiais de limpeza
Rede de distribuição de peças automotivas	Peças automotivas no depósito principal, peças automotivas em pontos de distribuição local
Rede de suprimentos de supermercado	Itens de alimentação e de consumo, materiais de embalagem

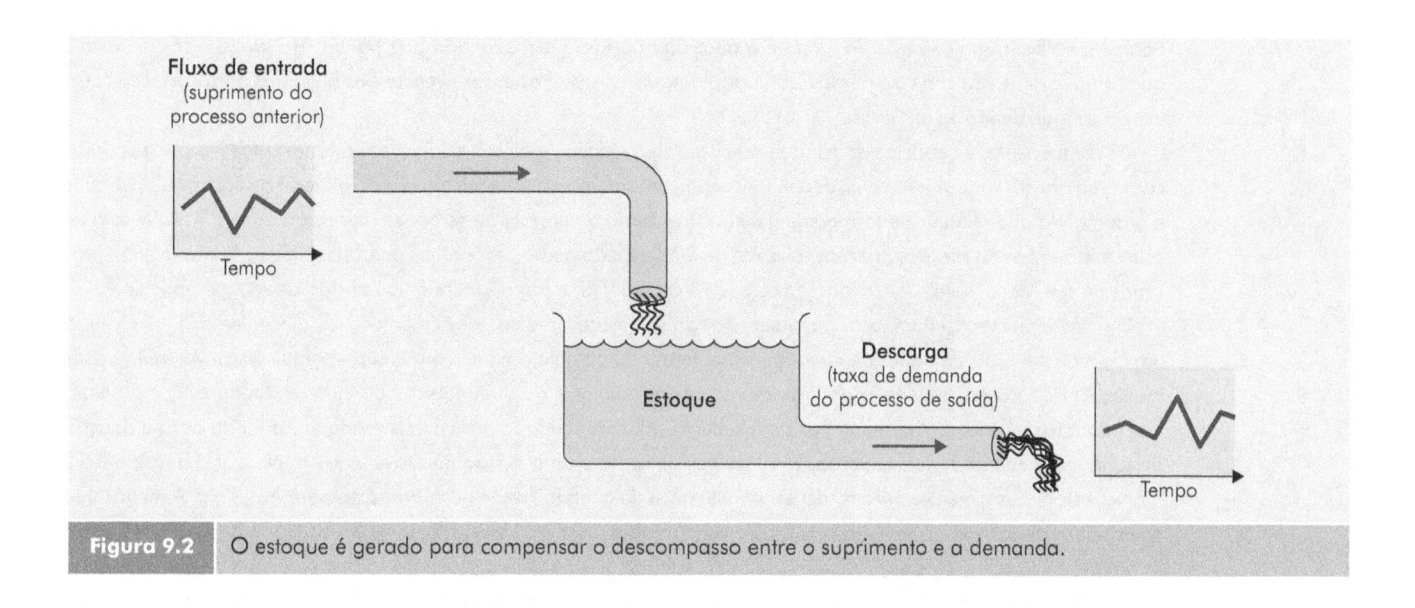

Figura 9.2 O estoque é gerado para compensar o descompasso entre o suprimento e a demanda.

que esteja sendo armazenado, estará lá porque existe um descompasso entre os momentos ou entre a taxa de suprimento e de demanda naquele ponto. Se o suprimento de um item ocorresse exatamente quando fosse demandado, o item nunca seria armazenado. Uma analogia comum é o tanque d'água mostrado na Figura 9.2. Se, com o passar do tempo, a taxa de suprimento do tanque d'água diferir da taxa demandada, um tanque d'água (estoque) será necessário para manter o suprimento. Quando a taxa de suprimento excede a taxa da demanda, o estoque aumenta; quando a taxa da demanda excede a taxa de suprimento, o estoque diminui. Assim, se uma operação ou processo pode atender as taxas de suprimento e demanda, também terá sucesso em reduzir os níveis de estoques.

Mas a maioria das organizações deve lidar com suprimento e demanda desigual, ao menos em alguns pontos na sua cadeia de suprimentos. Ambas organizações nos exemplos a seguir dependem da habilidade para gerenciar a desigualdade entre o suprimento e a demanda ao longo do gerenciamento de seus estoques.

Exemplo — O Serviço Nacional de Sangue do Reino Unido[1]

Nenhum gerente de estoques gosta de ficar sem estoque. Mas para os serviços de sangue, tais como o Serviço Nacional de Sangue do Reino Unido (NBS-National Blood Service), as consequências de ficar sem estoque podem ser particularmente sérias. Muitas pessoas devem suas vidas a transfusões que se tornaram possíveis pelo gerenciamento eficiente do sangue, estocado numa cadeia de suprimentos que se estende pelos centros de doação para os bancos de sangue. A cadeia de suprimentos NBS tem três principais etapas:

- *Coleta*, que recruta e retém doadores de sangue, encorajando-os a comparecer a sessões de doação (em locais móveis ou fixos) e transporta o sangue doado para seu banco local de sangue.
- *Processamento*, que divide o sangue em suas partes constituintes (células vermelhas, plaquetas e plasma) bem como mais de 20 outros "produtos" do sangue.
- *Distribuição*, que transporta o sangue dos bancos de sangue para os hospitais em resposta às solicitações de rotina e emergência. Das 200.000 entregas do Serviço num ano, aproximadamente 2.500 são entregas de emergência.

O estoque se acumula nas três etapas e nos bancos de sangue individuais dos hospitais. Dentro da cadeia de suprimentos, aproximadamente 11,5% das células vermelhas do sangue doadas são perdidas. Muito disso se deve às perdas no processamento, mas aproximadamente 5% não são usados porque "tornaram-se indisponíveis", principalmente porque foram armazenados por muito tempo. Parte da tarefa de controle de estoques do Serviço é manter a perda por expiração do prazo de validade em um nível mínimo. Na verdade, somente pequenas perdas ocorrem dentro do NBS; a maior parte do sangue é perdida quando é armazenada nos bancos de sangue dos hospitais, que estão fora de seu controle direto. Contudo, tenta-se aconselhar e dar suporte aos hospitais para capacitá-los a usar o sangue de forma eficiente.

Os componentes e produtos do sangue precisam ser armazenados sob condições variadas, mas irão se deteriorar com o passar do tempo. Isso varia dependendo do componente; plaquetas têm uma validade de somente cinco dias e a demanda pode flutuar de forma significativa. Isto torna o controle de estoques particularmente difícil. Mesmo as células vermelhas de sangue, que têm validade de 35 dias, não podem ser aceitas pelos hospitais se elas estiverem próximas de sua "data limite". A exatidão do estoque é crucial. Dar a um paciente o tipo errado de sangue pode ser fatal.

O nível de demanda num local pode ser afetado significativamente por acidentes. Um acidente sério envolvendo um ciclista usou 750 unidades de sangue, o que terminou completamente com o suprimento disponível (milagrosamente, ele sobreviveu). Acidentes em grande escala normalmente geram um pico na oferta de doadores que desejam fazer doações imediatas. Entretanto, existe também uma sazonalidade mais previsível de baixa oferta para a doação de sangue durante as férias de verão. Contudo, existe sempre uma tensão inevitável entre minimizar o desperdício e manter estoques suficientes para fornecer um alto nível de confiabilidade de suprimento para hospitais. A menos que os estoques de sangue sejam cuidadosamente controlados, eles podem facilmente ultrapassar a data de validade e serem desperdiçados. Mas evitar que produtos de sangue ultrapassem o prazo de validade não é o único objetivo de estoque no NBS. O NBS também mede o percentual das solicitações atendidas em relação ao total, o percentual de solicitações de emergência entregues dentro de duas horas, o percentual de unidades coletadas por doador, o número de novos doadores registrados e o número de doadores que esperam mais de 30 minutos antes de poderem doar. A rastreabilidade do sangue doado é também cada vez mais importante. Se aparecer qualquer problema com um produto do sangue, sua origem pode ser rastreada até o doador original.

Exemplo | Howard Smith Paper Group[2]

O Howard Smith Paper Group usa as operações de armazenagem mais avançadas do setor papeleiro na Europa, entregando acima de 120.000 toneladas de papel anualmente. A função do atacadista de papel é fazer a ligação entre os produtores de papel e as gráficas (ou processadores) que usam grandes quantidades de papel. É um negócio voltado aos serviços, assim o objetivo das operações é entregar tudo que o vendedor prometeu para o cliente: o produto certo, no momento certo e na quantidade certa. Isso depende do gerenciamento profissional dos estoques. As operações da empresa são divididas em duas áreas: "logística", que combina todas as tarefas de logística e armazenagem, e "o lado do suprimento", que inclui planejamento de estoques e compras. Seus principais estoques são mantidos no centro de distribuição nacional, localizado em Northampton, no centro da Inglaterra. Este local foi escolhido porque está no centro da área do principal cliente da empresa e também porque tem acesso fácil a autoestradas.

A chave da eficiência de uma operação de distribuição eficiente está na sua habilidade de fazer duas coisas bem. Deve ser capaz de dirigir um conjunto de processos eficientes que compra, armazena, coleta e distribui papel para os clientes. Mas também deve tomar a decisão correta de quanto estocar de cada produto, quanto pedir e quando repor os estoques nos "armazéns escuros" da empresa, os quais operam 24 horas por dia, 5 dias por semana. Toda coleta e movimentação dentro do armazém escuro é totalmente automática e não há necessidade de qualquer pessoa entrar nas áreas de estocagem nem nas área de coleta. Um sistema computadorizado de armazenagem (WCS – *Warehouse Computer System*) controla toda a operação sem a necessidade da entrada de pessoas. Ele gerencia a localização e o recebimento do palete, as missões do guindaste automático, a correia transportadora automática, a impressão e a leitura das etiquetas com código de barras e todas as rotinas de separação e prioridades. Cada produto é identificado por código de barras único, de forma que a exatidão é garantida. O único acesso de usuário assegura que no caso de erros de coleta possa ser encontrado o nome do separador, para assegurar que não ocorram erros futuros. O WCS está ligado ao sistema de Planejamento de Recursos da Empresa (ERP) (abordaremos o assunto no Capítulo 12), de forma que uma vez feito o pedido por um cliente, os sistemas de informação gerenciam o processo todo desde a encomenda do pedido até a sua expedição. Esses sistemas também acompanham as tendências da demanda e produzem regularmente previsões atualizadas, bem como controlam os níveis de estoque e fazem pedidos junto aos fabricantes de papel para assegurar a rápida e exata reposição do estoque. Esta atividade (controle de estoques) é a chave do sucesso da empresa, pois ela controla a quantidade de estoques mantida (um elemento importante nos custos da empresa) e o nível de serviço para os clientes (que define a satisfação do cliente e, portanto, a receita da empresa).

O que esses dois exemplos têm em comum?

As duas organizações dependem de sua habilidade para gerenciar estoques. Ao fazê-lo, ambas estão tentando gerenciar as compensações que estão no centro do gerenciamento de todo estoque – equilibrar os custos de manutenção de estoques com o serviço ao cliente que consiste em ter níveis de estoque adequados. Níveis de estoques muito altos têm um custo, que pode ser simplesmente capital de giro no caso dos atacadistas de papel ou poderia ser o custo da obsolescência do sangue. Com um nível inadequado de estoques, os clientes são mal atendidos. Isto significa potencialmente perda de receita para o atacadista de papel. Uma falha no suprimento de sangue pode ter consequências muito mais drásticas. Assim, para ambas operações em cada ponto no sistema de estoques, os gerentes de operações necessitam verificar no dia a dia as tarefas para fazer o sistema funcionar. Os pedidos serão recebidos de clientes internos ou externos, serão despachados e a demanda, gradualmente, diminuirá o estoque. Os pedidos necessitarão ser colocados para repor os estoques; entregas chegarão e requisitarão estocagem. Ao gerenciar o sistema, três tipos de decisão são necessários:

- *Quanto pedir*. Cada vez que um pedido de reposição é feito, qual deveria ser a quantidade pedida? Isto é chamado, às vezes, de decisão de volume.
- *Quando pedir*. Em que momento, ou em qual nível de estoque, o pedido de reposição deveria ser feito? Isto é chamado, às vezes, de decisão do momento de pedir.
- *Como controlar o sistema*. Quais procedimentos e rotinas deveriam ser instalados para ajudar a tomar essas decisões? Diferentes prioridades deveriam ser adotadas para diferentes itens de estoque? Como a informação do estoque deveria ser armazenada?

QUESTÕES DIAGNÓSTICAS

Por que deveria existir algum estoque?

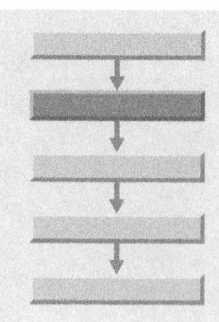

Existem diversas razões para evitar o acúmulo de estoques onde for possível.

- O estoque (de produtos) absorve dinheiro, na forma de capital de giro, o qual está, portanto, indisponível para outros fins, tais como reduzir empréstimos ou fazer investimentos em ativos fixos (falaremos mais sobre a ideia do capital de giro mais adiante). Em outras palavras, ele tem um custo de oportunidade e, ao mesmo tempo, não pode ser considerado para adicionar valor diretamente.
- O estoque diminui a velocidade do processamento nos processos, nas operações e nas cadeias de suprimento. Enquanto algo é armazenado como estoque, não está sendo processado, ou (geralmente) tendo valor adicionado a ele. Baixos níveis de estoque significam que os recursos transformados se movem rapidamente entre as etapas, processos ou operações, enquanto altos níveis de estoque significam que eles perdem tempo simplesmente sendo armazenados. Existe, portanto, uma conexão direta entre estoque alto e tempos de processamento longos.

- O estoque esconde os problemas. Altos níveis de estoque "desconectam" as atividades de operações, processos ou etapas adjacentes. Isso evita que os problemas fiquem evidentes, mesmo para aquelas pessoas imediatamente afetadas pelos problemas. Essa ideia é central para o conceito de sincronização enxuta e é tratada depois, no Capítulo 13.
- O estoque pode tornar-se obsoleto à medida que as alternativas se tornam disponíveis.
- O estoque pode ser danificado, ou se deteriorar (envelhecer, apodrecer, desgastar-se, empenar, sujeira no armazém, etc).
- Um item de estoque pode ser totalmente perdido, ou ser muito caro recuperá-lo, quando é difícil localizá-lo no estoque.
- O estoque pode apresentar perigo em sua armazenagem (por exemplo, solventes inflamáveis, explosivos, substâncias químicas e remédios), necessitando de instalações e sistemas especiais.
- O estoque pode exigir um espaço excessivo de armazenagem comparado a seu valor (por exemplo, materiais isolantes e embalagem).
- O estoque pode estar duplicado em diversos locais, possivelmente sendo necessária a reposição em um local, enquanto existe estoque em excesso em outros locais. Isso não é somente um dilema comum nas cadeias de lojas do varejo ou atacadistas construtores, pois também ocorre em grandes hospitais.
- O estoque pode envolver altos custos administrativos e de seguro.

> **Princípio de operações**
> O estoque deve se acumular somente quando as vantagens de tê-lo excedessem o peso de suas desvantagens.

Então por que ter estoques?

Todos os efeitos negativos do estoque, embora muito reais, são somente parte da atividade de gerenciamento de estoques. Um caso igualmente importante pode ser baseado nas razões pelas quais o estoque é necessário. Quando um cliente compra em outro lugar porque apenas um item está em falta, ou quando um grande projeto está esperando por apenas um pequeno item, o valor dos estoques parece indiscutível. A tarefa de gerenciamento de operações é permitir que o estoque se acumule somente quando os benefícios superarem as desvantagens. O que segue são alguns dos benefícios do estoque.

O estoque é um seguro contra a incerteza

O estoque pode ser um pulmão contra flutuações inesperadas no suprimento e na demanda. Por exemplo, uma operação do varejo pode não prever perfeitamente a demanda sobre o prazo de entrega. Ela fará o pedido das mercadorias de seus fornecedores de modo que exista sempre um nível mínimo de estoques para proteger-se contra a possibilidade da demanda ser maior do que a esperada durante o prazo de recebimento das mercadorias. Trata-se do estoque de segurança, ou pulmão. E também pode compensar as incertezas no processo de suprimento de mercadorias para a loja. O mesmo se aplica à saída dos estoques; por isso, os hospitais sempre têm um suprimento de sangue, suturas e bandagens para atender imediatamente a acidentes e emergências. Da mesma forma, serviços de manutenção de veículos, fábricas e companhias aéreas podem manter estoques de peças de reposição críticas selecionadas de forma que a equipe de manutenção possa reparar as falhas mais comuns sem atraso. Novamente, o estoque está sendo usado como uma "segurança" contra eventos imprevisíveis.

O estoque pode contrabalançar a falta de flexibilidade

Onde há uma ampla variedade de opções para o cliente, a menos que a operação seja perfeitamente flexível, tem de haver estoque para assegurar o suprimento quando ele está comprometido em outras atividades. Isto é chamado, às vezes, estoque de ciclo. Por exemplo, suponha que um padeiro faça três tipos de pão. Por causa da natureza do *mix* e do processo de assar, somente um tipo de pão pode ser produzido a cada vez. O padeiro terá de produzir cada tipo de pão em lotes grandes o suficiente para satisfazer a demanda de cada tipo de pão entre os momentos em que cada lote fica pronto para venda.

Assim, mesmo quando a demanda é fixa e previsível, sempre existirá algum estoque para compensar o suprimento intermitente de cada tipo de pão.

O estoque permite às operações tirarem vantagem das oportunidades a curto prazo

Às vezes, surgem oportunidades que implicam no acúmulo de estoque, mesmo quando não existe demanda imediata para ele. Por exemplo, um fornecedor pode ter uma boa oferta, particularmente de alguns itens por um determinado período, talvez porque queira reduzir seus próprios estoques de produto acabado. Sob essas circunstâncias, o departamento de compras pode, oportunamente, tirar vantagem do bom preço a curto prazo.

O estoque pode ser usado para antecipar demandas futuras

O gerenciamento da capacidade a médio prazo (abordado no Capítulo 10) pode usar o estoque para lidar com as flutuações da capacidade e demanda. Em vez de tentar fazer um produto (como chocolate) somente quando ele é necessário, ele é produzido durante o ano, em antecipação à demanda, e colocado no estoque até que seja necessário. Este tipo de estoque é chamado de estoque de antecipação e é mais usado quando as flutuações da demanda são grandes, mas relativamente previsíveis.

O estoque pode reduzir os custos totais

Manter estoques relativamente grandes pode trazer economias que são maiores que o custo de mantê-lo. Isso pode acontecer quando as grandes compras têm custos mais baixos, ou quando pedidos de grandes quantidades reduzem o número de pedidos colocados e os custos associados de administração e manuseio de material. Esta é a base da abordagem do lote econômico de pedido (EOQ – *economic order quantity*), que será tratada mais adiante neste capítulo.

O estoque pode aumentar em valor

Às vezes, os itens mantidos no estoque podem aumentar em valor e, assim, tornarem-se um investimento. Por exemplo, negociantes de vinhos finos relutam menos em manter estoque que os negociantes de vinho que não ficam melhores com o passar do tempo. Entretanto, pode ser argumentado que manter vinhos finos até estarem no seu pico é realmente parte de um processo geral, e não um estoque propriamente dito. Um exemplo mais óbvio são os estoques de dinheiro. Muitos processos financeiros dentro da maioria das organizações tentarão maximizar o estoque de dinheiro que eles mantêm porque geram rendimentos.

O estoque atende o "canal" de processamento

O estoque de canal* existe porque os recursos transformados não podem ser movidos instantaneamente entre o ponto de suprimento e o ponto da demanda. Quando uma loja do varejo faz um pedido, seu fornecedor alocará o estoque para a loja do varejo em seu próprio armazém, irá embalá-lo, carregá-lo no seu caminhão, transportá-lo ao seu destino e descarregá-lo dentro do estoque do varejista. A partir do momento em que o estoque é alocado (e, portanto, indisponível para qualquer outro cliente) até o momento em que ele se torna disponível para a loja do varejo, ele é estoque de canal. Especialmente nas cadeias de suprimentos geograficamente dispersas, o estoque de canal pode ser substancial.

Reduzir o estoque

O objetivo da maioria dos gerentes de operações é reduzir o nível (e/ou custo) total dos estoques enquanto gerencia um nível aceitável de serviço ao cliente. A Tabela 9.2 identifica algumas das formas de reduzir o estoque.

---

* N. de R. T.: Também chamado de estoque em trânsito.

Tabela 9.2	Algumas formas de reduzir o estoque	
Razões para manter o estoque	Exemplo	Como o estoque poderia ser reduzido
Como uma segurança contra a incerteza	Estoques de segurança quando a demanda ou suprimento não é perfeitamente previsível	• Melhorar a previsão da demanda • Estreitar o suprimento, p.ex. por meio das penalidades do nível de serviço
Contrabalançar a falta de flexibilidade	Estoque de ciclo para manter o suprimento quando outros produtos estão sendo feitos	• Aumentar a flexibilidade dos processos, p.ex. reduzindo os tempos de troca (veja o Capítulo 11) • Usar processos paralelos para produzir os produtos simultaneamente (veja o Capítulo 5)
Tirar vantagem das oportunidades relativamente a curto prazo	Fornecedores lançam ofertas especiais de baixo custo num "tempo limitado"	• Persuadir os fornecedores a adotarem "baixos preços todos os dias" (veja o Capítulo 11)
Antecipar-se às demandas futuras	Aumentar estoques em períodos de baixa demanda para uso em períodos de alta demanda	• Aumentar a flexibilidade de volume migrando em direção a um plano de "acompanhamento da demanda" (veja o Capítulo 8)
Reduzir os custos totais	Comprar lotes maiores de produtos a fim de economizar na entrega e nos custos de administração	• Reduzir os custos de administração por meio dos ganhos da eficiência do processo de compra • Investigar canais de entrega alternativos que reduzam os custos de transporte.
Atender ao "canal" de processamento	Item sendo entregue para o cliente	• Reduzir o tempo de processo entre as necessidades dos clientes e o despacho de itens • Reduzir o tempo de processamento na cadeia de suprimentos a jusante (veja o Capítulo 7)

QUESTÕES DIAGNÓSTICAS

Está sendo pedida a quantidade certa?

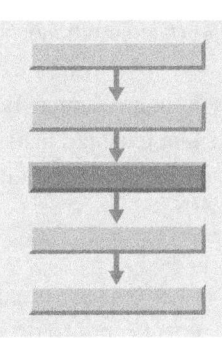

Para ilustrar essa decisão, considere como gerenciamos nosso estoque doméstico. Implicitamente, tomamos decisões sobre a quantidade do pedido, ou seja, o quanto comprar a cada vez, equilibrando dois conjuntos de custos: os custos associados a sair para comprar os alimentos e os custos associados a manter os estoques. A opção de manter pouco ou nenhum estoque de alimentos e comprar cada item somente quando necessário requer pouco dinheiro, mas implica em comprar diversas vezes num dia, o que é inconveniente. Por outro lado, ir ao supermercado local num intervalo de alguns meses e comprar todas as provisões que necessitaríamos até nossa próxima visita reduz o tempo de compra e os custos, mas requer uma quantia grande de dinheiro cada vez que a viagem é feita – dinheiro que poderia, de outra forma, estar rendendo no banco. Poderíamos ter de investir em mais armários e num congelador muito grande. Em algum lugar entre esses extremos fica a estratégia de pedido que minimizará os custos totais e o esforço envolvido na compra dos alimentos.

Custos de estoque

Uma variedade similar de custos aplica-se nas decisões comerciais da quantidade do pedido como no caso doméstico. No caso comercial, são os custos de fazer um pedido, preparar a documentação, a entrega, o pagamento do fornecedor pela entrega e os custos gerais de manter toda a informação que nos permite fazer isso. Um "pedido interno" nos processos dentro de uma operação tem custos equivalentes. Custos de desconto no preço para grandes pedidos ou custos extras para pedidos menores podem também influenciar na quantidade a ser comprada. Se o estoque não pode suprir a demanda, existirão custos incorridos por falhar ao fornecer aos clientes. Clientes externos podem mudar seus negócios para outro lugar qualquer. Faltas internas de estoque poderiam gerar tempo ocioso no próximo processo, ineficiência e, eventualmente, insatisfação dos clientes externos. Existem os custos de capital de giro para sustentar a defasagem entre pagar os fornecedores e receber o pagamento dos clientes. Os custos de armazenagem são aqueles associados à armazenagem física das mercadorias, tais como aluguel, aquecimento e iluminação do armazém, bem como o seguro dos estoques. Enquanto um estoque está armazenado, existe o risco dos custos de obsolescência se o estoque ficar ultrapassado (no caso de uma mudança na moda) ou se deteriorar com o passar do tempo (no caso da maioria dos gêneros alimentícios).

Alguns desses custos diminuirão conforme o tamanho dos pedidos for aumentado; os primeiros três custos (custo de fazer um pedido, custo de desconto no preço, custo de faltas do estoque) diminuirão. Os outros custos (custos de capital de giro, armazenagem e obsolescência) geralmente aumentam conforme aumenta o tamanho do pedido. Mas esses custos podem se distribuir por diferentes organizações. Por exemplo, às vezes, os fornecedores concordam em manter estoque em consignação. Isso significa que eles entregam grandes quantidades de estoque para seus clientes armazenarem, mas cobram pelas mercadorias somente conforme e quando elas forem usadas. Enquanto isso, elas continuam propriedade dos fornecedores, de forma que não têm de ser financiadas pelo cliente que, contudo, fornece as instalações de armazenagem.

Perfil do estoque

Um perfil de estoque é uma representação visual do nível de estoque ao longo do tempo. A Figura 9.3 mostra um perfil de estoque simplificado para um item de estoque particular numa operação de varejo. Cada vez que um pedido é feito, Q itens são pedidos. O pedido de reposição (o lote inteiro) chega instantaneamente no momento em que é solicitado. A demanda pelo item, quando fixa e perfeitamente previsível, está numa taxa de D unidades por mês. Quando a demanda esvazia totalmente o estoque dos itens, um outro pedido de Q itens chega instantaneamente e assim por diante. Sob essas circunstâncias:

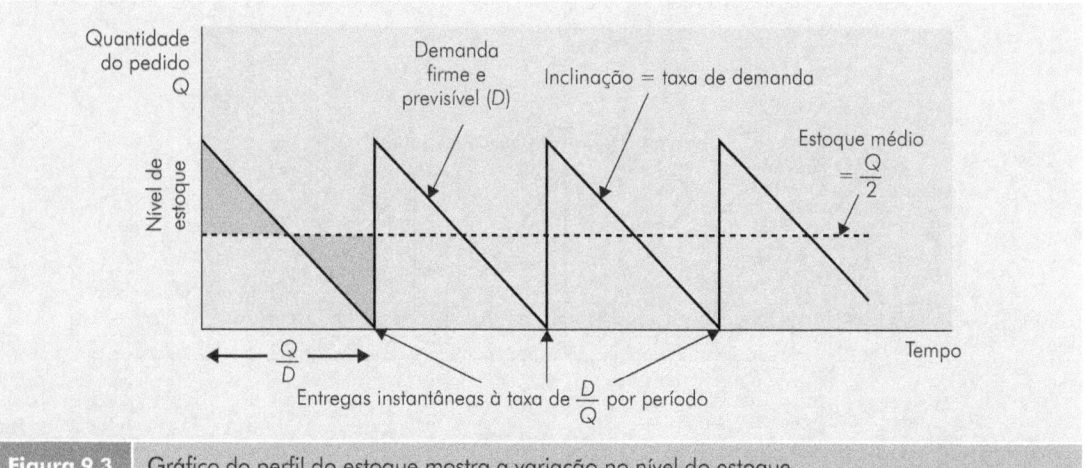

Figura 9.3 Gráfico do perfil do estoque mostra a variação no nível do estoque.

$$\text{Estoque médio} = \frac{Q}{2} \text{ (porque as duas áreas sombreadas na Figura 9.3 são iguais)}$$

$$\text{Intervalo de tempo entre as entregas} = \frac{Q}{D}$$

$$\text{Frequência de entregas} = \text{recíproca do intervalo de tempo} = \frac{D}{Q}$$

A fórmula do lote econômico de pedido (EOQ)

A abordagem do lote econômico de pedido (EOQ) visa a encontrar o melhor equilíbrio entre as vantagens e desvantagens de manter o estoque. Por exemplo, a Figura 9.4 mostra duas políticas alternativas de quantidade de pedido para um item. O plano A, representado pela linha mais escura, envolve pedir em quantidades de 400 cada vez. A demanda, nesse caso, está processando em 1.000 unidades por ano. O plano B, representado pela linha mais clara, usa pedidos de reposição menores, mas mais frequentes. Desta vez, somente 100 são pedidos por vez, com pedidos sendo colocados com frequência de quatro vezes. Contudo, o estoque médio para o plano B é um quarto daquele para o plano A.

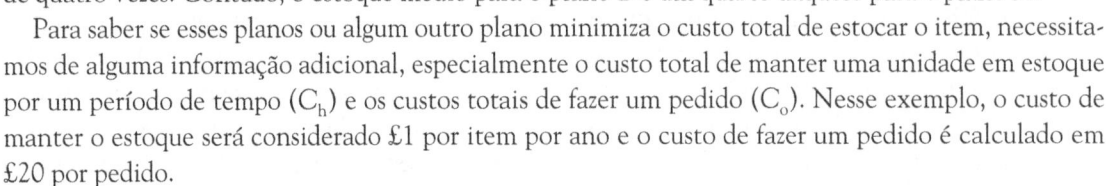

Para saber se esses planos ou algum outro plano minimiza o custo total de estocar o item, necessitamos de alguma informação adicional, especialmente o custo total de manter uma unidade em estoque por um período de tempo (C_h) e os custos totais de fazer um pedido (C_o). Nesse exemplo, o custo de manter o estoque será considerado £1 por item por ano e o custo de fazer um pedido é calculado em £20 por pedido.

Podemos calcular agora os custos totais de manutenção do estoque e os custos de pedir para qualquer plano de pedido particular como segue:

$$\text{Custos de manutenção do estoque} = \text{custos de manutenção/unidade} \times \text{estoque médio}$$
$$= C_h \times \frac{Q}{2}$$

$$\text{Custos de pedido} = \text{custo de pedir} \times \text{número de pedidos por período}$$
$$= C_o \times \frac{D}{Q}$$

Então,

$$\text{Custo total, } C_t = \frac{C_h Q}{2} + \frac{C_o D}{Q}$$

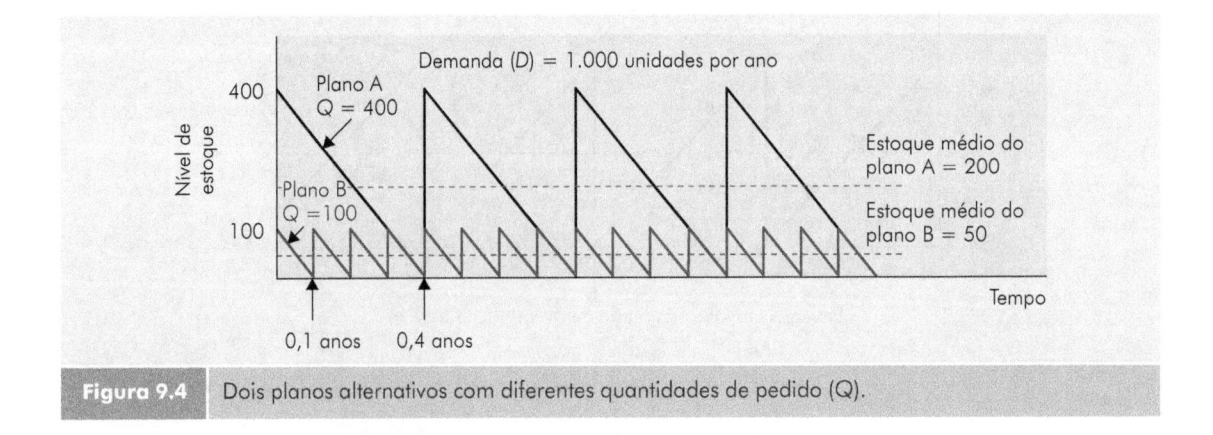

Podemos calcular agora os custos de adotar planos com diferentes quantidades de pedido. Esses são ilustrados na Tabela 9.3. Como esperávamos, com baixos valores de Q, os custos de manutenção são

Figura 9.4 Dois planos alternativos com diferentes quantidades de pedido (Q).

Tabela 9.3 Custos da adoção dos planos com diferentes quantidades de pedido

Demanda (D) = 1.000 unidades por ano, custos de manutenção do estoque (C_h) = £1 por item por ano, custos de pedido (C_o) = £20 por pedido

Quantidade do pedido Q	Custos de manutenção do estoque 0,5Q × C_h	+	Custos de pedir (D/Q) × C_o	=	Custos totais
50	25		20 × 20 = 400		425
100	50		10 × 20 = 200		250
150	75		6,7 × 20 = 134		209
200	100		5 × 20 = 100		200[a]
250	125		4 × 20 = 80		205
300	150		3,3 × 20 = 66		216
350	175		2,9 × 20 = 58		233
400	200		2,5 × 20 = 50		250

[a] Custo total mínimo.

baixos, mas os custos de pedido são altos, porque eles têm de ser feitos com muita frequência. Conforme Q aumenta, os custos de manutenção do estoque aumentam, mas os custos de fazer pedidos diminuem. Neste caso, a quantidade do pedido, Q, a qual minimiza a soma dos custos de manutenção do estoque e do pedido, é 200. Essa quantidade "ótima" de pedido é chamada o *lote econômico do pedido* (EOQ). Isso é ilustrado graficamente na Figura 9.5.

Um método mais elegante de encontrar o EOQ é derivar sua expressão geral. Isso pode ser feito usando o cálculo diferencial simples conforme segue. De antes:

Custo total = custo de manter + custo de pedir

$$C_t = \frac{C_h Q}{2} + \frac{C_o D}{Q}$$

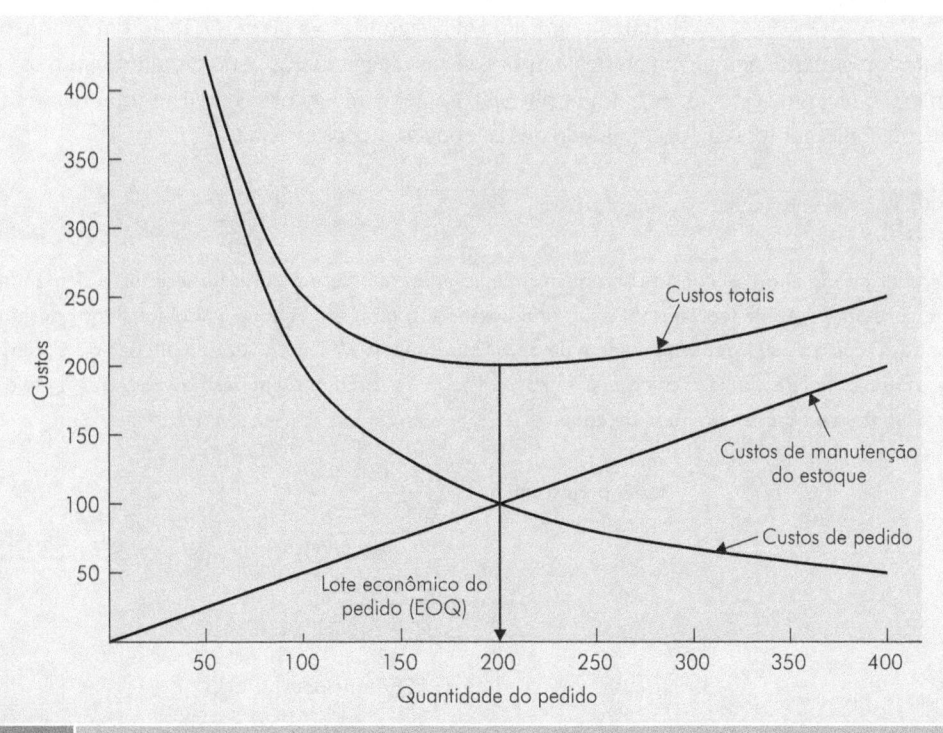

Figura 9.5 Os custos totais relacionados ao estoque são minimizados quando o pedido é igual ao "lote econômico do pedido" (EOQ).

A taxa de mudança do custo total é dada pela derivada primeira de C_t em relação a Q:

$$\frac{dC_t}{dQ} = \frac{C_h}{2} - \frac{C_o D}{Q^2}$$

O custo mais baixo ocorrerá quando $\frac{dC_t}{dQ} = 0$, ou seja:

$$0 = \frac{C_h}{2} + \frac{C_o D}{Q_o^2}$$

onde Q_0 é o EOQ. Reorganizando essa expressão, temos:

$$Q_o = EOQ = \sqrt{\frac{2C_o D}{C_h}}$$

Ao se usar o EOQ:

$$\text{Tempo entre os pedidos} = \frac{EOQ}{D}$$

$$\text{Frequência do pedido} = \frac{D}{EOQ} \text{ por período}$$

Sensibilidade do EOQ

A representação gráfica da curva do custo total na Figura 9.5 mostra que, embora exista um único valor de Q que minimiza os custos totais, qualquer desvio relativamente pequeno em relação ao EOQ não aumentará de forma significativa os custos totais. Em outras palavras, os custos estarão próximos do ótimo se o valor escolhido de Q estiver razoavelmente próximo ao EOQ. Em outras palavras, os pequenos erros na estimativa ou dos custos de manutenção do estoque ou dos custos de pedido não resultarão numa mudança significativa no EOQ. Isso é um fenômeno particularmente conveniente porque, na prática, tanto os custos de manutenção do estoque quanto os custos de pedido não são fáceis de estimar. A outra implicação é que, como a curva do custo total não é simétrica, normalmente é melhor ter um pouco mais do que um pouco menos estoque.

> **Princípio de operações**
> Para a atividade de reposição do estoque, existe uma quantidade teórica "ótima" de pedido que minimiza os custos totais relacionados ao estoque.

Exemplo

Um fornecedor de materiais de construção obtém cimento ensacado de um único fornecedor. A demanda é razoavelmente constante durante todo o ano, e, no ano passado, a empresa vendeu 2.000 toneladas deste produto. Estima-se que o custo de se fazer um pedido é de aproximadamente £25 cada vez que um pedido é feito, e calcula-se que o custo anual de manter o estoque é de 20% do custo de compra. A empresa compra o cimento a £60 por tonelada. Quanto a empresa deveria pedir cada vez?

$$\begin{aligned}
\text{EOQ para o cimento} &= \sqrt{\frac{2C_o D}{C_h}} \\
&= \sqrt{\frac{2 \times 25 \times 2000}{0{,}2 \times 60}} \\
&= \sqrt{\frac{100.000}{12}} \\
&= 91{,}287 \text{ toneladas}
\end{aligned}$$

Depois de calcular o EOQ, os gerentes de operações ficam com a impressão de que fazer um pedido de 91,287 toneladas parece excessivamente preciso. Por que não pedir 100 toneladas?

O custo total do plano do pedido para Q = 91,287:

$$= \frac{C_h Q}{2} + \frac{C_o D}{Q}$$

$$= \frac{(0,2 \times 60) \times 91,287}{2} + \frac{25 \times 2000}{91,287}$$

$$= £1095,45$$

Custo total do plano do pedido para Q = 100:

$$= \frac{(0,2 \times 60) \times 100}{2} + \frac{25 \times 2000}{100}$$

$$= £1100$$

O custo extra de pedir 100 toneladas (em relação ao pedido de 91,287) de uma vez é £1.100 − £1.095,45 = £4,55. O gerente de operações, portanto, deveria sentir-se confiante em usar a quantidade de pedido mais conveniente.

Reposição gradual – o modelo do lote econômico (EBQ)

O simples perfil de estoque, mostrado na Figura 9.3, assume que cada pedido completo de reposição chega num momento específico. Entretanto, a reposição pode ocorrer durante um período de tempo ao invés de em um lote no instante da reposição, quando , por exemplo, um pedido interno é feito para um lote de itens a serem produzidos numa máquina. A máquina começará a produzir itens e os embarcará numa operação mais ou menos contínua para o estoque, mas, ao mesmo tempo, a demanda está removendo itens do estoque. Dado que a taxa em que os itens estão sendo fornecidos para o estoque (P) é maior do que a taxa da demanda (D), então o estoque aumentará. Depois que o lote for completado, a máquina será reiniciada (para produzir algum outro item), e a demanda continuará a diminuir o nível de estoque até a máquina começar a produção do novo lote. O perfil resultante é mostrado na Figura 9.6. Isso é típico de estoques fornecidos por processos em lote, e a quantidade de custo mínimo do lote para esse perfil é chamado de *lote econômico* (EBQ – *Economic Batch Quantity*). Ela é deduzida conforme segue:

$$\text{Nível máximo de estoque} = M$$
$$\text{Inclinação do aumento do estoque} = P - D$$

Além disso, como está claro na Figura 9.6:

$$\text{Inclinação do aumento do estoque} = M \div \frac{Q}{P}$$

$$= \frac{MP}{Q}$$

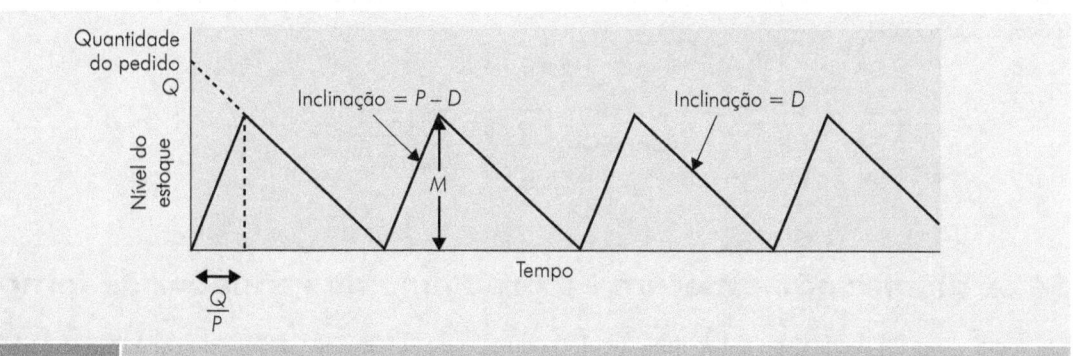

Figura 9.6 Perfil do estoque para sua reposição gradual.

Então,

$$\frac{MP}{Q} = P - D$$

$$M = \frac{Q(P-D)}{P}$$

$$\text{Nível médio do estoque} = \frac{M}{2}$$

$$= \frac{Q(P-D)}{2P}$$

Como antes:

$$\text{Custo total} = \text{custo de manter} + \text{custo do pedido}$$

$$C_t = \frac{C_h Q(P-D)}{2P} + \frac{C_o D}{Q}$$

$$\frac{dC_t}{dQ} = \frac{C_h(P-D)}{2P} - \frac{C_o D}{Q^2}$$

Novamente, igualando a zero e resolvendo Q, temos a quantidade do pedido de custo mínimo, EBQ:

$$EBQ = \sqrt{\frac{2C_o D}{C_h(1-(D/P))}}$$

Exemplo

O gerente de uma engarrafadora de refrigerante precisa decidir quanto tempo deve levar para processar um grande "lote" de cada tipo de bebida. A demanda para cada tipo de bebida é razoavelmente constante em 80.000 por mês (um mês tem 160 horas de produção). As linhas de engarrafamento enchem 3.000 garrafas por hora, mas levam uma hora para serem limpas e ajustadas para mudar de uma bebida para outra. O custo (do trabalho e da capacidade de produção perdida) de cada uma dessas trocas foi calculado em £100 por hora. Os custos de manutenção do estoque são contados em £0,1 por garrafa por mês.

$$D = 80.000 \text{ por mês}$$
$$= 500 \text{ por hora}$$

$$EBQ = \sqrt{\frac{2C_o D}{C_h(1-(D/P))}}$$

$$= \sqrt{\frac{2 \times 100 \times 80.000}{0,1(1-(500/3.000))}}$$

$$= 13.856$$

A equipe que opera as linhas planejou um método de reduzir o tempo de troca de 1 hora para 30 minutos. Como isso mudaria o EBQ?

$$\text{Novo } C_o = £50$$

$$\text{Novo EBQ} = \sqrt{\frac{2 \times 100 \times 80.000}{0,1(1-(500/3.000))}}$$

$$= 9.798$$

Se os clientes não esperam – o problema do vendedor de jornal

Um caso especial de decisão sobre a quantidade do pedido de estoque é quando uma quantidade de pedido é comprada para um evento específico ou para um período de tempo, depois do qual os itens provavelmente não serão vendidos. Um exemplo simples disso é a decisão da quantidade diária a ser estocada por um vendedor de jornal. Se o vendedor ficar sem jornal, os clientes irão para outro lugar ou não comprarão jornais naquele dia. As sobras dos jornais no final do dia não têm valor e a demanda por jornais varia dia a dia. Ao decidir quantos jornais manter em estoque, o vendedor está, na verdade, equilibrando o risco e a consequência de ficar sem jornais com o risco de ter sobras de jornais no final do dia. Varejistas e fabricantes de produtos de lazer para a classe alta, como alguns livros e CDs de música popular, enfrentam o mesmo problema. Por exemplo, um promotor de show precisa decidir quantas camisetas decoradas com o símbolo do ato principal do concerto pedir. O lucro em cada camiseta vendida no dia do show é de £5 e as não vendidas retornam para a empresa que as fornece, mas numa perda para o promotor de £3 por camiseta. A demanda é incerta, sendo estimada entre 200 e 800. As probabilidades de diferentes níveis de demanda são conforme segue:

Nível da demanda	200	400	600	800
Probabilidade	0,2	0,3	0,4	0,1

Quantas camisetas o promotor deveria pedir? A Tabela 9.4 mostra o lucro que o promotor teria por diferentes quantidades de pedido e diferentes níveis de demanda. Podemos agora calcular o lucro esperado que o promotor terá em cada quantidade do pedido, pesando os resultados por sua probabilidade de ocorrerem.

Se o promotor pede 200 camisetas:

$$\text{Lucro esperado} = 1.000 \times 0,2 + 1.000 \times 0,3 + 1.000 \times 0,4 + 1.000 \times 0,1$$
$$= £1.000$$

Se o promotor pede 400 camisetas:

$$\text{Lucro esperado} = 400 \times 0,2 + 2.000 \times 0,3 + 2.000 \times 0,4 + 2.000 \times 0,1$$
$$= £1.680$$

Se o promotor pede 600 camisetas:

$$\text{Lucro esperado} = -200 \times 0,2 + 1.400 \times 0,3 + 3.000 \times 0,4 + 3.000 \times 0,1$$
$$= £1.880$$

Se o promotor pede 800 camisetas:

$$\text{Lucro esperado} = -800 \times 0,2 + 800 \times 0,3 + 2400 \times 0,4 + 4.000 \times 0,1$$
$$= £1.440$$

A quantidade de pedido que fornece o lucro máximo é de 600 camisetas, o que resulta num lucro de £1.880.

A importância dessa abordagem está na visão probabilística do cálculo do estoque (demanda), a qual utilizaremos novamente neste capítulo.

Tabela 9.4 Matriz de pagamento por quantidade de pedido de camiseta (lucro ou perda em £s)

Nível de demanda	200	400	600	800
Probabilidade	0,2	0,3	0,4	0,1
Promotor pede 200	1000	1000	1000	1000
Promotor pede 400	400	2000	2000	2000
Promotor pede 600	−200	1400	3000	3000
Promotor pede 800	−800	800	2400	4000

QUESTÕES DIAGNÓSTICAS

Os pedidos de estoque estão sendo feitos no momento certo?

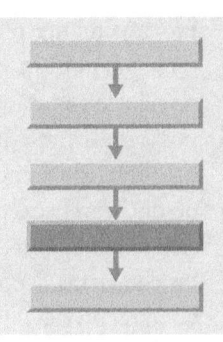

Quando assumimos que os pedidos chegavam instantaneamente e a demanda era fixa e previsível, a decisão sobre quando fazer um pedido de reposição era evidente por si só. Um pedido seria feito assim que o nível do estoque caísse a zero; ele chegaria instantaneamente e impediria qualquer ocorrência de falta de estoque. Quando existe uma defasagem de tempo entre a encomenda e a chegada do pedido ao estoque, ainda podemos calcular de forma simples o momento do pedido de reposição, como mostrado na Figura 9.7. O prazo de entrega de um pedido, nesse caso, é de duas semanas, de forma que o momento do ponto de reposição (ROP – *reorder point*) é o momento igual a duas semanas (prazo de entrega) antes que o estoque chegasse a zero. De forma alternativa, podemos definir o ponto de reposição em termos do nível do estoque no qual um pedido de reposição precisa ser feito. Nesse caso, isto ocorre num nível de reposição (ROL – *reorder level*) de 200 itens.

Entretanto, presume-se que a demanda e o prazo de entrega do pedido sejam perfeitamente previsíveis. Na maioria dos casos, isso não ocorre. A demanda e o prazo de entrega do pedido provavelmente irão variar, originando um perfil parecido com o da Figura 9.8. Nessas circunstâncias, é necessário fazer o pedido de reposição um pouco mais cedo do que numa situação puramente determinística. Isso resultará em algum estoque de segurança ainda no estoque quando o pedido de reposição chegar. O quanto antes o pedido de reposição é feito, mais alto será o nível esperado de estoque de segurança quando chegar o pedido de reposição. Mas, por causa da variabilidade do prazo de entrega (t) e a taxa da demanda (d), o estoque de segurança no momento da reposição irá variar. A principal consideração em determinar o estoque de segurança está na probabilidade de o estoque não ter terminado antes do pedido de reposição chegar. Isso depende da distribuição de frequências do consumo durante o prazo de entrega. Essa é uma combinação das distribui-

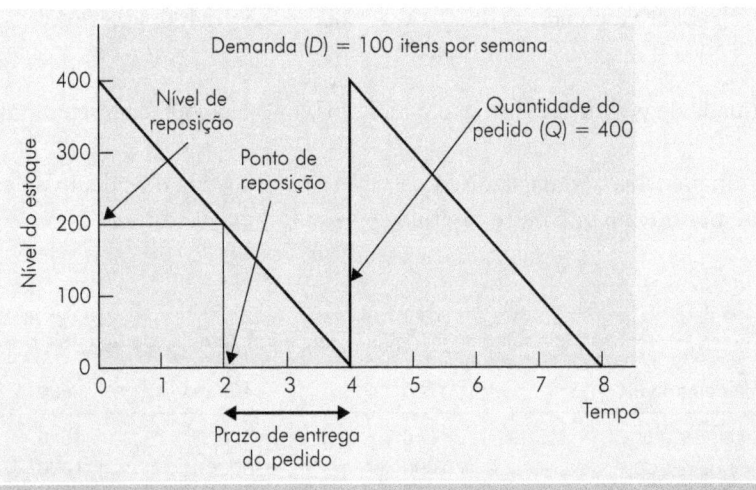

> **Princípio de operações**
> Para qualquer atividade de reposição do estoque, o momento da reposição deveria refletir os efeitos do prazo de entrega incerto e da demanda incerta durante o prazo de entrega.

Figura 9.7 O nível de reposição (ROL) e o ponto de reposição (ROP) são derivados do prazo de entrega do pedido e da taxa de demanda.

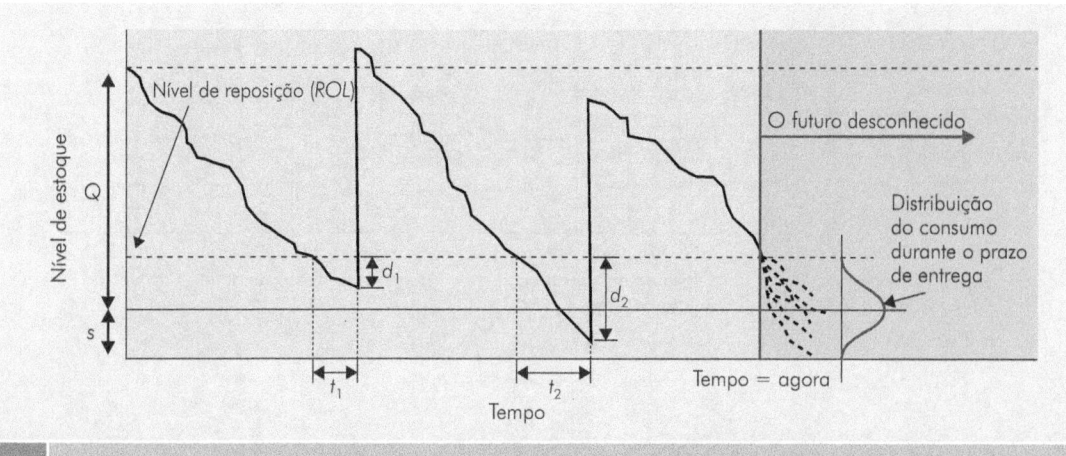

Figura 9.8 O estoque de segurança ajuda a evitar as faltas de estoque quando a demanda e/ou os prazos de entrega do pedido são incertos.

ções que descrevem a variação do prazo de entrega e da taxa da demanda durante o prazo de entrega. Se o estoque de segurança é determinado abaixo do menor limite dessa distribuição, então existirão faltas a cada um dos ciclos de reposição. Se o estoque de segurança é determinado acima do limite superior da distribuição, não existe chance de ocorrerem faltas. Normalmente, o estoque de segurança é determinado para fornecer uma probabilidade pré-determinada de que faltas não ocorrerão. A Figura 9.8 mostra que, neste caso, o primeiro pedido de reposição chegou após t_1, resultando num consumo durante o prazo de entrega de d_1. O segundo pedido de reposição levou mais tempo, t_2, e a taxa da demanda também foi mais alta, resultando num consumo durante o prazo de entrega de d_2. O terceiro ciclo de pedido mostra diversos perfis de estoque possíveis para diferentes condições do consumo durante o prazo de entrega e da taxa de demanda.

Exemplo

Um varejista *on-line* de tênis de corrida pode nunca ter certeza de quanto tempo levará a entrega depois de fazer um pedido. O exame dos pedidos anteriores revela que de 10 pedidos, um levou uma semana, dois levaram duas semanas, quatro levaram três semanas, dois levaram quatro semanas e um levou cinco semanas. A taxa da demanda para os tênis também varia entre 110 e 140 pares por semana. Existe uma probabilidade de 0,2 da taxa de demanda ficar entre 100 e 140 pares por semana, e uma chance de 0,3 da demanda ficar entre 120 e 130 pares por semana. A empresa precisa decidir quando deveria fazer o pedido de reposição se a probabilidade de uma falta deve ser menor do que 10%.

Tanto o prazo de entrega como a taxa da demanda contribuirão para o consumo durante o prazo de entrega. Assim, a distribuição que descreve cada um necessitará ser combinada. A Figura 9.9 e a Tabela 9.5 mostram como isto pode ser feito. Considerando o prazo de entrega como um, dois, três, quatro ou cinco semanas, e a taxa de demanda de 110, 120, 130 ou 140 pares por semana, e também assumindo que as duas variáveis são independentes, as distribuições podem ser combinadas como mostrado na Tabela 9.5. Cada posição na matriz mostra a probabilidade de ocorrer aquele consumo durante o prazo de entrega. Assim, se o prazo de entrega é de uma semana e a taxa da demanda é de 110 pares por semana, o consumo real durante o prazo de entrega será 1 × 110 = 110 pares. Uma vez que existe uma chance de 0,1 do prazo de entrega ser de uma semana, e uma chance de 0,2 da taxa de demanda ser de 110 pares por semana, a probabilidade de ocorrer esses eventos é de 0,1 × 0,2 = 0,02.

Podemos agora classificar os possíveis consumos durante o prazo de entrega em forma de gráfico de barras. Por exemplo, somando a probabilidade de todos os consumos durante o prazo de entrega que caem dentro do intervalo 100-199 (todos da primeira coluna) temos uma probabilidade combinada de 0,1. Repetindo isso para intervalos subsequentes resulta na Tabela 9.6.

A Tabela 9.6 mostra a probabilidade de cada intervalo de consumo durante o prazo de entrega, mas são as probabilidades *cumulativas* que são necessárias para prever a probabilidade da falta (veja a Tabela 9.7).

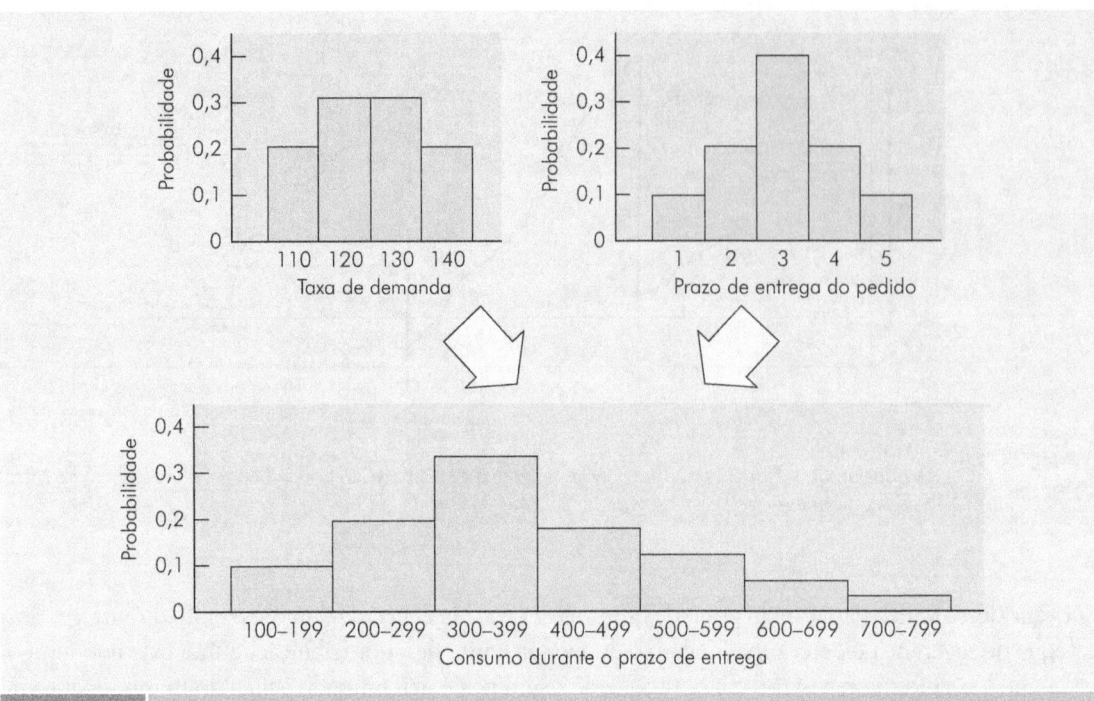

Figura 9.9 — As distribuições de probabilidades para a combinação da taxa de demanda e do prazo de entrega do pedido fornecem uma distribuição do consumo durante o prazo de entrega.

Tabela 9.5 Custos da adoção dos planos com diferentes quantidades de pedido

			Probabilidades dos prazos de entrega				
			1 0,1	2 0,2	3 0,4	4 0,2	5 0,1
Probabilidades da taxa de demanda	110	0,2	110 (0,02)	220 (0,04)	330 (0,08)	440 (0,04)	550 (0,02)
	120	0,3	120 (0,03)	240 (0,06)	360 (0,12)	480 (0,06)	600 (0,03)
	130	0,3	130 (0,03)	260 (0,06)	390 (0,12)	520 (0,06)	650 (0,03)
	140	0,2	140 (0,02)	280 (0,04)	420 (0,08)	560 (0,04)	700 (0,02)

Tabela 9.6 Probabilidades combinadas

Consumo durante o prazo de entrega	100–199	200–299	300–399	400–499	500–599	600–699	700–799
Probabilidade	0,1	0,2	0,32	0,18	0,12	0,06	0,02

Tabela 9.7 Probabilidades cumulativas

Consumo durante o prazo de entrega (x)	100	200	300	400	500	600	700	800
Probabilidade do consumo ser maior do que x	1,0	0,9	0,7	0,38	0,2	0,08	0,02	0

Determinar um nível de reposição de 600 significaria que existe uma chance de somente 0,08 (8%) do consumo ser maior do que a disponibilidade do estoque durante o prazo de entrega, isto é, existe uma chance de menos de 10% da falta ocorrer.

Revisão contínua e periódica

A abordagem recém descrita é com frequência chamada de revisão contínua. Para tomar a decisão desta forma, o nível do estoque de cada item deve ser revisto de forma contínua e um pedido deve ser feito quando o nível do estoque atinge o nível de reposição. A virtude dessa abordagem é que, embora o momento do pedido possa ser irregular (dependendo da variação na taxa da demanda), o tamanho do pedido (Q) é constante e pode ser determinado o lote econômico de pedido (ótimo). Mas verificar continuamente os níveis de estoque pode ser demorado. Uma abordagem alternativa e mais simples, mas que não utiliza uma quantidade de pedido fixa (e, portanto, possivelmente ótima), é a revisão periódica. Aqui, em vez de pedir num nível de reposição pré-determinado, a abordagem periódica faz os pedidos em intervalos de tempo fixo e regulares. Assim, o nível de estoque de um item poderia ser revisto, por exemplo, no fim de cada mês e um pedido de reposição feito para aumentar o estoque para um nível pré-determinado. Esse nível é calculado para cobrir a demanda entre o momento de encomenda do pedido de reposição e o momento de recebimento do pedido de reposição. Os estoques de segurança também necessitarão ser calculados como antes, baseados na distribuição do consumo durante este período.

Sistemas de duas e de três caixas

Manter um acompanhamento dos níveis do estoque é especialmente importante nas abordagens de revisão contínua de reposição. É necessário um método simples e óbvio para indicar quando o ponto de reposição foi atingido, especialmente se existir um grande número de itens a ser monitorado. O sistema de duas caixas armazena a quantidade do ponto de reposição, mais a quantidade do estoque de segurança na segunda caixa e os itens sendo consumidos na primeira caixa. Quando a primeira caixa esvazia, este é o sinal para pedir a próxima quantidade de reposição. Nem sempre são necessárias caixas diferentes para operar esse tipo de sistema. Por exemplo, uma prática comum nas operações de varejo é armazenar a quantidade da segunda "caixa" de cabeça para baixo, atrás ou embaixo da quantidade da primeira "caixa". Os pedidos são então feitos quando os itens de cabeça para baixo começam a ser usados.

QUESTÕES DIAGNÓSTICAS

O estoque está sendo controlado de forma eficaz?

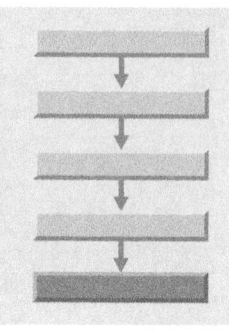

Os modelos probabilísticos ainda são simplificados, comparados com a complexidade do gerenciamento real dos estoques. Lidar com milhares de itens estocados, fornecidos por centenas de fornecedores diferentes, com possivelmente dezenas de milhares de clientes individuais, torna a tarefa de operações dinâmica e complexa. Controlar tal complexidade requer uma abordagem que discrimina entre diferentes itens de modo que cada um tem um grau de controle que é apropriado para sua importância. Isto também requer um sistema de informação para manter o acompanhamento dos estoques.

Prioridades do estoque – o sistema ABC

Alguns itens estocados são mais importantes do que outros. Alguns podem ter uma alta taxa de consumo, de forma que se eles acabassem, muito clientes ficariam desapontados. Outros itens podem ser de valor alto, então níveis de estoque excessivos seriam particularmente caros. Uma forma comum de discriminar entre diferentes itens de estoque é classificá-los pelo seu valor de consumo (taxa de consumo multiplicada pelo valor). Itens com um valor de consumo particularmente alto são alvo de um controle mais cuidadoso, porém aqueles com valores de consumo baixos não precisam ser controlados de forma muito rigorosa. Em geral, uma proporção relativamente pequena do total de itens contidos num estoque será responsável por uma grande proporção do valor total do consumo. Esse fenômeno é conhecido como o Pareto, ou a regra 80/20. É chamado assim porque, tipicamente, 80% das vendas de uma operação são causadas por somente 20% de todos os tipos de item estocados. (Essa ideia também tem outras aplicações no gerenciamento de operações, como descrito no Capítulo 13, por exemplo.) Aqui é feita a classificação dos itens em categorias A, B ou C, dependendo do seu valor de consumo.

> **Princípio de operações**
> Diferentes regras de decisão do gerenciamento de estoques são necessárias para diferentes classes de estoque.

- Itens classe A representam 20% (ou próximo a isso) dos itens de valor de consumo mais alto, que são responsáveis por aproximadamente 80% do valor total de consumo.
- Itens classe B são aqueles de valor de consumo médio, normalmente os próximos 30% dos itens, os quais costumam ser responsáveis por aproximadamente 10% do valor total de consumo.
- Itens classe C são aqueles itens de baixo valor de consumo, e, embora compreendendo aproximadamente 50% do total dos tipos de itens estocados, provavelmente são responsáveis por aproximadamente 10% do valor total de consumo da operação.

Embora o valor e o consumo anual sejam os dois critérios mais usados para determinar um sistema de classificação do estoque, outro critério poderá também contribuir para uma classificação mais alta de um item. As consequências da falta de estoque poderão dar uma prioridade mais alta para alguns itens que atrasariam seriamente ou causariam rupturas às operações caso não estejam no estoque. A incerteza do suprimento pode também fornecer alguma prioridade aos itens, assim como a alta obsolescência ou o risco de deterioração.

Exemplo

A Tabela 9.8 mostra todas as peças estocadas por um distribuidor de material elétrico. Os 20 itens diferentes armazenados variam em termos de consumo por ano e de custo por item, conforme mostrado. Por isso, o distribuidor classificou os itens de estoque por seu valor de consumo por ano. O valor total de consumo por ano é de £5.569.000. É possível, então, calcular o valor de consumo por ano para cada item como uma porcentagem do valor total de consumo, e, depois, um total cumulativo do valor de consumo conforme mostrado. O distribuidor pode, então, representar graficamente a porcentagem acumulada de todos os itens estocados *versus* a porcentagem acumulada de seu valor. Assim, por exemplo, o item de número de estoque A/703 é o item de valor mais alto e é responsável por 25,14% do valor total do estoque. Como uma peça, entretanto, é somente um vigésimo ou 5% do número total de itens estocados. Este item junto com o próximo item de valor mais alto (D/012) é responsável por somente 10% do número total de itens estocados; contudo, é responsável por 47,37% do valor do estoque e assim por diante.

Isto é mostrado graficamente na Figura 9.10. Os primeiros quatro números de item (20% da variedade) são considerados Classe A, cujo consumo será monitorado de perto. Os seis próximos números de item (30% da variedade) serão tratados como Classe B, com levemente menos esforço devotado para seu controle. Todos os outros itens são classificados como itens Classe C, cuja política de estoques é revista apenas ocasionalmente.

Tabela 9.8 — Itens armazenados classificados conforme valor de consumo

Nº estoque	Consumo (itens/ano)	Custo (£/item)	Valor de consumo (£000/ano)	% do valor total	% acumulada do valor total
A/703	700	2,00	1.400	25,14	25,14
D/012	450	2,75	1.238	22,23	47,37
A/135	1000	0,90	900	16,16	63,53
C/732	95	8,50	808	14,51	78,04
C/735	520	0,54	281	5,05	83,09
A/500	73	2,30	168	3,02	86,11
D/111	520	0,22	114	2,05	88,16
D/231	170	0,65	111	1,99	90,15
E/781	250	0,34	85	1,53	91,68
A/138	250	0,30	75	1,34	93,02
D/175	400	0,14	56	1,01	94,03
E/001	80	0,63	50	0,89	94,92
C/150	230	0,21	48	0,86	95,78
F/030	400	0,12	48	0,86	96,64
D/703	500	0,09	45	0,81	97,45
D/535	50	0,88	44	0,79	98,24
C/541	70	0,57	40	0,71	98,95
A/260	50	0,64	32	0,57	99,52
B/141	50	0,32	16	0,28	99,80
D/021	20	0,50	10	0,20	100,00
Total			5.569	100,00	

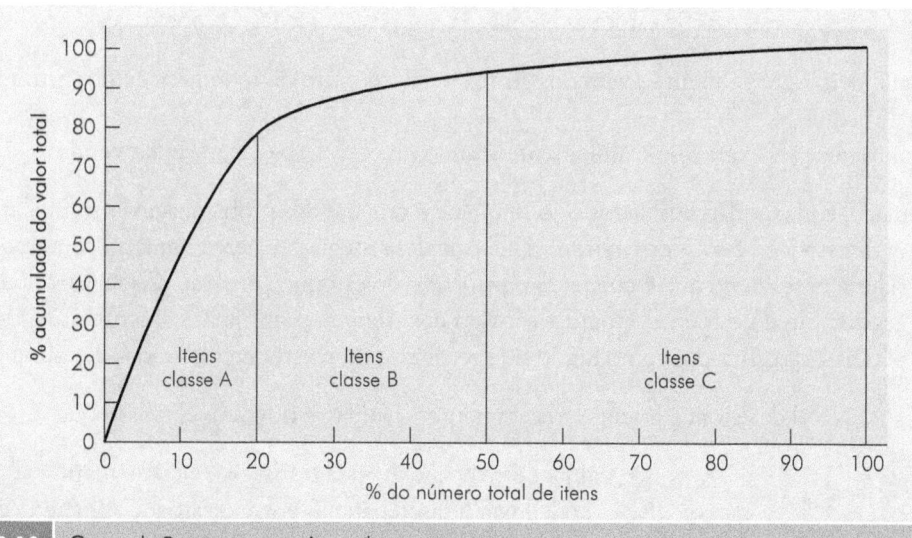

Figura 9.10 Curva de Pareto para os itens de um armazém.

Sistemas de informação de estoques

A maioria dos estoques de tamanho significativo é gerenciada por sistemas de informação. Isto é assim desde que a coleta de dados tornou-se mais conveniente a partir do uso de leitores de código de barras, da identificação por radiofrequência (RFID) e do registro do ponto de venda das transações de venda. Muitos sistemas comerciais de controle de estoques estão disponíveis, embora eles tendam a compartilhar certas funções comuns.

- **Atualizar os registros do estoque.** Cada vez que uma transação de estoque acontece, a posição, o *status* e o valor estimado do estoque mudará. Esta informação deve ser registrada de forma que os gerentes de operações possam determinar o *status* do seu estoque atual a qualquer momento.
- **Gerar pedidos.** As decisões de "quanto" e "quando pedir" podem ser tomadas pelo sistema de controle de estoques. Originalmente, quase todos os sistemas de computador calculavam quantidades de pedido usando as fórmulas EOQ. Agora, algoritmos probabilísticos sofisticados são usados, baseados na margem de retorno de investimento do estoque. O sistema manterá toda a informação que vai no algoritmo, mas poderá verificar periodicamente se a demanda ou os prazos de entrega do pedido, ou qualquer um dos outros parâmetros, mudaram significativamente, e refazer os cálculos. A decisão sobre quando pedir, por outro lado, é uma rotina muito mais difícil de descrever, que os sistemas de computador fazem de acordo com as regras de decisão que os gerentes de operações escolheram adotar: revisão contínua ou revisão periódica.
- **Gerar relatórios de estoques.** Os sistemas de controle de estoques podem gerar relatórios regulares do valor do estoque que podem ajudar os gerentes a monitorar o desempenho do controle dos estoques. Além disso, o desempenho do serviço ao cliente, tal como o número de faltas ou o número de pedidos incompletos, podem ser regularmente monitorados. Alguns relatórios podem ser gerados excepcionalmente. Isto é, o relatório é gerado somente se alguma medida de desempenho foge dos limites aceitáveis.
- **Prever.** As decisões de reposição do estoque deveriam, de forma ideal, ser tomadas com uma compreensão clara da previsão da demanda futura. Os sistemas de controle de estoques normalmente comparam a demanda atual com a previsão e ajustam as previsões à luz dos níveis atuais da demanda.

Problemas comuns nos sistemas de estoques

Nossa descrição dos sistemas de estoques baseia-se na suposição de que as operações:

- têm uma ideia razoavelmente exata dos custos, como o custo de manutenção dos estoques, ou os custos de pedido, e
- têm as informações exata que realmente indicam o nível real do estoque e das vendas.

Na verdade, a inexatidão dos dados com frequência cria um dos problemas mais significativos para os gerentes de estoques. Isso ocorre porque a maioria dos sistemas de gerenciamento de estoques computadorizados é baseada no que é chamado o princípio do estoque perpétuo. Os registros de estoque, segundo o princípio do estoque perpétuo, são (ou deveriam ser) automaticamente atualizados cada vez que os itens são registrados como tendo sido recebidos num estoque ou tirados do estoque. Assim,

$$\text{Nível de estoque inicial} + \text{recebimentos} - \text{saídas} = \text{novo nível de estoque}$$

> **Princípio de operações**
> A exatidão da manutenção de dados é vital para a eficácia do dia a dia dos sistemas de gerenciamento de estoques.

Qualquer erro ao gravar essa transação, e/ou ao manusear o estoque físico, pode levar a discrepâncias entre o estoque registrado e o real, e esse erro é perpetuado até que as verificações no estoque físico sejam feitas (em geral muito raramente). Na prática, existem muitas oportunidades para ocorrerem erros, porque as transações de estoque são numerosas. Isso significa que é surpreendentemente comum que a maioria dos registros de estoque seja inexata. Entre as causas subjacentes de erros estão:

- erros de digitação: entrar com o código do produto errado;
- erros de quantidade: itens colocados ou tirados do estoque sem contar;
- estoque danificado ou deteriorado não registrado como tal, ou não excluído de forma correta dos registros quando é destruído;
- os itens errados tirados do estoque, mas os registros não corrigidos quando retornam ao estoque;
- defasagens entre as ocorrências das transações e as atualizações dos registros;
- itens roubados do estoque (comum em ambientes de varejo, mas também não anormal nos ambientes industrial e comercial).

Comentário crítico

Cada capítulo contém um breve comentário crítico sobre as principais ideias nele abordadas. Seu propósito não é minar as questões discutidas, mas enfatizar que, embora apresentemos uma visão relativamente ortodoxa da operação, existem outras perspectivas.

■ A abordagem para determinar a quantidade do pedido que otimiza custos de manutenção do estoque contra os custos de pedido, representado pelos modelos EOQ e EBQ, sempre estiveram sujeitos a críticas. Originalmente, elas estão relacionadas à validade de algumas das suposições do modelo; mais recentemente elas têm envolvido a lógica subjacente à própria abordagem. As críticas defendem que as suposições incluídas nos modelos EOQ são simplistas, que os custos reais do estoque nas operações não são conforme assumidos nos modelos EOQ, e que a minimização do custo não é um objetivo adequado para o gerenciamento de estoques.

■ A última crítica é particularmente significativa. Muitas organizações (como supermercados e distribuidores) geram a maioria das suas receitas e lucros simplesmente mantendo e fornecendo estoque. Visto que o seu principal investimento é nos estoques, é crítico que eles gerem um bom retorno sobre este capital, assegurando que tenham "giros de estoque" e/ou margem bruta de lucro mais altos possível. De forma alternativa, eles também podem estar preocupados em maximizar o uso do espaço procurando maximizar o lucro ganho por metro quadrado. O modelo EOQ não trata desses objetivos. Da mesma forma que os produtos que se deterioram ou saem da moda, o modelo EOQ pode resultar num excesso de estoques de itens de baixa movimentação. Na verdade, o modelo EOQ é raramente usado em tais organizações, e é mais provável que seja usado um sistema de revisão periódica para pedido regular de reposição do estoque. Por exemplo, um típico atacadista de suprimentos de construção poderá manter aproximadamente 50.000 diferentes itens de estoque (UMEs). Entretanto, a maioria desses se agrupam em maiores famílias de itens, como tintas, louças sanitárias, ou enfeites de metal. Pedidos únicos são feitos em intervalos regulares para todo o *mix* de itens necessário junto ao fornecedor, e esses são então entregues todos juntos. Se as entregas são feitas semanalmente, então, em média, as quantidades do pedido do item individual serão para consumo de uma semana somente. Itens menos populares, ou aqueles com padrões de demanda irregulares, podem ser pedidos individualmente ao mesmo tempo, ou (quando urgente) podem ser entregues no dia seguinte pelo carregador.

■ A abordagem ABC para classificação do estoque é também considerada por alguns como enganosa. Muitos gerentes de estoque apontam que são os itens de baixa movimentação (categoria C) que, frequentemente, criam o maior desafio no gerenciamento de estoques. Muitas vezes, esses itens de baixa movimentação, embora sejam responsáveis por somente 20% das vendas, necessitam de grande parte (tipicamente entre metade e dois terços) do investimento total em estoques. Por essa razão, os itens de baixa movimentação são um problema real. Além disso, os erros de previsão ou de pedido que resultam em excesso de estoque de itens de grande giro como os de "classe A" não tem muita importância, no sentido de que podem ser vendidos rapidamente. Contudo, o excesso do estoque em itens C, de baixa movimentação, existirá por um longo tempo. De acordo com alguns gerentes de estoque, são os itens A que podem ser deixados de lado, e que os itens B e, sobretudo, os itens C é que necessitam de controle.

Lista de verificação

Esta lista de verificação inclui perguntas que podem ser úteis se aplicadas a qualquer tipo de operação e reflete as principais questões diagnósticas usadas dentro do capítulo.

☐ Todos os estoques foram listados e custeados?

☐ Todos os custos e efeitos negativos do estoque foram avaliados?

☐ Qual a parcela de estoque existe?

— como um seguro contra incerteza?

— para impedir falta de flexibilidade?

— para permitir que a operações tirem vantagem das oportunidades a curto prazo?

— para antecipar a demanda futura?

— para reduzir os custos totais?

— porque pode aumentar em valor?

— porque está no canal de processamento?

☐ Os métodos de reduzir estoque nessas categorias foram explorados?

☐ Os métodos de minimização do custo foram usados para determinar a quantidade do pedido?

☐ Eles usam uma estimativa probabilística de demanda?

☐ Os méritos relativos da revisão contínua e periódica do estoque foram avaliados?

☐ As estimativas probabilísticas da demanda e do prazo de entrega são usadas para determinar os níveis do estoque de segurança?

☐ Os itens são controlados pelo seu valor de consumo?

☐ O sistema de informações de estoques integra todas as decisões do estoque?

Estudo de caso — supplies4medics.com

Fundada no auge da "bolha pontocom" do final de 1990, a **supplies4medics.com** é um dos fornecedores por correio eletrônico direto de equipamentos médicos e itens de consumo para hospitais, cirurgias, clínicas, farmácias e outras organizações relacionadas à medicina de maior sucesso na Europa. Seu catálogo *on-line* e físico tem cerca de 4.000 itens, classificados por suas aplicações como "artigos de higiene" e instrumentos para "cirurgias". Citando seu *website*:

"Somos os distribuidores para toda a Europa de suprimentos médicos e de segurança. Nosso objetivo é entregar tudo que você poderá necessitar em algum momento; das escovas das enfermeiras aos kits médicos, artigos de consumo para operações, kits de primeiros socorros, produtos de segurança, produtos químicos, equipamentos contra incêndio, suprimentos para médicos e enfermeiras, etc. Tudo com preços sustentáveis – e apoiados por nosso serviço ao cliente muito superior – supplies4medics é sua fonte ideal para suprimentos médicos. Os pedidos são normalmente despachados no mesmo dia pelo nosso parceiro europeu, o centro de distribuição de Bruxelas da DHL. Você deve receber seu pedido completo dentro de uma semana, mas você pode solicitar a entrega no dia seguinte se necessitar, por uma pequena taxa extra. Você pode pedir nosso catálogo no link na parte inferior dessa página, ou comprar na nossa loja on-line fácil de usar."

O movimento comercial no ano passado cresceu mais de 25%, aproximadamente €120 milhões, um motivo de satisfação para a empresa. Entretanto, o crescimento do lucro foi menos espetacular; e a pesquisa de mercado sugeriu que a satisfação do cliente, embora geralmente boa, estava diminuindo pouco a pouco. Mais preocupante eram os níveis de estoque que tinham crescido mais rápido que as receitas das vendas, em termos percentuais. Isso estava colocando uma pressão no fluxo de caixa, requerendo que a empresa pegasse mais dinheiro emprestado para empregar o capital no crescimento rápido, planejado para o próximo ano. A manutenção do estoque está estimada em aproximadamente 15% ao ano, levando em consideração o custo do empréstimo, seguro e todos os custos indiretos da armazenagem.

Pierre Lamouche, o Diretor de Operações, resumiu a situação enfrentada por seu departamento:

"Na urgência, estamos revendo nossos sistemas de gerenciamento de estoques e de compras! A maioria dos nossos níveis de reposição (ROL) existentes e quantidades de reposição (ROQ) foram definidos há vários anos, e nunca foram recalculados. Nosso foco tem sido no rápido crescimento a partir da introdução de novas linhas de produto. Para itens introduzidos mais recentemente, os ROQs estavam baseados somente na previsão das vendas, que atualmente pode ser bastante enganosa. Estimamos que nos custe, em média, €50 para fazer e administrar cada pedido de compra, uma vez que a maioria dos fornecedores ainda não é capaz de captar pedidos pela Internet ou pelo EDI. Nesse meio tempo, as vendas de alguns produtos têm crescido rapidamente, enquanto outros têm decaído. Nossa cobertura média de estoque é de aproximadamente 10 semanas, mas...surpreendentemente... ainda ficamos sem itens críticos! Na verdade, em média, estamos atualmente sem estoque de aproximadamente 500 UME (Unidade Mantidas no Estoque) a qualquer momento. Como você pode imaginar, nosso nível de serviço não é sempre satisfatório nessa situação. Nós realmente precisávamos de ajuda para conduzir uma revisão dos nossos sistemas, de forma que empregamos um estagiário maduro da escola de administração local para rever nosso sistema. Ele primeiro pediu para minha equipe fornecer informação sobre uma amostra representativa, aleatória, de 20 itens do catálogo." (Isto é reproduzido na Tabela 9.9.)

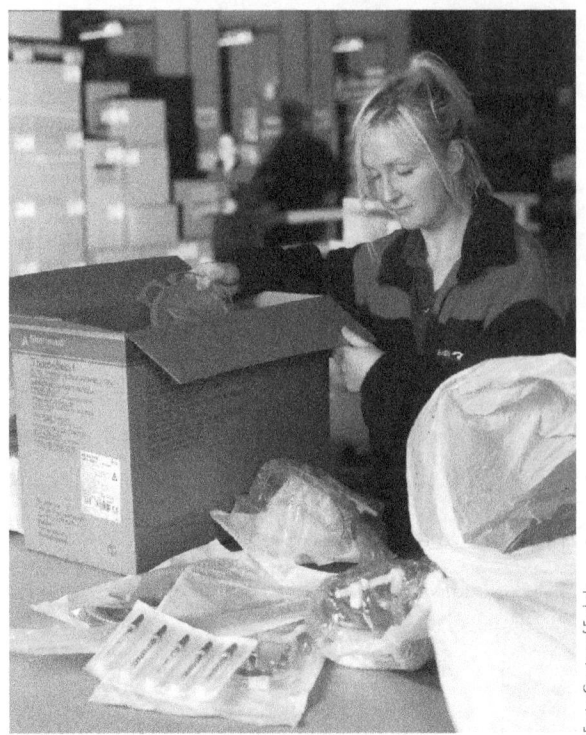

Capítulo 9 • Gerenciamento de Estoques

Tabela 9.9 — Amostra representativa de 20 itens do catálogo

Número da amostra	Número de referência do catálogo[a]	Descrição da unidade de vendas[b]	Custo unitário de vendas (euros)	Vendas dos últimos 12 meses (unidades)	Estoque no fim do ano passado (unidades)	Quantidade de reposição (unidades)
1	11036	Aventais descartáveis (10 embalagens)	2,40	100	0	10
2	11456	Máscara cirúrgica (caixa)	3,60	6000	120	1000
3	11563	Broca tipo 164	1,10	220	420	250
4	12054	Fraldas grandes	3,50	35400	8500	10000
5	12372	Seringa 150 ml	11,30	430	120	100
6	12774	Aparelho retal tipo 3	17,40	65	20	20
7	12979	Organizador de bolso azul	7,00	120	160	500
8	13063	Kit de oxigênio	187,00	40	2	10
9	13236	Fita de óxido de zinco	1,50	1260	0	50
10	13454	Estetoscópio de dois lados	6,25	10	16	25
11	13597	Catéter descartável de látex	0,60	3560	12	20
12	13999	Rampa de carregamento de cadeiras de rodas	152,50	12	44	50
13	14068	Tubo WashClene	1,40	22500	10500	8000
14	14242	Colar cervical	12,00	140	24	20
15	14310	Cunha	89,00	44	2	10
16	14405	Triciclo	755,00	14	5	5
17	14456	Tubo de traqueostomia neonatal	80,40	268	6	100
18	14675	Pasta de fita moldável	10,20	1250	172	100
19	14854	Bomba de compressor sequencial	430,00	430	40	50
20	24943	Estrutura para toalete	25,60	560	18	20

[a] Números de referência são alocados sequencialmente conforme novos itens são adicionados ao catálogo.
[b] Todas as quantidades estão em unidades de venda (ex. item, caixa, estojo, pacote).

PERGUNTAS

1. Prepare a análise ABC numa planilha eletrônica do valor de consumo. Classifique conforme segue:
   Itens A: acima de 20% do valor de consumo
   Itens B: próximo de 30% do valor de consumo
   Itens C: restantes 50% do valor de consumo

2. Calcule as semanas de estoque para cada item, para cada classificação e para todos os itens. Esses cálculos sugerem que a estimativa do Gerente de Operações das semanas de estoque está correta? Neste caso, qual é sua estimativa do estoque geral no final do ano base e quanto pode aumentar durante o ano?

3. Baseado na amostra, analise as causas subjacentes do problema da disponibilidade descrito no texto.

4. Calcule os EOQs para os itens A.

5. Quais recomendações você daria para a empresa?

Estudo de caso ativo — Rotterdam (Soros)

Anders trabalha como um técnico de laboratório da Rotterdam Soros, um dos primeiros fornecedores de anticorpos e outros soros para o setor veterinário e para o setor de saúde de animal. Ele enfrenta a tarefa assustadora de operar o estoque de soro. Ele deve assegurar que as condições do estoque estão corretas, que é adequadamente controlado e que os custos são mantidos num mínimo.

- Conforme a demanda de soros varia, quando você vai fazer os pedidos para repor os estoques e quanto você deveria estar pedindo?

Consulte o caso ativo no CD que acompanha este livro para avaliar como Anders deveria gerenciar os estoques de soro.

Aplicando os princípios

Alguns destes exercícios podem ser respondidos a partir da leitura do capítulo. Outros vão requerer algum conhecimento geral da atividade de negócios e alguns poderão requerer pesquisa. Todos têm sugestões de como podem ser respondidos no CD que acompanha este livro.

DICAS

1. Leia o exemplo do Serviço Nacional de Sangue no início do capítulo.
   - Quais são os fatores que constituem os custos de manutenção do estoque, os custos do pedido e os custos da falta de estoque num Serviço Nacional de Sangue?
   - O que torna esse exemplo específico de controle e planejamento de estoques tão complexo?
   - Como o gerenciamento de estoques do Serviço Nacional de Sangue poderá afetar sua habilidade de coletar sangue?

2. Estime o valor de consumo anual e o nível (ou valor) médio de estoque e espaço ocupado por 20 itens representativos dos alimentos usados dentro de sua casa, ou de sua família. Usando análises de Pareto, classifique-os em grupos de valor de consumo (como A, B, C) e calcule o giro médio de estoque para cada grupo.
   - Essa análise indica um uso sensato de capital e espaço, e, caso contrário, quais mudanças você poderia fazer para a estratégia de compras da família?

3. Obtenha o balanço do último ano (você pode baixá-los do *website* da empresa) para duas operações de processamento de materiais (em vez de operações de processamento de informações ou de clientes) dentro de um setor industrial. Calcule a proporção da movimentação do estoque de cada operação e a proporção de estoque em relação ao ativo circulante durante os últimos anos. Tente explicar quais você acha que são as razões para algumas diferenças e tendências que você consegue identificar, e discuta as prováveis vantagens e desvantagens para as organizações relacionadas.

4. Visite um posto de gasolina e se reúna com o gerente. Discuta e analise o sistema de controle e planejamento de estoques usado para o combustível e outros itens na loja, tais como doces e lubrificantes. Você deve então obter informações para mostrar como o sistema está funcionando (por exemplo, quantidades e pontos de reposição, utilização de previsões para predizer os padrões de demanda) e, se possível, preparar gráficos mostrando flutuações nos níveis de estoque para os produtos selecionados.

5. Usando a informação obtida das pesquisas na Web, compare três sistemas de gerenciamentos de estoques (ou pacotes de programas) que poderiam ser comprados pelo gerente geral de um grande hospital mantido pelo Estado que deseja obter controle dos estoques de toda a organização.
   - Quais são os benefícios reivindicados pelos sistemas, e como eles se alinham com as teorias apresentadas neste capítulo?
   - Que desvantagens poderiam ser experimentadas ao se usar essas abordagens para o gerenciamento de estoques, e que resistências poderiam ser apresentadas pela equipe do hospital, e por quê?

Notas do capítulo

1 Fonte: *website* da associada NBS e discussão com a equipe da associação.
2 Com agradecimento especial para John Mathews, Howard Smith Paper Group.

Indo além

Flores, B.E. and Whybark, D.C., (1987) "Implementing multiple criteria ABC analysis", *Journal of Operations Management*, Vol. 7, No.1. Um periódico acadêmico, mas que fornece algumas dicas úteis nas práticas das análises ABC.

Mather, H. (1984) *How to Really Manage Inventories,* McGraw-Hill. Um guia prático de um dos mais influentes autores do gerenciamento da produção.

Viale, J.D. (1997) *The Basics of Inventory Management,* Crisp Publications. Muito básico, mas é exatamente o que a maioria das pessoas necessita.

Wild, T. (2002) *Best Practice in Inventory Management,* Butterworth-Heinemann. Uma abordagem prática, fácil e legível para o assunto.

Websites úteis

www.inventoryops.com/dictionary.htm Uma grande fonte de informação sobre o gerenciamento de estoques e operações de armazenagem.

www.managementhelp.org/ops-mgnt/ops-mgnt.htm Site "privado" sobre o gerenciamento de operações, mas com um bom conteúdo.

www.apics.org Site da APICS: uma sociedade educacional dos EUA para gerentes de recursos.

www.inventorymanagement.com Site do Centro de Gerenciamento de Estoques. Casos e *links*.

RECURSOS ADICIONAIS Para recursos adicionais incluindo exemplos, diagramas animados, questões de autoavaliação, planilhas Excel, estudos de caso ativos e materiais de vídeo, acesse o CD que acompanha este livro.

Capítulo 10
PLANEJAMENTO E CONTROLE DE RECURSOS

Introdução

Se os materiais, as informações ou os clientes fluem regularmente pelos processos, pelas cadeias de suprimentos e pelas operações, os recursos que adicionam valor em cada etapa devem ser gerenciados para evitar atrasos desnecessários. Além disso, os recursos devem ser usados de forma eficiente. A atividade de planejamento e controle de recursos visa fazer isso (veja Figura 10.1). Esse assunto envolve muitas questões técnicas. Abordaremos o mais conhecido deles, o Planejamento das Necessidades de Material (MRP – *Materials Requirements Planning*), no suplemento deste capítulo.

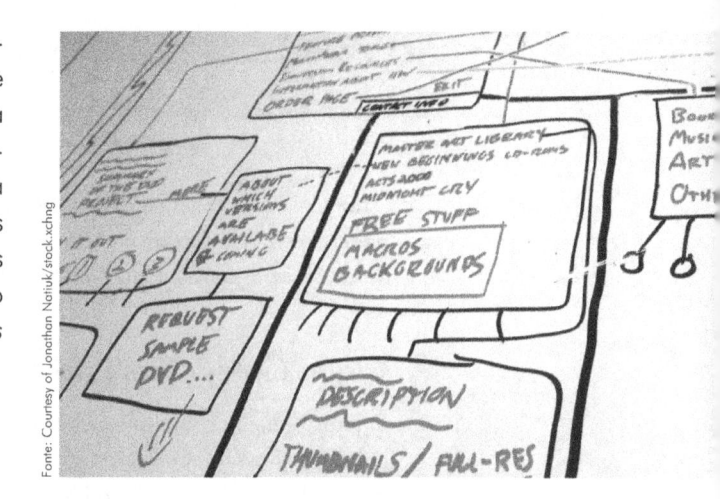

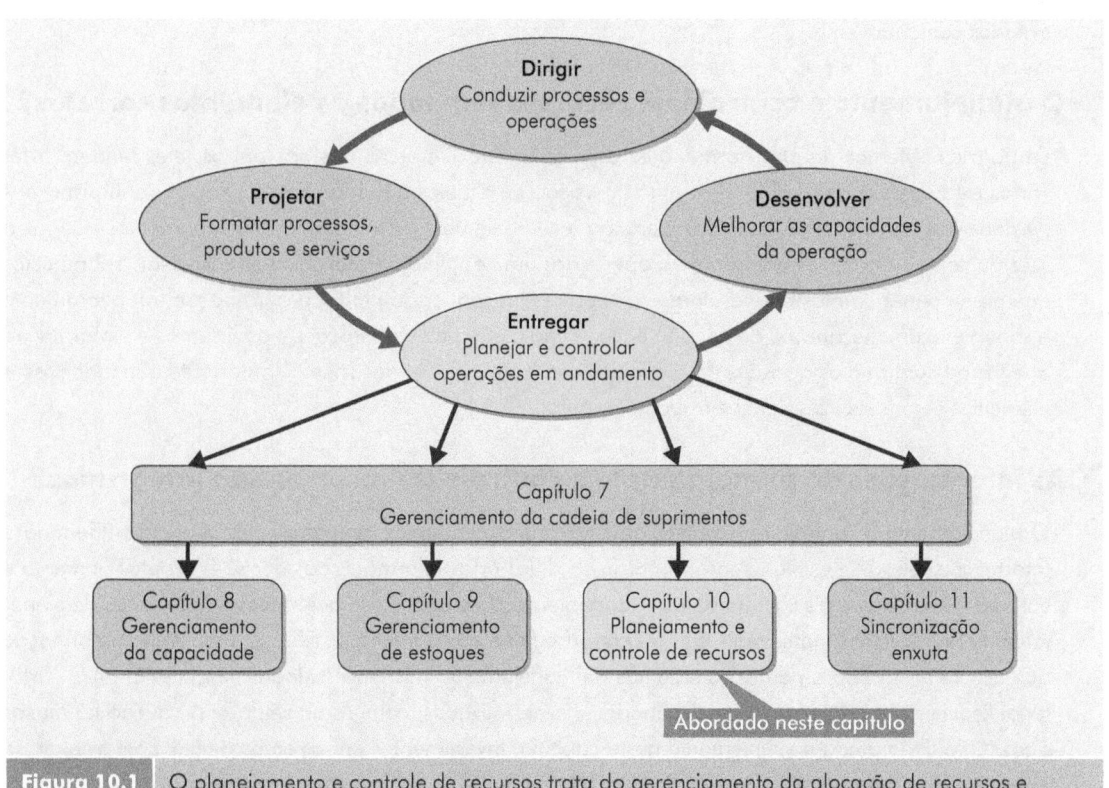

Figura 10.1 O planejamento e controle de recursos trata do gerenciamento da alocação de recursos e atividades existentes para assegurar que os processos da operação sejam eficientes e reflitam a demanda do cliente por produtos e serviços.

Sumário executivo

VÍDEO
informações adicionais

- O que é planejamento e controle de recursos?
- O planejamento e controle de recursos têm todos os elementos corretos?
- As informações de planejamento e controle de recursos estão integradas?
- As atividades centrais de planejamento e controle são eficazes?

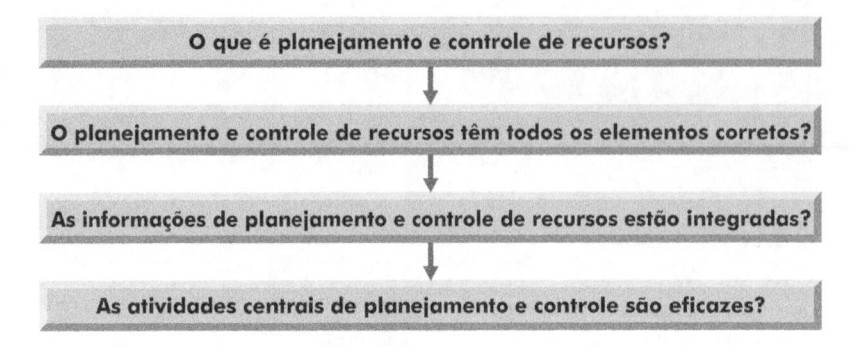

Cadeia lógica de decisões para o planejamento e controle de recursos

Cada capítulo é estruturado em torno de um grupo de questões diagnósticas. Essas questões sugerem o que você poderia perguntar para entender as questões importantes de um tópico e, como resultado, melhorar sua tomada de decisão. Um sumário executivo, tratando dessas questões, é fornecido a seguir.

O que é planejamento e controle de recursos?

O planejamento e controle de recursos refere-se a gerenciar a alocação de recursos e atividades existentes para assegurar que os processos da operação sejam eficientes e reflitam a demanda do cliente por produtos e serviços. Na prática, planejar (decidir o que se pretende que aconteça) e controlar (adaptar-se quando as coisas não acontecem como esperado) sobrepõem-se de tal forma que, em geral, são tratados conjuntamente.

O planejamento e controle de recursos têm todos os elementos corretos?

Embora os sistemas de planejamento e controle sejam diferentes uns dos outros, eles tendem a ter vários elementos comuns. São eles: uma interação de clientes que forma uma ligação de informações de duas vias entre as atividades da operação e seus clientes; uma interação de suprimentos que faz a mesma coisa para os fornecedores da operação; um conjunto de mecanismos essenciais sobrepostos que desempenha tarefas básicas como carregamento, sequenciamento, programação, monitoramento e controle; e um mecanismo de decisão envolvendo a equipe de operações e os sistemas de informação que faz ou confirma as decisões de planejamento e controle de decisões. É importante que todos esses elementos sejam eficazes por si e trabalhem juntos.

As informações de planejamento e controle de recursos são integradas?

O planejamento e controle de recursos envolve grandes volumes de informação. A menos que toda a informação relevante esteja integrada, torna-se difícil estar informado das decisões de planejamento e controle. O método mais comum de fazer esta integração é com o uso dos sistemas integrados de planejamento de recursos empresariais (ERP – *Enterprise Resource Planning*). Estes são sistemas de informação que têm se destacado a partir dos sistemas de Planejamento das Necessidades de Material (MRP – *Material Requirements Planning*) mais detalhados e especializados, comuns no setor de produção há muitos anos. O MRP é tratado no suplemento deste capítulo. Investimentos em sistemas de ERP com frequência envolvem grandes quantias de capital e tempo da equipe. Isso também pode significar uma mudança significativa na organização da empresa. Nem todos os investimentos em ERP têm sido bem-sucedidos.

As atividades centrais de planejamento e controle são eficazes?

Se o sistema de planejamento e controle de recursos não tomar decisões detalhadas adequadamente, ele não será eficaz. As decisões detalhadas se aplicam a quatro categorias sobrepostas. Carregamento é a atividade de alocar trabalho para processos ou etapas individuais na operação. O sequenciamento é a atividade de decidir a ordem ou a prioridade na qual um conjunto de tarefas será processado. Programação é a atividade de produzir um cronograma detalhado mostrando quando as atividades deveriam começar e terminar. Monitoramento e controle é a atividade de detectar qualquer desvio do que foi planejado e corrigir e replanejar conforme necessário. A Teoria das Restrições (TOC – *Theory of Constraints*) é um conceito útil no planejamento e controle de recursos que enfatiza o papel dos gargalos (etapas ou processos) no planejamento e controle.

QUESTÕES DIAGNÓSTICAS

O que é planejamento e controle de recursos?

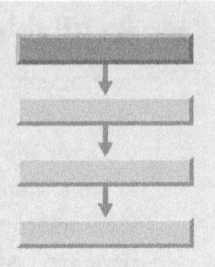

O planejamento e controle de recursos gerencia a alocação de recursos e atividades existentes para assegurar que os processos da operação sejam eficientes e reflitam a demanda do cliente por produtos e serviços. As atividades de planejamento e de controle são diferentes, mas com frequência se sobrepõem. Formalmente, planejar determina o que se *pretende* que aconteça em algum momento no futuro e controlar é o processo de *se ajustar* quando as coisas não acontecem como esperado. O controle faz os ajustes que ajudam a operação a alcançar os objetivos que o plano determinou, mesmo quando as premissas em que o plano se baseou mudam.

Observe as atividades de planejamento e controle de recursos nas duas organizações seguintes. Uma, a Air France, é uma rede muito grande e muito complexa de operações e de processos. A outra, a seção de serviços de uma concessionária de automóveis BMW, é muito menor. Entretanto, embora os desafios sejam diferentes, a tarefa de planejar e controlar cada um dos recursos da operação é surpreendentemente parecida.

Exemplo — Controle de operações na Air France[1]

"Uma grande companhia aérea pode ser vista como um grande problema de planejamento que, normalmente, é abordado como pequenos problemas independentes (mas ainda difíceis). A lista de elementos que necessitam de planejamento parece interminável: tripulações, agentes de reserva, bagagem, voos, viagens com escalas, manutenção, portões, estoque, compras de equipamento. Cada problema de planejamento tem suas próprias considerações, suas próprias complexidades, seus próprios horizontes de tempo, seus próprios objetivos, mas todos estão inter-relacionados."

A Air France tem 80 planejadores de voo cobrindo as 24 horas de operação em seus escritórios de planejamento de voo em Roissy, Charles de Gaulle. Sua tarefa é estabelecer rotas de voo otimizadas, antecipar problemas (mudanças de clima, por exemplo) e minimizar o consumo de combustível. O objetivo global da atividade de planejamento de voo é primeiro, e mais importante, a segurança, seguido pela economia e pelo conforto do passageiro. Cada vez mais, poderosos programas de computador processam uma montanha de informações necessárias para planejar os voos, mas, no final, muitas decisões ainda são de responsabilidade do julgamento humano. Mesmo os sistemas especializados mais sofisticados servem somente como suporte para os planejadores de voo. Planejar a programação da Air France é uma tarefa excepcional que inclui o seguinte.

- *Frequência.* Quantas vezes a companhia aérea deveria atender cada aeroporto?
- *Determinar a frota.* Que tipo de avião deveria ser usado em cada perna de um voo?
- *Agrupamento.* Em qualquer ponto de conexão aérea em que os passageiros chegam e podem se transferir para outros voos para continuar sua viagem, as companhias aéreas gostam de organizar voos em grupos de diversos aviões que chegam quase ao mesmo tempo, esperam os passageiros mudarem de avião e todos os aviões partem quase ao mesmo tempo.
- *Blocos de tempo.* Um bloco de tempo é o tempo total entre um avião deixar o portão de partida em um aeroporto e chegar ao seu portão no aeroporto de destino. Quanto mais longo o bloco de tempo permitido, é mais

provável que o avião mantenha a programação mesmo que haja pequenos atrasos. Contudo, poucos voos podem ser programados quando os blocos de tempo são maiores.

- *Manutenção planejada.* Qualquer programa deve alocar algum tempo de parada numa base de manutenção.
- *Planejamento da tripulação.* O piloto e a tripulação devem ser alocados de acordo com suas licenças e devem se restringir a jornadas de trabalho máximas.
- *Planejamento do portão.* Se muitos aviões estão no pátio ao mesmo tempo, pode haver problemas em carregá-los e descarregá-los simultaneamente.
- *Recuperação.* Muitos fatores, no setor aéreo, podem causar desvios em relação ao plano. Folgas devem ser criadas para que a recuperação seja possível.

Para voos dentro das 12 zonas geográficas da Air France e entre elas, os planejadores constroem um plano de voo que será a base do voo real, só que algumas horas mais tarde. Todos os documentos planejados precisam estar prontos para a tripulação, que chega duas horas antes da hora de partida programada. Sendo responsável pela segurança e pelo conforto dos passageiros, o capitão sempre tem a palavra final e, quando satisfeito, assina o plano de voo junto com o executivo de planejamento.

Exemplo | Joanne gerencia a programação[2]

Joanne Cheung é a Conselheira Sênior de Serviço na concessionária mais famosa da BMW. Ela e sua equipe agem como interface entre os clientes que querem seus carros revisados e concertados e os 16 técnicos que executam o trabalho em suas oficinas. *"Existem três tipos de trabalho que temos de organizar"*, diz Joanne. *"O primeiro é executar reparos nos veículos dos clientes, que normalmente querem urgência. O segundo tipo de tarefa é serviço de rotina, que não é urgente e os clientes em geral aceitam negociar um prazo para sua realização. O restante do nosso trabalho são verificações extensas nos carros usados que compramos para vender aos nossos clientes. Nós tratamos essas categorias de trabalho de forma levemente diferente. Temos de fornecer um bom serviço para compradores de nossos carros, mas existe alguma flexibilidade no planejamento dessas tarefas. No outro extremo, consertos de emergência têm de ser encaixados em nossa programação o mais rápido possível. Se alguém está desesperado para ter seu carro consertado, nós às vezes pedimos que deixem seus carros conosco o mais cedo possível e os peguem o mais tarde possível. Isso nos dá mais tempo para encaixá-los na programação.*

"Existe diversas opções de serviços abertos para os clientes. Podemos acomodar tarefas curtas por um tempo fixo e fazê-las enquanto eles esperam. Em geral, pedimos para os clientes deixarem o carro conosco e pegá-lo mais tarde. Para ajudar os clientes, temos 10 carros para emprestar, que são reservados com base na regra primeiro a chegar, primeiro a ser servido. Alternativamente, podemos buscar o veículo na casa do cliente e levá-lo de volta quando estiver pronto. Nossos quatro motoristas que fazem isso podem lidar com mais de 12 tarefas num dia."

"Normalmente, lidamos com 50 a 80 tarefas, levando de meia hora até um dia inteiro. Para uma tarefa entrar em nosso processo, todos os Conselheiros de Serviço têm acesso ao sistema de programação computadorizado. Na tela, ele mostra a capacidade total diária, todas as tarefas que estão alocadas, a capacidade livre ainda disponível, o número de carros disponível para empréstimo e assim por diante. Usamos o sistema para ver quando temos a capacidade para alocar a um cliente, e então informar todos os detalhes do cliente. A BMW definiu os 'tempos padrão' para as principais tarefas. Entretanto, temos de modificar um pouco esses tempos padrão para levar em consideração algumas circunstâncias. É aí que entra a experiência dos Conselheiros de Serviço.

"Mantemos as peças mais usadas em estoque, mas se um reparo necessita de uma peça que não está em estoque, podemos obtê-la de distribuidores de peças da BMW em um dia. Todas as noites nosso sistema de planejamento imprime as tarefas a serem feitas no dia seguinte e as peças que provavelmente serão necessárias para cada tarefa. Isso permite à equipe selecionar as peças para cada tarefa de forma que os técnicos possam coletá-las no primeiro momento na manhã seguinte sem qualquer atraso.

"Todos os dias temos de lidar com o inesperado. Um técnico pode considerar necessário um trabalho extra, os clientes podem querer algo extra e um técnico pode estar doente, o que reduz nossa capacidade. Ocasionalmente

as peças podem não estar disponíveis, de forma que temos de reagendar com o cliente o veículo para um momento posterior. Todos os dias uns quatro ou cinco clientes não aparecem. Normalmente eles se esquecem de trazer seus carros, de forma que temos de reagendá-los para um momento posterior. Podemos lidar com a maioria dessas incertezas porque nossos técnicos são flexíveis em termos das habilidades que eles têm e também querem fazer horas extras quando necessário. Além disso, é importante gerenciar as expectativas dos clientes. Se existe uma chance de o veículo não ficar pronto, isso não deveria ser uma surpresa quando eles vierem buscá-lo."

O que esses dois exemplos têm em comum?

Os sistemas implementados pela Air France e pela concessionária da BMW têm alguns elementos em comum. Primeiro, ambos reconhecem que deveria existir uma *interface eficaz* que traduzisse as necessidades dos clientes em implicações para a operação. Isso implica na determinação da tabela de horários de voos (frequência, momento, etc.) e das conexões entre os voos (agrupamentos) da Air France. Numa escala mais individual, Joanne precisava julgar o grau de urgência de cada tarefa e dar um retorno ao cliente, gerenciando suas expectativas onde era adequado. Tanto os sistemas de planejamento quanto os de controle também têm uma *interface com suprimentos* que traduz os planos de operações em termos de fornecimento de peças, combustível, serviços fundamentais, disponibilidade da tripulação, etc. No cerne de cada uma das atividades da empresa está uma *mecânica central* que capacita, prioriza, programa, monitora e controla a operação. O objetivo dessa tomada de decisões é reconciliar as necessidades dos clientes e os recursos da operação de alguma forma. Para Joanne, isso maximiza a utilização de seus recursos da oficina enquanto mantém os clientes satisfeitos. A Air France também tem objetivos similares, sendo importantíssimo o conforto e a segurança do cliente. Cada operação também está tentando alguma *integração de informações* que envolve o manuseio das informações computadorizadas e as habilidades e a experiência da equipe de planejamento e controle.

QUESTÕES DIAGNÓSTICAS

O planejamento e controle de recursos têm todos os elementos corretos?

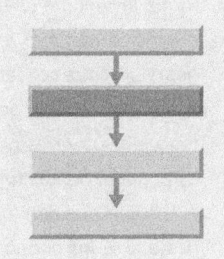

A Figura 10.2 ilustra os elementos que deveriam estar presentes em todos os sistemas de planejamento e controle. Em sistemas mais sofisticados, eles podem ser ampliados para incluir a integração da tarefa de planejamento e controle de recursos das operações centrais com outras áreas funcionais da empresa como finanças, *marketing* e pessoal. Abordaremos essa perspectiva interfuncional mais tarde, quando discutirmos o Planejamento dos Recursos Empresariais (ERP).

Como o sistema faz interface com os clientes?

A parte do sistema de planejamento e controle de recursos que gerencia a forma como os clientes interagem com a empresa no dia a dia é chamada de "interface do cliente" ou "gerenciamento da demanda". Trata-se de um conjunto de atividades que faz interface com o cliente individual e também com o mercado de uma forma mais geral. Dependendo da empresa, essas atividades podem incluir a negociação com o cliente, a entrada do pedido, a previsão da demanda, a promessa do pedido, atualização de clientes, manutenção dos históricos do cliente, pós-venda e distribuição física.

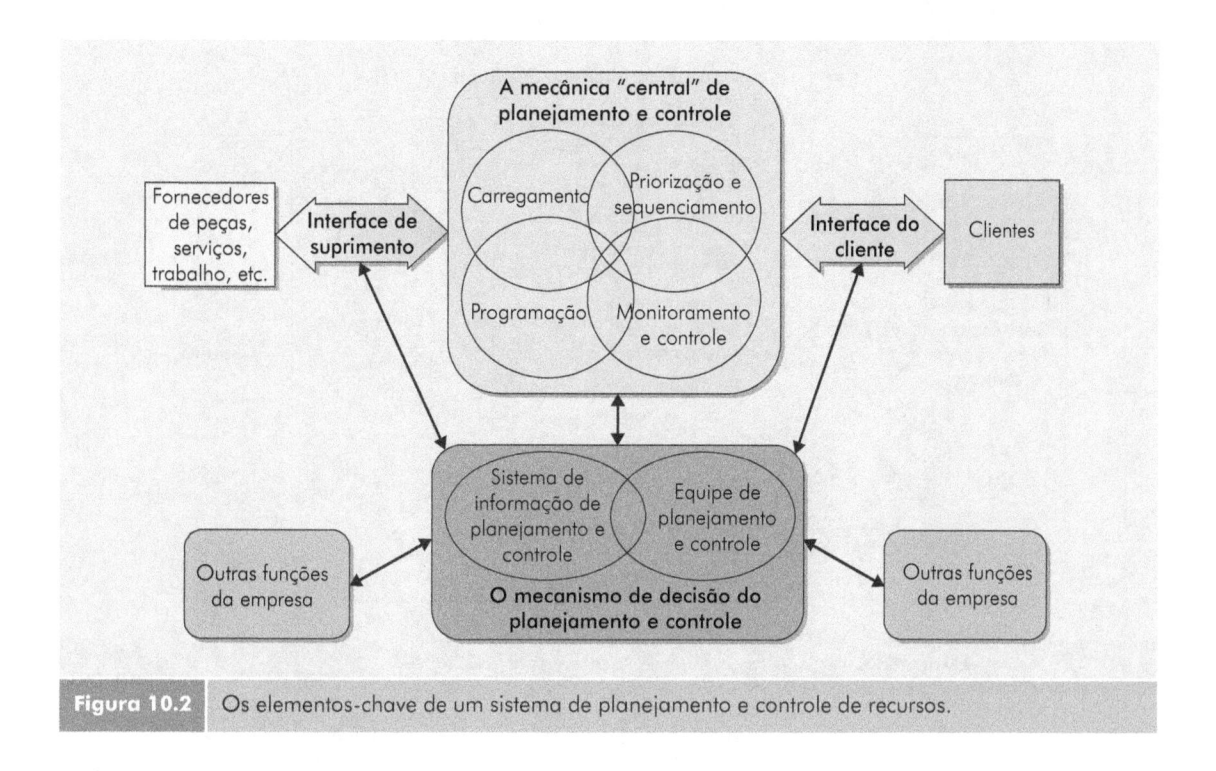

Figura 10.2 Os elementos-chave de um sistema de planejamento e controle de recursos.

A interface do cliente define a experiência do cliente

A interface do cliente é importante porque define a natureza da experiência do cliente. É a face pública da operação (a "linha de visibilidade" como é chamada no Capítulo 8). Portanto, precisa ser gerenciada como qualquer outro processo de processamento de clientes, no qual a qualidade do serviço, como o cliente o vê, é definida pela defasagem entre as expectativas dos clientes e suas percepções do serviço recebido. A Figura 10.3 ilustra uma experiência típica de interação do cliente com uma interface de planejamento e controle do cliente. A própria experiência começará antes de qualquer contato com o cliente. As expectativas dos clientes serão influenciadas pela forma como a empresa se apresenta a partir de atividades promocionais, a facilidade com a qual os canais de comunicação podem ser usados (por exemplo, projeto do *website*) e assim por diante. A questão é: o canal de comunicação fornece alguma indicação do tipo de resposta ao serviço (por exemplo, quanto tempo teremos de aguardar?) que o cliente pode esperar? No primeiro momento do contato, quando um cliente solicita serviços e produtos, sua solicitação deverá ser entendida, possivelmente a entrega será negociada e será feita a promessa da entrega. Antes da entrega do serviço ou produto, o cliente pode mudar de ideia, o que poderá ou não envolver a renegociação das promessas de entrega. Da mesma forma, os clientes podem querer saber sobre o andamento de sua solicitação. No momento da entrega, além dos produtos e serviços serem entregues oficialmente para o cliente, talvez possa haver uma oportunidade de explicar a natureza da entrega e captar as reações do cliente. Depois da entrega, pode também haver uma ação de pós-venda, tal como um telefonema confirmando se tudo está bem.

> **Princípio de operações**
> As percepções dos clientes em relação a uma operação serão parcialmente formatadas pela interface do cliente do sistema de planejamento e controle desta operação.

Como é comum em tais experiências, o gerenciamento das expectativas do cliente é particularmente importante nas etapas anteriores da experiência. Por exemplo, se existe uma possibilidade de a entrega atrasar (talvez por causa da natureza do serviço solicitado), então essa possibilidade é um elemento da expectativa do cliente. Conforme a experiência continua, várias interações com

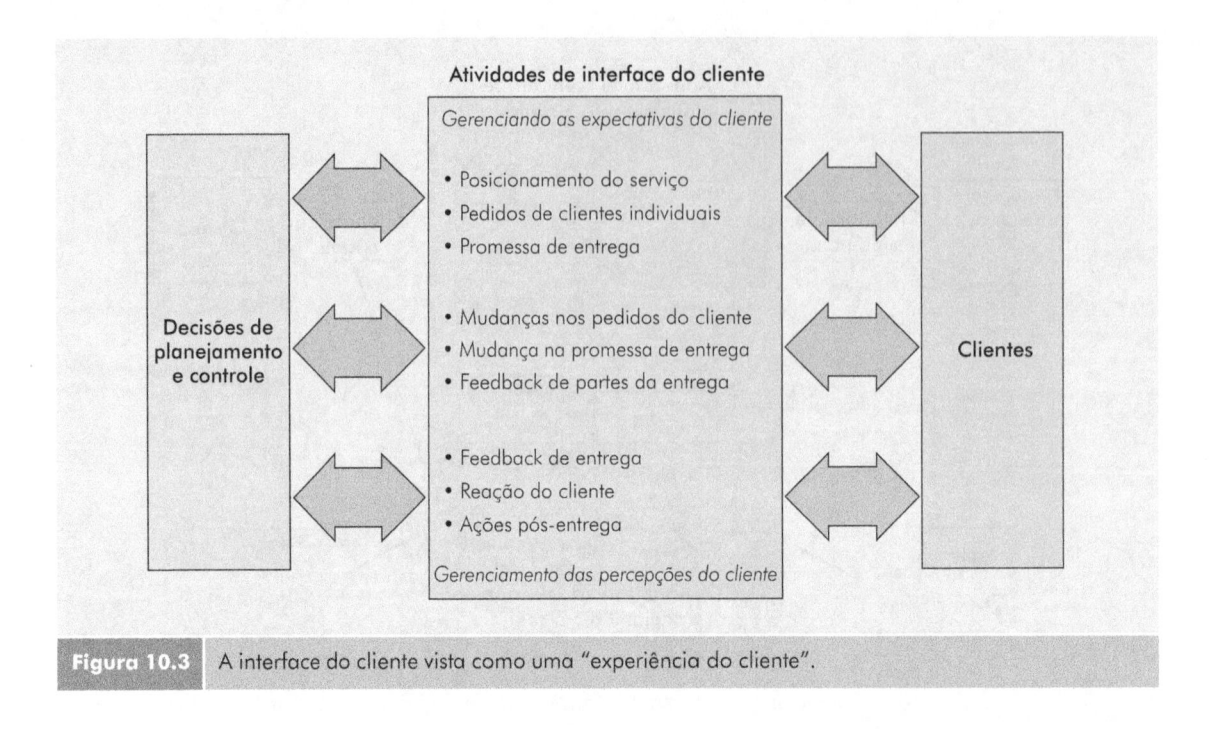

Atividades de interface do cliente

Gerenciando as expectativas do cliente

- Posicionamento do serviço
- Pedidos de clientes individuais
- Promessa de entrega

- Mudanças nos pedidos do cliente
- Mudança na promessa de entrega
- Feedback de partes da entrega

- Feedback de entrega
- Reação do cliente
- Ações pós-entrega

Gerenciamento das percepções do cliente

Decisões de planejamento e controle ⇄ Atividades de interface do cliente ⇄ Clientes

Figura 10.3 A interface do cliente vista como uma "experiência do cliente".

a interface do cliente servem para aumentar suas percepções sobre o nível de suporte e cuidado dispensado pela operação.

A interface do cliente deve refletir os objetivos da operação

Ao gerenciar uma experiência do cliente, a interface do cliente, dentro do sistema de planejamento e controle é, na verdade, a operacionalização dos objetivos de operações da empresa. As operações podem ter de priorizar um tipo de cliente em detrimento de outro. Pode-se ter de encorajar alguns tipos de clientes a fazerem mais um modelo de negócios do que outros (possivelmente menos lucrativos) tipos de clientes. Quase certamente terá de compensar elementos do serviço ao cliente contra a eficiência e utilização dos recursos de operações. Não importa o quanto seja sofisticada a tecnologia da interface do cliente, ou o quanto esteja habilitada a equipe da interface do cliente, essa parte do sistema de planejamento e controle não pode operar de forma eficaz sem esclarecer as prioridades derivadas dos objetivos estratégicos da operação.

A interface do cliente age como um gatilho

A aprovação de um pedido deve fazer com que a interface do cliente desencadeie os processos da operação. Exatamente o que será desencadeado dependerá da natureza da empresa. Por exemplo, algumas empresas de construção e edificação, por estarem dispostas a construir diversos tipos de edificação, manterão relativamente poucos de seus recursos próprios dentro do negócio; ao invés disso, irão contratá-los quando a natureza do trabalho ficar evidente. Esta é uma operação de "recurso sob pedido" na qual a interface do cliente desencadeia a tarefa de contratar o equipamento relevante (e possivelmente mão de obra) e comprar os materiais adequados. Se a empresa de construção restringe-se a uma variedade menor de tarefas de construção, tornando a natureza da demanda levemente mais previsível, provavelmente terá seu próprio equipamento e trabalho permanentemente dentro da operação. Nesse caso, a aprovação de uma tarefa só necessitaria desencadear a compra dos materiais a serem usados na construção, e o negócio é uma operação de "produção sob pedido". Algumas empresas de construção costumam fazer casas ou apartamentos padronizados pré-projetados antes de obter qualquer demanda firme para eles. Se a demanda é alta, os clientes podem fazer pedidos para casas antes de elas serem iniciadas ou durante sua construção. Neste caso, o cliente entrará numa fila de pedidos em aberto e deve esperar. Entretanto, a empresa também está assumindo o risco de manter um estoque de casas não vendidas. As operações desse tipo são chamadas de "produção antes do pedido".

Como o sistema faz interface com os fornecedores?

A interface dos fornecedores fornece a ligação entre as atividades da própria operação e as atividades dos seus fornecedores. O momento e o nível de atividades dentro da operação ou do processo terá implicações para o suprimento de produtos e serviços para a operação. Os fornecedores precisam estar informados de forma que possam tornar produtos e serviços disponíveis quando necessário. Na verdade, esse é o reflexo da interface do cliente. Como tal, a interface do fornecedor está preocupada em gerenciar a experiência do fornecedor para assegurar o suprimento adequado. O fato de o cliente não estar diretamente envolvido nisso não a torna algo menos importante. Definitivamente, a satisfação do cliente será influenciada pela eficácia do suprimento, porque esta, por sua vez, influencia a entrega aos clientes.

> **Princípio de operações**
> O sistema de planejamento e controle de uma operação pode melhorar ou inibir a capacidade de seus fornecedores sustentarem a eficácia da entrega.

Usar a defasagem entre as expectativas e a percepção para julgar a qualidade da função interface do fornecedor pode à primeira vista parecer estranho. Afinal de contas, os fornecedores não são clientes propriamente ditos. Contudo, é importante ser um cliente de qualidade para os fornecedores, pois isso aumenta as chances de receber um serviço de alta qualidade. Isso significa que os fornecedores entendem totalmente as expectativas de alguém porque eles foram claros e inequívocos.

A interface do fornecedor tem uma função tanto a longo quanto a curto prazo. Ela deve poder lidar com tipos diferentes de relacionamento com o fornecedor a longo prazo, e também negociar transações individuais com os fornecedores. No primeiro caso, ela deve entender as necessidades de todos os processos dentro da operação e também as competências dos fornecedores (em grandes operações, podem existir milhares de fornecedores). A Figura 10.4 mostra uma sequência simplificada dos eventos no gerenciamento de uma interação típica fornecedor-operação que a interface do fornecedor deve facilitar. Quando a atividade de planejamento e controle requer suprimento, a interface do fornecedor deve identificar fornecedores potenciais e poderá também ser capaz de sugerir materiais alternativos ou serviços, se necessário. A requisição formal de cotações pode ser enviada para fornecedores po-

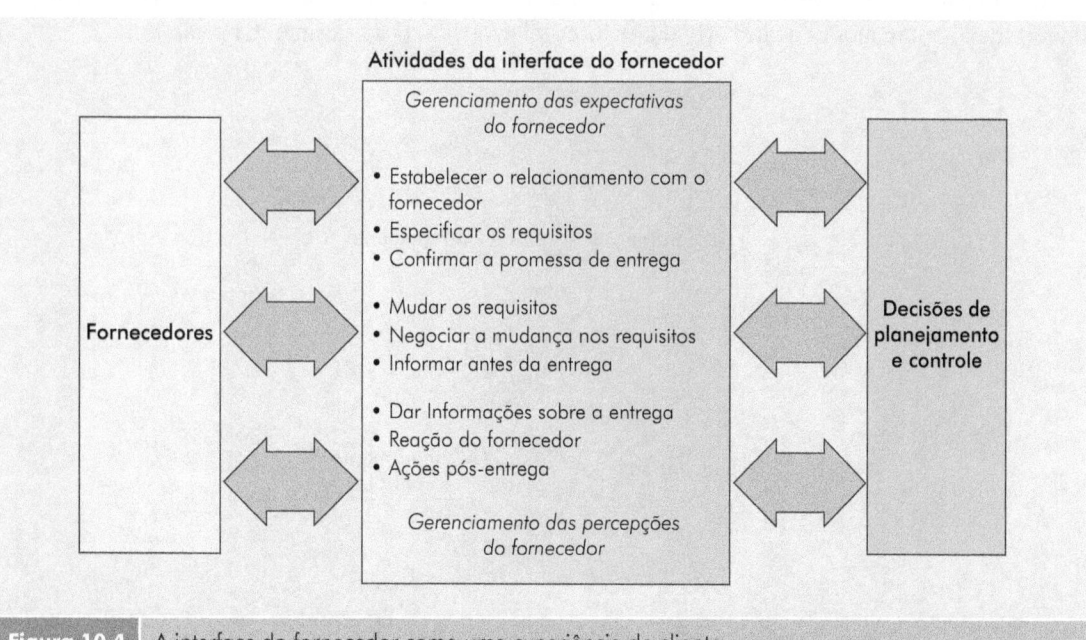

Figura 10.4 A interface do fornecedor como uma experiência do cliente.

tenciais se não existir acordo de suprimento. Essas solicitações poderão ser enviadas para diversos fornecedores ou para um grupo menor, que pode ser de fornecedores preferenciais. Tão importante quanto o gerenciamento das expectativas do cliente é o gerenciamento das expectativas do fornecedor, frequentemente mais do que qualquer suprimento formal de produtos ou serviços. Essa questão foi discutida no Capítulo 7 como desenvolvimento de fornecedores. Para negociar transações individuais, a interface do fornecedor precisará de pedidos de compra formais. Esses podem ser documentos isolados ou, mais provavelmente, pedidos eletrônicos. Qualquer que seja o mecanismo, é uma atividade importante porque com frequência forma a base legal do relacionamento contratual entre a operação e seu fornecedor. As promessas de entrega precisarão ser formalmente confirmadas. Enquanto se espera pela entrega, pode ser necessário negociar mudanças no suprimento, ou acompanhar o progresso para obter avisos antecipados de mudanças potenciais na entrega. Também o desempenho da entrega do fornecedor precisa ser estabelecido e comunicado, com acompanhamento se necessário.

Como o sistema executa cálculos básicos de planejamento e controle?

O planejamento e controle de recursos requer a reconciliação do suprimento com a demanda em termos de momento e nível das atividades dentro de uma operação ou processo. Para fazer isso, quatro atividades sobrepostas são executadas. São elas: carregamento, sequenciamento, programação e, finalmente, monitoramento e controle. Entretanto, alguma precaução é necessária ao usar esses termos. Diferentes organizações podem usá-los de diferentes formas, e mesmo os livros-texto da área podem adotar diferentes definições. Embora essas quatro atividades estejam muito inter-relacionadas, elas tratam de diferentes aspectos da tarefa de planejamento e controle de recursos. O carregamento aloca tarefas para os recursos a fim de avaliar *qual* nível de atividade é esperado de cada parte da operação. A programação está mais preocupada com *quando* a operação ou processo fará as tarefas. O sequenciamento é um conjunto mais detalhado de decisões que determina *em que ordem* as tarefas passam pelos processos. O monitoramento e controle verifica se *as atividades estão seguindo* o plano ao observar o que realmente está acontecendo na prática e ao fazer os ajustes conforme necessário. (Veja a Figura 10.5.) Essa parte do sistema de planejamento e controle pode ser considerada como a sala de máquinas de todo o sistema, dado que ela calcula as consequências das decisões do planejamento e controle. Sem entender como esses mecanismos básicos funcionam, é difícil entender como uma operação está sendo planejada e controlada. Devido a sua importância, trataremos as quatro atividades inter-relacionadas posteriormente no capítulo.

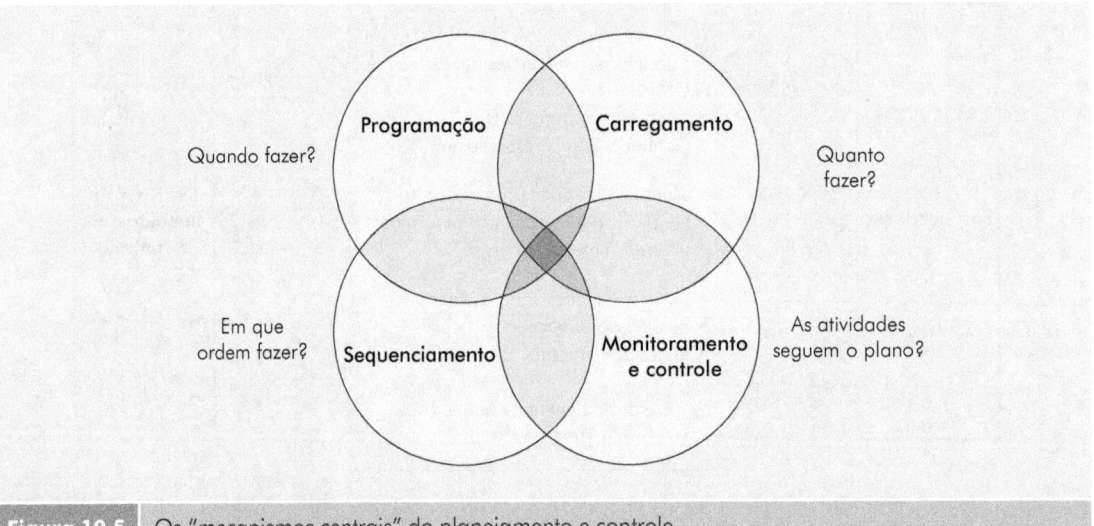

Figura 10.5 Os "mecanismos centrais" do planejamento e controle.

O sistema integra a tomada de decisões "automatizada" com as pessoas?

Embora os sistemas de planejamento e controle de recursos computadorizados estejam agora difundidos em muitas empresas, a maioria das decisões ainda é executada parcialmente por pessoas. É provável que sempre seja assim porque alguns elementos da tarefa, tal como negociar com clientes e fornecedores, são difíceis de automatizar. Contudo, os benefícios da tomada de decisão auxiliada pelo computador são difíceis de ignorar. Diferentemente das pessoas, o planejamento e controle computadorizado pode lidar com imensa complexidade, tanto por poder modelar o inter-relacionamento entre as decisões quanto poder armazenar grandes quantidades de informação. Entretanto, as pessoas são geralmente melhores em muitas das tarefas qualitativas "fáceis", que podem ser importantes no planejamento e controle. Em particular, as pessoas são boas no seguinte:

- *Flexibilidade, adaptabilidade e aprendizagem.* As pessoas podem lidar com objetivos e restrições ambíguas, incompletas, inconsistentes e redundantes. Em particular, elas podem lidar com o fato de que os objetivos de planejamento e controle e as restrições podem não ser estáveis por mais do que poucas horas;
- *Comunicação e negociação.* As pessoas são capazes de entender e às vezes influenciar a variabilidade inerente de uma operação. Podem também influenciar as prioridades da tarefa e às vezes os tempos de processamento. Podem também negociar com os processos internos e se comunicar com os clientes e fornecedores de forma a minimizar os mal-entendidos;
- *Intuição.* As pessoas podem preencher as lacunas de informações necessárias para planejar e controlar. Elas podem acumular o conhecimento tácito sobre o que é e o que pode estar realmente acontecendo com os processos da operação.

Esses pontos fortes da tomada de decisões pela pessoa *versus* a tomada de decisões pelo computador fornecem uma evidência de qual deveria ser o grau adequado de automação da tomada de decisões nesta área. Ao planejar e controlar processos relativamente fáceis e estáveis que são bem entendidos, a tomada de decisões pode ser mais automatizada do que os processos que são complexos, instáveis e mal-entendidos.

QUESTÕES DIAGNÓSTICAS

As informações de planejamento e controle de recursos estão integradas?

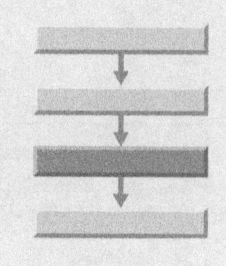

Uma das questões mais importantes no planejamento e controle de recursos é gerenciar, em alguns casos, vastas quantidades de informação geradas não apenas na função de operações, mas em quase todas as outras funções da empresa. A menos que toda informação relevante seja reunida e integrada, será difícil informar as decisões de planejamento e controle. O Planejamento dos Recursos Empresariais (ERP) trata disso. Ele é definido como *"uma solução completa de negócio para toda a empresa. O sistema de ERP possui módulos de software de suporte às funções de negócio tais como: marketing e vendas, serviço de campo, desenvolvimento e projeto de produtos, produção, controle de estoques, aquisição, distribuição, gerenciamento de instalações industriais,*

> **Princípio de operações**
> Os sistemas de planejamento e controle devem integrar as informações de todas as funções relevantes da organização.

desenvolvimento e projeto de processos, fabricação, qualidade, recursos humanos, finanças e contabilidade e serviços de informação. A integração entre os módulos é grande sem que haja duplicidade de informações".[3]

As origens do ERP

O planejamento dos recursos empresariais deu origem a uma enorme indústria dedicada a desenvolver os sistemas computadorizados necessários para dirigi-la. Entre as (agora) grandes empresas que cresceram quase exclusivamente fornecendo sistemas de ERP estão a SAP, a Oracle e a Baan. Contudo, o ERP é uma das últimas etapas (e a mais importante) num desenvolvimento que se iniciou com Planejamento das Necessidades de Materiais (MRP), uma abordagem que se tornou popular durante os anos 1970, embora a lógica de planejamento e controle que o fundamenta seja conhecida há algum tempo. É um método (simples nos princípios, mas complexo na execução) de traduzir a informação da produção necessária num plano de todas as atividades que devem ocorrer para alcançá-la. O que popularizou o MRP foi a disponibilidade do computador para fazer os cálculos básicos de planejamento e controle de uma maneira rápida, eficiente e, sobretudo, flexível. O MRP é tratado no suplemento deste capítulo. O Planejamento dos Recursos de Produção (MRP II) expandiu-se para fora do MRP durante os anos 1980. Esse conceito ampliado foi descrito como um plano bem-sucedido para planejar e monitorar todos os recursos de uma empresa de manufatura: produção, *marketing*, finanças e engenharia. Novamente, foi uma inovação tecnológica que permitiu esse desenvolvimento. Redes locais (LANs) junto com os crescentes e poderosos microcomputadores permitiram um grau muito mais alto de poder de processamento e de comunicação entre as diferentes partes de uma empresa.

O ponto forte do MRP e do MRP II sempre esteve no fato de que poderiam explorar as *consequências* de qualquer mudança que uma operação necessitasse fazer. Assim, se a demanda mudasse, o sistema MRP calcularia todos os efeitos "cascata" e emitiria instruções de acordo com a mudança. O mesmo princípio se aplica ao ERP, mas numa base mais ampla. Os sistemas de ERP permitem que as decisões e as bases de dados de todas as partes da organização sejam integradas de forma que as consequências das decisões de uma parte da organização sejam refletidas nos sistemas de planejamento e controle do resto da organização (veja Figura 10.6).

O ERP muda a forma como as empresas fazem negócio

Com certeza, a questão mais significativa na decisão de muitas empresas para comprar um sistema de ERP sob medida é sua incompatibilidade com os processos e práticas de negócio atuais da empresa. A experiência de instalação do ERP sugere que é extremamente importante ter certeza de que a forma atual de fazer negócio se encaixa (ou pode ser mudada para se encaixar) num pacote padrão ERP. Uma das razões mais comuns de não instalar o ERP é a incompatibilidade entre as premissas no *software* e a prática operacional dos processos centrais de negócio. Se os processos atuais de um negócio não se encaixam, ele pode ou mudar seus processos para se encaixarem no pacote ERP ou modificar o *software* dentro do pacote de ERP para atender seus processos.

> **Princípio de operações**
> Os sistemas de ERP só são totalmente efetivos se a forma como uma empresa organiza seus processos está alinhada com as premissas subjacentes de seu sistema de ERP.

Essas duas opções envolvem custos e riscos. Mudar as práticas de negócio que estão funcionando bem envolverá custos de reorganização, bem como introduzir a possibilidade de começar a acontecer erros nos processos. Adaptar o *software* reduzirá a velocidade do projeto e introduzirá *bugs* de programa potencialmente perigosos dentro do sistema. Isso também tornaria difícil atualizar o *software* mais tarde.

A instalação do ERP pode ser particularmente cara. Tentar obter novos sistemas e bases de dados para conversarem com velhos sistemas (chamado às vezes de *legados*) pode ser muito problemático.

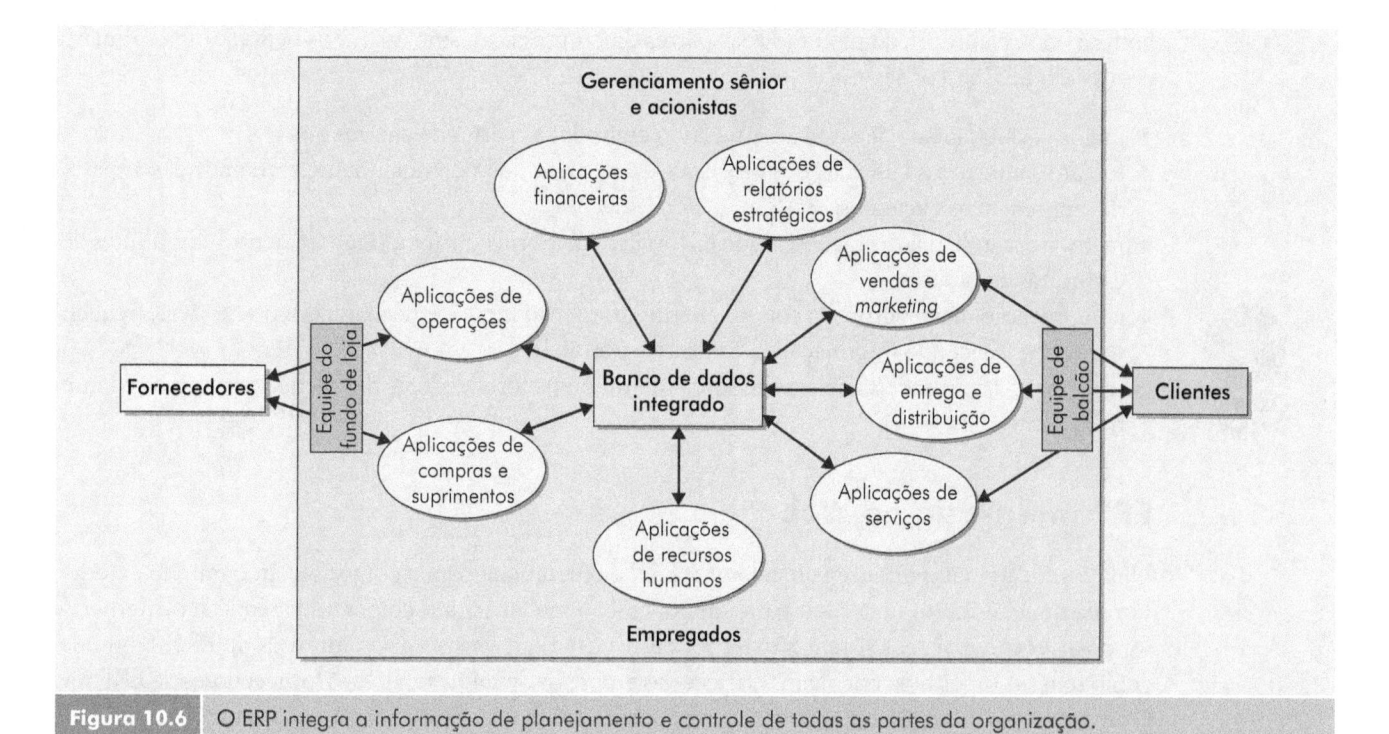

Figura 10.6 O ERP integra a informação de planejamento e controle de todas as partes da organização.

Não é surpreendente que muitas empresas escolhem substituir a maioria, se não todos, seus sistemas existentes simultaneamente. Novos sistemas comuns e bases de dados relacionais ajudam a assegurar a suave transferência de dados entre as diferentes partes da organização. Além disso, para a integração dos sistemas, o ERP normalmente inclui outras características que o tornam uma poderosa ferramenta de planejamento e controle:

- é baseado numa arquitetura cliente/servidor; isto é, o acesso aos sistemas de informação é aberto para qualquer um cujo computador esteja ligado aos computadores centrais;
- pode incluir facilidades de suporte às decisões que habilitam os tomadores de decisão de operações a incluir a informação mais recente da empresa;
- com frequência está ligado a sistemas externos extranet, tais como os sistemas de intercâmbio de dados eletrônicos (EDI), os quais estão ligados a parceiros da cadeia de suprimentos da empresa;
- pode interagir com aplicativos padrão os quais são de uso comum pela maioria dos gerentes, tais como planilhas eletrônicas, etc;
- frequentemente, os sistemas de ERP podem operar na maioria das plataformas comuns tais como Windows NT, UNIX ou Linux.

Os benefícios do ERP

O ERP em geral é visto como tendo o potencial para melhorar de forma significativa o desempenho de muitas empresas em muitos setores diferentes, parcialmente por causa da melhor visibilidade que a integração da informação fornece, mas é também uma função da disciplina que o ERP exige. Contudo, essa disciplina é uma faca de dois gumes. Por um lado, ela "melhora" o gerenciamento de cada processo dentro de uma organização, permitindo que as melhores práticas (ou ao menos a prática comum) sejam implementadas de forma uniforme pela empresa. O comportamento particular de uma parte das operações da empresa já não causará mais uma ruptura em todos os outros processos. Por outro lado, está a rigidez dessa disciplina que é difícil de alcançar e (com certeza) não é apropriada para todas as partes da empresa. Mesmo assim, os benefícios geralmente aceitos do ERP são os seguintes:

- maior visibilidade do que está acontecendo em todas as partes da empresa;
- forçar as mudanças baseadas nos processos do negócio que potencialmente tornam todas as partes da empresa mais eficientes;
- melhor controle das operações, o que encoraja a melhoria contínua (embora dentro dos limites das estruturas do processo);
- comunicação mais sofisticada com os clientes, fornecedores e outros parceiros do negócio, frequentemente fornecendo informação mais exata e pontual;
- integrar todas as cadeias de suprimentos incluindo os fornecedores dos fornecedores e os clientes dos clientes.

ERP integrado na Web

Uma justificativa importante para adotar o ERP é o potencial para a conexão com o mundo exterior. Por exemplo, é muito mais fácil para uma operação mudar para o comércio baseado na Internet se for possível integrar seus sistemas externos da Internet em seus sistemas internos de ERP. Contudo, como tem sido apontado por alguns críticos das empresas de *software* ERP, os fornecedores de ERP não estavam preparados para o impacto do comércio eletrônico e não tinham feito ajustes suficientes em seus produtos para a necessidade de interface com canais de comunicação baseados na Internet. O resultado foi que, considerando que a complexidade interna dos sistemas de ERP foi projetada para ser inteligível só pelos especialistas do sistema, a Internet tem feito com que os clientes e os fornecedores (que não são especialistas) estejam pedindo acesso à mesma informação.

Um problema é a necessidade de diferentes tipos de informação para diferentes tipos de empresas externas. Os clientes desejam verificar o progresso de seus pedidos e faturas, mas os fornecedores e outros parceiros querem acessar os detalhes do planejamento e controle das operações. Não é somente isso: eles querem informações a qualquer hora. A Internet está sempre lá, mas os sistemas de ERP normalmente são complexos e necessitam de manutenção periódica. Isso pode significar que toda vez que o sistema de ERP está inacessível para manutenção de rotina ou outras mudanças, o *site* também está inacessível. Para combater isso, algumas empresas configuram seus *links* ERP e de comércio eletrônico de uma forma que eles podem ser desacoplados, e assim o ERP pode ser periodicamente parado sem afetar a presença da empresa na Web.

Rede de suprimentos ERP

Depois da integração dos sistemas internos de ERP com os clientes e fornecedores imediatos, o próximo passo é integrar-se com os sistemas de outras empresas ao longo da rede de suprimentos. Isso é extremamente complicado, pois faz com que os sistemas de ERP tenham de se comunicar entre si, mas também tenham de integrar-se com outros tipos de sistema. Por exemplo, as funções de vendas e *marketing* com frequência usam sistemas como os de Gerenciamento do Relacionamento com o Cliente (CRM – Customer Relationship Management) que gerenciam as complexidades das necessidades do cliente, promessas e transações. Fazer sistemas de ERP e CRM trabalharem juntos é por si só normalmente difícil. Mesmo assim, aplicações de ERP integradas à Internet ou "c-comércio" (comércio colaborativo) são emergentes e começaram a ter um impacto na forma como as empresas fazem negócio. Embora seja uma tarefa formidável, os benefícios são potencialmente grandes. O custo de comunicação entre os parceiros da rede de suprimentos poderia ser drasticamente reduzido e o potencial para evitar erros, à medida que a informação e os produtos se movem entre os parceiros na cadeia de suprimentos, é significativo. Contudo, tal transparência também traz riscos. Se o sistema de ERP de uma operação dentro da cadeia de suprimentos falha por alguma razão, ele pode prejudicar a eficácia da operação de todo sistema integrado de informações ao longo da rede.

QUESTÕES DIAGNÓSTICAS
As atividades centrais de planejamento e controle são eficazes?

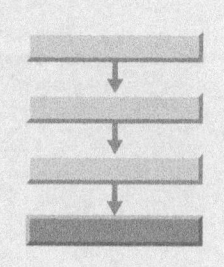

Toda atividade de planejamento e controle de recursos depende de um conjunto de cálculos que mostram quanto trabalho alocar em diferentes partes da operação, quando diferentes atividades deveriam ser desempenhadas, em que ordem tarefas individuais deveriam ser feitas e como os processos podem ser ajustados, caso se desviem do plano. Esses cálculos podem ser considerados a "sala de máquinas" de todo o sistema de planejamento e controle de recursos. Embora os algoritmos que guiam os cálculos estejam frequentemente embutidos dentro dos sistemas computadorizados, vale a pena entender algumas das ideias centrais nas quais eles estão baseados. Eles recaem em quatro categorias sobrepostas: carregamento, sequenciamento, programação e monitoramento e controle.

Carregamento

Carregamento é a quantidade de trabalho que é alocado a uma etapa do processo ou para o processo inteiro. É uma questão relacionada à capacidade que tenta conciliar o quanto é esperado que a operação ou o processo faça com o quanto a operação ou o processo pode fazer. Essencialmente, a atividade de carregamento calcula as consequências da carga de trabalho total da operação sobre as partes individuais da operação. Isso pode ou não levar em conta os limites reais de capacidade. Se levar em conta, é chamado de carregamento finito; se não, é chamado de carregamento infinito. O carregamento finito é uma abordagem que aloca trabalho para um centro de trabalho (uma pessoa, uma máquina, ou talvez, um

> **Princípio de operações**
> Para qualquer nível de demanda, um sistema de planejamento e controle deve ser capaz de indicar as implicações para o carregamento em qualquer parte da operação.

grupo de pessoas ou máquinas) somente até um limite determinado. Esse limite é a estimativa de capacidade para um centro de trabalho (baseado nos tempos disponíveis para carregamento). Trabalho acima dessa capacidade não é aceito. A Figura 10.7(a) mostra que não é permitido ao carregamento exceder o limite de capacidade no centro de trabalho. O carregamento finito é particularmente relevante para as operações em que:

- *é possível limitar a carga* – por exemplo, é possível processar um sistema de agendamentos para um consultório médico ou para um cabeleireiro;
- *é necessário limitar a carga* – por exemplo, por razões de segurança somente um número finito de pessoas e peso de bagagem são permitidos num avião;
- *o custo de limitar a carga não é proibitivo* – por exemplo, o custo de manter um livro de pedidos finito num fabricante de carros esportivos não afeta adversamente a demanda, e pode até melhorá-la.

O carregamento infinito é uma abordagem para carga de trabalho que não limita a aceitação de trabalho, mas que, em vez disso, tenta lidar com ele. A Figura 10.7(b) ilustra um padrão de carregamento em que as restrições de capacidade não foram usadas para limitar a carga. O carregamento infinito é relevante para as operações em que:

- *não é possível limitar a carga* – por exemplo, um departamento de acidentes e a emergência num hospital não podem impedir chegadas que precisem de atenção;

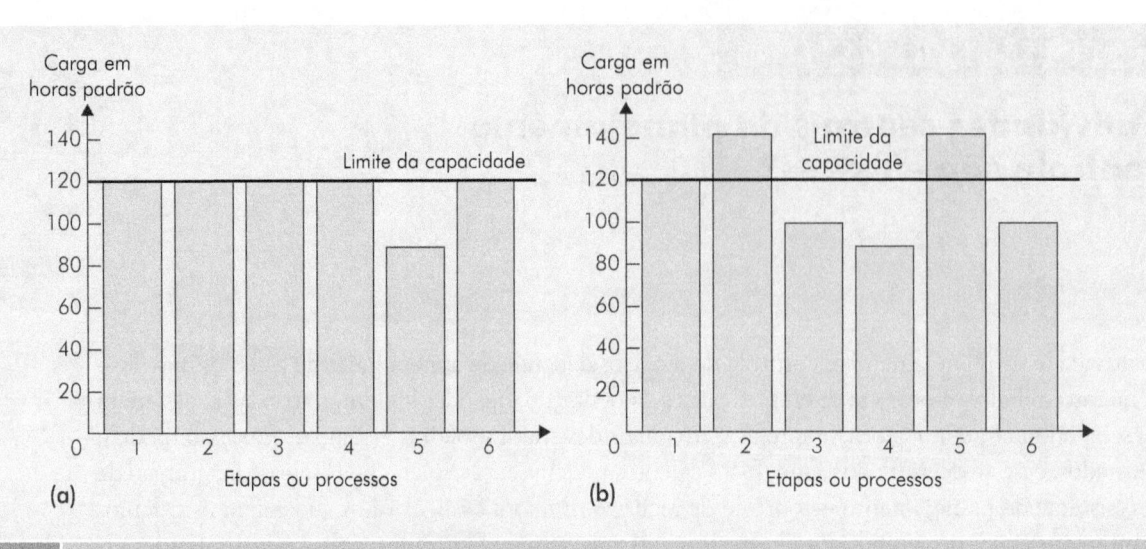

Figura 10.7 (a) Carregamento finito; (b) carregamento infinito.

- *não é necessário limitar a carga* – por exemplo, lanchonetes são projetadas para alongar para mais ou para menos sua capacidade para lidar com taxas de chegadas variáveis de clientes. Durante períodos de pico, os clientes aceitam ficar na fila por algum tempo antes de serem servidos; a menos que a espera seja extrema, os clientes não irão para outro lugar;
- *o custo de limitar a carga é proibitivo* – por exemplo, se um banco de varejo impedir a entrada de clientes na porta por causa do número de clientes em seu interior, os clientes se sentirão insatisfeitos com o serviço.

Nas atividades complexas de planejamento e controle em que existem múltiplas etapas, cada uma com diferentes capacidades e com um *mix* variável chegando nas instalações, como na manutenção de máquinas de uma empresa de engenharia, as restrições impostas pelo carregamento finito tornam os cálculos de carregamento tão complexos que não valeria a pena a considerável capacidade de cálculo que seria necessária.

Sequenciamento

Depois de "carregar" o trabalho nos processos, a ordem ou sequência em que serão trabalhados precisa ser determinada. Essa tarefa é chamada de sequenciamento. As prioridades dadas ao trabalho numa operação são frequentemente determinadas por algum conjunto pré-definido de regras de sequenciamento. Algumas dessas estão resumidas a seguir:

- **Prioridade do cliente**. Isso permite a um cliente importante ou inconformado, ou a um item, ser priorizado independentemente de sua ordem de chegada. Alguns bancos, por exemplo, dão prioridade aos clientes importantes. Departamentos de acidente e emergência em hospitais devem planejar rapidamente um programa que priorize pacientes que apresentem sintomas sérios de doença. Hospitais devem desenvolver sistemas de triagem, pelo qual a equipe médica rapidamente avalia os pacientes para determinar sua urgência relativa.
- **Data devida (DD)**. O trabalho é sequenciado de acordo com a data prometida de entrega, independente do tamanho de cada tarefa ou da importância de cada cliente. Por exemplo, um serviço de suporte num prédio de escritórios, tal como uma unidade de reprografia, pode sequenciar o trabalho de acordo com a data em que a tarefa é necessária. O sequenciamento pela data devida normalmente melhora a confiabilidade da entrega e a velocidade média da entrega, mas pode não fornecer uma produtividade ótima.

- **Último a entrar, primeiro a sair (LIFO –** *last in, first out***).** Esta normalmente é selecionada por razões práticas. Por exemplo, descarregar um elevador é mais conveniente numa base LIFO, como existe somente uma entrada e saída. O LIFO tem um efeito muito adverso sobre a velocidade e a confiabilidade da entrega.
- **Primeiro a entrar, primeiro a sair (FIFO –** *first in, first out***).** Também chamado primeiro a chegar, primeiro a ser servido (FCFS – *first come, first served*), esta é uma regra simples e justa, usada especialmente quando as filas são evidentes aos clientes, como em parques temáticos.
- **Tempo de operação mais longo primeiro (LOT –** *longest operation time first***).** Executar a tarefa mais longa primeiro tem a vantagem de utilizar os centros de trabalho por longos períodos. Embora a utilização possa ser alta (e os custos relativamente baixos, portanto), essa regra não leva em consideração a velocidade, confiabilidade ou flexibilidade da entrega.
- **Tempo de operação mais curto primeiro (SOT –** *shortest operation time first***).** Processa pequenas tarefas rapidamente, e assim realiza a produção de modo rápido, permitindo que a receita seja gerada rapidamente. O desempenho da entrega a curto prazo pode ser melhorado, mas a produtividade e o tempo de processamento de grandes tarefas provavelmente serão fracos.

Programação

A programação é a atividade que produz uma tabela de horários detalhada mostrando quando as atividades deveriam começar e terminar. Programas são costumeiros em muitos ambientes de consumo, como, por exemplo, um programa de ônibus que mostra a hora que cada ônibus deve chegar em cada etapa do roteiro. Embora familiar, a programação é uma das tarefas mais complexas no gerenciamento de processos e de operações. Programas podem ter de lidar de forma simultânea com muitas atividades e diversos tipos diferentes de recursos, provavelmente com diferentes capacidades e competências. Também o número de programas possíveis aumenta rapidamente conforme o número de atividades e recursos aumenta. Se um processo tem cinco diferentes tarefas a processar, qualquer uma das cinco tarefas poderia ser processada primeiro e, seguindo isso, qualquer uma das quatro tarefas restantes e assim por diante. Isso significa que existem $5 \times 4 \times 3 \times 2 = 120$ diferentes possibilidades de programas. De forma mais geral, para n tarefas existem $n!$ (fatorial de n, ou $n \times (n-1) \times (n-2)... \times 1$) diferentes formas de programar as tarefas para um simples processo ou etapa. Se existe mais de um processo ou etapa, existem $(n!)^m$ programas possíveis, em que n é o número de tarefas e m é o número de processos ou etapas. Em termos práticos, isso significa que existem com frequência muitos milhões de programas possíveis, mesmo para operações relativamente pequenas. É por isso que a programação raramente tenta fornecer uma solução ótima, mas em vez disso satisfaz-se com um programa viável ou aceitável.

> **Princípio de operações**
> Um sistema de planejamento e controle da operação deveria permitir o acesso aos efeitos dos programas alternativos.

Gráficos de Gantt

O método mais comum de programação é o uso dos gráficos de Gantt. Esse é um dispositivo simples que representa o tempo como barras, ou canais, num gráfico. Os tempos inicial e final das atividades podem ser indicados no gráfico e às vezes o progresso real da tarefa também é indicado. As vantagens dos gráficos de Gantt estão no fornecimento de uma representação visual simples do que deveria estar acontecendo e do que realmente está acontecendo na operação. Além disso, eles podem ser usados para testar programas alternativos. Representar os programas alternativos é uma tarefa relativamente simples (mesmo que não seja uma tarefa simples encontrar um programa que atenda todos os recursos satisfatoriamente). A Figura 10.8 ilustra um gráfico de Gantt para um desenvolvedor de *software* especialista. Ele indica o progresso de diversas tarefas conforme se espera que elas progridam pelas cinco etapas do processo. Os gráficos de Gantt não são uma ferramenta otimizada; eles meramente facilitam o desenvolvimento de programas alternativos comunicando-os de forma eficaz.

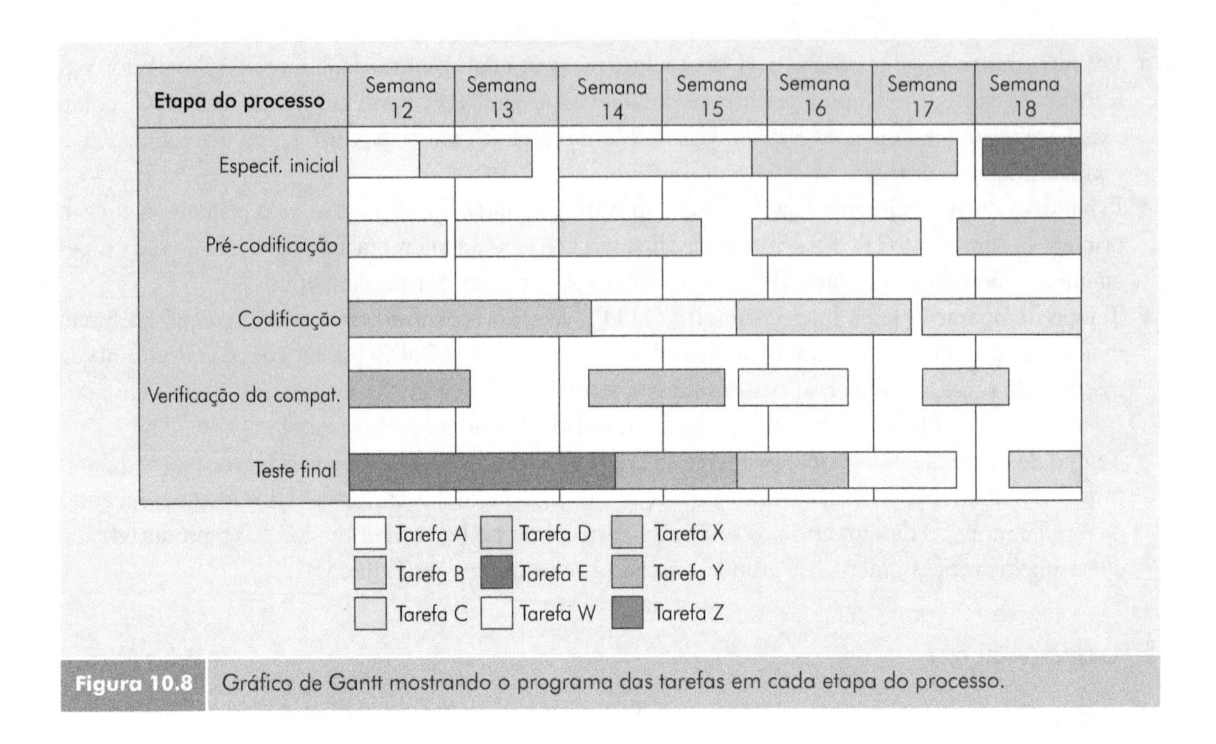

Figura 10.8 Gráfico de Gantt mostrando o programa das tarefas em cada etapa do processo.

Programação dos padrões de trabalho

Onde o recurso dominante numa operação é a sua equipe, então o programa das horas de trabalho efetivamente determina a capacidade da operação. A programação precisa ter certeza de que o número de pessoas trabalhando é suficiente para fornecer uma capacidade adequada para o nível de demanda. Operações como *call centers* e hospitais, que devem responder diretamente à demanda do cliente, precisam programar as horas de trabalho de sua equipe com a demanda em mente. Por exemplo, a Figura 10.9 mostra a programação dos turnos para um pequeno serviço de suporte técnico *hotline** para a empresa de *software*. Suas horas de serviços são das 4h às 20h na segunda-feira, das 4h às 22h de terça-feira a sexta-feira, das 6h às 22h no sábado e das 10h às 20h no domingo. A demanda mais pesada é de terça-feira até quinta-feira, começa a diminuir na sexta, é menor durante o fim de semana e começa a aumentar

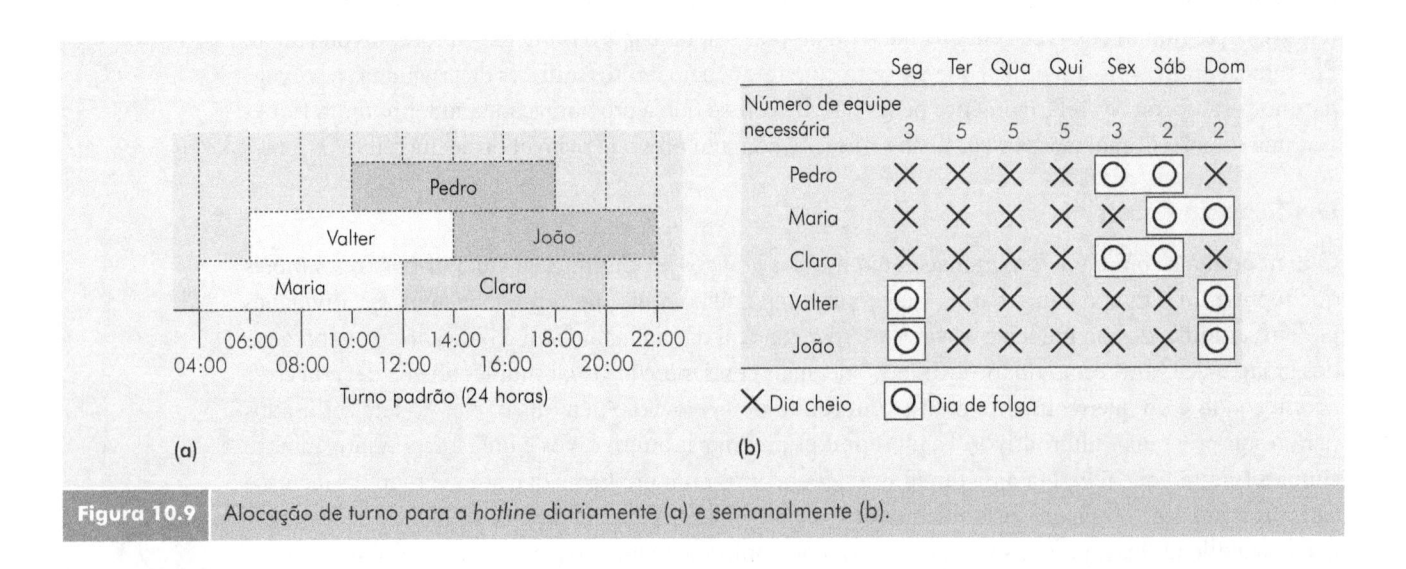

Figura 10.9 Alocação de turno para a *hotline* diariamente (a) e semanalmente (b).

---

* N. de T.: *Hotline* é uma linha de telefone especial que as pessoas podem usar a fim de obter informações.

novamente na segunda-feira. A tarefa de programação para esse tipo de problema pode ser considerada sob diferentes escalas de tempo, duas das quais são mostradas na Figura 10.9. Durante o dia, as horas de trabalho precisam ser acordadas com os membros individuais da equipe. Durante a semana, dias de folga precisam ser acordados. Durante o ano, férias, períodos de treinamento e outros períodos de tempo em que a equipe está indisponível precisam ser acordados. Tudo isso tem de ser programado de forma que:

- a capacidade atenda a demanda;
- a duração de cada turno não seja nem excessivamente longa nem muito curta para ser atrativa à equipe;
- o trabalho fora das horas normais seja minimizado;
- os dias de folga atendam as condições acordadas com a equipe (neste exemplo, a equipe prefere dois dias de folga consecutivos a cada semana);
- as férias e outros períodos de tempo livre sejam acomodados;
- flexibilidade suficiente seja colocada no programa para cobrir mudanças inesperadas no suprimento (faltas por doença) e demanda (oscilação nas chamadas do cliente).

Programar as horas da equipe é um dos mais complexos problemas da programação. No exemplo relativamente simples mostrado na Figura 10.9, assumimos que toda a equipe tem o mesmo nível e tipo de habilidade. Em operações muito grandes com muitos tipos de habilidades a programar e demanda incerta (por exemplo, um grande hospital), o problema da programação se torna extremamente complexo. Algumas técnicas matemáticas estão disponíveis, mas a maioria dos programas deste tipo é, na prática, resolvido usando heurística (aproximações intuitivas), algumas das quais estão incorporadas dentro dos pacotes de *software* disponíveis comercialmente.

Teoria das restrições (TOC)

Um conceito importante, cuidadosamente relatado para a programação, que reconhece a importância de planejar as conhecidas restrições da capacidade, é a Teoria das Restrições (TOC – *Theory of Constraints*). Ela foca o esforço da programação nos gargalos da operação. Identificando a localização das restrições, trabalhando para removê-las e então procurando a próxima restrição, uma operação está sempre concentrada na parte que determina criticamente o andamento da produção. A abordagem que usa essa ideia é chamada de Tecnologia de Produção Otimizada (OPT – *Optimized Production Technology*). Seu desenvolvimento e seu *marketing* como um produto de *software* proprietário foi originado por Eliyahu Goldratt.[4] Ela ajuda a programar sistemas de produção no ritmo ditado pela maioria dos recursos pesadamente carregados, isto é, pelos gargalos. Se a taxa de atividade em qualquer parte do sistema excede a do gargalo, então estão sendo produzidos itens que não podem ser usados. Se a taxa de trabalho cai abaixo do ritmo do gargalo, então todo o sistema está subutilizado. Os princípios da OPT subjacente demonstram esse foco sobre os gargalos.

Princípios da OPT

1 Equilibre o fluxo, não a capacidade. É mais importante reduzir o tempo de processamento do que alcançar um equilíbrio simbólico da capacidade entre etapas ou processos.
2 O nível de utilização de um não gargalo é determinado por algumas outras restrições no sistema, não por sua própria capacidade. Isso se aplica a etapas num processo, processos numa operação e operações numa rede de suprimentos.
3 Utilização e ativação de um recurso não são a mesma coisa. De acordo com a TOC, um recurso está sendo *utilizado* somente se ele contribui para todo o processo ou operação gerando mais saída na produção. Um processo ou etapa pode ser *ativado* no sentido que está trabalhando, mas pode estar apenas gerando estoque ou desempenhando outra atividade sem qualquer valor adicional.
4 Uma hora perdida (não usada) num gargalo é uma hora perdida para sempre por todo o sistema. O gargalo limita a produção de todo o processo ou operação, e, portanto, a subutilização de um gargalo afeta todo o processo ou operação.

5 Uma hora economizada num não gargalo é uma miragem. Não gargalos têm capacidade extra de qualquer forma. Por que gastar energia tornando-os ainda menos utilizados?
6 Os gargalos governam o processamento e o estoque no sistema. Se os gargalos governam o fluxo, então eles governam o tempo de processamento, que por sua vez governa o estoque.
7 Você não deve transferir os lotes nas mesmas quantidades que você os produz. O fluxo provavelmente será melhorado dividindo grandes lotes de produção em menores para movê-los por um processo.
8 O tamanho do lote de processo deve ser variável, não fixo. Novamente, concluindo a partir do modelo EBQ, as circunstâncias que controlam o tamanho do lote podem variar entre diferentes produtos.
9 As flutuações nos processos conectados e sequencialmente dependentes somam-se umas às outras em vez de resultar numa quantidade média. Assim, se dois processos ou etapas paralelas têm a capacidade equivalente a uma taxa média de produção particular, em série eles nunca serão capazes de alcançar a mesma taxa média de produção.
10 Os programas deveriam ser feitos olhando todas as restrições simultaneamente. Por causa dos gargalos e das restrições dentro de sistemas complexos, é difícil planejar programas de acordo com um simples sistema de regras. Ao contrário, todas as restrições precisam ser consideradas ao mesmo tempo.

Monitoramento e controle

Tendo criado um plano para a operação a partir do carregamento, do sequenciamento e da programação, cada parte da operação tem de ser monitorada para assegurar que as atividades estejam se desenvolvendo conforme planejado. Qualquer desvio pode ser corrigido através de um tipo de intervenção na operação, a qual provavelmente envolverá algum replanejamento. A Figura 10.10 ilustra uma visão simples de controle. A produção de uma célula é monitorada e comparada com o plano que indica o que a célula deveria estar fazendo. Desvios desse plano são levados em consideração por uma atividade de replanejamento e as intervenções necessárias são feitas (pontualmente) na célula, o que irá assegurar que o novo plano seja executado. Mais cedo ou mais tarde, entretanto, algum desvio futuro da atividade planejada será detectado e o ciclo é repetido.

> **Princípio de operações**
> Um sistema de planejamento e controle deve ser capaz de detectar desvios dos planos numa escala de tempo que permita uma resposta adequada.

Controle empurrado e puxado

Um elemento de controle é a intervenção periódica em processos e operações. Uma diferença-chave está entre os sinais de intervenção que empurram o trabalho pelos processos e pelas operações e

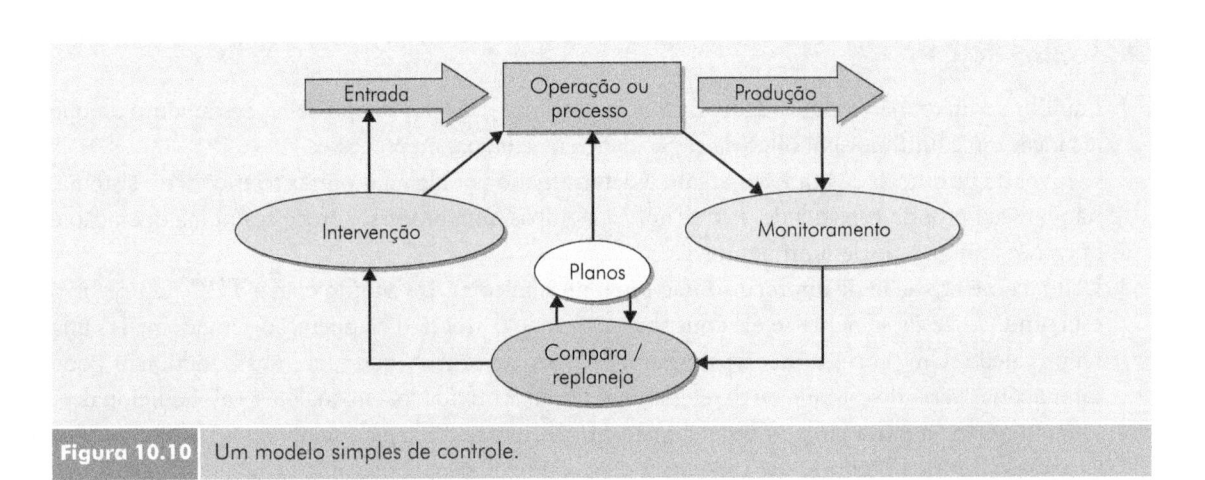

Figura 10.10 Um modelo simples de controle.

aqueles que puxam o trabalho somente quando é necessário. Num sistema de controle *empurrado*, as atividades são programadas por meio de um sistema central e completadas em linha com instruções centrais, como num sistema de MRP (veja o suplemento deste capítulo). Cada célula produz o trabalho em grande quantidade sem considerar se a célula que a sucede pode fazer uso dele. Desvios do plano são observados pelo sistema central de planejamento e controle de operações e os planos são ajustados conforme necessário. Num sistema de controle *puxado*, o ritmo e a especificação do que é feito são determinados pela estação de trabalho "cliente" seguinte, a qual "puxa" o trabalho da estação de trabalho (fornecedor) precedente. O cliente age como o único "gatilho" para movimentação. Se um pedido não é passado de volta do cliente para o fornecedor, este último não pode produzir coisa alguma ou mover quaisquer materiais. Um pedido de um cliente não somente dispara a produção na etapa de suprimento, mas também faz com que a etapa de suprimento peça uma entrega futura para seus próprios fornecedores. Desta forma, a demanda é transmitida para trás pelas etapas, desde o ponto original da demanda, pelo cliente original.

Os sistemas de controle empurrados são mais formais e requerem tomada de decisão ou poder de cálculo significativos quando é necessário replanejar à luz dos eventos. Mas o controle empurrado pode lidar com mudanças muito significativas em circunstâncias envolvendo mudanças maiores no nível de produção ou *mix* de produto. Por outro lado, o controle puxado é mais autoajustável no sentido de que as regras mais naturais que governam o relacionamento entre as etapas ou processos podem lidar com desvios do plano sem referenciar

> **Princípio de operações**
> O controle puxado reduz o acúmulo de estoques entre os processos ou etapas.

qualquer autoridade mais alta de tomada de decisão. Mas existem limites no grau de enfrentamento de maiores flutuações na demanda. O controle puxado funciona melhor quando as condições são relativamente estáveis. Entender as diferenças entre empurrar e puxar é importante também porque eles têm diferentes efeitos em termos de suas tendências de acumular estoque. Sistemas puxados têm menos probabilidade de acumular estoques e, portanto, têm vantagens em termos da sincronização enxuta do fluxo (abordado no Capítulo 13).

Controle tambor, pulmão e corda

O conceito tambor, pulmão e corda vem da Teoria das Restrições (TOC) descrita antes. É uma ideia que ajuda a decidir exatamente *onde* o controle deveria ocorrer. Novamente, a TOC enfatiza o papel do gargalo no fluxo de trabalho. Se o gargalo é a restrição principal, ele deveria ser o ponto de controle de todo o processo. O gargalo deveria ser o *tambor*, porque ele determina o "ritmo" que o resto do processo deve seguir. Por não ter capacidade suficiente, um gargalo está (ou deveria estar) trabalhando todo o tempo. Portanto, é sensato manter a manutenção de um *pulmão* de estoque antes dele para garantir que ele sempre tem algo em que trabalhar. Além disso, como ele restringe a produção de todo o processo, qualquer tempo perdido no gargalo afetará a produção de todo o processo. Assim, não vale a pena para as partes do processo antes do gargalo trabalhar à capacidade plena. Todas elas produziriam trabalho que se acumularia posteriormente ao longo do processo até o ponto em que o gargalo está restringindo o

> **Princípio de operações**
> As restrições dos processos e atividades gargalo devem ser a entrada principal para a atividade de planejamento e controle.

fluxo. Portanto, alguma forma de comunicação entre o gargalo e a entrada do processo é necessária para assegurar que as atividades antes do gargalo não façam superprodução. Essa comunicação é chamada de *corda* (veja a Figura 10.11).

O grau de dificuldade no controle das operações

O modelo simples de controle de monitoramento na Figura 10.10 ajuda a entender as funções básicas da atividade de controle e monitoramento. Porém, trata-se de uma simplificação. Alguns processos simples dominados pela tecnologia podem se aproximar disso, mas muitas outras operações não. Na

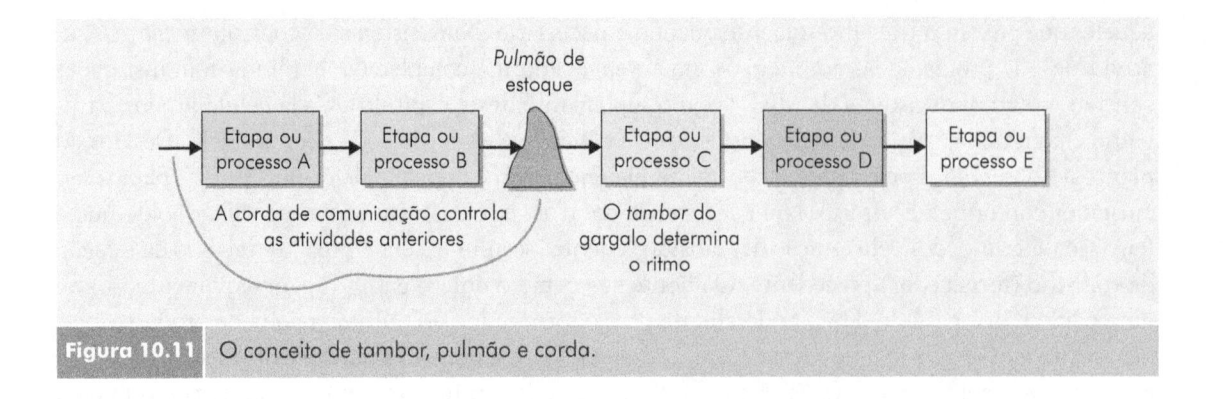

Figura 10.11 O conceito de tambor, pulmão e corda.

verdade, o comentário crítico a seguir fornece um conjunto de questões úteis que podem ser usadas para avaliar o grau de dificuldade associado ao controle de qualquer operação:

- Existe um consenso sobre quais deveriam ser os objetivos da operação?
- Quão bem pode ser medida a produção da operação?
- Os efeitos das intervenções na operação são previsíveis?
- As atividades da operação são predominantemente repetitivas?

A Figura 10.12 ilustra como essas quatro questões podem formar dimensões de "controlabilidade". Ela mostra três diferentes operações. A operação que processa alimentos é relativamente fácil de controlar, enquanto o serviço de amparo à criança é particularmente difícil. O serviço de consultoria fiscal é algo intermediário.

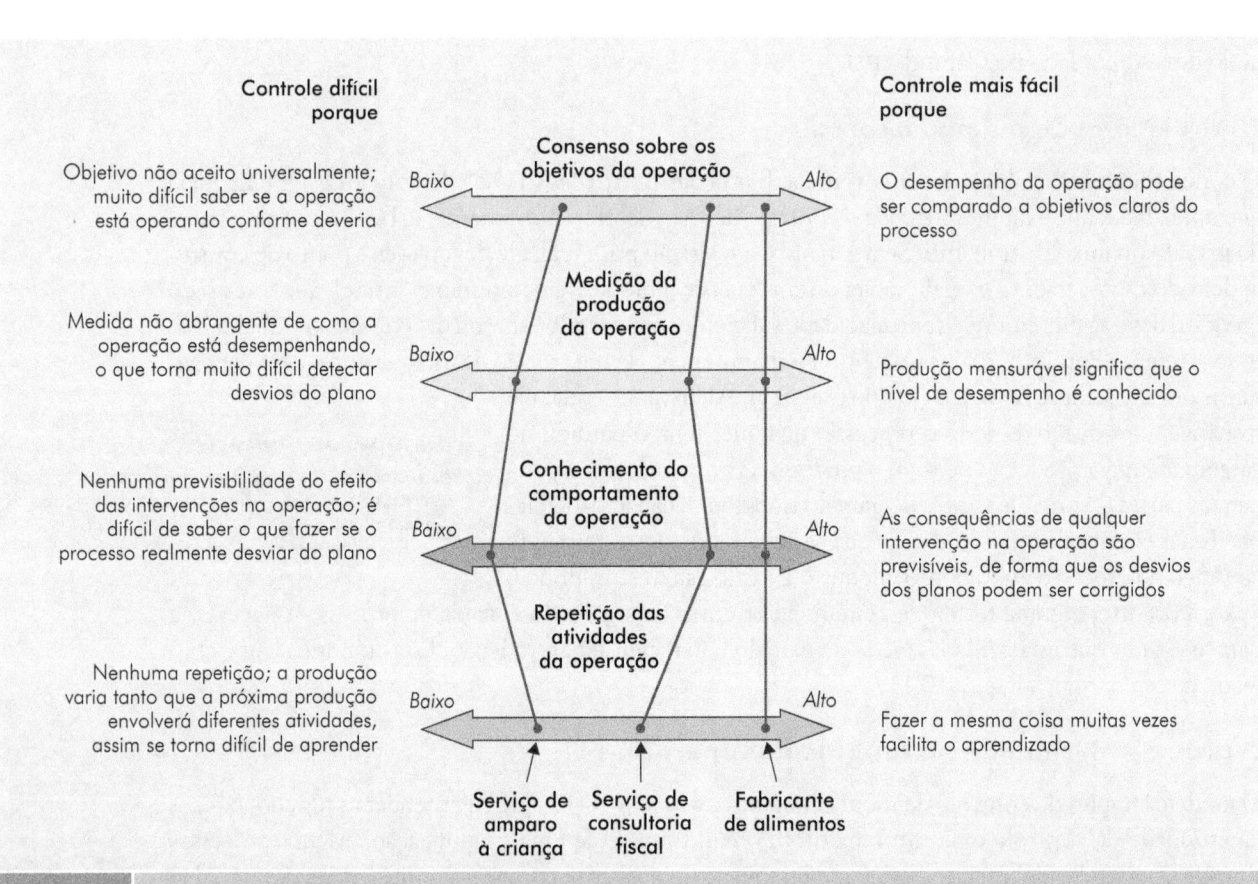

Figura 10.12 Grau de facilidade de controle de uma operação.

Comentário crítico

Cada capítulo contém um breve comentário crítico sobre as principais ideias nele abordadas. Seu propósito não é minar as questões discutidas, mas enfatizar que, embora apresentemos uma visão relativamente ortodoxa da operação, existem outras perspectivas.

■ Longe de ser um ingrediente mágico que permite às operações integrarem totalmente toda sua informação, o ERP é lembrado por alguns como uma das formas mais caras de obter retorno zero ou mesmo negativo sobre o investimento. Por exemplo, a Dow Chemical, gigante do setor químico norte-americano, gastou quase meio bilhão de dólares e sete anos implementando um sistema de ERP que se tornou desatualizado assim que foi implementado. Uma empresa, a FoxMeyer Drug, declarou que o gasto e os problemas encontrados na implementação do ERP levaram-na à falência. Um dos problemas é que a implementação do ERP é cara. Parte deste custo vem da necessidade de personalizar o sistema, entender suas implicações na organização e treinar a equipe para usá-lo. O investimento no que alguns chamam de *ecossistema* do ERP (consultoria, máquinas, rede e aplicativos complementares) foi estimado como sendo o dobro do gasto no próprio *software*. Mas não é somente o gasto que tem desiludido muitas empresas, é também o retorno que elas têm obtido do investimento. Alguns estudos mostram que a vasta maioria das empresas que estão implementando o ERP está desapontada com o efeito que ele tem apresentado para seus negócios. Certamente, muitas empresas acham que têm de mudar (às vezes fundamentalmente) a forma como organizam suas operações a fim de encaixar-se nos sistemas de ERP. Esse impacto organizacional do ERP (o qual já foi descrito como o equivalente corporativo a um tratamento de canal) pode ter um efeito de ruptura significativa sobre as operações da organização.

■ Se algumas das críticas do ERP fazem sentido, então por que as empresas têm investido tanto dinheiro nele? Em parte, pela atração de tornar os sistemas de informação da empresa numa máquina integrada e rodando regularmente. A perspectiva de tal eficiência organizacional é atrativa à maioria dos gerentes, mesmo pressupondo um modelo muito simplista de como as organizações trabalham na prática. Depois de um tempo, embora as organizações pudessem ver os problemas formidáveis na implementação do ERP, os investimentos eram justificados assim: "mesmo se não obtivermos vantagem significativa investindo no ERP, estaríamos em desvantagem *não* investindo nele, já que todos nossos concorrentes estão fazendo isso". Provavelmente existe uma verdade nisso; às vezes, é necessário investir apenas para se manter no negócio.

■ Essa sua maioria, as perspectivas sobre controle abordadas neste capítulo são uma simplificação de uma realidade muito mais confusa. Elas são baseadas em modelos usados para entender sistemas mecânicos, como motores de carro. Mas quem trabalhou em organizações reais sabe que as organizações não são máquinas. Elas são sistemas sociais, cheios de interações complexas e ambíguas. Modelos simples como esses assumem que os objetivos das operações são sempre claros e acordados, mas as organizações são entidades políticas nas quais objetivos diferentes e frequentemente conflitantes competem entre si. Operações locais do governo, por exemplo, são abertamente políticas. Ademais, as saídas das operações não são sempre facilmente mensuradas. Uma universidade pode ser capaz de mensurar o número e as qualificações de seus estudantes, por exemplo, mas é incapaz de mensurar o impacto total de sua educação sobre a felicidade futura deles. Além disso, mesmo sendo possível planejar uma intervenção adequada para trazer uma operação de volta ao "controle", a maioria das operações não pode prever perfeitamente qual efeito a intervenção terá. Mesmo a maior das cadeias de lanches rápidos não sabe *exatamente* como um novo sistema de alocação de turno afetará o desempenho. Finalmente, algumas operações nunca fazem a mesma coisa mais de uma vez, do mesmo jeito. A maior parte do trabalho feito pelas operações de construção é único. Se toda produção é diferente, como os "controladores" podem saber o que acontecerá? Seus planos são mera especulação.

Lista de verificação

Esta lista de verificação inclui perguntas que podem ser úteis se aplicadas a qualquer tipo de operação e reflete as principais questões diagnósticas usadas neste capítulo.

- [ ] É dedicado esforço adequado para planejar e controlar os recursos e as atividades da operação?
- [ ] As falhas recentes no planejamento e controle têm sido usadas para reconsiderar como opera o sistema de planejamento e controle?
- [ ] O sistema faz interface com os clientes de forma a encorajar uma experiência positiva do cliente?
- [ ] O sistema de planejamento e controle faz interface com os fornecedores de forma a promover uma experiência do fornecedor que esteja de acordo com os interesses da empresa a longo prazo?
- [ ] O sistema executa os cálculos básicos de planejamento e controle de uma forma adequada e realista?
- [ ] O equilíbrio entre a tomada de decisões automatizada e a humana é entendido e adequado para as circunstâncias?
- [ ] A informação de planejamento e controle de recursos está bem integrada?
- [ ] As vantagens e desvantagens de passar para um sistema de ERP sofisticado (mas caro!) foram investigadas?
- [ ] Neste caso, as possibilidades da integração por meio da Internet e o escopo da cadeia de suprimentos foram investigadas?
- [ ] Os gargalos são levados em conta na forma como as decisões do planejamento e controle são tomadas?
- [ ] Caso contrário, os gargalos foram identificados e seus efeitos sobre a regularidade do fluxo de itens pela operação foram avaliados?

Estudo de caso   subText Studios, Cingapura

"C.K. One" estava claramente chateado. Desde que ele fundara a *subText* no crescente mercado de imagens geradas por computador (CGI – *computer generated imaging*) no Sudeste Asiático, três anos antes, esta era a primeira vez que ele precisava pedir desculpas para seus clientes. Na verdade, foram mais do que desculpas; ele concordou em reduzir sua tarifa, embora soubesse que não tinha contribuído para o atraso. Ele admitiu que, além daquele ponto, ele não tinha percebido total e exatamente quanto risco financeiro e para sua reputação existia em deixar de atender as datas programadas. Não que ele ou sua equipe estivessem desatentos da importância da confiabilidade. Ao contrário. Imaginação, especialização e confiabilidade são destacadas em sua literatura promocional, declaração da missão e assim por diante. Apenas as partes da imaginação e especialização pareciam ser as responsáveis pelo seu tão longo sucesso. É claro, tiveram a má sorte de, depois de mais de um ano de confiabilidade perfeita (nenhuma tarefa atrasada), as duas que atrasaram no primeiro trimestre de 2004 foram particularmente críticas. *"Elas foram ambas para novos clientes"*, disse CK, *"e nenhum deles indicou exatamente o quanto era importante a data de entrega acordada. Nós deveríamos ter sabido, ou perguntado, admito. Mas é sempre mais difícil com novos clientes, porque sem um registro histórico dos trabalhos anteriores, você não admite a possibilidade de estar atrasado."*

A empresa

Depois de estudar ciências da computação até o nível de mestrado na Universidade Nacional de Cingapura, C.K. Ong trabalhou durante quatro anos em oficinas CGI nos arredores de Los Angeles, Califórnia, e fez seu MBA em Stanford. Foi lá que seus amigos começaram a chamá-lo de CK One, em parte por causa de sua afeição pelo perfume e em parte devido a seus expressivos talentos de liderança que levaram-no a ser o líder de qualquer grupo com o qual trabalhasse. Depois disso, *"o nome pegou"*, mesmo quando ele retornou para Cingapura para fundar a *subText* Studios. Enquanto estava na Califórnia, CK observou que uma pequena, mas crescente, parte do mercado para serviços de imagens geradas por computador estava na indústria de propaganda. *"A maioria dos trabalhos de CGI ainda está ligado à indústria de cinema"*, admitiu CK. *"Entretanto, dois fatores importantes têm surgido durante os últimos quatro ou cinco anos.*

Primeiro, as agências de publicidade têm percebido que, com uma ou duas exceções notáveis, a maior parte da sua produção é visualmente menos impactante do que o público está acostumado a ver nos cinemas. Segundo, o custo da CGI sofisticada, que era uma barreira para a maioria dos orçamentos de propaganda, está começando a cair rapidamente. Isto se deve à capacidade do computador mais barato e também porque a escassez de especialistas de CGI habilitados que também têm talento criativo está começando a se corrigir." CK decidiu retornar a Cingapura por razões familiares e porque o mercado na área estava crescendo de modo rápido e, diferentemente de Hong Kong, que tinha um grande setor de cinema com seu setor de serviços auxiliares, Cingapura tinha poucos concorrentes.

A empresa foi organizada de forma similar, mas um pouco mais simplificada, que as empresas para as quais CK tinha trabalhado na Califórnia. No cerne da empresa estavam os três departamentos centrais que lidavam sequencialmente com cada tarefa contratada. Esses três departamentos eram Pré-produção, Produção e Pós-produção.

- A Pré-produção estava relacionada com a obtenção e o refinamento do *briefing* (o que o cliente deseja), verificando e trocando informações com o cliente para esclarecer dúvidas e obter aprovação da ideia inicial. Além disso, atuava como conta de relacionamento com o cliente e também era respon-

sável por estimar os recursos e momentos de execução de cada tarefa. Tinha também a responsabilidade nominal por monitorar a tarefa ao longo das duas etapas restantes, mas geralmente só faziam isso se o cliente precisasse ser consultado durante os processos de Produção e Pós-produção. Os Supervisores de Artes em cada departamento eram responsáveis pelo controle das tarefas em seus departamentos.
- A Produção envolvia a criação da imagem. Este era um processo complexo e demorado envolvendo o uso de avançadas estações de trabalho e de *software* de CGI. Em torno de 80% da produção eram executados em casa, mas para trabalhos que a *subText* não podia fazer, ou encontrasse dificuldades em fazer, outras empresas especialistas eram contratadas. Isso raramente foi feito para aumentar a capacidade, pois reduzia drasticamente as margens de lucro.
- A Pós-produção tinha duas funções. A primeira era de integrar as sequências de imagem visual produzidas pela Produção com outros efeitos, tais como som, música, dublagens, etc. A segunda era o corte, a edição e geralmente a produção do "produto" acabado no formato solicitado pelo cliente.

Cada departamento era composto por equipes de duas pessoas. *"É um truque que eu aprendi trabalhando para uma empresa em L.A."*, disse CK. *"Duas pessoas trabalhando juntas melhoram o processo criativo (se você consegue as duas pessoas certas!) e fornece disciplina para cada uma delas. Além disso, permite alguma flexibilidade na mescla de diferentes talentos e assegura que exista sempre ao menos uma pessoa da equipe presente a qualquer momento, que sabe o progresso e o status de qualquer tarefa."* A Pré-produção tinha duas equipes, a Produção tinha três equipes e a Pós-produção, duas equipes. Além disso, o próprio CK às vezes trabalhava nos departamentos centrais, particularmente na Pré-produção, quando tinha tempo, mas isso estava se tornando cada vez mais raro. Seu papel principal era no *marketing* de serviços da empresa e, geralmente, no desenvolvimento de negócios. *"Eu sou a face externa da empresa e parte das minhas tarefas é atuar como um interlocutor, particularmente para o pessoal da Produção e Pós-produção. A última coisa que eu quero é que eles sejam perturbados pelos clientes o tempo todo. Eu também tento ajudar quando posso, especialmente com o trabalho criativo e desenhos. O problema em fazer isso é que, particularmente para a Pré-produção e Pós-produção, uma pessoa a mais auxiliando nem sempre ajuda a agilizar a tarefa. Na verdade, às vezes pode confundir as coisas e deixá-las mais lentas. Por isso, para o trabalho da Pré-produção e Pós-produção, uma equipe está sempre dedicada exclusivamente a uma tarefa. Não permitimos que uma equipe trabalhe em duas tarefas ao mesmo tempo, ou que haja duas equipes trabalhando na mesma tarefa. Isso simplesmente não funciona por causa da confusão que cria. Isso não se aplica à Produção. Normalmente (mas não sempre) o trabalho na Produção pode ser dividido de forma que duas ou mesmo as três equipes possam trabalhar em diferentes partes* *da tarefa ao mesmo tempo. Contanto que exista uma estreita coordenação entre as equipes e que todos estejam comprometidos, deveria existir uma relação inversamente proporcional entre o número de pessoas trabalhando na tarefa e o tempo que ela leva. Na verdade, com a tarefa infame 53/F era exatamente o que tínhamos de fazer; entretanto, desmentindo o que afirme: sobre encurtar o tempo, provavelmente fomos menos eficientes com as três equipes trabalhando nela."*

"Pagamos às nossas equipes nos três departamentos centrais um salário baseado em sua experiência e um bônus anual. Por isso, espera-se que eles, dentro do razoável, trabalhem até a tarefa terminar. Isso varia, mas a maioria de nós trabalha ao menos dez horas por dia com relativa frequência. Esse ritmo de trabalho é considerado nas estimativas de tempo que fazemos para cada etapa do processo. E, embora possamos ser inexatos às vezes, não creio que haja algo a se fazer com a falta de motivação ou com a velocidade de trabalho. Justamente esse tipo de coisa que é, às vezes, difícil de estimar."

A tarefa 53/F

A tarefa 53/F, recentemente finalizada (atrasada) e entregue para o cliente (insatisfeito), foi a fonte de muito caos, confusão e recriminação durante as últimas duas ou três semanas. Embora a tarefa estivesse somente três dias atrasada, isso tinha causado ao cliente (o escritório de Cingapura de uma agência de publicidade norte-americana) a postergação de uma apresentação para seu próprio cliente. Para piorar, a *subText* tinha dado o aviso de atraso somente cinco dias antes da entrega, tentando até o último momento melhorar a posição do programa.

O nome completo da tarefa que tinha lhes dado tanto problema era 04/53/F. O 04 significava o ano em que a tarefa foi iniciada, o 53 era o número referência do cliente e o F, o identificador da tarefa (no início do ano a primeira tarefa era nomeada A, depois B, e assim por diante, com AA, BB, etc., sendo usados subsequentemente). A Tabela 10.1 mostra os dados de todas as tarefas iniciadas em 2004 até o momento atual (dia 58, cada dia de trabalho era numerado ao longo de todo o ano). A Figura 10.13 mostra o programa para esse período. A tarefa tinha sido aceita no dia 18 e parecia relativamente fácil, embora ficasse sempre claro que seria uma tarefa de produção longa. Também estava claro que o tempo ia ser apertado. Existiam 32 dias para acabar a tarefa estimada em 30 dias.

"Nós negociamos esse trabalho por duas ou três semanas e estávamos felizes por tê-lo conseguido. Foi importante para nós porque o cliente, embora pequeno em Cingapura, tinha participações por todo o mundo. Vimos isso como um caminho potencial para novos negócios. Agora percebemos que subestimamos o fato de que ter três equipes trabalhando na etapa de produção aumentaria sua complexidade em um ou outro ponto. OK, não era uma tarefa fácil de CGI para realizar, mas provavelmente teríamos conseguido caso tivéssemos organizado melhor a etapa de CGI. Também faltou sorte porque, em nossos esforços para entregar a tarefa 53/F no prazo, interrompemos a tarefa

Tabela 10.1 — subText Studios Cingapura – programa real para o dia 02 até o dia 58, 2004

Tarefa (04)	Em dia	Tempo total estimado	Tempo total real	Data de entrega	Entrega real	Pré-prod. Est.	Pré-prod. Real	Prod. Est.	Prod. Real	Pós-prod. Est.	Pós-prod. Real
06/A	-4	29	30	40	34	6	8	11	10	12	12
11/B	-4	22	24	42	31	4	5,5	7	7,5	11	11
04/C	2	31	30,5	43	40	9	9,5	12	13	10	9
54/D	5	28	34	55	58	10	12	12	17	6	5
31/E	15	34	25	68	57	10	11	12	14	12	–
53/F	18	32	49	50	53	6	10	18	28	8	11
24/G	25	26	20	70	–	9	11	9	9	8	–
22/H	29	32	26	70	–	10	12	14	14	8	–
22/I	33	30	11	75	–	10	11	12	–	8	–
09/J	41	36	14	81	–	12	14	14	–	10	–
20/K	49	40	–	89	–	12	–	14	–	14	–

54/D daquele que tornou-se o único cliente novo que tivemos no ano." (C.K.Ong)

A tarefa provou ser difícil desde o começo. A etapa de Pré-produção levou mais tempo que o estimado, principalmente porque a equipe de criação do cliente mudou justamente antes do início do trabalho da *subText*. Mas a própria CGI realmente revelou-se o maior problema. Não somente a tarefa era intrinsecamente difícil, como era difícil dividi-la em pacotes que pudessem ser coordenados pelas duas equipes alocadas para a tarefa. Pior ainda, ficou aparente, a dois ou três dias do início do trabalho de produção, que eles necessitariam da ajuda de um outro estúdio para alguns dos efeitos. Embora o outro estúdio fosse um fornecedor regular, mesmo se avisado na última hora, desta vez estavam muito ocupados e não poderiam nos ajudar. Foi contratado um estúdio especialista em Hong Kong. *"A demora na subcontratação foi claramente um problema, mas foi somente na metade da fase da produção que percebemos o quanto era difícil a tarefa 53/F. Neste ponto, dedicamos todos os nossos recursos de produção para concluí-la.*

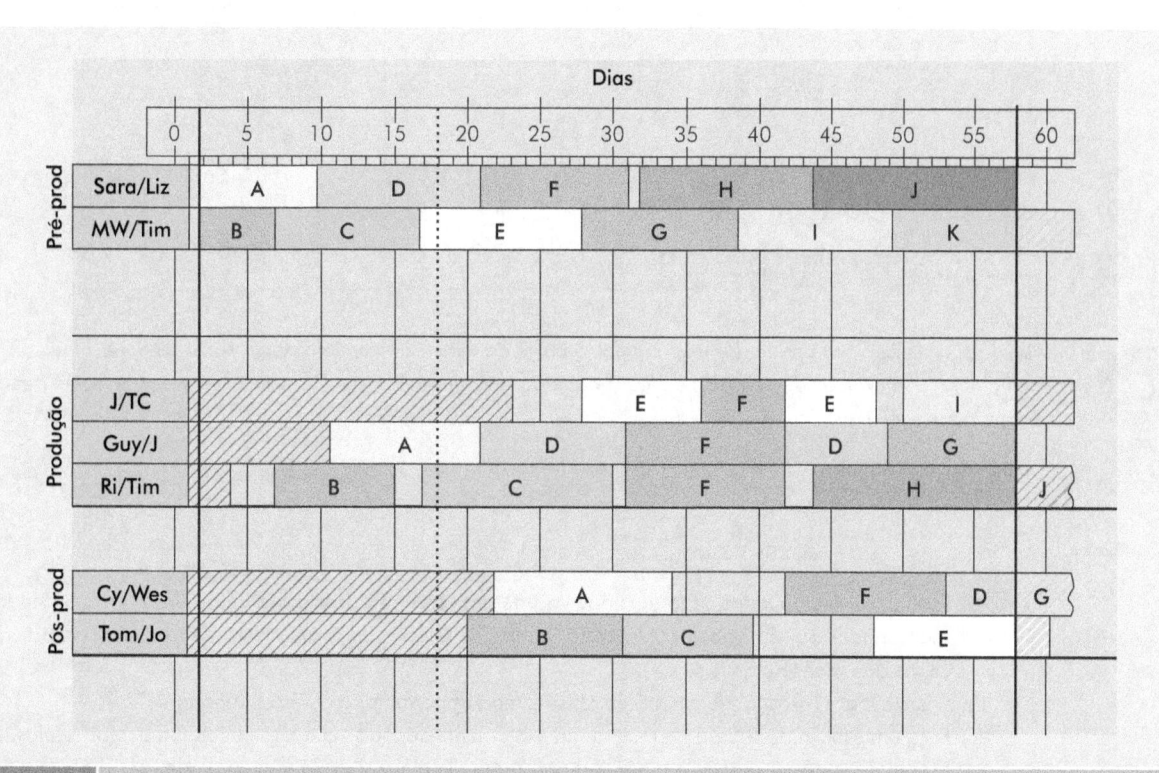

Figura 10.13 — subText Studios Cingapura – programa real para o dia 02 até o dia 58, 2004.

Infelizmente, mesmo assim, a tarefa estava atrasada. A decisão de finalmente colocar todas as equipes na tarefa 53/F não foi fácil, pois sabíamos que interromperia outras tarefas e potencialmente causaria mais problemas de coordenação. Entretanto, quando aceito tarefas na Produção, estou aceitando que as passarei para a Pós-produção na data acordada e farei o que for necessário para cumpri-la. Nós falhamos naquele momento, mas você não pode dizer que não fizemos tudo que podíamos e, tecnicamente, a tarefa era brilhante, o próprio cliente admite isso." ("TC" Ashwan, Supervisor dos Artistas de CGI, Departamento de Produção).

"De forma alguma faremos isso novamente"

"De forma alguma faremos isso novamente", disse CK para as equipes centrais quando ele se reuniu para examinar cuidadosamente o que tinha dado errado. *"Precisamos desesperadamente de uma abordagem mais profissional para manter o acompanhamento de nossas atividades. Não há sentido em falar para todos o quanto somos bons se deixamos o cliente na mão. O problema é que não quero encorajar uma cultura de 'comando e controle' no estúdio. Dependemos de uma equipe que sinta que tem a liberdade de explorar opções aparentemente malucas que podem justamente levar a algo realmente especial. Não somos uma fábrica. Mas precisamos controlar nossas estimativas de forma a termos uma ideia melhor de quanto tempo cada tarefa realmente levará. Depois disso, cada um dos departamentos centrais pode ser responsável por seu próprio planejamento."*

PERGUNTAS

1. O que deu errado com a tarefa 53/F e como a empresa poderia evitar cometer o mesmo erro novamente?
2. O que você sugere que a *subText* faça para ajustar seus procedimentos de planejamento e controle?

Estudo de caso ativo — **Contabilidade Coburn Finnegan**

Coburn Finnegan é um pequeno negócio de contabilidade na República da Irlanda, com escritórios em Cork, Limerick e Galway. Eles estavam com a próxima semana razoavelmente tomada quando, inesperadamente, um de seus clientes telefona com uma solicitação urgente, o que força Mark Williams, o gerente da equipe, a discutir novamente o programa.

- Como você aconselharia a empresa a responder à solicitação?

Consulte o Caso Ativo no CD que acompanha este livro para saber mais sobre as atividades de planejamento e controle dentro da empresa.

Aplicando os princípios

Alguns destes exercícios podem ser respondidos a partir da leitura do capítulo. Outros vão requerer algum conhecimento geral da atividade de negócios e alguns poderão requerer pesquisa. Todos têm sugestões de como podem ser respondidos no CD que acompanha este livro.

1. (a) Faça uma lista de todas as tarefas que você tem de fazer na próxima semana. Inclua nesta lista tarefas relacionadas ao seu trabalho e/ou estudo, tarefas relacionadas a sua vida doméstica, enfim, todas as coisas que você tem de fazer.
   (b) Priorize todas essas tarefas numa escala de "mais importante" a "menos importante".
   (c) Faça um esboço de programa mostrando exatamente quando você fará cada uma dessas tarefas.
   (d) No fim da semana, compare o que seu programa disse que você *faria* com o que você *realmente* fez. Se existe uma discrepância, por que ela ocorreu?

(e) Faça sua própria lista de regras de planejamento e de controle a partir de sua experiência, nesse exercício de planejamento e controle pessoal.

2. Releia o exemplo no começo do capítulo que trata de como uma concessionária de automóveis planejava e controlava suas atividades na oficina. Experimente visitar uma operação local de serviços (oficina) e fale com eles sobre a abordagem para planejamento e controle utilizada. (Observe que essa operação pode ser menos sofisticada do que a operação descrita no exemplo, ou, caso se trate de uma franquia, pode ter uma abordagem diferente daquela descrita no exemplo.)

- O que você acha que o "sistema" de planejamento e controle (que pode ou não ser computadorizado) deve fazer bem a fim de assegurar uma programação eficiente e eficaz?

- Quais qualidades você considera ideais para as pessoas com tarefas similares as de Joanne Cheung?

3. De sua própria experiência ao marcar hora no seu clínico geral, ou visitar quem lhe fornece serviços médicos básicos, reflita em como os pacientes são programados para consultar um médico ou enfermeira.

- Quais você acha que são os objetivos do planejamento e controle para um clínico geral?

- Como a prática de seu próprio médico poderia ser melhorada?

Leia a seguinte descrição de dois cinemas, depois responda as perguntas que seguem:

Kinepolis, em Bruxelas, é um dos maiores complexos de cinema do mundo, com 28 telas, um total de 8.000 assentos e quatro sessões de cada filme todo dia. É equipado com a última tecnologia de projeção. Todas as execuções de filmes são programadas para começar ao mesmo tempo todos os dias: 16h, 18h, 20h e 22h30min. A maioria dos clientes chega 30 minutos antes do início do filme. Cada um dos 18 guichês de ingresso tem um terminal ligado em rede e na impressora de ingressos. Para cada cliente, é inserido um código na tela para identificar e confirmar a disponibilidade de assento do filme solicitado. Então, o número de assentos solicitados é inserido e os ingressos são impressos, embora esses não aloquem posições de assento específico. O caixa, então, recebe o pagamento em dinheiro ou cartão de crédito e emite os ingressos. Isso leva uma média de 19,5 segundos e mais 5 segundos são necessários para o próximo cliente chegar até o balcão. Uma transação média envolve a venda de aproximadamente 1,7 ingressos.

4. O cinema UCI em Birmingham tem oito telas. O cinema incorpora muitas características do "estado de arte", incluindo a alta qualidade do sistema de som THX, compra de ingressos totalmente computadorizada e uma área de videogames fora do saguão principal. No total, as oito salas podem acomodar 1.840 pessoas; a capacidade (assentos) para cada sala varia, de forma que o gerente do cinema pode alocar os filmes mais populares para as salas maiores e usar as salas menores para os filmes menos populares. A hora de início dos oito filmes da UCI são normalmente em estágios de 10 minutos, com o filme mais popular em cada categoria (infantis, drama, comédia, etc.) sendo programado para começar primeiro. Visto que os filmes são de diferentes durações, e uma vez que o gerente deve tentar maximizar a utilização dos assentos, a tarefa de programação é complexa. A equipe de venda de ingressos está sempre consciente da capacidade restante de cada "tela" pelos seus terminais. Existem mais de quatro guichês de ingressos sempre abertos. O tempo alvo por transação completa é de 20 segundos. O número médio de venda de ingressos por transação é 1,8. Todos os ingressos indicam posições de assento específicas e são alocados numa base primeiro a chegar, primeiro a ser servido.

(a) Reflita sobre as principais diferenças entre os dois cinemas a partir das perspectivas de seus gerentes de operações. Em outras palavras, quais são as vantagens e desvantagens dos dois métodos de programar os filmes nas salas?

(b) Encontre os tempos de processamento e classificação de oito filmes populares. Tente programá-los nas salas da UCI, levando em conta a popularidade que você poderá esperar em momentos diferentes. Permita ao menos 20 minutos para esvaziar, limpar e deixar entrar a próxima audiência, e 15 minutos para propagandas antes do começo do filme.

(c) Visite seu cinema local (encontre o gerente se você puder). Compare as operações com aquelas em Kinepolis e UCI, particularmente em termos de programação.

Notas do capítulo

1. Fonte: Farman, J. (1999) "Les Coulisses du Vol", Air France. Apresentado por Richard E. Stone, NorthWest Airlines, no Seminário de Problemas Industriais IMA, 1998.
2. Fonte: Entrevista com Joanne Cheung, Steve Deeley e outra equipe da Godfrey Hall, Concessionária BMW, Coventry.
3. Wallace, T.F. and Kretmar, M.K. (2001) *ERP: Making it happen*, Wiley, New York.
4. Goldratt, E.Y. and Cox, J. (1984) *The Goal*, North River Press.

Indo além

Goldratt, E.Y. and Cox, J. (1984) *The Goal*, North River Press. Não leia isso se você gosta de bons romances, mas sim se você quer uma forma agradável de entender algumas das complexidades da programação. Ele particularmente aplica o conceito tambor, pulmão e corda descritos neste capítulo e também introduz a discussão do OPT no Capítulo 14.

Pinedo, M. and Chao, X. (1999) *Operations Scheduling with Applications in Manufacturing and Services*, Irwin/McGraw-Hill, New York. Especialista, abrangente e detalhado.

Sule, D.R. (1997) *Industrial Scheduling*, PWSs Publishing Company. Técnico e detalhado para aqueles que gostam e/ou necessitam de detalhes técnicos.

Vollmann, T.E., Berry, W.L. and Whybark, D.C. (1992) *Manufacturing Planning and Control Systems* (3rd edn), Irwin, Homewood, IL. Esta é a bíblia do planejamento e controle da produção. Ele lida com todas as questões desta parte deste livro.

Websites úteis

www.bpic.co.uk Algumas informações úteis sobre os tópicos de planejamento e controle geral.

www.cio.com/research/erp/edit/erpbasics.html Diversas descrições e informações úteis sobre os tópicos relacionados ao ERP.

www.erpfans.com Sim, mesmo o ERP tem seu próprio fã-clube! Debates e *links* para os interessados.

www.sap.com/index.epx "*Ajudando a construir melhores negócios por mais de três décadas*", a SAP tem sido o fornecedor mundial líder de sistemas de ERP há tempos.

www.sapfans.com Outro fã-clube, esse para os interessados no SAP.

www.apics.org O corpo profissional e educacional norte-americano que tem suas raízes nas atividades de planejamento e controle.

Para recursos adicionais incluindo exemplos, diagramas animados, questões de autoavaliação, planilhas Excel, estudos de caso ativos e materiais de vídeo, acesse o CD que acompanha este livro.

Suplemento do Capítulo 10

Planejamento das Necessidades de Material (MRP)

Introdução

O planejamento das necessidades de material (MRP) é uma abordagem que calcula quantas peças ou materiais de diferentes tipos são necessários e em que momento eles são necessários. Isso requer arquivos de dados que, quando o programa MRP é rodado, podem ser verificados e atualizados. A Figura 10.14 mostra como esses arquivos se relacionam uns com os outros. As primeiras entradas do MRP são os pedidos de clientes e a previsão de demanda. O MRP executa seus cálculos baseado na combinação dessas duas partes da demanda futura. Todas as outras necessidades são deduzidas e dependentes dessa informação de demanda.

Programa mestre de produção

O programa mestre de produção (MPS) é a principal entrada do planejamento das necessidades de material e contém a informação da quantidade e do momento dos produtos finais a serem feitos. Ele direciona todas as atividades de produção e de suprimento que serão feitas em conjunto para formar os produtos finais. Ele também é a base do planejamento e da utilização da mão de obra e equipamento, além de determinar a provisão de materiais e de dinheiro. O MPS deve incluir todas as fontes de demanda, tais como peças de reposição, promessas de produção interna, etc. Por exemplo, se um fabricante de escavadeiras planeja uma mostra de seus produtos e deixa uma equipe de projeto utilizar os estoques para montar dois novos modelos a serem exibidos, isso provavelmente deixará a fábrica com falta de peças. O MPS pode também ser usado nas organizações de serviço. Por exemplo, numa sala de cirurgia de um hospital existe um programa mestre que contém a informação de quais operações estão planejadas e quando serão realizadas. Essa informação pode ser usada para provisão de materiais para as operações, tais como instrumentos estéreis, sangue e curativos. E pode, também, fazer a programação da equipe nas cirurgias.

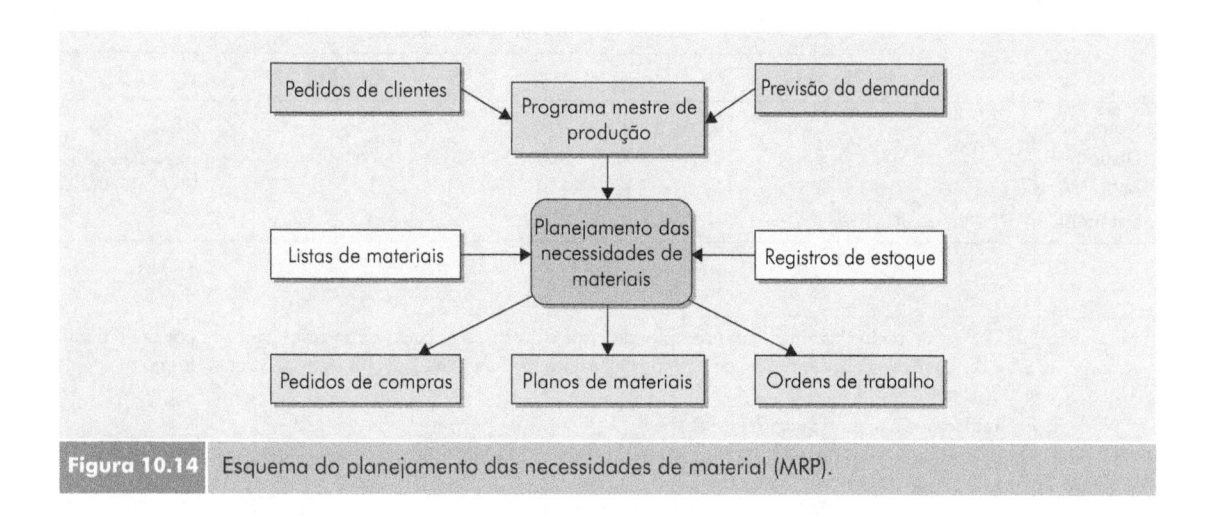

Figura 10.14 Esquema do planejamento das necessidades de material (MRP).

O registro do programa mestre de produção

Os programas mestre de produção são registros defasados no tempo* de cada produto final, que contém a informação de demanda e do estoque atualmente disponível de cada item final**. Usando essa informação, o estoque disponível é projetado para o futuro. Quando existe estoque insuficiente para satisfazer a demanda futura, ordens*** são inseridas na linha do programa mestre. A Tabela 10.2 é um exemplo simplificado de parte de um programa mestre de produção de um item. Na primeira linha, os pedidos de venda conhecidos e as previsões são combinados para formar a Demanda. A segunda linha, Disponível, mostra o estoque esperado do item no final de cada período semanal. O saldo inicial de estoque, Em mãos, é mostrado separadamente na parte de baixo do registro. A terceira linha é o programa mestre de produção, ou MPS, que mostra quantos itens acabados precisam ser completados e estarem disponíveis em cada semana para satisfazer a demanda.

Acompanhamento da demanda ou programas mestre de produção nivelados

No exemplo da Tabela 10.2, o MPS aumenta conforme a demanda aumenta e seu objetivo é manter o estoque disponível em 0. O programa mestre de produção está "acompanhando" a demanda (veja o Capítulo 8) e assim ajustando a provisão de recursos. Um MPS alternativo, nivelado, para essa situação é mostrado na Tabela 10.3. O programa nivelado calcula a quantidade média necessária para suavizar os picos e os vales. Ele gera mais estoque do que o MPS anterior.

Tabela 10.2 Exemplo de um programa mestre de produção

		Número da semana								
		1	2	3	4	5	6	7	8	9
Demanda		10	10	10	10	15	15	15	20	20
Disponível		20	10	0	0	0	0	0	0	0
MPS		0	0	10	10	15	15	15	20	20
Em mãos	30									

Tabela 10.3 Exemplo de um programa mestre de produção nivelado

		Número da semana								
		1	2	3	4	5	6	7	8	9
Demanda		10	10	10	10	15	15	15	20	20
Disponível		31	32	33	34	30	26	22	13	4
MPS		11	11	11	11	11	11	11	11	11
Em mãos	30									

---

* N. de R. T.: Defasar no tempo significa, por exemplo, determinar quando as peças necessárias para compor um produto deveriam estar disponíveis para dar tempo de o produto ser feito na data planejada. Os itens são defasados no tempo de acordo com o *lead time*.

** N. de R. T.: Item final é o mesmo que produto acabado.

*** N. de R. T.: Podem ser ordens de produção ou ordens de compra, dependendo se o ítem é produzido internamente ou comprado, respectivamente.

Disponível para promessa (ATP)

O programa mestre de produção fornece a informação para a função de vendas sobre o que pode ser prometido para os clientes e para quando a entrega pode se prometida. A função de vendas pode carregar pedidos de venda conhecidos no programa mestre de produção e manter o acompanhamento do que está disponível para promessa (ATP – *available to promise*) (veja Tabela 10.4). A linha ATP no programa mestre de produção mostra o máximo que ainda está disponível em qualquer semana, em relação aos pedidos de venda que podem ser carregados.

A lista de materiais (BOM – *bill of materials*)

Do programa mestre, o MRP calcula a quantidade e o momento em que os conjuntos, subconjuntos e materiais são necessários. Para fazer isso, o programa precisa da informação de quais peças são necessárias para cada produto, a chamada lista de materiais. Inicialmente, é mais simples pensar nela como a

Tabela 10.4 Exemplo de um programa mestre de produção nivelado incluindo o disponível para promessa

		Número da semana								
		1	2	3	4	5	6	7	8	9
Demanda		10	10	10	10	15	15	15	20	20
Pedidos de venda		10	10	10	8	4				
Disponível		31	32	33	34	30	26	22	13	4
ATP		31	1	1	3	7	11	11	11	11
MPS		11	11	11	11	11	11	11	11	11
Em mãos	30									

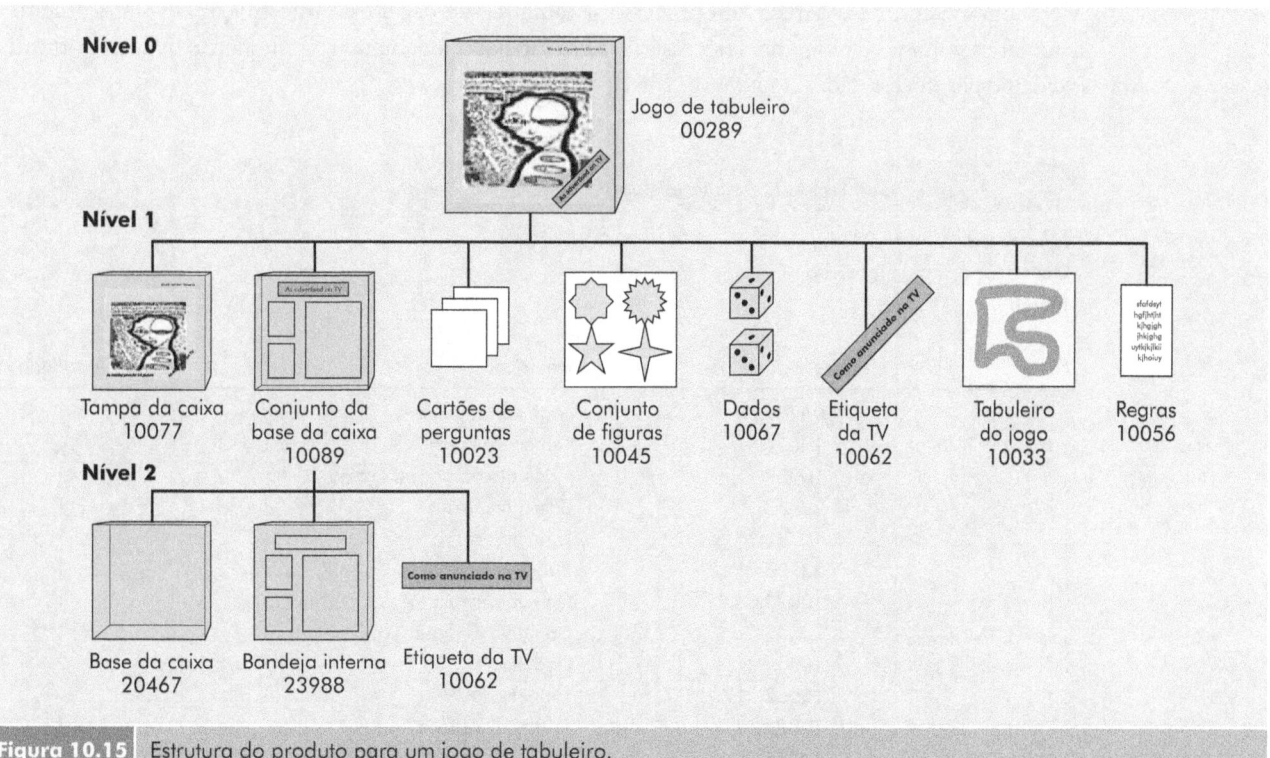

Figura 10.15 Estrutura do produto para um jogo de tabuleiro.

Nível 0: Jogo de tabuleiro 00289

Nível 1: Tampa da caixa 10077 | Conjunto da base da caixa 10089 | Cartões de perguntas 10023 | Conjunto de figuras 10045 | Dados 10067 | Etiqueta da TV 10062 | Tabuleiro do jogo 10033 | Regras 10056

Nível 2: Base da caixa 20467 | Bandeja interna 23988 | Etiqueta da TV 10062

estrutura de produto. A estrutura de produto na Figura 10.15 é uma estrutura simplificada, mostrando as peças necessárias para fazer um simples jogo de tabuleiro. Diferentes "níveis de montagem" são mostrados com o produto acabado (o jogo de tabuleiro) no nível 0, as peças e os subconjuntos que vão dentro do jogo encaixotado no nível 1, as peças que vão nos subconjuntos no nível 2 e assim por diante.

Uma forma mais conveniente da estrutura do produto é a lista endentada de materiais. A Tabela 10.5 mostra toda a lista endentada de materiais para o jogo. O termo "endentada" refere-se à tabulação do nível de montagem, mostrado na coluna da esquerda. Múltiplos de algumas peças são necessários; isso significa que o MRP tem de saber o número necessário de cada peça para poder multiplicá-lo pelas necessidades. Além disso, as mesmas peças (por exemplo, a etiqueta da TV, número do item 10062) podem ser usadas em partes diferentes da estrutura do produto. Isso significa que o MRP tem de lidar com esta comunalidade de peças e, na mesma etapa, agregar as necessidades para verificar quantas etiquetas são necessárias no total.

Registros de estoque

Os cálculos do MRP precisam reconhecer que alguns itens necessários podem já estar no estoque. Assim, é necessário, iniciando no nível 0 de cada lista, verificar quanto estoque está disponível de cada produto acabado, subconjunto e componente, e então calcular o que se denomina necessidades "líquidas", que são as necessidades extras necessárias para suplementar o estoque de forma a atender a demanda. Isso requer que três registros de estoque principais sejam mantidos: o arquivo mestre do item, que contém o código único de identificação padrão para cada peça ou componente; o arquivo de movimentação, que mantém um registro de recebimentos no estoque, de saídas do estoque e o saldo corrente; e o arquivo de localização, que identifica onde o estoque está localizado.

Necessidades líquidas do MRP

As necessidades de informação do MRP são importantes, mas não são o "cerne" do procedimento do MRP. Em seu centro, o MRP é um processo sistemático de pegar essa informação de planejamento e calcular os volumes e momentos necessários para satisfazer a demanda. O elemento mais importante é o cálculo das necessidades líquidas do MRP.

Tabela 10.5 Lista endentada de materiais para o jogo de tabuleiro

Número do item: 00289
Descrição: jogo de tabuleiro
Nível: 0

Nível	Número do item	Descrição	Quantidade
0	00289	Jogo de tabuleiro	1
. 1	10077	Tampa da caixa	1
. 1	10089	Conjunto da base da caixa	1
. . 2	20467	Base da caixa	1
. . 2	10062	Etiqueta da TV	1
. . 2	23988	Bandeja interna	1
. 1	10023	Conjunto de cartões de perguntas	1
. 1	10045	Conjunto de figuras	1
. 1	10067	Dados	2
. 1	10062	Etiqueta da TV	1
. 1	10033	Tabuleiro do jogo	1
. 1	10056	Livreto de regras	1

```
Nível 0
    Programa mestre de produção
    10 jogos de tabuleiro (00289)
    necessários
                                              Arquivo de estoque
                                              3 jogos de tabuleiro (00289)
    Ordens de trabalho para itens             em estoque
    nível 0
    Montar 20 jogos de tabuleiro
    (00289)                          ★

Nível 1
    Listas de materiais                        Arquivo de estoque
    Requer 20 conjuntos da base                10 conjuntos de base da
    da caixa (10089)                           caixa (10089) em estoque
                      Ordens de compra e de
                      trabalho para itens nível 1
                      Montar 50 conjuntos da base
                      da caixa (10089)      ★

Nível 2
    Lista de materiais                          Arquivo de estoque
    Requer 50 bases da caixa                    15 bases da caixa, 4 bandejas internas
    (20467), 50 bandejas internas               e 65 etiquetas de TV em estoque
    (23988) e 50 etiquetas de TV
    (10062)          Ordens de compra e de trabalho
                     para itens nível 2
                     Comprar 40 bases da caixa (20467)
                     e 60 bandejas internas (23988) ★    ★= quantidade de reposição
```

Figura 10.16 Os cálculos de rede do MRP para o jogo de tabuleiro.

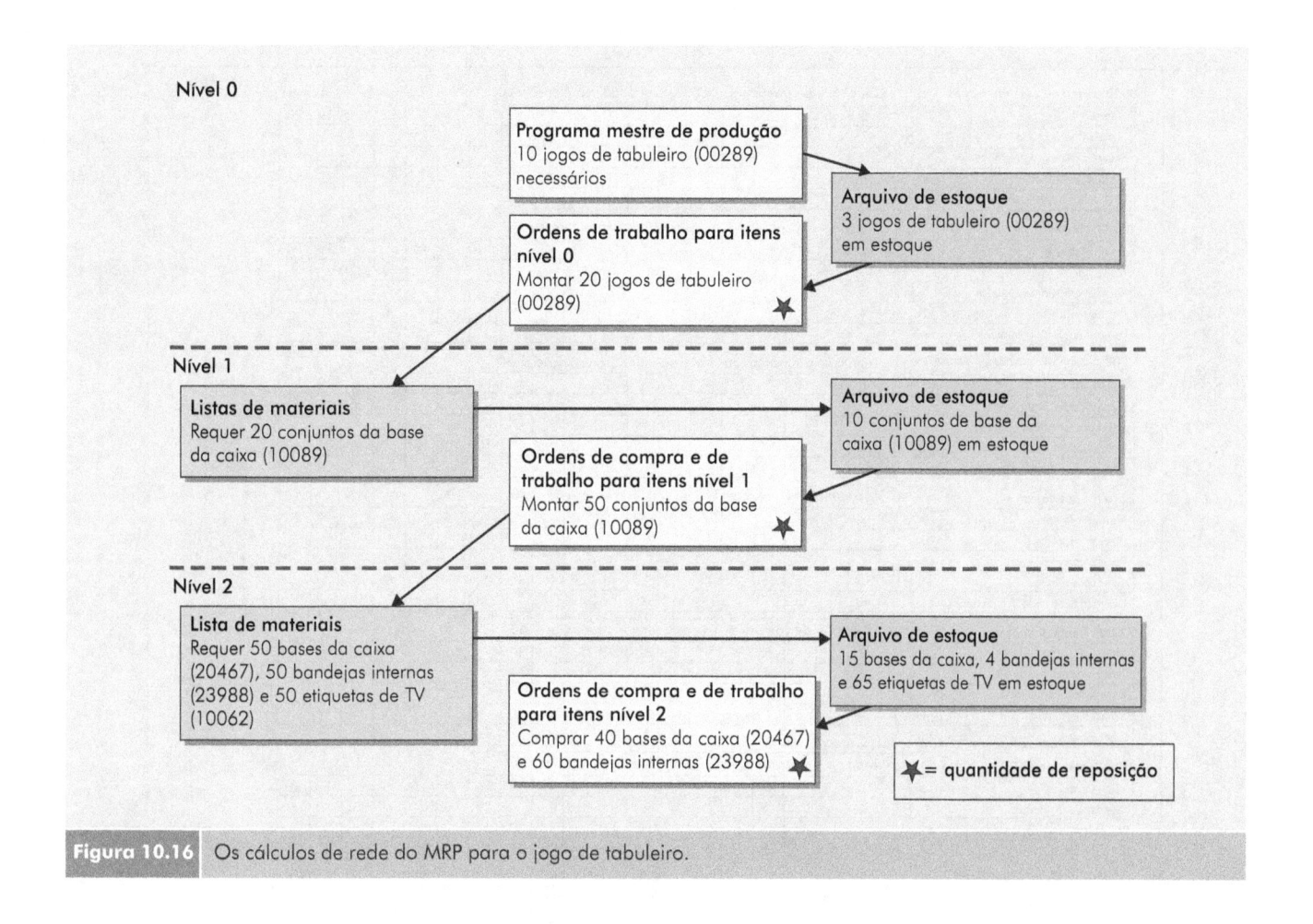

A Figura 10.16 ilustra o processo que o MRP executa para calcular as quantidades de materiais necessários. O programa mestre de produção é "explodido", examinando as implicações do programa para a lista de materiais, verificando quantos subconjuntos e peças são necessários. Antes de descer para o próximo nível da lista de materiais, o MRP verifica quantas peças necessárias já estão disponíveis no estoque. Ele então gera "ordens", ou requisições, relativas às necessidades líquidas dos itens. Essas necessidades líquidas formam o programa que é novamente explodido pela lista de materiais no próximo nível abaixo. Esse processo continua até o nível mais baixo da lista de materiais ser alcançado.

Programação inversa

Além de calcular a quantidade de materiais necessários, o MRP também avalia quando cada uma dessas peças é necessária, isto é, o momento e a programação de materiais. Ele faz isso por um processo chamado programação inversa, o qual leva em conta o *lead time* (o tempo para a conclusão de cada etapa do processo) em cada nível de montagem. Novamente usando o exemplo do jogo de tabuleiro, assuma que 10 jogos de tabuleiro precisam ser concluídos no dia 20 do planejamento. Para determinar quando precisamos iniciar o trabalho nas peças que compõe o jogo, precisamos conhecer todos os *lead times* que estão armazenados nos arquivos do MRP para cada peça (veja Tabela 10.6).

Usando a informação do *lead time*, o programa é rodado para trás para determinar as tarefas que devem ser executadas e os pedidos de compra que devem ser feitos. Fornecidos os *lead times* e os níveis de estoque mostrados na Tabela 10.6, os registros do MRP mostrados na Figura 10.17 podem ser calculados.

00289: jogo de caça ao tesouro — Lead time de montagem = 2   quantidade reposição = 20

Número do dia:	0	1	2	3	4	5	6	7	8	9	10	11	12	13	14	15	16	17	18	19	20
Necessidades brutas																					10
Recebimentos programados																					
Estoque em mãos	3	3	3	3	3	3	3	3	3	3	3	3	3	3	3	3	3	3	3	3	13
Liberações de ordens planejadas																			20		

10077: tampa da caixa — Lead time de compra = 8   quantidade reposição = 25

Número do dia:	0	1	2	3	4	5	6	7	8	9	10	11	12	13	14	15	16	17	18	19	20
Necessidades brutas																			20		
Recebimentos programados																					
Estoque em mãos	4	4	4	4	4	4	4	4	4	4	4	4	4	4	4	4	4	4	9	9	9
Liberações de ordens planejadas											25										

10089: conjunto da base da caixa — Lead time de montagem = 4   quantidade reposição = 50

Número do dia:	0	1	2	3	4	5	6	7	8	9	10	11	12	13	14	15	16	17	18	19	20
Necessidades brutas																			20		
Recebimentos programados																					
Estoque em mãos	10	10	10	10	10	10	10	10	10	10	10	10	10	10	10	10	10	10	40	40	40
Liberações de ordens planejadas															50						

20467: base da caixa — Lead time de compra = 12   quantidade reposição = 40

Número do dia:	0	1	2	3	4	5	6	7	8	9	10	11	12	13	14	15	16	17	18	19	20
Necessidades brutas															50						
Recebimentos programados																					
Estoque em mãos	15	15	15	15	15	15	15	15	15	15	15	15	15	15	5	5	5	5	5	5	5
Liberações de ordens planejadas			40																		

23988: bandeja interna — Lead time de compra = 14   quantidade reposição = 60

Número do dia:	0	1	2	3	4	5	6	7	8	9	10	11	12	13	14	15	16	17	18	19	20
Necessidades brutas															50						
Recebimentos programados																					
Estoque em mãos	4	4	4	4	4	4	4	4	4	4	4	4	4	4	14	14	14	14	14	14	14
Liberações de ordens planejadas	60																				

10062: etiqueta da TV — Lead time de compra = 8   quantidade reposição = 100

Número do dia:	0	1	2	3	4	5	6	7	8	9	10	11	12	13	14	15	16	17	18	19	20
Necessidades brutas															50				20		
Recebimentos programados																					
Estoque em mãos	65	65	65	65	65	65	65	65	65	65	65	65	65	65	15	15	15	15	95	95	95
Liberações de ordens planejadas							100														

10023: conj. cartões de perguntas — Lead time de compra = 3   quantidade reposição = 50

Número do dia:	0	1	2	3	4	5	6	7	8	9	10	11	12	13	14	15	16	17	18	19	20
Necessidades brutas																			20		
Recebimentos programados																					
Estoque em mãos	4	4	4	4	4	4	4	4	4	4	4	4	4	4	4	4	4	4	34	34	34
Liberações de ordens planejadas																50					

10045: conjunto de figuras — Lead time de compra = 3   quantidade reposição = 50

Número do dia:	0	1	2	3	4	5	6	7	8	9	10	11	12	13	14	15	16	17	18	19	20
Necessidades brutas																			20		
Recebimentos programados																					
Estoque em mãos	46	46	46	46	46	46	46	46	46	46	46	46	46	46	46	46	46	46	26	26	26
Liberações de ordens planejadas																					

10067: dados — Lead time de montagem = 5   quantidade reposição = 80

Número do dia:	0	1	2	3	4	5	6	7	8	9	10	11	12	13	14	15	16	17	18	19	20
Necessidades brutas																			40		
Recebimentos programados																					
Estoque em mãos	3	3	3	3	3	3	3	3	3	3	3	3	3	3	3	3	3	3	43	43	43
Liberações de ordens planejadas														80							

10033: tabuleiro do jogo — Lead time de compra = 15   quantidade reposição = 50

Número do dia:	0	1	2	3	4	5	6	7	8	9	10	11	12	13	14	15	16	17	18	19	20
Necessidades brutas																			20		
Recebimentos programados																					
Estoque em mãos	8	8	8	8	8	8	8	8	8	8	8	8	8	8	8	8	8	8	38	38	38
Liberações de ordens planejadas				50																	

10056: livreto de regras — Lead time de compra = 3   quantidade reposição = 80

Número do dia:	0	1	2	3	4	5	6	7	8	9	10	11	12	13	14	15	16	17	18	19	20
Necessidades brutas																			20		
Recebimentos programados																					
Estoque em mãos	0	0	0	0	0	0	0	0	0	0	0	0	0	0	0	0	0	0	60	60	60
Liberações de ordens planejadas																80					

Figura 10.17 Extraído dos registros do MRP para o jogo de tabuleiro (lead times indicados pelas setas ←→).

Tabela 10.6	Programação inversa das necessidades no MRP			
N° item	Descrição	Estoque em mãos no dia 0	Lead time (dias)	Quantidade de reposição
00289	Jogo de tabuleiro	3	2	20
10077	Tampa da caixa	4	8	25
10089	Conjunto da base da caixa	10	4	50
20467	Base da caixa	15	12	40
23988	Bandeja interna	4	14	60
10062	Etiqueta da TV	65	8	100
10023	Conjunto de cartões de perguntas	4	3	50
10045	Conjunto de figuras	46	3	50
10067	Dados	22	5	80
10033	Tabuleiro do jogo	8	15	50
10056	Livreto de regras	0	3	80

Verificações de capacidade pelo MRP

O processo do MRP precisa de um circuito de feedback para verificar se um plano é possível e se ele foi realmente alcançado. Fechar esse circuito de planejamento nos sistemas MRP envolve comparar os planos de produção com a capacidade disponível e, se os planos propostos não são possíveis em qualquer nível, revisá-los. Todos, até os mais simples sistemas de MRP, são agora sistemas de circuito fechado*. Eles usam três rotinas de planejamento para comparar os planos de produção com os recursos de operação em três níveis:

- Os *planos das necessidades de recurso* (RRPs) olham para o futuro, a longo prazo, para prever as necessidades para grandes partes estruturais da operação, tais como o número, as localizações e os tamanhos de novas plantas.
- Os *planos da capacidade bruta* (RCCPs) são usados de médio a longo prazo para verificar os programas mestre de produção em relação aos gargalos de capacidade conhecidos, caso as restrições de capacidade sejam quebradas. O circuito de feedback nesse nível verifica somente o MPS e os recursos-chave.
- Os *planos das necessidades de capacidade* (CRPs) são usados para olhar para os efeitos do dia a dia das ordens de trabalho emitidas pelo MRP sobre a carga nas etapas individuais do processo.

---

* N. de R. T.: Em inglês, *closed loop*.

Capítulo 11
SINCRONIZAÇÃO ENXUTA

Introdução

A sincronização enxuta visa atender a demanda instantaneamente, com qualidade perfeita e nenhuma perda, o que requer o suprimento de produtos e serviços em perfeita sincronização com a demanda, usando princípios *Lean** ou *Just-in-time* (JIT). Esses princípios já representaram uma saída radical da prática tradicional de operações, mas agora se tornaram amplamente aceitos para promover a sincronização do fluxo ao longo dos processos, das operações e das redes de suprimentos. (Veja Figura 11.1.)

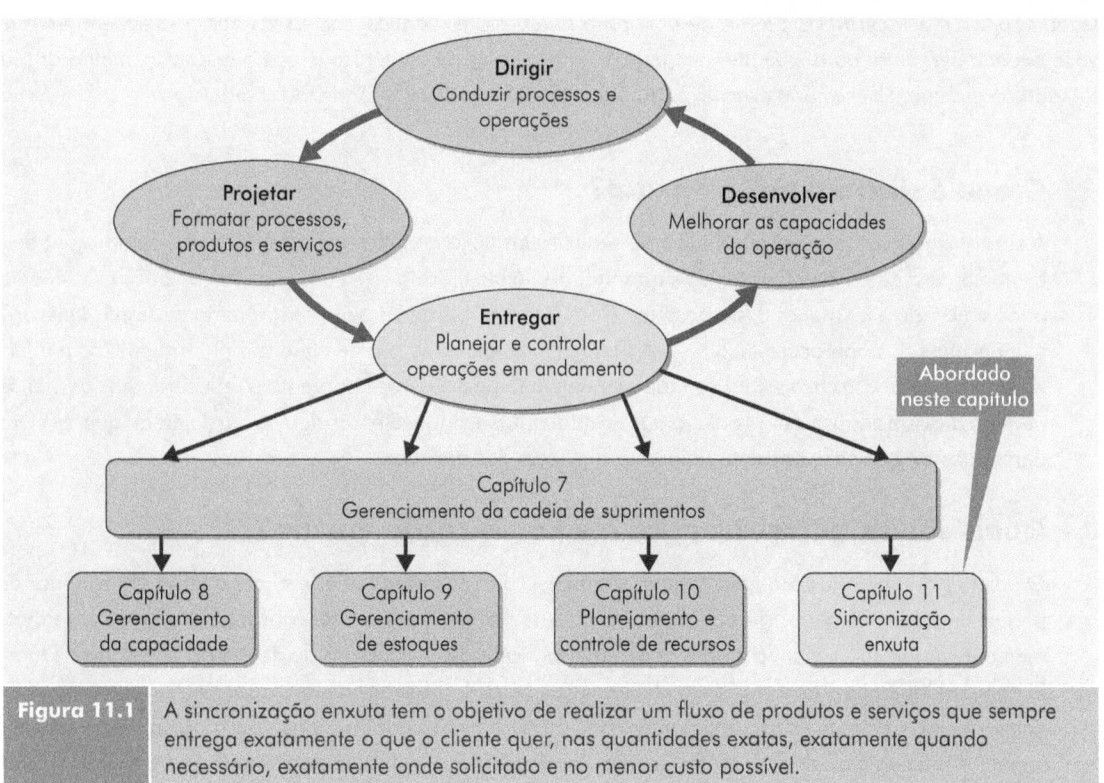

Figura 11.1 A sincronização enxuta tem o objetivo de realizar um fluxo de produtos e serviços que sempre entrega exatamente o que o cliente quer, nas quantidades exatas, exatamente quando necessário, exatamente onde solicitado e no menor custo possível.

---

* N. de R. T.: *Lean* significa enxuto em português.

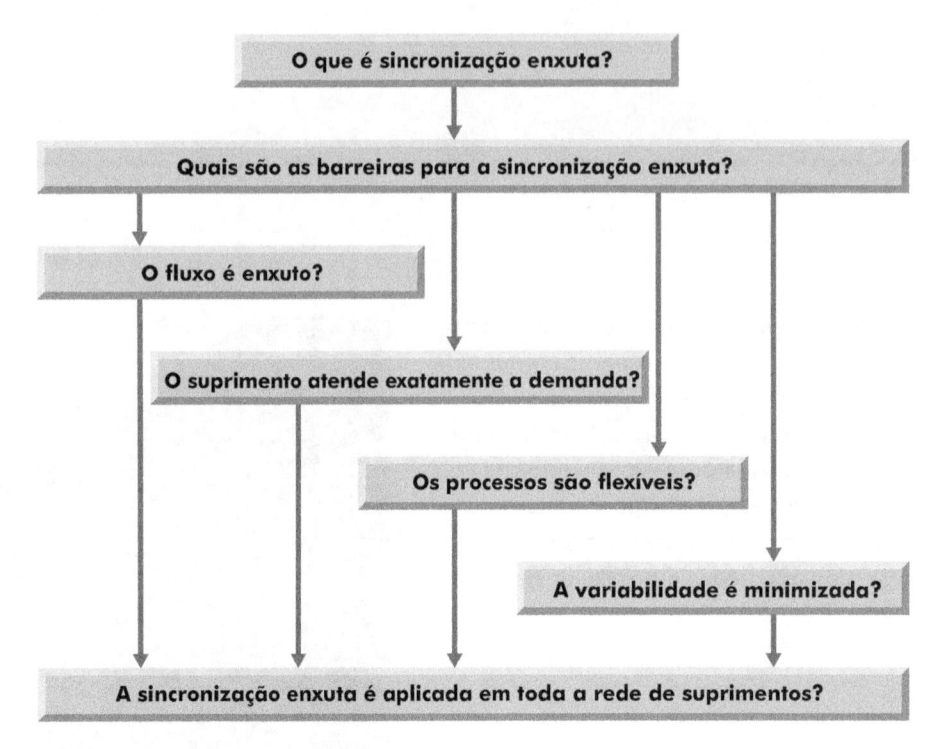

Sumário executivo

VÍDEO
informações adicionais

```
O que é sincronização enxuta?
         ↓
Quais são as barreiras para a sincronização enxuta?
         ↓
    O fluxo é enxuto?
         ↓
  O suprimento atende exatamente a demanda?
         ↓
     Os processos são flexíveis?
         ↓
      A variabilidade é minimizada?
         ↓
A sincronização enxuta é aplicada em toda a rede de suprimentos?
```

Cadeia lógica de decisões para sincronização enxuta

Cada capítulo é estruturado em torno de um grupo de questões diagnósticas. Essas questões sugerem o que você poderia perguntar para entender as questões importantes de um tópico e, como resultado, melhorar sua tomada de decisão. Um sumário executivo, tratando dessas questões, é fornecido a seguir.

■ O que é sincronização enxuta?

A sincronização enxuta tem o objetivo de realizar um fluxo de produtos e serviços que sempre entrega exatamente o que o cliente quer, nas quantidades exatas, exatamente quando necessário, exatamente onde solicitado e no menor custo possível. É um termo que é quase sempre sinônimo de *Just-in-time* (JIT) e "princípios das operações enxutas". A ideia central é que se os itens fluem regularmente, sem interrupções pelos atrasos nos estoques, não somente o tempo de processamento é reduzido, mas os efeitos negativos dos estoques em processo são evitados. Os estoques escondem os problemas que existem dentro dos processos e, portanto, inibem a melhoria dos mesmos.

■ Quais são as barreiras para a sincronização enxuta?

O objetivo da sincronização enxuta pode ser inibido de três formas. A primeira é a falha em eliminar as perdas em todas as partes da operação. As causas das perdas são mais abrangentes do que normalmente se imagina. A segunda é uma falha em envolver todas as pessoas de dentro da operação na tarefa compartilhada de suavizar o fluxo e eliminar as perdas. Os proponentes japoneses da sincronização enxuta frequentemente usam um conjunto de "práticas básicas de trabalho" para assegurar o envolvimento. A terceira é a falha ao tentar adotar os princípios de melhoria contínua. Como a sincronização enxuta pura é um objetivo, ao invés de algo que pode ser implementado rapidamente, é necessário a aplicação contínua de melhorias incrementais para alcançá-la.

O fluxo é enxuto?

Processos longos causam desperdícios, atrasos e acúmulo de estoques. Processos fisicamente reconfigurados para reduzir a distância percorrida e a cooperação entre a equipe podem ajudar a enxugar o fluxo. Da mesma forma, assegurar a visibilidade do fluxo ajuda a fazer melhorias para facilitar o fluxo. Às vezes, isso significa utilizar tecnologias de pequena escala que possam reduzir as flutuações no fluxo.

O suprimento atende exatamente a demanda?

O objetivo da sincronização enxuta é atender a demanda exatamente: nem mais, nem menos, e somente quando necessário. Realizar isso com frequência significa utilizar princípios de controle puxado. O método mais comum de puxar é usando *kanbans*, dispositivos simples de sinais que evitam o acúmulo de estoques.

Os processos são flexíveis?

Responder exatamente a demanda, somente quando necessário, com frequência requer um grau de flexibilidade nos processos, tanto para lidar com a demanda inesperada quanto para permitir que os processos mudem seguidamente de atividade sem atrasos excessivos. Isso geralmente reduz os tempos de troca.

A variabilidade é minimizada?

A variabilidade nos processos rompe o fluxo e impede a sincronização enxuta. A variabilidade inclui a variação da qualidade e da programação. Princípios de controle estatístico de processo (CEP) são úteis para reduzir a variabilidade da qualidade. Programas nivelados e de modelos mistos podem ser usados para reduzir a variabilidade do fluxo e a manutenção produtiva total (TPM) pode reduzir a variabilidade causada pelas paradas.

A sincronização enxuta é aplicada em toda a rede de suprimentos?

Os mesmos benefícios da sincronização enxuta que se aplicam dentro das operações também podem ser aplicados entre as operações. Ademais, os mesmos princípios que podem ser usados para realizar a sincronização enxuta dentro de operações podem ser usados para realizá-la entre as operações. Isso é mais difícil, parcialmente por causa das complexidades do fluxo e parcialmente porque as redes de suprimentos são propensas a flutuações inesperadas. Flutuações inesperadas são mais fáceis de controlar dentro das operações.

QUESTÕES DIAGNÓSTICAS

O que é sincronização enxuta?

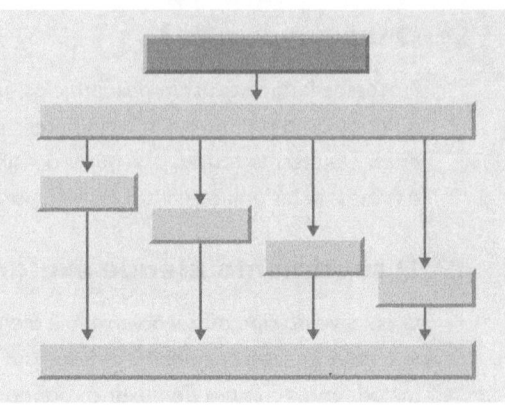

Sincronização significa que o fluxo de produtos e serviços sempre entrega exatamente o que os clientes querem (qualidade perfeita), nas quantidades exatas (nem mais, nem menos), exatamente quando necessário (nem antes, nem depois) e exatamente onde necessário (no local certo). Sincronização enxuta é fazer tudo isso no menor custo possível. O resultado são itens fluindo rapida e suavemente pelos processos, operações e redes de suprimentos.

Os benefícios do fluxo sincronizado

A melhor forma de entender como a sincronização enxuta difere das abordagens tradicionais para gerenciar o fluxo é comparando os dois processos da Figura 11.2. A abordagem tradicional presume que cada etapa do processo coloca sua produção num estoque que gera um "pulmão" de uma etapa para outra, a jusante no processo. A próxima etapa a jusante (cedo ou tarde) pega a produção do estoque, a processa e a coloca no próximo estoque-pulmão. Esses pulmões servem para "isolar" cada etapa de seus vizinhos, tornando cada etapa relativamente independente, de forma que, por exemplo, se a etapa A parar de operar por alguma razão, a etapa B poderá continuar, ao menos por algum tempo.

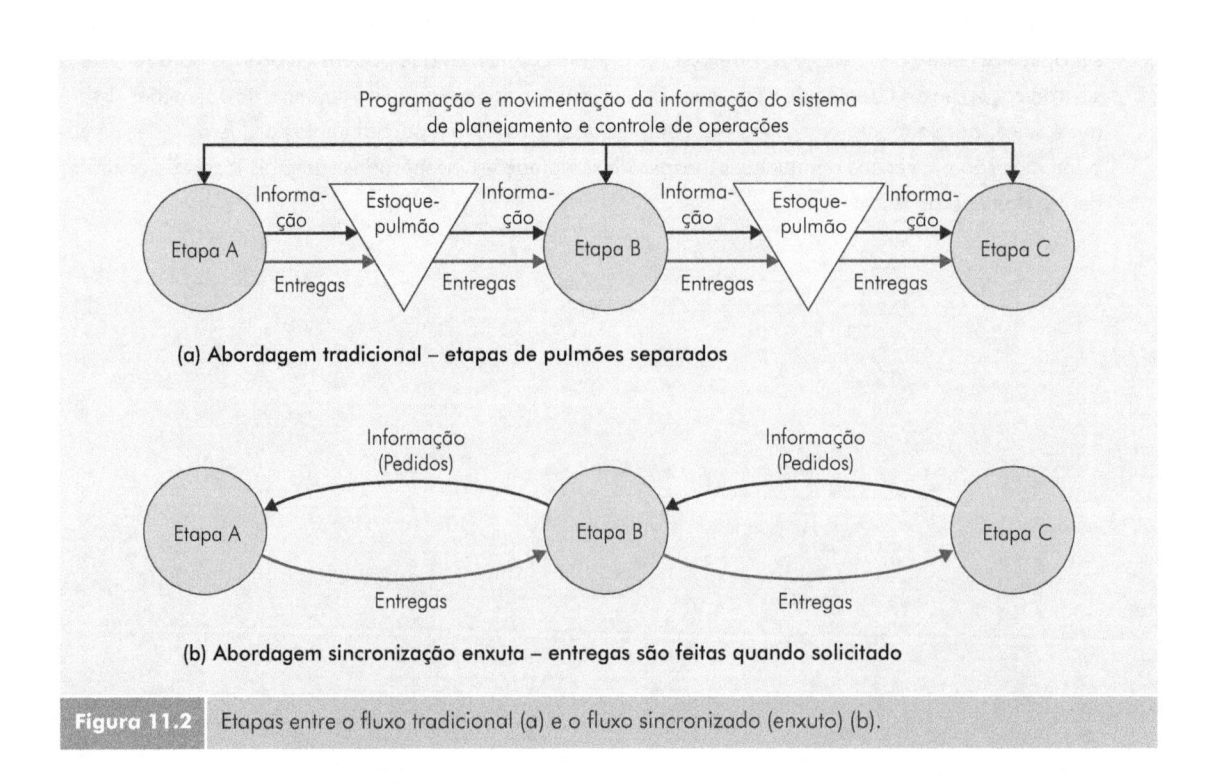

Figura 11.2 Etapas entre o fluxo tradicional (a) e o fluxo sincronizado (enxuto) (b).

Quanto maior o estoque-pulmão, maior o grau de isolamento entre as etapas. Esse isolamento precisa ser compensado em termos de estoque e baixos tempos de processamento, porque os itens gastarão tempo esperando nos estoques-pulmão.

O principal argumento de "aprendizado" contra a abordagem tradicional está nas mesmas condições que ela busca promover: o isolamento de uma etapa da outra. Quando ocorre um problema numa etapa, ele não será imediatamente visível noutro lugar no sistema. A responsabilidade por resolver o problema estará centrada nas pessoas dentro daquela etapa, e as consequências do problema não se espalharão por todo o sistema. Compare isso com o processo puro de sincronização enxuta ilustrado na Figura 11.2. Os itens são processados e passados diretamente para a próxima etapa *just-in-time* para serem processados depois. Os problemas em qualquer etapa têm um efeito muito diferente nesse sistema. Agora, se a etapa A para de processar, a etapa B notará imediatamente e a etapa C logo depois. O problema da etapa A ficará rapidamente evidente para todo o processo, porque é imediatamente afetado pelo problema. Isso significa que a responsabilidade por resolver o problema não está mais confinada à equipe da etapa A. Agora, ela é compartilhada com todos, melhorando consideravelmente as chances do problema ser resolvido, isso porque tornou-se muito importante para ser ignorado. Em outras palavras, evitando que os itens se acumulem entre as etapas, a operação aumentou as chances de melhorar a eficiência intrínseca da planta.

As abordagens não sincronizadas buscam encorajar a eficiência protegendo cada parte do processo contra rupturas. A abordagem sincronizada (enxuta) adota a visão oposta. Expor o sistema (embora não repentinamente, como em nosso exemplo simplificado) a problemas, pode torná-los mais evidentes e mudar a "estrutura de motivação" de todo sistema para resolver os problemas. A sincronização enxuta vê as reservas de estoque como uma "cortina" que está sobre o sistema de produção e impede que os problemas sejam observados. Esse mesmo argumento pode ser aplicado quando, em vez das filas de materiais (estoque), ou de informação, uma operação tem de lidar com filas de clientes. A Tabela 11.1 mostra como certos aspectos de estoque são análogos a certos aspectos de filas.

> **Princípio de operações**
> Quando um estoque-pulmão é utilizado para isolar as etapas ou processos, ele diminui a motivação para melhorar.

Tabela 11.1	Estoques de materiais, de informações ou de clientes têm características similares		
	Estoque		
	De material (fila de material)	De informação (fila de informações)	De clientes (fila de pessoas)
Custo	Usa o capital de giro	Informação menos atual e assim sem valor	Faz os clientes perderem tempo
Espaço	Necessita de espaço de armazenagem	Necessita de capacidade de memória	Necessita de área de espera
Qualidade	Defeitos escondidos, possíveis perdas	Defeitos escondidos, possível corrupção de informações	Fornece percepção negativa
Desconexão	Torna as etapas independentes	Torna as etapas independentes	Promove especialização/ fragmentação da tarefa
Utilização	Etapas mantêm-se ocupadas pelo material em processo	Etapas mantêm-se ocupadas pelas filas de dados	Atendentes mantêm-se ocupados esperando clientes
Coordenação	Evita necessidade de sincronização	Evita necessidades de processamento imediato	Evita a sincronização entre suprimento e demanda

Fonte: Adaptado de Fitzsimmons, J.A. (1990) "Making continual improvement: a competitive strategy for service firms", in Bowen, D.E., Chase, R.B., Cummings, T.G. and Associates (eds), *Service Management Effectiveness*, Jossey-Bass, San Francisco.

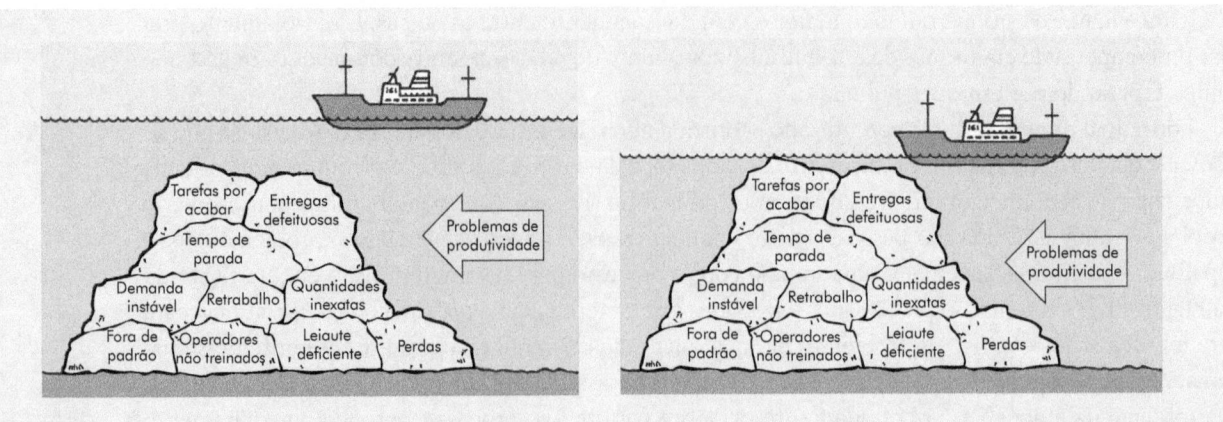

Figura 11.3 Reduzir o nível de estoque (água) permite à gerência de operações (o navio) ver os problemas na operação (as pedras) a fim de reduzi-los.

Analogia do rio e das pedras

A ideia que o estoque esconde as perdas é frequentemente ilustrada em forma de diagrama, como na Figura 11.3. Muitos problemas da operação são mostrados como pedras num leito do rio que não podem ser vistas por causa da profundidade da água. A água nessa analogia representa o estoque na operação. Contudo, embora as pedras não possam ser vistas, elas diminuem a velocidade do fluxo do rio e causam turbulência. Reduzir gradualmente a profundidade da água (estoque) expõe os piores dos problemas a serem resolvidos. Depois o nível da água é abaixado mais, expondo mais problemas e assim por diante. O mesmo argumento também se aplicará para o fluxo entre todos os processos, ou todas as operações. Por exemplo, a etapa A, B e C na Figura 11.2 poderia ser uma operação de um fornecedor, uma operação de um fabricante e de um cliente, respectivamente.

Sincronização, Lean e Just-in-time

Diferentes termos são usados para descrever o que aqui chamamos de sincronização enxuta. Nossa definição mais curta – "*sincronização enxuta objetiva atender a demanda instantaneamente, com perfeita qualidade e nenhuma perda*" – também poderia ser usada para descrever o conceito geral de Lean ou Just-in-time (JIT). O conceito enxuto enfatiza a eliminação das perdas, enquanto o Just-in-time enfatiza a ideia de produzir itens somente quando eles são necessários. Mas os três conceitos se sobrepõem muito e nenhuma definição abarca todas as implicações para a prática de operações. Usamos o termo sincronização enxuta porque descreve melhor o impacto dessas ideias no fluxo e na entrega.

Duas empresas que implementaram a sincronização enxuta são brevemente descritas a seguir. Uma é a empresa à qual é geralmente creditado o máximo esforço para desenvolver o conceito total; a outra é uma empresa artesanal muito menor que mesmo assim tem extraído benefícios na adoção de alguns dos princípios da sincronização enxuta.

Exemplo | Toyota

Vista como a praticante líder e a principal idealizadora da abordagem enxuta, a Empresa de Motores Toyota tem sincronizado progressivamente todos seus processos para fornecer alta qualidade, processamento rápido e produtividade excepcional. Ela tem feito isso desenvolvendo um conjunto de práticas que formatou amplamente o que agora chamamos de Lean ou Just-in-time, mas que a Toyota chama de Sistema Toyota de Produção (STP). O STP possui dois temas principais, *Just-in-time* e *Jidoka*. O *Just-in-time* é definido como o movimento rápido e coordenado de peças pelo sistema de produção e pela rede de suprimentos para atender a demanda. Ele é operacionalizado por meios do *heijunka* (nivelamento e suavização do fluxo de materiais), do *kanban* (sinalização para o processo precedente que peças são necessárias) e *nagare* (desenho dos processos para realizar um fluxo de peças mais suave por todo a produção). O *Jidoka* é descrito como a "humanização da interface entre operador e máquina". A filosofia da Toyota é que a máquina está lá para servir o propósito do operador. O operador deveria ficar livre para exercitar seu discernimento. O *Jidoka* é operacionalizado pela segurança contra as falhas (ou máquina *Jidoka*), pela autoridade para parar a linha (ou *Jidoka* humano) e pelo controle visual (*status* visual dos processos de produção e visibilidade dos padrões de processo).

A Toyota acredita que o *Just-in-time* e o *Jidoka* deveriam ser aplicados rigidamente para a eliminação das perdas, em que a perda é definida como "algo diferente da quantidade mínima de equipamentos, itens, peças e trabalhadores que são absolutamente essenciais para a produção". Fujio Cho, da Toyota, identificou sete tipos de perdas que devem ser eliminadas de todos os processos operacionais. São elas perdas por superprodução, perdas por tempo de espera, perdas no transporte, perdas de estoque, perdas no processamento, perda por movimentação e perda por produtos defeituosos. Além disso, as autoridades na Toyota afirmam que seu ponto forte está em entender as diferenças entre as ferramentas e práticas usadas nas operações da Toyota e a filosofia completa da abordagem para sincronização enxuta. Isso é o que alguns chamam de paradoxo aparente do Sistema Toyota de Produção, "mais exatamente, as atividades, conexões e fluxos de produção numa fábrica da Toyota são rigidamente escritos; contudo, ao mesmo tempo as operações da Toyota são muito flexíveis e adaptáveis. As atividades e processos estão constantemente sendo desafiados e elevados a um nível mais alto de desempenho, habilitando a empresa a inovar e melhorar continuamente".

Um importante estudo da Toyota identificou quatro regras que guiam as atividades de projeto, entrega e desenvolvimento dentro da empresa.[1]

1 Todo trabalho deve ser altamente especificado quanto ao conteúdo, sequência, momento e resultado.
2 Toda conexão cliente-fornecedor deve ser direta e deve existir um método sim-ou-não claro de enviar solicitações e de receber respostas.
3 O roteiro para todo produto e serviço deve ser simples e direto.
4 Qualquer melhoria deve ser feita de acordo com o método científico, sob a direção de um professor e no nível mais baixo possível na organização.

Exemplo | Hospitais Enxutos[2]

Em um dos crescentes serviços de saúde a adotar os princípios enxutos, o Bolton Hospitals National Health Service Trust, no norte do Reino Unido, reduziu em mais de um terço uma de suas taxas de mortalidade hospitalares devido a um tipo de lesão. David Fillingham, executivo chefe do Bolton Hospitals NHS Trust, afirmou "*Morriam mais pessoas de fratura de quadril do que deveria.*" Depois, a instituição diminuiu bastante a sua taxa de mortalidade por fratura de colo de fêmur ao reprojetar a permanência do paciente no hospital, visando reduzir ou eliminar a espera entre as "atividades úteis". A taxa de mortalidade caiu de 22,9% para 14,6%, o que equivale a mais de 14 pacientes sobrevivendo a cada seis meses. Ao mesmo tempo, o tempo médio de permanência caiu um terço, de 34,6 dias para 23,5 dias.

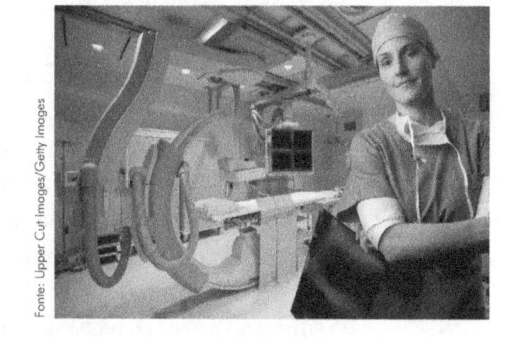

A instituição organizou cinco "eventos de melhoria rápida", envolvendo funcionários de toda a organização que passaram vários dias examinando processos e identificando maneiras alternativas de aprimorá-los. Alguns consultores em gestão também foram utilizados, mas estritamente num papel de aconselhamento. Além disso, foram trazidos especialistas de terceiros. Entre eles, uma equipe da Força Aérea Britânica, que tinha aplicado princípios enxutos na operação de porta-aviões. O valor dessas pessoas de fora não estava apenas em sua especialização. *"Eles fizeram todo tipo de perguntas inocentes, infantis,"* disse o Sr. Fillingham, *"para as quais muitas vezes nenhum membro da equipe tinha uma resposta."* Outras iniciativas de melhoria baseadas na prática enxuta incluíram a observação da experiência total dos pacientes, do início ao fim, de modo que os atrasos (alguns dos quais podiam ser fatais) puderam ser removidos da sua jornada para a sala de cirurgia, os processos de radiologia foram agilizados e o trabalho burocrático desnecessário foi eliminado. A redução do tempo de permanência e a simplificação dos processos também deve começar a diminuir os custos, embora o Sr. Fillingham dissesse que pode levar vários anos até que a economia se torne substancial. Não apenas isso, mas se diz que a equipe também se beneficia com as mudanças, já que podem passar mais tempo ajudando os pacientes do que fazendo atividades que não agregam valor.

Enquanto isso, no Salisbury District Hospital, no sul do Reino Unido, os princípios enxutos reduziram os atrasos na espera pelos resultados dos exames do departamento de ultrassonografia. As listas de espera diminuíram de 12 semanas para algo entre 2 semanas e zero após uma investigação mostrar que 67% da demanda vinha de apenas 5% dos possíveis testes de ultrassom: abdominal, ginecológico e urológico. Assim, todo o trabalho foi canalizado em fluxos "verdes" rotineiros e "vermelhos" complexos. Isto é como ter diferentes pistas de tráfego em uma autoestrada dedicada a diferentes tipos de tráfego, com carros velozes em uma pista e caminhões lentos em outra. Misturar os dois tipos de trabalho é como mistura carros velozes e caminhões lentos em todas as pistas. Depois, o departamento se concentrou em fazer o trabalho "verde" de rotina de forma mais eficiente. Por exemplo, a varredura da data inicial usada para verificar a idade de um feto levava apenas dois minutos, então uma série de intervalos de 5 minutos foi alocada apenas para isso. *"O segredo é manter o fluxo constante de alto volume e baixa variação passando pela autoestrada do ultrassom"*, diz Kate Hobson, que chefia o departamento. Canalizar o trabalho de rotina dessa maneira deixou mais tempo para lidar com tarefas mais complexas, apesar de a equipe não estar sobrecarregada. Eles têm mais chance de sair do trabalho no horário e também acreditam que o departamento está fazendo um trabalho melhor, o que eleva a moral de todos, afirma Kate Hobson. *"Creio que as pessoas sentem que o seu dia é mais estruturado agora. Não é aquela loucura, abrindo portas e as pessoas vindo até você."*

Tampouco essa abordagem mais disciplinada prejudicou a capacidade do departamento para tratar as tarefas realmente urgentes. Na verdade, ele parou de reservar espaço em sua agenda para as emergências – o atual padrão curto de tempo de espera normalmente é suficiente para as tarefas urgentes.

O que essas duas operações têm em comum?

Aqui estão duas empresas diferentes em produto, cultura, tamanho, localização e modo de adoção dos princípios da sincronização enxuta. A Toyota levou décadas para desenvolver uma filosofia totalmente integrada e coerente para gerenciar suas operações e, como resultado, tornou-se uma das empresas automotivas mais lucrativas e uma líder mundial. Os dois hospitais, por sua vez, adotaram e adaptaram ideias selecionadas da filosofia da sincronização enxuta e ganharam alguns benefícios. Por isso, apesar das diferenças entre as duas empresas, os princípios básicos da sincronização enxuta permanecem os mesmos: atingir a sincronização perfeita a partir do fluxo suave e regular. Mas a sincronização enxuta é um *objetivo*. Não é algo que pode simplesmente ser implementado da noite para o dia. Essas organizações trabalharam duro para vencer as barreiras da sincronização enxuta. Elas podem ser resumidas como a eliminação das perdas, o envolvimento de todos no negócio e a adoção de uma filosofia de melhoria contínua. O foco em eliminar as perdas usa quatro métodos importantes: o fluxo enxuto, a garantia de que o suprimento atenda exatamente a demanda, o aumento da flexibilidade do processo e a redução dos efeitos da variabilidade. E, embora enraizadas na manufatura, as técnicas das filosofias enxutas ou *Just-in-time* estão agora sendo estendidas para as operações de serviço.

Antes de avançar na discussão é importante ter clareza sobre a diferença entre o *objetivo* (sincronização enxuta), a *abordagem para vencer as barreiras* a fim de implementar a sincronização enxuta, os *métodos para eliminar as perdas* e as várias *técnicas* que podem ser usadas para ajudar a eliminar as perdas. A relação entre esses elementos é mostrada na Figura 11.4.

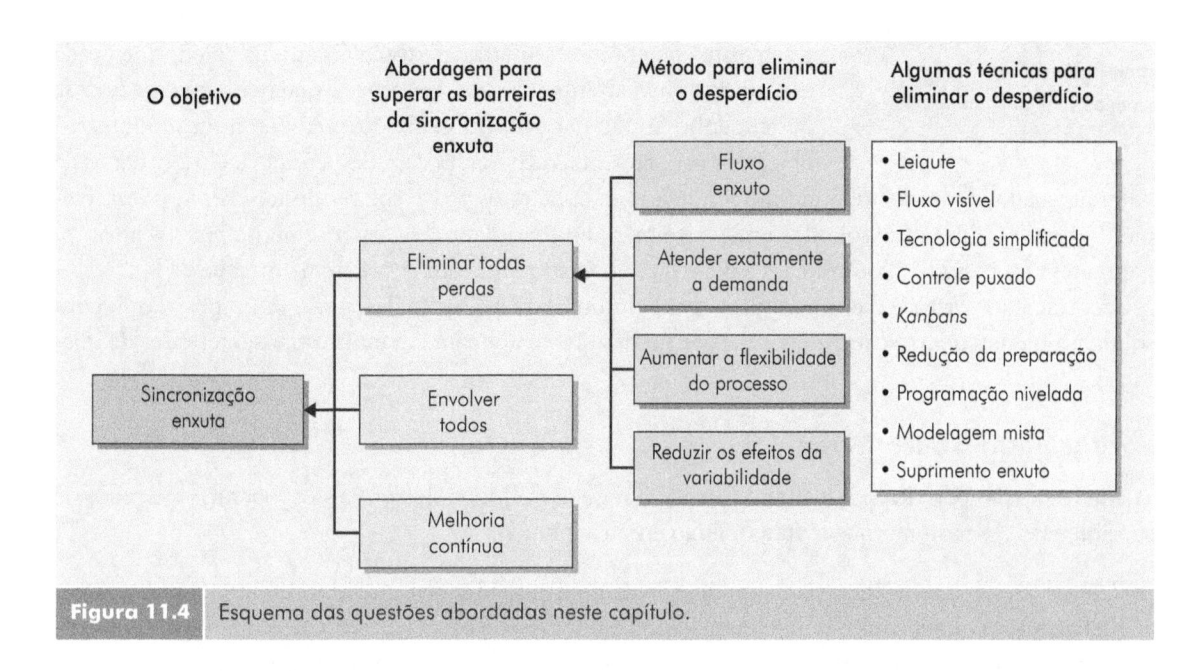

Figura 11.4 Esquema das questões abordadas neste capítulo.

O objetivo	Abordagem para superar as barreiras da sincronização enxuta	Método para eliminar o desperdício	Algumas técnicas para eliminar o desperdício
Sincronização enxuta	Eliminar todas perdas	Fluxo enxuto	• Leiaute
	Envolver todos	Atender exatamente a demanda	• Fluxo visível
	Melhoria contínua	Aumentar a flexibilidade do processo	• Tecnologia simplificada
		Reduzir os efeitos da variabilidade	• Controle puxado
			• *Kanbans*
			• Redução da preparação
			• Programação nivelada
			• Modelagem mista
			• Suprimento enxuto

QUESTÕES DIAGNÓSTICAS

Quais são as barreiras para a sincronização enxuta?

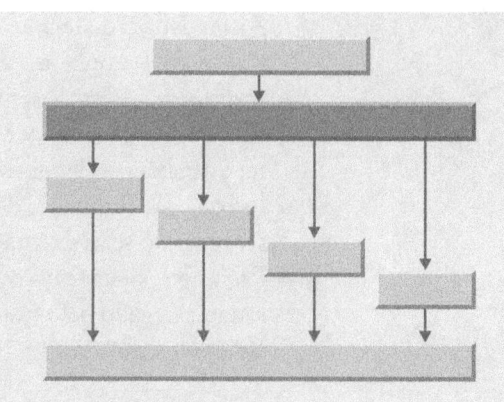

O objetivo da sincronização enxuta ideal é um fluxo suave, ininterrupto, sem atrasos, perdas ou imperfeição de qualquer tipo. O suprimento e a demanda entre as etapas em cada processo, entre os processos em cada operação e entre as operações em cada rede de suprimentos são perfeitamente sincronizados. A sincronização enxuta representa o que de melhor os clientes esperam de uma operação. Mas primeiro deve-se identificar as barreiras para realizar esse estado ideal. Nós as agrupamos sob três tópicos:

- Falha ao eliminar as perdas em todas as partes da operação
- Falha ao aproveitar a contribuição de todas as pessoas dentro da operação
- Falha ao estabelecer melhorias como uma atividade contínua

A barreira para a eliminação das perdas

Com certeza, a parte mais significativa da filosofia enxuta é seu foco na eliminação de todas as formas de perdas. Uma perda pode ser definida como qualquer atividade que não agrega valor. Por exemplo, um estudo efetuado pela Cummins Worlwide Fortune 500, empresa de engenharia, mostrou que, na melhor das hipóteses, um motor trabalhava durante somente 15% do tempo em que ele estava na fábrica.[3] No pior dos casos, trabalhava 9% do tempo, o que significava que por 91% do seu tempo, a operação estava agregando somente custo ao motor, não agregando valor. Embora seja um fabricante rela-

> **Princípio de operações**
> Focar no fluxo simultâneo expõe fontes de perda.
>
> **NOTAS PRÁTICAS**

tivamente eficiente, o resultado alertou a Cummins da enorme perda que ainda estava latente em suas operações e que nenhuma medida de desempenho, então em uso, tinha exposto. A Cummins mudou seus objetivos para reduzir as atividades com desperdício e enriquecer as de valor agregado. Exatamente o mesmo fenômeno se aplica nos processos de serviço. Pedidos relativamente simples, tais como solicitar uma carteira de motorista, podem levar somente poucos minutos para serem processados; contudo, leva dias (ou semanas) para realmente serem entregues.

Identificar as perdas é o primeiro passo para eliminá-las. A Toyota descreveu sete tipos. Aqui, consolidamo-nas em quatro categorias gerais de perdas que se aplicam em muitos tipos diferentes de operação.

Perdas por fluxo irregular

A sincronização perfeita significa fluxo suave e regular ao longo dos processos, operações e redes de suprimentos. As barreiras que evitam o fluxo enxuto incluem:

- *Tempos de espera*. Eficiência da máquina e da mão de obra são duas medidas comuns que são amplamente usadas para medir o tempo de máquina e o tempo de espera da mão de obra, respectivamente. Menos óbvio é o tempo pelo qual os itens esperam na forma de estoque apenas para manter os operadores ocupados.
- *Transporte*. A movimentação dos itens na planta, com duplo e triplo manuseio, não agrega valor. As mudanças de leiaute que aproximam os processos uns dos outros, as melhorias nos métodos de transporte e a organização do local de trabalho podem reduzir este tipo de perda.
- *Ineficiências do processo*. O próprio processo pode ser uma fonte de perdas. Algumas operações podem existir somente por causa de um projeto deficiente de componentes, ou manutenção deficiente, e também poderiam ser eliminadas.
- *Estoque*. A eliminação de todo o estoque deveria ser uma meta. Entretanto, o estoque somente pode ser reduzido se as suas causas, tais como o fluxo irregular, forem enfrentadas.
- *Perdas por movimentações*. Um operador pode parecer ocupado, mas às vezes nenhum valor está sendo agregado pelo trabalho. A simplificação do trabalho é uma fonte rica de redução nas perdas de movimentação.

Perdas por suprimento inexato

A sincronização perfeita supre exatamente o que se quer, exatamente quando é necessário. Qualquer quantidade de suprimento menor ou maior e qualquer entrega antecipada ou atrasada em relação à demanda resultará em perda. Entre as barreiras para se realizar uma combinação exata entre suprimento e demanda estão:

- *Superprodução ou subprodução*. Suprir mais do que, ou menos do que, a quantidade imediatamente necessária pela próxima etapa. Essa é a maior fonte de perdas segundo a Toyota.
- *Entrega antecipada ou atrasada*. Os itens só deveriam chegar quando necessário. A entrega antecipada é uma perda tão grande quanto a entrega atrasada.
- *Estoques*. Novamente, a eliminação de todo o estoque deveria ser uma meta. Contudo, o estoque somente pode ser reduzido se as suas causas, tais como o fluxo irregular, forem enfrentadas.

Perdas por resposta inflexível

As necessidades do cliente podem variar, seja em termos do que eles querem, do quanto querem ou de quando querem. Contudo, os processos acham mais conveniente, em geral, mudar muito raramente aquilo que fazem, porque todas as mudanças implicam em algum tipo de custo. Por isso, os hospitais programam clínicos especialistas só em momentos específicos e por isso que as máquinas frequentemente fazem um lote de produtos similares. Contudo, a resposta às demandas dos clientes, exata e instantaneamente, requer um alto grau de flexibilidade do processo. Alguns sintomas de flexibilidade inadequada são:

- *Lotes grandes.* Passar um lote de itens pelos processos inevitavelmente aumenta o estoque conforme o lote se move ao longo do processo.
- *Atrasos entre as atividades.* Quanto maior o tempo (e o custo) de troca de uma atividade para outra, mais difícil é sincronizar o fluxo para atender instantaneamente a demanda do cliente.
- *Variações no mix de atividades maiores do que as variações na demanda do cliente.* Se a variação no mix de atividades em períodos de tempo diferentes for maior do que a variação da demanda dos clientes, então algum "lote" de atividades deve ser feito.

Perdas por variabilidade

A sincronização exige exatidão no nível de qualidade. Se existe variabilidade nos níveis da qualidade, então os clientes não se considerarão atendidos de forma adequada. A variabilidade, portanto, é uma barreira importante para realizar o suprimento sincronizado. Entre os sintomas de variabilidade estão:

- *Confiabilidade deficiente do equipamento.* Um equipamento não confiável normalmente indica uma falta de conformidade com os níveis de qualidade. Também significa que existirá irregularidade no suprimento aos clientes. De qualquer forma, ela inibe a sincronização do suprimento.
- *Produtos ou serviços defeituosos.* As perdas causadas pela qualidade deficiente são significativas na maioria das operações. Erros no serviço ou produto fazem com que os clientes e os processos percam tempo até que eles sejam corrigidos.

Contudo, a utilização da capacidade pode ser sacrificada a curto prazo

Um paradoxo no conceito da sincronização enxuta é que a sua adoção pode significar algum sacrifício para a capacidade. Nas organizações que valorizam a utilização da capacidade, isso pode ser particularmente difícil de aceitar. Mas é necessário. Retorne ao processo mostrado na Figura 11.2. Quando ocorrem paradas no sistema tradicional, os pulmões permitem que cada etapa continue trabalhando e, portanto, que a capacidade seja bem utilizada. A alta utilização da capacidade não necessariamente faz o sistema como um todo produzir mais peças. Frequentemente, a produção extra forma grandes estoques-pulmão. Num processo enxuto sincronizado, qualquer parada afetará o resto do sistema, causando paradas em toda a operação. Isso necessariamente baixará a utilização da capacidade, ao menos a curto prazo. Contudo, não há razão em produzir apenas por produzir. A menos que a produção seja útil e habilite a operação como um todo a produzir uma produção vendável, não há razão para produzi-la por produzi-la. Na verdade, produzir apenas para manter a utilização alta não é só insensato, é contraproducente, porque o estoque produzido dificulta a implementação de melhorias. A Figura 11.5 ilustra as duas abordagens para utilização da capacidade.

> **Princípio de operações**
> Focar na sincronização enxuta pode inicialmente reduzir a utilização dos recursos.

A barreira do envolvimento

Uma cultura organizacional que sustenta a sincronização enxuta deve colocar uma ênfase muito significativa no envolvimento de todos na organização. Essa abordagem para o gerenciamento das pessoas (às vezes chamada de sistema de "respeito às pessoas", na tradução literal do japonês) é vista por alguns como o aspecto mais controverso da filosofia enxuta. Ela encoraja (e com frequência requer) a resolução de problemas em equipe, o enriquecimento das tarefas, a rotação dos trabalhadores e as habilidades múltiplas. A intenção é encorajar um alto grau de responsabilidade pessoal, dedicação e sentido de posse

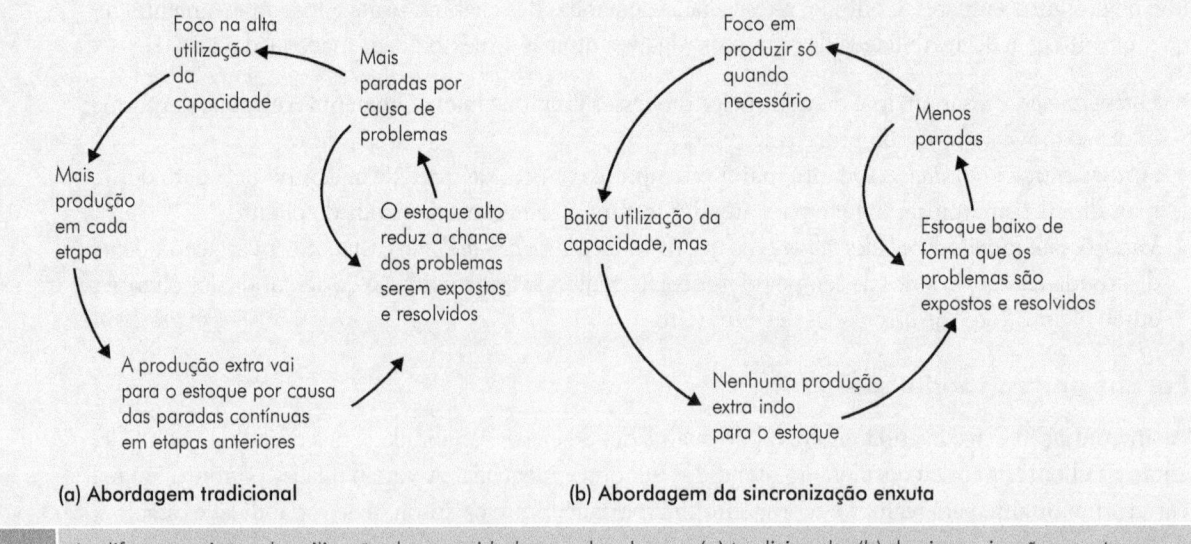

Figura 11.5 As diferentes visões da utilização da capacidade nas abordagens (a) tradicional e (b) da sincronização enxuta para planejar e controlar o fluxo.

da tarefa. Algumas empresas japonesas falam na operacionalização do princípio de "envolvimento de todos" adotando "práticas de trabalho básicas", que são a preparação básica da operação e dos empregados para implementar a sincronização enxuta. Elas incluem:

- *Disciplina*. Padrões de trabalho cruciais para a segurança da equipe, o ambiente e a qualidade devem ser seguidos por todos, o tempo todo.
- *Flexibilidade*. Deveria ser possível expandir a responsabilidade proporcionalmente às competências das pessoas. Isso se aplica tanto para os gerentes como para o pessoal do chão de fábrica. Barreiras à flexibilidade, tais como posições hierárquicas rígidas e práticas restritivas, deveriam ser removidas.
- *Igualdade*. Políticas de pessoal injustas e divididas deveriam ser descartadas. Muitas empresas implementam a mensagem de igualdade pelo uso de uniformes na empresa, estruturas de pagamento consistentes que não diferenciam as equipes mensalistas dos horistas e escritórios abertos.
- *Autonomia*. Delegar autoridade para as pessoas envolvidas em atividades diretas de forma que o gerenciamento se torne um processo de suporte. Delegar inclui dar à equipe a responsabilidade por parar processos quando houver problemas, programar trabalho, coletar dados de monitoramento de desempenho e resolver problemas gerais.
- *Desenvolvimento de pessoal*. Com o passar do tempo, o objetivo é criar mais membros da empresa que possam suportar o rigor da competitividade.
- *Qualidade de vida no trabalho*. Pode significar, por exemplo, o envolvimento na tomada de decisões, segurança no emprego, trabalho prazeroso e boas instalações.
- *Criatividade*. Esse é um dos elementos indispensáveis da motivação. Criatividade nesse contexto significa não apenas fazer uma tarefa, mas também melhorá-la e incluir a melhoria como parte do processo.
- *Envolvimento de todas as pessoas*. A equipe assume mais responsabilidade pelo uso de suas habilidades para o benefício da empresa como um todo. É esperado que eles participem das atividades tais como o recrutamento, tratem diretamente com fornecedores e clientes sobre as programações, questões da qualidade e informação de entrega, gastem melhor os orçamentos e planejem e revisem o trabalho feito a cada dia por meio de reuniões.

O conceito do aprendizado contínuo é também central para o princípio do envolvimento de todos. Por exemplo, a abordagem da Toyota para envolver seus empregados utiliza um método de aprendizagem que permite aos empregados descobrirem as regras do Sistema Toyota de Produção por meio da solução de problemas. Assim, enquanto a tarefa está sendo executada, um supervisor/treinador faz uma série de perguntas que dá ao empregado uma compreensão mais profunda do trabalho.[4] Essas perguntas poderiam ser:

- Como você faz esse trabalho?
- Como você sabe que está fazendo este trabalho corretamente?
- Como você sabe que o resultado está livre de defeitos?
- O que você fará se tiver um problema?

A barreira da melhoria contínua

Os objetivos da sincronização enxuta são frequentemente expressos como um ideal, tal como nossa definição anterior: "atender a demanda instantaneamente com qualidade perfeita e nenhuma perda". Embora qualquer desempenho atual da operação pode estar muito diferente do ideal, a crença enxuta fundamental confia que é possível chegar perto do ideal com o tempo. Sem tal crença para levar ao progresso, os proponentes da prática enxuta afirmam que a melhoria provavelmente será transitória; não será contínua. É por isso que o conceito de melhoria contínua é uma parte tão importante da filosofia enxuta. Seus objetivos são determinados em termos de um ideal que as organizações individuais nunca realizariam completamente, então a ênfase deve estar na forma como uma organização se aproxima do estado ideal. A palavra japonesa que incorpora a ideia de melhoria contínua é *kaizen*. É um dos principais pilares da melhoria do processo e é explicado totalmente no Capítulo 13.

Técnicas para tratar as quatro fontes de perda

São três as barreiras para realizar a sincronização enxuta (reduzir perdas, envolver todos e adotar a melhoria contínua); as duas últimas são tratadas no Capítulo 13. Portanto, o resto deste capítulo é dedicado ao que poderia ser chamado de a "essência" da sincronização enxuta. Existe um conjunto de ferramentas *Just-in-time* e técnicas para eliminar as perdas. Embora muitas dessas técnicas sejam usadas para reduzir as perdas geralmente dentro de processos, operações e redes de suprimentos, agruparemos as abordagens para reduzir as perdas sob quatro tópicos principais: enxugar o fluxo, atender exatamente a demanda, aumentar a flexibilidade do processo e reduzir os efeitos da variabilidade.

QUESTÕES DIAGNÓSTICAS

O fluxo é enxuto?

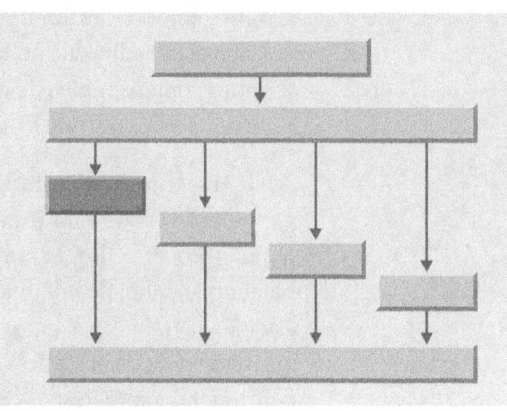

O fluxo suave de materiais, informações e pessoas na operação é uma ideia central à sincronização enxuta. Longos roteiros de processo oferecem chances para atrasos e para aumento de estoque, não agregam nenhum valor e aumentam o tempo de processamento. Assim, a primeira contribuição que qualquer operação pode fazer para enxugar o fluxo é reconsiderar o leiaute básico de seus processos. Primeiramente, reconfigurar o leiaute de um processo para a sincronização enxuta significa descer pela diagonal natural do projeto de processo que foi discutida no Capítulo 4. Em termos gerais, isso significa ir dos leiautes funcionais para os leiautes em células, ou dos leiautes em células para os leiautes de produto. Seja como for, é preciso passar para um leiaute que traga mais sistematização e controle para o fluxo do processo. Num nível mais detalhado, as típicas técnicas de leiaute colocam as estações de trabalho próximas umas das outras de forma que seja fisicamente impossível aumentar o estoque simplesmente porque não há espaço para isso, e organizam as células de uma forma que todos aqueles que contribuem para uma atividade comum estejam à vista dos outros e possam fornecer ajuda mútua, por exemplo, facilitando a movimentação entre as células para equilibrar a capacidade.

> **Princípio de operações**
> O fluxo simples e transparente expõe as fontes de perdas.

Examinar o formato do fluxo do processo

O padrão que o fluxo adota dentro ou entre processos não é uma questão trivial. Processos que adotaram a prática de arranjos em formato de U ou arranjos em S podem ter algumas vantagens (formatos U são normalmente usados para linhas mais curtas e em S para linhas mais longas). Uma autoridade no assunto[5] vê a vantagem desse tipo de fluxo padrão: na *flexibilidade e no balanceamento da equipe*, porque o formato U capacita uma pessoa a cuidar de diversas tarefas; no *retrabalho*, porque é fácil para retornar o trabalho defeituoso para uma estação anterior; no *fluxo livre*, porque linhas longas diretas cruzam outras partes da operação; e no *trabalho em equipe,* porque o formato encoraja um sentimento de equipe.

Assegurar a visibilidade

O leiaute adequado também inclui a questão de que todo movimento seja transparente para todos dentro do processo. A alta visibilidade do fluxo torna mais fácil reconhecer as melhorias potenciais para o fluxo. Isso também promove qualidade dentro de um processo, pois quanto mais transparente é a operação ou processo, mais fácil é para toda equipe compartilhar o seu gerenciamento e suas melhorias. Os problemas são mais facilmente detectáveis e a informação se torna simples, rápida e visual. As medidas da visibilidade incluem o seguinte:

- Roteiros de processo claramente indicados usando sinalizações
- Indicadores de desempenho exibidos com clareza no local de trabalho
- Luzes coloridas utilizadas para indicar paradas
- Uma área dedicada para exibir exemplos de produções de seus próprios processos e de concorrentes, junto com exemplos de produção boa e defeituosa
- Sistemas de controle visual (por exemplo, *kanbans*, discutidos mais tarde)

Uma técnica importante usada para assegurar a visibilidade do fluxo é o uso de sinais simples, mas altamente visuais para indicar que um problema ocorreu, junto com a autorização operacional para parar o processo. Por exemplo, na linha de montagem, se um empregado detecta algum tipo de problema de qualidade, ele poderia ativar um sinal luminoso (chamado de "*andon*" luminoso), acima da estação de trabalho, e parar a linha. Embora possa parecer que isso reduz a eficiência da linha, a ideia é que essa perda de eficiência a curto prazo é menor que as perdas acumuladas de permitir que os defeitos continuem no processo. A menos que os problemas sejam enfrentados imediatamente, eles podem não ser corrigidos.

Usar tecnologia de processo de pequena escala

Podem existir também possibilidades de encorajar o fluxo enxuto com o uso de tecnologias de pequena escala, isto é, usando diversas unidades pequenas de tecnologia de processo (por exemplo,

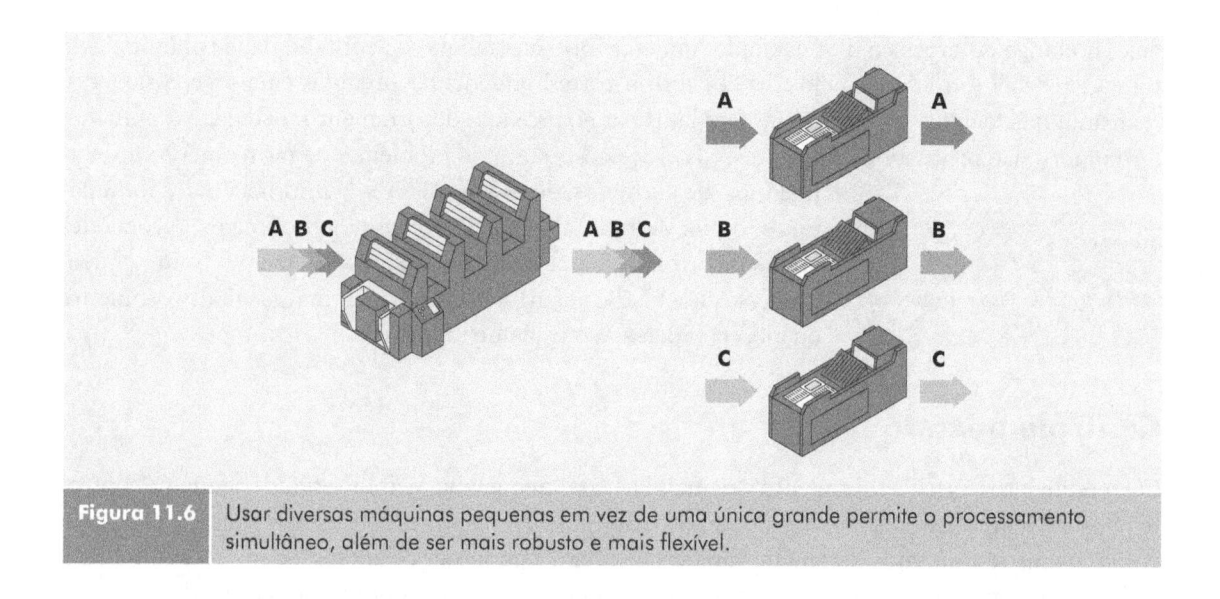

Figura 11.6 Usar diversas máquinas pequenas em vez de uma única grande permite o processamento simultâneo, além de ser mais robusto e mais flexível.

máquinas pequenas) ao invés de uma unidade grande. Máquinas pequenas têm diversas vantagens sobre as grandes. Primeiro, elas podem processar diferentes produtos e serviços simultaneamente. Por exemplo, na Figura 11.6 uma máquina grande produz um lote de A, seguido por um lote de B, seguido por um lote de C. Entretanto, se três máquinas menores forem usadas, elas podem cada uma produzir A, B e/ou C simultaneamente. O sistema é também mais robusto. Se uma máquina grande quebra, todo o sistema cessa de operar. Se uma das três máquinas pequenas quebra, o sistema ainda está operando em dois terços da capacidade. Máquinas pequenas são também facilmente transportadas, de forma que a flexibilidade do leiaute é melhorada e os riscos de se cometer erros em decisões de investimento são reduzidos. Entretanto, o investimento em capacidade pode aumentar no total porque são necessárias instalações paralelas, e, por isso, a utilização pode ser menor (veja os argumentos anteriormente utilizados).

QUESTÕES DIAGNÓSTICAS

O suprimento atende exatamente a demanda?

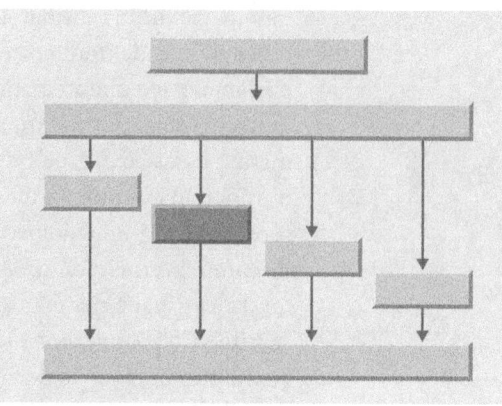

O valor do suprimento de produtos ou serviços é sempre dependente do tempo. Algo que é entregue muito cedo ou muito tarde quase sempre tem menos valor do que algo entregue exatamente quando necessário. Podemos ver exemplos disso todo dia. Por exemplo, empresas de entrega em lote cobram mais para garantir a entrega mais rápida. Isso porque necessitamos frequentemente entregas mais rápidas. Quanto mais próximo da entrega instantânea, maior valor a entrega tem para nós e pagamos mais por isso. Na verdade, a entrega de informação antes de ela ser necessária pode ser até mais prejudicial do que a entrega atrasada, porque ela resulta em estoques de informação que confundem o fluxo ao longo do processo. Por exemplo, um escritório australiano de contabilidade tributária costumava receber formulários pelo correio, abrir a correspondência e enviá-las para o departamento relevante que, depois de processá-las, envia-as para o próximo departamento. Isso gerava pilhas de formulários não processados dentro de seus processos, causando problemas de rastreamento dos formulários, de extravios, de classificação e de priorização dos formulários e, o pior de tudo, tempos de processamento longos. Agora, eles abrem a correspondência somente quando as etapas à frente podem processá-las. Cada departamento requer mais trabalho somente quando já processou o trabalho anterior.

> **Princípio de operações**
> Entregar exatamente e somente o que é necessário e quando é necessário suaviza o fluxo e expõe as perdas.

Controle puxado

O atendimento exato de suprimento e demanda é com frequência melhor servido usando o "controle puxado" sempre que possível (discutido no Capítulo 10). Na sua hipótese mais simples, considere como alguns restaurantes de lanche rápido cozinham e montam o lanche e colocam-no na área aquecida somente quando o atendente do balcão vendeu um item. A produção está sendo disparada somente pela verdadeira demanda do cliente. Da mesma forma, os supermercados normalmente repõem suas prateleiras somente quando os clientes levaram os produtos da prateleira. O movimento de mercadorias do depósito do fundo de loja para a prateleira é disparado somente pelo sinal de demanda da prateleira vazia. Algumas empresas de construção fazem disso uma regra para pedir entregas de material para seus locais somente no dia anterior àquele em que os itens são realmente necessários. Isso não só reduz a desordem e as chances de roubo, como acelera o tempo de processamento e reduz a confusão e os estoques. A essência do controle puxado é deixar que a etapa subjacente num processo, operação ou rede de suprimentos puxe os itens ao longo do sistema ao invés de a etapa de suprimento empurrá-los. Como Richard Hall, uma autoridade em operações enxutas, afirma: *"Não envie nada a lugar algum, faça-os vir e pegar"*.[6]

Kanbans

O uso de *kanbans* é um dos métodos de operacionalizar o controle puxado. *Kanban* é a palavra japonesa para cartão ou sinal. É às vezes chamado de a "correia transportadora invisível" que controla a transferência de itens entre as etapas de uma operação. Em sua forma mais simples, é um cartão usado por uma etapa cliente para instruir sua etapa fornecedora para enviar mais itens. Os *kanbans* podem também tomar outras formas. Em algumas empresas japonesas, eles são marcadores plásticos sólidos ou mesmo bolas de pingue-pongue coloridas. Qualquer que seja o tipo de *kanban* que esteja sendo usado, o princípio é sempre o mesmo: o recebimento de um *kanban* dispara a movimentação, produção ou suprimento de uma unidade ou um contêiner padrão de unidades. Se dois *kanbans* são recebidos, eles disparam a movimentação, produção ou suprimento de duas unidades ou contenedores-padrão de unidades e assim por diante. Os *kanbans* são o único meio pelo qual a movimentação, a produção ou o suprimento podem ser autorizados. Algumas empresas usam "quadrados de *kanban*". Trata-se de espaços marcados no chão de fábrica ou em bancadas que são desenhados para encaixar uma ou mais peças de trabalho ou contenedores. Somente a existência de um quadrado vazio dispara a produção na etapa fornecedora. Como se pode esperar, na Toyota a ferramenta-chave de controle é seu sistema *kanban*. O *kanban* é visto como servindo três finalidades:

- É uma instrução para o processo precedente enviar mais
- É uma ferramenta de controle visual para mostrar áreas de superprodução e falta de sincronização
- É uma ferramenta para a melhoria contínua (*kaizen*). As regras da Toyota determinam que o número de *kanbans* deve ser reduzido com o tempo

QUESTÕES DIAGNÓSTICAS

Os processos são flexíveis?

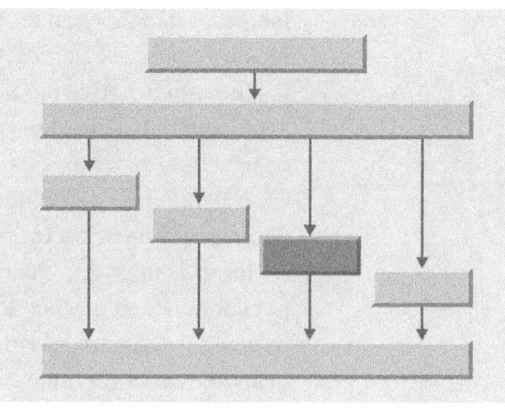

Responder de forma exata e instantânea à demanda do cliente implica que os recursos precisam ser suficientemente flexíveis para mudar o que e o quanto estão fazendo sem incorrer em custos ou em atrasos. Na verdade, os processos flexíveis (frequentemente com tecnologias flexíveis) podem melhorar de forma significativa o fluxo suave e sincronizado. Por exemplo, novas tecnologias de publicação permitem aos professores personalizar impressos ou materiais para cursos via Internet de acordo com as necessidades de cursos individuais ou mesmo de estudantes individuais. Nesse caso, a flexibilidade permite a entrega de lotes pequenos, personalizados "sob pedido". Em outro exemplo, uma empresa de advocacia costumava levar 10 dias para preparar as notas para os clientes. Isso significava que os clientes não eram cobrados até 10 dias após o trabalho ter sido feito. Agora, eles usam um sistema que, todo dia, atualiza cada conta de cliente. Assim, quando uma nota é enviada, ela inclui todos os trabalhos até o dia anterior da data da nota. O princípio aqui é que a inflexibilidade do processo também atrasa o fluxo de caixa.

> **Princípio de operações**
> A flexibilidade da troca reduz a perda e suaviza o fluxo.

Redução dos tempos de preparação

Para muitas tecnologias, aumentar a flexibilidade do processo significa reduzir os tempos de preparação, definidos como o tempo levado para levar o processo de uma atividade para a próxima. Compare o tempo que você leva para trocar o pneu de seu carro com o tempo levado por uma equipe da Fórmula 1. A redução do tempo de preparação pode ser realizada por uma variedade de métodos, tais como a eliminação do tempo para procurar ferramentas e equipamentos, a preparação prévia das tarefas que atrasam as trocas e a prática constante das rotinas de preparação. A redução do tempo de preparação é também chamada troca de ferramenta em um minuto (SMED – *Single Minute Exchange of Dies*), porque esse era o objetivo em algumas operações de fabricação. A outra abordagem comum para reduzir o tempo de preparação é converter trabalho *interno* (o trabalho que era previamente executado com a máquina parada) em trabalho *externo* (o trabalho que é executado enquanto a máquina está processando). Existem três métodos principais de realizar a conversão do trabalho de preparação interno em trabalho externo:[7]

- Prepare previamente o equipamento em vez de precisar fazê-lo enquanto o processo está parado. De preferência, todos os ajustes deveriam ser feitos externamente;
- Torne o equipamento capaz de desempenhar todas as tarefas solicitadas de forma que as trocas se tornem um simples ajuste;
- Facilite a mudança de equipamento usando, por exemplo, dispositivos simples, tais como esteiras com roletes.

Trocas rápidas são particularmente importantes para companhias aéreas, pois elas não ganham dinheiro com aeronaves que estão ociosas no pátio, o que é chamado no setor de "manter a aeronave quente". Para muitas companhia aéreas menores, a maior barreira para mantê-las quentes é que seus mercados não são grandes o suficiente para justificar voos de passageiros durante dia e noite. Assim, a fim de evitar que a aeronave fique ociosa durante a noite, elas precisam ser usadas de alguma outra forma. Esse foi o motivo por trás da aeronave "troca rápida" (QC – *quick change*) 737 da Boeing. Com isso, as companhias aéreas têm a flexibilidade de usá-la para voos de passageiros durante o dia e, com menos de uma hora de tempo de troca (preparação), usá-la como uma aeronave de carga durante toda a noite. Os engenheiros da Boeing projetaram estruturas que prendem filas inteiras de assentos que poderiam deslizar suavemente para dentro e para fora da aeronave, permitindo que 12 assentos sejam colocados no lugar de uma vez. Quando usado para carga, os assentos são simplesmente retirados e substituídos por contêineres especiais de carga projetados para se encaixarem na fuselagem e evitar danos ao interior da aeronave. Antes de reinstalar os assentos, as paredes laterais são totalmente limpas de tal forma que, quando os assentos estão no lugar, os passageiros sequer percebem a diferença entre uma aeronave QC e um 737 normal. Companhias aéreas como a Aloha, que serve o Havaí, beneficiam-se da flexibilidade da aeronave. Isso permite que ela forneça serviços confiáveis frequentes nos mercados de passageiro e de carga. Assim, a aeronave que transporta passageiros entre as ilhas durante o dia pode ser usada para embarcar suprimentos frescos durante a noite para os hotéis que suportam a indústria de turismo.

QUESTÕES DIAGNÓSTICAS

A variabilidade é minimizada?

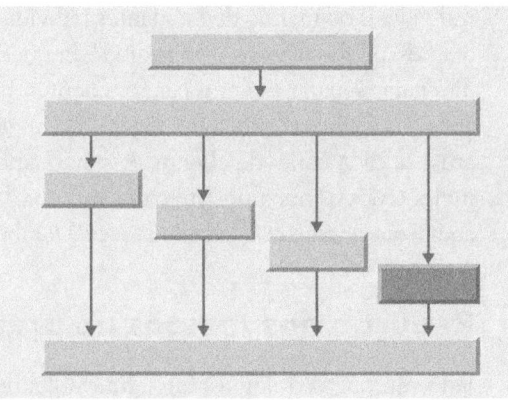

Uma das maiores causas da variabilidade que causa rupturas no fluxo e que prejudica a sincronização enxuta é a variação na qualidade dos itens. É por isso que uma discussão sobre a sincronização enxuta sempre deveria incluir uma avaliação de como a conformidade é assegurada dentro dos processos. Em especial, os princípios de controle estatístico do processo (CEP) podem ser usados para entender a variabilidade da qualidade. O Capítulo 12 e seu suplemento sobre o CEP examinam esse assunto, por isso nessa seção enfocaremos outras causas de variabilidade. A primeira delas é a variabilidade no *mix* de produtos e serviços que cruzam os processos, operações ou redes de suprimentos.

> **Princípio de operações**
> Variabilidade na qualidade do produto/serviço, ou da quantidade, ou do momento, age contra a suavidade do fluxo e a eliminação da perda.

Programas nivelados o máximo possível

Programação nivelada (ou *heijunka*) significa manter o *mix* e o volume do fluxo uniforme entre as etapas ao longo do tempo. Por exemplo, em vez de produzir 500 peças num lote, o que cobriria as necessidades para os próximos três meses, a programação nivelada solicitaria para o processo fazer somente uma peça por hora regularmente. Assim, o princípio da programação nivelada é muito fácil; contudo, os requisitos para colocá-la em prática são bastante severos, embora os benefícios resultantes disso possam ser substanciais. A mudança da programação convencional para a programação nivelada é ilustrada na Figura 11.7. Na programação convencional, se um *mix* de produtos fosse solicitado num período de tempo (normalmente um mês), o tamanho de um lote seria calculado para cada produto e

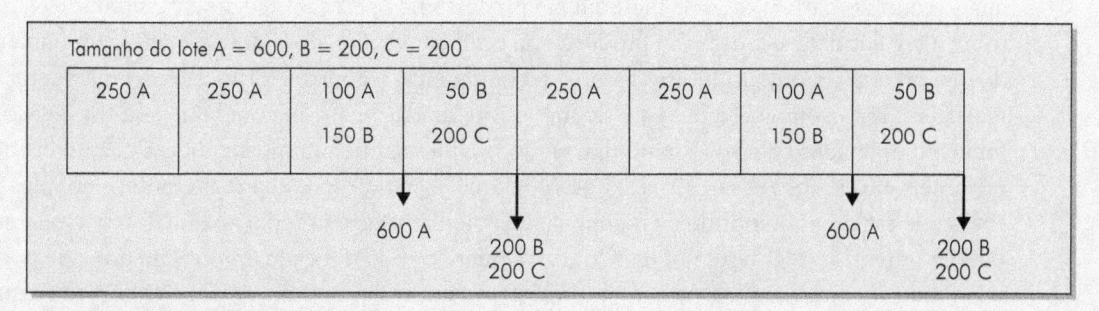

(a) Programação em grandes lotes

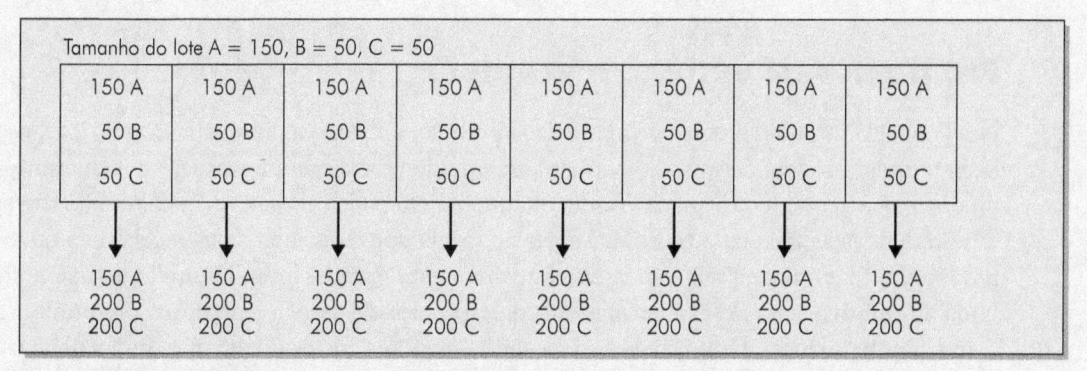

Tamanho do lote A = 600, B = 200, C = 200

| 250 A | 250 A | 100 A / 150 B | 50 B / 200 C | 250 A | 250 A | 100 A / 150 B | 50 B / 200 C |

↓ 600 A   ↓ 200 B / 200 C   ↓ 600 A   ↓ 200 B / 200 C

(b) Programação nivelada

Tamanho do lote A = 150, B = 50, C = 50

| 150 A / 50 B / 50 C | 150 A / 50 B / 50 C | 150 A / 50 B / 50 C | 150 A / 50 B / 50 C | 150 A / 50 B / 50 C | 150 A / 50 B / 50 C | 150 A / 50 B / 50 C | 150 A / 50 B / 50 C |

↓ 150 A / 200 B / 200 C (×8)

Figura 11.7 Programação nivelada equaliza o *mix* de produtos feitos a cada dia.

---

os lotes produzidos em alguma sequência. A Figura 11.7(a) mostra três produtos que são produzidos em períodos de tempo de 8 dias numa unidade de produção.

Quantidade do produto A requerida = 3.000
Quantidade do produto B requerida = 1.000
Quantidade do produto C requerida = 1.000
Tamanho do lote do produto A = 600
Tamanho do lote do produto B = 200
Tamanho do lote do produto C = 200

Começando no dia 1, a unidade começa a produzir o produto A. Durante o dia 3, o lote de 600 do produto A é concluído e despachado para a próxima etapa. O lote dos Bs é iniciado, mas não é concluído até o dia 4. O restante do dia 4 é gasto fazendo o lote dos Cs e ambos os lotes são despachados no final daquele dia. O ciclo então se repete. As consequências de usar lotes grandes são: primeiro, quantidades relativamente grandes de estoque se acumulam dentro e entre as unidades; segundo, normalmente os dias são diferentes um do outro em termos do que se espera produzir (em circunstâncias mais complexas, nenhum dos dois dias seria o mesmo).

Agora suponha que a flexibilidade da unidade poderia ser aumentada até o ponto em que os tamanhos de lote para os produtos fossem reduzidos a um quarto de seus níveis anteriores sem perda de capacidade (veja a Figura 11.7(b)):

Tamanho do lote do produto A = 150
Tamanho do lote do produto B = 50
Tamanho do lote do produto C = 50

Um lote de cada produto pode agora ser completado em um único dia, no fim do qual os três lotes são despachados para sua próxima etapa. Lotes menores de estoque são movidos entre cada etapa, os quais reduzirão o nível total de material em processo na operação. Igualmente significativo é o efeito sobre a regularidade e o ritmo da produção na unidade. Agora, cada dia no mês é o mesmo em termos do que precisa ser produzido. Isso torna o planejamento e controle de cada etapa na operação muito mais fácil. Por exemplo, se no dia 1 do mês o lote diário de As foi concluído às 11hs e todos os lotes foram completados com sucesso no dia, então no dia seguinte a unidade saberá que, se ela completar novamente todos os As às 11hs, está no programa. Quando todo dia é diferente, a simples pergunta "Será que estamos cumprindo o programa para completar nossa produção hoje?" requer alguma investigação antes de poder respondê-la. Contudo, quando todo dia é igual, todos na unidade podem dizer se a produção está em dia ao olharem o relógio. O controle se torna visível e transparente para todos e as vantagens de programas diários e regulares podem ser passadas para os fornecedores a montante.

Programas de entrega nivelados

Um conceito similar à programação nivelada pode ser aplicado a muitos processos de transporte. Por exemplo, uma cadeia de lojas de conveniência pode precisar fazer entregas dos diferentes tipos de produtos que vende toda semana. Tradicionalmente ela pode despachar um caminhão carregado com um produto específico para todas suas lojas de forma que cada uma delas receberia a quantidade do produto que duraria uma semana. Isso é equivalente aos grandes lotes discutidos no exemplo anterior. Uma alternativa seria despachar menores quantidades de todos os produtos num único caminhão com maior frequência. Então, cada loja receberia menores entregas com mais frequência, os níveis de estoque seriam menores e o sistema poderia responder às tendências da demanda mais prontamente, já que mais entregas significam mais oportunidades para mudar a quantidade entregue para uma loja. Isso é ilustrado na Figura 11.8.

Adotar modelos mistos onde possível

O princípio de programação nivelada pode ser levado adiante para fornecer a modelagem mista; isto é, um *mix* repetido de produção. Suponha que as máquinas na unidade de produção possam se tornar tão flexíveis que realizam o JIT ideal com lote unitário. A sequência de produtos individuais emergindo de uma unidade poderia ser reduzida de maneira progressiva como ilustrado na Figura 11.9. Isso levaria a uma produção permanente de cada produto fluindo continuamente da unidade. Contudo, a sequência de produtos nem sempre é tão conveniente como na Figura 11.9. Os tempos da unidade de produção para cada produto não costumam ser idênticos e as proporções dos volumes requeridos são menos convenientes. Por exemplo, se um processo faz os produtos A, B e C na proporção 8:5:4, ele poderia produzir 800 de A, seguido por 500 de B, seguido por 400 de C, ou 80A, 50B e 40C. Mas de forma ideal, para sequenciar os produtos o mais suavemente possível, ele produziria na ordem... BACABA-

Figura 11.8 Entregar menores quantidades com mais frequência pode reduzir níveis de estoque.

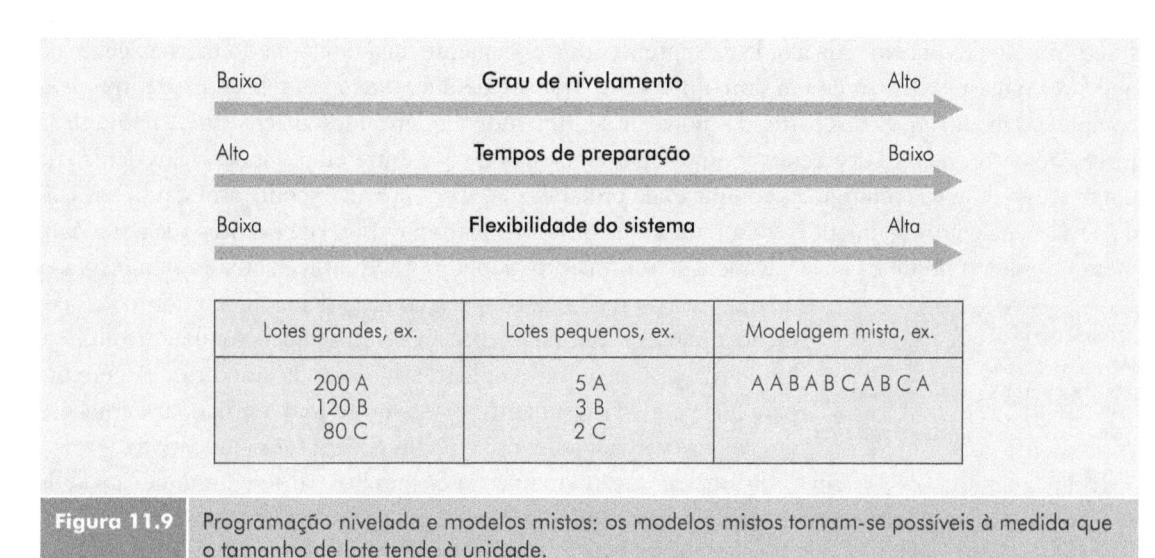

Baixo	Grau de nivelamento	Alto
Alto	Tempos de preparação	Baixo
Baixa	Flexibilidade do sistema	Alta

Lotes grandes, ex.	Lotes pequenos, ex.	Modelagem mista, ex.
200 A 120 B 80 C	5 A 3 B 2 C	A A B A B C A B C A

Figura 11.9 Programação nivelada e modelos mistos: os modelos mistos tornam-se possíveis à medida que o tamanho de lote tende à unidade.

CABACABACAB... de novo... de novo... etc. Fazendo isso, realizaria um fluxo relativamente suave (mas isso dependente de significativa flexibilidade do processo).

Adotar a manutenção produtiva total (TPM – *Total Productive Maintenance*)

A manutenção produtiva total visa a eliminar dos processos a variabilidade causada pelo efeito das paradas. Isso é realizado envolvendo todos na busca por melhorias de manutenção. Os donos dos processos são encorajados a assumir responsabilidade por suas máquinas e a fazer manutenção de rotina e tarefas simples de reparo. Fazendo isso, os especialistas de manutenção podem então ser liberados para desenvolver melhores habilidades para sistemas de manutenção melhorados. A TPM é tratada em detalhe no Capítulo 14.

QUESTÕES DIAGNÓSTICAS

A sincronização enxuta é aplicada em toda a rede de suprimentos?

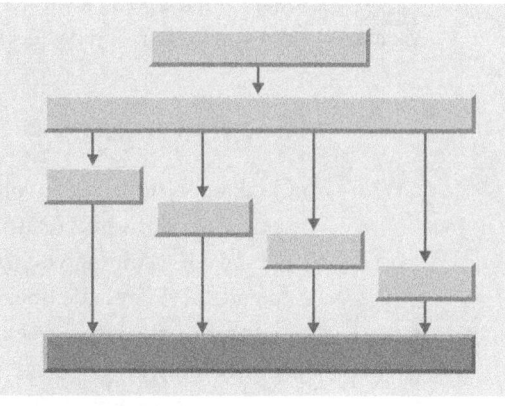

Embora a maioria dos conceitos e técnicas discutidas neste capítulo seja dedicada ao gerenciamento de etapas *dentro* dos processos e de processos *dentro* de uma operação, os mesmos princípios podem ser aplicados a toda a cadeia de suprimentos. Nesse contexto, as etapas num processo são todos os negócios, operações ou processos entre os quais os produtos fluem. E quando qualquer empresa começa a abordar a sincronização enxuta, ela cedo ou tarde enfrentará as restrições impostas pela falta de sincronização enxuta de outras operações em sua cadeia de suprimentos. Assim, para obter ganhos futuros, deve-se tentar expandir a prática da sincronização enxuta para seus parceiros na cadeia. Assegurar a sincronização enxuta em toda a rede de suprimentos é claramente uma tarefa muito mais exigente do que fazer o mesmo dentro de um único processo. Trata-se de uma tarefa complexa. E se torna mais complexa à medida que mais partes da cadeia de suprimentos adotam a filosofia enxuta. A natureza da interação entre todas as operações é muito mais complexa do que entre etapas individuais dentro de um processo. Um *mix* muito mais complexo de produtos e serviços provavelmente está sendo fornecido e toda a rede provavelmente está sujeita a um conjunto menos previsível de eventos que potencialmente causam ruptura. Fazer uma cadeia de suprimentos adotar a sincronização enxuta significa mais do que tornar enxuta cada operação na cadeia. Um conjunto de operações enxutas locais raramente leva a uma cadeia totalmente enxuta. Na verdade, é necessário aplicar a filosofia da sincronização enxuta para a cadeia de suprimentos como um todo. Contudo, as vantagens das cadeias verdadeiramente enxutas podem ser significativas.

Princípio de operações

As vantagens da sincronização enxuta se aplicam ao nível do processo, da operação e da rede de suprimentos.

Essencialmente, os princípios da sincronização enxuta são os mesmos tanto para uma cadeia de suprimentos quanto para um processo. O processamento rápido em todas as partes da rede de suprimentos é valioso e reduzirá os custos em toda a rede de suprimentos. Os níveis mais baixos de estoques tornarão ainda mais fácil realizar a sincronização enxuta. As perdas ficam muito evidentes (e mesmo maiores) no nível da rede de suprimentos, e reduzi-las ainda é uma tarefa que vale a pena. Fluxo enxuto, exata combinação entre suprimento e demanda, flexibilidade melhorada e variabilidade mínima são tarefas que beneficiarão toda a rede. Os princípios de controle puxado podem funcionar entre todas as operações da mesma forma como funcionam entre etapas dentro de um único processo. Na verdade, os princípios e as técnicas da sincronização enxuta são essencialmente os mesmos, não importa qual o nível de análise que esteja sendo usado. E uma vez que a sincronização enxuta está sendo implementada em grande escala, os benefícios também serão proporcionalmente maiores.

Uma das fraquezas dos princípios da sincronização enxuta é que é difícil realizá-la quando as condições estão sujeitas a perturbações inesperadas (veja o comentário crítico mais adiante). Isso é claramente um problema ao aplicar os princípios da sincronização enxuta no contexto de toda rede de suprimentos. Pelo fato de flutuações e perturbações inesperadas realmente ocorrerem dentro das operações, o gerenciamento local possui um grau razoável de controle a ser aplicado a fim de reduzi-las. Do lado de fora da operação, dentro da rede de suprimentos, as flutuações também podem ser controladas até certo ponto (veja o Capítulo 7), mas é muito mais difícil. Mesmo assim, afirma-se que, em geral, embora a tarefa seja mais difícil e possa levar mais tempo para ser realizada, o objetivo da sincronização enxuta é exatamente tão valioso para a rede de suprimentos como um todo quanto é para uma operação individual.

EXEMPLO ADICIONAL

Serviço enxuto

Qualquer tentativa de avaliar como as ideias enxutas se aplicam a toda a cadeia de suprimentos também deve confrontar o fato de que essas cadeias incluem operações de serviço, lidando frequentemente com coisas intangíveis. Sendo assim, como os princípios enxutos podem ser aplicados nessas partes da cadeia? A ideia de operações enxutas de fábrica é relativamente fácil de entender. O desperdício é evidente nos estoques excessivos, no excesso de perdas, nas máquinas mal localizadas e assim por diante. Em serviços, isso é menos óbvio, já que as ineficiências são mais difíceis de enxergar. Contudo, a maioria dos princípios e técnicas da sincronização enxuta, embora descritos frequentemente no contexto das operações de manufatura, também são aplicáveis às definições de serviços. Na realidade, também se pode ver que um pouco da base filosófica da sincronização enxuta tem um equivalente no setor de serviços. Tome como exemplo o papel do estoque. A comparação entre os sistemas de fabricação que mantêm grandes quantidades de estoque entre os estágios e aqueles que não o fazem centra-se no efeito que o estoque tem na melhoria e na solução de problemas. Exatamente o mesmo argumento pode ser aplicado quando, em vez de filas de material (estoque), uma operação tem que lidar com filas de informação ou até mesmo de clientes.

Com seu foco no cliente, padronização, melhoria contínua da qualidade, fluxo suave e eficiência, a mentalidade enxuta tem aplicação direta em todas as operações, sejam elas de produção ou serviços. Bradley Staats e David Upton, da Harvard Business School, estudaram como as ideias enxutas podem ser aplicadas às operações de serviços.[8] Eles destacam três pontos principais.

- Em termos de operações e melhorias, as indústrias de serviços em geral estão muito atrás da produção.
- Nem todas as ideias enxutas que funcionam na produção podem ser traduzidas diretamente para o contexto do escritório. Por exemplo, ferramentas como a concessão de poder aos empregados da produção para "pararem a linha" quando encontrarem um problema não são diretamente aplicáveis quando não há linha a ser parada.
- A adoção dos princípios de operações enxutas altera o modo como uma empresa aprende a partir das mudanças na solução de problemas, coordenação por meio das conexões, além dos caminhos e a da padronização.

Exemplos de serviço enxuto

Muitos dos exemplos da filosofia e das técnicas enxutas no setor de serviços são diretamente análogos aos encontrados na indústria, porque os itens físicos estão sendo transportados e processados de alguma maneira. Considere os exemplos a seguir.

- Os supermercados costumam reabastecer as suas prateleiras apenas quando os clientes retiram quantidades suficientes de produtos. A movimentação de mercadorias do "fundo" da loja para a prateleira é disparada somente pelo sinal de demanda "prateleira-vazia". *Princípio – controle puxado.*
- Um escritório australiano de contabilidade tributária recebia formulários por *e-mail*, abria-os e os enviava para o departamento relevante que, após processá-lo, os enviava para o departamento seguinte. Agora, eles só abrem o *e-mail* quando os estágios à frente puderem processá-lo. Cada departamento requer mais trabalho apenas quando processaram o trabalho anterior. *Princípio – não deixe os estoques se acumularem, use o controle puxado.*
- Uma construtora cria uma regra de apenas pedir as entregas de material para os seus locais de trabalho um dia antes dos materiais serem necessários. Isso reduz o acúmulo e as chances de furto. *Princípio – o controle puxado diminui a confusão.*
- Muitos restaurantes de refeição rápida cozinham e montam a refeição e a colocam na área aquecida apenas quando o funcionário diante do cliente vende um item. *Princípio – o controle puxado reduz o tempo de processamento.*

Outros exemplos de conceitos e métodos enxutos se aplicam mesmo quando a maioria dos elementos do serviço é intangível.

- Alguns *websites* permitem que o cliente se registre para um serviço de lembrete que automaticamente envia *e-mails* para que uma ação seja tomada; por exemplo, no dia anterior ao aniversário de um amigo, a tempo de se preparar para um encontro etc. *Princípio – o valor da informação entregue, como os itens entregues, pode depender do tempo. Cedo demais ela se deteriora (você esquece), tarde demais é inútil (porque expirou).*
- Uma firma de advogados levava dez dias para preparar as faturas dos clientes. Isto queria dizer que os clientes não eram solicitados a pagar até dez dias depois do trabalho ter sido feito. Agora, a firma usa um sistema que atualiza cada conta de cliente diariamente. Assim, quando uma fatura é enviada, ela inclui todo o trabalho até o dia anterior à data de faturamento. *Princípio – os atrasos de processo também atrasam o fluxo de caixa; o processamento rápido melhora o fluxo de caixa.*
- As novas tecnologias de publicação permitem que os professores montem material de curso impresso e virtual, personalizado para as necessidades dos cursos individuais ou mesmo alunos individuais. *Princípio – a flexibilidade permite a personalização e os pequenos lotes entregues "sob pedido".*

Cadeias de suprimentos enxutas são como sistemas de controle de tráfego[9]

O conceito da cadeia de suprimentos enxuta tem sido comparado a um sistema de controle de tráfego aéreo, pois ela tenta fornecer "controle e visibilidade em tempo real", contínua para todos os elementos na cadeia. Esse é o segredo de como os aeroportos mais ocupados do mundo lidam com milhares de partidas e chegadas diariamente. Todas as aeronaves recebem um número de identificação que aparece no mapa de um radar. A aproximação da aeronave é detectada por um radar no aeroporto e ela é contatada usando o rádio. A torre de controle coordena a aeronave depois de posicioná-la precisamente num padrão de aproximação. O radar detecta quaisquer pequenos ajustes que sejam necessários, os quais são comunicados para a aeronave. Esse controle e visibilidade em tempo real pode otimizar o processamento do aeroporto sem abrir mão de alta segurança e confiabilidade.

Compare isso ao modo como a maioria das cadeias de suprimentos é coordenada. A informação é capturada somente periodicamente, provavelmente uma vez ao dia, os níveis de produção de várias operações na cadeia de suprimentos são ajustados e os planos são reorganizados. Mas imagine o que aconteceria se fosse assim que o aeroporto operasse, com apenas um "radar improvisado", uma vez ao dia. Coordenar aeronaves com segurança suficiente para organizar decolagens e aterrissagens a cada dois minutos estaria fora de questão. As aeronaves seriam ameaçadas, ou de modo alternativo, se as aeronaves fossem separadas por um espaço adicional para manter a segurança, o processamento seria drasticamente reduzido. Contudo, é assim que a maioria das cadeias de suprimentos tem operado tradicionalmente. Elas usam uma "fotografia" diária de seus sistemas ERP (veja o Capítulo 10 para uma explicação do ERP). Essa visibilidade limitada significa que as operações devem também espaçar seu trabalho para evitar "colisões" (isto é, pedidos perdidos), reduzindo, assim, a produção, ou devem fazer um "voo cego" e, desse modo, destruir a confiabilidade.

O conceito do suprimento enxuto

O professor Lamming, da Universidade de Southampton, propôs um modelo de relacionamentos cliente-fornecedor que ele chama de "suprimento enxuto". A Tabela 11.2 ilustra algumas das características do suprimento enxuto.

Naquele momento, Lamming viu o suprimento enxuto como um passo além do tipo de relacionamento de parceria que foi discutido no Capítulo 7. E, embora essa visão não seja universalmente sustentada, o conceito enxuto nas cadeias de suprimentos permanece muito influente, junto aos conceitos de agilidade e parceria. Em especial, é útil notar as ênfases de Lamming sobre a melhoria contínua nos relacionamentos da cadeia de suprimentos. Esse conceito de suprimento enxuto não é para ser entendido como universalmente benigno; na verdade, o relacionamento enxuto essencial para o fluxo sincronizado ao longo da cadeia depende de um grau significativo de rigor nos relacionamentos entre as operações. Por exemplo, considere como os preços cobrados pelos fornecedores por produtos e serviços são controlados com o tempo. Com frequência, no suprimento enxuto, reduções de preço em termos reais são planejadas com anos de antecipação (por exemplo, durante os próximos cinco anos você realizará uma redução de 3% no preço, ano a ano). Esse então se torna o direcionador para reduções equivalentes no custo real do suprimento. A responsabilidade por reduzir custo é compartilhada tanto quanto se espera que os clientes cooperem na redução do custo. Isso pode ocorrer coordenando a compra e planejando atividades de forma a reduzir o custo de cada transação, ou mais fundamentalmente, pode significar clientes dedicando recursos tais como engenheiros de desenvolvimento do fornecedor para ajudar os fornecedores a reduzirem seus custos.

Embora não seja uma condição fácil de conseguir, esse conceito de suprimento enxuto pode trazer vantagens tanto para os clientes quanto para os fornecedores. Entretanto, a ideia de suprimento enxuto é frequentemente mal-interpretada. Uma falha particularmente comum é que as operações individuais numa cadeia reduzem seus estoques e, portanto, seus tempos de processamento, simplesmente transferindo o estoque para um outro lugar da cadeia. A entrega instantânea, *Just-in-time*, poderia ser

Tabela 11.2	Conceito de suprimento enxuto de Lamming
Fator	*Características do suprimento enxuto*
Natureza da competição	Operação global; presença local
	Depende de alianças/colaboração
Como os fornecedores são selecionados pelos clientes	Envolvimento anterior do fornecedor estabelecido
	União de esforços na análise de valor/custo alvo
	Um ou dois fornecedores
	Fornecedor concede benefícios globais
	Troca de fornecedor como um último recurso depois de tentar melhorar
Troca de informação entre fornecedor e cliente	Transparência verdadeira: custos, etc.
	Dois caminhos: discussão de custos e volumes
	Informação técnica e comercial
	Intercâmbio de dados eletrônico
	Sistema *kanban* para entregas de produção (veja início do capítulo)
Gerenciamento da capacidade	Investimentos regionalmente estratégicos discutidos
	Capacidade sincronizada
	Flexibilidade para operar com flutuações
Prática de entrega	*Just-in-time* verdadeiro com *kanban* disparando as entregas
	JIT local, à longa distância e internacional
Atitude frente às mudanças de preço	Reduções de preço baseadas nas reduções de custos desde o início do relacionamento em diante, frequentemente pré-planejadas e realizadas da junção de esforços tanto do fornecedor como do cliente
Atitude para qualidade	Esquemas de inspeção do fornecedor são redundantes
	Acordo mútuo sobre as metas da qualidade
	Kaizen e interação contínua (veja o Capítulo 13)
	Qualidade perfeita como objetivo

Fonte: Adaptado de Lamming, R. (1993) *Beyond Partnership: Strategies for innovation and lean supply*, Prentice Hall.

realizada por um fornecedor que mantém recursos e/ou estoque em excesso. Isso pode dar a impressão de suprimento enxuto, mas certamente não é sincronizado. Os excessos de recursos e/ou estoque nos fornecedores se somarão a seus custos, o que acabará refletindo no preço que é cobrado para o cliente.

Enxuto e ágil

Um debate contínuo sobre como os princípios enxutos podem ser aplicados ao longo da cadeia de suprimentos especula se as redes de suprimentos devem ser enxutas ou "ágeis". O professor Martin Christopher, da Cranfield University, define agilidade como "a rápida adaptação estratégica e operacional a mudanças imprevisíveis e de grande escala no ambiente de negócios. Agilidade implica adaptabilidade de uma ponta a outra da cadeia de suprimentos. Ela se concentra em eliminar as barreiras à resposta rápida, sejam elas organizacionais ou técnicas". Outras definições afirmam que agilidade significa a capacidade de funcionar lucrativamente num ambiente competitivo com oportunidades geradas por clientes em permanente mudança.

A pista está em como a palavra "ágil" costuma ser definida: ela implica ser adaptável, de movimento rápido, flexível, ligeiro, ativo e sempre pronto para a mudança. Mas alguns proponentes da agilidade operacional vão além disso. Eles enxergam a agilidade como algo que também implica na rejeição de um paradigma de planejamento que faça qualquer pressuposição de um futuro previsível. Assim como a prática enxuta, ela é mais uma filosofia do que uma abordagem. A agilidade encoraja uma compatibilidade maior com o que os clientes desejam, enfatizando a produção para a demanda "emergente", em vez de planos ou programações rígidos. Além do mais, ao invés da incerteza e da mudança serem vistas como coisas a "suportar" ou preferencialmente se evitar, elas devem ser adotadas de modo que a agilidade passe a mudar mais rápido do que o cliente. Até mesmo as abordagens menos ambiciosas com relação à agilidade a veem como algo além da simples flexibilidade organizacional. Ela envolve um domínio organizacional da incerteza e da mudança, em que as pessoas dentro da organização, sua capacidade de aprender com as mudanças e seu conhecimento coletivo são considerados como os grandes ativos da organização, pois permitem que a operação responda efetivamente à incerteza e à mudança. O ato de criar continuamente as soluções inovadoras para os processos do negócio visando as novas demandas do mercado se torna um objetivo operacional-chave.

Tudo isso parece bem diferente dos pressupostos subjacentes da filosofia enxuta. Mais uma vez, examina a palavra: enxuto significa "magro, sem gordura, supérfluo, desnutrido". A prática enxuta tenta eliminar as perdas e fornecer valor ao cliente por toda a cadeia de suprimentos. Ela prospera na padronização, na estabilidade, nos processos definidos e na repetibilidade – de forma alguma como a agilidade tem sido descrita. Enxuto também é um conceito bem definido (embora frequentemente mal compreendido). Agilidade, por outro lado, é um conjunto de objetivos relativamente estratégicos bem mais novo e menos "operacionalizado". Mas pode-se inferir algumas distinções no nível operacional.

Os tipos de princípios necessários para apoiar a filosofia enxuta incluem coisas como processos simples, eliminação das perdas, TI simples (se houver), o uso de planejamento e controle manuais e robustos, bem como controle puxado ou *kanbans* com MRP global. As filosofias ágeis, em contraste, requerem o gerenciamento eficaz da demanda para se manter próximo das necessidades do mercado, um foco na gestão dos relacionamentos com o cliente, coordenação de suprimentos adaptável e visibilidade ao longo da cadeia de suprimentos estendida, reprogramação contínua e resposta rápida à demanda variável, ciclos de planejamento curtos, gestão integrada do conhecimento e soluções de comércio eletrônico (*e-commerce*) utilizados completamente.

Assim, as filosofias enxuta e ágil são fundamentalmente opostas? Bem, sim e não. Sem dúvida, elas possuem ênfases diferentes. Dizer que enxuto é igual a fluxo sincronizado, regular e estoque baixo e que ágil é igual a adaptabilidade, flexibilidade e entrega rápida pode ser uma simplificação, mas captura mais ou menos a distinção entre as duas coisas. Mas elas terem objetivos e abordagens diferentes não quer dizer que não possam coexistir. Tampouco significa que exista uma discussão "enxuto *versus* ágil" a ser resolvida. As duas abordagens podem não ser complementares, como reivindicam alguns consultores, mas ambas pertencem à coleção geral de metodologias disponíveis para ajudar as empresas a satisfazerem os requisitos de seus mercados. Do mesmo modo que era errado pensar que a JIT substituiria o MRP, "ágil" não é um substituto para enxuto.[10]

Entretanto, ágil e enxuto são muito mais apropriados para diferentes condições de mercado e produto/serviço. *Grosso modo*, se a variedade ou complexidade do produto/serviço for alta e a demanda previsivelmente baixa, então você tem as condições nas quais os princípios ágeis mantêm uma operação pronta para lidar com a instabilidade no ambiente de negócios. Inversamente, se a variedade do produto/serviço for baixa e a demanda for previsivelmente alta, então a abordagem enxuta pode explorar o ambiente estável para alcançar a eficiência de custos e a confiabilidade. Com isso, os dois fatores de variedade ou complexidade do produto/serviço e da incerteza da demanda influenciam quais princípios, ágeis ou enxutos, devem dominar. Mas e quanto às condições em que a complexidade e a incerteza não se relacionam dessa maneira? A Figura 11.10 ilustra como a complexidade e a incerteza afetam a adoção das abordagens enxuta, ágil ou outras para organizar o fluxo na cadeia de suprimentos.

- Quando a complexidade é baixa e a incerteza da demanda também é baixa (operações que produzem *commodities*), o planejamento e o controle enxutos são apropriados.
- Quando a complexidade é baixa e a incerteza da demanda é alta (operações que produzem produtos/serviços baseados na moda), o planejamento e o controle ágeis são apropriados.
- Quando a complexidade é alta e a incerteza da demanda também é alta (operações que produzem produtos/serviços "de alto valor"), o planejamento e o controle das necessidades ou por projeto (por exemplo, MRPII, veja o Capítulo 10) são apropriados.

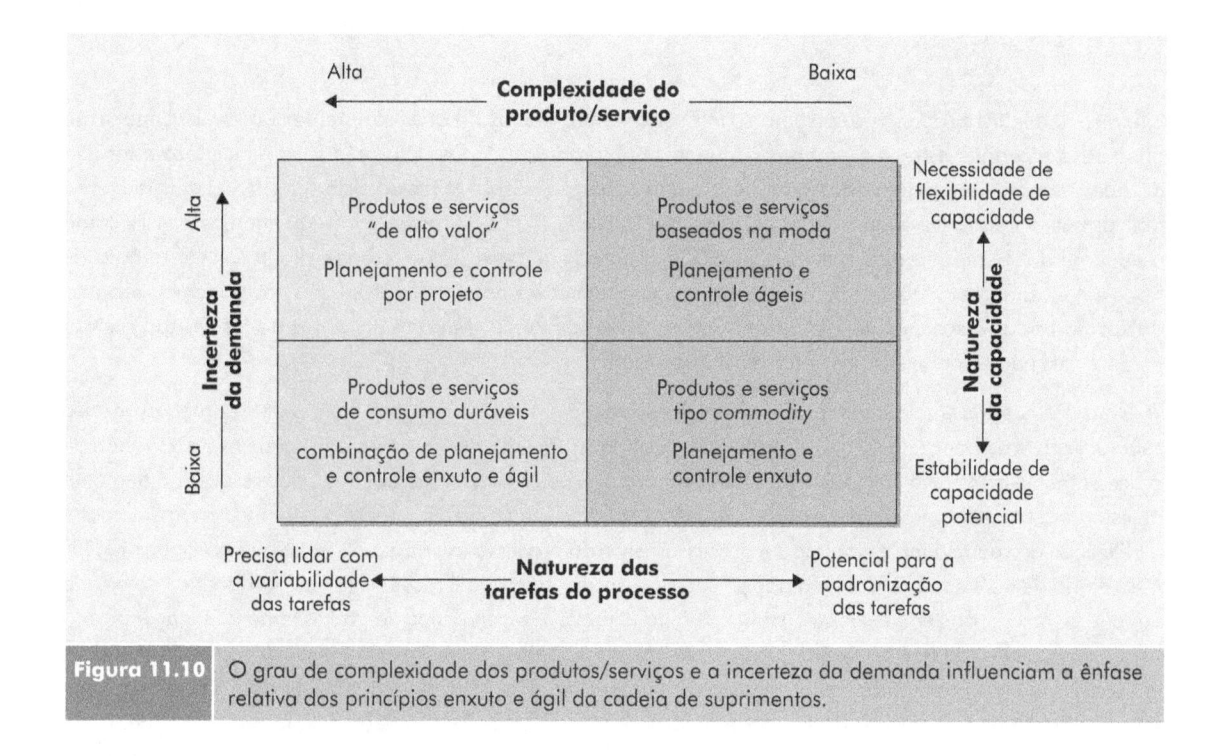

Figura 11.10 O grau de complexidade dos produtos/serviços e a incerteza da demanda influenciam a ênfase relativa dos princípios enxuto e ágil da cadeia de suprimentos.

- Quando a complexidade do produto/serviço é alta e a incerteza da demanda é baixa (operações que produzem produtos/serviços de consumo duráveis), é apropriada uma combinação de planejamento e controle enxuto e ágil.

Esta última categoria, exibida como o quadrante inferior esquerdo na Figura 11.10, tem sido desajeitadamente chamada de "enxutágil" (do inglês *leagile*). Enxutágil se baseia na ideia de que ambas as práticas enxuta e ágil podem ser empregadas nas cadeias de suprimentos. Ela contempla um ponto de desacoplamento do estoque que é a separação entre a "interface inicial" adaptável (e, portanto, ágil) da cadeia de suprimentos, que reage de forma rápida e flexível à demanda do cliente, e a eficiente (e, portanto, enxuta). Esta não é uma ideia nova, e nas cadeias de suprimentos baseadas no produto envolve "produzir de acordo com a *previsão*" antes do ponto de desacoplamento e "produzir (ou montar, adaptar ou finalizar) de acordo com a *ordem*" depois desse ponto. A ideia possui muita semelhança com o conceito de "customização em massa". Entretanto, é difícil transpor a ideia diretamente para as cadeias de suprimentos que lidam exclusivamente com serviços intangíveis.

Comentário crítico

Cada capítulo contém um breve comentário crítico sobre as principais ideias nele abordadas. Seu propósito não é minar as questões discutidas, mas enfatizar que, embora apresentemos uma visão relativamente ortodoxa da operação, existem outras perspectivas.

■ Os princípios da sincronização enxuta podem ser levados a um extremo. Quando as primeiras ideias *Just-in-time* começaram a influenciar a prática de operações no Ocidente, algumas autoridades defenderam a redução dos estoques entre processos para zero. Embora a longo prazo isso motive os gerentes de operações a assegurarem a eficiência e a confiabilidade de cada etapa do processo, isso não admite a possibilidade de alguns processos seja sempre, intrinsicamente, menos do que totalmente confiáveis. Uma visão alternativa é permitir estoques (embora pequenos) em torno das etapas de processo com incerteza mais alta do que a média. Isso pelo menos permite alguma proteção para o resto do sistema. As mesmas ideias se aplicam às entregas *Just-in-time* entre as fábricas. A Toyota Motor Corporation, frequentemente vista como a epítome do JIT moderno, tem sofrido com suas políticas de baixo estoque entre plantas. O terremoto de Kobe e o incêndios em fábricas de fornecedores causaram o fechamento da produção nas principais fábricas da Toyota por diversos dias devido à falta de peças fundamentais. Mesmo nas redes de fabricação melhor conduzidas, não se pode sempre considerar tais eventos.

■ Uma das questões mais contraintuitivas na sincronização enxuta é a forma como ela parece menosprezar a superutilização da capacidade. E é verdade que, quando se vai em direção à sincronização enxuta, o tempo de processamento menor e o fluxo suave *são* mais importantes que a alta utilização, que pode resultar no aumento de estoques. Entretanto, essa crítica não é realmente válida a longo prazo. Lembre-se do relacionamento entre a utilização da capacidade e o tempo de processamento do processo (ou estoque), mostrado na Figura 11.11. A trajetória de melhoria prevista pela adoção da sincronização enxuta é mostrada como a mudança do estado em que a maioria das empresas se encontram (alta utilização, mas tempos de processamento longos) para a sincronização enxuta ideal (tempo de processamento curto). Embora, inevitavelmente, isso signifique mover-se em direção a uma posição de menor utilização da capacidade, a sincronização enxuta também reforça uma redução em todos os tipos de variabilidade de processo. Conforme isso começa a se tornar realidade, o caminho da melhoria se move em direção ao ponto em que o tempo de processamento é curto e a utilização da capacidade é alta. Consegue-se fazer isso por causa da redução na variabilidade do processo.

■ Nem todos analistas veem as práticas de gerenciamento de pessoas, influenciadas pela sincronização enxuta, como totalmente positiva. A abordagem JIT para o gerenciamento de pessoas pode ser vista como padronizada. Pode ser, até certo ponto, menos autocrática do que algumas práticas de gerenciamento japo-

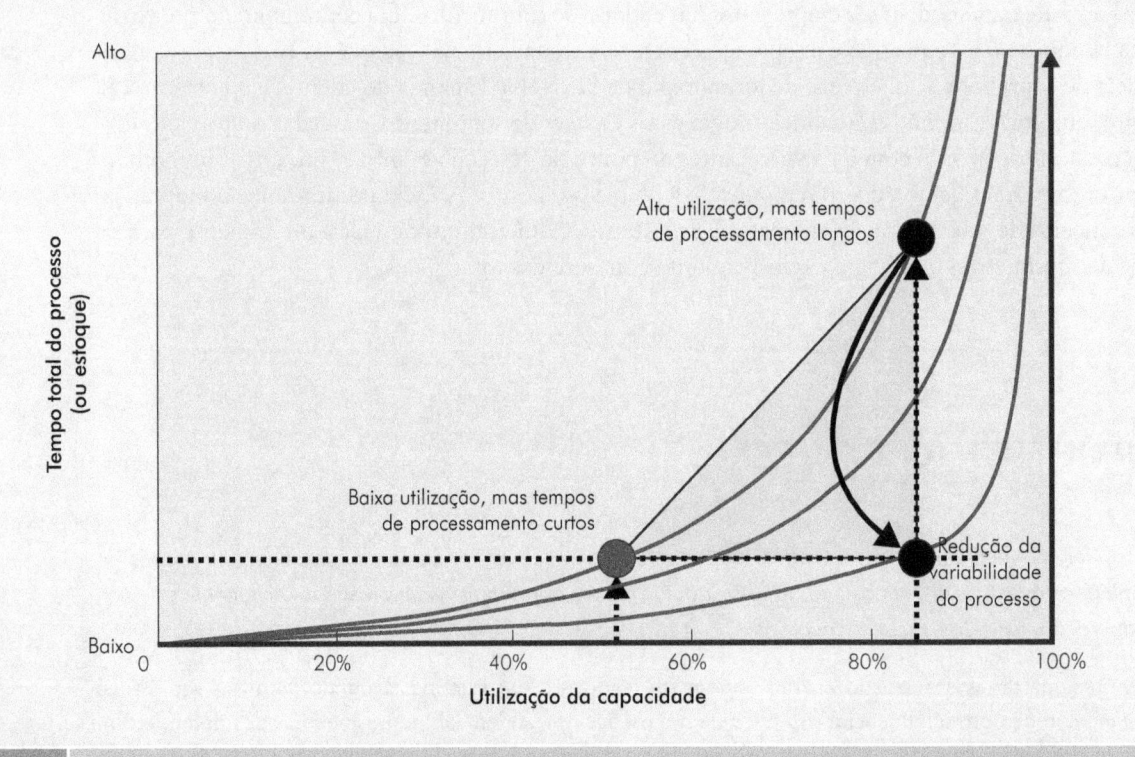

Figura 11.11 Desenvolver processos enxutos pode significar a aceitação de menor utilização a curto e médio prazos.

nesas de tempos atrás. Entretanto, certamente não está em linha com algumas das filosofias de projeto do trabalho que enfatizam bastante a contribuição e o comprometimento, descritas no Capítulo 9. Mesmo no Japão, a abordagem JIT não está livre de críticas. Kamata escreveu uma descrição autobiográfica da vida como um empregado na planta da Toyota, chamada *Japão na faixa da direita*.[11] Seu relato fala da "aderência inquestionável e desumana" de trabalhar em tal sistema. Críticas similares têm sido feitas por alguns representantes do sindicato.

■ Qualquer livro acadêmico deste tipo precisa segmentar as ideias e o conhecimento contidos dentro deste assunto de modo a tratá-los de uma forma que os explique e comunique cada conjunto e ideias o mais claramente possível. Contudo, isso inevitavelmente significa estabelecer limites artificiais entre os vários tópicos. Isso também é verdade para o caso da sincronização enxuta. Existem alguns proponentes particularmente radicais da filosofia enxuta que se opõem fortemente a separar todo o conceito da produção enxuta em um capítulo distinto. As ideias subjacentes à produção enxuta, dizem eles, agora substituíram de forma abrangente as ideias descritas como "tradicionais" no início deste capítulo. Em vez disso, os princípios enxutos deveriam ser a base para o conjunto de gerenciamento de operações e processos. Os princípios enxutos têm algo a nos dizer sobre tudo neste assunto, da gestão da qualidade à gestão do estoque, do projeto das tarefas ao projeto do produto. E eles estão certos, é claro. Todavia, as ideias por trás da sincronização enxuta são suficientemente contraintuitivas e importantes para assegurar um tratamento separado. Além disso, a filosofia enxuta em sua forma pura não é necessariamente aplicável de forma igual a cada situação (consulte a discussão sobre enxuto e ágil), daí a inclusão deste capítulo que se concentra neste tópico. Lembre-se, porém, que a sincronização enxuta é um desses tópicos (como estratégia de operações, qualidade e melhoria) que possui uma influencia particularmente forte sobre todo o assunto.

Lista de verificação

Esta lista de verificação inclui perguntas que podem ser úteis se aplicadas a qualquer tipo de operação e reflete as principais questões diagnósticas usadas dentro do capítulo.

☐ Os benefícios de tentar realizar a sincronização enxuta são bem entendidos dentro da empresa?

☐ Apesar de a ideia derivar das operações de fabricação, os princípios têm sido considerados para processos não produtivos dentro da empresa?

☐ A questão das perdas dentro das operações e processos está totalmente entendida?

☐ O fluxo de itens pelos processos pode se tornar mais regular?

☐ Até que ponto o estoque de itens está aumentando por causa do suprimento inexato?

☐ Quanta perda é causada pela inflexibilidade dos processos de operações?

☐ Quanta perda é causada pela variabilidade (especialmente da qualidade) dentro dos processos de operações?

☐ Os indicadores de desempenho da utilização da capacidade provavelmente serão uma barreira para realizar a sincronização enxuta?

☐ A cultura da organização encoraja o envolvimento de todas as pessoas da organização no processo de melhoria?

☐ As ideias de melhoria contínua são entendidas?

☐ As ideias de melhoria contínua são usadas na prática?

☐ As várias técnicas usadas para promover a sincronização enxuta são entendidas e praticadas?

☐ O conceito da sincronização enxuta é aplicado em toda rede de suprimentos?

☐ A possibilidade de combinar abastecimento empurrado (tal como o MRP) e puxado (tal como a sincronização enxuta) foi considerada?

Estudo de caso — Boys and Boden (B&B)

"Deve existir uma forma melhor de dirigir esse lugar!", disse Dean Hammond, recentemente recrutado como Gerente Geral da B&B, assim que terminou uma conversa um tanto estressante com um cliente que estava reclamando, um empreiteiro de uma grande e leal construtora local.

"Tivemos seis semanas para fazer sua escada especial e ainda estamos atrasados. Precisarei convencer um dos carpinteiros a fazer hora extra neste fim de semana para terminar tudo na segunda-feira. Parece que nunca tivemos reclamações sobre qualidade... nossos funcionários sempre fazem um excelente trabalho, mas normalmente existe um atraso, então como nós determinamos prioridades? Poderíamos priorizar o trabalho mais lucrativo primeiro, ou o trabalho para nossos maiores clientes, ou as tarefas que estão mais atrasadas. Na prática, tentamos satisfazer a todos da melhor forma, mas inevitavelmente o pedido de alguns atrasará. No papel, cada tarefa deveria ser bastante lucrativa, uma vez que deixamos uma grande margem para perdas e para defeitos na madeira. E conhecemos o quanto trabalho demanda de quase qualquer tarefa e esta é a base de nosso sistema de orçamentos. Mas, no total, o departamento não é muito lucrativo em comparação com nossas outras operações, e a maioria dos problemas parece terminar com custos mais altos do que os estimados e em entregas atrasadas!"

Boys and Boden era uma loja de materiais de construção e madeira, pequena e bem-sucedida, localizada numa cidade pequena. Com o passar dos anos, tinha estabelecido seu grande Departamento de Carpintaria, que fazia portas, janelas, conjuntos de escadas e outros produtos de madeira, tudo para atender as necessidades especiais dos clientes, que incluía numerosos construtores locais e regionais. Além disso, os carpinteiros cortavam e preparavam a madeira para pedidos especiais, como peças não padronizadas e rodapés antigos, às vezes em pouco tempo, enquanto os clientes esperavam. Normalmente, para itens de carpintaria, o cliente fornecia esboços simples dos produtos desejados. Esses eram encaminhados para o Departamento Central de orçamento/cotação que, em conjunto com o gerente da Carpintaria, calculava os custos e enviava um orçamento por fax para o cliente. Essa primeira etapa normalmente demorava de dois ou três dias, mas em alguns casos poderia levar uma semana ou mais. No recebimento de um pedido, os esboços originais e detalhes orçados eram passados novamente para o gerente da carpintaria, que os programava de forma aproximada em seu plano, alocando-os para artesões individuais conforme eles ficavam disponíveis. A maioria dos carpinteiros era capaz de fazer qualquer produto e apreciava a ampla variedade de trabalho desafiador.

O Departamento de Carpintaria parecia congestionado e um tanto desarrumado, mas todos acreditavam que isso era aceitável e normal para oficinas, uma vez que não havia rota única de fluxo de materiais. Qualquer que fosse o produto sendo feito, ou a quantidade, era normal para o carpinteiro selecionar a madeira requerida do depósito do outro lado do pátio. A madeira era preparada usando uma plaina. Depois disso, o carpinteiro usava uma variedade de processos, dependendo do produto. A madeira poderia ser fresada em diferentes formatos de corte transversais, cortada em componentes compridos usando uma serra radial, poderia fazer encaixes com ferramentas manuais ou usando uma máquina de entalhe/espiga e assim por diante. Finalmente, os produtos eram colados e montados, lixados suavemente à mão ou à máquina e tratados com conservantes, lustres ou verniz, se necessário. Todas as máquinas grandes e mais caras estavam agrupadas juntas por tipo (por exemplo, serras) ou eram equipamentos compartilhados por todos os funcionários. Dean descreveu o que se poderia observar numa visita aleatória ao Departamento de Carpintaria:

"Um ou dois conjuntos de longas escadas parcialmente montados e cruzando diversas áreas de trabalho; grandes estruturas de portas sobre cavaletes sendo montadas; pilhas de componentes de janela para um grande contrato sendo preparados e assim por diante, rebarbas e tiras de madeira estão espalhadas em torno da área de trabalho, mas são limpas periodicamente quando ficam no caminho ou geram risco. Os carpinteiros tentam conviver uns com os outros durante o uso do maquinário, assim estão frequentemente trabalhando em diversos itens de peças acabadas de uma vez. O verniz ou lustre tem de ser feito quando o ambiente está calmo – por exemplo, nas noites ou nos fins de semana – ou do lado de fora, para evitar a contaminação com o pó. Os sarrafos longos são empilhados em volta da oficina, para serem usados em qualquer ocasião futura quando esses comprimentos ou pedaços forem requeridos. Entretanto, normalmente é mais fácil pegar uma madeira nova para cada tarefa, então os sarrafos tendem a aumentar com o tempo. Infelizmente, tudo que descrevi está piorando conforme ficamos mais ocupados... Nossas vendas estão aumentando, assim o sistema está ficando mais congestionado. Os carpinteiros estão quase uns por cima dos outros para fazer seus trabalhos. Infelizmente, apesar de ter mais pedidos, o departamento tem ficado sem lucratividade."

"Analisando em detalhe a falta de lucro, ficamos horrorizados ao descobrir que, para a maioria dos pedidos, os tempos reais reservados pelos carpinteiros excedeu os tempos estimados em mais de 50%. Às vezes, isso era atribuído aos carpinteiros novos e inexperientes. Embora totalmente treinados e qualificados, poderia faltar-lhes a experiência necessária para completar uma tarefa complexa no tempo que um orçamentista estimara, mas não havia feedback sobre isso para o pessoal. Colocamos um desses homens para fazer portas, vencendo a sua relutância inicial, e ele se tornou um entusiasmado "especialista em portas", além de familiarizado com orçamentos também, fazendo seu trabalho dentro do tempo estimado! Entretanto, as principais perdas de tempo encontradas eram resultado de atrasos gerais causados pelo congestionamento, interferência, manuseio dobrado e retrabalho para retificar danos no processo. Além disso, percebemos que um carpinteiro caminhava uma média de 5 quilômetros por dia, normalmente carregando pedaços de madeira."

"Quando fiz o curso de gerenciamento de operações em meu MBA, o professor descreveu a aplicação de fabricação em célula e JIT. Lembro que a ideia parecia ser obter um fluxo melhor, reduzindo os tempos e as distâncias no processo e, assim, realizando tempos de processamento mais rápidos. Isso é exatamente o que nós precisamos, mas esses conceitos eram explicados no contexto dos altos volumes da produção repetitiva de bicicletas, ao passo que tudo que nós fazemos é 'único'. Entretanto, embora realmente façamos muitos conjuntos de escadas diferentes, todos usam aproximadamente os mesmos passos de processo:

1 Cortar a madeira na largura e comprimento
2 Lixar
3 Usinar
4 Entalhar
5 Montagem manual (cola e cunha)

Temos muito espaço não usado no chão de fábrica, de forma que seria relativamente fácil preparar uma célula para o conjunto de escada. Existe uma imensa demanda para escadas especiais nessa região, mas também muitas pequenas carpintarias que podem ganhar no preço e no tempo de fabricação. Assim, teremos muitos problemas de cotação para escadas, para fechar somente em torno de 20% dos negócios. Se fizermos a célula funcionar, poderemos ser mais competitivos no preço e na entrega e consequentemente ganhar mais pedidos. Sei que precisaremos de um volume muito maior para justificar uma célula, então temos um caso 'do ovo ou da galinha'."

PERGUNTAS

1 Até que ponto Dean poderia (ou deveria) esperar para aplicar as filosofias e técnicas JIT descritas neste capítulo para o funcionamento da célula das escadas?

2 Quais devem ser as principais categorias de custos e benefícios da célula? Existem alguns benefícios não financeiros que deveriam ser levados em conta?

3 Em que etapa e como Dean deveria vender sua ideia para o Gerente de Carpintaria e para os trabalhadores?

4 Qual é a diferença do trabalho em célula em relação ao trabalho no Departamento de Carpintaria principal?

5 Dean deveria diferenciar o ambiente de trabalho fornecendo uniformes, tal como camisetas e máquinas pintadas de forma diferente, a fim de reforçar a mudança de cultura?

6 Quais riscos estão associados com a proposta de Dean?

Estudo de caso ativo — Tratando Ana

CASO ATIVO

Ana é uma projetista e decoradora autônoma. Como resultado do trabalho de lixamento que faz, ela desenvolveu um caroço dolorido no seu antebraço. Mal sabe ela os processos pelos quais terá de passar a fim de obter o tratamento correto.

- Como você julgaria e avaliaria os dois sistemas de saúde que ela encontra? O quanto cada um está próximo da sincronização enxuta?

Consulte o caso ativo no CD para acompanhar a experiência de Ana no sistema de saúde do Reino Unido e Bélgica e sua busca para obter o diagnóstico e tratamento correto.

Aplicando os princípios

DICAS

Alguns destes exercícios podem ser respondidos a partir da leitura do capítulo. Outros vão requerer algum conhecimento geral da atividade de negócios e alguns poderão requerer pesquisa. Todos têm sugestões de como podem ser respondidos no CD que acompanha este livro.

1. Examine novamente a descrição do Sistema Toyota de Produção no começo do capítulo.

    (a) Liste todas as diferentes técnicas e práticas que a Toyota adota. Quais dessas você chamaria de filosofias *Just-in-time* e quais são técnicas *Just-in-time*?

    (b) Como os objetivos de operações (qualidade, velocidade, confiabilidade, flexibilidade, custo) são influenciados pelas práticas que a Toyota adota?

2. Considere esse registro de um voo comum.

    "O café da manhã foi corrido, mas saí de casa às 6:15 h. Tive de retornar poucos minutos depois, pois esqueci meu passaporte. Consegui encontrá-lo e sair (novamente) às 6:30 h. Cheguei ao aeroporto às 7:00 h, deixei Ângela com as bagagens no terminal e fui para o longo estacionamento. Casualmente, encontrei uma vaga depois de 10 minutos. Esperei 8 minutos pelo ônibus de cortesia. Seis minutos de viagem de volta ao terminal e começamos a formar fila nos balcões de embarque pelas 7:24 h. Vinte minutos de espera. Finalmente conseguimos fazer o *check-in* e vi que nossos assentos foram alocados em diferentes extremidades do avião. A equipe ajudou, mas levou 8 minutos para resolver isso. Esperei na fila para verificações de segurança por 10 minutos. A segurança me achou suspeito e pesquisou as bagagens por 3 minutos. Esperando no sofá às 8:05 h. Passei 1 hora e 5 minutos no sofá lendo revistas e olhando para pequenas lembranças de plástico. Ufa, o voo é chamado às 9:10 h, levo 2 minutos para correr ao portão e fico na fila por mais 5 minutos. No portão e no túnel de embarque há uma fila para o avião que leva 4 minutos, mas finalmente sentamos às 9:21 h. Espero pela lotação do avião com outros passageiros por 14 minutos. O avião começa a taxiar às 9:35 h. O avião faz fila para decolar por 10 minutos. O avião decola às 9:45 h. Voo regular para Amsterdam, 55 minutos. Aguarda numa fila de aviões para aterrissar durante 10 minutos. Aterrissou no Aeroporto Schiphol às 10:50 h. O avião vai para o terminal e espero 15 minutos para desembarcar. Desembarco às 11:05 h e caminho para pegar as bagagens (parando no banheiro no caminho); chego na coleta de bagagens às 11:15 h. Espero pela bagagem 8 minutos. Alfândega (não selecionado pela segurança holandesa que me achou digno de confiança) e filas de táxi às 11:26 h. Espero pelo táxi 4 minutos. Dentro do táxi às 11:30 h, passeio 30 minutos por Amsterdam. Chego no hotel às 12:00 h."

(a) Analise a viagem em termos de tempo de valor agregado (realmente indo para algum lugar) e tempo sem valor agregado (tempo gasto em filas, etc.).

(b) Visite *websites* de duas ou três companhias aéreas e examine seus serviços de primeira classe ou classe executiva para procurar ideias que reduzam o tempo sem agregação de valor para os clientes que estão querendo pagar mais.

(c) Da próxima vez que você fizer uma viagem, controle o tempo de cada parte da viagem e execute uma análise similar.

3 Examine os tempos que agregam valor *versus* os tempos que não agregam valor para alguns outros serviços. Por exemplo:

(a) Entregar uma tarefa para correção, se você estiver estudando atualmente para uma qualificação (qual é o típico tempo decorrido entre passar a tarefa e recebê-la de volta com comentários?). Quanto desse tempo decorrido você acha que é tempo de valor agregado?

(b) Pôr no correio uma carta (o tempo decorrido está entre pôr a carta na caixa do correio e ela ser entregue para o destinatário).

(c) Levar um traje para ser profissionalmente lavado a seco.

4 Usando um mecanismo de pesquisa da Internet, digite "*kanban*" e capture aqueles que usam esse dispositivo para planejamento e controle. Compare a forma como os *kanbans* são usados.

5 Considere como os princípios de redução da preparação podem ser usados nos seguintes casos.

(a) Trocar um pneu (por causa de um furo).

(b) Limpar uma aeronave e prepará-la para o próximo voo entre a chegada de uma aeronave e o desembarque de seus passageiros, e a mesma aeronave estando pronta para decolar em seu voo de partida.

(c) O tempo entre o final de um procedimento cirúrgico numa sala de operações de hospital e o início do próximo.

(d) As atividades de *pit stop* durante uma corrida de Fórmula 1 (como isso se compara com o item (a) acima?).

6 No capítulo, foi descrito o exemplo de sucesso da Boeing em capacitar a aeronave para converter-se entre operações de carga e de passageiros.

(a) Se a troca entre "passageiros" e "carga" levasse 2 horas em vez de 1 hora, qual o impacto você acha que isso teria sobre a utilidade da aeronave?

(b) Para uma aeronave que carrega passageiros o tempo todo, qual é a redução equivalente de preparação? Por que isso poderia ser importante?

Notas do capítulo

1 Spears, S. and Bowen, H.K. (1999) "Decoding the DNA of the Toyota production system", *Harvard Business Review*, October, pp 96-106.
2 Fonte: Mathieson, S. A. (2006)'NHS Should embrace lean times', *The Guardian*, 8 junho.
3 Lee, D.C. (1987) "Set-up time reduction: making JIT work" em Voss, C.A. (ed.), *Just-in-Time Manufacture*, IFS/Springer-Verlag.
4 Spears and Bowen, *op. cit.*
5 Harrison, A. (1992). *Just-in-time Manufacturing in Perspective*, Prentice Hall.

6 Hall R.W., (1983) "Zero Inventories", McGraw-Hill, New York.
7 Yamashina, H. "Reducing set-up times makes your company flexible and more competitive", inédito, citado em Harrison, op. cit.
8 Relatado em Hanna, J. (2007)'Bringing "lean" principles to service industries', *Harvard Business Review*, Outubro
9 Essa grande metáfora parece ter se originado da consultoria "2think", www.2think.biz/index.htm
10 Kruge, G. (2002) 'IT enabled learn agility', Control, Novembro.
11 Kamata, S. (1983) *Japan in the Passing Lane: An insider's account of life in a Japanese auto factory*, Allen & Unwin.

Indo além

Fiedler, K., Galletly, J.E. and Bicheno, J. (1993) "Expert advice for JIT implementation", *International Journal of Operations and Production Management*, Vol. 13, N° 6. Um periódico acadêmico, mas contém alguns bons conselhos.

Schonberger, R.J. (1982) *Japanese Manufacturing Techniques: Nine hidden lessons in simplicity*, Free Press, New York. Um dos livros influentes que estabeleceu o JIT no ocidente. Agora visto como muito básico, mas vale a pena dar uma olhada para entender o JIT puro.

Schonberger, R.J. (1986) *World Class Manufacturing: The lessons of simplicity applied*, Free Press, New York. O mesmo que acima, mas mais desenvolvido.

Schonberger, R.J. (1996) *World Class Manufacturing: The next decade*, Free Press, New York. O mesmo que acima (e acima dele), mas mais especulativo.

Spear, S. and Bowen, H.K. (1999) "Decoding the DNA of the Toyota Production System", *Harvard Business Review*, Sept.-Oct. Revisita a empresa líder em termos da prática do JIT e reavalia a filosofia subjacente por trás da forma como ela gerencia suas operações. Recomendado.

Womack, J.P., Jones, D.T. and Roos, D. (1990) *The Machine that Changed the World*, Rawson Associates. Com certeza, o livro mais influente sobre a prática de gerenciamento de operações dos últimos 50 anos. Firmemente enraizado no setor automotivo, mas fez muito para estabelecer o JIT.

Womack, J.P. and Jones, D.T. (1996) *Lean Thinking: Banish waste and create wealth in your corporation*, Simon and Schuster. Algumas das lições de "The Machine that Changed the World", mas aplicadas num contexto mais amplo.

Websites úteis

www.lean.org *Site* da Unidade de Empresas Lean, preparado por um dos fundadores do movimento do Pensamento Lean.

www.iee.org/index.cfm O *site* da Instituição dos Engenheiros Elétricos (o qual inclui engenheiros de produção, surpreendentemente) tem material sobre este e tópicos relacionados, bem como outras questões cobertas neste livro.

www.mfgeng.com O *site* da engenharia de produção.

Para recursos adicionais incluindo exemplos, diagramas animados, questões de autoavaliação, planilhas Excel, estudos de caso ativos e materiais de vídeo, acesse o CD que acompanha este livro.

Capítulo 12
GERENCIAMENTO DA QUALIDADE

Introdução

Todas as empresas se preocupam com a qualidade, geralmente porque entendem que alta qualidade pode fornecer uma significativa vantagem competitiva. Mas o gerenciamento da qualidade se tornou mais do que evitar erros. É visto também como uma abordagem de gerenciamento e, mais significativamente, de melhoria dos processos de uma forma geral. Isso porque o gerenciamento da qualidade se concentra no que é mais fundamental no gerenciamento de processos e operações – a habilidade de produzir e entregar produtos e serviços que o mercado precisa, a curto e longo prazos. Uma compreensão dos princípios do gerenciamento da qualidade é o alicerce de qualquer atividade de melhoria. (Veja Figura 12.1.)

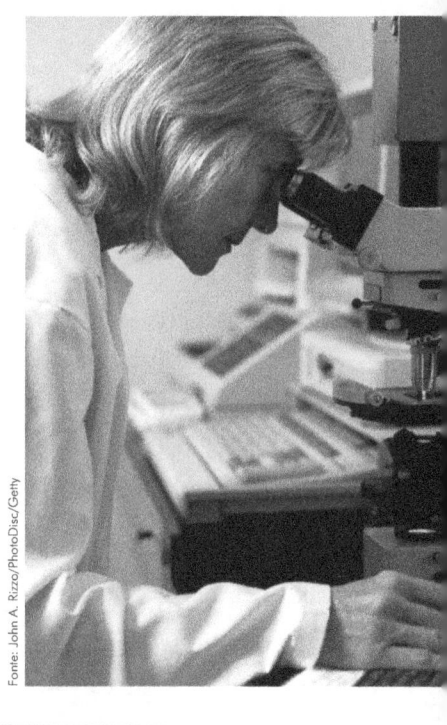

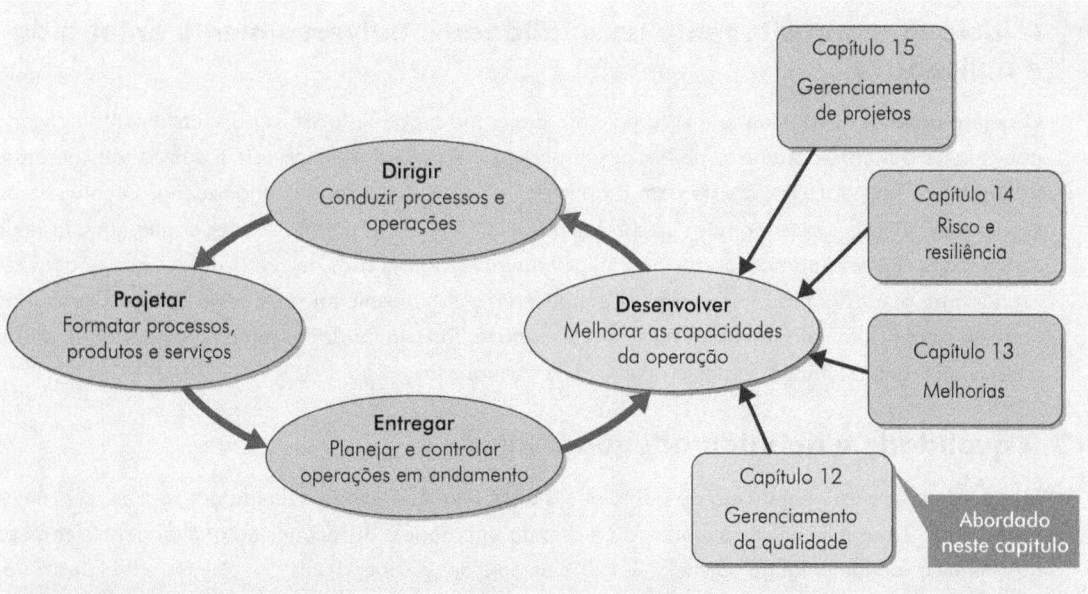

Figura 12.1 Gerenciamento da qualidade é a atividade que visa assegurar a conformidade consistente com as expectativas dos clientes.

Sumário executivo

Cadeia lógica de decisões para gerenciamento de qualidade

(Fluxograma)
- O que é gerenciamento da qualidade?
- A ideia de gerenciamento da qualidade é universalmente entendida e aplicada?
- A qualidade é definida adequadamente?
- A qualidade é medida adequadamente?
- A qualidade é controlada adequadamente?
- O gerenciamento da qualidade sempre conduz à melhoria?

Cada capítulo é estruturado em torno de um grupo de questões diagnósticas. Essas questões sugerem o que você poderia perguntar para entender as questões importantes de um tópico e, como resultado, melhorar sua tomada de decisão. Um sumário executivo, tratando dessas questões, é fornecido a seguir.

O que é gerenciamento da qualidade?

Qualidade é a conformidade consistente com as expectativas do cliente. Gerenciamento da qualidade significa assegurar que um entendimento da sua importância e a maneira pela qual pode ser melhorada está disseminado por toda a empresa. É um assunto que tem se desenvolvido de forma significativa ao longo de várias décadas, mas, com certeza, o mais recente e significativo impacto na maneira como a qualidade é gerenciada provém do movimento de Gerenciamento da Qualidade Total (GQT).

A ideia de gerenciamento da qualidade é universalmente entendida e aplicada?

O gerenciamento da qualidade é visto hoje em dia como algo que pode ser universalmente aplicado por toda uma empresa e que também, por implicação, é responsabilidade de todos os seus gerentes na empresa. Em particular, é visto com o aplicável a todas as partes da organização. O conceito de cliente interno pode ser usado para estabelecer a ideia de que é importante entregar alta qualidade de serviços aos clientes internos (outros processos na empresa). Acordos de níveis de serviços podem ser usados para operacionalizar o conceito de cliente interno. Da mesma forma, a ideia de que a qualidade também se aplica a cada indivíduo na empresa é muito importante. Todos temos o potencial de piorar a qualidade, então também temos o potencial de melhorá-la.

A qualidade é definida adequadamente?

Qualidade precisa ser entendida do ponto de vista do cliente, já que é definida por suas percepções e expectativas. Uma maneira de se fazer isto é usando um modelo de lacunas na qualidade. Ele começa na diferença fundamental de potencial entre as percepções e expectativas dos clientes e desconstrói as várias influências das percepções e expectativas. Diferenças entre estes fatores podem então ser usadas para diagnosticar possíveis causas iniciais de problemas da qualidade. Um desenvolvimento adicional define as características da qualidade de produtos ou serviços em termos de sua funcionalidade, aparência, confiabilidade, durabilidade, recuperação e contato.

A qualidade é medida adequadamente?

Caso não seja medida, é difícil contolar a qualidade. Os vários atributos da qualidade podem ser medidos tanto como uma variável (medida em uma escala variável e contínua) ou como um atributo (um binário, julgamento aceitável ou não aceitável). Uma abordagem para medir a qualidade é expressar todas as questões relacionadas à qualidade em termos de custo. Os custos da qualidade geralmente são classificados como custos de prevenção (causados por tentar evitar erros), de avaliação (associados à verificação de erros), dos erros internos (erros que são corrigidos dentro da operação) e dos erros externos (erros que são experimentados pelos clientes). De forma geral, diz-se que o aumento dos gastos em prevenção trará uma redução mais que proporcional nos custos relacionados à qualidade.

A qualidade é controlada adequadamente?

Controle significa monitorar e responder a qualquer divergência dos níveis aceitáveis de qualidade. Uma das maneiras mais comuns de fazer isto é por meio do controle estatístico do processo (CEP). Esta técnica não só tenta reduzir a variação no desempenho da qualidade e melhorar o conhecimento do processo, mas também é usada para detectar divergências fora do intervalo normal de variação da qualidade.

O gerenciamento da qualidade sempre conduz à melhoria?

Muito frequentemente, melhorias na qualidade não são mantidas porque não há um conjunto de sistemas e procedimentos para dar suporte e encaixá-las dentro das rotinas cotidianas da operação. O sistema mais conhecido para fazer isso é a abordagem ISO 9000, adotada atualmente em todo o mundo. Dentre os outros sistemas, um dos mais difundidos é o modelo de excelência EFQM. Outrora conhecido somente como a base do Prêmio Europeu de Qualidade, é hoje extensivamente usado como uma ferramenta de autoavaliação que permite que as organizações avaliem seus próprios sistemas da qualidade.

QUESTÕES DIAGNÓSTICAS

O que é gerenciamento da qualidade?

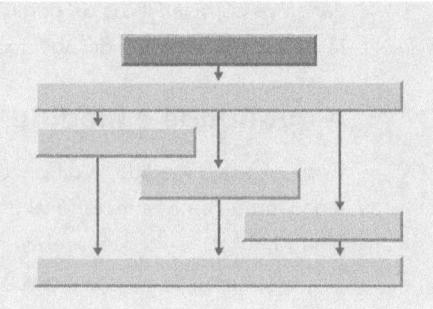

Existem muitas definições de qualidade – atender à especificação, estar servindo ao propósito, alcançar a especificação adequada e assim por diante. A definição que usamos aqui é... "*qualidade é a conformidade consistente com as expectativas dos clientes*", porque inclui a ideia de qualidade como *especificação* (o que o produto ou serviço pode fazer) e a ideia de qualidade como *conformidade* (não há erros, então sempre acontece o que se espera que aconteça). Naturalmente, para um tópico tão importante, há uma história. Abordagens para o gerenciamento da qualidade têm sido sempre do interesse de qualquer empresa que aspire a satisfação de seus clientes. Com certeza, a mais significativa das abordagens do gerenciamento da qualidade foi o Gerenciamento da Qualidade Total (GQT) que se tornou popular em todos os tipos de empresa nos anos 1970 e 1980, embora estivesse baseada em trabalhos anteriores de diversos pensadores do gerenciamento. Feigenbaum popularizou o termo "gerenciamento da qualidade total" em 1957. Depois disto, foi desenvolvido pelo trabalho de vários "gurus da qualidade", incluindo Deming, Juran, Ishikawa, Taguchi e Crosby (veja *Indo além* no final da parte principal deste capítulo).

O GQT pode ser visto como uma extensão lógica da maneira como a prática relacionada à qualidade tem progredido. Originalmente, a qualidade era alcançada pela inspeção – detectar defeitos antes dos clientes os notarem. Depois, o conceito de controle da qualidade (CQ) desenvolveu uma abordagem mais sistemática para não somente detectar, mas também resolver os problemas da qualidade. A garantia da qualidade (QA – *Quality Assurance*) aumentou a responsabilidade pela qualidade incluindo funções diferentes das operações diretas, como Recursos Humanos, Contabilidade e *Marketing*. Isso também fez aumentar o uso de técnicas estatísticas da qualidade mais sofisticadas. O GQT incluiu muito do que veio antes, mas desenvolveu seus próprios temas, especialmente em sua adoção de uma abordagem mais abrangente. Desde o auge da moda do GQT, houve um declínio no seu *status*; ainda assim, suas ideias, muitas das quais estão incluídas neste capítulo, tornaram-se práticas aceitas da qualidade. As duas empresas descritas nos exemplos a seguir incorporam ideias do GQT em suas abordagens da qualidade, especialmente a inclusão de todos os empregados.

Exemplo | Hotel Four Seasons, Canary Wharf[1]

O grupo hoteleiro Four Seasons possui uma cadeia de mais de 63 propriedades em 29 países. Famoso por sua qualidade de serviço, o grupo hoteleiro já recebeu prêmios incontáveis, incluindo a prestigiosa pesquisa Zagat classificando-o como a "melhor cadeia de hotéis" internacionais. Desde seu início, o grupo tem tido o mesmo princípio orientador, "*fazer da qualidade de nosso serviço nossa vantagem competitiva*". Sua regra de ouro é "*fazer aos outros (clientes e equipe) o que você gostaria que os outros fizessem para você*".

"*Pode ser uma regra simples, mas ela guia toda a abordagem da organização para qualidade*", afirma Karen Earp, Gerente Geral do Four Seasons de Canary Wharf, em Londres, que foi recentemente eleita Hoteleira do Ano por um dos mais populares periódicos do comércio. "*Qualidade de serviço é nossa arma diferencial. A regra de ouro significa tratar nossos hóspedes com cortesia e inteligência. Isto também significa que tratar seus empregados com humanidade e respeito encoraja-os a serem igualmente sensíveis às necessidades e expectativas dos hóspedes. Quando os hóspedes vêm ao Hotel Four Seasons, eles precisam ter nossa garantia de que vão receber a melhor comida, ótimo serviço e ótimas noites de sono. Não estamos negociando promoções da qualidade de serviço. Nosso foco é o que chamamos de 'básico excepcional'. Então, ouvimos cuidadosamente nossos hóspedes, damos muita importância às suas necessidades e fornecemos o que eles realmente precisam. Por exemplo, mais que qualquer coisa, os hóspedes valorizam uma boa noite de sono. Temos investido tempo e pesquisa para obter as melhores camas (são feitas especialmente para nós) e temos requisitos muito rigorosos de roupas de cama usando os lençóis de algodão muito mais finos. Desenvolvemos uma coberta especial para os pés das camas, o que evita que pessoas muito altas fiquem com seus pés para fora. É essa atenção aos pequenos detalhes que auxiliam uma boa noite de sono.*

"Não há contribuição maior do que nossa equipe realizando tão alta qualidade de serviço. Eles respondem à cultura da organização que encoraja três coisas – criatividade, iniciativa e atitude. A mais importante de todas é a atitude. Você pode ensinar para as pessoas os conhecimentos técnicos de uma tarefa, mas é a atitude de nossa equipe que nos diferencia. Buscamos contratar pessoas que sentem prazer em fornecer um serviço excepcional. E a atitude leva à criatividade e inovação. Por exemplo, tínhamos um hóspede famoso no hotel e que naquela noite palestraria para um grande grupo de pessoas. Ele estava vestido casualmente e usando tênis verde. Alguém da nossa equipe acompanhou-o ao seu quarto e carregou seu casaco de linho branco para o evento da noite. Ao chegar no quarto, o hóspede percebeu que havia esquecido de trazer seus sapatos sociais. Vendo que o hóspede parecia calçar o mesmo número que o seu, o membro de nossa equipe deu seus próprios sapatos para o hóspede calçar. O hóspede ficou apenas satisfeito; no evento, ele levantou-se e contou para 200 celebridades a sua satisfação."

Todos os hotéis da rede Four Seasons usam um "sistema de histórico do hóspede" para acompanhar suas preferências individuais. Se um hóspede gosta de um determinado tipo de flores ou frutas no seu quarto ou de um tipo específico de vinho, estes dados são registrados e podem ser acessados na sua próxima visita. Dentro dos limites de privacidade, todos da equipe são autorizados a fazerem um registro no arquivo histórico do hóspede de qualquer coisa que poderia melhorar a sua próxima estada.

*"Muitos dos nossos hóspedes são, eles mesmos, gerentes de negócios de alta qualidade, então entendem de qualidade e seus padrões são muito altos", diz Karen. "Nosso objetivo é superar suas expectativas. E ainda que **nossa** expectativa seja de realizar zero defeitos, você não consegue fazer isto sempre. Obviamente, criamos nossos sistemas para tentar prevenir a ocorrência de erros, mas é impossível evitar todos. Raramente, recebemos reclamações formais, mas quando recebemos, eu as verifico pessoalmente, conversando com o hóspede ou respondendo algumas cartas. O fundamental é recuperar o serviço; é por isso que o fortalecimento é tão importante. Você tem de ter certeza que toda equipe sabe que pode transformar qualquer experiência negativa em positiva antes do hóspede sair. Realmente vale a pena o esforço. Fornecer um serviço excepcional compensa, pois recebemos fidelidade total de nossos hóspedes."*

Exemplo: Ryanair[2]

A Ryanair é a primeira, e ainda a maior, companhia aérea de baixo custo da Europa. Aplicando a sua fórmula de baixa tarifa e sem supérfluos, sua equipe de mais de 5.000 empregados e a sua frota crescente com cerca e 170 novas aeronaves Boeing 737-800 fornecem serviços em mais de 651 rotas de baixo custo por 26 países europeus. Operando a partir de sua sede em Dublin, ela transporta cerca de 12.000.000 de passageiros por ano.

Mas a Ryanair nem sempre foi bem-sucedida. Ao entrar no mercado, em 1985, seu principal objetivo era o de fornecer um serviço alternativo de baixo custo em relação aos dois líderes de mercado, British Airways e Airlingus, entre a Irlanda e Londres. A Ryanair escolheu essa rota porque estava se expandindo nos setores de negócios e lazer. Entretanto, o ramo de companhias aéreas é marcado por economias de escala e a Ryanair, então com uma pequena frota de aeronaves obsoletas, não era páreo para seus competidores maiores. Os primeiros seis anos de operação da Ryanair resultaram numa perda de IR£20.000.000. Em 1991, a Ryanair decidiu refazer a sua estratégia. "Moldamos a Ryanair de acordo com a Southwest Airlines, a companhia aérea mais consistente e lucrativa dos EUA", diz Michael O'Leary, executivo-chefe da Ryanair. "O fundador da Southwest, Herb Kelleher, criou uma fórmula para o sucesso que funciona com apenas um tipo de aeronave – o 737 – usando aeroportos pequenos, fornecendo um serviço sem supérfluos, vendendo bilhetes diretamente aos consumidores e oferecendo aos passageiros as tarifas mais baixas do mercado. Adotamos este modelo em nosso mercado e agora estamos estabelecendo o padrão de baixas tarifas na Europa."

O que quer que se diga sobre a Ryanair, ela não sofre de falta de clareza. Ela cresceu oferecendo serviços de baixo custo e elaborou uma estratégia de operações alinhada com a sua posição de mercado. A eficiência das operações da companhia aérea sustenta a sua posição no mercado de baixas tarifas. O tempo de permanência nos aeroportos é mantido em um nível mínimo. Ela consegue isso parcialmente por não haver refeições a serem carregadas na aeronave e parcialmente devido à melhor produtividade dos empregados. Toda as aeronaves no solo são idênticas, gerando economia por meio da padronização de componentes, manutenção e prestação de serviços. Isto também significa pedidos maiores para um único fornecedor de aeronaves e, portanto, a oportunidade de negociar preços mais baixos. Além disso, como a empresa usa quase sempre aeroportos secundários, as taxas de embarque e serviços são muito mais baixas. Finalmente, o custo de venda dos seus serviços é reduzido onde possível. A Ryanair desenvolveu o seu próprio serviço de reservas de baixo custo na Internet. Além disso, a experiência diária dos gerentes de operações da empresa pode modificar e refinar essas decisões estratégicas. Por exemplo, a Ryanair mudou os seus fornecedores de processamento de bagagens no aeroporto Stansted, Reino Unido, depois dos problemas com o direcionamento errado das bagagens dos clientes.

A política da empresa para o serviço ao cliente é clara. "Nosso serviço ao cliente," diz O'leary, "é o mais bem definido do mundo. Garantimos a você a tarifa aérea mais baixa. Você tem um voo seguro. Você tem um voo normalmente dentro do horário. Este é o pacote. Não damos e nem daremos a você nada além disso. Iremos nos desculpar por nossa falta de serviço ao cliente? Absolutamente, não. Se um voo for cancelado, iremos colocá-lo num hotel para o pernoite? Absolutamente, não. Se um voo atrasar, lhe daremos um voucher para um restaurante? Absolutamente, não."

O que esses dois exemplos têm em comum?

Os hóspedes do Hotel Four Seasons estão pagando por um serviço excepcional num hotel de "alto nível" e têm expectativas altas. A Ryanair, por outro lado, não almeja oferecer algo parecido com uma qualidade luxuosa de serviço. Ela oferece valor em troca de dinheiro. Qualidade é obter o serviço que você espera na proporção do quanto você paga. Ambas as empresas definem qualidade em termos de expectativas e percepções de clientes. Isto significa ver as coisas *do ponto de vista do cliente*. Clientes são vistos não como algo *externo* à organização, mas como a *parte* mais importante delas. A visão de ambos sobre a qualidade é como algo multifacetado, não como um atributo único, mas uma combinação de muitas coisas diferentes, algumas das quais são difíceis de definir (por exemplo, um sentido de que a operação cuida de seus clientes). Há também uma ênfase em cada parte do negócio e cada indivíduo tendo responsabilidade por assegurar a qualidade. As causas iniciais dos erros da qualidade podem ser frequentemente atribuídas às pessoas, que, da mesma forma, podem ser a excelência da qualidade.

> **Princípio de operações**
> A qualidade é multifacetada e seus elementos individuais são diferentes para diferentes operações.

QUESTÕES DIAGNÓSTICAS

A ideia de gerenciamento da qualidade é universalmente entendida e aplicada?

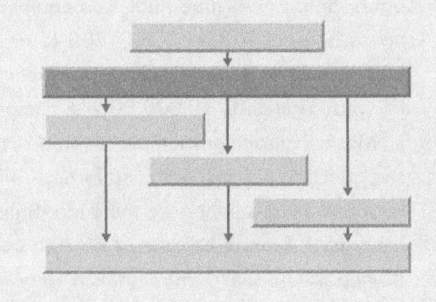

Para que uma operação entenda totalmente as expectativas dos clientes a fim de atendê-las ou excedê-las de uma maneira consistente, é preciso adotar uma abordagem universal ou *total* para qualidade. Adotar uma abordagem universal significa que um entendimento de *por que* a qualidade é importante e *como* a qualidade pode ser melhorada afeta toda a organização. Esta ideia foi popularizada por proponentes do gerenciamento da qualidade total (GQT), que viram o GQT como a filosofia de unificação ideal que poderia unir todo o negócio por trás da melhoria focada no cliente. Em particular, duas perguntas são válidas: em primeiro lugar, a qualidade se aplica a todas as partes da organização? E, segundo, todas as pessoas na organização contribuem para a qualidade?

A qualidade se aplica a todas as partes da organização?

Para que o gerenciamento da qualidade seja eficaz, cada processo deve trabalhar apropriadamente em conjunto. Isto porque cada processo afeta e é por sua vez afetado pelos outros. O chamado *conceito do cliente interno* é o reconhecimento de que cada parte da organização é um cliente interno e, ao mesmo tempo, um fornecedor interno para outras partes da organização. Isto significa que erros no serviço fornecido dentro de uma organização acabarão por afetar o produto ou serviço que alcança o cliente externo. Assim, uma das melhores formas de satisfazer os clientes externos é satisfazer os clientes internos. Isto significa que cada processo tem a responsabilidade de gerenciar os relacionamentos cliente-fornecedor internos, definindo claramente suas necessidades exatas e de seus clientes. Na verdade, o exercício replica o que deveria acontecer para toda a operação e seus clientes externos.

> **Princípio de operações**
> Uma apreciação, um envolvimento e um compromisso com a qualidade deveriam afetar toda organização.

Acordos de nível de serviços

Algumas operações trazem um grau de formalidade para o conceito do cliente interno requerendo que os processos sejam acordos de nível de serviços (SLAs – *Service-Level Agreements*) com os outros. Os SLAs são definições formais do serviço e do relacionamento entre dois processos. Os tipos de questões que poderiam ser abordadas por tal acordo podem incluir tempos de resposta, a variedade de serviços, confiabilidade de suprimento dos serviços e assim por diante. Limites de responsabilidade e indicadores de desempenho adequados podem também ser acordados. Por exemplo, um SLA entre um balcão de sistemas de informação e os processos que são seus clientes internos pode definir tais indicadores de desempenho como:

- Os tipos de serviços padrão da rede de informação que podem ser fornecidos
- A variedade de serviços de informação especiais que podem estar disponíveis em diferentes períodos do dia
- O mínimo de tempo ativo, isto é, a proporção de tempo que o sistema estará disponível em diferentes períodos do dia
- O tempo de resposta máximo e médio para voltar a ter o sistema totalmente operacional no caso dele falhar
- O tempo de resposta máximo para fornecer serviços especiais e assim por diante

Os SLAs são melhor entendidos como uma abordagem para decidir as prioridades dos serviços entre processos e como uma base para melhorar o desempenho do processo da perspectiva dos clientes internos. Em sua melhor abordagem, eles podem ser o mecanismo para esclarecer exatamente como os processos contribuem para as operações como um todo. Veja o comentário crítico ao final do capítulo para uma visão mais cética.

Todos contribuem para a qualidade na organização?

Uma abordagem total para qualidade deve incluir todos os indivíduos da empresa. As pessoas são a fonte da boa ou da má qualidade e é responsabilidade de cada um conseguir a qualidade certa. Isto se aplica não somente àqueles que podem afetar a qualidade diretamente e têm a capacidade de cometer enganos imediatamente óbvios para os clientes; por exemplo, aqueles que servem o cliente diretamente ou fazem fisicamente os produtos. Isso também se aplica aos que estão menos envolvidos de forma direta na produção de produtos ou serviços. O digitador que esquece uma informação ou o projetista do produto que falha ao investigar completamente as condições sob as quais os produtos serão usados na prática, pode também movimentar uma cadeia de eventos que os clientes acabam vendo como baixa qualidade.

Segue que, se todos têm a capacidade de piorar a qualidade, também têm a capacidade de melhorá-la – somente por não cometer erros. Mas espera-se que sua contribuição vá além de um compromisso de não cometer erros; espera-se que traga algo de positivo na maneira de desempenhar suas tarefas.

QUESTÕES DIAGNÓSTICAS

A qualidade é definida adequadamente?

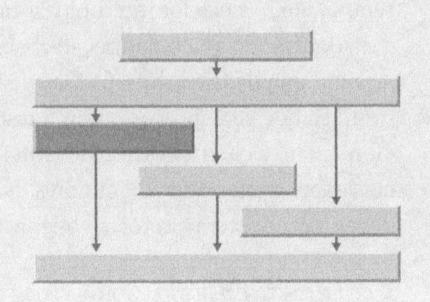

Qualidade é a conformidade consistente com as expectativas dos clientes. Deve ser entendida do ponto de vista do cliente porque, para o cliente, a qualidade de um produto específico ou serviço é algo que ele espera do produto. Entretanto, as expectativas de cada cliente individual podem ser diferentes. Experiências passadas, conhecimento individual e histórico, todos formarão as expectativas individuais de um cliente. As percepções não são absolutas. O mesmo produto ou serviço pode ser entendido de formas diferentes por diferentes clientes. Além disso, em algumas situações, os clientes podem não julgar as especificações técnicas do serviço ou produto. Eles podem usar medidas substitutas como uma base para suas percepções da qualidade. Por exemplo, depois de procurar aconselhamento financeiro com um consultor, poderá ser difícil avaliar de forma imediata a qualidade técnica do conselho, principalmente se não se apresentarem soluções melhores. Na verdade, o julgamento da qualidade do conselho pode basear-se em percepções de confiança, no relacionamento, na informação fornecida ou no modo como foram fornecidas.

> **Princípio de operações**
> A qualidade percebida é governada pela magnitude e direção da diferença entre as expectativas dos clientes e suas percepções de um produto ou serviço.

Diminuir as diferenças – ajustar a qualidade

Se a experiência com o produto ou serviço foi melhor que o esperado, então o cliente fica satisfeito e a qualidade é considerada alta. Se o produto ou serviço teve desempenho abaixo da expectativa, então a qualidade é baixa e o cliente pode ficar insatisfeito. Se o produto ou serviço atende as expectativas, então a qualidade percebida é aceitável. Esses relacionamentos são resumidos na Figura 12.2.

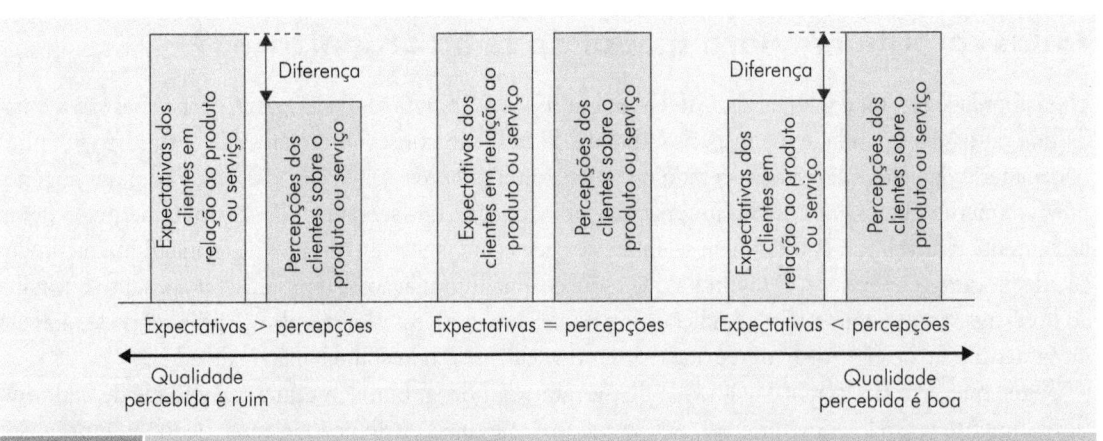

Figura 12.2 A qualidade percebida é governada pela magnitude e direção da diferença entre as expectativas dos clientes e suas percepções sobre o produto ou serviço.

Tanto as expectativas quanto as percepções dos clientes são influenciadas por inúmeros fatores, alguns do quais não podem ser controlados pela operação e outros sim, ao menos até um certo ponto. A Figura 12.3 mostra alguns dos fatores que influenciam na diferença entre as expectativas e as percepções e as diferenças potenciais entre alguns desses fatores. Essa abordagem para definir a qualidade é chamada de modelo da diferença da qualidade. O modelo mostrado na Figura 12.3 é adaptado de um modelo desenvolvido por Zeithaml, Berry e Parasuraman,[3] sobretudo para entender como a qualidade nas operações de serviço pode ser gerenciada e para identificar alguns dos problemas do gerenciamento. Entretanto, essa abordagem é agora também usada em todos os tipos de operação.

Diagnosticando problemas da qualidade

Descrever a qualidade percebida desta forma permite um diagnóstico dos problemas da qualidade. Se a diferença de qualidade percebida é tal que as percepções dos clientes em relação ao produto ou serviço não atendem suas expectativas, então a razão (ou razões) deve(m) estar em outras diferenças em outro local no modelo. Quatro outras diferenças poderiam explicar uma lacuna na qualidade percebida entre as expectativas e as percepções dos clientes.

Diferença 1: A diferença entre a especificação do cliente e a especificação da operação

A qualidade percebida pode ser baixa por haver uma diferença entre a especificação da qualidade interna da própria organização e a especificação que é esperada pelo cliente. Por exemplo, um automóvel pode ser projetado para ser revisado a cada 10.000 quilômetros, mas o cliente pode esperar uma revisão a cada 15.000 quilômetros. Uma companhia aérea pode ter uma política de cobrar por bebidas durante o voo enquanto a expectativa do cliente pode ser de que as bebidas sejam gratuitas.

Diferença 2: A diferença entre a especificação e o conceito

A qualidade percebida pode ser baixa no caso de haver uma diferença entre o conceito do produto ou serviço e a maneira como a organização especifica a qualidade do produto ou serviço internamente. Por exemplo, o conceito de um automóvel poderia ser o de um meio de transporte barato, eficiente em termos de energia, mas a inclusão de um conversor catalítico pode ter adicionado custos e tê-lo tornado ineficiente em termos de energia.

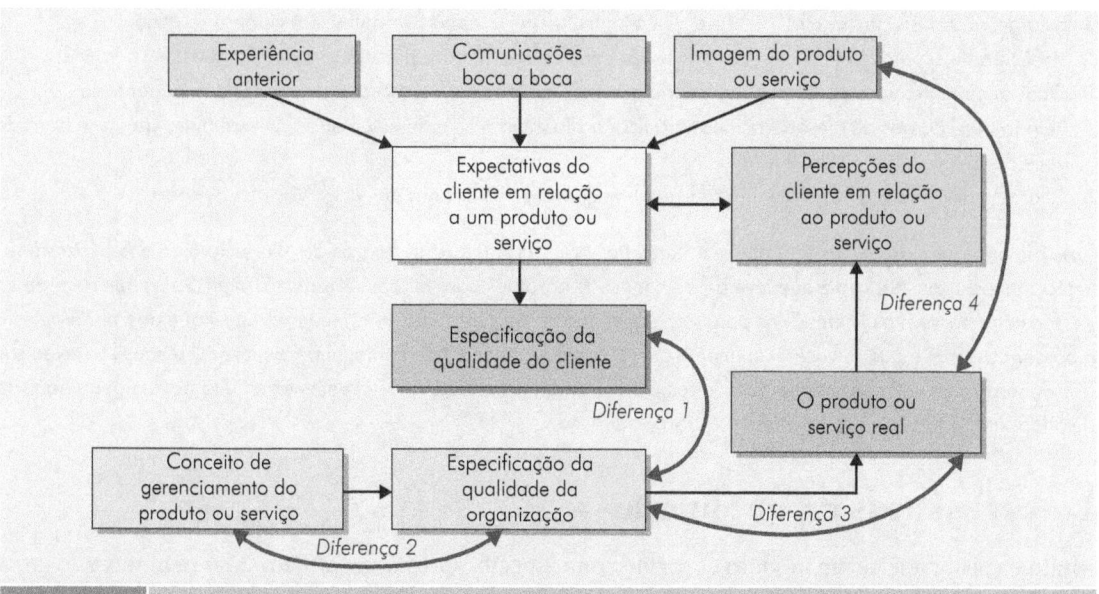

Figura 12.3 Um modelo de diferença da qualidade entre a percepção e a expectativa.

Diferença 3: A diferença entre a especificação da qualidade e a qualidade real

A qualidade percebida pode ser baixa porque existe uma diferença entre a qualidade real do serviço ou produto fornecido pela operação e sua especificação interna da qualidade. Isso pode ser o resultado, por exemplo, de uma especificação inadequada ou não realizável, ou de pessoal inexperiente ou mal treinado, ou porque sistemas de controle eficazes não foram providenciados para assegurar o fornecimento dos níveis de qualidade definidos. Por exemplo, se, apesar da política de uma companhia aérea de cobrar por bebidas alcoólicas, algumas equipes de voo fornecessem bebidas de graça, elas adicionariam custos inesperados à companhia aérea e influenciariam as expectativas dos clientes para o próximo voo, quando eles poderiam ficar desapontados.

Diferença 4: A Diferença entre a qualidade real e a imagem comunicada

A qualidade percebida pode também ser baixa porque existe uma diferença entre as comunicações externas da organização ou imagem do mercado e a verdadeira qualidade do serviço ou produto entregue ao cliente. Isso pode ser o resultado da divulgação de um posicionamento de mercado com padrões inalcançáveis, ou de operações que não fornecem o nível de qualidade esperado pelo cliente. O comercial de uma companhia aérea poderia mostrar um comissário de bordo oferecendo trocar a camisa de um cliente na qual foi derrubada comida ou bebida, mas este serviço pode não estar disponível.

Exemplo — Tea and Sympathy[4]

Definir qualidade em termos de percepção e expectativa pode, às vezes, revelar alguns resultados surpreendentes. Por exemplo, o Tea and Sympathy é um restaurante e café britânico no coração do West Village, em Nova York. Durante os últimos dez anos, ele se tornou um ponto da moda na cidade que tem uma das mais amplas variedades de restaurantes no mundo. Contudo, ele é minúsculo, em torno de uma dúzia de mesas organizadas numa área um pouco maior que a média das salas de estar britânicas. Não só os britânicos, mas também os nativos de Nova York e as celebridades, fazem fila para poder entrar. Como único restaurante britânico de Nova York, tem um fator de novidade, mas também ficou famoso pela natureza pouco comum de seu serviço. "*Todos são tratados da mesma forma*", diz Nicky Perry, uma das duas ex-londrinas que dirigem o negócio. "*Temos uma política de empresa de não levar qualquer desaforo.*" Esta atitude firme no tratamento com os clientes é reforçada pelas "Regras de Nicky" que estão impressas no menu.

1 Seja gentil com as garçonetes – lembre que as garotas do Tea and Sympathy têm sempre a razão.
2 Você terá de esperar lá fora até que todos seus convidados estejam presentes: sem exceções.
3 Ocasionalmente, você poderá ser solicitado a mudar de mesa de forma que possamos acomodar todos.
4 Se não precisarmos de mesas, você poderá ficar o dia inteiro, mas se as pessoas estiverem esperando é hora de você dar o fora.
5 Estas regras são definitivas. Qualquer argumentação causará a fúria de Nicky. Você foi avisado.

A maioria das garçonetes é também britânica e sempre reforçam as Regras de Nicky. Se os clientes fazem objeção são expulsos. Nicky diz que teve de treinar "suas garotas" para serem severas. "*Ensinei a elas que quando as pessoas ultrapassam os limites, elas podem gritar o quanto quiserem que não me importo. O que descobrimos com o passar dos anos é que se você é realmente doce, as pessoas veem isso como uma fraqueza.*" Pessoas são expulsas do restaurante aproximadamente duas vezes por semana e ainda assim os clientes fazem fila para a genuína torta de Shepherd, uma xícara de chá real e é claro, o serviço.

Características da qualidade

Muito da qualidade de um produto ou serviço será especificado em seu projeto. Mas nem todos os detalhes do projeto são úteis na definição da qualidade. Na verdade, são as *consequências* do projeto que são

Tabela 12.1 Características da qualidade para um automóvel e uma viagem aérea

Características da qualidade	Automóvel	Voo
Funcionalidade – o quanto o produto ou serviço executa bem sua tarefa, incluindo seu desempenho e características	Velocidade, aceleração, combustível, consumo, qualidade do passeio, aderência à pista, etc.	Segurança e duração da viagem, refeições e bebidas a bordo, serviços de reserva de automóvel e hotel
Aparência – as características sensoriais do produto ou serviço: o seu apelo estético, visão, tato, audição e olfato	Estética, forma, acabamento, espaços das portas, etc.	Decoração e limpeza da aeronave, assentos e tripulação
Confiabilidade – a consistência do desempenho do produto ou serviço ao longo do tempo ou o tempo médio que ele desempenha dentro de sua tolerância de desempenho	Tempo médio entre falhas	Manter os horários de voo anunciados
Durabilidade – a vida útil total do produto ou serviço, assumindo reparo ocasional ou modificação	Vida útil (com conserto)	Manter-se atualizado com as tendências da indústria
Recuperação – a facilidade com que problemas com o produto ou serviço podem ser retificados ou resolvidos	Fácil de consertar	Solução das falhas no serviço
Contato – a natureza do contato pessoal. Poderia incluir cortesia, simpatia, sensibilidade e conhecimento da equipe de contato	Conhecimento e cortesia da equipe de vendas e serviços	Conhecimento, cortesia e sensibilidade da tripulação

percebidas pelos clientes. Essas consequências do projeto são chamadas de *características da qualidade*. A Tabela 12.1 mostra uma lista de características da qualidade que, em geral, são totalmente aplicáveis a um serviço (voo) e a um produto (automóvel).

QUESTÕES DIAGNÓSTICAS

A qualidade é medida adequadamente?

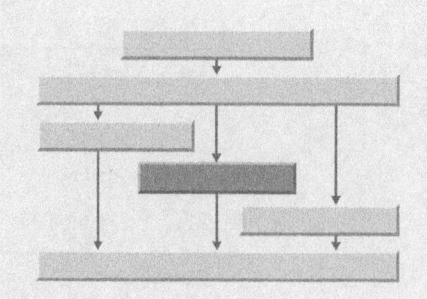

Algumas características da qualidade são relativamente fáceis de serem medidas. Por exemplo, o espaço entre a porta de um automóvel e a coluna tem menos de 5 milímetros? Outras características da qualidade mais difíceis de medir, tais como aparência, precisam ser decompostas em seus elementos constituintes como combinação de cores, acabamento da superfície, o número de arranhões visíveis, todos capazes de serem medidos de uma maneira relativamente objetiva. Eles podem até mesmo ser quantificados. Entretanto, decompor as características da qualidade em seus subcomponentes mensuráveis pode resultar em alguma perda de significado. Uma lista quantificada de combinações de cores, a suavidade do acabamento da superfície e o número de arranhões visíveis não cobrem fatores importantes como estética, uma característica que é difícil de ser medida, mas não menos importante. Algumas características da qualidade não podem ser medidas de maneira nenhuma. A cortesia da tripulação da companhia aérea, por exemplo, não tem uma medida objetiva, mas as companhias aéreas conferem uma grande importância à necessidade de assegurar a cortesia de sua equipe. Em casos como esse, a operação buscará medir as *percepções* do cliente sobre a cortesia.

Variáveis e atributos

As medidas usadas para descrever as características da qualidade são de dois tipos: variáveis e atributos. Medidas variáveis são aquelas que podem ser medidas numa escala continuamente variável (por exemplo, comprimento, diâmetro, peso ou tempo). Já os atributos são avaliados por julgamento e têm dois estados (por exemplo, certo ou errado, funciona ou não funciona, parece correto ou não). A Tabela 12.2 classifica algumas das medidas que poderiam ser usadas como características da qualidade do automóvel ou do voo.

Medição dos "custos da qualidade"

Uma abordagem para medir a qualidade agregada é expressar todas as questões relacionadas à qualidade em termos de custo. Essa é a abordagem do custo da qualidade (geralmente adotada para referir-se a custos e benefícios da qualidade). Esses custos da qualidade são em geral classificados como *custos de prevenção, custos de avaliação, custos das falhas internas* e *custos das falhas externas*. A Tabela 12.3 ilustra os tipos de fatores que estão incluídos nestas categorias.

Tabela 12.2 Medidas variáveis e atributos para as características da qualidade

Característica	Automóvel		Voo	
	Variável	Atributo	Variável	Atributo
Funcionalidade	Aceleração e características de freios da bancada de teste	A qualidade do passeio é satisfatória?	Número de viagens que realmente chegaram ao destino (isto é, não caiu!)	A comida foi aceitável?
Aparência	Número de danos visíveis no automóvel	É a cor especificada?	Número de assentos limpos de forma insatisfatória	A tripulação é elegante?
Confiabilidade	Tempo médio entre as falhas	A confiança é satisfatória?	Proporção de viagens que chegaram no horário	Houve reclamações?
Durabilidade	Vida útil do automóvel	A vida útil é conforme prevista?	Número de vezes que as inovações nos serviços ocorreram após as dos concorrentes	A companhia aérea costuma atualizar seus serviços de forma satisfatória?
Recuperação	Tempo da descoberta da falha até seu reparo	A utilidade do automóvel é aceitável?	Proporção de falhas de serviço resolvidas satisfatoriamente	Os clientes sentem que a tripulação lida bem com as reclamações?
Contato	Nível de ajuda fornecido pela equipe de vendas (escala de 1 a 5)	Os clientes se sentiram bem servidos (sim ou não)?	Até que ponto os clientes se sentem bem tratados pela tripulação (escala de 1 a 5)	Os clientes sentem que a tripulação foi atenciosa (sim ou não)?

Tabela 12.3	Categorias de custos relacionados à qualidade
Categoria de custo relacionado à qualidade	Exemplos na categoria
Custos de prevenção – aqueles custos causados nas tentativas de evitar que ocorram problemas, falhas e erros	• Identificar problemas potenciais e ajustar o processo antes que ocorra queda na qualidade • Projetar e melhorar o projeto de produtos e serviços e processos para reduzir problemas da qualidade • Treinamento e desenvolvimento de pessoal da melhor maneira para desempenharem suas tarefas • Controle de processo
Custos de avaliação – aqueles custos associados com o controle da qualidade para verificar se os problemas ou erros têm ocorrido durante ou depois da criação do serviço ou produto	• A preparação de planos de amostragem de aceitação • Tempo e esforço requerido para inspecionar entradas, processos e saídas • Obter inspeção do processamento e dados de teste • Investigar problemas da qualidade e providenciar relatórios da qualidade • Conduzir pesquisas do cliente e auditorias da qualidade
Custos das falhas internas – custos de falhas que estão associadas a erros que ocorrem dentro da operação	• O custo dos materiais e peças refugadas • O custo de retrabalho de peças e materiais • O tempo perdido na produção como um resultado de lidar com erros • Falta de concentração devido ao tempo gasto para solução de problemas ao invés de melhorias
Custos das falhas externas – custos de falhas que estão associadas a erros praticados pelos clientes	• Perda da boa vontade do cliente, afetando os negócios futuros • Clientes insatisfeitos podem tomar mais tempo • Litígios (ou pagamentos para evitar processos) • Custos com garantia e seguro • O custo do excesso de capacidade (café demais no pacote e muita informação para um cliente)

Entendendo a relação entre os custos da qualidade[5]

Há algum tempo se presume que os custos de falhas são reduzidos à medida que se aumenta o dinheiro gasto em avaliação e prevenção. Deve haver um ponto além do qual o custo de melhorar a qualidade excede os benefícios que ela traz. Portanto, deve existir uma quantidade ótima de esforço a ser aplicada em alguma situação que minimize os custos totais da qualidade. A Figura 12.4(a) resume essa ideia.

Mais recentemente, a abordagem do esforço ótimo da qualidade tem sido desafiada. Primeiro, por que qualquer operação deveria aceitar a *inevitabilidade* dos erros? Algumas ocupações parecem aceitar o padrão de zero defeitos (mesmo que nem sempre alcancem este padrão). Ninguém aceita a inevitabilidade de que pilotos tenham alguns acidentes com seus aviões, ou enfermeiras derrubem um certo número de bebês. Segundo, os custos de erros geralmente são estimados por baixo. Eles geralmente consideram o custo de retrabalhar produtos defeituosos, servir novamente os clientes, refugar peças e materiais, perda da boa vontade, cobertura de garantia, etc. Estes são custos importantes, mas, na prática, o custo real da baixa qualidade deveria incluir todo o tempo de gerenciamento gasto em organizar retrabalho e a solução e, mais importante, a perda de concentração e o desgaste da confiança entre os processos dentro da operação. Terceiro, isto significa que os custos com prevenção são inevitavelmente altos. Mas ao enfatizar a importância da qualidade para cada indivíduo, a prevenção de erros torna-se uma parte integrante do trabalho de cada um. Mais qualidade não é somente alcançada usando mais

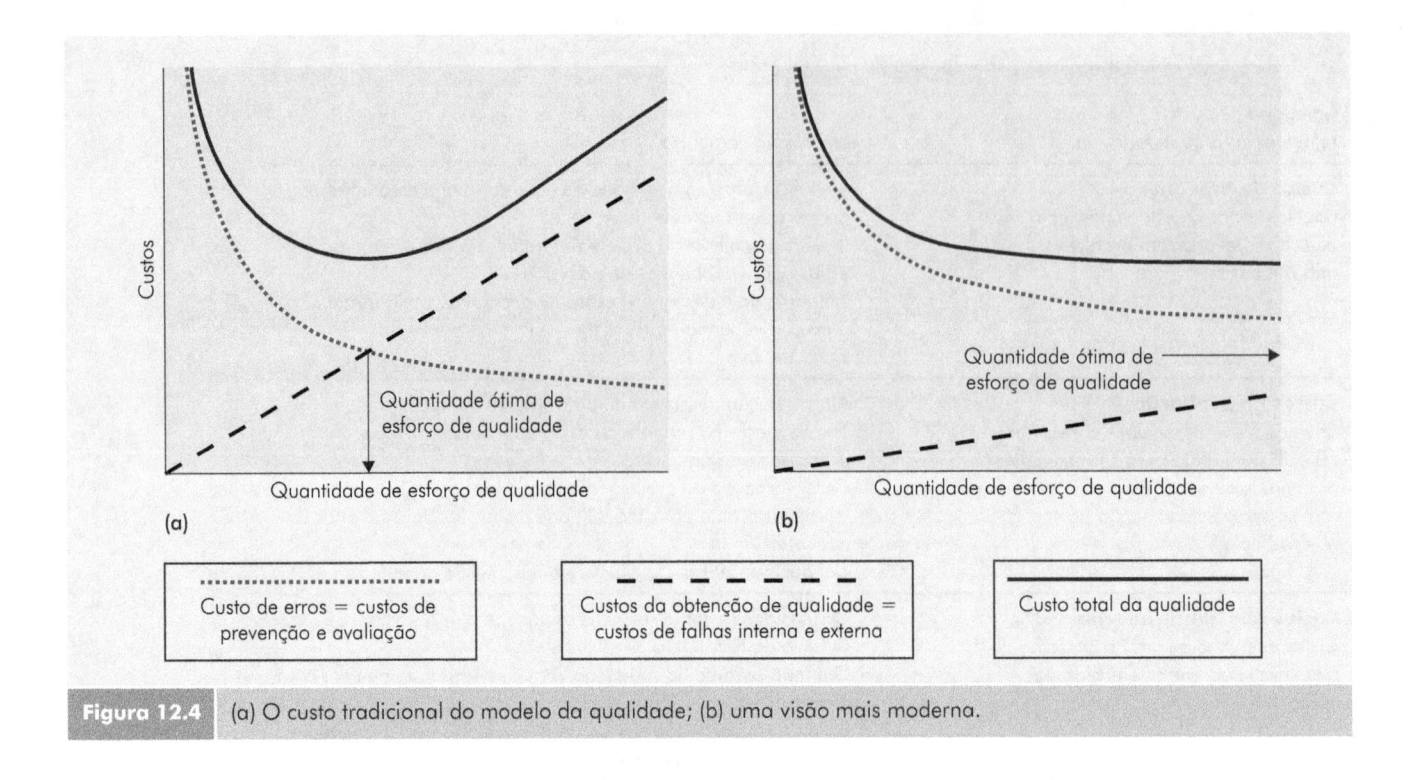

Figura 12.4 (a) O custo tradicional do modelo da qualidade; (b) uma visão mais moderna.

Legenda:
- Custo de erros = custos de prevenção e avaliação
- Custos da obtenção de qualidade = custos de falhas interna e externa
- Custo total da qualidade

inspetores, todos nós temos uma responsabilidade por nossa própria qualidade e todos deveriam "fazer as coisas certas na primeira vez". Isto pode trazer alguns custos – treinamento, verificações automáticas, qualquer coisa que ajude a evitar erros em primeiro lugar – mas não uma curva tão inclinada como a curva de custo da teoria da qualidade ótima. Finalmente, a abordagem de nível ótimo de qualidade, ao aceitar a compensação, faz pouco para desafiar os gerentes de operações e a equipe a encontrarem maneiras de melhorar a qualidade.

Ao considerarmos essas correções no cálculo do esforço de qualidade ótima, a figura parece muito diferente (veja a Figura 12.4(b)). Se existe um ótimo, está muito longe à direita no gráfico, na direção de colocar mais esforço (mas não necessariamente custo) na qualidade.

O modelo de custo da qualidade influenciado pelo GQT

O GQT rejeitou o conceito de nível ótimo de qualidade. Ao contrário, concentrou-se em como reduzir todos os custos de falha conhecidos e desconhecidos. Então, em vez de enfatizar a avaliação (de forma que os produtos e serviços ruins não cheguem ao cliente), enfatizou a prevenção (em primeiro lugar, parar de produzir erros). Isso tem um efeito positivo significativo nos custos de falhas internas, seguido por reduções em custos de falhas externas e, uma vez que a confiança tenha sido estabelecida, também em custos de avaliação. Eventualmente, até mesmo os custos de prevenção podem ser diminuídos em termos absolutos, embora a prevenção permaneça sendo um custo significativo em termos relativos. A Figura 12.5 ilustra essa ideia, mostrando como inicialmente os custos da qualidade total podem elevar-se à medida que o investimento em alguns aspectos de prevenção é aumentado. Uma vez que esse relacionamento entre as categorias de custo da qualidade é aceito, troca-se a ênfase de uma abordagem reativa em relação à qualidade (esperar que erros aconteçam, para depois detectá-los) para uma mais abordagem proativa, de fazer certo na primeira vez (fazer alguma coisa antes que erros aconteçam).

> **Princípio de operações**
> O investimento eficaz na prevenção dos erros da qualidade pode reduzir significativamente os custos de avaliação e falhas.

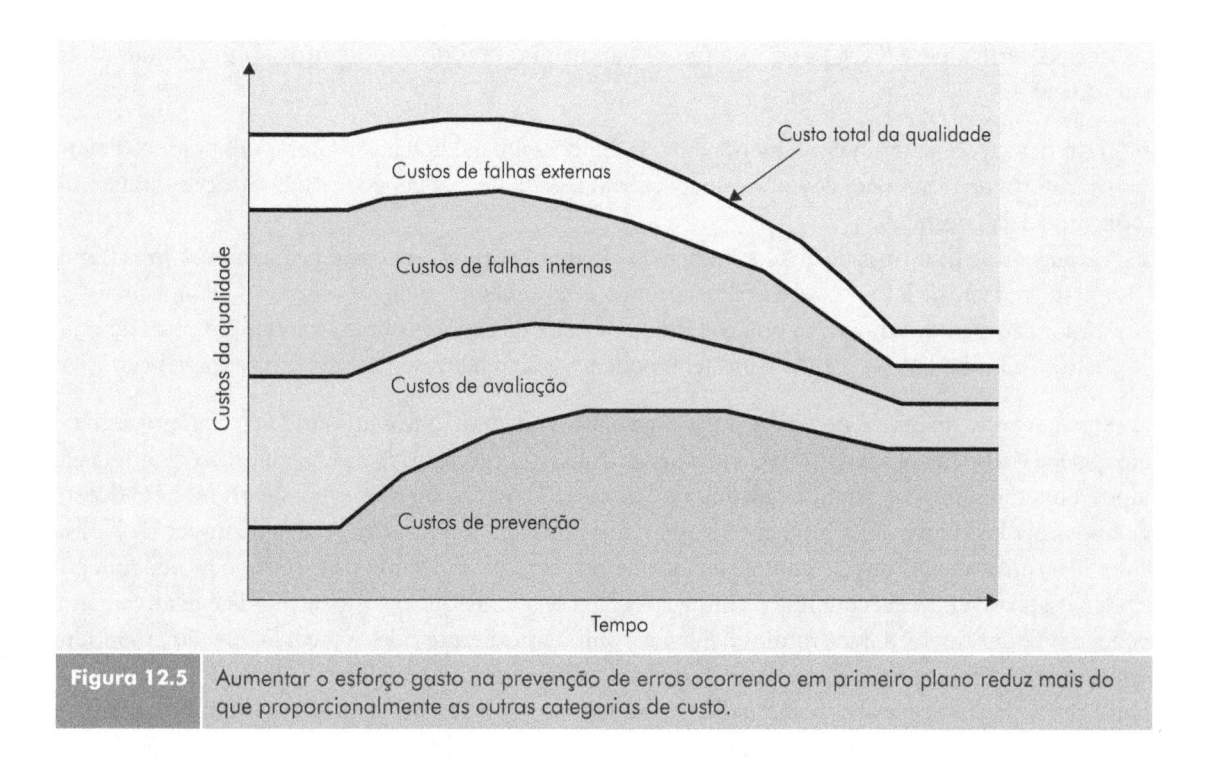

Figura 12.5 Aumentar o esforço gasto na prevenção de erros ocorrendo em primeiro plano reduz mais do que proporcionalmente as outras categorias de custo.

QUESTÕES DIAGNÓSTICAS

A qualidade é controlada adequadamente?

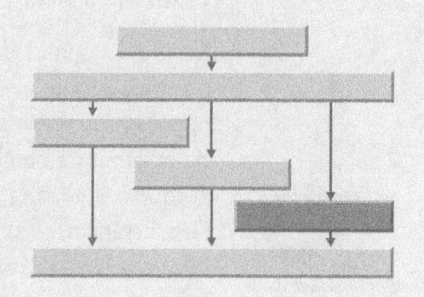

Depois da qualidade ter sido definida e medida, os processos precisarão se certificar de que sua qualidade esteja em conformidade com quaisquer padrões de qualidade que sejam considerados adequados. Isso não necessariamente significa verificar tudo – a amostragem pode ser mais adequada.

Verificar cada produto e serviço ou pegar uma amostra?

Verificar tudo pode não ser sensato por inúmeras razões:

- Poderia ser perigoso verificar tudo. Um médico, por exemplo, verifica apenas uma pequena amostra de sangue, ao invés de todo ele. As características dessa amostra representarão as do resto do sangue do paciente.
- Verificar tudo poderia destruir o produto ou interferir no serviço. Um fabricante de lâmpadas não pode verificar a duração de cada uma das lâmpadas que saem da fábrica; elas todas seriam destruídas. Tampouco seria adequado para um chefe de cozinha verificar se os clientes estão apreciando a refeição a cada 30 segundos.
- Verificar tudo pode se tornar muito caro. Por exemplo, não seria possível verificar cada item de uma máquina de moldar plásticos em grande volume ou verificar o sentimento de cada passageiro de ônibus todo dia.

Mesmo verificando 100%, nem sempre se garantirá que todos os defeitos ou problemas serão identificados.

- Verificações podem ser inerentemente difíceis. Embora um médico possa fazer todos os procedimentos corretos de testes para descobrir uma determinada doença, ele pode não estar necessariamente seguro ao diagnosticá-la.
- A equipe pode ficar cansada quando inspeciona itens repetitivos, em que é fácil cometer erros (tente contar o número de letras "e" dessa página; conte-as novamente e veja se consegue o mesmo número).
- A informação pode ser pouco confiável. Embora todos os clientes num restaurante possam dizer ao chefe de cozinha que "está tudo bem", eles podem ter algumas reservas sobre sua experiência.

Algumas vezes, porém, é necessário tirar uma amostra de tudo que é produzido por um processo ou uma operação. Se um produto é tão crítico que sua falha à conformidade da especificação resultaria em morte ou ferimento (por exemplo, algumas peças que são usadas em aviões ou alguns serviços dentro de operações do centro de saúde), então, ainda que seja caro, é necessário 100% de inspeção. Nestes casos, é a consequência da não conformidade que está levando à decisão de inspecionar tudo. Em outros casos, pode ser que a economia da inspeção 100% seja tanta que o custo de fazê-la é relativamente pequeno. Por exemplo, alguns rótulos podem ser automaticamente lidos à medida que são produzidos sem virtualmente nenhum custo extra. Contudo, sempre quando é adotado 100% de inspeção, há outro risco: de classificar algo como um erro quando, na verdade, está dentro das especificações. Essa diferença é resumida no que se costuma chamar de erros de tipo I e II.

Erros tipo I e tipo II

Verificar a qualidade por amostragem, embora necessite menos tempo do que verificar tudo, tem seus próprios problemas. Tome o exemplo de alguém esperando para atravessar uma rua. Existem duas opções principais: atravessar (tomar atitude), ou continuar esperando (não tomar atitude alguma). Se existe uma brecha no tráfego e a pessoa atravessa a rua ou se aquela pessoa continua esperando porque o tráfego está muito pesado, então uma decisão correta foi tomada (a ação foi adequada para a circunstância). Existem dois tipos de decisões incorretas ou erros. Uma seria uma decisão de atravessar a rua (tomar atitude) quando não existe uma brecha no tráfego, resultando num acidente – isso é referenciado como erro tipo I. Uma outra seria uma decisão de não atravessar embora houvesse uma brecha adequada – isto é chamado um erro tipo II. Erros do tipo I são aqueles que ocorrem quando uma decisão foi tomada para fazer algo e a situação não dá garantias. Erros do tipo II são aqueles que ocorrem quando nada foi feito, contudo uma decisão de fazer algo deveria ter sido tomada conforme a situação realmente dava garantias. Logo, existem quatro resultados, resumidos na Tabela 12.4.

Controle estatístico de processo (CEP)

O método mais comum de verificar a qualidade de um produto ou serviço amostrado de forma a concluir sobre todas as saídas de um processo é chamado de controle estatístico do processo (CEP). O CEP preocupa-se em fazer amostras do processo durante a produção de mercadorias ou a entrega do serviço. Baseado nessa amostra, as decisões são tomadas conforme o processo estiver sob controle, ou seja,

Tabela 12.4 Erros tipo I e tipo II para um pedestre atravessando a rua

	Condições da rua	
Decisão	Segura (ação foi adequada)	Insegura (ação não foi adequada)
Atravessar (tomar atitude)	Decisão correta	**Erro tipo I**
Esperar (não tomar atitude)	**Erro tipo II**	Decisão correta

operando como deveria estar. Se parece existir um problema com o processo, então se pode pará-lo (se for possível e adequado) e o problema poderá ser identificado e retificado. Por exemplo, um aeroporto internacional pode regularmente questionar uma amostra de clientes para verificar se a limpeza de seus restaurantes é satisfatória. Se um número inaceitável de clientes numa amostra estiver insatisfeito, a gerência do aeroporto pode ter de melhorar os procedimentos atuais para limpeza das mesas.

Gráficos de controle

O valor do CEP não é somente o de fazer verificações de uma única amostra, mas também de monitorar os resultados de muitas amostras por um período de tempo. Isso é feito usando gráficos de controle. Gráficos de controle registram alguns aspectos da qualidade (ou desempenho, geralmente) por um tempo para ver se o desempenho do processo parece estar como deveria (*sob controle*) ou não (*fora de controle*). Se o processo parece estar saindo de controle, então medidas podem ser tomadas *antes* que haja um problema.

A Figura 12.6 mostra típicos gráficos de controle. Gráficos parecidos com esses podem ser encontrados em quase qualquer operação. Eles poderiam, por exemplo, representar o percentual de clientes numa amostra de 1.000 que, a cada semana, estariam descontentes com o serviço que receberam de duas centrais telefônicas. No gráfico (a), a medição do descontentamento do cliente aumenta constantemente com o tempo. Há evidência de uma clara tendência (negativa) que a gerência pode desejar investigar. No gráfico (b), embora haja pouca evidência de qualquer tendência na média de descontentamento, a variabilidade no desempenho parece estar crescendo. Novamente, a operação pode querer investigar as causas.

Uma importante utilização dos gráficos de controle é a procura por *tendências*. Se a tendência sugere que o processo está piorando, então valerá a pena investigar o processo. Se a tendência estiver melhorando, pode ainda valer a pena investigar para tentar identificar quais são as causas dessa melhora. Um uso ainda mais importante dos gráficos de controle é para investigar a *variação* no desempenho.

Por que a variação é uma coisa ruim?

Embora uma tendência como a mostrada na Figura 12.6(a) indique claramente uma deterioração no desempenho, a variação mostrada na Figura 12.6(b) também pode ser séria. A variação é um problema porque ela mascara quaisquer mudanças no comportamento do processo. A Figura 12.7 mostra o desempenho de dois processos que mudam seus comportamentos ao mesmo tempo.

> **Princípio de operações**
> Altos níveis de variação reduzem a habilidade para detectar mudanças no desempenho do processo.

O processo à esquerda tem uma variação natural tão ampla que não é imediatamente aparente que alguma mudança ocorreu. A certa altura, isso ficará aparente, mas pode levar algum tempo. Em contraste, o

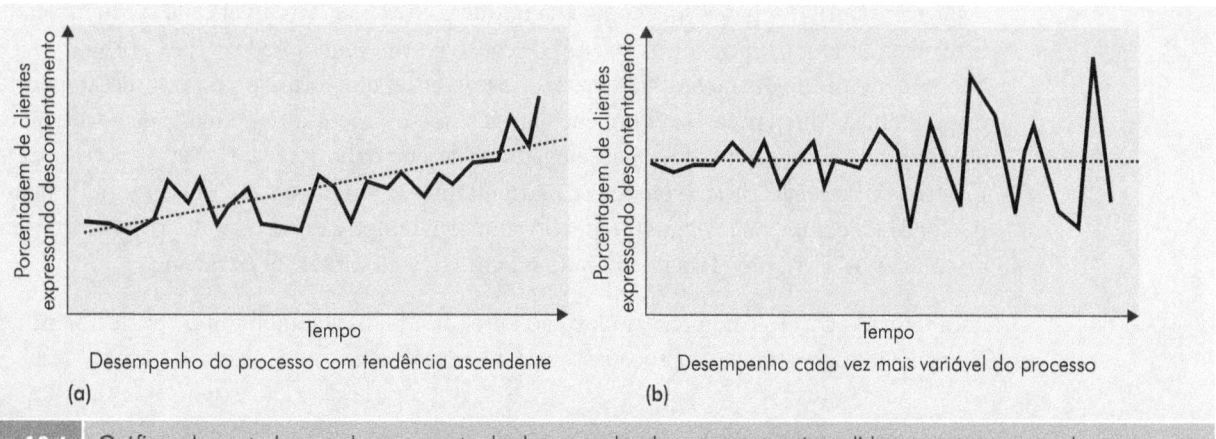

Figura 12.6 Gráficos de controle – qualquer aspecto do desempenho de um processo é medido com o tempo e pode apresentar tendências no desempenho médio e/ou mudanças na variação do desempenho com o passar do tempo.

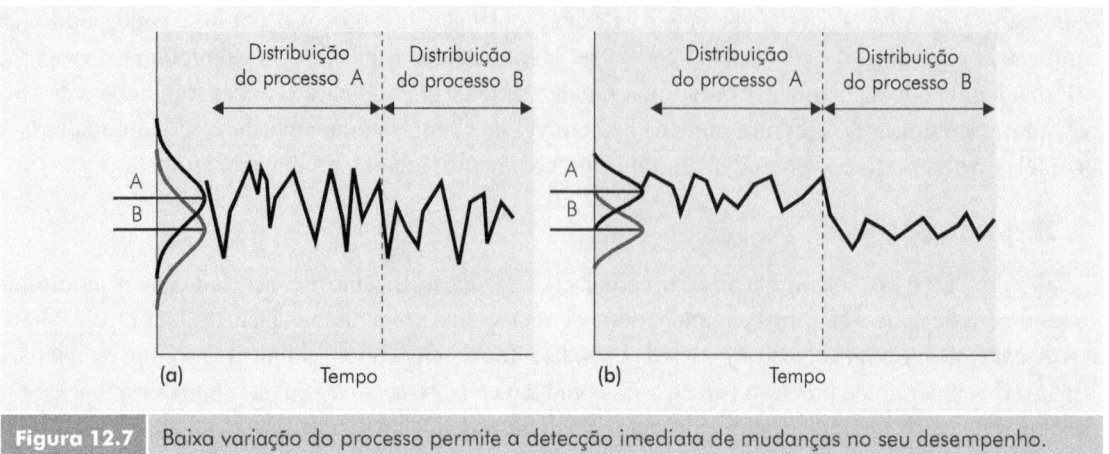

Figura 12.7 Baixa variação do processo permite a detecção imediata de mudanças no seu desempenho.

desempenho do processo representado pelo gráfico à direita tem uma faixa de variação muito mais regular, de forma que a mesma mudança no desempenho médio é mais facilmente observada. Quanto mais regular a variação de um processo, mais óbvia é a ocorrência de quaisquer mudanças, e mais fácil é tomar uma decisão de intervenção. O CEP é discutido mais tarde no suplemento deste capítulo. Também é uma das ideias principais na abordagem de melhoria Seis Sigma que é discutida no próximo capítulo.

Controle, aprendizado e conhecimento de processo

Princípio de operações
Controle baseado em estatística fornece o potencial para melhorar o conhecimento do processo.

Nos últimos anos, o papel do controle de processos, e do CEP, em particular, tem mudado. Cada vez mais, ele é visto não somente como um método conveniente para manter os processos sob controle, mas também como uma atividade que é fundamental para a aquisição de vantagens competitivas. Essa é uma mudança marcante na condição do CEP. Tradicionalmente, o CEP era visto como uma das técnicas de gerenciamento de operações mais *operacional*, imediata e prática. Contudo, agora, é visto como contribuinte nas competências *estratégicas* de operações. A lógica do argumento é:

1 O CEP é baseado na ideia de que a variabilidade do processo indica se um processo está sob controle ou não.
2 Os processos são colocados sob *controle* e melhorados pela redução progressiva da variabilidade do processo. Isto requer a eliminação das causas especiais* de variação.
3 Não se pode eliminar causas especiais de variação sem entender como o processo opera. Isto requer o *aprendizado* sobre o processo, em que sua natureza é revelada em nível cada vez mais detalhado.
4 Este aprendizado significa que o processo de *conhecimento* é melhorado, o que, por sua vez, significa que os gerentes de operações são capazes de prever de que forma o processo desempenhará sob circunstâncias diferentes. Isso também significa que o processo tem uma capacidade maior para executar suas tarefas num nível mais elevado de desempenho.
5 Essa crescente *competência de processo* é particularmente difícil para os concorrentes copiarem. Ela não pode ser comprada imediatamente. Só vem com tempo e esforço sendo investidos no controle dos processos. Portanto, a *competência* do processo leva à vantagem estratégica.

Desta forma, o controle de processo leva ao aprendizado, o qual melhora o conhecimento do processo e constrói competência de processo difícil de imitar.

---
* N. de R.T.: As causas especiais da variação são identificáveis, diferentemente das causas comuns, totalmente aleatórias. Outro termo é causas assinaláveis.

QUESTÕES DIAGNÓSTICAS

O gerenciamento da qualidade sempre conduz à melhoria?

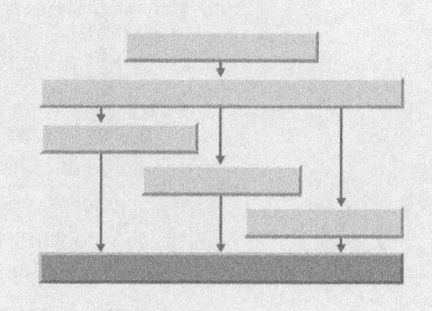

Nenhum esforço colocado em iniciativas da qualidade pode garantir melhorias no desempenho do processo. Na verdade, algumas pesquisas mostram que mais da metade de todos os programas da qualidade redundam apenas em desapontamentos, e, talvez, alguma melhoria permanente. Melhorar a qualidade não é algo que acontece simplesmente fazendo com que todos numa organização "pensem em qualidade". Frequentemente, as melhorias não continuam porque não há nenhum conjunto de sistemas e procedimentos para dar suporte e colocá-las na rotina do dia a dia da operação. Sistemas da qualidade são necessários.

Um sistema da qualidade corresponde a *"estrutura organizacional, responsabilidades, procedimentos, processos e recursos para implementar o gerenciamento da qualidade"*.[6] Deveria cobrir todas as facetas das operações e dos processos de uma empresa e definir as responsabilidades, procedimentos e processos que asseguram a implementação das melhorias da qualidade. O sistema da qualidade mais conhecido são as normas ISO 9000.

A abordagem ISO 9000

A ISO 9000 é um conjunto de normas internacionais que estabelecem necessidades para os sistemas de gerenciamento da qualidade das empresas. Ela vem sendo usada mundialmente para fornecer uma estrutura para assegurar a qualidade. Em 2000, a ISO 9000 tinha sido adotada por mais de 250 mil organizações em 143 países. Originalmente, sua finalidade era fornecer uma garantia para os consumidores de produtos ou serviços a partir da definição de procedimentos, normas e características do sistema de controle que governavam os processos que os produziam. Em 2000, a ISO 9000 foi substancialmente revisada. Em vez de usar variados padrões para diferentes funções dentro de uma empresa, adotou uma abordagem de processo e se concentrou nas saídas de qualquer processo de operação, diferentemente dos procedimentos detalhados que tinham dominado a versão anterior. Esse processo de orientação requer que as operações definam e registrem processos e os subprocessos centrais. A ISO 9000 (2000) também enfatiza quatro outros princípios.

- O gerenciamento da qualidade deve ser focado no cliente, e a satisfação do cliente deve ser medida usando grupos de pesquisa e grupos de foco. Melhorias em direção aos padrões dos clientes devem ser documentadas.
- O desempenho da qualidade deve ser medido e relacionado aos próprios produtos e serviços, os processos que os criaram e a satisfação do cliente. Ademais, dados medidos devem ser sempre analisados.
- O gerenciamento da qualidade deve ser direcionado para melhorias. Melhorias devem ser demonstradas no desempenho do processo e na satisfação do cliente.
- A alta gerência deve demonstrar seu comprometimento em manter e continuamente melhorar os sistemas de gerenciamento. Esse comprometimento deveria incluir a comunicação da importância de atender as necessidades dos clientes e de outros requisitos, estabelecendo uma política da qualidade e objetivos da qualidade, conduzindo revisões de gerenciamento para assegurar a aderência às políticas da qualidade e assegurando a disponibilidade dos recursos necessários para manter os sistemas da qualidade.

O Prêmio Deming

O Prêmio Deming foi instituído pela União dos Cientistas e Engenheiros Japoneses em 1951 e é oferecido às empresas, inicialmente no Japão, mas mais recentemente aberto para empresas estrangeiras, as quais têm aplicado com sucesso o controle da qualidade em toda empresa baseado no controle estatístico da qualidade. Existem dez categorias principais de avaliação: política e objetivos, organização e suas operações, educação e suas extensões, montagem e desdobramento da informação, análise, normatização, controle e garantia da qualidade, efeitos e planos futuros. Os participantes são requisitados a submeter uma descrição detalhada das práticas da qualidade. Esta é uma atividade significativa por si só e algumas empresas afirmam ter se beneficiado muito em fazê-la.

O Prêmio Nacional de Qualidade Malcolm Baldrige

No início dos anos 80, o Centro Americano de Produtividade e Qualidade recomendou que fosse criado nos Estados Unidos um prêmio anual similar ao Prêmio Deming. A finalidade do prêmio era estimular empresas norte-americanas a melhorar a qualidade e a produtividade, reconhecer conquistas, estabelecer critérios para um esforço maior em qualidade e fornecer diretrizes sobre melhorias da qualidade. As principais categorias de exame são liderança, informação e análise, planejamento estratégico da qualidade, utilização de recursos humanos, garantia da qualidade de produtos e serviços, resultados da qualidade e satisfação do cliente. O processo, como o do Prêmio Deming, inclui um formulário detalhado e visitas ao local.

Modelo de Excelência da EFQM[7]

Em 1988, 14 empresas líderes do Oeste Europeu formaram a Fundação Europeia para Gerenciamento da Qualidade (EFQM – *European Foundation for Quality Management*). Um objetivo importante da EFQM é reconhecer os resultados da qualidade. Por isso, lançou o Prêmio Europeu da Qualidade (EQA – *European Quality Award*), oferecido ao expoente de mais sucesso no gerenciamento da qualidade total na Europa a cada ano. Para receber um prêmio, as empresas devem demonstrar que suas abordagens para gerenciamento da qualidade total têm contribuído, de forma significativa, para satisfazer as expectativas dos clientes, empregados e outros com interesses na empresa durante os últimos

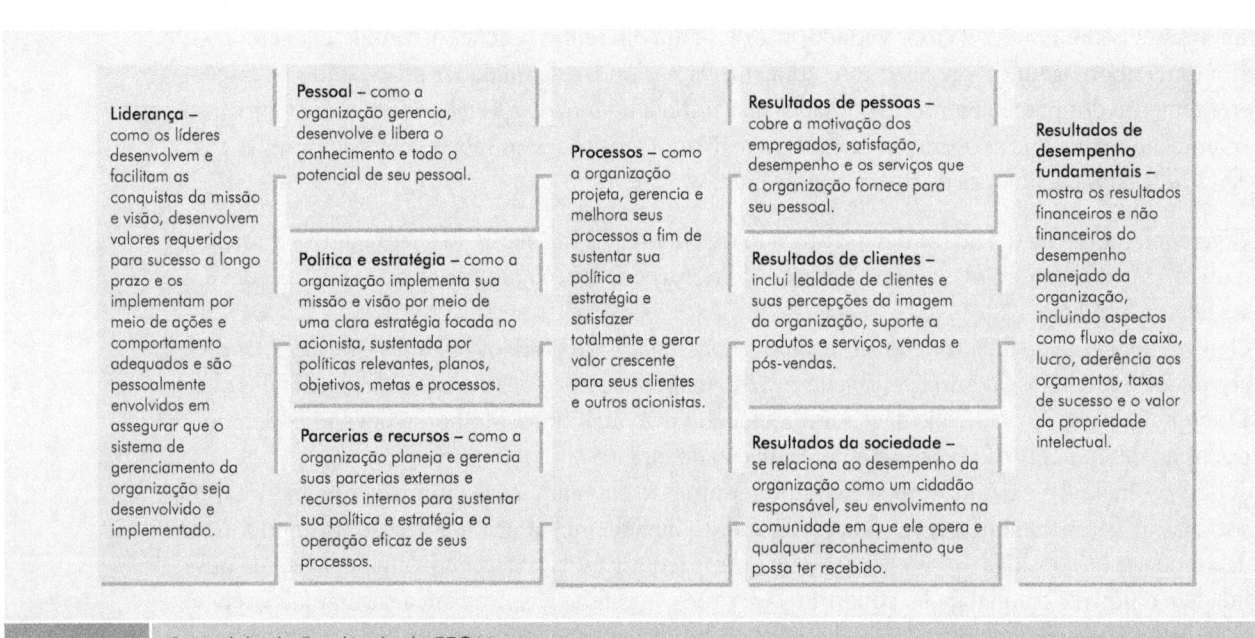

Liderança – como os líderes desenvolvem e facilitam as conquistas da missão e visão, desenvolvem valores requeridos para sucesso a longo prazo e os implementam por meio de ações e comportamento adequados e são pessoalmente envolvidos em assegurar que o sistema de gerenciamento da organização seja desenvolvido e implementado.

Pessoal – como a organização gerencia, desenvolve e libera o conhecimento e todo o potencial de seu pessoal.

Política e estratégia – como a organização implementa sua missão e visão por meio de uma clara estratégia focada no acionista, sustentada por políticas relevantes, planos, objetivos, metas e processos.

Parcerias e recursos – como a organização planeja e gerencia suas parcerias externas e recursos internos para sustentar sua política e estratégia e a operação eficaz de seus processos.

Processos – como a organização projeta, gerencia e melhora seus processos a fim de sustentar sua política e estratégia e satisfazer totalmente e gerar valor crescente para seus clientes e outros acionistas.

Resultados de pessoas – cobre a motivação dos empregados, satisfação, desempenho e os serviços que a organização fornece para seu pessoal.

Resultados de clientes – inclui lealdade de clientes e suas percepções da imagem da organização, suporte a produtos e serviços, vendas e pós-vendas.

Resultados da sociedade – se relaciona ao desempenho da organização como um cidadão responsável, seu envolvimento na comunidade em que ele opera e qualquer reconhecimento que possa ter recebido.

Resultados de desempenho fundamentais – mostra os resultados financeiros e não financeiros do desempenho planejado da organização, incluindo aspectos como fluxo de caixa, lucro, aderência aos orçamentos, taxas de sucesso e o valor da propriedade intelectual.

Figura 12.8 O Modelo de Excelência da EFQM.

anos. Em 1999, o modelo sobre o qual o Prêmio Europeu da Qualidade foi baseado foi modificado e renomeado para Modelo de Excelência da EFQM. As mudanças feitas não foram fundamentais, mas tentaram refletir algumas novas áreas de gerenciamento e pensamento sobre qualidade (por exemplo, parcerias e inovação), além de colocar mais ênfase no cliente e no mercado. O modelo é baseado na ideia de que os resultados do gerenciamento da qualidade em termos do que se chama de resultados das pessoas, resultados do cliente, resultados da sociedade e resultados de desempenho fundamentais são alcançados por meio de um número de habilitadores. Estes habilitadores são a liderança e a constância de propósito, política e estratégia, a organização do desenvolvimento do pessoal, parcerias e recursos e a maneira como organiza seus processos. Essas ideias são incorporadas como mostrado na Figura 12.8. Os cinco habilitadores dizem respeito à forma como os resultados estão sendo alcançados, enquanto os quatro resultados concernem o que a empresa já alcançou e está alcançando.

Autoavaliação

O EFQM define *autoavaliação* como "uma revisão regular, sistemática e abrangente das atividades de uma organização e resultados referenciados num modelo de excelência de negócio". A vantagem principal do uso de tais modelos de autoavaliação parece ser que as empresas acham mais fácil de entender alguns dos conceitos mais filosóficos de gerenciamento da qualidade quando eles são traduzidos em áreas específicas, perguntas e percentuais. A autoavaliação também permite que as organizações meçam seu progresso na conquista dos benefícios do gerenciamento da qualidade.

Comentário crítico

Cada capítulo contém um breve comentário crítico sobre as principais ideias nele abordadas. Seu propósito não é minar as questões discutidas, mas enfatizar que, embora apresentemos uma visão relativamente ortodoxa da operação, existem outras perspectivas.

■ O gerenciamento da qualidade tem sido um dos tópicos mais interessantes no gerenciamento de operações e um dos mais controversos. Muito do debate tem se centralizado no foco nas pessoas do gerenciamento da qualidade, especialmente na retórica de maior fortalecimento dos empregados, central para diversas abordagens modernas da qualidade. Em muitos casos, pode ser um pouco mais que um aumento do discernimento do empregado sobre os pequenos detalhes de sua prática de trabalho. Alguns acadêmicos de relações industriais argumentam que o GQT raramente afeta o desequilíbrio fundamental entre o controle gerencial e a influência dos empregados sobre a direção da organização. Por exemplo: *"...há poucos indícios de que a influência dos funcionários sobre as decisões corporativas que os afetam têm sido ou ainda podem ser melhoradas a partir da configuração contemporânea de envolvimento. Em outras palavras, embora o envolvimento possa aumentar o discernimento sobre a tarefa individual ou abrir canais para comunicação, o programa de envolvimento não é projetado para oferecer oportunidades para os empregados ganharem ou consolidarem o controle sobre o ambiente mais abrangente no qual o trabalho deles está inserido"*.[8]

Outras críticas se dirigem à adequação de alguns mecanismos como acordos de nível de serviço (SLAs). Alguns consideram que a força dos SLAs reside no grau de formalidade que eles conferem aos relacionamentos entre cliente e fornecedor, mas há também inconvenientes. O primeiro é que a natureza pseudocontratual do relacionamento formal pode trabalhar contra a construção de parcerias. Isso é especialmente verdadeiro se o SLA inclui penalidades por divergências de padrões de serviço. O efeito pode às vezes ser o de inibir ao invés de encorajar melhorias conjuntas. O segundo é que os SLAs tendem a enfatizar os aspectos objetivos e mensuráveis do desempenho ao invés dos aspectos subjetivos, mas frequentemente mais importantes. Assim, um telefone pode ser atendido depois de quatro toques, mas a maneira como a pessoa que está fazendo a ligação é tratada em termos de "cordialidade" pode ser muito mais importante.

■ Da mesma forma, e apesar de sua disseminação (e de sua revisão levar em conta algumas de suas falhas percebidas), a ISO 9000 não é vista como benéfica por todas as autoridades. Algumas críticas são:

- O processo de documentar processos, escrever procedimentos, treinar a equipe e conduzir auditorias internas, como um todo, é caro e consome tempo.
- Da mesma forma, o tempo e o custo para realizar e manter a certificação ISO 9000 são excessivos.
- Há fórmulas demais. Isso encoraja as operações a "gerenciar através do manual", substituindo uma "receita" por uma abordagem mais personalizada e criativa para gerenciar melhorias de operações.

Lista de verificação

Esta lista de verificação inclui perguntas que podem ser úteis se aplicadas a qualquer tipo de operação e reflete as principais questões diagnósticas usadas dentro do capítulo.

- [ ] Todos na empresa realmente acreditam na importância da qualidade ou isso é apenas uma daquelas coisas que as pessoas dizem sem realmente acreditar nelas?
- [ ] Existe uma definição da qualidade aceitável usada dentro da empresa?
- [ ] As pessoas entendem que existem muitas definições e abordagens diferentes para qualidade e elas entendem por que a empresa escolheu sua própria abordagem específica?
- [ ] Todas as partes da organização entendem sua contribuição para manter e para melhorar a qualidade?
- [ ] Os acordos de nível de serviço são usados para estabelecer conceitos de serviço ao cliente interno?
- [ ] É usado algum tipo de modelo de diferenças para diagnosticar problemas da qualidade?
- [ ] A qualidade é definida em termos de uma série de características da qualidade?
- [ ] A qualidade é medida usando todas as características da qualidade relevantes?
- [ ] O custo da qualidade é medido?
- [ ] Os custos da qualidade são classificados como custos de prevenção, avaliação, falhas internas e falhas externas?
- [ ] A qualidade é adequadamente controlada?
- [ ] A ideia de controle estatístico de processo (CEP) tem sido explorada como um mecanismo para controlar a qualidade?
- [ ] Os processos individuais têm alguma ideia de sua própria variabilidade de desempenho da qualidade?
- [ ] Os sistemas da qualidade, tais como ISO 9000 e modelo de excelência da EFQM, têm sido explorados?

Estudo de caso: A reviravolta na fábrica de Preston

"Antes da crise, o departamento de qualidade não tinha muita utilidade, certamente não o usávamos para resolver problemas, o máximo que fazíamos era inspeção. Os dados do departamento da qualidade eram trazidos para a reunião de produção e todos olhavam para os dados, mas ninguém estava olhando para além deles." (Gerente da Qualidade, Fábrica Preston)

A fábrica de Preston da Gráfica Rendall era localizada em Preston, Vancouver, do outro lado do continente, longe da sua matriz em Massachusetts. A planta tinha sido comprada da Georgetown Corporation pela Rendall em março de 2000. Papéis com camadas de precisão para impressoras jato de tinta eram o principal produto da planta; especialmente papel para usos especiais. A fábrica usava máquinas de aplicação que permitiam que camadas especiais fossem aplicadas. Depois da aplicação da camada, o departamento de transformação cortava os rolos de papel no tamanho final e embalava as folhas em pequenas caixa de papelão.

O problema da ondulação

Em 1998, a Hewlett Packard (HP), o principal cliente da fábrica de papel para jato de tinta, informou à fábrica sobre alguns problemas que tinha encontrado com ondulações no papel em condições de pouca umidade. Não havia reclamações dos clientes na HP, mas seu próprio pessoal havia observado o problema e eles o queriam resolvido. Durante os sete ou oito meses seguintes uma equipe da fábrica tentou resolver o problema. Finalmente, em outubro de 1999, a equipe recomendou uma fórmula de cobertura consideravelmente aprimorada e revisada. Em janeiro de 2000, o processo estava produzindo de forma aceitável. Entretanto, 1999 não havia sido um bom ano para a fábrica. Apesar das vendas terem sido razoáveis, a fábrica estava tendo uma perda em torno de US$ 2 milhões por ano. Em outubro de 1999, Tom Branton, ex-contador do negócio, foi promovido a Diretor Executivo.

Fora de controle

Na primavera de 2000, níveis de produtividade, refugo e retrabalho continuavam a ser deficientes. Em resposta a isso, a equipe do gerenciamento de operações aumentou a velocidade da linha e fez diversas mudanças na prática operacional para aumentar a produtividade.

"Olhando para trás, vemos que as mudanças foram feitas sem disciplina e não havia um conceito de controle. Sempre atendíamos as especificações, mas não entendíamos o quão próximos estávamos de não consegui-lo. A cultura era, 'Se está dentro da especificação, então tudo bem', e nós éramos muito cuidadosos em ter certeza de que o produto que estávamos enviando **estava** dentro das especificações. Entretanto, a HP tem 'gráficos de processos' que permitem a observação do que está acontecendo dentro da operação. Estávamos também conseguindo todos os relatórios, mas nenhum deles estava sendo internalizado, nós estávamos usando-os somente para satisfazer o cliente. Em contraste, a HP tem uma mentalidade analítica baseada em estatística que diz para si: 'Você fará esse produto, mas nós estamos pensando em duas ou três gerações de produtos à frente e nos perguntando, você terá competência então? Nós queremos investir nesse relacionamento para o futuro?'". (Tom Branton)

Na primavera de 2000 também aconteceram dois eventos significativos. Primeiro, a HP pediu à fábrica que orçasse um contrato para fornecer uma nova plataforma de papel para jato de tinta, conhecido como projeto Vector. O contrato asseguraria pedidos saudáveis por diversos anos. O segundo evento foi que a fábrica foi adquirida pela Rendall. "O que a Rendall viu quando nos comprou? Eles viram uma pequena fábrica na costa do Pacífico perdendo muito dinheiro." (Gerente Financeiro, Fábrica de Preston)

A Rendall não se impressionou com o que encontrou na fábrica de Preston. A fábrica estava tendo uma perda e havia justamente escapado de provocar uma desaprovação de seu maior cliente sobre a questão das ondulações no papel. Se a fábrica não conseguisse o contrato Vector, seu futuro seria sombrio. Enquanto isso, a principal preocupação continuava sendo a produtividade. Mas também, e novamente, havia reclamações ocasionais sobre os níveis de qualidade. Entretanto, a atitude da HP causou algumas confusões para a equipe de gerenciamento de operações. *"Quando a HP perguntou sobre nossos processos, os garotos das operações disseram: 'Ora, estamos fazendo rolo após rolo de papel, ele está dentro das especificações. Qual é o problema?'"* (Gerente da Qualidade, Fábrica de Preston).

Mas foi antes do verão que toda a inquietação da HP ocorreu. *"Eu nunca esquecerei junho de 2000. Eu estava numa reunião com a HP em Chicago. Ela nem mesmo era sobre qualidade. Mas durante a reunião um de seus engenheiros me mostrou uma carta de controle, uma que nós fornecemos com cada lote de produto. Ele disse: 'Aqui está o sua última carta de controle. Nós achamos que vocês estão fora de controle e vocês não sabem disso. Achamos que estamos olhando para essas informações mais que vocês.' Ele estava absolutamente certo, e eu entendi totalmente o quanto era séria a situação. Nós tínhamos o nosso principal cliente nos dizendo que não sabíamos dirigir nossos processos exatamente ao mesmo tempo em que estávamos tentando persuadi-los a nos dar o contrato da Vector."* (Tom Branton)

A crise

Tom se concentrou imediatamente na tarefa de por novamente a fábrica sob controle. Eles decidiram inicialmente voltar às condições que prevaleciam em janeiro, quando as recomendações da equipe da ondulação tinham sido implantadas. Isto era o estado antes das pressões por produtividade terem causado a necessidade de ajuste do processo. Ao mesmo tempo, a equipe trabalhou em maneiras de implementar "regras de parada da produção" inconfundíveis, que permitiriam aos operadores decidir em quais condições uma linha deveria ser parada se eles estivessem em dúvida quanto à qualidade do produto que estavam fabricando.

"A certa altura, em maio de 2000, tínhamos descartado 64 rolos gigantes de produto fora da especificação. Isto é mais que US$ 100.000 de produto refugado de uma só vez. Basicamente, isso ocorreu porque eles tinham medo de parar aquela linha. Ou porque eles tinham tentando ajustar a linha para livrar-se do defeito enquanto produzindo. Os manuais para paradas, na verdade, dizem: 'Não operamos enquanto não estivermos num estado de controle'. Até então nossos operadores não podiam acertar. Se eles falhavam ao manter as máquinas rodando, nós dizíamos, 'vocês têm de manter a produtividade ativa'. Se eles mantinham máquinas rodando, mas tinham problemas da qualidade como resultado, nós os criticávamos por produzirem lixo. Na verdade, você se incomoda muito mais por violar os procedimentos de processo do que por não atender as metas de produtividade." (Engenheiro, Fábrica de Preston)

Essa nova abordagem precisou ser combinada com mudanças na forma como as comunicações eram gerenciadas na fábrica. *"Fizemos duas coisas que nunca havíamos feito antes. Primeiro, cada equipe de produção começou a manter revisões diárias nas informações da carta de controle. Segundo, uma vez por mês nós tirávamos pessoas da produção para debater as informações da carta de controle. Muitas pessoas ficavam nervosas porque nós não estávamos produzindo nada. Mas isso era necessário. Pela primeira vez, operadores dos três turnos estavam reunidos para discutir sobre as informações dos gráficos de controle e outras questões da qualidade. Também chamamos o pessoal da HP para participar dessas reuniões, o que foi muito significativo. Lembre que essas não eram instâncias de reuniões; era a primeira vez que esses rapazes se reuniam e haviam diversas discussões acaloradas, às quais os representantes da Hewlett Packard testemunhavam."* (Engenheiro, Fábrica de Preston).

Enfim algo positivo estava acontecendo na fábrica e a moral do chão de fábrica estava subindo. Em setembro de 2000, os frutos dos esforços das equipes da fábrica começaram a mostrar resultados. Os processos estavam ficando sob controle, os níveis de qualidade estavam melhorando e, o mais importante, o pessoal do chão de fábrica e da equipe de gerenciamento estavam começando a pensar realmente em "qualidade". Paradoxalmente, apesar de parar a linha periodicamente, a eficiência da fábrica também estava melhorando.

Contudo, a equipe de Preston não teve tempo para apreciar seu sucesso emergente. Em setembro de 2000, a fábrica soube que não conseguiria o projeto Vector por causa de seus recentes problemas de qualidade. Então, a Rendall decidiu fechar a fábrica. *"Estávamos perdendo milhões, tínhamos perdido o projeto Vector e isto não foi realmente surpresa. Conversei com a equipe da gerência sênior e disse que anunciaríamos isso provavelmente em abril de 2001. A ironia era que nós sabíamos que realmente já tínhamos passado do ponto."* (Tom Branton).

Apesar da decisão do fechamento, a equipe de gerenciamento em Preston se concentrou na tarefa de convencer a Rendall de que a fábrica poderia ser viável. Eles descobriram que isso levaria a três coisas. Primeiro, era vital que eles continuassem melhorando a qualidade. Progredir com sua iniciativa da qualidade estabelecia completamente o controle estatístico de processo (CEP).

Segundo, os custos tinham de ser diminuídos. Trabalhar na redução de custos era inevitavelmente doloroso. A primeira tarefa era entender qual deveria ser um nível adequado de custos de operação. *"Passamos por uma avaliação a partir do zero para decidir o que seria uma fábrica ideal e qual o número mínimo de pessoas necessárias para dirigi-la."* (Tom Branton)

Em dezembro de 2000, havia 40% de pessoas a menos na fábrica do que dois meses antes. Todos os departamentos foram afetados. O departamento da qualidade foi o que mais encolheu, de 22 pessoas para um total de seis. *"Quando a fábrica estava considerando diminuir o porte, eles perguntaram: 'Como podemos dirigir um laboratório com seis técnicos?' Eu disse: "Fácil. Nós apenas fazemos papel bom em primeiro lugar e então não precisamos inspecionar todo o lixo. Isso sozinho economizaria uma imensa quantidade de tempo."* (Gerente da Qualidade, Fábrica de Preston)

Terceiro, a fábrica tinha que criar um *portfolio* com novas ideias de produto, o que estabeleceria uma grande confiança nas futuras vendas. Muitas novas ideias estavam em andamento, a mais importante delas era o "Protowrap", uma manta para papel de imprensa, que poderia ser reciclada. Era um produto tecnicamente difícil. Entretanto, as competências adquiridas recentemente pela fábrica permitiam que o produto fosse feito de forma econômica.

Saindo da crise

Apesar do trauma, a gerência da empresa encarou o Natal de 2000 com um otimismo crescente. Eles tinham tido lucro pela primeira vez após dois anos. Na primavera de 2001, até mesmo a HP, em nível corporativo, estava começando a observar. Estava se tornando óbvio que a fábrica de Preston realmente tinha sofrido uma mudança maior. Mais significativamente, a HP pediu que a fábrica orçasse um novo produto. Abril de 2001 foi um bom mês para a fábrica. Ela tinha alcançado três meses de lucratividade e a HP havia dado formalmente um novo contrato para a Preston. Também em abril, a Rendall inverteu sua decisão de fechar a fábrica.

PERGUNTAS

1 Quais são os eventos mais significativos da história e como a fábrica sobreviveu por causa de sua adoção dos princípios baseados na qualidade?

2 Os processos da fábrica acabaram ficando sob controle? Quais foram os principais benefícios disso?

3 O CEP é uma técnica operacional para assegurar a conformidade da qualidade. Quantos benefícios estratégicos de manter a fábrica sob controle você enumeraria?

Estudo de caso ativo — "Você tem oito mensagens"

O hotel De Noorman se orgulha e se distingue por oferecer acomodações e serviços de alta qualidade. Depois do seu dia de folga, Andries Claessen, o Gerente Geral do hotel, retorna ao trabalho e encontra diversas mensagens de telefone esperando por ele. As mensagens fazem-no questionar como qualidade é definida e gerenciada no hotel.

● Como você aconselharia Andries em relação as suas perguntas sobre definição, medições, controle e gerenciamento da qualidade e como você sugeriria que ele agisse para assegurar melhorias?

Consulte o caso ativo no CD que acompanha este livro para ouvir as mensagens e encontrar mais sobre o que Andries decide fazer.

Aplicando os princípios

Alguns destes exercícios podem ser respondidos a partir da leitura do capítulo. Outros vão requerer algum conhecimento geral da atividade de negócios e alguns poderão requerer pesquisa. Todos têm sugestões de como podem ser respondidos no CD que acompanha este livro.

1 Usando as quatro categorias de custos relacionados com a qualidade, faça uma lista dos custos que se encaixam dentro de cada categoria para as seguintes operações:

(a) uma biblioteca universitária;

(b) um fabricante de máquina de lavar;

(c) uma estação de geração de energia nuclear;

(d) uma igreja.

2 Considere como um acordo de nível de serviço poderia ser planejado para:

(a) o serviço entre uma biblioteca e seus clientes;

(b) o serviço fornecido por uma empresa de resgate de automóveis para seus clientes;

(c) o serviço prestado por um departamento de auxílio audiovisual de uma universidade para o corpo docente e discente.

3 Usando uma ferramenta de pesquisa da Internet (como google.com), procure por organizações de consultoria que estão vendendo suporte e conselho sobre o gerenciamento da qualidade. Como elas tentam vender as abordagens de melhoria da qualidade para prováveis clientes.

4 Visite o *website* da Fundação Europeia de Gerenciamento da Qualidade (**www.efqm.org**). Procure as empresas que venceram ou foram finalistas nos Prêmios de Qualidade Europeia e tente identificar as características que as tornam "excelentes" na opinião da EFQM. Investigue como a EFQM promove seu modelo para fins de autoavaliação.

5 Encontre dois produtos, um alimento fabricado (por exemplo, pacote de cereais matutinos, pacote de biscoitos, etc.) e um item eletrodoméstico (por exemplo, torradeira, cafeteira, etc.).

(a) Identifique as características importantes da qualidade desses dois produtos.

(b) Como cada uma dessas características da qualidade poderia ser especificada?

(c) Como cada uma dessas características da qualidade poderia ser medida?

6 Muitas organizações verificam seu próprio nível de qualidade usando "falsos clientes". Um empregado da empresa se faz passar por um cliente e registra como é tratado pela operação. Escolha duas ou três operações de alta visibilidade (por exemplo, um cinema, uma loja de departamentos, uma filial bancária, etc.) e discuta como você colocaria também uma abordagem de falso cliente para testar sua qualidade. Você deve determinar os tipos de características que gostaria de observar, a maneira como você mediria essas características, a amostra adequada e assim por diante. Experimente seu plano do falso cliente visitando essas operações.

Notas do capítulo

1 Fonte: Entrevista com Karen Earp, Gerente Geral, Hotel Four Seasons Canary Wharf.
2 Fontes: *website* da Ryanair; Keenan, S. (2002) "How Ryanair puts passengers in their place", *The Times*, 19 Junho.
3 Parasuraman, A. *et al*. (1985) "A conceptual model of service quality and implications for future research", *Journal of Marketing*, Vol. 49, Outono.
4 Mechling, L. (2002) "Get ready for a storm in a tea shop", *The Independent*, 8 Março, e *website* da empresa.
5 Fonte: Plunkett, J.J. and Dale, B.S. (1987) "A review of the literature in quality-related costs", *International Journal of Quality and Reliability Management*, Vol.4, N° 1.
6 Dale, B.G. (ed.) (1999) *Managing Quality*, Blackwell, Oxford.
7 Fonte: o *website* EFQM (www.efqm.org).
8 Hyman, J. and Mason, B. (1995) *Management Employees Involvement and Participation*, Sage.

Indo além

Bounds, G., Yorks, L., Adamas, M. and Ranney, G. (1994) *Beyond Total Quality Management: Towards the emerging paradigm*, McGraw-Hill. Um resumo útil da situação do gerenciamento da qualidade total no momento em que ele está começando a perder seu *status* como a única abordagem para gerenciar a qualidade.

Crosby, P.B. (1979) *Quality is Free*, McGraw-Hill. Um dos gurus. Teve um impacto enorme naqueles tempos. Leia-o se você quiser saber qual era a situação.

Dale, B.G. (ed.) (1999) *Managing Quality*: Blackwell, Oxford. Essa é a terceira edição de um livro que já foi um dos melhores e mais respeitados na área. Um guia abrangente e equilibrado textos.

Deming, W.E. (1986) *Out of the Crisis*, MIT Press. Outro dos gurus da qualidade, cujo trabalho também teve um impacto enorme.

Feigenbaum, A.V. (1986) *Total Quality Control*, McGraw-Hill. Um livro mais abrangente do que aqueles escritos por outros gurus da qualidade.

Garvin, D.A. (1991) "How the Baldridge Award really works", *Harvard Business Review*, Vol. 69, N° 6. Um olhar sobre os bastidores do que vale a pena nos prêmios da qualidade.

Pande, P.S., Neuman, R.P. and Kavanagh, R.R. (2000) *The Six Sigma Way*, MacGraw-Hill, New York. Existem muitos livros escritos por consultores para os gerentes praticantes na moderna abordagem Seis Sigma (veja o suplemento do capítulo). Este é fácil de ler e informativo.

Websites úteis

www.quality-foundation.co.uk A Fundação Britânica da Qualidade é uma organização não lucrativa que promove excelência nos negócios.

www.juran.com A instrução de missão do Instituto Juran é fornecer aos clientes os conceitos, métodos e diretrizes para atingir a liderança na qualidade.

www.asq.org Site da Sociedade Americana para Qualidade. Bom entendimento profissional.

www.quality.nist.gov Instituto da Garantia Americana da Qualidade, uma instituição bem estabelecida para todos os tipos de garantia da qualidade nos negócios.

www.gslis.utexas.edu/~rpollock/tqm.html Site não comercial sobre o Gerenciamento da Qualidade Total com alguns bons *links*.

www.iso.org/iso/ISOOnline.frontpage Site da Organização de Padrões Internacionais que direciona as famílias de padrões ISO 9000 e ISO 14000. A ISO 9000 tornou-se uma referência internacional para necessidades de gerenciamento da qualidade.

RECURSOS ADICIONAIS Para recursos adicionais incluindo exemplos, diagramas animados, questões de autoavaliação, planilhas Excel, estudos de caso ativos e materiais de vídeo, acesse o CD que acompanha este livro.

Suplemento do Capítulo 12

Controle Estatístico de Processo (CEP)

Introdução

A finalidade do controle estatístico de processo (CEP) é tanto controlar o desempenho dos processos, mantendo-os dentro dos limites aceitáveis, quanto melhorar seu desempenho a partir da redução das variações em relação a seus níveis desejados. Faz-se isto aplicando técnicas estatísticas para entender a natureza da variação do desempenho ao longo do tempo. Para aqueles que ficam inseguros quanto à parte estatística do CEP, não fiquem. Essencialmente, o CEP é baseado em princípios que são tanto práticos como intuitivos. O elemento estatístico existe para ajudar, ao invés de complicar as decisões da qualidade.

Variação no desempenho do processo

O instrumento central do CEP é o gráfico de controle. Eles foram explicados anteriormente no capítulo e são uma ilustração do desempenho dinâmico de um processo, medindo como alguns aspectos do desempenho do processo variam com o tempo. Todos os processos variam de alguma forma. Nenhuma máquina fornecerá precisamente o mesmo resultado cada vez que é usada. Todos os materiais variam um pouco. Pessoas no processo diferem marginalmente na forma como fazem as coisas cada vez que executam uma tarefa. Por isso, não é surpresa que qualquer medida da qualidade de desempenho (atributo ou variável) também irá variar. Variações que derivam destas *causas normais* ou *comuns* de variação podem nunca ser eliminadas totalmente (embora possam ser reduzidas).

Por exemplo, em um *call center* de uma empresa pública, as telefonistas respondem perguntas sobre contas, visitas de serviço e assim por diante. A duração de cada ligação irá variar dependendo da natureza da pergunta e das necessidades do cliente. Haverá alguma variação em torno da média de tempo de cada ligação. Quando o processo de pergunta e resposta às questões do cliente é estável, o sistema de computador que intercepta e aloca as ligações para as telefonistas pode mostrar a duração de cada ligação aleatoriamente. Conforme essas informações aumentam, o histograma mostrando a duração das ligações pode se desenvolver como é mostrado na Figura 12.9. As primeiras ligações podem estar em qualquer lugar dentro da variação natural do processo, mas provavelmente estarão próximas da duração média das ligações (Figura 12.9(a)). À medida que mais ligações são medidas, elas podem claramente mostrar uma tendência a estar perto da média do processo (veja Figura 12.9(b) e (c)). A certa altura, as informações mostrarão um histograma uniforme que pode ser desenhado dentro de uma distribuição mais suave que indicará a variação do processo subjacente (a distribuição mostrada na Figura 12.9(f)).

Frequentemente, esse tipo de variação pode ser descrito pela *distribuição normal*. (Mesmo que a informação primária não esteja conforme uma distribuição normal, ela pode ser manipulada para se aproximar de uma usando amostras – veja mais tarde.) É uma característica das distribuições normais que 99,7% das medidas estarão dentro de um intervalo ±3 desvios padrão (o desvio padrão é uma medida de quanto uma distribuição é espalhada ou *dispersa*).

O teorema do limite central

Nem todos os processos variam em seus desempenhos de acordo com uma distribuição normal. Entretanto, se uma amostra é tomada de qualquer tipo de distribuição, a distribuição da média da amostra

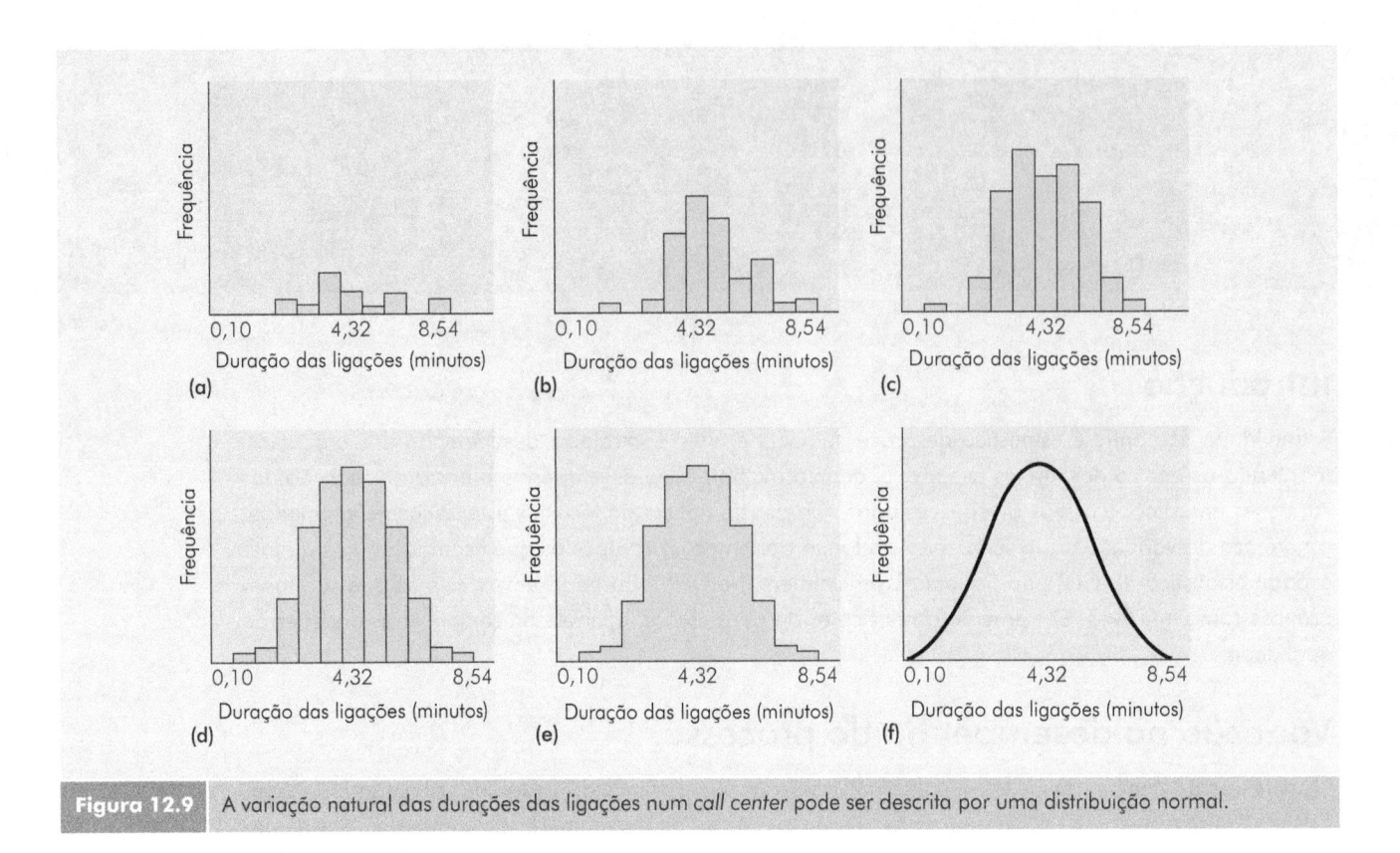

Figura 12.9 A variação natural das durações das ligações num *call center* pode ser descrita por uma distribuição normal.

(amostra média) se *aproximará* de uma distribuição normal. Por exemplo, há uma mesma probabilidade de sair qualquer número entre um e seis em um dado de seis lados, sem desbalanceamento no peso. A distribuição é retangular com uma média de 3,5, como mostrado na Figura 12.10(a). Mas se um dado é lançado (digamos) seis vezes repetidamente e a média das seis jogadas for calculada, a média

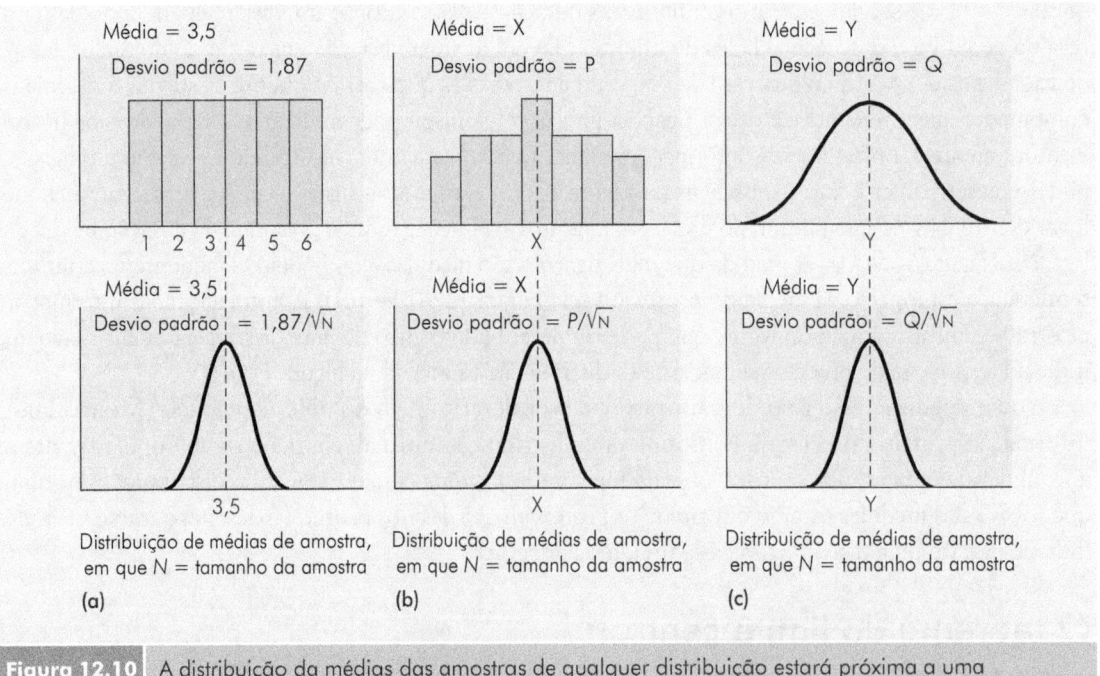

Figura 12.10 A distribuição da médias das amostras de qualquer distribuição estará próxima a uma distribuição normal.

da amostra será também 3,5, mas o desvio padrão da distribuição será o desvio padrão da distribuição retangular original dividido pelo quadrado do tamanho da amostra. Porém, de forma significativa, a forma da distribuição estará perto da distribuição normal e então pode ser tratada como uma distribuição normal. Isto se torna importante quando os limites de controle são calculados – veja mais tarde.

O processo está "sob controle"?

Nem toda variação no desempenho do processo é resultado de causas comuns. Pode haver algo errado com o processo que é relativo a uma causa anormal e previsível. O maquinário pode estar gasto ou ter sido mal preparado. Uma pessoa mal treinada pode não estar seguindo o procedimento prescrito para o processo. As causas de tais variações são chamadas de *causas anormais* ou *especiais*. A questão para o gerenciamento de operações é se os resultados de qualquer amostra específica, quando desenhados num gráfico de controle, representam simplesmente a variação devido a causas *comuns* ou devido a alguma causa *especial* específica e possível de ser corrigida. A Figura 12.11(a), por exemplo, mostra um gráfico de controle para a duração média de ligações de amostras para um *call center*. Como em qualquer processo os resultados variam, mas os últimos três pontos parecem estar mais baixos que o normal. A questão é se isso é variação natural ou o sintoma de alguma causa mais séria. A variação é o resultado de causas comuns ou indica causas especiais (algo anormal) ocorrendo no processo?

Para ajudar a tomar essa decisão, limites de controle podem ser adicionados aos gráficos de controle que indicam a extensão esperada de variação da "causa comum". Se quaisquer pontos estiverem fora desses limites de controle então o processo pode ser considerado *fora de controle*, no sentido que a variação provavelmente será devida a causas especiais. Estas podem ser determinadas de uma maneira estatisticamente reveladora, baseada na probabilidade de que a média de uma amostra específica diferirá mais que certa quantidade da média da população da qual é tomada. A Figura 12.11(b) mostra o mesmo gráfico de controle que a Figura 12.11(a) com a adição dos limites de controle colocados em ±3 desvios padrão (da população de amostra média) a partir da média das médias das amostras. Isso mostra que a probabilidade do ponto extremo no gráfico ser influenciada por uma causa especial é, sem dúvida, muito alta. Quando o processo está exibindo um comportamento que está fora da sua faixa normal de "causas comuns", está "fora de controle".

Entretanto, não podemos estar absolutamente certos de que o processo está fora de controle. Há uma pequena, mas finita, chance de que o ponto seja um resultado raro, mas natural no final de sua distribuição. Parar o processo nestas circunstâncias representaria um erro do tipo I porque o processo, na verdade, está sob controle. Alternativamente, ignorar um resultado que na realidade é devido a uma causa especial seria um erro tipo II (veja Tabela 12.5). Os limites de controle que são definidos em três desvios padrão de cada lado da média da população são chamados de limite superior de controle (LSC) e limite inferior de controle (LIC). Existe somente 0,3% de chance de qualquer média da amostra cair fora desses limites por causas comuns (ou seja, uma chance de um erro tipo I de 0,3%).

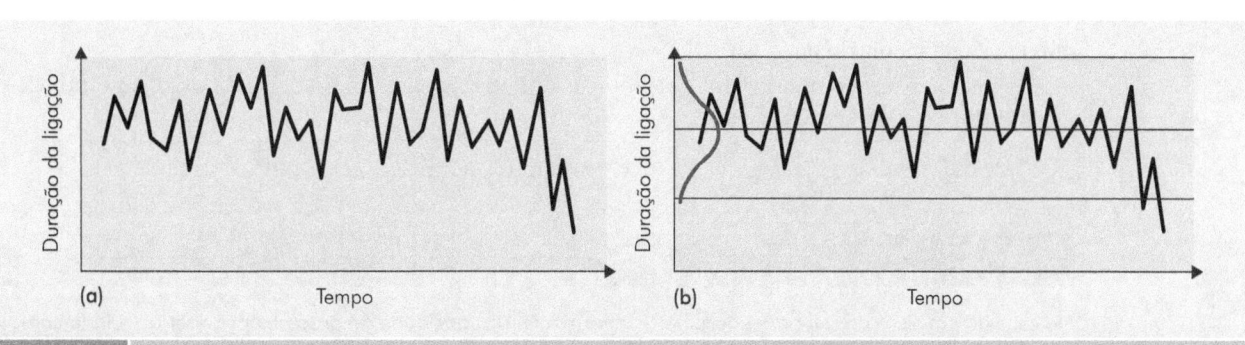

Figura 12.11 Gráficos de controle para a média de duração da ligação em um *call center*: (a) sem limites de controle; (b) com limites de controle derivados da variação natural do processo.

Tabela 12.5	Erros tipo I e tipo II no CEP	
	Estado real do processo	
Decisão	Sob controle	Fora de controle
Parar o processo	**Erro Tipo I**	Decisão correta
Deixar seguir	Decisão correta	**Erro Tipo II**

Capacidade do processo

Usar cartas de controle para avaliar se o processo está sob controle é um importante benefício interno do CEP. Uma pergunta igualmente importante para o gerente de operações seria: "A variação no desempenho do processo é aceitável para os clientes externos?". A resposta dependerá do limite aceitável de desempenho que será tolerado pelos clientes. Esse limite é chamado de *limite de especificação*. Retornando ao exemplo do *call center*, se o tempo de ligação é muito pequeno, então a organização poderá ofender seus clientes fringir as regulamentações do rótulo; se é muito grande, a organização está "desperdiçando" muito do seu tempo.

Capacidade de processo é uma medida da aceitabilidade da variação do processo. A medida de capacidade mais simples (C_p) é dada pela proporção do limite de especificação para a variação "natural" do processo (isto é, ±3 desvios padrão):

$$C_p = \frac{LST - LIT}{6s}$$

em que LST = Limite superior de tolerância
LIT = Limite inferior de tolerância
s = o desvio padrão da variabilidade do processo

De forma geral, se o C_p de um processo é maior que 1, isso indica que o processo é "capaz", e um C_p de menos de 1 indica que o processo não é "capaz", assumindo que a distribuição é normal (veja Figura 12.12(a), (b) e (c)).

A simples medida C_p assume que a média da variação do processo está no meio do limite da especificação. Frequentemente a média do processo é deslocada em relação à faixa da especificação (veja a Figura 12.12(d)). Nestes casos, índices de capabilidade unilaterais são necessários para entender a capabilidade do processo.

$$\text{Indice unilateral superior } C_{pu} = \frac{LST - X}{3s}$$

$$\text{Indice unilateral inferior } C_{pl} = \frac{X - LIT}{3s}$$

em que X = a média do processo.

Algumas vezes, só o inferior dos dois índices unilaterais para um processo é usado para indicar sua capabilidade (C_{pk}):

$$C_{pk} = \min(C_{pu}, C_{pl})$$

Exemplo

No caso do processo de *call center* descrito anteriormente, a capacidade do processo pode ser calculado como:

Suponha a faixa específica = 16 minutos − 1 minuto = 15 minutos
e a variação natural do processo = 6 × desvio padrão

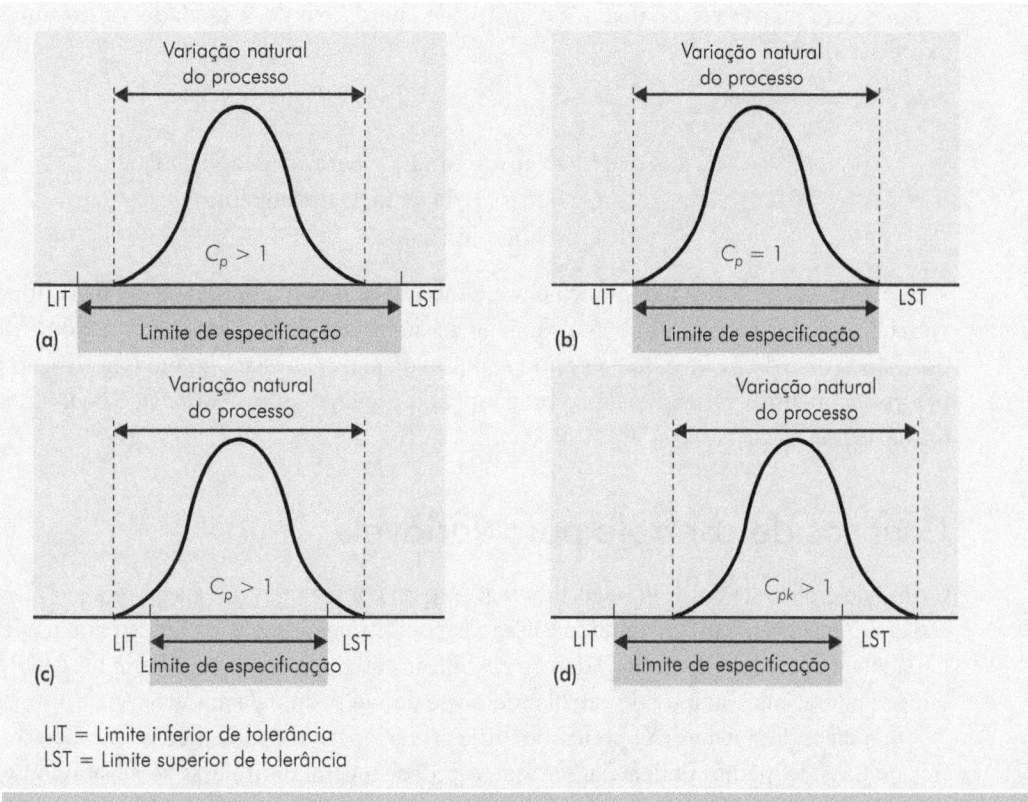

Figura 12.12 Capacidade do processo compara a variação natural do processo com o limite de especificação que é requerido.

$$= 6 \times 2 = 12 \text{ minutos}$$
$$Cp = \text{capacidade do processo}$$
$$= \frac{UTL - LTL}{6s}$$
$$= \frac{16 - 1}{6 \times 2} = \frac{15}{12}$$
$$= 1,25$$

Se a variação natural mudou para uma média de processo com 7 minutos, mas o desvio padrão do processo permaneceu em 2 minutos:

$$C_{pu} = \frac{16 - 7}{3 \times 2} = \frac{9}{6} = 1,5$$
$$C_{pt} = \frac{7 - 1}{3 \times 2} = \frac{6}{6} = 1,0$$
$$C_{pt} = \min(1,5, 1,0)$$
$$= 1,00$$

A função perda de Taguchi

Genichi Taguchi criticou o conceito do limite aceitável de variação.[1] Ele sugeriu que as consequências de estar "fora da meta" (isto é, afastando-se do desempenho médio de processo requerido) eram inadequadamente descritas por simples limites de controle. Em vez disso, ele propôs uma função de perda de qualidade (QLF – *Quality Loss Function*) – uma função matemática que inclui todos os custos da baixa qualidade. Estes incluem desperdício, reparo, inspeção, serviço, garantia e o que geralmente ele chamava de custos de "perda para a sociedade". Esta função de perda é expressa como segue:

$$L = D^2 C$$

em que L = custos totais de perda para a sociedade
D = desvio da meta de desempenho
C = uma constante

A Figura 12.13 ilustra a diferença entre as abordagens convencional e de Taguchi para interpretar variabilidade do processo. A abordagem mais graduada da QLF mostra as perdas aumentando de forma quadrática à medida que o desempenho se afasta da meta. Por isso, há uma motivação para se reduzir progressivamente a variabilidade do processo. Isso, algumas vezes, é chamado de filosofia da qualidade *orientada pela meta*.[2]

Gráficos de controle para variáveis

O tipo de gráfico de controle mais empregado para controlar variáveis é o gráfico $\bar{X}$–R. Na verdade, são dois gráficos em um. Um gráfico é usado para controlar a média de amostra ou média ($\bar{X}$). O outro é usado para controlar a variação dentro de uma amostra pela medição da amplitude (R). A amplitude é usada por ser mais simples de calcular do que o desvio padrão da amostra.

Os gráficos das médias ($\bar{X}$) podem identificar mudanças na saída média do processo. As mudanças nos gráficos de médias podem sugerir que o processo geralmente está se afastando de sua média de processo esperada, embora a variabilidade inerente no processo possa não ter mudado. O gráfico da amplitude (R) desenha a amplitude de cada amostra, que é a diferença entre a maior e a menor medida nas amostras. Monitorar a amplitude da amostra fornece uma indicação da própria variabilidade do processo, mesmo quando a média do processo se mantém constante.

A visão *tradicional* de controle do processo considera todo o desempenho dentro dos limites de controle como sendo igualmente aceitável

A visão de *Taguchi* de controle do processo usa uma "função de perda da qualidade" que visa uma faixa estreita de aceitação da variabilidade

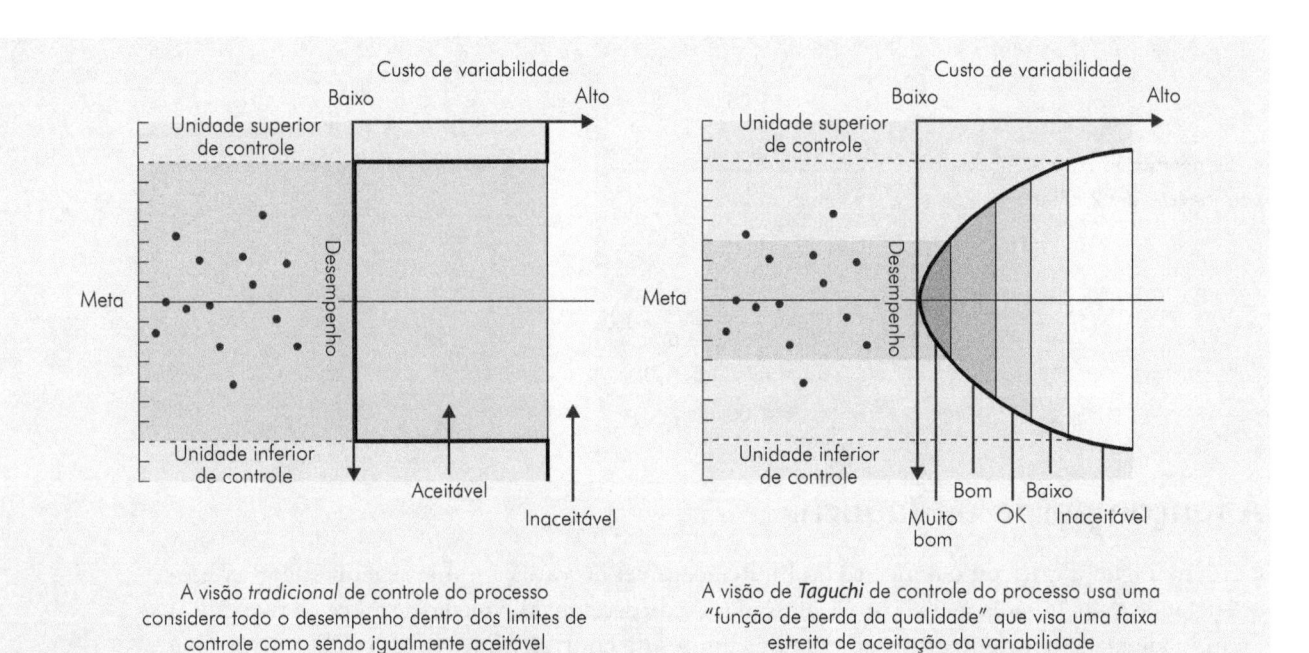

Figura 12.13 A visão convencional e a visão de Taguchi dos custos da variabilidade.

Limites de controle para gráficos de controle de variáveis

Como nos gráficos de controle de atributos, uma descrição estatística de como o processo opera sob condições normais (quando não há nenhuma causa especial) pode ser usada para calcular os limites de controle. A primeira tarefa ao calcular os limites de controle é estimar a média mais importante ou a média da população ($\bar{\bar{X}}$) e a amplitude média ($\bar{R}$) usando m amostras, cada amostra de tamanho n. A média da população é estimada a partir da média de um grande número (m) de médias de amostra:

$$\bar{\bar{X}} = \frac{\bar{X}_1 + \bar{X}_2 + \cdots \bar{X}m}{m}$$

A amplitude média é estimada a partir das faixas do grande número de amostras:

$$\bar{R} = \frac{R_1 + R_2 + \cdots Rm}{m}$$

Os limites de controle para o gráfico das médias da amostra são:

Limite superior de controle (LSC) = $\bar{\bar{X}} + A_2 \bar{R}$
Limite inferior de controle (LIC) = $\bar{\bar{X}} - A_2 \bar{R}$

Os limites de controle para os gráficos de limite são:

Limite superior de controle (LSC) = $D_4 \bar{R}$
Limite inferior de controle (LIC) = $D_3 \bar{R}$

Os fatores A_2, D_3, D_4 variam com o tamanho da amostra e são mostrados na Tabela 12.6.

O LIC para o gráfico de médias pode ser negativo (por exemplo, temperatura ou lucro pode ser menor do que zero), mas pode não ser negativo para um gráfico de amplitudes (ou a menor medição na amostra seria superior à maior). Se o cálculo indica um LIC negativo para um gráfico de amplitude, então o LIC deve ser zero.

Tabela 12.6 Fatores para o cálculo de limites de controle

Amostra tamanho n	A_2	D_3	D_4
2	1,880	0	3,267
3	1,023	0	2,575
4	0,729	0	2,282
5	0,577	0	2,115
6	0,483	0	2,004
7	0,419	0,076	1,924
8	0,373	0,136	1,864
9	0,337	0,184	1,816
10	0,308	0,223	1,777
12	0,266	0,284	1,716
14	0,235	0,329	1,671
16	0,212	0,364	1,636
18	0,194	0,392	1,608
20	0,180	0,414	1,586
22	0,167	0,434	1,566
24	0,157	0,452	1,548

> **Exemplo**

A GAM (Groupe À Maquillage) é uma empresa terceirizada de cosméticos que fabrica e embala cosméticos e perfumes para outras empresas. Uma de suas fábricas opera a linha de enchimento automático de potes plásticos com creme para a pele e fecha os potes com tampas roscadas. A firmeza com que tampa é roscada no pote plástico é um aspecto importante da qualidade. Se a tampa for fechada com muita firmeza, correrá o risco de quebrar-se; se for fechada sem a devida firmeza, poderá vazar o conteúdo. Os dois casos causam vazamentos. A fábrica havia recebido algumas reclamações de vazamento do produto, possivelmente por causa de tampas frouxas. A firmeza pode ser medida pela quantidade de força de giro (torque) necessária para abrir as tampas. A empresa decidiu pegar algumas amostras de potes saindo do processo da linha de enchimento, testá-los em seu torque de abertura e desenhar os resultados num gráfico de controle. Pegou-se diversas amostras de quatro potes durante um período em que se considerou que o processo estava sob controle.

Os dados a seguir são calculados a partir deste exercício.

$$\text{Grande média de todas as amostras } \bar{\bar{X}} = 812 \text{ g/cm}^3$$
$$\text{Amplitude média da amostra } \bar{R} = 6 \text{ g/cm}^3$$

Limites de controle para o gráfico de médias ($\bar{X}$) foram calculados como segue:

$$\text{LSC} = \bar{\bar{X}} + A_2\bar{R}$$
$$= 812 + (A_2 \times 6)$$

Da Tabela 12.6, sabemos que, para um tamanho de amostra igual a quatro, $A_2 = 0{,}729$. Assim:

$$\text{Limite superior de controle (LSC)} = 812 + (0{,}729 \times 6)$$
$$= 816{,}37$$
$$\text{Limite inferior de controle (LIC)} = \bar{\bar{X}} - (A_2\bar{R})$$
$$= 812 - (0{,}729 \times 6)$$
$$= 807{,}63$$

Limites de controle para o gráfico de limite (R) foram calculados como segue:

$$\text{Limite superior de controle (LSC)} = D_4 \times \bar{R}$$
$$= 2{,}282 \times 6$$
$$= 13{,}69$$
$$\text{Limite inferior de controle (LIC)} = D_3 \times \bar{R}$$
$$= 0 \times 6$$
$$= 0$$

Depois de calcular essas médias e amplitudes para o gráfico de controle, a empresa coletou, regularmente, amostras de quatro potes durante a produção, registrou as medições e desenhou-as como mostrado na Figura 12.14. Esse gráfico de controle revela que dificilmente a média do processo poderia ser mantida sob controle. Intervenções ocasionais do operador são necessárias. Também o limite de processo está se movendo em direção (e uma vez excede) ao limite de controle superior. O processo também parece estar se tornando mais variável. (Depois da investigação foi descoberto que, por falta de manutenção da linha, o creme de pele estaria, ocasionalmente, contaminando a parte da linha que encaixava a tampa, resultando num fechamento errático das tampas.)

Gráficos de controle para atributos

Os atributos só têm dois estados – certo ou errado, por exemplo –; assim, a estatística calculada é na proporção de erros (p) numa amostra. (Esta estatística segue uma distribuição binomial.) Gráficos de controle usando p são chamados de Gráficos p. Quando se calcula os limites de controle, a população média (p) (a proporção de defeitos real, normal ou esperada) pode não ser conhecida. Quem sabe, por exemplo, o número atual de cidadãos que estão descontentes com seu tempo de viagem? Nesse

GAM Contagens da Qualidade

Nº ITEM 73/70328A				GRÁFICO
PROCESSO Torque Cap #3	PRODUTO Ski lan 707		TOLERÂNCIA 807 - 817	
MÁQUINA M732	OPERADOR CH		UNIDADES g/cm³	

DATA		2/6																							
HORA		6:00	6:30	7:00	7:30	8:00	8:30	9:00	9:30	10:00	10:30	11:00	11:30	12:00	12:30	13:00	13:30	14:00	14:30	15:00	15:30				
Medições de amostra	1	811	813	811	817	812	813	813	817	808	805	813	812	811	808	812	808	808	804	804	813				
	2	812	814	813	814	813	814	815	813	813	808	812	805	813	806	813	809	818	813	812	819				
	3	813	815	815	812	812	814	813	814	811	806	816	806	811	803	808	813	819	812	812	813				
	4	812	814	813	813	811	815	811	815	813	807	809	808	809	805	804	814	821	808	820	807				
	5																								
Soma		3248	3256	3252	3248	3248	3256	3252	3259	3245	3225	3250	3231	3244	3222	3237	3244	3266	3237	3248	3252				
Média, X		812	814	813	814	812	814	813	815	811	807	813	808	811	806	809	811	817	809	812	813				
Amplitude, R		2	2	4	5	2	2	4	4	5	3	7	7	4	5	9	6	13	9	16	12				

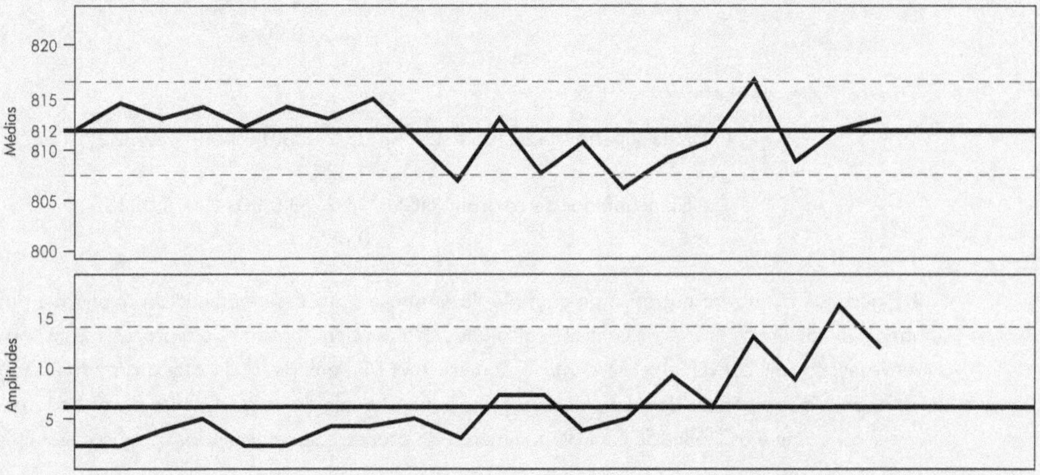

Figura 12.14 O formulário de controle completo da máquina de torque da GAM mostrando os gráficos da média ($\bar{X}$) e da amplitude ($\bar{R}$).

caso, a população média pode ser estimada pela média da proporção de defeitos (p), de m amostras cada uma com n itens, em que m deveria ser ao menos 30 e n deveria ser ao menos 100:

$$\bar{p} = \frac{p^1 + p^2 + p^3 \cdots p^n}{m}$$

O desvio padrão pode então ser estimado a partir de:

$$\sqrt{\frac{\bar{p}(1-\bar{p})}{n}}$$

Os limites de controle superior e inferior podem então ser determinados como:

$$\text{LCS} = \bar{p} + 3 \text{ desvios padrão}$$
$$\text{LIC} = \bar{p} - 3 \text{ desvios padrão}$$

É claro, o LIC não pode ser negativo, então quando der negativo, deve ser arredondado para 0.

Exemplo

Uma empresa de cartões de crédito negocia centenas de milhares de transações toda semana. Uma das medidas da qualidade de serviço que ela fornece aos seus clientes é a confiabilidade com que ela envia pelo correio as contas mensais para os clientes. O padrão de qualidade que ela própria determina é que as contas deveriam ser enviadas até dois dias após a data nominal do correio, que é informada ao cliente. Toda semana a empresa faz amostragens de 1.000 contas de clientes e registra o percentual não enviado dentro do tempo padrão. Quando o processo está funcionando normalmente, somente 2% das contas são enviadas fora do período especificado, isto é, 2% são "defeituosos".

Os limites de controle do processo podem ser calculados como segue:

$$\text{Proporção média defeituosa}, \bar{p} = 0{,}02$$
$$\text{tamanho da amostra } n = 1000$$
$$\text{desvio padrão } s = \sqrt{\frac{\bar{p}(1-\bar{p})}{n}}$$
$$= \sqrt{\frac{0{,}02(0{,}98)}{1000}}$$
$$= 0{,}0044$$

Com os limites de controle em $\bar{p} \pm 3s$:

$$\text{Limite superior de controle (LSC)} = 0{,}02 + 3(0{,}0044) = 0{,}0332$$
$$= 3{,}32\%$$
$$\text{Limite inferior de controle (LIC)} = 0{,}02 - 3(0{,}0044) = 0{,}0068$$
$$= 0{,}68\%$$

A Figura 12.15 mostra o gráfico de controle da empresa para essa medição da qualidade durante as últimas semanas, junto com os limites de controle calculados. Ela também mostra que o processo está sob controle.

Às vezes, é mais conveniente desenhar o número real de defeitos (c) do que a proporção (ou percentual) de defeituosos, o que é conhecido como Gráfico c. Ele é muito parecida com o Gráfico p, mas o tamanho da amostra deve ser constante e os limites de controle e a média do processo são calculados usando a seguinte fórmula:

$$\text{Média do processo } \bar{c} = \frac{c_1 + c_2 + c_3 \cdots c_m}{m}$$
$$\text{Limites de controle} = \bar{c} \pm 3\sqrt{c}$$

em que c = número de defeitos
m = número de amostras

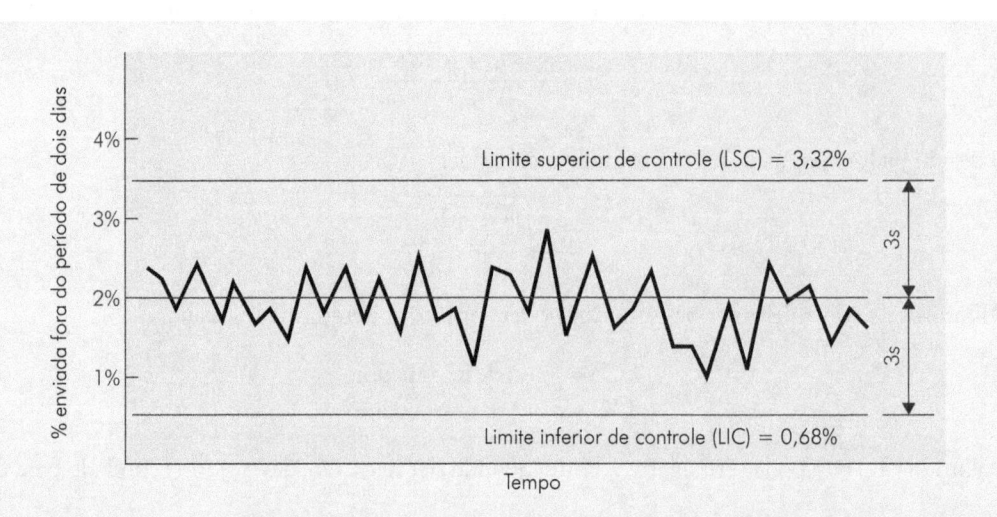

Figura 12.15 Gráfico de controle para o percentual de contas de clientes que são enviados fora do seu período de dois dias.

Notas do suplemento do capítulo

1. Para mais detalhes sobre as ideias de Taguchi, veja Stuart, G. (1993) *Taguchi Methods: A hands-on approach*, Addison Wesley.
2. Taguchi, G. and Clausing, D. (1990) "Robust quality", *Harvard Business Review*, Vol. 68, No.1, pp.65-75. Para mais detalhes sobre a abordagem Taguchi, veja Stuart, *op.cit.*

Capítulo 13
MELHORIAS

Introdução

Todas as operações, mesmo as que são bem gerenciadas, são passíveis de melhorias. Na verdade, nos últimos anos, a ênfase tem mudado de forma marcante para tornar as melhorias uma das principais responsabilidades dos gerentes de operações. E, embora este livro tenha como foco a melhoria do desempenho de processos individuais, operações e redes de suprimentos inteiras, existem algumas questões que se relacionam com a atividade de melhoria. Em qualquer operação, o que quer que seja melhorado e como quer que seja feito, a direção geral e a abordagem de melhoria precisam ser tratadas. (Veja Figura 13.1.)

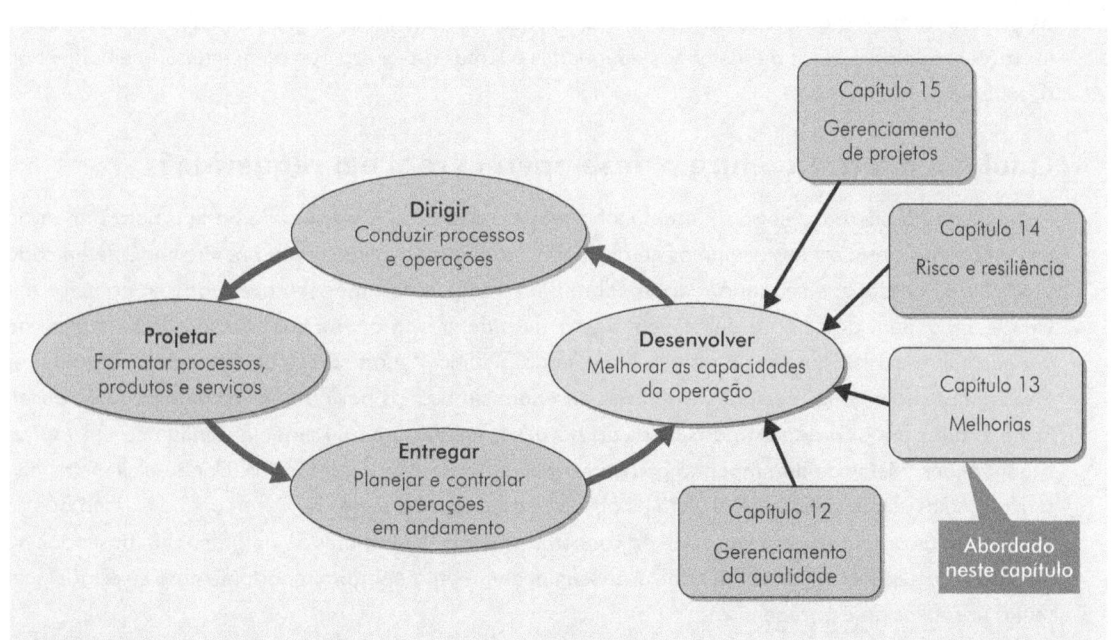

Figura 13.1 Melhoria é a atividade de diminuição da diferença entre o desempenho real e o desejado de uma operação ou processo.

Sumário executivo

VÍDEO
informações adicionais

- O que é melhoria?
- Qual é a diferença entre o desempenho real e o requerido?
- Qual é o caminho mais adequado para fazer melhorias?
- Quais técnicas deveriam ser utilizadas para facilitar as melhorias?
- Como as melhorias podem ser feitas para se tornarem contínuas?

Cadeia lógica de decisões para melhorias

Cada capítulo é estruturado em torno de um grupo de questões diagnósticas. Essas questões sugerem o que você poderia perguntar para entender as questões importantes de um tópico e, como resultado, melhorar sua tomada de decisão. Um sumário executivo, tratando dessas questões, é fornecido a seguir.

O que é melhoria?

Melhoria é a atividade de diminuição da diferença entre o desempenho real e o desejado de uma operação ou processo. Cada vez mais é vista como o objetivo fundamental da atividade de gerenciamento de todas operações e processos. Além disso, quase todas as iniciativas populares de operações, nos anos recentes, como o gerenciamento da qualidade total, operações enxutas, reengenharia de processos de negócio e Seis Sigma, têm se concentrado na melhoria de desempenho. Isso envolve avaliar as diferenças entre o desempenho corrente e o requerido, equilibrar o uso de melhorias contínuas e inovações, adotar técnicas de melhorias adequadas e tentar assegurar que o ímpeto por melhorias não desapareça com o tempo.

Qual é a diferença entre o desempenho real e o requerido?

A avaliação da diferença entre o desempenho real e o desejado é o ponto de partida para a maioria das melhorias e requer dois conjuntos de atividades: primeiro, avaliar o desempenho corrente de cada processo e operação; e segundo, decidir sobre uma meta de desempenho adequada. A primeira atividade dependerá de como o desempenho é medido dentro da operação. Essa atividade implica na decisão sobre quais aspectos do desempenho serão medidos, quais são os aspectos mais importantes de desempenho e quais medidas detalhadas deveriam ser usadas para avaliar cada fator. O *Balanced Scorecard* é uma abordagem para medição do desempenho que atualmente é influente em muitas organizações. Metas de desempenho podem ser definidas de diferentes formas. Dentre elas metas históricas, metas estratégicas que refletem os objetivos estratégicos, metas de desempenho externo que se relacionam às operações externas e/ou do concorrente e metas absolutas de desempenho, baseadas no limite teórico superior de desempenho. O *benchmarking* é uma entrada importante para se estabelecer metas absolutas de desempenho.

Qual é o caminho mais adequado para fazer melhorias?

Dois caminhos representam diferentes filosofias de melhorias, embora ambos possam ser adequados em diferentes momentos: as inovações e as melhorias contínuas. As inovações têm como foco as mudanças drásticas e mais planejadas para resultar em aumentos drásticos de desempenho. Um exemplo típico é a abordagem da reengenharia de processos de negócio. Já as melhorias contínuas se concentram nas melhorias pequenas, mas nunca finitas, que se tornam parte da vida normal da operação. Seu objetivo é fazer da melhoria parte da cultura da organização. Frequentemente, usam ciclos de múltiplas etapas para resolver problemas regularmente. A abordagem Seis Sigma reúne muitas ideias existentes e pode ser vista como uma combinação da melhoria contínua e da inovação.

Quais técnicas deveriam ser utilizadas para facilitar as melhorias?

Quase todas as técnicas de gerenciamento das operações contribuem direta ou indiretamente para as melhorias de desempenho. Entretanto, algumas técnicas mais gerais tornaram-se popularmente associadas com as melhorias. Elas incluem diagramas de dispersão (correlação), diagramas de causa-efeito, análise de Pareto e análise dos porquês.

Como as melhorias podem ser feitas para se tornarem contínuas?

Um de seus principais problemas é a preservação do ímpeto em melhorar com o passar do tempo. Um fator que inibe as melhorias de se tornarem parte da atividade de operações é o modismo de cada nova abordagem. A maioria das novas ideias de melhoria contém alguns elementos importantes, mas nenhuma fornecerá a resposta fundamental. Deve existir algum gerenciamento global do processo de melhorias que possa absorver o melhor de cada nova ideia. E, embora as autoridades no assunto discordem em certo grau, a maioria enfatiza a importância de uma estratégia de melhoria, do suporte da alta gerência e do treinamento.

QUESTÕES DIAGNÓSTICAS

O que é melhoria?

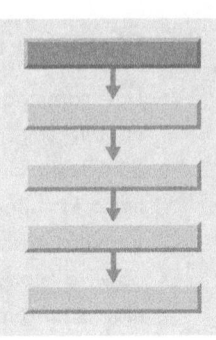

A melhoria vem da diminuição da diferença entre o que você é e o que você quer ser. No contexto específico de operações, ela vem da diminuição da diferença entre o desempenho atual e o desejado. A melhoria de desempenho é o objetivo fundamental do gerenciamento de operações e de processos e também se tornou o assunto de muitas ideias que têm sido propostas como métodos particularmente eficazes de assegurar as melhorias. Muitas dessas ideias estão descritas neste livro, por exemplo, Gerenciamento da Qualidade Total (TQM – *Total Quality Management*), operações "enxutas", Reengenharia de Processos (BPR – *Business Process Re-engineering*), Seis Sigma e assim por diante. Todas as ideias contribuem com algo. O importante é que todos os gerentes entendam os elementos subjacentes da melhoria. Os dois exemplos a seguir ilustram muitos desses elementos.

Princípio de operações
A melhoria de desempenho é o objetivo final do gerenciamento de processos e operações.

Exemplo: Seis Sigma na Xchanging[1]

"Considero o Seis Sigma poderoso devido à sua definição: é o processo de comparação dos resultados em relação às exigências do cliente. Os processos que operam com menos de 3,4 defeitos por milhão de oportunidades significam que você deve se esforçar para se aproximar da perfeição e é o cliente que define a meta. Medir os defeitos por oportunidade significa que você pode realmente comparar um processo de, digamos, recursos humanos com um processo de faturamento e cobrança." Paul Ruggier, Chefe de Processo na Xchanching, é um poderoso defensor do Seis Sigma e credita o sucesso da empresa, ao menos parcialmente, à abordagem.

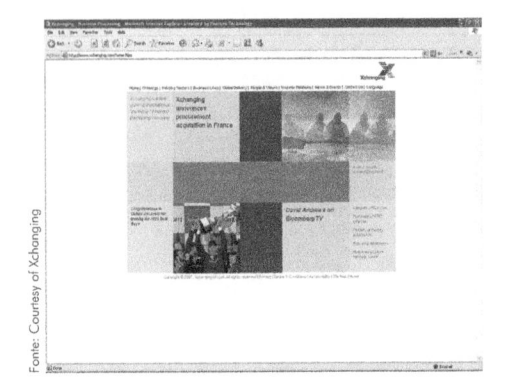

A Xchanging, criada em 1998, é uma entre as empresas de uma nova geração que opera como um negócio de terceirização de funções de "retaguarda" para uma série de empresas, tal como a seguradora Lloyds, de Londres. A proposta de negócio da Xchanging é que a empresa cliente transfira a operação de toda ou parte de sua retaguarda para a Xchanging, seja por um preço fixo ou por um preço determinado pelas economias de custo alcançadas. O desafio com o qual a Xchanging se depara é operar a retaguarda de uma maneira mais eficiente do que a empresa cliente conseguiu no passado. Assim, quanto mais eficiente a Xchanging for ao operar os processos, maior será o seu lucro. Para alcançar essa eficiência, a Xchanging oferece uma escala maior, uma especialização de processos mais elevada, foco e investimento em tecnologia. Mas, acima de tudo, ela oferece uma abordagem Seis Sigma. *"Tudo o que podemos fazer pode ser reduzido a um processo,"* afirma Ruggier. *"Isso é mais fácil de perceber num negócio de fabricação, já que eles vêm usando muitas ferramentas Seis Sigma há décadas. Mas o conceito de melhoria de processo é relativamente novo em muitas empresas de serviços. Contudo, o conceito é poderoso. A partir da implementação dessa abordagem, conseguimos 30% de melhoria na produtividade em seis meses."*

A empresa também adota a terminologia Seis Sigma em seus praticantes de melhoria – Mestres Faixa Preta, Faixas Preta e Faixas Verde. O *status* de Faixa Preta é muito procurado, além de ser gratificante, afirma Rebecca Whittaker, que é Mestre Faixa Preta. *"Ao final de um projeto, o objetivo é ter um processo reprojetado a tal ponto que é simplificado e consolidado e as pessoas voltam e dizem 'Está muito melhor do que era'. Isto torna a vida delas melhor e melhora os resultados da empresa, sendo que essas coisas é que fazem valer a pena ser Faixa Preta."*

Rebecca foi recrutada pela Xchanging junto com vários outros Mestres Faixa Preta como parte de uma decisão estratégica de implantação rápida do Seis Sigma na empresa. É vista como uma posição particularmente responsável e espera-se que os Mestres Faixa Preta sejam bem versados nas técnicas Seis Sigma e capazes de fornecer treinamento e conhecimento para desenvolver outras equipes dentro da empresa. No caso de Rebecca, ela trabalha como facilitadora de Seis Sigma há cinco anos, inicialmente como Faixa Verde e depois como Faixa Preta.

Tipicamente, uma pessoa identificada como portadora das qualificações analíticas e interpessoais corretas será retirada de suas funções por pelo menos um ano, treinada e imersa nos conceitos de melhoria e depois enviada para trabalhar com a equipe de linha como gerente/facilitadora de projeto. Seu papel como Faixa Preta será o de guiar a equipe de linha para realizar melhorias na maneira com que fazem seu trabalho. Uma das novas Faixas Preta na Xchanging, Sarah Frost, faz questão de sublinhar a responsabilidade que tem com as pessoas que trabalharão no processo de melhoria. *"Ser uma Faixa Preta nada mais é do que ser uma gerente de projeto. Trata-se de trabalhar com a equipe e combinar as nossas qualificações em facilitação e o nosso conhecimento dos processos Seis Sigma com o seu conhecimento a respeito da empresa. Você tem de lembrar sempre que partirá para outro projeto, mas que eles (a equipe do processo) terão de conviver com o novo processo. Trata-se de criar soluções nas quais eles irão acreditar."*

Exemplo — Qualidade nos impostos[2]

A eficácia das operações é uma questão tão importante nas operações do setor público quanto para as empresas comerciais. As pessoas têm o direito de esperar que seus impostos não sejam gastos em processos públicos inadequados ou ineficientes. Isso é especialmente verdadeiro no sistema de arrecadação de impostos, que nunca é uma organização simpática num país, e os contribuintes podem ser bastante críticos quando o processo de coleta de impostos não é bem gerenciado. Isso estava nas mentes da Alfândega e Unidade de Impostos da Região de Aarhus (Aarhus CT) quando eles desenvolveram suas iniciativas de melhorias. A Região de Aarhus possui o maior dos 29 escritórios da receita e alfândega local da Dinamarca. Atua como um agente do governo central para coletar impostos e responder dúvidas dos contribuintes. A Aarhus CT deve "manter o usuário (cliente) no foco", eles dizem. *"Os usuários devem pagar o que é devido – nem mais, nem menos e em dia. Mas os usuários têm o direito ao controle e à cobrança justa, serviço e orientação, trabalho eficiente e rápido, empregados flexíveis, comportamento educado e um serviço profissional de telefonia."* A abordagem da Aarhus CT para gerenciar suas iniciativas de melhorias foi formada em torno de alguns pontos fundamentais:

- Reconhecimento de que processos mal projetados e mal gerenciados causam perdas internas e externas.
- Determinação para adotar uma prática de avaliar regularmente a satisfação de seus usuários. Os empregados também eram avaliados, para entender suas visões sobre qualidade e verificar se seu ambiente de trabalho ajudaria a introduzir os princípios do serviço de alto desempenho.
- Mesmo sendo uma organização não lucrativa, a medição do desempenho incluía a aderência da organização a metas financeiras e a apresentação de um relatório de erros.
- Os processos internos foram redefinidos e reprojetados para enfatizar as necessidades dos clientes e as necessidades da equipe interna. Por exemplo, Aarhus CT era a única região de impostos na Dinamarca a desenvolver um processo de informação independente que era usado para analisar as necessidades dos clientes e "evitar mal-entendidos na percepção dos usuários sobre a legislação".
- Os processos internos eram projetados para permitir à equipe o tempo e a oportunidade para desenvolverem suas próprias habilidades, trocar ideias com colegas e assumir maior responsabilidade para o gerenciamento de seus próprios processos de trabalho.

- A organização preparou o que chamou de estrutura de "Organização da Qualidade" (OQ) que transpôs todas as divisões e os processos. A ideia do OQ era acolher o compromisso da equipe para a melhoria contínua e encorajar o desenvolvimento de ideias para melhorar o desempenho do processo. Dentro do OQ estava o Grupo da Qualidade (GQ), que era composto de quatro gerentes e quatro equipes de processo e se reportava diretamente ao gerente sênior. Também foram preparados alguns grupos de melhorias e grupos de sugestão constituídos tanto de gerentes quanto de equipes de processo. O papel dos grupos de sugestão era de coletar e processar ideias de melhorias, que os grupos de melhoria então analisariam e, se adequadas, implementariam.
- A Aarthus CT ressaltava que seus Grupos da Qualidade se tornariam redundantes se fossem bem-sucedidos. A curto prazo, eles manteriam uma fonte de ideias de melhorias, mas, a longo prazo, deveriam integrar totalmente a ideia de melhoria da qualidade nas atividades cotidianas de toda equipe.

O que essas duas operações têm em comum?

As iniciativas de melhorias nessas duas operações e a forma como eram gerenciadas é típico de projetos de melhorias. Ambas mediram o desempenho e colocaram a coleta de informações no centro de sua iniciativa de melhorias. Ambas tinham uma visão das metas de melhorias que estava diretamente relacionada aos objetivos estratégicos. Ambas faziam esforços para coletar informações que permitiriam as decisões baseadas em evidências em vez de opiniões. A Xchanging adotou uma abordagem Seis Sigma, baseada em indícios objetivos e análise. A Aarthus CT se concentrou nas percepções, nas necessidades e nos requisitos de seus clientes. Isso incluía tanto o que os clientes não deveriam receber da operação quanto o que eles deveriam receber. As duas empresas tinham de proporcionar um ambiente que permitisse a toda a equipe contribuir para melhorias e as duas vieram a visualizar a melhoria não como "única", mas, ao contrário, como o início de um ciclo contínuo de melhorias. O mais importante é que uma e outra tinham de decidir como organizar a iniciativa de melhorias. Diferentes organizações com objetivos diferentes podem escolher a implementação de iniciativas de melhorias de uma forma diferente. Mas todas acabarão se deparando com um conjunto de questões similares a essas duas operações, mesmo se tomarem decisões diferentes.

QUESTÕES DIAGNÓSTICAS

Qual é a diferença entre o desempenho real e o requerido?

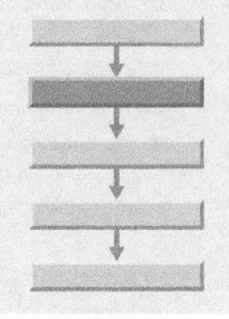

A diferença entre o desempenho atual de uma operação ou processo e o desempenho desejado é o direcionador fundamental de uma iniciativa de melhorias. Quanto maior essa diferença, mais importância é dada às melhorias. Para que a diferença seja um direcionador de melhorias, ela deve ser detalhada, em termos do que está falhando para atender as metas e qual o tamanho da falha. Responder essas questões depende da habilidade da operação em fazer três coisas: avaliar seu desempenho atual, prover um conjunto de metas de desempenho com as quais a organização possa concordar e comparar o desempenho atual com a meta de forma sistemática e visual que demonstre a todos a necessidade de melhorias.

Avaliando o desempenho atual – medição do desempenho

Algum tipo de *medição do desempenho* é um pré-requisito para julgar se uma operação é boa, ruim ou indiferente, embora essa não seja a única razão para investir na melhoria de desempenho eficaz. Sem isso, seria impossível exercer qualquer controle sobre a operação existente. Entretanto, um sistema de medição do desempenho que não forneça informações das melhorias em curso é parcialmente eficaz. A medição do desempenho, como abordada aqui, diz respeito a três questões genéricas:

> **Princípio de operações**
> A medição do desempenho é um pré-requisito para avaliação do desempenho das operações.

- Quais fatores incluir como indicadores de desempenho?
- Quais são os indicadores de desempenho mais importantes?
- Quais indicadores detalhados usar?

Quais fatores incluir como indicadores de desempenho?

Um ponto de partida óbvio para decidir quais indicadores de desempenho adotar é usar os cinco objetivos de desempenho genéricos – qualidade, velocidade, confiabilidade, flexibilidade e custo. Eles podem ser divididos em indicadores mais detalhados ou podem ser agregados em compostos, como satisfação do cliente, nível de serviço total ou agilidade de operações. Esses indicadores compostos podem ser agregados posteriormente usando-se medidas como realizar objetivos de mercado, realizar objetivos financeiros ou mesmo realizar todos os objetivos estratégicos. Quanto mais agregados os indicadores de desempenho, maior relevância estratégica têm, mais eles ajudam a desenhar o desempenho global do negócio. Entretanto, indicadores agregados incluem muitas influências externas às quais as operações normalmente se dedicam. Indicadores de desempenho mais detalhados normalmente são monitorados mais de perto e com mais frequência e, embora eles forneçam uma visão limitada do desempenho de uma operação, descrevem completamente o que deveria estar e o que está acontecendo dentro da operação. Na prática, a maioria das organizações usam metas de desempenho variadas. Essa ideia é ilustrada na Figura 13.2.

Escolhendo os indicadores de desempenho importantes

Um dos problemas de planejar um sistema útil de indicadores de desempenho é alcançar algum equilíbrio entre poucas medidas fundamentais (o que é simples e direto, mas pode não refletir todos os objetivos organizacionais) e, por outro lado, ter muitos indicadores (o que é complexo e difícil de gerenciar, mas capaz de exprimir muitas nuances do desempenho). Geralmente, um compromisso é alcançado pela certeza de que há uma ligação clara entre a estratégia global da operação, os indicadores de desempenho mais importantes (ou fundamentais) (KPIs), que refletem os objetivos estratégicos, e o pacote de indicadores que são usados para detalhar cada indicador de desempenho fundamental. Obviamente, a menos que a estratégia seja bem definida, é difícil estabelecer uma variedade limitada de indicadores de desempenho fundamentais.

> **Princípio de operações**
> Sem clareza estratégica, os indicadores de desempenho fundamentais não podem ser estabelecidos adequadamente.

Quais indicadores detalhados usar?

Os cinco objetivos de desempenho – qualidade, velocidade, confiabilidade, flexibilidade e custo – são, na verdade, compostos de muitos indicadores menores. Por exemplo, um custo operacional é proveniente de muitos fatores, os quais podem incluir a eficiência com a qual a operação transforma materiais, a produtividade de sua equipe, a proporção da equipe direta em relação à indireta e assim por diante. Todos esses indicadores, individualmente, fornecem uma visão parcial do desempenho do custo da operação e muitos deles se sobrepõem em termos da informação que eles contêm. Entre-

Figura 13.2 Indicadores de desempenho podem ter diferentes níveis de agregação.

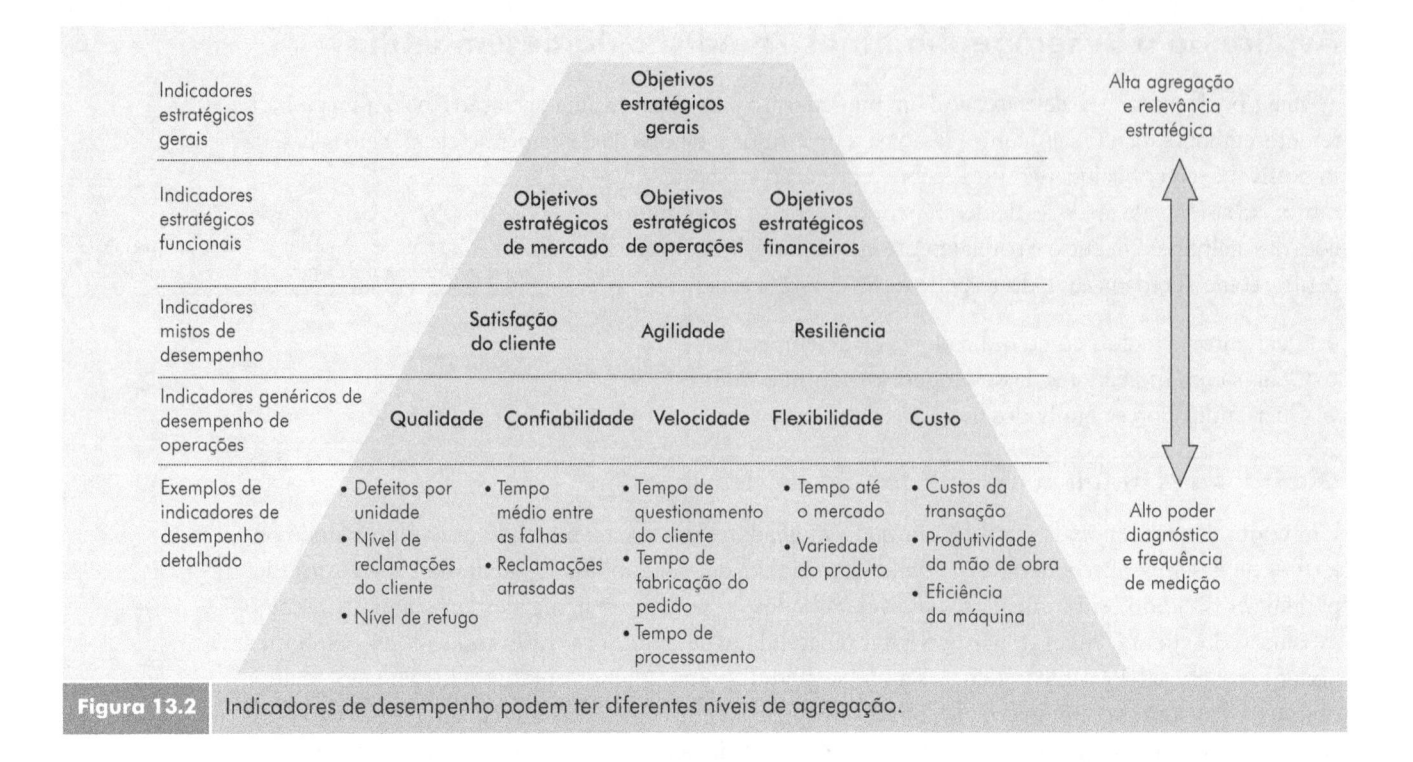

tanto, cada um deles realmente mostra o desempenho do custo de uma operação, que poderia ser útil para identificar áreas de melhorias ou para monitorar a extensão da melhoria. Se uma organização considera seu desempenho de custo como insatisfatório, ao desdobrá-lo em eficiência da compra, eficiência das operações, produtividade da equipe, etc., poderia explicar a causa-raiz do mau desempenho. A Tabela 13.1 apresenta alguns indicadores parciais que podem ser usados para julgar o desempenho de uma operação.

A abordagem do *Balanced Scorecard*

O *Balanced Scorecard* mantém os indicadores financeiros tradicionais. Mas os indicadores financeiros contam a história de acontecimentos passados, uma história adequada para empresas da era industrial, para as quais os investimentos em competências de longo prazo [e] em relacionamentos com clientes não eram críticos para o sucesso. Esses indicadores financeiros são inadequados, entretanto, para guiar e avaliar o percurso que as empresas da era industrial precisam fazer para criar valor futuro a partir de investimento em clientes, fornecedores, empregados, processos, tecnologia e inovação.[3]

De forma geral, o escopo dos indicadores de desempenho das operações têm sido ampliados. Agora, é aceito que o escopo da medição deveria, em certo nível, incluir indicadores externos e internos, tanto a longo quanto a curto prazo, tanto objetivos quanto subjetivos. A manifestação mais conhecida dessa tendência é a abordagem *Balanced Scorecard* adotada por Kaplan e Norton.[4] Além de incluir os indicadores financeiros de desempenho, da mesma forma que os sistemas de medição do desempenho tradicional, esta abordagem também fornece a importante informação que é requerida para permitir que a estratégia geral de uma organização reflita adequadamente nos indicadores de desempenho específicos. Além dos indicadores financeiros de desempenho, ela também inclui mais indicadores operacionais de satisfação do cliente, processos internos, inovações e outras atividades de melhoria. Com isso, ela mede os fatores por trás do desempenho financeiro, os quais são vistos como direcionadores fundamentais do futuro sucesso financeiro. Mais especificamente, argumenta-se que uma variedade balanceada de indicadores capacita os gerentes a tratar das seguintes questões (veja a Figura 13.3):

Tabela 13.1	Alguns indicadores parciais de desempenho típicos
Objetivo de desempenho	*Alguns indicadores típicos*
Qualidade	Número de defeitos por unidade Nível de reclamações do cliente Nível de refugo Reivindicação de garantia Tempo médio entre as falhas Satisfação do cliente
Velocidade	Tempo de resposta ao cliente Tempo de fabricação do pedido Frequência de entrega Tempo de processamento atual *versus* teórico Tempo de ciclo
Confiabilidade	Porcentagem de pedidos entregues com atraso Atraso médio de pedidos Proporção de produtos em estoque Divergência média de entregas Aderência ao programa
Flexibilidade	Tempo necessário para desenvolver novos produtos/serviços Variedade de produtos/serviços Tempo de preparação Tamanho de lote médio Tempo para aumentar a taxa de atividade Capacidade média/máxima Tempo para mudar os programas
Custo	Tempo de entrega mínimo/médio Variação do orçamento Utilização de recursos Produtividade da mão de obra Valor agregado Eficiência Custo por hora de operação

- Como encaramos nossos acionistas (perspectiva financeira)?
- Em que devemos nos sobressair (perspectiva de processo interno)?
- Qual é a visão de nossos clientes sobre nós (perspectiva do cliente)?
- Como podemos continuar a melhorar e formar competências (perspectiva do conhecimento e crescimento)?

O *Balanced Scorecard* tenta aproximar os elementos que refletem a posição estratégica de uma empresa, incluindo indicadores da qualidade de serviços ou produtos, tempos de desenvolvimento de produtos e serviços, reclamações de clientes, produtividade da mão de obra e assim por diante. Ao mesmo tempo, tenta evitar que o relatório de desempenho se torne pesado, restringindo o número de indicadores e se concentrando naqueles vistos como essenciais. As vantagens dessa abordagem são que ela apresenta uma visão completa do desempenho da organização num único relatório e, por ser abrangente nos indicadores de desempenho que usa, encoraja as empresas a tomar decisões de acordo com os interesses de toda organização, ao invés de subotimizar em torno de indicadores limitados. Desenvolver um *Balanced Scorecard* é um processo complexo, e é atualmente assunto de debate considerável. Uma das questões-chave que precisa ser considerada é como os indicadores específicos de desempenho deveriam ser projetados. Indicadores de desempenho inadequadamente projetados podem resultar em comportamento disfuncional, por isso as equipes de gerentes são frequentemente usadas para desenvolver um *Scorecard* que reflita as necessidades específicas de sua organização.

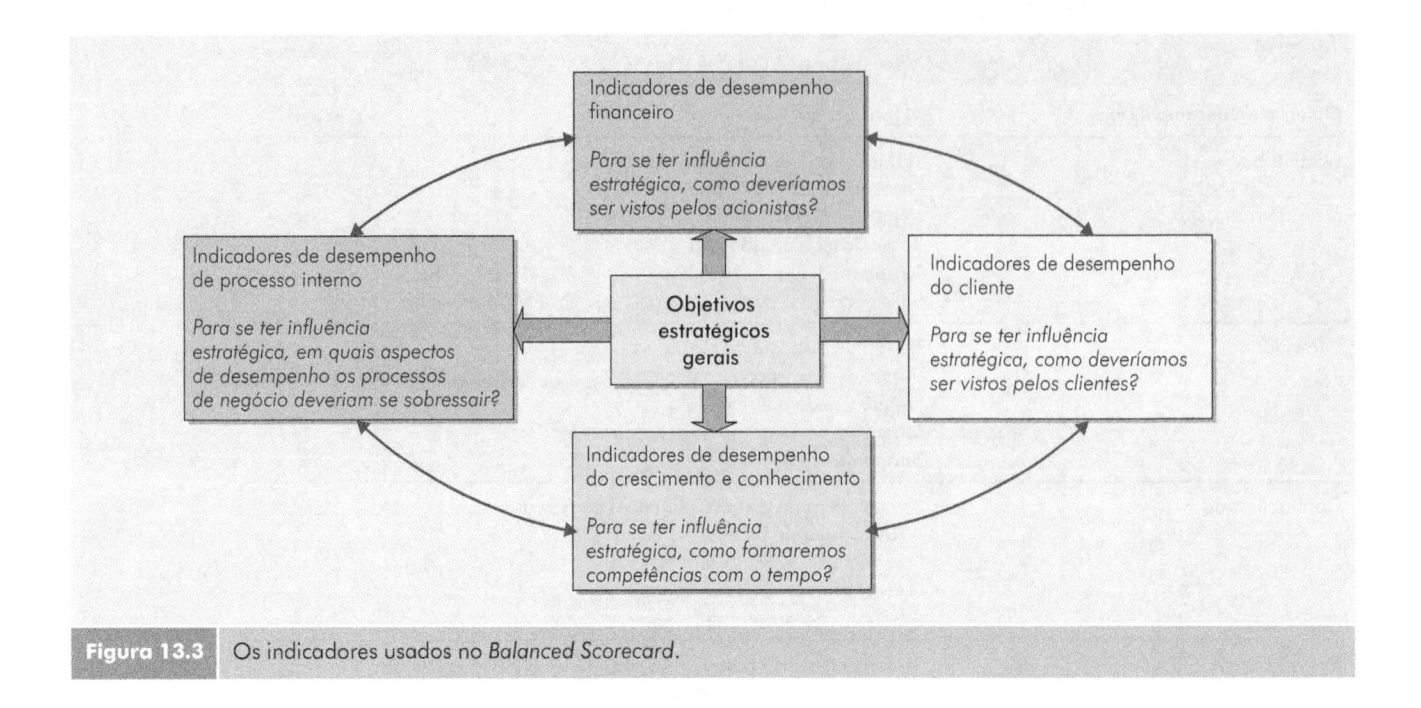

Figura 13.3 Os indicadores usados no *Balanced Scorecard*.

Definir meta de desempenho

Um indicador de desempenho pouco significa se não for comparado a algum tipo de meta. Saber que apenas um documento em 500 foi enviado com erro para os clientes nos diz relativamente pouco, a menos que saibamos se isso é melhor ou pior do que estávamos realizando antes, e se é melhor ou pior do que outras operações similares (especialmente os concorrentes). Definir metas de desempenho transforma os indicadores de desempenho em avaliações de desempenho. Diversas abordagens para definir as metas podem ser usadas, tais como:

- *Metas históricas* – comparam o desempenho atual em relação aos anteriores
- *Metas estratégicas* – refletem o nível de desempenho considerado adequado para realizar os objetivos estratégicos
- *Metas de desempenho externo* – refletem o desempenho realizado pelas operações externas, concorrentes ou similares
- *Metas de desempenho absoluto* – baseadas em limites teóricos superiores de desempenho

Um dos problemas em determinar metas é que metas diferentes podem fornecer mensagens muito diferentes, considerando as melhorias que são realizadas. Assim, por exemplo, na Figura 13.4, um dos indicadores de desempenho da operação é a "entrega" (nesse caso, definida como a proporção de pedidos entregues no prazo). O desempenho para um determinado mês foi 83%, mas qualquer avaliação, sobre o desempenho, dependerá das metas de desempenho. Usando uma meta *histórica*, quando comparado ao desempenho do ano passado de 60%, o desempenho desse mês de 83% é bom. Mas se a *estratégia* da operação requer um desempenho de entrega de 95%, o desempenho real de 83% parece decididamente ruim. A empresa também pode estar preocupada com o seu desempenho em relação ao desempenho dos *concorrentes*. Se os concorrentes estão atualmente com média de desempenhos de entrega de aproximadamente 80%, o desempenho da empresa parece particularmente bom. Finalmente, os gerentes mais ambiciosos dentro da empresa podem desejar ao menos tentar buscar a perfeição. Por que não, eles argumentam, usar o padrão de desempenho *absoluto* de 100% de entrega dentro do prazo? Em relação a esse padrão, o real da empresa de 83% novamente parece decepcionante.

> **Princípio de operações**
> Indicadores de desempenho só têm significado quando comparados às metas.

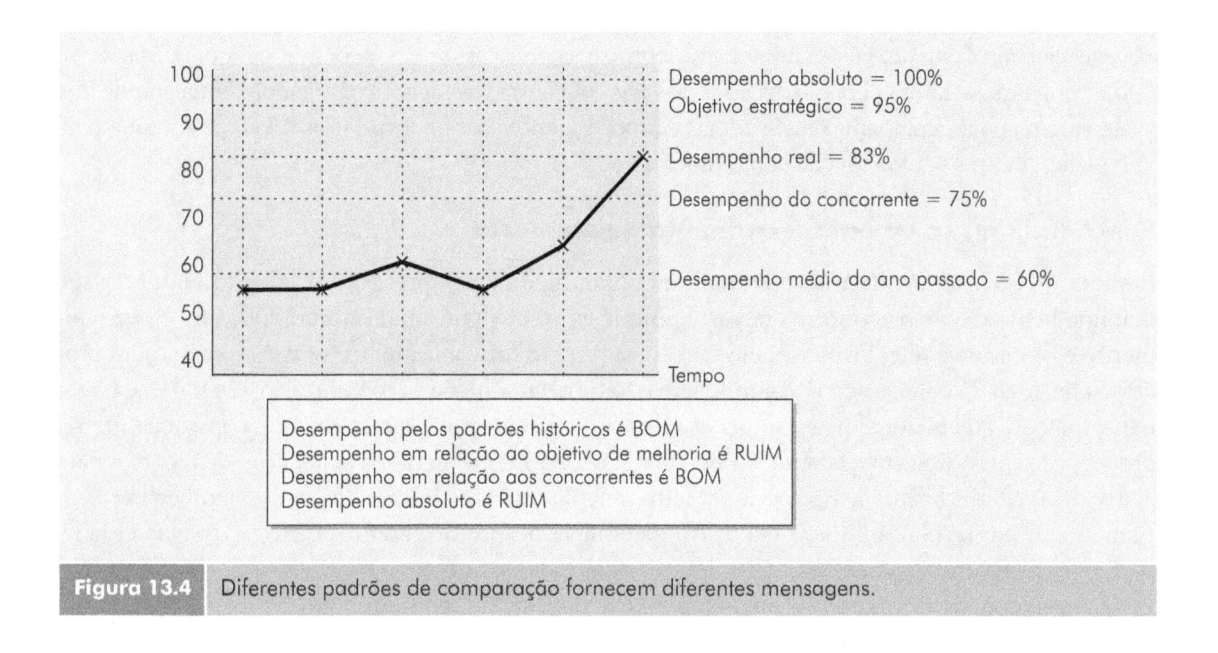

Figura 13.4 Diferentes padrões de comparação fornecem diferentes mensagens.

Benchmarking

Benchmarking é "o processo de aprendizagem com os outros" e compara os próprios métodos e o desempenho com outras operações. É uma questão mais geral do que definir metas de desempenho e inclui a investigação da prática de operações de outras organizações a fim de prover ideias que possam contribuir para a melhoria do desempenho. A lógica do *benchmarking* é baseada nas ideias de que (a) problemas de gerenciamento de processos são provavelmente compartilhados por outros processos e (b) existe provavelmente uma outra operação em algum lugar que desenvolveu uma forma melhor de fazer as coisas. Por exemplo, um banco poderá aprender algumas coisas com um supermercado sobre como lidar com as flutuações de demanda durante o dia. O *benchmarking* trata essencialmente do estímulo da criatividade na prática de melhorias.

> **Princípio de operações**
> A melhoria é auxiliada pela contextualização de processos e operações.

Tipos de *benchmarking*

Existem muito tipos diferentes de *benchmarking* (que podem não ser mutuamente exclusivos), alguns dos quais estão listados abaixo:

- *benchmarking interno* é uma comparação entre operações ou partes de operações que estão dentro da mesma organização. Por exemplo, um grande fabricante de veículos com diversas fábricas poderá escolher fazer *benchmarking* de uma fábrica em relação às outras;
- *benchmarking externo* é uma comparação entre uma operação e outras operações que são parte de uma organização diferente;
- *benchmarking não competitivo* é o *benchmarking* em relação a organizações externas que não competem diretamente nos mesmos mercados;
- *benchmarking competitivo* é uma comparação diretamente entre concorrentes nos mesmos mercados ou similares;
- *benchmarking de desempenho* é uma comparação entre os níveis de desempenho realizados em diferentes operações. Por exemplo, uma operação poderá comparar seu próprio desempenho em termos de alguns ou todos objetivos de desempenho – qualidade, velocidade, confiabilidade, flexibilidade e custo – em relação ao desempenho de outras organizações nas mesmas dimensões;

- *benchmarking de práticas* é uma comparação entre as práticas de operações de uma organização ou das formas de se fazer as coisas e as adotadas por uma outra operação. Por exemplo, uma grande loja de varejo poderá comparar seus sistemas e procedimentos para controlar os níveis de estoque com aqueles usados por uma loja de departamentos.

Benchmarking como uma ferramenta de melhoria

Embora o *benchmarking* tenha se tornado popular, algumas empresas têm falhado em obter seu máximo benefício. Isso acontece em parte porque existem alguns mal-entendidos sobre o que realmente é o *benchmarking*. Primeiro, ele não é um projeto finito. É melhor praticado como um processo contínuo de comparação. Segundo, ele não fornece soluções. Ao contrário, ele fornece ideias e informações que podem levar a soluções. Terceiro, ele não copia ou imita outras operações. É um processo de aprendizagem e adaptação pragmática. Quarto, ele significa a alocação de recursos para a atividade. O *benchmarking* não pode ser feito sem algum investimento, mas não significa necessariamente alocar responsabilidade exclusiva para um conjunto de gerentes bem pagos. Na verdade, podem existir vantagens em organizar equipes em todos os níveis para investigar e confrontar a informação com as metas de *benchmarking*. Existem também algumas regras básicas sobre como o *benchmarking* pode ser organizado:

- Um pré-requisito para o sucesso do *benchmarking* é entender perfeitamente seus próprios processos. Sem isso, é difícil comparar seus processos em relação aos de outras empresas.
- Avalie as informações de domínio público que estão disponíveis. Contabilidades publicadas, jornais, conferências e associações profissionais podem também fornecer informações úteis para as finalidades do *benchmarking*.
- Não descarte informações por parecem irrelevantes. Certos dados podem vir a fazer sentido somente no contexto de outros dados que podem emergir subsequentemente.
- Ser sensível ao pedir informação de outras empresas. Não faça perguntas que você mesmo não gostaria que lhe fossem feitas.

Avaliar a diferença entre o desempenho real e o almejado

Uma comparação do desempenho real com a meta deveria guiar as prioridades relativas para melhorias. Um aspecto significativo do desempenho é a importância relativa de vários indicadores de desempenho. O fato de algum fator de desempenho ser relativamente ruim não significa que ele deveria ser melhorado imediatamente se o desempenho atual como um todo excede a meta de desempenho. Na verdade, a importância relativa de vários indicadores de desempenho e do desempenho em relação à meta precisa ser avaliada a fim de priorizar melhorias. Uma forma de fazer isso é por meio da matriz de importância e desempenho.

A matriz de importância e desempenho

Como seu nome sugere, a matriz de importância e desempenho posiciona cada aspecto de desempenho numa matriz de acordo com sua pontuação ou classificação de importância de cada aspecto e o desempenho atual. A Figura 13.5 apresenta uma matriz de importância e desempenho dividida em zonas de prioridade de melhorias. O limite da primeira zona é o limite inferior de aceitabilidade mostrado como linha AB na Figura 13.5.

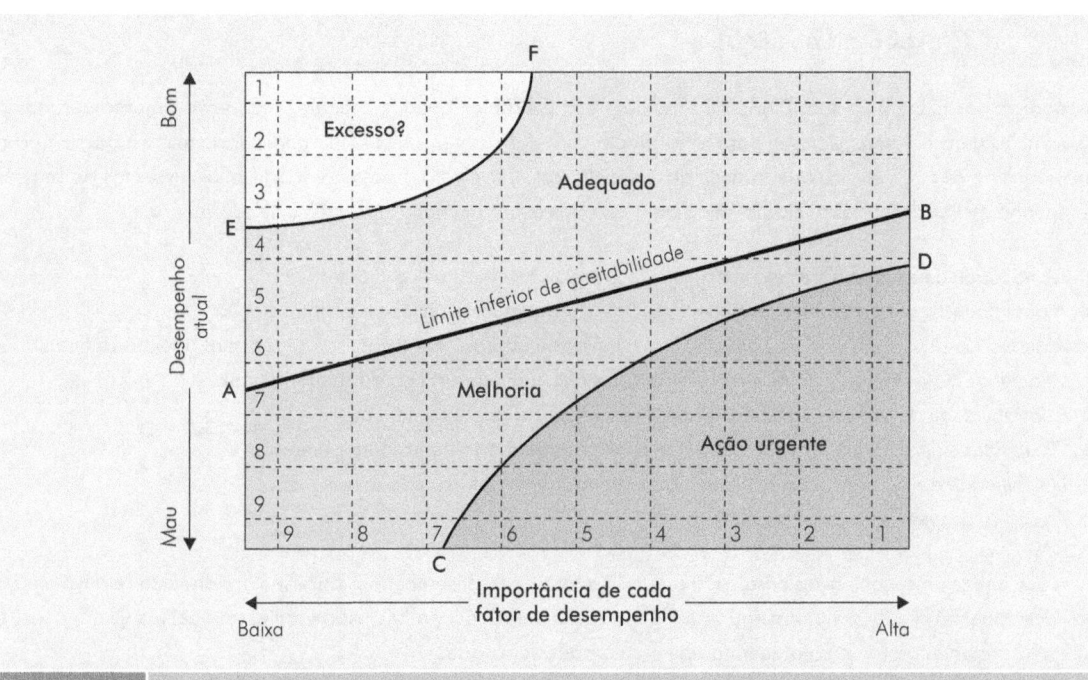

Figura 13.5 Zonas de prioridade na matriz de importância e desempenho.

Esse é o limite entre o desempenho atual aceitável e inaceitável. Quando algum aspecto de desempenho é avaliado como relativamente sem importância, esse limite será baixo. A maioria das operações está preparada para tolerar desempenho inferior para fatores de desempenho relativamente sem importância. Entretanto, para fatores de desempenho que são considerados mais importantes, elas serão, de forma marcante, menos tolerantes com níveis medíocres ou ruins de desempenho atual. Abaixo desse limite mínimo de aceitabilidade (AB), existe claramente uma necessidade de melhorias; acima dessa linha, não há urgência imediata para qualquer melhoria. Entretanto, nem todos os fatores de desempenho que caem abaixo da linha mínima serão vistos como tendo o mesmo grau de prioridade de melhoria. Um limite demarcado pela linha CD representa a diferença entre uma zona de prioridade urgente e uma zona de melhoria menos urgente. Da mesma forma, acima da linha AB, nem todos os fatores concorrentes têm a mesma prioridade. A linha EF pode ser vista como um limite aproximado entre os níveis de desempenho que são considerados como bons ou adequados e os considerados como "bons demais" ou excessivos. Segregar a matriz dessa forma resulta em quatro zonas, as quais sugerem prioridades muito diferentes:

- A *zona adequada*. Fatores de desempenho nessa área estão acima do limite inferior de aceitabilidade e, assim, deveriam ser considerados satisfatórios.
- A *zona de melhoria*. Abaixo do limite inferior de aceitabilidade, qualquer fator de desempenho nessa zona deve ser candidato a melhorias.
- A *zona ação urgente*. Esses fatores de desempenho são importantes para os clientes, mas o desempenho atual é inaceitável. Eles devem ser considerados como candidatos para melhoria imediata.
- A *zona de excesso*. Fatores de desempenho nessa área são de alto desempenho, mas não são particularmente importantes. A pergunta a ser feita, portanto, é se os recursos dedicados a realizar tal desempenho poderiam ser melhor utilizados em outro lugar.

> **Exemplo** | **Laboratórios EXL**

A Laboratórios EXL é uma subsidiária de uma empresa eletrônica que faz pesquisa e desenvolvimento e trabalho de solução de problemas técnicos para uma ampla variedade de empresas. Ela particularmente está propensa a melhorias no nível de serviço que fornece aos seus clientes. Entretanto, necessita decidir quais aspectos de seu desempenho melhorar primeiro. Ela planejou uma lista dos aspectos mais importantes de seu serviço:

- *A qualidade de suas soluções técnicas* – a adequação percebida pelos clientes.
- *A qualidade de suas comunicações com clientes* – a frequência e utilidade da informação.
- *A qualidade da documentação pós-projeto* – a utilidade da documentação que segue com o relatório final.
- *Velocidade da entrega* – o tempo entre o pedido do cliente e a entrega do relatório final.
- *Confiabilidade da entrega* – a capacidade de entregar na data prometida.
- *Flexibilidade da entrega* – a capacidade de entregar o relatório numa data alterada.
- *Flexibilidade da especificação* – a capacidade de mudar a natureza da investigação.
- *Preço* – a despesa total para o cliente.

A EXL define uma pontuação para cada um desses fatores de desempenho, para sua importância relativa e para seu desempenho atual, como mostrado na Figura 13.6. Nesse caso, a EXL usou uma escala de 1 a 9, em que 1 é muito importante, ou bom. Qualquer tipo de escala pode ser usada.

A Laboratórios EXL desenhou a importância relativa e as classificações de desempenho atual de cada um de seus fatores de desempenho numa matriz de importância e desempenho. Isso é apresentado na Figura 13.7, que mostra que o aspecto mais importante de desempenho – a capacidade de entregar soluções técnicas incomparáveis para seus clientes – encontra-se confortavelmente dentro da zona adequada. A flexibilidade da especificação e a flexibilidade da entrega estão também na zona adequada, embora piores. A velocidade da entrega e a confiabilidade da entrega parecem precisar de melhorias, pois estão abaixo do nível mínimo de aceitabilidade para suas respectivas posições de importância. Entretanto, dois fatores competitivos, comunicação e custo/preço, estão claramente na zona de necessidade de melhoria imediata. Esses dois fatores deveriam, portanto, ter maior urgência para melhorias. A matriz também indica que a documentação da empresa quase pode ser considerada como "boa demais".

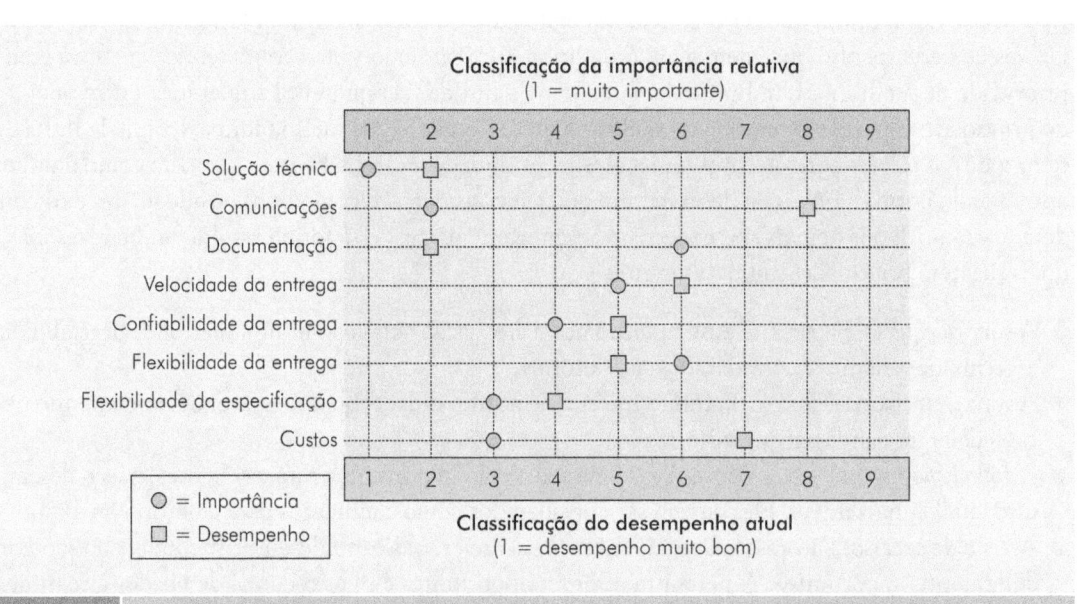

Figura 13.6 A matriz de importância e desempenho para a Laboratórios EXL.

Figura 13.7 A matriz de importância e desempenho para a Laboratórios EXL.

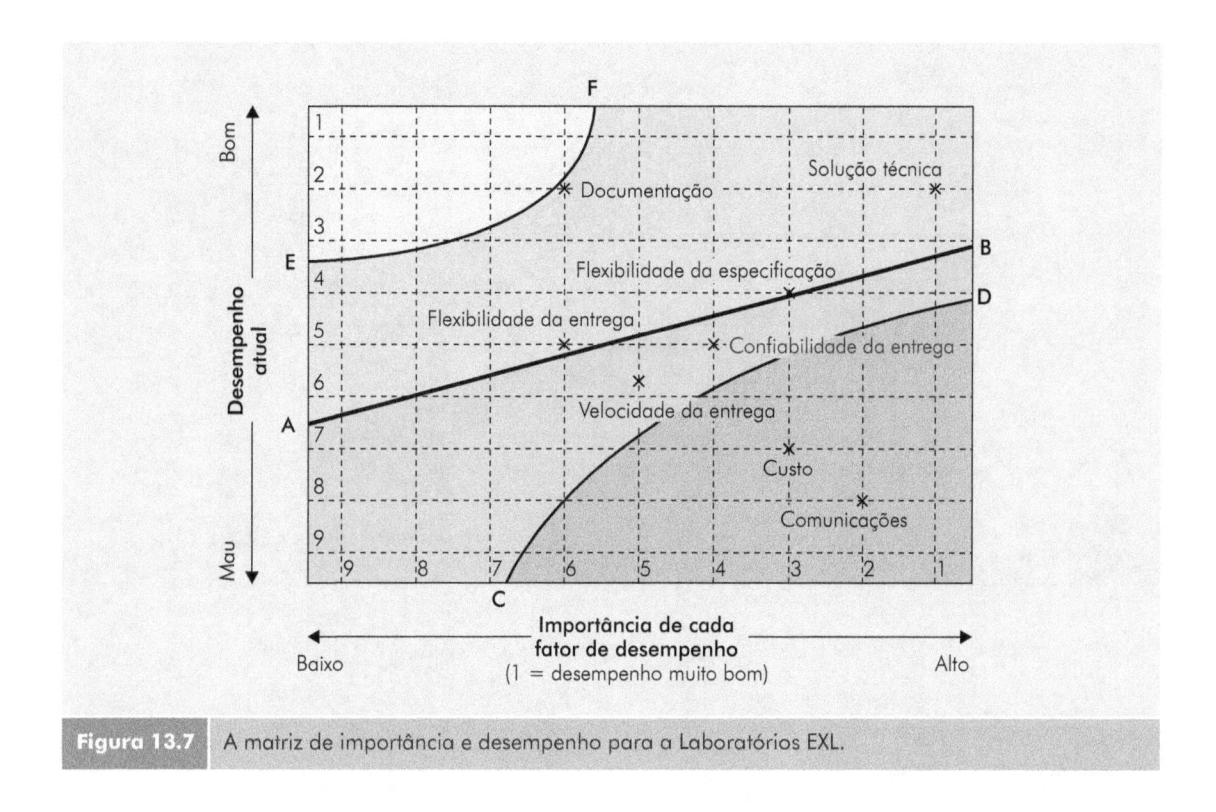

A teoria do cone de areia

Assim como as abordagens que baseiam a prioridade de melhorias nas circunstâncias específicas de uma operação, alguns especialistas acreditam que existe também "a melhor" sequência genérica de melhorias. A teoria mais conhecida é a *teoria do cone de areia*,[5] assim chamada porque construir um cone de areia é análogo a gerenciar esforços e recursos. A construção de um cone de areia estável necessita do alicerce estável da qualidade, sobre o qual se pode construir as camadas da confiabilidade, da velocidade, da flexibilidade e do custo; veja Figura 13.8. Alcançar melhorias é, por conseguinte, um processo cumulativo, não sequencial. Discutir a segunda prioridade não significa abandonar a primeira e assim por diante. De acordo com a teoria do cone de areia, a primeira prioridade deveria ser a *qualidade*, uma vez que essa é a pré-condição para todas as melhorias restantes. Somente quando a operação alcançar um nível mínimo aceitável de qualidade, a próxima questão deveria então ser enfrentada: a *confiabilidade* interna. Contudo, a inclusão da confiabilidade no processo de melhorias realmente exigirá uma melhoria futura na qualidade. Quando um nível crítico de confiabilidade é alcançado, o suficiente para fornecer alguma estabilidade para a operação, a próxima etapa é melhorar a *velocidade* do processamento interno, mas novamente continuando a melhorar a qualidade e a confiabilidade. Logo se tornará evidente que a forma mais eficaz de melhorar a velocidade é a partir de melhorias na *flexibilidade* da resposta, isto é, fazer preparações mais rápidas dentro da operação. Novamente, incluir a flexibilidade no processo de melhorias não deveria desviar a atenção de continuar o trabalho futuro na qualidade, confiabilidade e velocidade. Só a partir deste momento, de acordo com a teoria do cone de areia, o *custo* deve ser enfrentado sem hesitação.

Figura 13.8 O modelo cone de areia para melhorias: a redução de custo depende de um alicerce cumulativo de melhorias nos outros objetivos de desempenho.

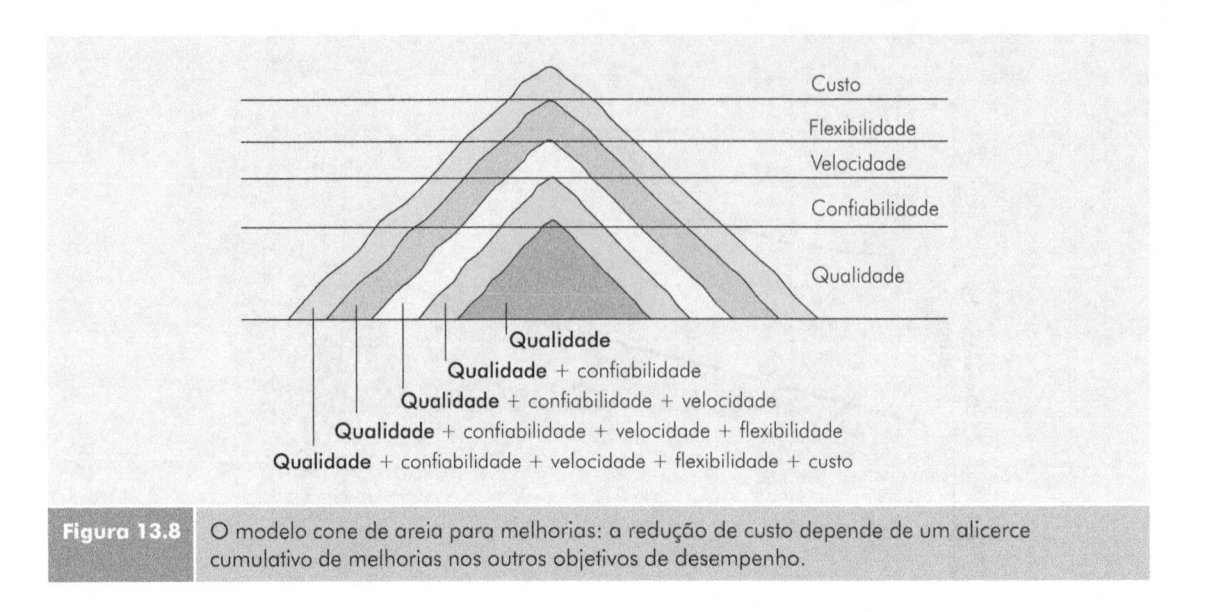

QUESTÕES DIAGNÓSTICAS

Qual é o caminho mais adequado para fazer melhorias?

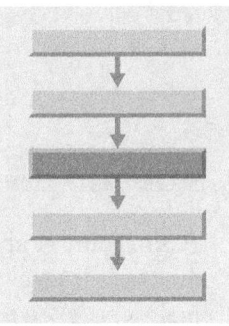

Uma vez que a prioridade de melhorias foi determinada, uma operação deve considerar a abordagem ou caminho que ela deseja tomar para realizar seus objetivos de melhoria. Dois caminhos representam filosofias diferentes e até certo ponto opostas – *inovação* e *melhoria contínua*. Embora elas representem filosofias de melhorias diferentes, não são mutuamente exclusivas. Quase todas as operações podem se beneficiar da melhoria contínua de seu desempenho, e poucas operações rejeitariam investir num salto de inovação no desempenho se isso representasse grande valor. Para a maioria das operações, as duas abordagens são relevantes até certo ponto, embora, possivelmente, em momentos diferentes. Mas para entender como e quando cada abordagem é adequada, deve-se entender suas filosofias subjacentes.

Princípio de operações
As inovações e as melhorias contínuas não são mutuamente exclusivas.

Inovação

A inovação presume que o principal veículo de melhoria é uma mudança ampla e drástica na forma como a operação trabalha, por exemplo, a reorganização total da estrutura de processos de uma operação ou a introdução de um sistema de informação totalmente integrado. O impacto dessas melhorias representa uma mudança em degrau na prática (e, talvez, no desempenho). Tais melhorias podem ser caras, frequentemente perturbando os trabalhos existentes da operação e mudando a tecnologia de processo ou do produto/serviço. A linha escura na Figura 13.9 ilustra o padrão pretendido de de-

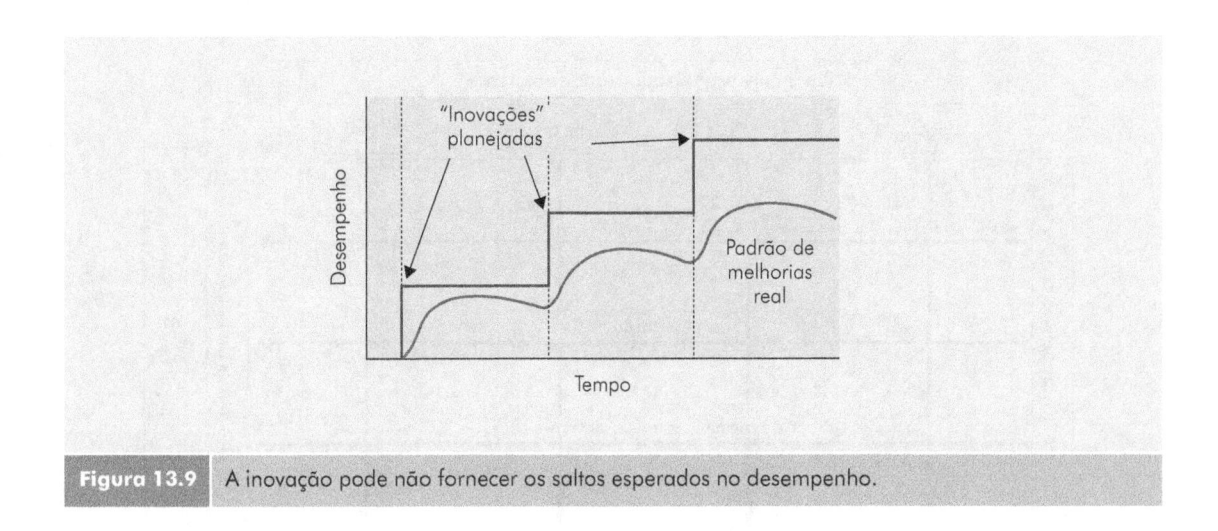

Figura 13.9 A inovação pode não fornecer os saltos esperados no desempenho.

sempenho com diversas inovações. O padrão de melhoria ilustrado pela linha clara na Figura 13.9 é considerado por alguns como sendo mais representativo do que realmente ocorre quando as operações precisam de inovação pura.

A abordagem de reengenharia de processos de negócio

As melhorias radicais são típicas da abordagem de reengenharia de processos de negócio (BPR). Trata-se de uma combinação de diversas ideias tais como processamento rápido, eliminação das perdas por meio de mapas de fluxo do processo, operações focadas no cliente e assim por diante. Mas foi o potencial da tecnologia da informação para habilitar o redesenho fundamental dos processos que atuou como catalisador na aproximação dessas ideias. A BPR foi definida como "*o redesenho e questionamento radical e fundamental dos processos de negócio para realizar melhorias drásticas nos indicadores de desempenho atuais e críticos, tais como custo, qualidade, serviços e velocidade*".[6]

Subjacente à abordagem da BPR está a crença de que as operações devem ser organizadas em torno do processo global que agrega valor para os clientes, ao invés das funções ou atividades que desempenham as várias etapas da atividade de valor agregado. (A Figura 1.6 no Capítulo 1 ilustrou essa ideia.) O centro da BPR é uma redefinição dos processos dentro de uma operação global para refletir os processos de negócio que satisfazem as necessidades do cliente. A Figura 13.10 ilustra essa ideia. Os princípios primordiais da BPR foram resumidos como segue:[7]

- Repensar os processos de negócio entre as funções, o que organiza o trabalho em torno do fluxo natural das informações (ou materiais ou clientes). Isso significa uma organização em torno dos resultados de um processo em vez das tarefas contidas nele.
- Empenhar-se em obter melhorias drásticas no desempenho ao repensar e reprojetar radicalmente o processo.
- Fazer com que aqueles que usam a saída de um processo desempenhem o processo. Verificar se todos os clientes internos podem ser seus próprios fornecedores em vez de dependerem de uma outra função na empresa para supri-los (o que leva mais tempo e divide as etapas do processo em diferentes partes).
- Colocar os pontos de decisão onde o trabalho é desempenhado. Não separar aqueles que fazem o trabalho daqueles que controlam e gerenciam o trabalho. Controle e ação são apenas mais um tipo de relacionamento cliente-fornecedor que pode ser unido.

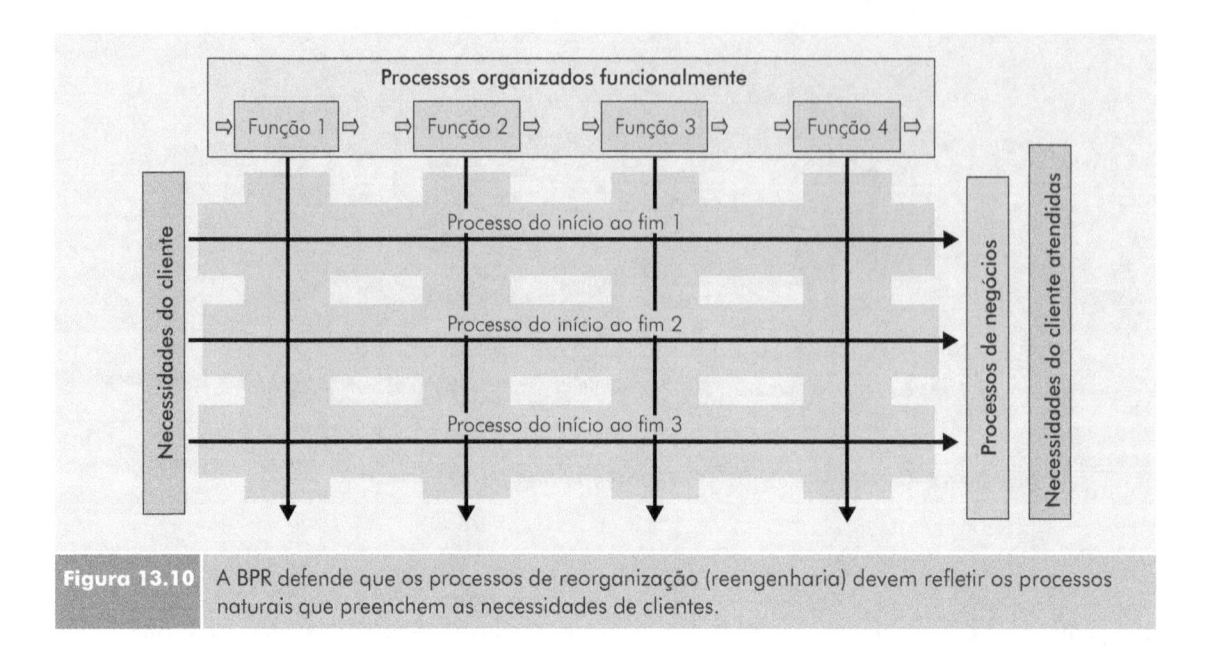

Figura 13.10 A BPR defende que os processos de reorganização (reengenharia) devem refletir os processos naturais que preenchem as necessidades de clientes.

Melhoria contínua

A melhoria contínua, como o nome sugere, adota uma abordagem para melhorar o desempenho que presume uma série ilimitada de pequenos passos de melhoria incremental, tais como modificar a forma como um produto é fixado a uma máquina para reduzir o tempo de troca ou simplesmente a sequência de perguntas quando se faz uma reserva num hotel. Embora não haja garantia de que tais pequenos passos para o melhor desempenho serão seguidos por outros passos, toda a filosofia de melhoria contínua tenta assegurar que eles serão. Ela também é conhecida como *kaizen*, definido por Masaaki Imai (que foi um dos principais proponentes da melhoria contínua) como segue: "Kaizen *significa melhoria. Além disso, significa melhoria na vida pessoal, vida no lar, vida social e vida no trabalho. Quando aplicado ao local de trabalho,* kaizen *significa melhoria contínua envolvendo todos – gerentes e trabalhadores igualmente*".[8]

A melhoria contínua não está preocupada em promover pequenas melhorias *por si só*, mas realmente vê pequenas melhorias como tendo uma vantagem significativa sobre as grandes – elas podem ser seguidas de forma relativamente fácil pelas outras melhorias. Não é a *taxa* de melhoria que é importante; é o *momentum* da melhoria. Não importa se as melhorias sucessivas são pequenas; o que realmente importa é que a cada mês (ou semana, ou trimestre, ou qualquer período adequado) algum tipo de melhoria tenha realmente ocorrido. A melhoria contínua nem sempre vem naturalmente. Existem habilidades específicas, comportamentos e ações que precisam ser desenvolvidas de forma consciente para que as melhorias contínuas sejam sustentadas por um longo tempo. Bessant e Caffyn[9] distinguem entre o que eles chamam de habilidades organizacionais (a habilidade de adotar uma abordagem particular para melhoria contínua), comportamentos constituintes (o comportamento que a equipe adota) e habilitadores (as técnicas usadas para desenvolver o esforço de melhoria contínua). Eles identificam seis habilidades organizacionais genéricas, cada uma com seu próprio conjunto de comportamentos constituintes. Elas são identificados na Tabela 13.2. Exemplos de habilitadores são as técnicas de melhoria descritas adiante neste capítulo.

Tabela 13.2 — Habilidades de melhoria contínua (MC) e alguns comportamentos associados

Habilidade organizacional	Comportamentos constituintes
Obter o hábito da MC Desenvolver a habilidade de gerar envolvimento sustentável na MC	• As pessoas usam o ciclo formal para encontrar e solucionar problemas • As pessoas usam técnicas e ferramentas simples • As pessoas usam medições simples para formatar o processo de melhorias • Indivíduos e/ou grupos iniciam e completam com sucesso as atividades de MC – eles participam no processo • As ideias são acatadas – ou implementadas ou o problema é resolvido – prontamente • Os gerentes suportam o processo de MC por meio da alocação de recursos • Gerentes reconhecem de maneiras formais a contribuição dos empregados para a MC • Os gerentes lideram, por exemplo, tornando-se ativamente envolvidos no projeto e implementação da MC • Os gerentes apoiam experimentos não punindo erros, mas, ao contrário, encorajando a aprender com eles
Focar na MC Gerar e sustentar a habilidade para ligar as atividades MC aos objetivos estratégicos da empresa	• Indivíduos e grupos usam os objetivos estratégicos da organização para priorizar as melhorias • Todos são capazes de explicar quais são os objetivos e a estratégia da operação • Indivíduos e grupos avaliam suas mudanças propostas em relação aos objetivos da operação • Indivíduos e grupos monitoram/medem os resultados de sua atividade de melhoria • Atividades de MC são uma parte integral do trabalho do grupo ou indivíduo, não uma atividade paralela
Espalhar a mensagem Gerar a habilidade de distribuir a MC por todos os limites organizacionais	• As pessoas cooperam em grupos interfuncionais • As pessoas entendem e compartilham uma visão holística (entender e dominar o processo) • As pessoas são orientadas para os clientes internos e externos em sua atividade de MC • Manutenção de projetos de MC específicos com agências externas (clientes, fornecedores, etc.) • Atividades de MC relevantes envolvem representantes de níveis organizacionais diferentes
MC no sistema de MC Gerar a habilidade para gerenciar estrategicamente o desenvolvimento de MC	• O sistema de MC é continuamente monitorado e desenvolvido • Existe um processo de planejamento cíclico pelo qual o sistema de MC é regularmente revisado e melhorado • Existe revisão periódica do sistema de MC em relação à organização como um todo • O gerenciamento sênior disponibiliza recursos suficientes (tempo, dinheiro, pessoal) para dar apoio ao desenvolvimento do sistema de MC • O próprio sistema de MC é designado para se encaixar dentro da estrutura e infraestrutura atual • Quando uma mudança organizacional maior é planejada, seu impacto potencial sobre o sistema de MC é avaliado
Fazer acontecer Gerar a habilidade para articular e demonstrar os valores de MC	• O "estilo de gerenciamento" reflete compromisso com os valores de MC • Quando algo dá errado, pessoas de todos os níveis procuram as razões, em vez de culpar indivíduos • Pessoas de todos os níveis demonstram uma crença compartilhada nos valores das pequenas melhorias e que todos podem contribuir, estando ativamente envolvidos em fazer e reconhecer melhorias adicionais

continua

Tabela 13.2	Habilidades de melhoria contínua (MC) e alguns comportamentos associados (continuação)
Habilidade organizacional	*Comportamentos constituintes*
Construir a organização do aprendizado Gerar a habilidade para aprender a partir da atividade de MC	• Todos aprendem com suas experiências, boas e ruins • Os indivíduos buscam oportunidades para o aprendizado/desenvolvimento pessoal • Os indivíduos e grupos em todos os níveis compartilham seu aprendizado • A organização capta e compartilha o aprendizado de indivíduos e grupos • Os gerentes aceitam e atuam em todo aprendizado que ocorre • Os mecanismos organizacionais são usados para difundir o que é aprendido pela organização

Fonte: Bessant, J. and Caffyn, S. (1997) "High involvement innovation", *International Journal of Technology Management*, Vol. 14, Nº 1.

Modelos de ciclo de melhoria

Um elemento importante da melhoria contínua é a ideia de que melhorias podem ser representadas por um processo repetitivo de questionamento e requestionamento do funcionamento detalhado de um processo. Isso, normalmente, é resumido na ideia do *ciclo de melhoria*. Há muitos ciclos de melhoria, incluindo alguns modelos pertencentes a empresas de consultoria. Dois dos modelos mais usados são o ciclo PDCA (às vezes chamado de Ciclo de Deming, em homenagem ao famoso "guru" da qualidade, W.E. Deming) e o ciclo DMAIC (popularizado pela abordagem Seis Sigma para melhorias – veja adiante).

> **Princípio de operações**
> A melhoria contínua necessariamente significa um ciclo sem fim de análise e ação.

O ciclo PDCA

O modelo do ciclo PDCA (*Plan-Do-Check-Act*) é apresentado na Figura 13.11(a). O ciclo começa com a etapa P (planejar), a qual examina o método atual ou a área problemática sendo estudada. Dados são coletados e analisados e é formulado um plano de ação que pretende melhorar o desempenho (algumas das técnicas usadas para coletar e analisar dados serão explicadas mais adiante).

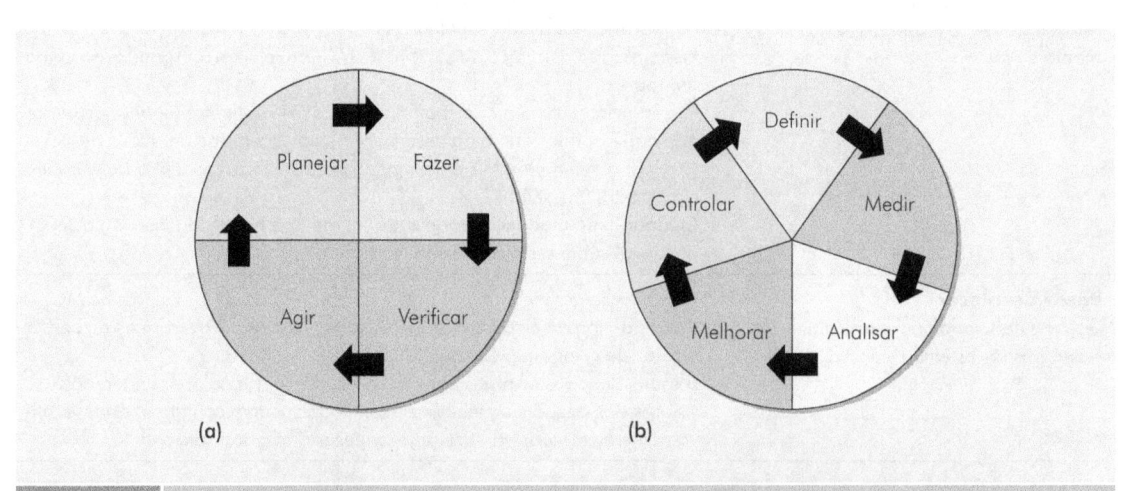

Figura 13.11 (a) O ciclo de Deming ou planejar-fazer-verificar-agir; (b) o ciclo de melhoria DMAIC (*Define-Measure-Analyse-Improve-Control*) Seis Sigma ou definir-medir-analisar-melhorar-controlar.

O próximo passo é a etapa D (fazer). Essa é a etapa de implementação durante a qual o plano é testado na operação. Essa etapa pode ela mesma envolver um miniciclo PDCA, à medida que os problemas de implementação são resolvidos. A seguir vem a etapa C (verificar), na qual a nova solução implementada é avaliada para ver se resultou na melhoria esperada. Finalmente, ao menos para esse ciclo, vem a etapa A (agir). Durante essa etapa, a mudança, caso bem-sucedida, é consolidada ou padronizada. De forma alternativa, se a mudança não teve sucesso, as lições aprendidas a partir do "teste" são formalizadas antes do ciclo começar novamente.

O ciclo DMAIC

De alguma forma, esse ciclo é mais intuitivamente óbvio do que o ciclo PDCA, tanto que ele segue uma abordagem mais experimental. O ciclo DMAIC começa definindo o problema ou os problemas, em parte para entender o escopo do que precisa ser feito e em parte para definir exatamente as necessidades de melhoria do processo. Normalmente, nessa etapa, um objetivo ou meta formal para melhoria é definido. Depois da definição, vem a etapa de medição, importante porque a abordagem Seis Sigma enfatiza a importância de trabalhar com dados rigorosos ao invés de opinião. Valida-se o problema (certifica-se que realmente vale a pena resolvê-lo) usando-se dados para refiná-lo e medindo-se exatamente o que está acontecendo. A etapa de análise pode ser vista como uma oportunidade para desenvolver hipóteses como quais são as verdadeiras causas iniciais do problema. Tais hipóteses são validadas (ou não) pela análise e são identificadas as principais causas iniciais do problema. Uma vez que as causas do problema são identificadas, o trabalho pode começar a aprimorar o processo. Ideias são desenvolvidas para remover a causa inicial dos problemas, soluções são testadas e aquelas que parecerem funcionar são implementadas, formalizadas e os resultados são medidos. O processo melhorado necessita então ser monitorado e controlado continuamente para verificar que o nível aprimorado de desempenho é mantido. O ciclo então começa novamente, definindo os problemas que estão impedindo melhorias adicionais.

O último ponto em ambos os ciclos é o mais importante – *o ciclo começa novamente*. É somente aceitando que numa filosofia de melhoria contínua esses ciclos quase literalmente nunca param que a melhoria se torna parte da tarefa de cada pessoa.

As diferenças entre melhoria contínua e inovação

A inovação coloca um alto valor nas soluções criativas e encoraja o livre pensamento e o individualismo. É uma filosofia radical, à medida que ela encoraja uma abordagem para melhoria que não aceita muitas restrições no que é possível. Começar com uma folha de papel em branco, voltar ao princípio e repensar completamente o sistema são princípios típicos de inovação. A melhoria contínua, por outro lado, é menos ambiciosa, pelo menos a curto prazo. Ela enfatiza a adaptabilidade, trabalho em equipe e atenção ao detalhe. Não é radical; ao contrário, ela constrói a riqueza da experiência acumulada dentro da própria operação, em geral dependendo especialmente das pessoas que operam o sistema para melhorá-lo. Uma analogia usada para explicar essa diferença é a corrida de velocidade *versus* a maratona. A inovação é uma série de corridas de velocidade explosivas e impressionantes. A melhoria contínua, como uma maratona, não requer a habilidade e esforço requerido pelas corridas de velocidade; mas requer que o corredor (ou gerente de operações) mantenha a continuidade. Contudo, apesar dessas diferenças, é possível usar ambas as abordagens. Grandes e drásticas melhorias podem ser implementadas como e quando elas parecerem prometer significativos passos de melhoria, mas entre tais ocasiões a operação pode continuar fazendo suas melhorias *kaizen* tranquilas e menos espetaculares. A Tabela 13.3 lista algumas das diferenças entre as duas abordagens.

> **Princípio de operações**
> A inovação significa necessariamente mudança radical e/ou extensiva.

Tabela 13.3	Algumas características da melhoria contínua e da inovação	
	Inovação	*Melhoria contínua*
Efeito	Curto prazo e drástico	Longo prazo e longa duração, mas não radical
Passo	Passos grandes	Passos pequenos
Cronograma	Intermitente e não incremental	Contínuo e incremental
Mudança	Brusca e volátil	Gradual e constante
Envolvimento	Seleciona alguns "campeões"	Todos
Abordagem	Individualismo, ideias e esforços individuais	Coletivismo, esforços em grupo, abordagem de sistema
Estímulo	Inovações tecnológicas, novas invenções, novas teorias	Conhecimento convencional e estado de arte
Riscos	Concentrado – "todos os ovos na mesma cesta"	Disperso – muitos projetos simultaneamente
Necessidades práticas	Requer grande investimento, mas pouco esforço de manutenção	Requer pouco investimento, mas grande esforço de manutenção
Orientações de esforço	Tecnologia	Pessoas
Critério de avaliação	Resultados para lucro	Processos e efeitos para melhores resultados

Fonte: baseado em Imai, M. (1986) *Kaizen – The Key to Japan's Competitive Success*, McGraw-Hill

A abordagem Seis Sigma para organizar melhorias

Uma abordagem para melhorias que combina as filosofias de continuidade e inovação é a *Seis Sigma*. Embora tecnicamente o nome Seis Sigma provenha do controle estatístico de processo (SPC) e mais especificamente o conceito de capacidade do processo, ele agora passou a significar uma abordagem muito mais geral de melhorias. A seguinte definição dá um sentido de seu uso moderno: "*Seis Sigma é um sistema abrangente e flexível para realizar, manter e maximizar negócios de sucesso. O Seis Sigma é dirigido unicamente pela compreensão cuidadosa das necessidades do cliente, uso disciplinado dos fatos, dados e análises estatísticas e atenção cuidadosa ao gerenciar, melhorar e reinventar os processo de negócio*".[10]

O conceito Seis Sigma, portanto, inclui muitas das questões cobertas neste e em outros capítulos deste livro, como projeto e reprojeto de processos, indicadores *Balanced Scorecard*, melhoria contínua, controle estatístico de processo, planejamento e controle de processos existentes e assim por diante. Entretanto, no cerne do Seis Sigma reside a compreensão dos efeitos negativos da variação de todos os tipos de processo de negócio. Essa aversão à variação foi popularizada pela primeira vez pela Motorola, a empresa de eletrônicos, que definiu seu objetivo como satisfação total do cliente nos anos 80, e então decidiu que a verdadeira satisfação do cliente somente seria alcançada quando seus produtos fossem entregues quando prometidos, com nenhum defeito, com nenhuma falha de concepção e nenhuma falha excessiva de uso. Para realizar isso, eles inicialmente se concentraram na remoção de defeitos de fabricação, mas logo perceberam que muitos problemas eram causados por defeitos latentes, escondidos dentro do projeto de seus produtos. A única forma de eliminar esses defeitos era certificar-se que as especificações do projeto eram rigorosas (isto é, tolerâncias pequenas) e seus processos muito capacitados.

O conceito da qualidade Seis Sigma da Motorola era assim chamado porque requeria que a variação natural dos processos (± 3 desvios padrão) deveria ser a metade de sua faixa de especificação. Em outras palavras, a faixa da especificação de qualquer peça de um produto ou serviço deveria ser ± 6 vezes o desvio padrão do processo. A letra grega sigma (σ) é frequentemente usada para indicar o desvio padrão de um processo, por isso o título Seis Sigma. A abordagem Seis Sigma também é usada para medição dos defeitos por milhões de *oportunidades* (DPMO). Esse é o número de defeitos que o processo produzirá se existir um milhão de oportunidades para ocorrer. Então, processos difíceis com muitas oportunidades para defeitos podem ser comparados com processos simples com poucas oportunidades para defeitos.

A abordagem Seis Sigma também afirma que iniciativas de melhoria só podem ter sucesso se recursos e treinamento significativos são dedicados para seu gerenciamento. Ela recomenda um quadro especialmente treinado de praticantes, dos quais muitos deveriam ser dedicados em tempo integral para melhorar os processos como consultores internos. Os termos que se associaram com esse grupo de especialistas (e denotam seu nível de habilidade) são Mestre Faixa Preta, Faixa Preta e Faixa Verde.

- *Os Mestres Faixa Preta* são especialistas tanto no uso das técnicas e ferramentas Seis Sigma quanto no modo como tais técnicas podem ser usadas e implementadas. São vistos como professores que não só podem guiar os projetos de melhorias, mas também treinar e aconselhar os Faixas Preta e Faixas Verde. Dadas suas responsabilidades, é esperado que os Mestres Faixa Preta sejam empregados em tempo integral em suas atividades de melhoria.
- *Os Faixas Preta* controlam a organização das equipes de melhoria e normalmente começam a fazer um mínimo de 20 a 25 dias de treinamento e executar ao menos um projeto maior de melhoria. É esperado que os Faixas Preta desenvolvam suas habilidades analíticas quantitativas e também ajam como treinadores para os Faixas Verde. Como os Mestres Faixa Preta, eles são dedicados em tempo integral para melhorias e, embora as opiniões variem, algumas organizações recomendam um Faixa Preta para cada 100 empregados.
- *Os Faixas Verde* trabalham dentro de equipes de melhoria, possivelmente como líderes de equipe. Eles têm menos treinamento que os Faixas Preta – tipicamente em torno de 10 a 15 dias. Os Faixas Verde não são posições de tempo integral. Eles têm responsabilidades de processo normais dia a dia, mas se espera que eles gastem ao menos 20% de seu tempo nos projetos de melhoria.

Dedicar tanta quantidade de tempo e treinamento para melhoria é um investimento significativo, especialmente para pequenas empresas. Mesmo assim, os proponentes do Seis Sigma argumentam que a atividade de melhoria é geralmente negligenciada na maioria das operações e, para que seja levada a sério, merece o investimento significativo sugerido pela abordagem Seis Sigma. Ademais, argumentam, se bem operados, os projetos de melhoria Seis Sigma dirigidos por praticantes experientes podem economizar muito mais que seus custos.

A abordagem *Work-Out*[11]

A ideia de incluir toda a equipe no processo de melhoria existia antes de ser reconhecida como fundamental para conceitos famosos como a gestão da qualidade total (GQT) ou melhoria contínua (MC). Ela também formou o núcleo das abordagens mais recentes. Talvez a mais conhecida delas seja a abordagem "*Work-Out*", que se originou (até onde se pode dizer que é original) no conglomerado norte-americano da GE. Jack Welch, o então chefe da GE, pelo que dizem, desenvolveu a abordagem para reconhecer que os empregados eram uma fonte importante de capacidade intelectual para ideias novas e criativas e como um mecanismo para "criar um ambiente que force a implacável e incessante busca da empresa como um todo de uma maneira melhor de fazermos tudo o que fazemos". O programa *Work-Out* foi visto como uma maneira de diminuir a burocracia muitas vezes associada à melhoria e de "dar a cada empregado, dos gerentes aos trabalhadores da fábrica, uma oportunidade de influenciar e aprimorar as operações diárias da GE".

Segundo Welch, a finalidade do *Work-Out* era ajudar as pessoas a pararem de "lutar com os limites, os absurdos que crescem nas grandes organizações. Estamos todos familiarizados com esses absurdos: aprovações demais, duplicação, pompa, desperdício. O *Work-Out*, em essência, virou a empresa de cabeça para baixo, de modo que os trabalhadores diziam aos chefes o que fazer. Mudou para sempre a maneira pela qual as pessoas se comportaram na empresa. O *Work-Out* também é projetado para diminuir e, por fim, eliminar todas as horas e a energia perdidas que as organizações como a GE despendem tipicamente na realização das operações diárias". A GE também usou o que chamou de "assembleia" dos empregados (na realidade, o *Work-Out* também é classificado algumas vezes como "assembleia"). E, apesar do *Work-Out* ser mais uma filosofia e uma abordagem para a melhoria do que uma técnica e a despeito de se seus proponentes enfatizarem a necessidade de modificar as especificidades da abordagem para se adequarem ao contexto no qual ela é aplicada, há uma ampla sequência de atividades aplicadas dentro da abordagem.

- A equipe, outras pessoas chave interessadas e seu gerente se reúnem longe da operação (chamada "fora do local").
- Nesta reunião, o gerente atribui ao grupo a responsabilidade de resolver um problema ou conjunto de problemas compartilhados pelo grupo, mas que são, no final das contas, de responsabilidade do gerente.
- Depois, o gerente deixa o grupo e o mesmo investe tempo (talvez dois ou três dias) trabalhando na elaboração de soluções para os problemas, às vezes usando facilitadores externos.
- No final da reunião, o gerente responsável (e às vezes o chefe do gerente) reúne o grupo para que apresente suas recomendações.
- O gerente pode responder de três maneiras a cada recomendação: "sim", "não" ou "tenho que ponderar mais". Se esta for a última resposta, o gerente deve esclarecer quais questões adicionais devem ser consideradas e como e quando a decisão será tomada.

Os programas de *Work-Out* também são caros. A maioria das organizações precisará usar facilitadores externos. Instalações externas também precisarão ser contratadas e os custos da folha de pagamento de um grupo considerável de pessoas se reunindo longe do trabalho podem ser substanciais, mesmo sem considerar a interrupção potencial das atividades diárias. Mas, indiscutivelmente, as implicações mais importantes na adoção do *Work-Out* são culturais. Em sua forma mais pura, o *Work-Out* como é utilizado pela General Electric reforça uma cultura subjacente de resolução rápida de problemas (o que alguns chamariam de superficial). Ele também se baseia no envolvimento e na outorga de poder total e quase universal aos empregados junto com o diálogo direto entre os gerentes e seus subordinados. O que distingue a abordagem *Work-Out* das muitas outras técnicas de solução de problemas baseadas em grupo são alguns dos seus valores culturais subjacentes de tomada rápida de decisões, a ideia de que os gerentes são os donos dos problemas e devem responder de forma imediata e decisiva às sugestões da equipe e a sua relativa intolerância à equipe e aos gerentes que não estejam comprometidos com seus valores. Na realidade, é reconhecido na GE que a resistência ao processo ou resultado não é tolerada e que obstruir os esforços do processo de *Work-Out* é um "passo limitador da carreira".

QUESTÕES DIAGNÓSTICAS

Quais técnicas deveriam ser utilizadas para facilitar as melhorias?

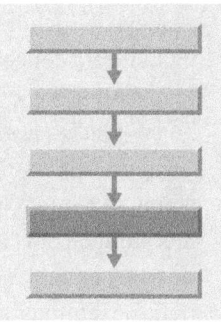

> **Princípio de operações**
> A melhoria é facilitada pelas técnicas analíticas relativamente simples.

Todas as técnicas descritas neste livro e em seus suplementos podem ser consideradas como técnicas de melhorias. Entretanto, algumas são particularmente úteis para melhorar as operações e os processos em geral. Aqui selecionamos algumas técnicas que não foram descritas ou precisam ser reintroduzidas em seu papel de ajudar as melhorias de operações em particular.

Diagramas de dispersão

Os diagramas de dispersão fornecem um método rápido e simples de identificar se existe indícios de uma conexão entre dois conjuntos de dados: por exemplo, a hora de saída para o trabalho toda manhã e quanto tempo leva a viagem para o trabalho. Desenhar cada viagem num gráfico com o tempo de partida num eixo e o tempo de viagem no outro poderia dar uma indicação da existência e do modo de correlação entre o tempo de partida e o tempo de viagem. Diagramas de dispersão podem ser tratados de uma forma muito mais sofisticada, quantificando a força do relacionamento entre os conjuntos de dados. Porém, mesmo com a abordagem sofisticada, esse tipo de gráfico só identifica a existência de uma correlação, não necessariamente a existência de um relacionamento causa-efeito. Se o diagrama de dispersão apresenta uma conexão muito forte entre os conjuntos de dados, isso é um indício importante de um relacionamento causa-efeito, mas não uma prova positiva. Poderia ser coincidência!

Exemplo — Kaston Pyral Services Ltda (1)

A Kaston Pyral Services Ltda (KPS) instala e faz manutenção em sistemas de ar condicionado, de aquecimento e de controle ambiental. Uma equipe de melhoria foi preparada para sugerir formas pelas quais ela poderia melhorar seus níveis de serviço ao cliente. A equipe de melhoria tinha completado sua primeira pesquisa de satisfação do cliente. A pesquisa pediu aos clientes para pontuarem o serviço que eles recebiam da KPS de diversas formas. Por exemplo, pediu-se aos clientes para pontuar os serviços numa escala de 1 a 10 quanto a: rapidez, cordialidade, nível de informação, etc. As pontuações foram então somadas para dar uma pontuação total de satisfação para cada cliente – quanto maior a pontuação, maior a satisfação. A dispersão das pontuações de satisfação deixou perplexa a equipe e eles consideraram quais fatores poderiam estar causando as diferenças na forma como os clientes os viam. Dois fatores foram propostos para explicar as diferenças.

1 O número de vezes no ano anterior em que o cliente tinha recebido uma visita de manutenção preventiva.
2 O número de vezes que o cliente tinha chamado requisitando serviço de emergência.

Todos esses dados foram coletados e desenhados em diagramas de dispersão como mostrado na Figura 13.12. A Figura 13.12(a) mostra que parece existir um relacionamento claro entre a pontuação de satisfação do cliente e o número de vezes que o cliente foi visitado para um serviço regular. O diagrama de dispersão na Figura 13.12(b) é menos claro. Embora todos os clientes que tinham pontuações de satisfação muito altas tinham feito poucas chamadas de emergência, o mesmo aconteceu com alguns clientes com pontuações de satisfação baixas. Como um resultado dessa análise, a equipe decidiu pesquisar as visões do cliente sobre seu serviço de emergência.

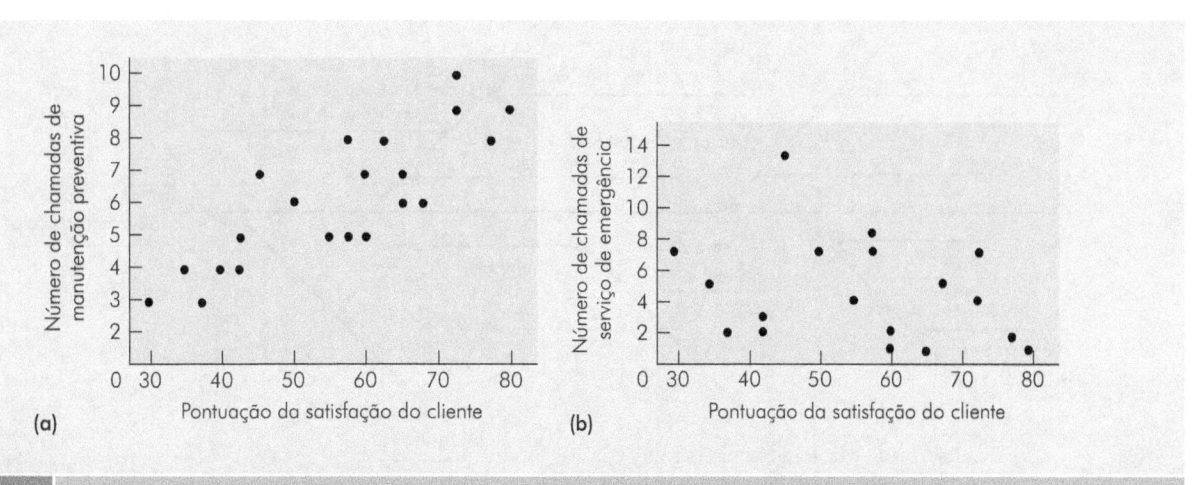

Figura 13.12 Diagramas de dispersão para a satisfação do cliente *versus* (a) o número de chamadas para manutenção preventiva e (b) número de chamadas de serviço de emergência.

Diagramas causa-efeito

Os diagramas causa-efeito são um método particularmente efetivo de ajudar a pesquisar as causas-raiz de problemas. Isso é feito ao se perguntando *o que, quando, onde, como* e *por que*, mas também adicionando algumas perguntas possíveis de uma forma explícita. Elas também podem ser usadas para identificar áreas onde é necessária informação adicional. Os diagramas causa-efeito (os quais são também chamados de diagramas de Ishikawa) tornaram-se muito usados em programas de melhorias. Isso ocorre porque eles fornecem uma forma de estruturar as sessões de *brainstorming* em grupo. Frequentemente, a estrutura identifica possíveis causas sob os títulos (embora fora de moda) máquinas, mão de obra, materiais, métodos e dinheiro. Contudo, na prática, qualquer classificação que cubra de forma abrangente todas as causas possíveis relevantes poderia ser usada.

Exemplo — Kaston Pyral Services Ltda (2)

A equipe de melhoria na KPS estava trabalhando numa área específica onde havia um problema. Sempre que engenheiros de serviço eram chamados para executar um serviço de emergência para um cliente, eles levavam consigo as peças e equipamentos que achavam que seriam necessários para reparar o sistema. Embora os engenheiros não pudessem estar certos de exatamente quais materiais e equipamentos necessitariam para uma tarefa, eles podiam prever o que provavelmente seria necessário e levar uma variedade de peças e equipamentos que cobriria a maioria das eventualidades. Muito frequentemente, contudo, ocorria de os engenheiros precisarem de uma peça que não tinham levado. O diagrama causa-efeito para esse problema específico, como desenhado pela equipe, é mostrado na Figura 13.13.

Diagramas de Pareto

Em qualquer processo de melhorias, vale a pena distinguir o que é importante e o que é menos importante. A finalidade do diagrama de Pareto (introduzido primeiro no Capítulo 9) é distinguir entre os poucos vitais e os muitos triviais. Trata-se de uma técnica relativamente fácil que organiza itens de informação sobre os tipos de problemas ou causas de problema em sua ordem de importância (normalmente medida pela frequência ou ocorrência). Ela pode ser usada para destacar áreas em que a tomada

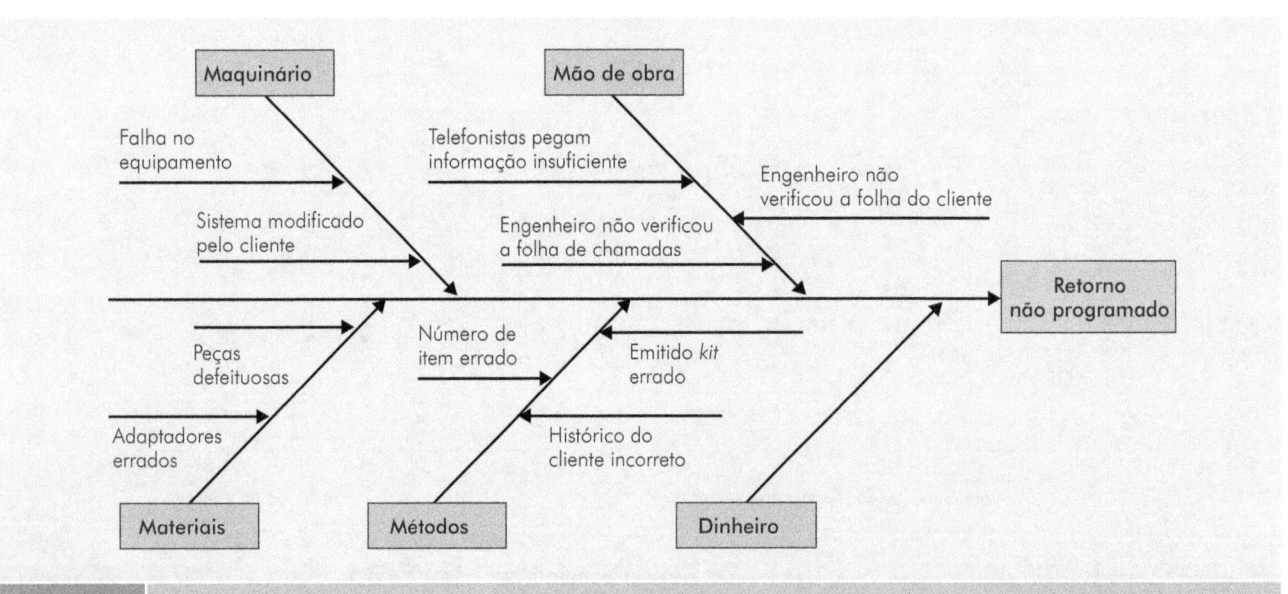

Figura 13.13 Diagrama causa-efeito de retornos não programados na KPS.

de decisão futura será útil. A análise de Pareto é baseada no fenômeno de existência de relativamente poucas causas para muitos efeitos. Por exemplo, a maioria das receitas de qualquer empresa provavelmente vem de relativamente poucos clientes. Da mesma forma, relativamente poucos pacientes de um médico provavelmente ocuparão a maior parte do seu tempo.

Exemplo | Kaston Pyral Services Ltda (3)

A equipe de melhoria da KPS que estava investigando os retornos não programados de serviços de emergência (a questão que foi descrita no diagrama causa-efeito na Figura 13.13) examinou todas as ocasiões durante os últimos 12 meses nas quais um retorno não programado tinha sido feito. As razões dos retornos não programados foram classificadas como segue:

1 A peça errada tinha sido escolhida para uma tarefa porque, embora a informação que o engenheiro recebeu fosse correta, ele tinha prognosticado incorretamente a natureza da falha.
2 A peça errada tinha sido escolhida para uma tarefa porque foi fornecida informação insuficiente quando a chamada foi recebida.
3 A peça errada tinha sido escolhida para uma tarefa porque o sistema tinha sido modificado e não tinha sido anotado nos registros da KPS.
4 A peça errada tinha sido escolhida para uma tarefa porque a peça tinha sido incorretamente despachada para o engenheiro.
5 Nenhuma peça tinha sido escolhida porque a peça relevante estava em falta no estoque.
6 O equipamento errado tinha sido enviado por uma razão qualquer.
7 Qualquer outra razão.

A frequência relativa de ocorrência dessas causas é mostrada na Figura 13.14. Aproximadamente um terço de todos os retornos não programados ocorreram devido à primeira classificação e mais da metade dos retornos foram atribuídos à primeira e segunda classificação. Foi decidido que o problema poderia ser melhor confrontado concentrando-se na obtenção de mais informações para os engenheiros, o que os capacitariam a prever exatamente as causas de falhas.

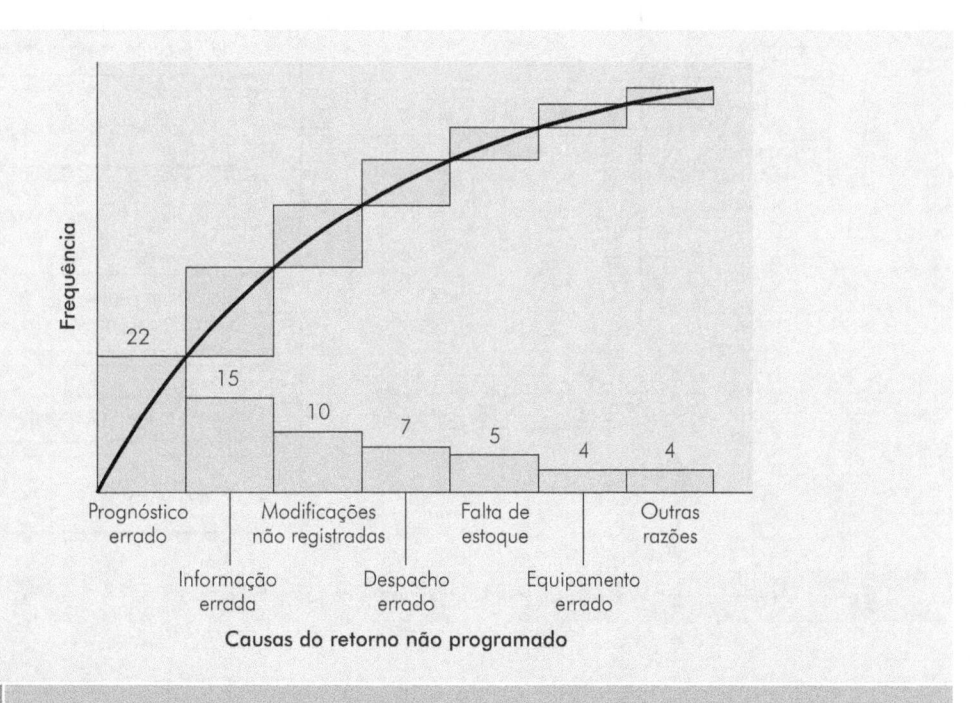

Figura 13.14 Diagrama de Pareto para as causas dos retornos não programados.

Análise dos porquês

A análise dos porquês começa definindo o problema e perguntando *por que* aquele problema ocorreu. Uma vez que as principais razões de ocorrência do problema foram identificadas, cada uma das principais razões é considerada por vez e novamente a pergunta é feita *por que* aquelas razões ocorreram e assim por diante. Esse procedimento continua até que uma causa pareça suficientemente completa para ser tratada isoladamente ou não haja resposta adicional para a pergunta "Por quê?".

Exemplo — Kaston Pyral Services Ltda (4)

A principal causa de retornos não programados na KPS foi o prognóstico incorreto para a falha do sistema do cliente. Isso é definido como o "problema" na análise dos porquês na Figura 13.15. Pergunta-se, então, por que a falha foi erroneamente prognosticada? Três respostas são propostas: primeiro, porque o engenheiro não foi treinado corretamente; segundo, porque eles tinham conhecimento insuficiente do produto específico instalado no local do cliente; e terceiro, porque eles tinham conhecimento insuficiente do sistema específico do cliente com suas modificações. Cada uma dessas três razões é considerada por vez e as perguntas são feitas, por que existe uma falta de treinamento, por que existe uma falta de conhecimento do produto, por que existe uma falta de conhecimento do cliente? E assim por diante.

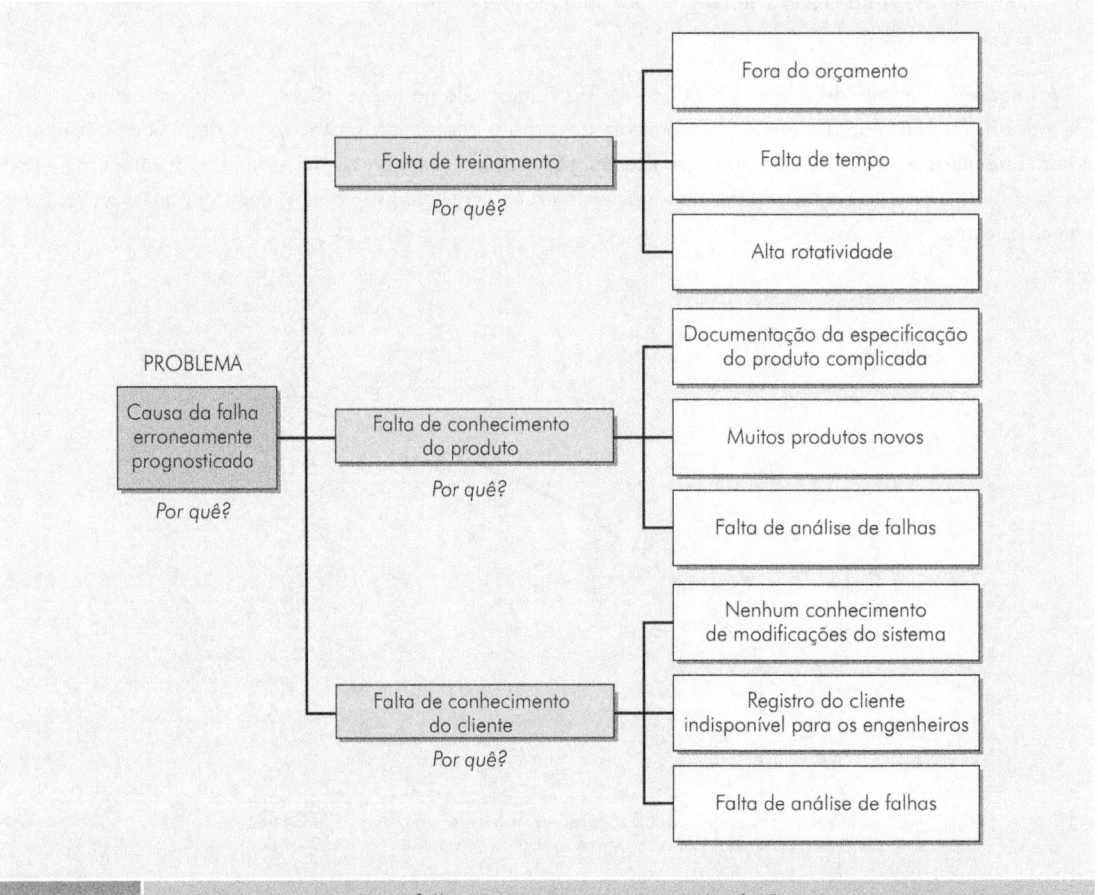

Figura 13.15 Análise dos porquês para "falhas erroneamente prognosticadas".

QUESTÕES DIAGNÓSTICAS

Como as melhorias podem ser feitas para se tornarem contínuas?

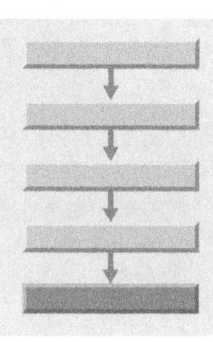

Nem todas as melhorias (frequentemente iniciadas com altas expectativas) continuarão a cumprir seu potencial. Mesmo aquelas iniciativas de melhorias que são implementadas com sucesso podem perder o ímpeto com o tempo. Às vezes, isso ocorre por causa da visão dos gerentes a respeito da natureza das melhorias; outras vezes, isso ocorre porque os gerentes falham ao gerenciar os processos de melhoria adequadamente.

Evite tornar-se uma vítima da "moda" de melhorias

As melhorias têm, até certo ponto, se tornado moda com novas ideias e conceitos sendo introduzidos continuamente como uma nova forma de melhorar o desempenho das empresas. Não existe nada intrinsecamente errado nisso. A moda estimula e renova a introdução de novas ideias. Sem isso, as coisas se estagnariam. O problema não está nas novas ideias de melhoria, mas, ao contrário, em alguns gerentes se tornando vítimas do processo, em que algumas novas ideias removem totalmente o que havia antes. A maioria das novas ideias tem algo a dizer, mas pular de uma moda para uma outra irá gerar uma reação contra qualquer nova ideia e também destruirá o potencial de acumular experiência.

> **Princípio de operações**
> A popularidade de uma abordagem de melhoria não é necessariamente um indicador de sua eficácia.

Evitar se tornar uma vítima da moda de melhorias não é fácil. Requer que aqueles que estão dirigindo o processo de melhorias assumam a responsabilidade por algumas questões:

- Eles devem assumir a responsabilidade por melhorias como uma atividade contínua, em vez de se tornarem campeões só por uma iniciativa específica de melhoria.
- Eles devem assumir a responsabilidade por entender as ideias subjacentes por trás de cada novo conceito. A melhoria não é "seguir uma receita" ou "interpretar números". A menos que se entenda *por que* as ideias de melhoria deveriam funcionar, é difícil de entender *como* elas podem ser adotadas para funcionarem adequadamente.
- Eles devem assumir a responsabilidade por entender os antecedentes de uma "nova" ideia de melhoria, porque isso ajuda a entendê-la melhor e a julgar a adequação dela para as suas operações.
- Eles devem estar preparados para adaptar novas ideias de forma que elas façam sentido dentro do contexto de suas operações. Um modelo único raramente serve para todos.
- Eles devem assumir a responsabilidade pelo esforço (frequentemente significativo) da educação e aprendizado que serão necessários se as novas ideias forem exploradas de forma inteligente.
- Acima de tudo, eles devem evitar o exagero e a propaganda que muitas novas ideias atraem. Embora, às vezes, tenta-se explorar a adoção motivacional de novas ideias através de slogans, cartazes e animações, os planos cuidadosamente divulgados sempre serão superiores a longo prazo e ajudarão a prevenir o inevitável "tiro pela culatra" que acompanha a supervalorização de uma única abordagem.

Gerenciar o processo de melhorias

Não existe receita absoluta para a forma como as melhorias deveriam ser gerenciadas. Qualquer processo de melhorias deve refletir as características singulares de cada operação. O que parece ser quase uma garantia da dificuldade no gerenciamento dos processos de melhoria são as tentativas de colocar as melhorias dentro de um molde padrão. No entanto, existem alguns aspectos de qualquer processo de melhorias que parecem influenciar seu eventual sucesso e deveriam ao menos ser debatidos.

> **Princípio de operações**
> Não existe uma abordagem universal para as melhorias.

Uma estratégia de melhorias deveria ser definida?

Sem pensar na finalidade geral e nos objetivos de longo prazo do processo de melhorias, é difícil para qualquer operação saber aonde está indo. Especificamente, uma estratégia de melhorias deveria ter algo a dizer sobre o seguinte:

- As prioridades competitivas da organização e como se espera que o processo de melhorias contribua para alcançar um impacto estratégico maior
- Os papéis e responsabilidades das várias partes da organização no processo de melhorias
- Os recursos que estarão disponíveis para o processo de melhorias
- A abordagem geral e a filosofia de melhorias na organização

Contudo, sendo muito rígida, uma estratégia pode se tornar inadequada se as circunstâncias competitivas da empresa mudarem ou conforme a operação aprende por meio da experiência. Mas a modificação cuidadosa da estratégia de melhoria à luz da experiência não é o mesmo que fazer mudanças drásticas na estratégia conforme aparecem novas modas de melhoria.

Qual é o grau de suporte requerido da alta gerência?

Para a maioria dos especialistas, a resposta é inequívoca – um grau significativo. Sem o suporte da alta gerência, as melhorias não podem ocorrer, pois trata-se do fator crucial em quase todos os estudos de implementação do processo de melhorias. Vai muito além de meramente alocar recursos seniores para o processo. O suporte da alta gerência normalmente significa que o pessoal sênior deve:

- entender e acreditar no elo entre as melhorias e a estratégia global da empresa;
- entender a viabilidade do processo de melhorias e ser capaz de comunicar seus princípios e técnicas para o resto da organização;
- ser capaz de participar no processo total de solução de problemas para melhorar o desempenho;
- formular e manter clara a ideia da filosofia de melhorias da operação.

O processo de melhorias deve ser formalmente supervisionado?

Alguns processos de melhorias falham porque desenvolvem uma pesada burocracia para rodá-los. Mas qualquer processo precisa ser gerenciado, assim todos os processos de melhoria precisarão de algum tipo de grupo para projetar, planejar e controlar seus esforços. Entretanto, um objetivo importante para muitos processos de melhorias é torná-los "autogovernáveis" com o passar do tempo. Na verdade, existem vantagens significativas em termos do compromisso das pessoas em dar-lhes responsabilidade por gerenciar o processo de melhorias. Contudo, mesmo quando a melhoria é direcionada especialmente para o autogerenciamento dos grupos de melhoria, existe uma necessidade de algum tipo de repositório de conhecimento para assegurar que o aprendizado e a experiência acumulada do processo de melhorias não sejam perdidos.

Até que ponto a melhoria deve ser baseada no grupo?

Ninguém realmente conhece um processo tanto quanto as pessoas que o operam. Elas têm acesso às redes de informação informais e formais que contêm a forma como os processos realmente funcionam. Trabalhando sozinhos, os indivíduos não são incapazes de juntar suas experiências ou aprender com a experiência do outro. Sendo assim, os processos de melhoria são quase sempre baseados em equipes. A questão é como essas equipes devem ser formadas, o que dependerá das circunstâncias da operação, seu contexto e seus objetivos. Por exemplo, *círculos da qualidade*, muito usados no Japão, encontraram sucesso misto no Ocidente. Um tipo muito diferente de equipe é a "força tarefa", ou o que algumas empresas norte-americanas chamam uma "equipe tigre". Comparado com os círculos da qualidade, esse tipo de grupo é muito mais direcionado e focado no gerenciamento. A maioria das equipes de melhoria encontra-se entre esses dois extremos (veja a Figura 13.16).

Como o sucesso pode ser reconhecido?

Se a melhoria é tão importante, ela deveria ser reconhecida, com o sucesso, o esforço e a iniciativa sendo formalmente recompensados. O paradoxo é que, se a melhoria é para se tornar parte da vida diária da operação, então por que o esforço de melhoria deveria ser especialmente recompensado? Um compromisso é planejar um sistema de recompensas e reconhecimento que responda no início das iniciativas de melhoria no processo de melhorias e, então, junte-se aos procedimentos normais de recompensa da operação. Desta forma, as pessoas são recompensadas não apenas pela eficiência e eficácia de rodar seus processos numa base existente, mas também por melhorá-los. Assim, a melhoria se tornará uma responsabilidade diária de todas as pessoas na operação.

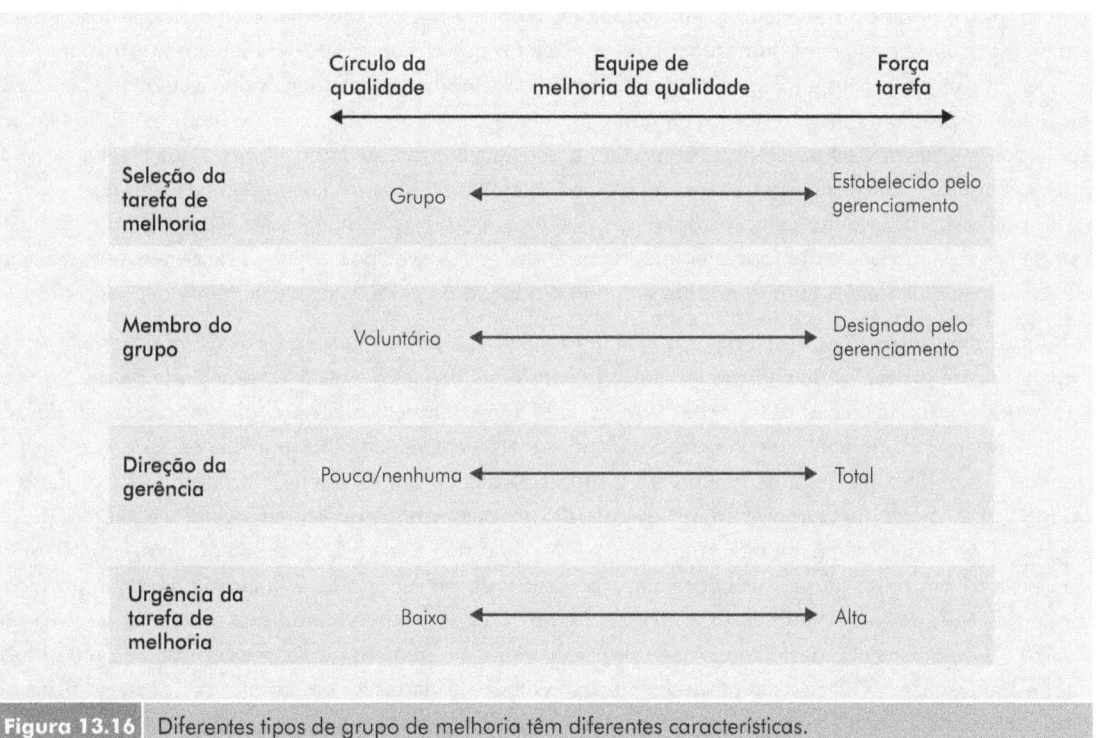

Figura 13.16 Diferentes tipos de grupo de melhoria têm diferentes características.

Quanto treinamento é necessário?

O treinamento tem duas finalidades no desenvolvimento dos processos de melhoria. A primeira é fornecer as habilidades necessárias que permitirão à equipe resolver problemas e implementar melhorias. A segunda é proporcionar um entendimento das habilidades interpessoais, de grupo e organizacionais necessárias para "lubrificar" o processo de melhorias. Esse segundo objetivo é mais difícil que o primeiro. Treinamento e técnicas de melhoria podem levar um tempo e esforço significativo, mas esse conhecimento só será útil se o contexto organizacional para melhorias mitigar as técnicas efetivamente usadas. Embora a natureza do desenvolvimento organizacional adequado esteja além do escopo desse livro, vale a pena observar que as habilidades técnicas e as habilidades organizacionais melhoram se a equipe tem um entendimento básico das ideias centrais e princípios de gerenciamento de processos e operações.

Comentário crítico

Cada capítulo contém um breve comentário crítico sobre as principais ideias nele abordadas. Seu propósito não é minar as questões discutidas, mas enfatizar que, embora apresentemos uma visão relativamente ortodoxa da operação, existem outras perspectivas.

■ Muitas das questões abordadas nesse capítulo são controversas, por diferentes razões. Algumas críticas são feitas com relação à eficácia dos métodos de melhoria. Por exemplo, pode-se argumentar que existe uma falha fundamental no conceito de *benchmarking*. As operações que dependem de outras para estimular sua criatividade, especialmente aquelas que estão à procura da "melhor prática", estão sempre se limitando a métodos atualmente aceitos de operação ou limites atualmente aceitos de desempenho. A "melhor prática" não é "melhor" no sentido de que não pode ser melhorada; é somente "melhor" no sentido de que é a melhor que se pode encontrar atualmente. E aceitar o que é atualmente definido como "melhor" pode impedir que as operações em algum momento façam a melhoria radical ou melhoria que adote o conceito de "melhor" para um patamar novo e fundamentalmente melhorado. Ademais, se uma operação tem um conjunto de práticas de sucesso na forma como gerencia seu processo, não significa que adotar aquelas mesmas práticas num outro contexto trará um sucesso similar. É possível que diferenças sutis nos recursos dentro de um processo (tal como as habilidades da equipe ou as competências técnicas) ou o contexto estratégico de uma operação (por exemplo, as prioridades relativas dos objetivos de desempenho) sejam suficientemente diferentes para tornar inadequada a adoção de práticas aparentemente bem-sucedidas.

■ Outras abordagens são vistas por alguns como muito radicais e muito insensíveis. Por exemplo, a reengenharia de processos de negócio tem gerado considerável controvérsia. A maior parte de seus críticos são acadêmicos, mas algumas objeções práticas à BPR têm também ocorrido, tais como o receio de que a BPR leve em consideração apenas atividades de trabalho em vez de olhar para as pessoas que desempenham o trabalho. Por isso, as pessoas se tornam "dentes da engrenagem". Também existe uma visão da BPR como sendo muito imprecisa, porque seus proponentes não conseguem decidir se ela tem de ser radical ou se pode ser implementada gradualmente, ou o que é um processo exatamente, ou se tem de ser de cima para baixo ou de baixo para cima, ou se tem de ser suportada pela tecnologia da informação ou não. Talvez, de forma mais séria, a BPR seja vista como meramente uma desculpa para se livrar da equipe. As empresas que desejam o *downsize* (isto é, reduzir o número de pessoas dentro de uma operação) estão usando a BPR como uma desculpa. Isso coloca os interesses de curto prazo dos acionistas da empresa acima de seus interesses de longo prazo ou dos interesses dos empregados da empresa. Além disso, uma combinação do reprojeto radical com a redução do número de equipes pode significar que a experiência essencial da operação é perdida. Isso a deixa vulnerável a qualquer turbulência do mercado, uma vez que não faz muito tempo que adquiriu o conhecimento e a experiência de como se adaptar a mudanças inesperadas.

■ Mesmo a abordagem mais branda de melhoria contínua não é universalmente bem-vinda. Apesar de suas implicações de dar poder e de sua atitude liberal para a equipe de chão de fábrica, ela é lembrada por alguns representantes do trabalhador como meramente mais um caso de gerentes explorando os trabalhadores. Ideias relativamente estabelecidas, como o TQM, têm sido definidas por seus críticos como "gerenciamento por estresse". Ou, ainda mais radical, o "TQM é como colocar um aspirador de pó próximo do cérebro de um trabalhador e sugar ideias. Eles não querem mais alugar seu conhecimento, querem possuí-lo – depois de um tempo, isso o torna totalmente substituível".

Lista de verificação

Esta lista de verificação inclui perguntas que podem ser úteis se aplicadas a qualquer tipo de operação e reflete as principais questões diagnósticas usadas dentro do capítulo.

- [ ] A importância da melhoria de desempenho é totalmente reconhecida dentro da operação?
- [ ] Todos os gerentes de operações e de processos veem a melhoria de desempenho como parte integral de sua tarefa?
- [ ] A diferença entre o desempenho desejado e o atual é claramente articulada em todas as áreas?
- [ ] O sistema de medição do desempenho atual é visto como a formação de uma base de melhorias?
- [ ] As medições de desempenho centram-se em fatores que refletem os objetivos estratégicos da operação?
- [ ] Os indicadores de desempenho permitem que áreas com problemas sejam diagnosticadas?
- [ ] Algum tipo de abordagem *Balanced Scorecard* que inclui perspectivas financeiras, internas, de clientes e de aprendizado é usada?
- [ ] O conjunto de metas de desempenho está usando um equilíbrio adequado entre metas de desempenho histórica, estratégica, externa e absoluta?
- [ ] Métodos de processos e desempenho sofrem *benchmarking* externo em relação a operações e/ou processos similares?
- [ ] O *benchmarking* é feito regularmente e visto como uma contribuição importante para a melhoria?
- [ ] Algum método formal de comparação do desempenho desejado e do real (tal como a matriz de importância e desempenho) é usado?
- [ ] Em que medida a operação tem uma predisposição para a inovação ou melhoria contínua?
- [ ] As abordagens de inovação, como a Reengenharia de Processos de Negócio, têm sido avaliadas?
- [ ] Os métodos de melhoria contínua e os ciclos de solução de problemas são usados dentro da operação?
- [ ] Em caso afirmativo, as melhorias contínuas têm se tornado parte da tarefa de todos?
- [ ] Quais "habilidades" e "comportamentos associados" (veja Tabela 13.2) são evidentes dentro da operação?
- [ ] A abordagem Seis Sigma para melhoria tem sido avaliada?
- [ ] As técnicas de melhoria mais comuns são usadas para facilitar a melhoria dentro das operações?
- [ ] As operações exibem algum sinal de se tornarem vítimas do modismo da última abordagem de melhoria?
- [ ] A operação tem uma abordagem completa para gerenciar melhorias?

Estudo de caso: Risco e Construção Genebra (RCG)

"Não será como da última vez. Daquela vez, adotamos um programa de melhorias porque nos foi recomendado. Desta vez, é nossa ideia e, se tivermos sucesso, seremos nós a falar para o resto do grupo como fazer." (Tyko Mattson, Campeão Seis Sigma, RCG)

Tyko Mattson estava falando como o "Campeão" nomeado recentemente na Seguradora de Risco e Construção Genebra. Ele tinha sido encarregado de "conduzir o programa Seis Sigma até estar firmemente estabelecido como parte de nossa prática". A iniciativa de melhoria anterior a que ele estava se referindo ocorreu muitos anos atrás quando a empresa matriz da RCG, a Wichita Mutual Seguros, tinha insistido na adoção do Gerenciamento da Qualidade Total (TQM) em todos seus negócios. A iniciativa TQM nunca tivera uma falha publicada e fora bem-sucedida em fazer algumas melhorias, especialmente na percepção dos clientes sobre os níveis de serviço da empresa. Entretanto, a iniciativa tinha "se esvaído" durante os anos 1990 e, apesar de todos os departamentos ainda terem de relatar formalmente sobre seus projetos de melhoria, seu número e impacto era agora relativamente menor.

Histórico

A Empresa de Seguros de Construção Genebra foi fundada em 1922 para fornecer seguro para empresas de construção e empreiteiras, inicialmente na Europa de língua alemã e depois, por causa da emigração de alguns membros da família para os EUA, na América do Norte. A empresa se manteve relativamente pequena e se especializou em projetos de construção de casas até meados dos anos 1950, quando começou a crescer, em parte por causa da expansão geográfica e em parte porque mudou para seguros de construções maiores (às vezes muito grandes) nas áreas de energia, petroquímica, óleo e industrial. Em 1983, ela foi comprada pelo Grupo Wichita Mutual e absorveu os negócios de seguro de construção existentes no grupo.

Em 2000, ela se estabeleceu como uma das fornecedoras líderes de seguro para projetos de construção, especialmente projetos complexos, de alto risco, em que questões contratuais e legais, exposição física e incerteza de projeto precisavam de seguros "personalizados". Para fornecer tal seguro, precisavam de habilidades e de conhecimento de especialistas, inclusive inspetores de seguros, auditores de sinistro, engenheiros, advogados internacionais e consultores especialistas em risco. Como parte de sua rotina, a empresa assegurava as perdas resultantes de falhas do contratante, relacionadas a questões de responsabilidade pública, atrasos na conclusão do projeto, litígio associado, outros litígios (tais como riscos do amianto) e questões de negligência.

A matriz da empresa ficava em Genebra e abrigava todos os principais departamentos, incluindo vendas e *marketing*, garantia, análise de riscos, declarações e acordos, controle financeiro, administração geral, aconselhamento legal especialista e geral e pesquisas de negócios. Existiam também 37 escritórios locais pelo mundo, organizados em quatro áreas regionais: América do Norte, América do Sul, Leste Europeu e África, e Ásia. Esses escritórios regionais forneciam ajuda e conselho local para clientes e também para os 890 agentes que a RCG usava no mundo todo.

A iniciativa de melhoria anterior

Quando a Wichita Mutual insistira que a RCG adotasse uma iniciativa TQM, ela tinha ido longe a ponto de especificar exatamente como se deveria fazê-lo e quais consultores deveriam ser usados para ajudar a estabelecer o programa. Tyko Mattson balança a cabeça conforme descreve. *"Eu não estava na empresa naquele tempo, mas, olhando para trás, é surpreendente que isso tenha resultado em algo bom. Você não pode impor a estrutura de uma iniciativa de melhoria a partir do topo. Isso tem de, ao menos parcialmente, ser montado pelas pessoas que vão estar envolvidas nisso. Mas tudo tinha de ser feito de acordo com o manual. O custo da qualidade foi medido para diferentes departamentos de acordo com o manual. Todos tinham de aprender as técnicas de melhorias que estavam descritas no manual. Todos tinham de fazer parte de um círculo da qualidade que foi organizado de acordo com o manual. Além disso, precisávamos organizar cerimônias de premiação anuais nas quais eram fornecidos 'certificados de mérito' especiais para aqueles círculos da qualidade que tivessem realizado o tipo de melhoria que o manual dizia que eles deveriam."* A iniciativa TQM tinha sido dirigida pelo "Comitê da Qualidade", um grupo de oito pessoas com representantes de todos os principais departamentos do escritório central. Inicialmente, ele tinha gastado muito de seu tempo preparando os grupos de melhoria e organizando o treinamento nas técnicas da qualidade. Entretanto, logo o grupo tinha sido tragado pelo trabalho necessário para avaliar quais sugestões de melhorias deveriam ser implementadas. Logo, a carga de trabalho associada com a avaliação das ideias de melhoria tinha se tornado tão grande que a empresa decidiu alocar orçamentos para pequenas melhorias para cada departamento trimestralmente, que eles poderiam gastar sem se referir ao comitê da qualidade. Os projetos que requeriam maior investimento ou que tinham um impacto significativo em outras partes do negócio ainda precisavam ser aprovados pelo comitê antes de serem implementados.

Os orçamentos do departamento de melhorias ainda eram usados dentro do negócio e os planos de melhorias ainda eram requeridos anualmente de cada departamento. Entretanto, o comitê da qualidade tinha parado de se reunir em 1994 e a cerimônia de premiação anual tinha se tornado uma reunião de comunicações gerais para toda equipe do centro de operações. *"Olhando para trás"*, disse Tyko, *"a iniciativa TQM desapareceu gradualmente por três razões. Primeira, as pessoas se cansaram dela. Era sempre vista como algo extra ao invés de parte da vida normal da empresa, então sempre era vista como tomando o tempo de sua tarefa normal. Segunda, muitos dos níveis médios da gerência e supervisão nunca acreditaram realmente nela, eu acho que porque eles se sentiram ameaçados. Terceira, somente poucos escritórios locais em todo mundo adotaram a filosofia TQM. Às vezes, isso aconteceu porque eles não queriam o esforço extra. Às vezes, entretanto, eles argumentavam que iniciativas de melhoria desse tipo poderiam ser boas para processos da matriz, mas não para o dinâmico mundo de suporte a clientes no campo."*

A iniciativa Seis Sigma

No início de 2005, Tyko Mattson, que durante os últimos dois anos esteve inspecionando a terceirização do processamento de algumas reclamações da RCG para a Índia, assistiu a uma conferência sobre "Excelência de Operações em Serviços Financeiros" e ouviu diversos palestrantes detalharem o sucesso que obtiveram com o uso da abordagem Seis Sigma para melhorias de operações. Ele influenciou seu chefe imediato, Marie-Dominique Tomas, a chefe das reclamações da empresa, para permiti-lo investigar sua aplicabilidade para a RCG. Entrevistou alguns outros serviços financeiros que tinham implementado Seis Sigma e também alguns consultores e, em setembro de 2005, submeteu um relatório com o nome de *"O que é Seis Sigma e como ele poderia ser aplicado na RCG?"*. Partes dele estão no Apêndice. Marie-Dominique Tomas estava particularmente preocupada em evitar os erros da iniciativa TQM. *"Em retrospecto, é quase constrangedor ver como éramos ingênuos. Realmente pensávamos que ela mudaria toda forma como fazíamos negócio. E, embora produzisse alguns benefícios, ela absorvia uma grande quantidade de tempo em todos os níveis na organização. Agora, queremos algo que nos entregará resultados sem custar muito ou sem nos distrair nosso foco no desempenho da empresa. É por isso que eu gosto do Seis Sigma. Ele começa esclarecendo os objetivos da empresa e trabalha baseado neles."*

No final de 2005, o relatório de Tyko foi aprovado pela RCG e pelo Conselho principal da Wichita Mutual. Tyko recebeu o desafio de executar as recomendações de seu relatório, respondendo diretamente para o Conselho Executivo da RCG. Marie-Dominique Tomas foi cautelosamente otimista: *"É um grande desafio para Tyko. A maioria de nós no Conselho Executivo lembra da iniciativa TQM e alguns ainda estão céticos em relação ao valor de tais iniciativas. Entretanto, a abordagem gradual de Tyko e sua ênfase no ataque "triplo" na receita, nos custos e nos riscos impressionou o Conselho. Agora temos que ver se ele consegue fazer isso funcionar."*

Apêndice – Parte do relatório *O que é Seis Sigma e como ele poderia ser aplicado na RCG?*

Algumas armadilhas do Seis Sigma

O Seis Sigma não é simples de implementar e consome recursos. O foco na medição significa que a informação do processo esteja disponível e seja razoavelmente robusta. Se esse não for o caso, é possível perder muito esforço na obtenção da informação do desempenho do processo. Isso pode também complicar demais as coisas se as técnicas avançadas são usadas em problemas simples.

É fácil aplicar Seis Sigma para processos repetitivos – caracterizados por alto volume, baixa variedade e baixa visibilidade para os clientes. É mais difícil aplicá-lo a baixo volume, alta variedade e alta visibilidade de processos, em que a padronização é mais difícil de ser alcançada e o foco está em gerenciar a variedade.

O Seis Sigma não é um "conserto rápido". As empresas que implementaram Seis Sigma de forma efetiva não o trataram como apenas uma outra nova iniciativa, mas como uma abordagem que requer a redução sistemática das perdas a longo prazo. Da mesma forma, não é uma panacéia e não deve ser implementado como uma.

Alguns benefícios do Seis Sigma

As empresas têm alcançado benefícios significativos na redução de custos e melhorias do serviço ao cliente a partir da implementação do Seis Sigma.

O Seis Sigma pode reduzir a variação do processo, o que terá um impacto significativo no risco operacional. É uma metodologia experimentada e testada, que combina as partes mais fortes de metodologias de melhoria existentes. Ela pode ser personalizada para atender circunstâncias individuais da empresa. Por exemplo, a Mestech Assurance expandiu sua iniciativa Seis Sigma para examinar os processos de risco operacional.

O Seis Sigma pode nivelar algumas iniciativas atuais. A metodologia de risco de autoavaliação, Sarbanes Oxley, a biblioteca de processo e nosso trabalho de indicadores de desempenho estão todos compondo os alicerces para o melhor conhecimento e medição dos dados do processo.

Seis Sigma – conclusões fundamentais para a RCG

O Seis Sigma é uma metodologia poderosa de melhorias. Não totalmente nova, mas o que ela realmente faz com sucesso é combinar algumas das melhores partes de metodologias, ferramentas e técnicas de melhoria existentes. O Seis Sigma tem ajudado muitas empresas a alcançar benefícios significativos. Poderia ajudar a RCG a melhorar de forma significativa o gerenciamento do risco porque foca na eliminação dos erros e nas exceções dos processos.

O Seis Sigma tem vantagens significativas sobre outras metodologias de melhoria de processos. Ele engaja ativamente a gerência sênior na propriedade do processo* e o vínculo com os objetivos estratégicos. Isso é visto como perfeito para uma implementação bem-sucedida na literatura e por todas as empresas entrevistadas que o tinham implementado. Ele força uma abordagem rigorosa para acabar com a variância nos processos, analisando a causa inicial de defeitos e erros e medindo a melhoria. É uma abordagem "guarda-chuva", combinando todas as melhores partes de outras abordagens de melhoria.

Implementar o Seis Sigma em toda RCG não é a abordagem correta

As empresas que são amplamente cotadas como tendo alcançado benefícios importantes mais significativos do Seis Sigma já estavam relativamente maduras em termos de gerenciamento de processo. Aquelas empresas que entendiam a capacidade de seu processo, tinham alcançado um grau de padronização do processo e tinham uma cultura de melhorias de processo estabelecida.

O Seis Sigma requer investimento significativo no conhecimento do processo e em indicadores de desempenho. A RCG provavelmente ainda não está suficientemente avançada. Entretanto, estamos trabalhando em direção a uma posição em que os dados principais do processo sejam medidos e conhecidos e isso fornecerá um alicerce para o Seis Sigma.

Por que é recomendada uma implementação baseada em metas?

A implementação completa consome recursos. São necessários recursos e orçamento dedicado para a implementação de melhorias. Mesmo se a abordagem é modificada, recursos e orçamento ainda serão necessários, apenas numa extensão menor. Entretanto, a evidência é que o investimento é muito válido e que o seu retorno é relativamente rápido.

Existia uma forte evidência das empresas entrevistadas de que a abordagem de melhor implementação foi a do plano piloto Seis Sigma e selecionar processos falhos para o piloto. Além disso, o piloto interno, antes das implementações, tinha sido um sucesso na RCG – sabemos que essa abordagem funciona dentro de nossa cultura.

O Seis Sigma forneceria uma plataforma para a RCG se embasar e se desenvolver com o tempo. É uma forma de nivelar o trabalho existente nos processos e a metodologia de risco (sendo desenvolvida pelo Grupo Operacional de Risco). Essa ferramenta diagnóstica poderia ser combinada dentro do Seis Sigma, fornecendo à RCG um modelo poderoso para direcionar redução na variação do processo e gerenciamento operacional de risco melhorado.

Recomendações

Recomenda-se que a gerência da RCG implemente um piloto Seis Sigma. As características do piloto seriam como segue:

- Uma abordagem feita sob medida para o Seis Sigma que atenderia o ambiente de operação e os objetivos da RCG.
- O uso de um parceiro externo: a RCG não tem especialistas Seis Sigma internos suficientes e a experiência externa será crucial para fazer a abordagem sob medida e fornecer treinamento.
- Estabelecer onde o desempenho sigma da RCG está agora. Ferramentas e abordagens diferentes serão necessárias para avançar de 2 para 3 Sigma do que aquelas para mudar de 3 para 4 Sigma.
- Quantificar os benefícios potenciais. Os investimentos feitos são válidos? No que um aumento de 1 Sigma em desempenho *versus* risco valeria para nós?
- Manter métodos simples, se os simples alcançarem nossos objetivos. O mínimo para nós significa técnicas estatísticas básicas e Solução de Problemas em equipe.

Próximas etapas

1 Decidir prioridades e confirmar orçamento e recursos fornecidos para análise inicial para desenvolver um programa de melhoria de risco Seis Sigma em 2006.

---

* N. de R. T.: Do inglês, *process ownership*.

2 Selecionar um parceiro externo com experiência em melhorias e metodologias Seis Sigma.

3 Avaliar o estado atual da RCG para confirmar onde começar a implementação Seis Sigma.

4 Estabelecer quanto a RCG está preparada para investir no Seis Sigma e quantificar os benefícios potenciais.

5 Fazer o Seis Sigma sob medida para focar no gerenciamento de risco.

6 Identificar área(s) piloto potenciais e critérios para avaliar sua aplicabilidade.

7 Desenvolver um plano piloto Seis Sigma.

8 Conduzir e revisar o plano piloto.

PERGUNTAS

1 Como a abordagem Seis Sigma se diferencia da abordagem TQM adotada pela empresa há quase 20 anos?

2 O Seis Sigma é uma abordagem melhor para esse tipo de empresa?

3 Você acha que Tyko pode evitar que a iniciativa Seis Sigma tenha o mesmo destino que a iniciativa TQM?

Estudo de caso ativo — Ferndale Sands

O Ferndale Sands é um centro de conferências com 52 salas no Estado de Vitória, Austrália. Eles se orgulham em oferecer suprema qualidade e serviço, um verdadeiro *"retiro executivo"*. Mario Romano, o proprietário e Gerente Geral, ficou furioso e alarmado ao ler uma reportagem que ameaça sua excelente reputação. Uma reunião urgente é convocada para tratar da publicidade negativa.

- Como você avaliaria o desempenho do centro dentro de diferentes aspectos de seu negócio e que caminho de melhoria você recomendaria?

Consulte o caso ativo no CD que acompanha esse livro para escutar as visões de diferentes equipes que trabalham para Mario.

Aplicando os princípios

Alguns destes exercícios podem ser respondidos a partir da leitura do capítulo. Outros vão requerer algum conhecimento geral da atividade de negócios e alguns poderão requerer pesquisa. Todos têm sugestões de como podem ser respondidos no CD que acompanha este livro.

1 Visite uma biblioteca (por exemplo, a biblioteca da universidade) e analise como ela poderia começar um programa de medição de desempenho que a possibilitaria julgar a eficácia com a qual organiza suas operações. Provavelmente, a biblioteca empresta livros a longo prazo e a curto prazo, mantém um grande estoque de jornais, solicita publicações especializadas para bibliotecas e tem uma grande base de dados em tempo real.

- Que indicadores de desempenho você acha que seriam adequados para usar nesse tipo de operação e que tipo de padrões de desempenho a biblioteca deveria adotar?

2 (a) Planeje um programa de *benchmarking* que beneficiará o curso ou programa que você está fazendo atualmente (se adequado). Ao fazer isso, decida se você vai fazer um *benchmarking* em relação a outros cursos na mesma instituição, cursos concorrentes em outras instituições ou alguma outra comparação. Também decida se você está mais interessado no desempenho desses outros cursos ou na forma como eles organizam seus processos, ou ambos.

(b) Identifique as instituições e cursos em relação aos quais você vai fazer um *benchmarking*.
(c) Colete dados desse outros cursos (visite-os, peça literatura ou visite o *site* deles na Internet).
(d) Compare seu próprio curso em relação a esses outros e faça uma lista das implicações nas melhorias de seu curso.

3 Lembre-se da última falha de produto ou serviço que lhe causou algum inconveniente. Desenhe um diagrama de causa e efeito que identifique todas as principais causas da falha. Tente identificar a frequência com que tal causa acontece. Isso poderia ser feito falando com a equipe da operação que fornece o serviço. Desenhe um diagrama de Pareto que indique a frequência relativa de cada causa de falha. Sugira formas em que a operação poderia reduzir as chances de falha.

4 (a) Se você está trabalhando num grupo, identifique uma operação de "alta visibilidade" que é familiar a todos os menbros. Pode ser um restaurante de serviço rápido, lojas de CD's, sistemas de transporte público, bibliotecas, etc.
(b) Após terem identificado a amplitude da classe de operação, visitem alguns deles e usem sua experiência como clientes para identificar os principais fatores de desempenho que são importantes para vocês como clientes e como cada loja se classifica em relação às outras em termos de seu desempenho nesses mesmos fatores.
(c) Desenhe um diagrama de importância e desempenho para uma das operações que indique a prioridade que ela deveria estar dando para melhorar seu desempenho.
(d) Discuta como uma operação poderá melhorar seu desempenho e tente discutir suas descobertas com a equipe da operação.

Notas do capítulo

1 Fonte: Debate com a equipe da Xchanging, agradecimentos especiais a Clive Buesnel e Paul Ruggier.
2 Fonte: *Website* EFQM (www.efqm.org).
3 Veja Kaplan, R.S. and Norton, D.P. (1996) *The Balanced Scorecard*, Harvard Business School Press, Boston, MA.
4 Kaplan and Norton, *op.cit.*
5 Ferdows, K. and de Meyer, A. (1990) "Lasting improvement in manufacturing", *Journal of Operations Management*, Vol. 9, N° 2. Entretanto, a pesquisa para esse modelo é mista. Por exemplo, Patricia Nemetz questiona a validade do modelo, encontrando mais suporte para a ideia de que a sequência de melhoria geralmente é ditada pelas pressões tecnológicas (recursos de operações) ou mercado (necessidades): Nemetz, P. (2002) "A longitudinal study of strategic choice, multiple advantage, cumulative model and order winner/qualifier view of manufacturing strategy", *Journal of Business and Management*, Janeiro.
6 Hammer, M. and Champy, J. (1993) *Re-engineering the Corporation*, Nicholas Brealey Publishing.
7 Hammer, M. (1990) "Re-engineering work: don't automate, obliterate", *Harvard Business Review*, Vol. 68, N° 4.
8 Imai, M. (1986) *Kaizen – The Key to Japan's Competitive Success*, McGraw-Hill.
9 Bessant, J. and Caffyn, S. (1997) High involvement innovation", *International Journal of Technology Management*, Vol. 14, N° 1.
10 Pande, P.S. Neuman, R.P. and Cavanagh, R.R. (2000) *The Six Sigma Way*, McGraw-Hill, New York.
11 Para mais detalhes sobre essa abordagem, veja Schaninger, W. S., Hattis, S. G. e Niebohr, R. L. (2000) 'Adapting General Electric's workout for use in other organizations: a template', www. isixsigma.com; Quinn, J. (1994) 'What a workout!', *Sales e Marketing Management, Performance Supplement*, Novembro, pp. 58-63; Stewart, T. (1991)' GE Keeps those ideas coming,' *Fortune*, vol. 124, no. 4, pp. 40-5

Indo além

Chang, R.Y. (1995) *Continuous Process Improvement: A practical guide to improing process for measurable results*, Kogan Page.

Leibfried, K.H.J. and McNair, C.J. (1992) *Benchmarking: A tool for continuous improvement*, HarperCollins. Existem muitos livros sobre *benchmarking*; este é um guia abrangente e prático sobre o assunto.

Pande, P.S., Neuman, R.P. and Cavanagh, R. (2002) *Six Sigma Way Team Field Book: An implementation guide for project improvement teams*, McGraw-Hill. Obviamente baseado no princípio Seis Sigma e relacionado ao livro pela mesma equipe do autor recomendado no Capítulo 12, esse é um guia claramente prático para a abordagem Seis Sigma.

Websites úteis

www.processimprovement.com *Site* comercial, mas com algum conteúdo que pode ser útil.

www.kaizen-institute.com Instituto profissional para *kaizen*. Fornece um entendimento nas visões de profissionais.

www.imeche.org.uk/mx/index.asp O *site* dos Prêmios de Excelência de Fabricantes. Dedicado a premiar excelência e melhor prática na fabricação do Reino Unido. Obviamente com viés de manufatura, mas com alguns bons exemplos.

www.ebenchmarking.com Informação de *benchmarking*.

www.quality.nist.gov Instituto Americano da Garantia da Qualidade. Instituição bem estabelecida para todos os tipos de garantia da qualidade empresarial.

www.balancedscorecard.org *Site* de uma organização norte-americana com muitos *links* úteis.

RECURSOS ADICIONAIS Para recursos adicionais incluindo exemplos, diagramas animados, questões de autoavaliação, planilhas Excel, estudos de caso ativos e materiais de vídeo, acesse o CD que acompanha este livro.

Capítulo 14
RISCO E RESILIÊNCIA

Introdução

Uma maneira óbvia de melhorar o desempenho de operações é reduzir o risco de falhas (ou de que elas causem rupturas) dentro da operação. Todas as operações estão sujeitas a falhas de muitos tipos, como falha tecnológica, falha do fornecedor, desastre natural ou provocado pelo homem e por muitas outras causas. Uma operação ou um processo "resiliente" é aquele que pode evitar a ocorrência de falhas, minimizar seus efeitos e aprender a se recuperar das rupturas. Num ambiente econômico, político e social de risco crescente, a resiliência tem se tornado uma parte importante do gerenciamento de processos e operações e em algumas operações é vital – avião em voo, suprimentos de eletricidade para hospitais, ou os serviços de emergência, nos quais a falha pode ser literalmente fatal. (Veja Figura 14.1.)

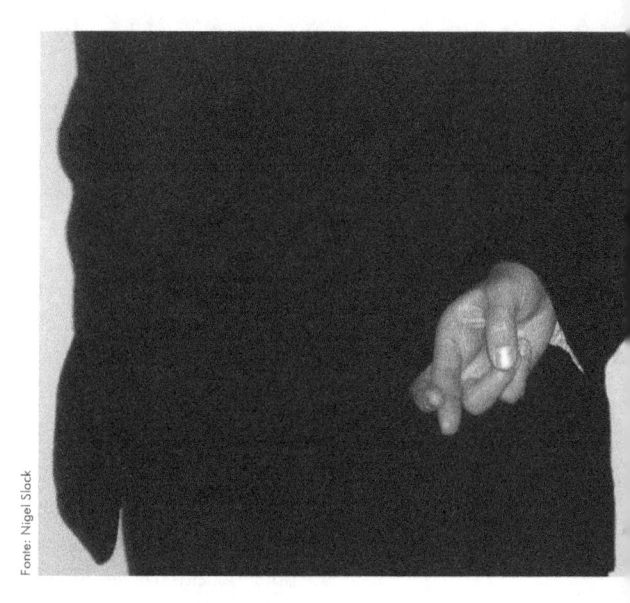

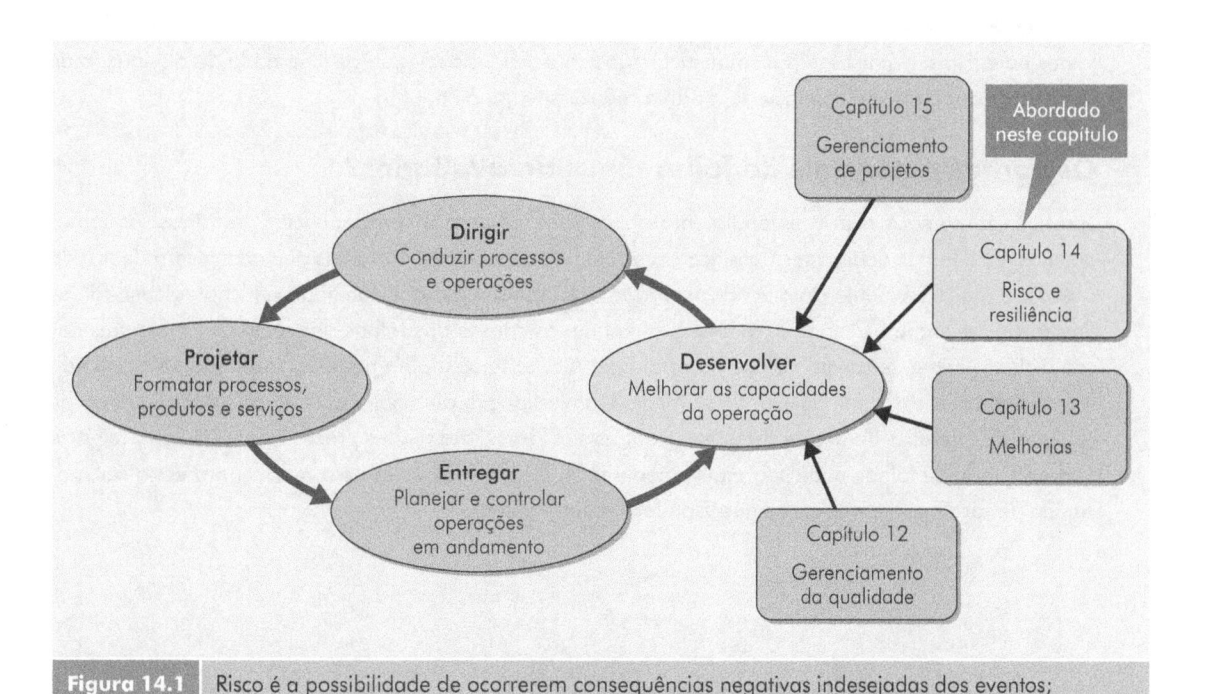

Figura 14.1 Risco é a possibilidade de ocorrerem consequências negativas indesejadas dos eventos; resiliência é a habilidade de evitar, atenuar e recuperar-se desses eventos.

Sumário executivo

VÍDEO informações adicionais

- O que é risco e resiliência?
- Os pontos potenciais de falhas têm sido avaliados?
- Medidas de prevenção de falhas têm sido implementadas?
- Medidas de atenuação de falhas têm sido implementadas?
- Medidas de recuperação de falhas têm sido implementadas?

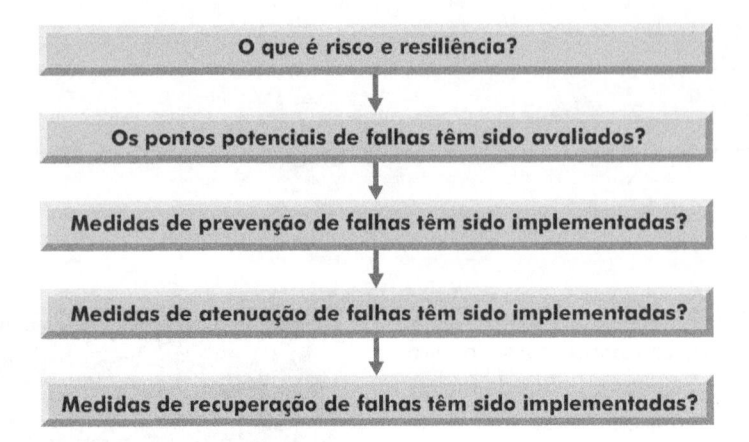

Cadeia lógica de decisões para risco e resiliência

Cada capítulo é estruturado em torno de um grupo de questões diagnósticas. Essas questões sugerem o que você poderia perguntar para entender as questões importantes de um tópico e, como resultado, melhorar sua tomada de decisão. Um sumário executivo, tratando dessas questões, é fornecido abaixo.

O que é risco e resiliência?

Risco é a possibilidade de ocorrerem consequências negativas indesejadas dos eventos. Resiliência é a habilidade de evitar, resistir e recuperar-se desses eventos. As falhas podem ser classificadas em termos da seriedade de seu impacto e a probabilidade de sua ocorrência. As falhas de impacto relativamente baixo que acontecem com certa frequência estão sob o escopo do gerenciamento da qualidade. A resiliência tenta reduzir os efeitos combinados da ocorrência de uma falha e o impacto negativo que ela pode ter. A resiliência compreende quatro conjuntos de atividades: entender e avaliar a seriedade das falhas potenciais; evitar as falhas; minimizar suas consequências negativas (chamada de atenuação de falhas); e recuperar-se das falhas de modo a reduzir seu impacto.

Os pontos potenciais de falha têm sido avaliados?

A resiliência começa com o entendimento das possíveis fontes e consequências de falhas. As fontes potenciais de falhas podem ser classificadas em falhas de suprimento, falhas que acontecem dentro da operação (posteriormente classificadas como falhas humanas, organizacionais e tecnológicas), falhas de projeto de produtos/serviços, falhas do cliente, e as causas das falhas por rupturas ambientais tais como clima, crime, terrorismo e assim por diante. A análise pós-falha pode ser auxiliada pelo entendimento das causas das falhas usando técnicas de investigação de acidente, rastreabilidade, análise de reclamações, análise da árvore de falhas e outras similares. Para alguns processos conhecidos, julgar a probabilidade de falhas pode ser relativamente fácil, mas muitas vezes essa avaliação precisa ser executada de forma subjetiva, o que não é de fácil entendimento.

Medidas de prevenção de falhas têm sido implementadas?

A prevenção de falhas é baseada na premissa de que é melhor evitar falhas do que sofrer suas consequências. As principais abordagens para prevenção de falhas são: projetar para que não haja possibilidade de falhas em pontos-chave do processo; fornecer recursos extras, redundantes, que possam servir como ajuda adicional no caso de ocorrerem falhas; instalar dispositivos à prova de falhas que evitem erros; e efetuar manutenção nos processos de forma a reduzir a probabilidade de falhas. Essa última classificação é particularmente importante para muitas operações, mas pode ser abordada de diferentes formas, tais como manutenção preventiva, manutenção condicional e manutenção produtiva total.

Medidas de atenuação de falhas têm sido implementadas?

A atenuação de falhas significa isolar as consequências negativas das falhas. Pode haver várias ações de atenuação, dentre elas: assegurar a instalação de procedimentos de planejamento que forneçam diretrizes importantes para a atenuação e demonstrem que a falha é levada a sério; a atenuação econômica usando seguros; compartilhamento de risco e *hedge*; o controle espacial ou temporal, evitando que as falhas se disseminem geograficamente ou com o passar do tempo; a redução de perdas pela remoção de tudo o que possa ser danificado por uma falha; e uso de recursos substitutos para trabalhar sobre uma falha antes que ela se torne séria.

Medidas de recuperação de falhas têm sido implementadas?

A recuperação de falhas é o conjunto de ações adotadas depois que os efeitos negativos da falha ocorreram e que reduzem o seu impacto. Às vezes, recuperar-se bem de uma falha pública pode até melhorar a imagem de uma organização. Entretanto, a recuperação necessita ser planejada e devem ser estabelecidos procedimentos de investigação de quando as falhas ocorreram, de encaminhamento da ação adequada para manter todos informados, de captura das lições aprendidas com a falha e de planejamento da inclusão da lição em recuperações futuras.

QUESTÕES DIAGNÓSTICAS
O que é risco e resiliência?

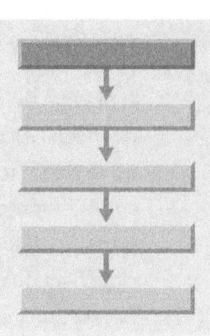

Risco é a possibilidade de ocorrerem consequências negativas de eventos indesejados. Resiliência é a habilidade de evitar, resistir e recuperar-se desses eventos. Acontecem eventos nas operações ou para as operações que têm consequências negativas: isso são falhas. Mas aceitar o fato de que a falha ocorre não é o mesmo que aceitar a falha ou ignorá-la. Operações geralmente tentam minimizar a probabilidade de falhas e o efeito que elas terão, mas o método para lidar com as falhas dependerá da seriedade de suas consequências negativas e da probabilidade delas ocorrerem. Numa escala menor, cada pequeno erro no produto ou serviço entregue pela operação poderia ser considerado uma falha. Toda a área de gerenciamento da qualidade está preocupada em reduzir esse tipo de "falha". Outras falhas terão mais impacto sobre a operação, mesmo se elas não ocorrerem com muita frequência. A falha de um servidor pode afetar seriamente o serviço e, portanto, os clientes. Por isso, a segurança do sistema é uma medida de desempenho muito importante para os fornecedores de serviço TI. E se classificarmos uma falha como algo que tem consequências negativas, algumas são tão sérias que as classificamos como desastres, tais como condições climáticas inesperadas, desastres aéreos e atos de terrorismo. Essas "falhas" são tratadas de forma cada vez mais séria pelas empresas, não necessariamente porque sua probabilidade de ocorrência é alta (embora possam ocorrer em qualquer momento e lugar), mas porque seu impacto é muito negativo.

> **Princípio de operações**
> Falhas sempre ocorrem em operações, reconhecê-las não significa aceitá-las ou ignorá-las.

Este capítulo se preocupa com todos os tipos de falhas, exceto aquelas com consequências relativamente menores (ilustrado na Figura 14.2). Algumas dessas falhas são irritantes, mas relativamente sem importância, especialmente aquelas próximas do canto inferior esquerdo da matriz na Figura 14.2. Outras, especialmente as próximas do canto superior direito da matriz, normalmente são evitadas por todas as empresas, porque aceitar tais riscos seria uma tolice. Entre esses dois extremos ocorre a maioria dos riscos relacionados a operações. Neste capítulo, serão tratados vários aspectos desses tipos de falhas e, especificamente, como eles podem ser movidos na mesma direção das setas na Figura 14.2. Os dois exemplos descritos a seguir ilustram uma organização que pagou um alto preço por não fazer isso e outra que foi bem-sucedida ao gerenciar os efeitos de uma falha específica.

Exemplo   Banco Barings e Nick Leeson[1]

Em 3 de março de 1995, Nick Leeson, um "negociante desonesto" de Cingapura, foi preso assim que chegou em Frankfurt. Desde 27 de fevereiro, a comunidade financeira mundial estava em choque após o colapso do Banco Barings seguido pela descoberta de imensas dívidas. Durante o período de nove meses que Leeson ficou numa prisão alemã, antes de finalmente retornar para Cingapura para ser julgado, auditores, reguladores e legisladores ficaram sabendo que, embora a maior parte da culpa do desastre pudesse ser colocada sobre Leeson, cujos acordos fraudulentos e cada vez mais arriscados custaram ao Barings $1,3 bilhão de dólares, os inadequados sistemas de monitoramento das operações comerciais do banco eram igualmente culpados.

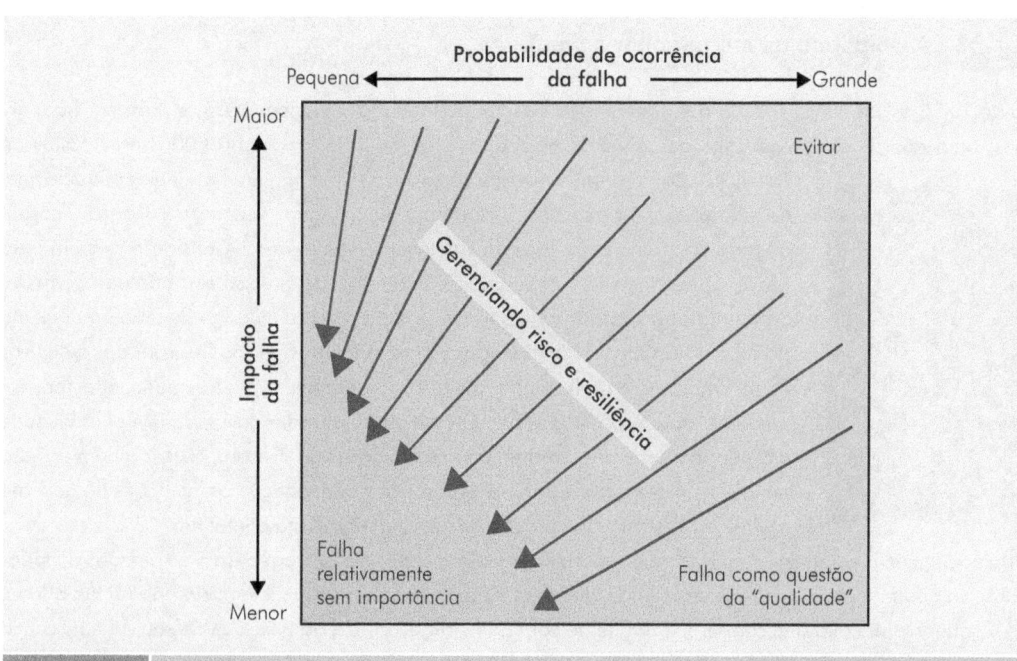

Figura 14.2 A maneira de gerenciar falhas depende da probabilidade de sua ocorrência e das consequências negativas da falha.

Em março de 1993, o Barings Securities e o Baring Brothers fundiram suas operações (uma ação conhecida como consolidação) para formar o Banco de Investimentos Barings (BIB). Embora a lógica fosse financeira, essa ação criou uma estrutura de operações que permitiria a Nick Leeson efetuar negociações ilícitas levando o banco à falência. Essa consolidação permitiu ao Barings fazer grandes empréstimos para as partes constituintes sem relatá-los ao Banco da Inglaterra, cujo princípio fundamental era de que nenhum banco deveria em hipótese alguma arriscar mais dinheiro do que pudesse garantir. Grandes comprometimentos (mais que 10% do capital de um banco) deveriam ser formalmente reportados; contudo, no final de 1993, a exposição do Barings estava próxima de 45% de seu capital. Em julho de 1992, Leeson abriu a conta comercial 88888 como uma "conta erro" que é normalmente usada para registrar vendas aguardando investigação e esclarecimento. O volume de tais negócios normalmente é pequeno e eles são rapidamente liquidados da conta. Entretanto, Leeson desde o princípio usou a conta 88888 inadequadamente. No momento do colapso, a quantia das posições registradas nessa conta era tão grande que, quando os preços de mercado sofreram uma variação não favorável, causou o colapso do Grupo Baring. Os fundos em espécie ou seguros depositados em bolsa são conhecidos como margem. Uma chamada de margem é uma requisição de um operador de bolsa ou de um agente/negociador por dinheiro adicional ou caução para cobrir aquela posição. A fim de financiar os depósitos de margem da SIMEX (bolsa de Cingapura) para as transações da conta 88888, Leeson precisou de fundos de outras empresas do Baring. Em janeiro de 1995, a auditoria anual da Coopers & Lybrand do escritório de Cingapura do Barings notou uma discrepância nas contas, de modo que a gerência do Barings soube que existia um problema, mas não soube exatamente onde nem sua extensão. Entretanto, Leeson conseguiu escapar das perguntas dos auditores. Quase no mesmo momento, os auditores SIMEX identificaram um problema com a conta 88888. Em fevereiro de 1995, o Barings Securities estava seriamente preocupado por causa dos eventos. Até fevereiro de 1995, a posição poderia ser recuperável, mas, depois disso, o mercado caiu persistentemente e as perdas na conta 88888 subiram exponencialmente. O destino do Barings foi selado pela ausência de pessoas ou do sistema necessário para parar o fluxo dos fundos para Cingapura. Naquele momento, o banco estava "*como uma peneira, perdendo fundos para Leeson por muitos orifícios*". Nenhuma verificação era executada quando o dinheiro era transferido de uma parte do Barings para a outra. Como nenhum risco aparente estava envolvido, a tarefa foi alocada para funcionários juniores. Além disso, como não havia qualquer sistema para detectar as atividades fraudulentas, foi deixado para as pessoas apanharem e interpretarem as pistas.

| Exemplo | A epidemia de salmonela da Cadbury[2] |

Em junho de 2007, a Cadbury, fundada por uma família quacre (do inglês Quaker) em 1824, e parte da Cadbury Schweppes, uma das maiores empresas de confeitos do mundo, foi multada em £1.000.000 mais custas de £152.000 por infringir as leis de segurança alimentar. Em uma epidemia nacional de salmonela, 42 pessoas, incluindo crianças com menos de 10 anos, ficaram doentes com uma cepa rara de *Salmonella montevideo*. "Considero isso um caso grave de negligência", disse o juiz. "Portanto, isso precisa ser marcado como tal para enfatizar a responsabilidade e o cuidado que a lei exige de uma empresa na posição da Cadbury." Um advogado proeminente anunciou: "Apesar das tentativas de minimizar essa multa significativa, não se enganem, pois a intenção foi ferir e é uma das maiores multas desse tipo até hoje. Isto sem dúvida reflete a visibilidade e o período de tempo no qual a violação admitida ocorreu, mas também enviará um aviso inflexível para as empresas menores em relação às intenções do governo no que diz respeito à aplicação das leis de segurança alimentar".

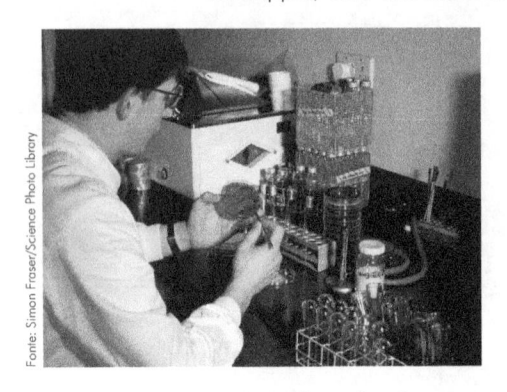

Antes da audiência, a empresa havia de fato se desculpado, oferecendo seu "sincero pesar" às pessoas afetadas e se declarou culpada de nove crimes de segurança alimentar. Porém, no início do incidente, ela não foi tão aberta. Embora a Cadbury tenha dito que cooperou totalmente com a investigação, ela admitiu que deixou de notificar as autoridades sobre os testes positivo para salmonela logo que foram conhecidos pela empresa. Ao mesmo tempo que admitia os erros, um porta-voz da confeiteira enfatizava que a empresa agiu de boa fé, um ponto apoiado pelo juiz quando negou as acusações de que a Cadbury havia introduzido as mudanças de procedimento que levaram à epidemia simplesmente como uma medida de corte de custos. A Cadbury, através de seus advogados, disse: "Admitimos a negligência, mas certamente não admitimos que isso tenha sido feito deliberadamente para economizar dinheiro e não existe qualquer evidência para sustentar essa conclusão". O juiz disse que a Cadbury havia aceitado que um novo sistema de testes, originalmente introduzido para melhorar a segurança, fosse"um desvio perceptível da prática anterior" e que era "falho e errôneo". Em uma declaração, a Cadbury afirma: "Erroneamente, não acreditamos que havia uma ameaça à saúde e, portanto, qualquer exigência de comunicar o incidente às autoridades – nós aceitamos que essa abordagem foi incorreta. O processo que levou a essa falha cessou a partir de junho do ano passado e jamais será restabelecido".

A empresa não foi atingida apenas pela multa e pelos custos judiciais, pois teve que arcar com os custos de recolhimento de 1 milhão de barras de chocolate que poderiam ter sido contaminadas e enfrentou processos judiciais privados movidos pelos consumidores que foram afetados. A Cadbury afirmou ter perdido cerca de £30.000.000 devido às devoluções e às subsequentes alterações na segurança, sem incluir os processos judiciais privados. O *The Times* publicou o caso de Shaun Garratty, uma das pessoas afetadas. Um enfermeiro sênior de Rotherham, ele passou sete semanas gravemente doente no hospital e agora teme que a sua carreira de enfermeiro possa estar em risco. O *The Times* publicou que ele está "contente pela Cadbury ter admitido a culpa, mas agora quer saber o que a empresa fará por ele". Antes do incidente, ele disse, era um fanático por exercícios e caminhava, fazia ciclismo, *mountain bike* ou nadava duas vezes por semana. Ele sempre levava duas barras de chocolate nos passeios, normalmente uma de Dairy Milk e uma de Caramelo, ambas da Cadbury. Ele também comia uma como lanche todos os dias no trabalho. "Meu gastroenterologista me disse que se eu não estivesse tão bem fisicamente eu teria morrido", disse o sr. Garratty. "Seis semanas após ter me internado no hospital, eles pensaram que o meu intestino havia sido perfurado e tive que passar por uma laparoscopia. Me disseram que meus intestinos estavam inflamados e inchados." Mesmo depois dele ter voltado ao trabalho, não havia se recuperado totalmente. Segundo um consultor médico, a doença o deixou com uma forma de síndrome do intestino irritado que poderia levar 18 meses para desaparecer.

O que esses dois exemplos têm em comum?

As duas operações sofreram falhas, considerando que falha significa uma ruptura na operação normal. No caso do Barings, foi uma falha tão séria que a empresa não sobreviveu. Mas ambas as empresas sabiam que estavam sujeitas a esse tipo de falha que acabou ocorrendo, e tinham procedimentos estabelecidos que tentavam evitar a ocorrência de falhas. Contudo, no momento em que a extensão da falha no Barings realmente tornou-se evidente, seu impacto tinha se tornado muito grande, e o banco não pôde mais se recuperar. Ao contrário, a Cadbury, embora admitindo a responsabilidade, recuperou-se.

É claro, algumas operações operam num ambiente mais arriscado que outras. E aquelas operações com uma alta probabilidade de falhas e/ou consequências sérias derivadas dessas falhas necessitarão dar mais atenção a isso, mas a resiliência das operações e dos processos é relevante para todas as empresas. Todas elas devem dar atenção aos quatro conjuntos de atividades que, em termos práticos, compõem a resiliência. A primeira está preocupada em entender quais falhas poderiam ocorrer na operação e avaliar sua seriedade. A segunda tarefa é examinar as formas de evitar a ocorrência de falhas. A terceira é minimizar as consequências negativas de falhas (chamada de atenuação de risco ou de falhas). A tarefa final é preparar planos e procedimentos que ajudarão a operação a recuperar-se das falhas quando elas ocorrerem. O restante desse capítulo lida com essas quatro tarefas – veja Figura 14.3.

> **Princípio de operações**
> A resiliência é governada pela eficácia na atenuação e recuperação de falhas.

QUESTÕES DIAGNÓSTICAS

Os pontos potenciais de falhas têm sido avaliados?

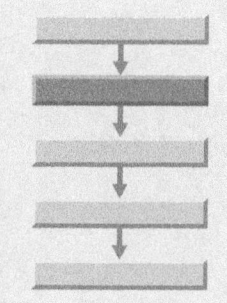

Um pré-requisito para realizar a resiliência das operações e dos processos é entender onde as falhas poderão ocorrer e quais poderão ser as suas consequências, revendo todas as causas possíveis. Frequentemente é a falha em entender as falhas que leva à ruptura excessiva. Cada causa deve ser avaliada em termos do impacto que ela pode ter. Só então medidas podem ser adotadas para evitar ou minimizar o efeito das falhas potenciais mais importantes. A abordagem clássica para avaliar falhas potenciais é inspecionar e auditar as atividades de opera-

> **Princípio de operações**
> Uma falha em entender as falhas é a causa original da falta de resiliência.

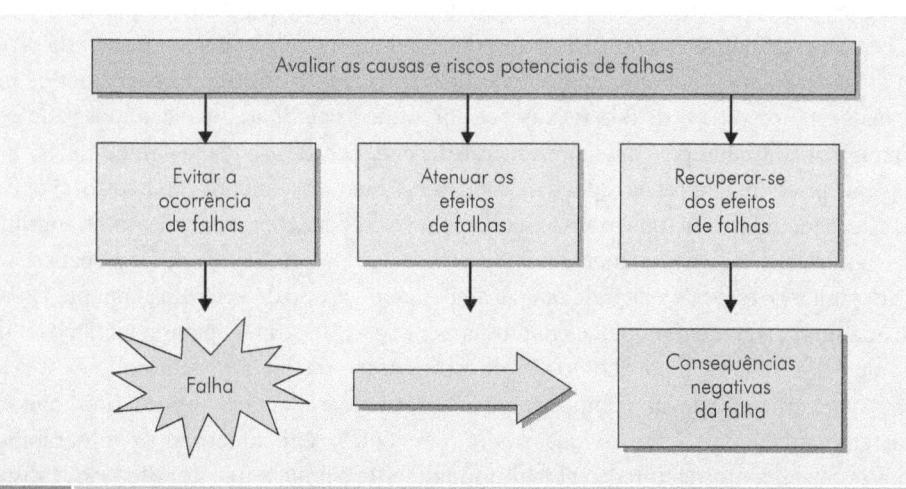

Figura 14.3 A resiliência das operações e dos processos envolve a prevenção, a mitigação das consequências negativas e a recuperação de falhas.

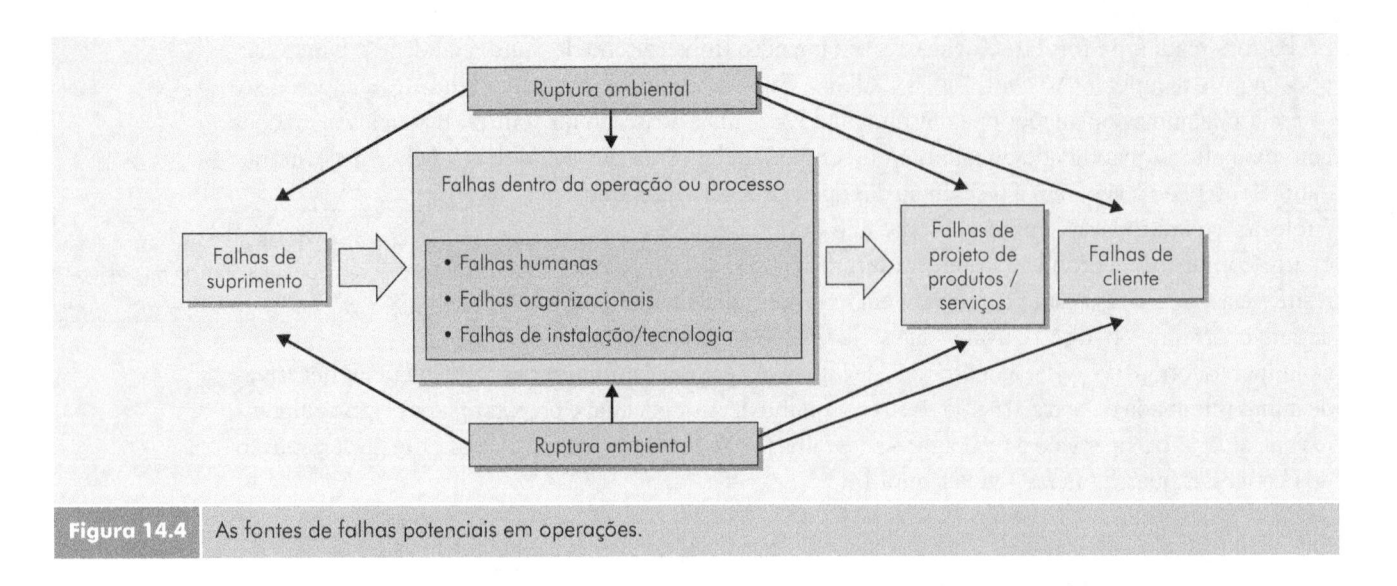

Figura 14.4 As fontes de falhas potenciais em operações.

ções. Infelizmente, apenas isso não garante que eventos indesejáveis sejam evitados. O conteúdo da auditoria deve ser adequado, o processo de verificação deve ser suficientemente frequente e abrangente e os inspetores devem ter conhecimento e experiência.

Identificando as causas potenciais de falhas

As causas de algumas falhas são puramente aleatórias, como greves relâmpago, e são difíceis, se não impossíveis, de prever. Entretanto, a vasta maioria das falhas não é assim. Elas são causadas por algo que poderia ter sido evitado, razão pela qual uma simples lista de verificação de causas de falhas seria útil. Na verdade, a causa inicial da maioria das falhas normalmente é algum tipo de falha humana; contudo, identificar as fontes de falhas normalmente requer um conjunto mais evidente, como aquele ilustrado na Figura 14.4. Aqui, as fontes de falhas são classificadas como falhas de suprimento, falhas internas, como aquelas provenientes das fontes tecnológicas e organizacionais, falhas provenientes do projeto de produtos/serviços, falhas provenientes de falhas de cliente e falhas ambientais em geral.

Falhas de suprimento

Falha de suprimento significa qualquer falha no momento de entrega ou na qualidade das mercadorias e serviços entregues para uma operação; por exemplo, fornecedores entregando componentes errados ou defeituosos, centrais telefônicas terceirizadas sofrendo uma falha de telecomunicação, rupturas no suprimento de energia e assim por diante. Quanto mais uma operação depende de fornecedores de materiais ou serviços, mais está sob o risco de falhas causadas por entradas perdidas ou abaixo dos padrões. Essa é uma importante fonte de falhas por causa da crescente dependência de atividades terceirizadas na maioria das indústrias e a ênfase em manter as cadeias de suprimento enxutas a fim de cortar custos. Por exemplo, no início de 2002, a Land Rover (uma divisão da Ford) teve de lidar com uma ameaça no suprimento de chassis para seu modelo Discovery quando a única empresa que ela tinha subcontratado para sua fabricação faliu. Os depositários estavam exigindo um pagamento antecipado de aproximadamente £60 milhões para continuar a suprir, argumentando que eram legalmente obrigados a recuperar o máximo de dinheiro possível em nome dos credores. E um acordo de fornecedor único era um ativo valioso.

Nesse caso, a terceirização de um componente tinha tornado a cadeia de suprimentos mais vulnerável. Mas existem também outros fatores que, nos anos recentes, têm aumentado a vulnerabilidade do suprimento. Por exemplo, fornecimento global normalmente significa que as peças são transportadas pelo mundo todo em sua viagem pela cadeia de suprimentos. Microchips fabricados em Taiwan podem ser montados em placas de circuito impresso em Xangai, as quais são então finalmente montadas num computador na Irlanda. Ao mesmo tempo, muitas indústrias estão sofrendo crescente volatilidade na demanda. Talvez, de forma mais significativa, tenda a existir muito menos estoques nas cadeias de suprimentos que poderiam proteger contra interrupções. De acordo com um especialista em gerenciamento da cadeia de suprimentos: *"Potencialmente, o risco tem aumentado bastante como resultado de um foco muito limitado sobre a eficiência da cadeia de suprimentos às custas da eficácia"*.[3]

Falhas humanas

Existem dois tipos gerais de falha humana. O primeiro é quando a pessoa fundamental se ausenta por doença, morte ou de alguma forma não consegue cumprir seu papel. O segundo, quando as pessoas estão ativamente executando suas tarefas, mas com erros. Entender o erro no primeiro tipo de falha é identificar as pessoas-chave sem as quais as operações não poderiam operar de forma eficaz. Elas não são sempre os seniores, mas especialmente aqueles que cumprem os papéis cruciais que requerem habilidades especiais ou o conhecimento implícito. A falha humana por erros também ocorre em dois tipos: erros e violações. Erros são falhas de julgamento; uma pessoa com experiência teria feito algo diferente. Por exemplo, se um administrador de um ginásio de esporte falha ao prever uma multidão durante um evento de campeonato, isso é um erro de julgamento. Violações são atos que são claramente contrários a um procedimento de operação definido. Por exemplo, se um engenheiro de manutenção falha ao limpar um filtro da maneira descrita, é provável que ocorra uma falha. Falhas catastróficas frequentemente são causadas por uma combinação de erros e violações. Por exemplo, um tipo de acidente, em que um avião parece estar sob controle e, apesar de tudo, ainda voa perto do solo, é muito raro (um em dois milhões de voos).[4] Para esse tipo de falha ocorrer, primeiro, o piloto tem de estar voando na altitude errada (erro); segundo, o copiloto teria de falhar ao conferir a verificação da altitude (violação); terceiro, os controladores de tráfego aéreo teriam de omitir que o avião está na altitude errada (erro); e, finalmente, o piloto teria de ignorar o alarme de aviso de proximidade do solo no avião, o qual pode estar propenso a dar alarmes falsos (violação).

Falha organizacional

A falha organizacional está normalmente associada a falhas de procedimentos, processos e falhas que provêm da estrutura e cultura organizacional de uma empresa. Essa é uma imensa fonte potencial de falhas e inclui quase todo o gerenciamento de processos e operações. Em específico, falhas no projeto de processos (tal como gargalos causando sobrecarga no sistema) e falhas no fornecimento de recursos de processos (tais como capacidade insuficiente sendo fornecida em momentos de pico) precisam ser investigadas. Mas existem também muitos outros procedimentos e processos dentro de uma organização que podem tornar a falha mais provável. Por exemplo, a política de remuneração pode motivar a equipe a trabalhar de uma forma que, embora aumentando o desempenho financeiro da organização, também aumente sua suscetibilidade à falha. Exemplos disso podem variar desde o vendedor estar tão motivado que faz promessas aos clientes que não podem ser cumpridas, até os banqueiros investidores que estão mais preocupados com o lucro do que com os riscos da superexposição financeira. Esse tipo de risco pode ser proveniente de uma cultura organizacional que minimiza a consideração de risco ou pode vir da falta de transparência ao reportar relacionamentos; na verdade, no exemplo do banco Barings, no início do capítulo, há alguns indícios de que esses dois tipos de falhas contribuíram para sua derrocada.

Falhas de tecnologia/instalações

Por tecnologia e instalações entendemos todos os sistemas de TI, máquinas, equipamentos e construções de uma operação. Todos estão sujeitos a falha ou pane. A falha pode ser parcial, como uma máquina que tem um defeito intermitente, ou pode ser o que consideramos uma pane – uma parada total e repentina de operação. De qualquer forma, seus efeitos podem levar uma grande parte da operação a uma parada: uma falha de computador numa rede de supermercados poderia paralisar diversas grandes lojas até ser consertada.

Falhas de projeto de produtos/serviços

Em sua etapa de projeto, um produto ou serviço poderá parecer bom no papel; só quando ele lidar com as circunstâncias reais é que as inadequações se tornarão evidentes. É claro, durante o processo de projeto, o risco potencial de falhas deveria ter sido identificado e retirado do projeto. Mas é só olhar para o número de *recalls* de produtos ou falhas de serviço para entender que as falhas de projeto estão longe de ser incomuns. Às vezes, isso é o resultado de uma compensação entre o rápido desempenho de tempo até o mercado e o risco do produto ou serviço falhar na operação. E, embora nenhuma empresa respeitável comercializaria deliberadamente produtos ou serviços defeituosos, a maioria delas não pode atrasar o lançamento de um produto ou serviço indefinidamente a fim de eliminar todos os riscos de falhas.

Falhas de cliente

Nem todas as falhas são (diretamente) causadas pela operação ou por seus fornecedores. Os clientes podem falhar fazendo mau uso de produtos e serviços. Por exemplo, um sistema de TI pode ter sido bem projetado, ainda que apresente falhas causadas pela forma como o usuário o utilizou. Os clientes não estão "sempre certos"; eles podem ser incompetentes e sem atenção. Entretanto, simplesmente reclamar dos clientes não reduz as chances de ocorrência desse tipo de falha. A maioria das organizações aceita a responsabilidade por educar e treinar clientes e projetar seus produtos e serviços de forma a minimizar as chances de falhas.

Ruptura ambiental

A ruptura ambiental inclui todas as causas de falhas que estão fora da influência direta de uma operação. Essa fonte de falhas potenciais tem sido incluída no topo de muitas pautas de reuniões de empresas desde 11 de setembro de 2001. Conforme as operações se tornaram cada vez mais integradas (e cada vez mais dependentes de tecnologias integradas, como tecnologias de informação), as empresas estão mais cientes dos eventos críticos e mau funcionamentos que têm o potencial de interromper a atividade normal de um negócio e ainda parar a empresa inteira. Tipicamente, tais desastres incluem:

- Ciclones, enchentes, raios, temperaturas extremas
- Incêndio
- Crime corporativo, roubo, fraude, sabotagem
- Terrorismo, explosão de bomba, ameaça de bomba ou outros ataques de segurança
- Contaminação de produtos ou processos

Exemplo — Vírus, ameaças e 30 anos de *spam*[5]

Feliz Aniversário! 1° de maio de 2008 viu o 30° aniversário do lixo eletrônico no *e-mail*, ou *spam*, como ficou conhecido. Foi em 1978 que Gary Thuerk, um executivo de *marketing* da Digital Equipment Corporation (DEC), um fabricante norte-americano de minicomputadores, decidiu que seria uma ótima tática de vendas fazer com que os pesquisadores da Arpanet (ancestral direta da Internet) na costa oeste dos Estados Unidos soubessem que a DEC havia incorporado os protocolos de rede diretamente em um de seus sistemas operacionais. Assim, a secretária de Thuerk digitou todos os endereços dos pesquisadores e despachou a mensagem usando o programa de *e-mail*, que, na época, era bastante primitivo. Porém, nem todos os destinatários ficaram felizes. As regras da Arpanet diziam que a rede não poderia ser empregada com finalidade comercial e nem todos quiseram conhecer o conteúdo da mensagem; parecia simplesmente invasivo.

Desde então, a informação não solicitada distribuída pela Internet passou a irritar, enfurecer e ameaçar toda a rede. Por exemplo, em 25 de janeiro de 2003, o vírus "SQL Slammer", um programa invasor, se espalhou em velocidade espantosa por toda a Internet. Ele invadiu computadores por todo o mundo e, no ponto mais alto do ataque, seu efeito foi tal que metade do tráfego pela Internet foi perdida (veja a Figura 14.5). Milhares de caixas eletrônicas nos Estados Unidos pararam de funcionar e uma força policial retrocedeu ao uso de papel e lápis quando o seu sistema de despacho

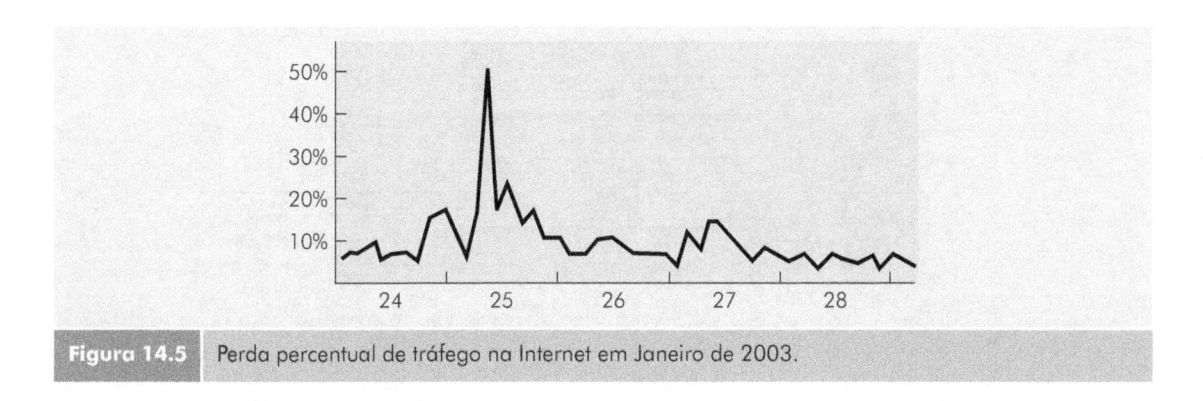

Figura 14.5 Perda percentual de tráfego na Internet em Janeiro de 2003.

entrou em pane. Contudo, os especialistas em segurança acreditam que o SQL Slammer fez mais bem do que mal, porque realçou as fraquezas nos processos de segurança da Internet. Como a maioria dos *software* invasores, ele explorou uma falha num *software* bastante utilizado. Este *software* possui falhas de segurança que podem ser exploradas dessa maneira. Os desenvolvedores de *software* disponibilizam programas de "correção" para consertar as falhas, mas na verdade isto pode direcionar os terroristas da Internet para as áreas vulneráveis do *software* e nem todos os gerentes de sistemas implementam tais correções. Todavia, todo programa invasor que invade os sistemas de segurança da Internet ensina uma lição valiosa aos que trabalham na prevenção das falhas de segurança.

Detectar falhas não evidentes

Nem todas as falhas são imediatamente evidentes. Pequenas falhas podem ir se acumulando até se tornarem evidentes. Dificuldades em usar uma página na Internet podem fazer com que compradores abandonem a compra. Em uma linha automática de manuseio de materiais, restos que se acumulam periodicamente, por si só, não causarão falhas imediatas, mas podem levar a uma falha drástica e repentina. Mesmo quando tais falhas são detectadas, elas nem sempre podem receber a atenção adequada, pois existem sistemas de identificação de falhas inadequados ou uma falta de suporte gerencial ou de interesse em fazer melhorias. Os mecanismos disponíveis para procurar falhas de uma forma pró-ativa incluem verificações diagnósticas de máquina, verificações em processo, entrevistas por telefone e grupos de foco no cliente.

Análise pós-falha

Uma das atividades críticas da resiliência de processos e operações é entender porque uma falha ocorreu. Essa atividade é chamada análise pós-falha. É usada para descobrir a causa inicial de falhas. Algumas técnicas para isso foram descritas como técnicas de melhoria no Capítulo 13. Outras são as seguintes:

- **Investigação de acidente.** Desastres nacionais em grande escala, como derramamentos de tanques de óleo e acidentes de avião, são normalmente averiguados usando-se a investigação de acidente, em que equipes especificamente treinadas analisam as causas do acidente.
- **Rastreabilidade de falhas.** Algumas empresas (por uma necessidade legal ou por escolha) adotam procedimentos de rastreabilidade para assegurar que todas suas falhas (tais como produtos alimentícios contaminados) sejam rastreáveis. Quaisquer falhas podem ser rastreadas voltando até o processo que as produziu, aos componentes a partir dos quais elas foram produzidas ou aos fornecedores que as forneceram.
- **Análise de reclamação.** Reclamações (e elogios) são uma fonte potencialmente valiosa para detectar causas iniciais de falhas de serviço ao cliente. Duas vantagens fundamentais das reclamações são que elas vêm sem serem solicitadas e também são partes frequentemente muito pontuais de informação que podem rapidamente descrever com exatidão os problemas. Análise de reclamação também acompanha o número real de reclamações durante um tempo, que pode por si só ser indicativo de problemas em desenvolvimento. A primeira função da análise de reclamação é verificar o conteúdo das reclamações para entender melhor a natureza da falha como ela é percebida pelo cliente.

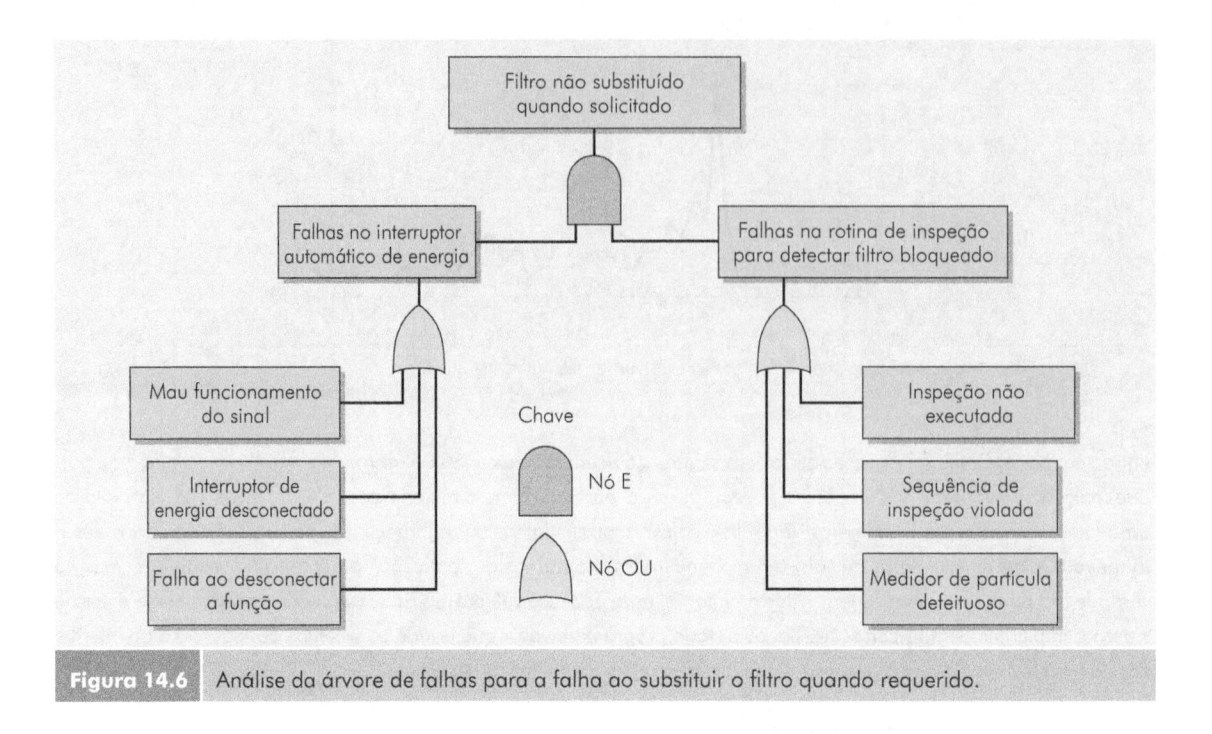

Figura 14.6 Análise da árvore de falhas para a falha ao substituir o filtro quando requerido.

- **Análise da árvore de falhas.** Esse é um procedimento lógico que se inicia com uma falha ou uma falha potencial fez uma análise em retrospecto para identificar todas as possíveis causas e, portanto, as origens daquela falha. A análise da árvore de falhas é constituída de ramificações conectadas por dois tipos de nós: nó E e nó OU. Todas as ramificações abaixo de um nó E necessitam ocorrer para que o evento acima do nó ocorra. Só uma das ramificações abaixo de um nó OU necessita ocorrer para que o evento acima do nó ocorra. A Figura 14.6 mostra uma árvore simples identificando as possíveis razões para um filtro num sistema de aquecimento não ter sido substituído.

Probabilidade de falhas

A dificuldade de estimar a chance de ocorrência de uma falha varia enormemente. Algumas falhas são o resultado de um fenômeno bem conhecido. Uma combinação da análise racional das causas e dos dados históricos de desempenho pode levar a uma estimativa relativamente exata de ocorrência de falhas. Por exemplo, um componente mecânico pode falhar entre 10 e 17 meses após sua instalação em 99% dos casos. Outros tipos de falhas são muito mais difíceis de prever. As chances de um incêndio numa fábrica de um fornecedor são baixas, mas quão baixas? Provavelmente existirão dados relacionados a perigos de incêndio nesse tipo de fábrica e pode-se insistir em relatórios de inspeção regular de risco dos fornecedores de seguro, mas a probabilidade estimada será baixa e subjetiva.

Estimativas objetivas

As estimativas de falhas baseadas no histórico de desempenho podem ser medidas de diversas formas, incluindo:

- *Taxas de falhas* – com que frequência ocorre uma falha
- *Confiabilidade* – as chances de ocorrência de uma falha
- *Disponibilidade* – a quantidade de tempo de operação útil disponível

Taxa de falhas e confiabilidade são formas diferentes de se medir a mesma coisa – a propensão de uma operação ou parte de uma operação falhar. A disponibilidade é uma medida das consequências de falhas na operação.

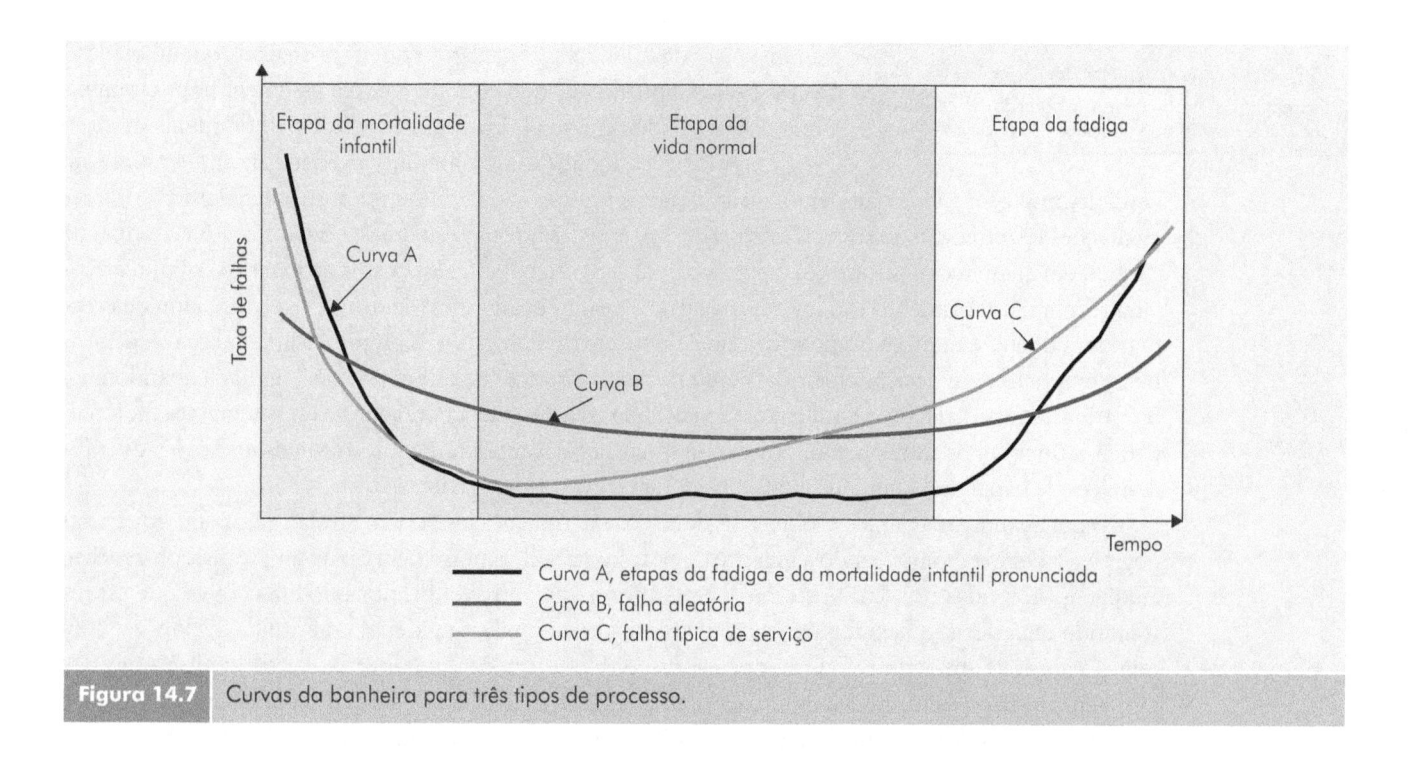

Figura 14.7 Curvas da banheira para três tipos de processo.

Curva A, etapas da fadiga e da mortalidade infantil pronunciada
Curva B, falha aleatória
Curva C, falha típica de serviço

Às vezes, a falha é uma função temporal. Por exemplo, a probabilidade de uma lâmpada elétrica falhar é relativamente alta quando é usada pela primeira vez, mas se ela resiste a essa etapa inicial, ainda pode falhar em qualquer momento, e quanto mais tempo ela resiste, mais probabilidade tem de falhar. A maioria das peças físicas de uma operação comporta-se de maneira similar. A curva que descreve a probabilidade desse tipo de falha é chamada a curva da banheira. Ela compreende três etapas distintas:

- A etapa da "mortalidade infantil" ou "vida curta", em que falhas prematuras ocorrem causadas por peças defeituosas ou uso impróprio;
- A etapa da "vida normal", em que a taxa de falhas é normalmente baixa e razoavelmente constante e causada por fatores aleatórios normais;
- A etapa da "fadiga", quando a taxa de falhas aumenta conforme a peça se aproxima do fim de sua vida útil e a falha é causada pela velhice e deterioração de peças.

A Figura 14.7 ilustra três curvas da banheira com características levemente diferentes. A curva A mostra uma parte da operação que tem uma alta falha inicial de mortalidade infantil, por outro lado uma vida normal longa, de baixa falha, seguida pela probabilidade gradualmente maior de falha, conforme se aproxima da fadiga. A curva B, que tem as mesmas etapas, é muito menos previsível. A diferença entre as três etapas é menos clara, com a falha de mortalidade infantil baixando lentamente e uma chance gradualmente crescente de falha de fadiga. A falha do tipo mostrado na curva B é muito mais difícil de lidar de uma maneira planejada. A falha de operações que depende mais de recursos humanos do que de tecnologia, tal como alguns serviços, pode estar mais próxima da curva C da Figura 14.7. Eles podem estar menos suscetíveis ao componente de fadiga, porém mais suscetíveis à complacência da equipe. Sem revisão e regeneração, o serviço pode tornar-se tedioso e repetitivo e, depois de uma etapa inicial de redução da falha, conforme se livram dos problemas no serviço, pode existir um longo período de falha crescente.

Estimativas subjetivas

A avaliação de falhas, mesmo para riscos subjetivos, é cada vez mais um exercício formal que é executado usando-se estruturas padrão, frequentemente gerado pelas preocupações com segurança e saúde, regulamentações ambientais e assim por diante. Essas estruturas são similares aos métodos formais

> **Princípio de operações**
> Estimativas subjetivas de probabilidade de falhas são melhores do que não fazer estimativas.

de inspeção da qualidade associados com as normas da qualidade ISO 9000 (veja Capítulo 12) que com frequência assumem implicitamente a objetividade imparcial. Entretanto, atitudes individuais de risco são complexas e sujeitas a uma ampla variedade de influências. Na verdade, muitos estudos têm demonstrado que as pessoas são geralmente muito deficientes em fazer avaliações relacionadas ao risco. Considere o sucesso das loterias estaduais e nacionais. As chances de ganhar, em quase todos os casos, são extraordinariamente baixas, e os custos de jogar são significativos para tornar o investimento totalmente negativo. Se um jogador tem de dirigir seu carro a fim de comprar um bilhete, é muito mais provável que ele morra do que ganhe o prêmio. Mas, embora as pessoas nem sempre tomem decisões racionais em relação às chances de falha, isso não significa abandonar a tentativa. Na verdade, isso significa que se entenda os limites de abordagens excessivamente racionais para a estimativa de falha, como, por exemplo, as pessoas tenderem a prestar mais atenção a eventos drásticos de baixa probabilidade e desconsiderar os eventos rotineiros.[6]

Mesmo quando as avaliações objetivas de riscos são usadas, elas podem ainda causar consequências negativas. Por exemplo, quando a gigante do petróleo Shell tomou a decisão de empregar a prospecção em águas profundas no Mar Norte na sua plataforma de petróleo Brent Spar, ela achava que estava tomando uma decisão operacional racional, baseada na melhor evidência científica disponível com relação ao risco ambiental. O Greenpeace discordou e propôs uma alternativa de análise objetiva, mostrando o risco significativo da prospecção em águas profundas. No fim das contas, o Greenpeace admitiu que suas provas eram falaciosas, mas, àquela altura, a Shell já tinha perdido a batalha de relações públicas e tinha alterado seus planos.

Análise de modo e efeito de falha

Uma das abordagens mais conhecidas para avaliar a significância relativa de falhas é a análise de modo e efeito de falha (FMEA – *Failure Mode and Effect Analisys*). Seu objetivo é identificar os fatores que são críticos para vários tipos de falha como um meio de identificar as falhas antes que elas aconteçam. Isso é feito fornecendo um procedimento de verificação construído em torno de três questões fundamentais para cada causa possível de falha:

- Qual é a probabilidade de que a falha ocorra?
- Qual seria a consequência da falha?
- Qual é a probabilidade de uma falha ser detectada antes dela afetar o cliente?

Baseado numa avaliação quantitativa dessas três questões, um número de prioridade de risco (RPN – *risk priority number*) é calculado para cada causa potencial de falha. Ações corretivas, direcionadas à prevenção de falha, são então aplicadas àquelas causas cujo RPN indica que elas garantem prioridade – veja a Figura 14.8.

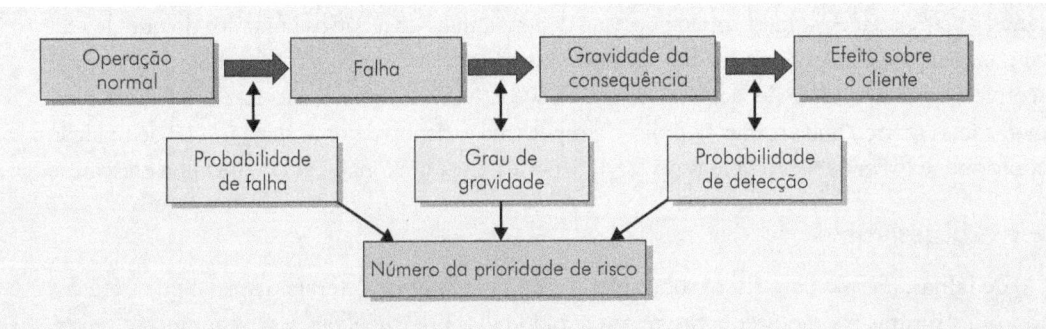

Figura 14.8 Procedimento para a Análise de Modo e Efeito de Falha (FMEA).

QUESTÕES DIAGNÓSTICAS

Medidas de prevenção de falhas têm sido implementadas?

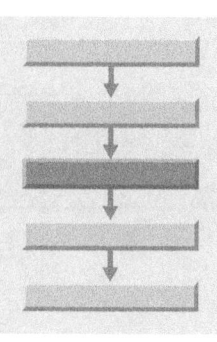

É quase sempre melhor evitar as falhas e as consequências negativas do que ter de se recuperar, motivo pelo qual a prevenção de falhas é uma parte importante da resiliência de processos e operações. Existem várias abordagens para isso, incluindo o projeto sem pontos de falhas, alocação de recursos redundantes, dispositivos à prova de falhas e manutenção.

Projeto sem pontos de falhas

O mapeamento de processos, descrito no Capítulo 5, pode ser usado para projetar sem pontos potenciais de falhas nas operações. Por exemplo, a Figura 14.9 mostra um mapa de processo para um processo de conserto de automóvel. As etapas no processo que são particularmente propensas a falhas e as etapas que são críticas para o sucesso do serviço foram marcadas. Isso foi feito pela equipe dessa operação, metaforicamente, caminhando pelo processo e discutindo cada etapa por vez.

Redundância

Construir em redundância para uma operação significa ter processos ou recursos de reserva no caso de falhas. Isso pode ser uma solução cara para se reduzir a probabilidade de falhas e é geralmente usada quando uma pane pode ter um impacto crítico. Redundância significa duplicar ou mesmo triplicar alguns dos elementos num processo, de modo que esses elementos redundantes possam entrar em ação quando um componente falha. Estações de energia nuclear, hospitais e outros prédios públicos têm geradores de eletricidade auxiliares ou reserva prontos para operar em caso do suprimento de eletricidade principal falhar. Algumas organizações também têm equipe de reserva no caso de alguém não ir trabalhar ou ficar preso a uma tarefa e ser incapaz de começar a próxima. As naves espaciais têm diversos computadores de reserva a bordo que não só monitoram o computador principal, mas também atuam como um reserva no caso de falhas. O corpo humano contém órgãos duplicados – rins e olhos, por exemplo – os quais são usados em operação normal, mas o organismo pode lidar com uma falha em um deles. Uma resposta à ameaça de grandes falhas, tal como atividade terrorista, foi um aumento no número de empresas que oferecem operações de escritórios substitutos, totalmente equipados com telefonia e Internet, e frequentemente com acesso à informação de gerenciamento atual da empresa. Se uma operação principal de um cliente for afetada por um desastre, a empresa pode continuar na instalação substituta dentro de dias ou mesmo horas.

O efeito de redundância pode ser calculado pela soma da confiabilidade do componente do processo original e a probabilidade de que o componente de reserva seja necessário e esteja funcionando.

$$R_{a+b} = R_a + (R_b \times P_{(falha)})$$

em que R_{a+b} = confiabilidade do componente a com seu componente reserva b
R_a = confiabilidade de a sozinho

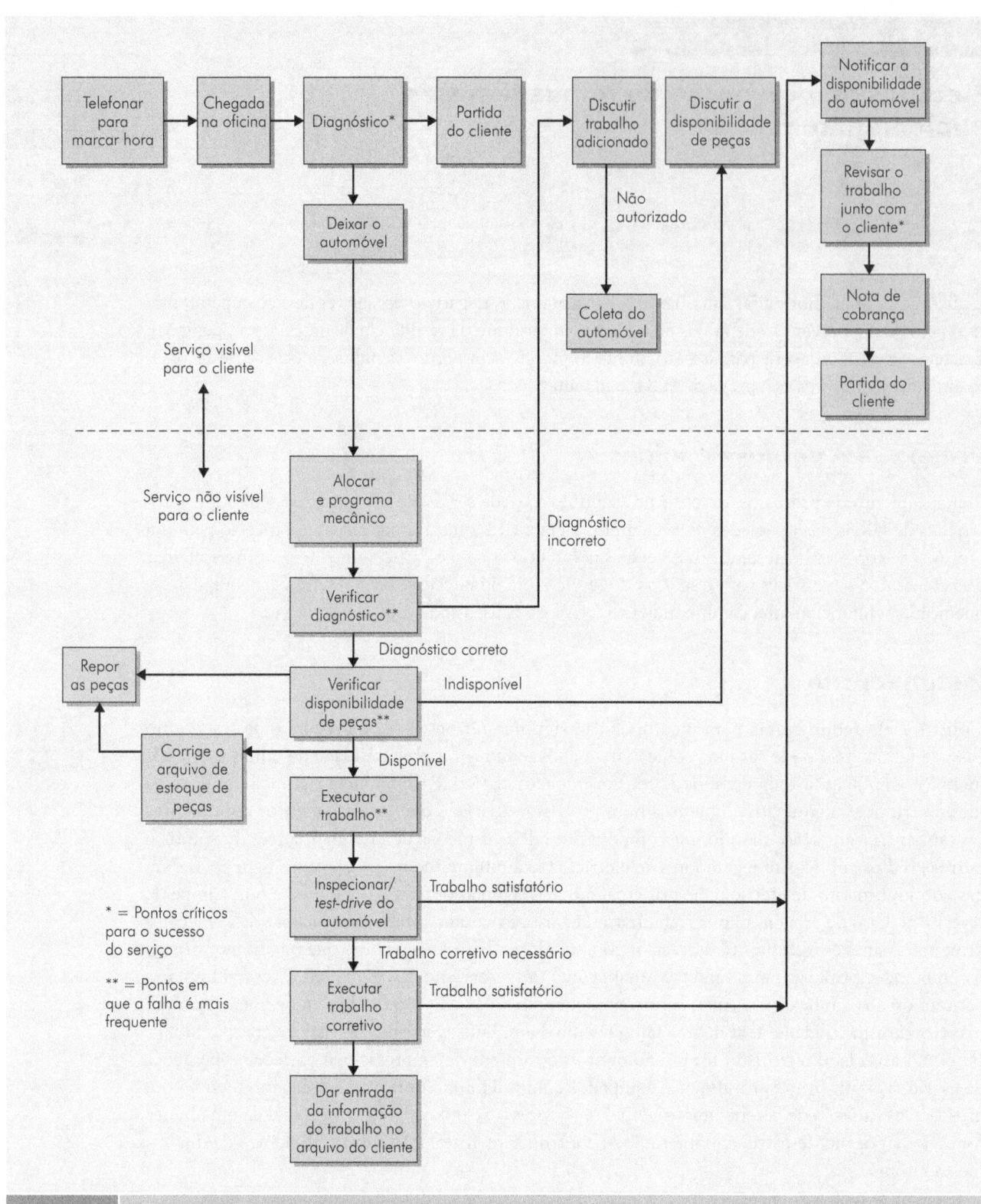

Figura 14.9 Um mapa de processo para o processo de conserto de um automóvel.

R_b = confiabilidade do componente reserva b
$P_{(falha)}$ = probabilidade de que o componente a falhe e, portanto, o componente b seja necessário

Assim, por exemplo, um fabricante de alimentos tem duas linhas de embalagem, uma das quais entrará em ação somente se a primeira linha falha. Se cada linha tem uma confiabilidade de 0,9, as linhas trabalhando juntas (cada uma com confiabilidade = 0,9) terão uma confiabilidade de 0,9 + [0,9 × (1 – 0,9)] = 0,99.

Dispositivos à prova de falhas

O conceito de dispositivos à prova de falhas emergiu a partir da introdução de métodos japoneses de melhoria de operações. Chamados de *poka-yoke* no Japão (de *yokeru* (evitar) e *poka* (erros negligentes), baseia-se no princípio de que os erros humanos são até certo ponto inevitáveis. O que é importante é evitar que eles se tornem defeitos. *Poka-yokes* são dispositivos simples (de preferência baratos) ou sistemas que são incorporados num processo para evitar que erros do operador resultem num defeito.

> **Princípio de operações**
> Métodos simples de dispositivos à prova de falhas podem muitas vezes ser mais eficazes em termos de custo.

Poka-yokes típicos são os seguintes dispositivos:

- Chaves fim de curso que permitem às máquinas operarem somente se a peça está posicionada corretamente
- Medidores colocados em máquinas através das quais uma peça deve passar a fim de ser carregada ou retirada da máquina – um tamanho ou orientação incorreta para o processo
- Contadores digitais em máquinas para assegurar que o número correto de cortes, passes ou furos foi usinado
- Listas de verificação que devem ser preenchidas ou na preparação ou na conclusão de uma atividade
- Feixes luminosos ativam um alarme se uma peça está posicionada incorretamente

O mesmo princípio também pode ser aplicado a operações de serviço; por exemplo:

- Teclas de código colorido da caixa registradora para evitar entrada incorreta em operações de varejo
- A espátula da batata frita do McDonald's que coleta a quantidade exata de fritas na orientação correta para ser colocada no pacote
- Bandejas usadas em hospitais com recortes montados para cada item necessário para um procedimento cirúrgico – qualquer item que não volte no lugar no fim do procedimento poderá ter sido deixado no paciente
- As tiras de papel colocadas ao redor das toalhas de limpeza nos hotéis, cuja remoção ajuda as camareiras a dizer se uma toalha foi usada e, portanto, precisa ser substituída
- As trancas nas portas dos lavatórios de avião, que devem ser giradas para ligar a luz
- Sinais eletrônicos em caixas automáticos para assegurar que os clientes retiraram seus cartões
- Barras de altura em parques de diversão para assegurar que os clientes atendam às limitações de tamanho

Manutenção

Manutenção é o termo usado para mostrar a forma como as operações e os processos tentam evitar falhas cuidando de suas instalações físicas. É particularmente importante quando as instalações físicas têm um papel central na operação, como estações de energia, companhias aéreas e refinarias petroquímicas. Existem várias abordagens para manutenção, incluindo as seguintes:

Manutenção preventiva (PM – *Preventive Maintenance*)

Tenta eliminar ou reduzir as chances de falhas prestando serviço regularmente (limpando, lubrificando, substituindo e verificando) às instalações. Por exemplo, os motores dos aviões de passageiros são verificados, limpos e calibrados de acordo com um programa regular depois de um número determinado de horas de voo. Tirar o avião de suas funções regulares para manutenção preventiva é claramente uma opção cara para qualquer companhia aérea, mas as consequências da falha em serviço são consideravelmente mais sérias.

Manutenção condicional (CBM – *Condition-Based Maintenance*)

Tenta fazer a manutenção somente quando as instalações requerem. Por exemplo, o equipamento de processo contínuo, tal como aquele utilizado na cobertura de papel fotográfico, é utilizado por longos períodos a fim de alcançar a alta utilização necessária para a produção a um custo razoável. Parar a máquina quando não é estritamente necessário fazê-lo, coloca-a fora de ação por longos períodos e reduz sua utilização. Aqui, a manutenção condicional poderá monitorar continuamente as vibrações ou algumas outras características da linha. Os resultados desse monitoramento serão então utilizados para decidir se a linha deve ser parada e os rolamentos substituídos.

Manutenção produtiva total (TPM – *Total Productive Maintenance*)

É definida como "*....a manutenção produtiva executada por todos os empregados por meio de pequenas atividades em grupo*", em que a manutenção produtiva é o "*...gerenciamento de manutenção que reconhece a importância da confiabilidade, manutenção e eficiência econômica no projeto da fábrica*".[6] A TPM adota tanto princípios de trabalho em equipe e delegação de poderes quanto uma abordagem de melhoria contínua para prevenção de falhas. Ela visa a estabelecer uma boa prática de manutenção nas operações por meio da busca dos "cinco objetivos da TPM":[7]

1. Examinar como as instalações estão contribuindo para a eficácia da operação, analisando todas as perdas que ocorrem.
2. Realizar manutenção autônoma permitindo às pessoas tomarem a responsabilidade pelo menos por algumas das tarefas de manutenção.
3. Planejar a manutenção tendo uma abordagem que funcione totalmente para todas as atividades de manutenção, incluindo o nível de manutenção preventiva que é requerido para cada peça do equipamento, os padrões para manutenção condicional e as respectivas responsabilidades da equipe de operação e da equipe de manutenção.
4. Treinar toda equipe em habilidades de manutenção relevantes de modo que a equipe tenha todas as habilidades para executar seus papéis.
5. Diminuir a manutenção como um todo por meio da prevenção de manutenção (MP), isto é, considerando as causas de falhas e as tolerâncias do equipamento durante sua etapa de projeto, sua fabricação, sua seleção e sua instalação.

Quanta manutenção?

A maioria das operações se planeja para incluir um nível de manutenção preventiva regular que resulte numa probabilidade de pane razoavelmente baixa. Normalmente, quanto mais frequentes os eventos de manutenção preventiva, menores são as chances de uma pane. Fazer pouca manutenção preventiva custará pouco, mas resultará numa alta probabilidade (e, portanto, custo) de pane. Por outro lado, fornecer manutenção preventiva com muita frequência será caro, mas reduzirá o custo de fazer manutenções de pane, como mostrado na Figura 14.10(a). O custo total de manutenção é minimizado ao se encontrar um nível ótimo de manutenção preventiva. Entre-

Figura 14.10 Duas visões de custos de manutenção. (a) um modelo dos custos associados à manutenção preventiva mostra um nível ótimo de esforço de manutenção. (b) Se as tarefas rotineiras de manutenção preventiva são executadas pelos operadores e se o custo real das panes é considerado, o nível "ótimo" de manutenção preventiva fica mais alto.

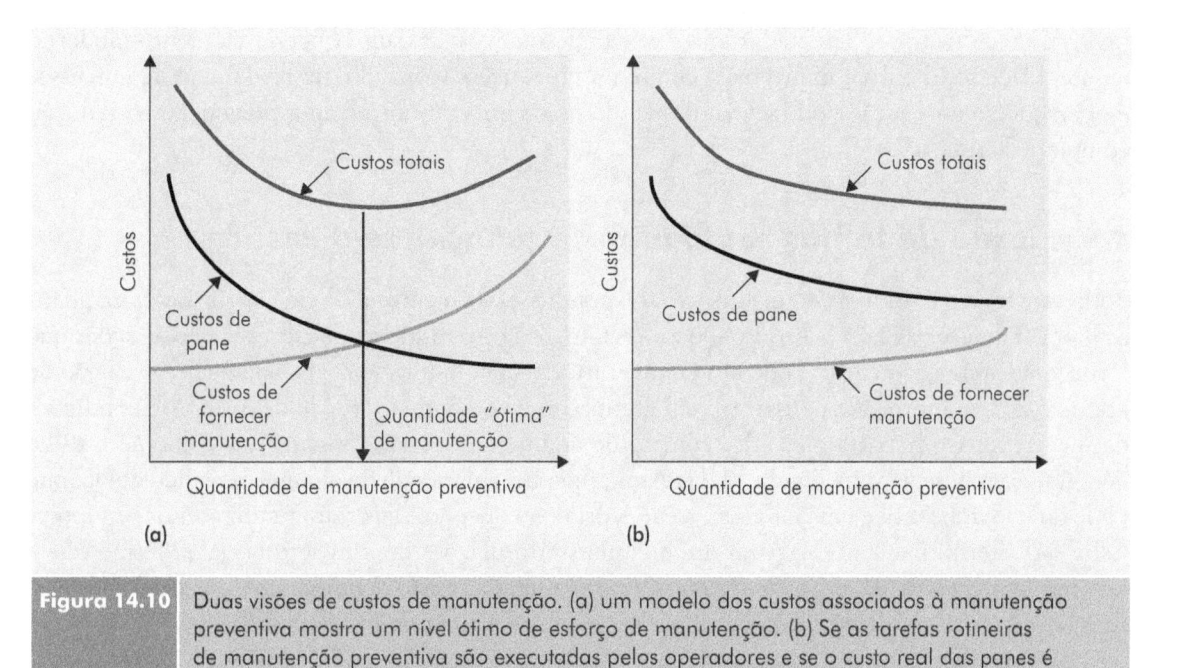

tanto, isso pode não refletir a realidade. O custo de fornecer manutenção preventiva na Figura 14.10(a) presume que ela seja executada por um conjunto separado de pessoas (equipe de manutenção habilitada) cujo tempo é programado e as contas apresentadas separadamente dos operadores de instalação. Em muitas operações, entretanto, ao menos alguma manutenção preventiva pode ser desempenhada pelos próprios operadores (o que reduz o custo) e nos momentos que são convenientes para a operação (o que minimiza a ruptura da operação). Ademais, o custo de panes poderia também ser mais alto do que é indicado na Figura 14.10(a), porque o tempo de parada não planejado pode acabar com a estabilidade da operação, impedindo-a de melhorar. Juntando essas duas ideias, a curva de custo total e a curva do custo de manutenção ficam mais parecidas com a Figura 14.10(b). A ênfase se transfere para o uso de mais manutenção preventiva do que geralmente se acha adequado.

QUESTÕES DIAGNÓSTICAS

Medidas de atenuação de falhas têm sido implementadas?

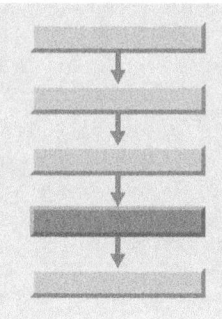

Atenuação de falhas significa isolar uma falha de suas consequências negativas. Admite-se que nem todas as falhas podem ser evitadas. Entretanto, em algumas áreas de gerenciamento de operações, depender da atenuação, em vez de prevenção, é ultrapassado. Por exemplo, as práticas de inspeção no gerenciamento da qualidade eram baseadas na suposição de que falhas eram inevitáveis e precisavam ser detectadas antes que pudessem causar dano. O gerenciamento moderno da qualidade total coloca muito mais ênfase na prevenção. Contudo, na resiliência de processos e operações, a atenuação pode ser vital quando usada em conjunto com a prevenção na redução completa de riscos.

Atenuação de falhas como uma sequência de decisão

Todo esse tópico é sobre o gerenciamento sob condições de incerteza. Pode existir incerteza quanto a uma falha ter de fato ocorrido. Quase certamente haverá incerteza com relação às ações que fornecerão atenuação eficaz. Pode ainda haver incerteza com relação à eficácia que teve a ação de atenuação. Uma forma de pensar sobre a atenuação é como uma série de decisões sob condições de incerteza. Isso habilita o uso de técnicas de análise de decisão formais, tais como árvores de decisão, exemplificadas na Figura 14.11. Aqui, uma irregularidade de algum tipo é detectada, que pode ou não indicar que uma falha ocorreu. A primeira decisão é agir para tentar atenuar a suposta falha ou, alternativamente, esperar até que mais informações possam ser obtidas. Mesmo que a atenuação seja efetuada, ela pode ou não deter a falha. Caso não detenha, então ações adicionais serão necessárias, as quais podem ou não deter a falha e assim por diante. Se mais informações são obtidas antes de efetuar a atenuação, a falha pode ou não ser confirmada. Se a atenuação for então efetuada, ela pode funcionar ou não e assim por diante. Embora os detalhes das ações específicas de atenuação dependam das circunstâncias, o que é importante em termos práticos é que para todas as falhas significativas algum tipo de regra de decisão e planejamento de atenuação tenha sido estabelecido.

Ações de atenuação de falhas

A natureza da ação adotada para atenuar falhas obviamente dependerá da natureza da falha. Na maioria das indústrias, técnicos especialistas estabeleceram uma classificação de ações de atenuação de falha que são adequadas para os tipos de risco prováveis. Assim, por exemplo, na agricultura, as indústrias e as agências do governo publicaram estratégias de atenuação para falhas como pragas, infecção animal contagiosa e assim por diante. Tais documentos esboçam várias ações de atenuação

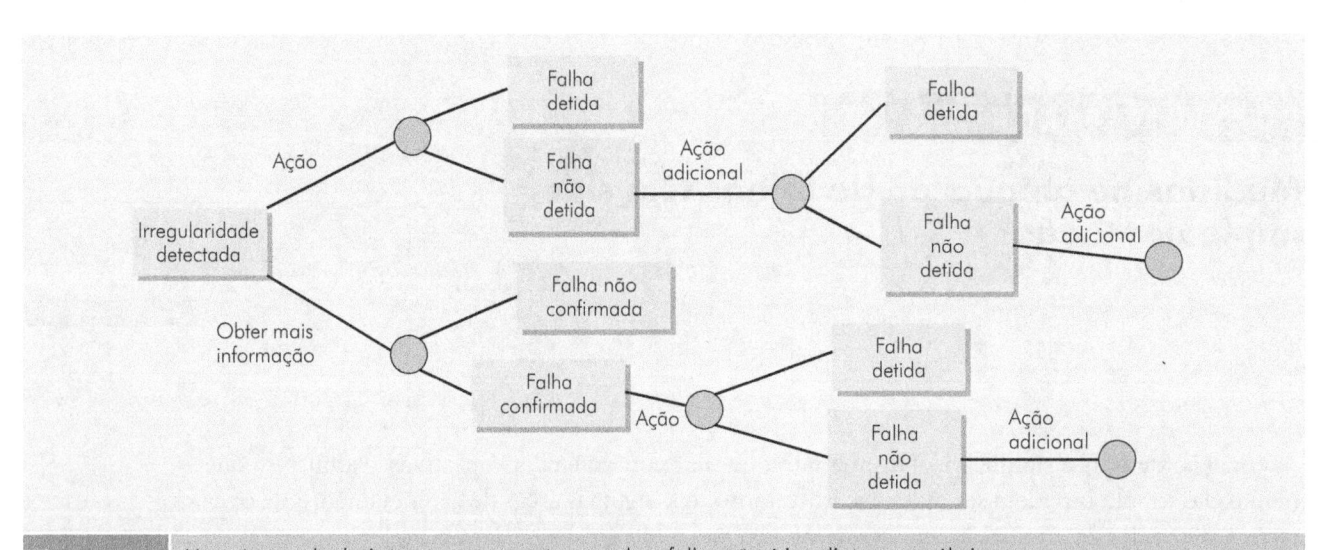

Figura 14.11 Uma árvore de decisão para atenuação quando a falha não é imediatamente óbvia.

que podem ser adotadas sob diferentes circunstâncias e detalham exatamente os responsáveis pelas ações.

Embora essas classificações tendam a ser específicas da indústria, a seguinte classificação genérica fornece uma ideia dos tipos de ações de atenuação que podem ser geralmente aplicáveis.

- **O planejamento de atenuação** é a atividade que assegura que todas as possíveis circunstâncias de falhas foram identificadas e as ações de atenuação adequadas também. É a atividade mais importante que inclui todas as ações de atenuação subsequentes e pode ser descrita na forma de uma árvore de decisão ou de diretrizes. Quase certamente existirá alguma forma de escalada que guiará os esforços de atenuação extras se as ações anteriores não tiverem sucesso. Vale a pena observar que o planejamento de atenuação, bem como uma ação abrangente, também fornece ação de atenuação por causa de seus esforços. Por exemplo, se o planejamento de atenuação identificou treinamento adequado, projeto da tarefa, procedimentos de emergência e assim por diante, então a responsabilidade financeira de um negócio por quaisquer perdas se uma falha ocorrer será reduzida. Certamente, as empresas que não se planejaram adequadamente para falhas serão mais responsáveis legalmente por algumas perdas subsequentes.
- **A atenuação econômica** inclui ações como seguro contra perdas causadas por falhas, disseminação das consequências financeiras a partir de falhas e proteção contra falhas. O seguro é a mais conhecida dessas ações e é amplamente adotado, embora assegurar o gerenciamento de reclamações eficiente e o seguro adequado seja uma habilidade especializada por natureza. Disseminar as consequências financeiras de falhas pode envolver, por exemplo, disseminar a igualdade de influência em empresas de suprimento para reduzir as consequências financeiras de falhas em tais empresas. *Hedging* é a criação de um *portfolio* de riscos, cujos resultados estão correlacionados com a redução da variabilidade total. Isso frequentemente toma a forma de instrumentos financeiros. Por exemplo, uma empresa pode comprar um *hedge* financeiro contra o risco de o preço de uma matéria-prima vital desviar-se significativamente de um preço referencial.
- **Contenção (espacial)** significa evitar a disseminação física da falha para não afetar outras partes de uma rede de suprimentos externa ou interna. Evitar a disseminação de alimento contaminado pela cadeia de suprimentos, por exemplo, dependerá dos sistemas de informação em tempo real que fornecem dados de rastreabilidade.
- **Contenção (temporal)** significa conter a disseminação de uma falha com o passar do tempo. É particularmente aplicado quando a informação sobre uma falha, ou potencial falha, necessita ser transmitida a tempo. Por exemplo, sistemas que prevejam ocorrências climáticas ameaçadoras, tal como tempestades de neve, devem transmitir tal informação para as agências locais, como a polícia e as organizações de limpeza de estradas, a tempo de evitarem que o problema cause rupturas grandes.
- **A redução de perdas** cobre qualquer ação que reduz as consequências catastróficas de falhas, removendo os recursos que provavelmente sofrerão as consequências. Por exemplo, os sinais da estrada que indicam rotas de evacuação no caso de clima severo ou procedimentos de incêndio que treinam empregados sobre como escapar no caso de uma emergência, podem não reduzir as consequências de falhas em edifícios ou instalações físicas, mas podem ajudar drasticamente na redução de morte ou dano.
- **Substituição** significa compensar uma falha com o fornecimento de outros recursos que possam substituir aqueles que estão desempenhando com menos eficiência por causa da falha. É parecido com o conceito de redundância que foi descrito antes, mas nem sempre significa excesso de recursos se uma falha não ocorre. Por exemplo, no projeto de uma construção, o risco de encontrar problemas geológicos inesperados pode ser aliviado pela existência de um plano de trabalho separado que é invocado somente se tais problemas são encontrados. Os recursos podem vir de outras partes do projeto de construção, que por sua vez terão planos para compensar sua perda.

Tabela 14.1 — Ações de atenuação para três falhas

Ações de atenuação de falhas	Tipo de falha		
	Falha financeira – Roubo de contas da empresa	Falha de desenvolvimento – Nova tecnologia não funciona	Falha de emergência – Incêndio no prédio
Planejamento de atenuação	Identifique diferentes tipos de roubo que têm sido reportados e planeje ações de atenuação incluindo *software* para identificar comportamento anômalo de contas	Identifique possíveis tipos de falha de tecnologia e identifique tecnologias de contingência junto com planos para acessá-las	Identifique riscos de incêndio e métodos de detectá-los, limitando e extinguindo os incêndios
Atenuação econômica	Faça seguro contra roubo e possivelmente use diversas contas diferentes	Invista ou forme parcerias com fornecedor de tecnologia alternativa	Faça seguro contra incêndio e tenha mais e menores prédios
Contenção (espacial)	Crie contas "ring fence"*, assim um *deficit* em uma conta não pode ser resolvido através de uma outra conta	Desenvolva soluções de tecnologia alternativa para diferentes partes do projeto de desenvolvimento, de modo que a falha em uma parte não afete todo o projeto	Instale sistemas de extintor de incêndio localizados e portas corta-fogo
Contenção (temporal)	Invista em *software* que detecte sinais de possíveis comportamentos de conta não usuais	Aumente os marcos de projeto que indicam a possibilidade de eventual falha de desenvolvimento	Instale sistemas de alarme que indiquem a ocorrência de incêndio para todos que possam ser afetados (inclusive em outro prédio)
Redução de perdas	Aumente a demora da transferência até ser dada aprovação para maiores retiradas, também institua planos de recuperação de dinheiro roubado	Garanta que o projeto de desenvolvimento possa usar a velha tecnologia se a nova não funcionar	Garanta que os meios de saída e o treinamento de empregados sejam adequados
Substituição	Garanta que os fundos de reserva e a equipe para gerenciar a transferência possam ser rapidamente colocados em operação	Tenha um pacote de trabalho de contingência para dedicar recursos extras para vencer a falha da nova tecnologia	Garanta uma equipe de reserva que possa substituir o prédio que se tornou inoperante pelo incêndio

* N de R. T.: proteger uma soma de dinheiro colocando uma restrição de forma que ela só possa ser usada para uma finalidade particular.

A Tabela 14.1 fornece alguns exemplos de cada tipo de ação de atenuação para três falhas: o roubo de dinheiro das contas bancárias de uma empresa, a falha de funcionamento de uma nova tecnologia de produto durante seu processo de desenvolvimento e o princípio de incêndio no prédio de uma empresa.

Exemplo — Atenuando o risco da moeda[8]

Uma empresa multinacional de mercadorias de consumo estava preocupada com a forma como suas operações em certas partes do mundo estavam expostas a flutuações da moeda. A subsidiária russa da empresa obtinha quase todos os produtos de suas fábricas matrizes na França e Alemanha, enquanto suas principais rivais tinham instalações de fabricação na Rússia. Consciente da volatilidade potencial do rublo, a empresa precisava minimizar a exposição de sua operação à desvalorização da moeda, o que deixaria a estrutura de custos da empresa numa séria desvantagem comparada a seus rivais, e sem qualquer opção real além de aumentar seus preços. Em busca de atenuação contra o risco de desvalorização, a empresa poderia decidir entre várias opções financeiras e baseadas em operações. Por exemplo, ferramentas financeiras estavam disponíveis para minimizar a exposição ao risco da moeda. A maioria delas permite à operação reduzir o risco de flutuações da moeda, mas envolve um custo antecipado. Normalmente, quanto mais alto o risco, maior o custo antecipado. Alternativamente, a empresa poderia reestruturar a estratégia de suas operações a fim de atenuar o risco de sua moeda. Uma opção seria desenvolver sua própria instalação de produção dentro da Rússia. Isso poderia reduzir, ou até eliminar, o risco cambial, embora possa introduzir outros riscos. Uma opção adicional poderia ser a formação de parcerias de suprimento com outras empresas russas. Novamente, isso não elimina riscos, mas os substitui por outros que a empresa se sente mais habilitada a controlar. Genericamente, a empresa pode criar um *portfolio* de estratégias baseadas em operações, desenvolver fornecedores alternativos em diferentes zonas de moeda, aumentar a flexibilidade/excesso de capacidade numa rede global de produção e criar produtos diferenciados que são menos sensíveis ao preço.

QUESTÕES DIAGNÓSTICAS

Medidas de recuperação de falhas têm sido implementadas?

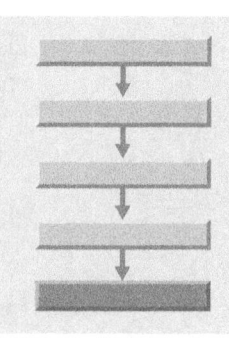

A recuperação de falhas é o conjunto de ações que são tomadas depois que efeitos negativos das falhas ocorrem e que reduzem o impacto dos efeitos negativos. Todos os tipos de operações podem se beneficiar da recuperação bem planejada. Por exemplo, uma empresa de construção cuja retroescavadeira quebrou pode fazer planos para arranjar uma substituta de uma empresa contratada. A pane poderá causar ruptura, mas será menor do que se o gerente de operações não tivesse planejado o que fazer. Os procedimentos de recuperação também formam a percepção de falha dos clientes. Mesmo quando o cliente vê uma falha, não necessariamente leva ao descontentamento; os clientes podem até aceitar que as coisas, ocasionalmente, deem erradas. Se há um metro de neve sobre as linhas de trem ou se o restaurante é particularmente popular, podemos aceitar o fato de que alguma coisa está errada com o produto ou serviço. Não é necessariamente a própria falha que leva ao descontentamento, mas frequentemente a resposta da organização à pane. Enganos podem ser inevitáveis, mas o descontentamento dos clientes não.

Uma falha pode até se tornar uma experiência positiva. Se um voo está atrasado em cinco horas, existe um considerável potencial para o descontentamento. Mas se a companhia aérea informa aos passageiros que o avião está atrasado por causa de um ciclone em seu trajeto anterior e que arranjos foram feitos para acomodar os passageiros num hotel local com uma refeição de cortesia, os passageiros poderão então se sentir bem tratados e até recomendar aquela companhia aérea para outros. Uma boa recuperação pode tornar clientes zangados e frustrados em clientes leais. Na verdade, uma investigação[9] sobre a satisfação e a lealdade do cliente usou quatro cenários para testar a complacência deles em usar os serviços de uma operação novamente. Os quatro cenários foram:

> **Princípio de operações**
> A recuperação bem-sucedida de uma falha pode resultar em mais benefícios do que se a falha não tivesse ocorrido.

1. O serviço é entregue para atender as expectativas dos clientes e existe satisfação total.
2. Existem falhas na entrega do serviço, mas o cliente não reclama sobre elas.
3. Existem falhas na entrega do serviço e o cliente reclama, mas ele foi persuadido ou acalmado. Não há satisfação real com o fornecedor de serviço.
4. Existem falhas na entrega do serviço e o cliente reclama e se sente totalmente satisfeito com a ação resultante tomada pelos fornecedores de serviço.

Clientes que estão totalmente satisfeitos e não tiveram problemas (1) são os mais leais, seguidos pelos clientes que reclamam e cujas reclamações são resolvidas com sucesso (4). Em terceiro lugar estão os clientes que tiveram problemas, mas não reclamam (2), e em último vêm os clientes que reclamam, mas são deixados com seus problemas não resolvidos e com o sentimento de descontentamento (3).

O processo de recuperação

A recuperação precisa ser um processo planejado. As organizações, portanto, precisam projetar respostas adequadas às falhas, vinculadas ao custo e à inconveniência causados pela falha aos seus clientes. Elas devem primeiro atender as necessidades e expectativas dos clientes. Tais processos de recuperação precisam ser executados ou pela equipe para quem foi delegado o trabalho ou pelo pessoal treinado que esteja disponível para lidar com a recuperação de uma forma que não interfira nas atividades de serviço cotidianas. A Figura 14.12 ilustra uma sequência típica de recuperação.

Descobrir

A primeira coisa que qualquer gerente precisa fazer quando enfrenta uma falha é descobrir sua natureza exata. Três partes importantes da informação são necessárias: primeiro, o que exatamente aconteceu; segundo, quem será afetado pela falha; e terceiro, por que a falha ocorreu? Esse último ponto não é para ser uma investigação detalhada das causas da falha (que vem mais tarde), mas é frequentemente necessário para saber algo a respeito de suas causas, no caso de ser necessário determinar qual ação tomar.

Agir

A etapa de descoberta pode levar somente alguns minutos ou mesmo segundos, dependendo da seriedade da falha. No caso de uma falha séria com consequências importantes, precisamos começar a fazer algo rapidamente. Isso significa executar três ações, as duas primeiras delas poderiam ser executadas em ordem inversa, dependendo da urgência da situação. Primeiro, diga aos envolvidos o que você está propondo fazer sobre a falha. Nas operações de serviço, isso é especialmente importante onde os clientes precisam ser mantidos informados para seu sossego e para demonstrar que algo está sendo feito. Em todas as operações, entretanto, é importante comunicar qual ação vai acontecer de forma que todos possam determinar seus próprios planos de recuperação, em movimento. Segundo,

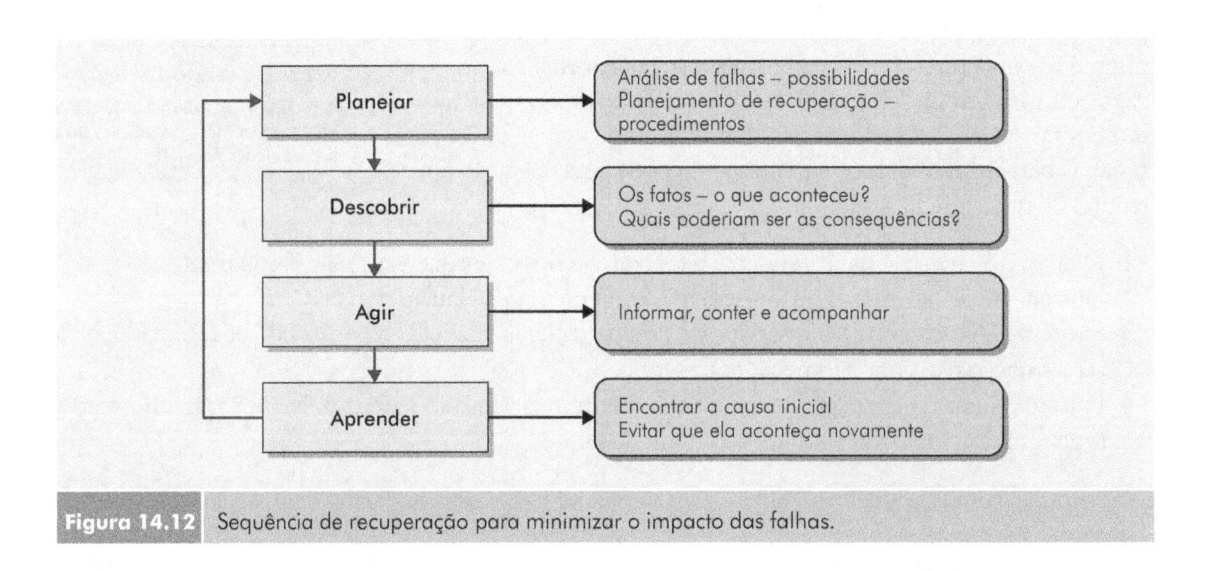

Figura 14.12 Sequência de recuperação para minimizar o impacto das falhas.

os efeitos da falha precisam ser contidos a fim de evitar a disseminação das consequências e as causas adicionais de falhas. As ações precisas de contenção dependerão da natureza da falha. Terceiro, precisa haver algum tipo de acompanhamento para assegurar que as ações de contenção realmente tenham detido a falha.

Aprender

Como discutido antes neste capítulo, o fato das falhas fornecerem oportunidades de aprendizagem não deveria ser subestimado. No planejamento de falhas, aprende-se revisitando a falha para encontrar sua causa inicial e, então, projetando-se sem as causas da falha, de modo que ela não aconteça novamente.

Planejar

Aprender as lições de uma falha não é o fim do procedimento. Os gerentes de operações precisam incorporar formalmente as lições em suas futuras reações às falhas. Muitas vezes, isso é feito trabalhando de forma teórica sobre como eles reagiriam às falhas no futuro. Especificamente, é preciso primeiro identificar todas as possíveis falhas que poderão ocorrer (de uma forma similar à abordagem FMEA). Segundo, significa definir formalmente os procedimentos que a organização deveria seguir no caso de cada tipo de falha identificada.

Comentário crítico

Cada capítulo contém um breve comentário crítico sobre as principais ideias nele abordadas. Seu propósito não é minar as questões discutidas, mas enfatizar que, embora apresentemos uma visão relativamente ortodoxa da operação, existem outras perspectivas.

■ A ideia de que falhas podem ser detectadas por meio de inspeção no processo é cada vez mais vista como uma meia verdade. Embora a inspeção em busca de falhas seja um primeiro passo óbvio para detectá-las, não é 100% confiável. Evidências de pesquisa e exemplos práticos acumulados consistentemente indicam que as pessoas, mesmo quando auxiliadas pela tecnologia, não são boas em detectar falhas e erros. Isso se aplica mesmo quando atenção especial está sendo dada para a inspeção. Por exemplo, a segurança nos aeroportos foi significativamente reforçada depois de 11 de setembro de 2001; contudo, uma em dez armas letais que passaram pelos sistemas de segurança dos aeroportos (a fim de testá-los) não foi detectada. "Não existe 100% de segurança; somos todos seres humanos", diz Ian Hutcheson, o Diretor de Segurança no Operador BAA do Aeroporto. Ninguém está defendendo abandonar a inspeção como um mecanismo de detecção de falhas. Na verdade, ela é vista como uma dentre uma variedade de métodos de evitar falhas.

■ Muito da discussão anterior em torno da prevenção de falhas presumia uma abordagem "racional". Em outras palavras, presume-se que os gerentes de operações bem como os clientes se esforçarão para evitar falhas que têm maior probabilidade de ocorrer ou que são mais sérias em suas consequências. Contudo, essa afirmação é baseada numa resposta racional ao risco. Na verdade, como seres humanos, os gerentes frequentemente respondem à percepção de risco em vez da realidade. Por exemplo, a Tabela 14.2 mostra o custo de cada vida salva por investimento em segurança de várias rodovias e ferrovias (em outras palavras, prevenção de falhas). A tabela mostra que investir na melhoria de segurança nas rodovias é muito mais eficaz do que investir em segurança nas ferrovias.

Tabela 14.2	O custo por vida salva de vários investimentos em segurança (prevenção de falhas)
Investimento em segurança	Custo por vida (milhares de €)
Sistema avançado de proteção em ferrovias	30
Sistemas de aviso de proteção em ferrovias	7,5
Implementação de diretrizes recomendadas sobre segurança em ferrovias	4,7
Implementação de diretrizes recomendadas sobre segurança em rodovias	1,6
Gasto da autoridade local com segurança em rodovias	0,15

E, embora ninguém argumente em favor da diminuição dos esforços na segurança de ferrovias, é observado por algumas autoridades de transporte que o investimento real reflete mais a percepção pública de mortes nas ferrovias (baixa) comparado com as mortes nas rodovias (muito alta).

Lista de verificação

Esta lista de verificação inclui perguntas que podem ser úteis se aplicadas a qualquer tipo de operações e reflete as principais questões diagnósticas usadas dentro do capítulo.

☐ A empresa tem uma política de resiliência de operações e de processos?

☐ Algumas possíveis mudanças na vulnerabilidade dos negócios à falha têm sido discutidas e acomodadas dentro da política de falhas?

☐ Todas as fontes potenciais de falhas foram identificadas?

☐ Algumas mudanças futuras nas fontes de falhas têm sido identificadas?

☐ O impacto de todas as fontes potenciais de falhas tem sido avaliado?

☐ A probabilidade de cada falha potencial tem sido avaliada?

☐ A possibilidade de falhas não evidentes tem sido tratada?

☐ A análise pós-falha é executada quando a falha ocorre?

☐ Técnicas tais como análise de modo e efeito de falha (FMEA) são usadas?

☐ É prestada a devida atenção à possibilidade de projetar sem pontos de falhas?

☐ O conceito de redundância é economicamente viável para quaisquer falhas potenciais?

☐ A ideia de dispositivos à prova de falhas (*poka-yoke*) tem sido considerada com um meio de reduzir a probabilidade de falhas?

☐ Todas as abordagens para manutenção tecnológica e de processo têm sido exploradas?

☐ A possibilidade de que um esforço de manutenção insuficiente esteja sendo aplicado tem sido investigada?

☐ A operação tem um plano de atenuação de falhas?

☐ Toda a gama de ações de atenuação tem sido totalmente avaliada?

☐ Planos específicos são estabelecidos para o uso de cada tipo de ação de atenuação?

☐ Existe um procedimento de recuperação bem planejado?

☐ O procedimento de recuperação cobre todos os passos de descobrir, agir, aprender e planejar?

Estudo de caso A falha de Chernobyl[10]

À 1h24min, nas primeiras horas de sábado, 26 de abril de 1986, ocorreu o pior acidente na história da geração de energia nuclear comercial. Duas explosões em série destruíram as 1.000 toneladas da cobertura de proteção de concreto do reator nuclear Chernobyl-4. Fragmentos fundidos do núcleo caíram nas imediações e produtos radioativos foram liberados na atmosfera. O acidente custou provavelmente centenas de vidas e contaminou uma vasta área de terra na Ucrânia.

Muitas razões provavelmente contribuíram para o desastre. Certamente, o projeto do reator não era novo – em torno de 30 anos de idade no momento do acidente – e tinha sido concebido antes da existência de sistemas de segurança computadorizados. Por isso, os procedimentos de manuseio de emergência dependiam muito da capacidade dos operadores. Esse tipo de reator também tinha uma tendência de funcionar "fora de controle" quando operado em baixa potência. Por essa razão, os procedimentos de operação para o reator proibiam-no estritamente de ser operado abaixo de 20% de sua potência máxima. Foi principalmente uma combinação de circunstância e erro humano que causou a falha. Ironicamente, os eventos que causaram o desastre foram projetados para tornar o reator mais seguro. Testes, planejados por uma equipe de engenheiros especialistas, estavam sendo executados para avaliar se o sistema de resfriamento central de emergência (ECCS) poderia funcionar durante a operação sem carga do gerador de turbina, se uma falha no suprimento externo de energia ocorresse. Embora esse dispositivo de segurança tivesse sido testado antes, não tinha funcionado satisfatoriamente e novos testes do dispositivo modificado foram executados com o reator operando em baixa potência durante todo o período de teste. Os testes foram programados para a tarde de sexta-feira, 25 de abril de 1986, e a redução da energia da usina começou às 13h. Entretanto, exatamente depois das 14h, quando o reator estava operando em aproximadamente metade de sua potência total, o controlador de Kiev solicitou que o reator continuasse alimentando a usina com eletricidade. Na verdade, a eletricidade não foi liberada da usina até as 23h10min daquela noite. O reator deveria ser desligado para sua manutenção anual na terça-feira seguinte, e a solicitação do controlador de Kiev tinha, na verdade, encurtado a janela de oportunidade disponível para os testes.

O trecho a seguir é a cronologia antecedente ao desastre, junto com uma análise de James Reason, a qual foi publicada no Boletim da Sociedade de Psicologia Britânica no ano seguinte.

As ações significativas do operador estão em itálico. Existem dois tipos: erros (indicados por um "E") e violações de procedimentos (marcados com um "V").

25 de abril de 1986

13:00 redução de potência iniciada com a intenção de alcançar 25% de potência para as condições de teste.
14:00 O ECCS desconectou-se do circuito primário. (Isso era parte do plano de teste.)
14:05 *O controlador de Kiev pediu à unidade para continuar alimentando a usina. O ECCS não foi conectado novamente* (V). (Acredita-se que essa violação específica não tenha contribuído materialmente para o desastre, mas é indicativa de uma atitude relaxada por parte dos operadores com relação à observância de procedimentos de segurança.)
23:10 A unidade foi liberada da usina e continuou a redução de potência até alcançar o nível de 25% planejado para o programa de teste.

26 de abril de 1986

00:28 *O operador reduziu severamente a potência abaixo da potência planejada* (E). A potência caiu para um perigoso 1%. (O operador tinha desligado o "piloto automático" e tinha tentado alcançar o nível desejado pelo controle manual.)
01:00 Depois de uma longa agonia, o reator foi finalmente estabilizado em 7% - bem abaixo do nível planejado e bem dentro da zona de perigo de baixa potência. *Nesse ponto, a experiência deveria ter sido abandonada, mas não foi* (E). Esse foi o erro mais

sério (em contraste com a violação): isso significou que toda a atividade subsequente seria conduzida dentro da zona de instabilidade máxima do reator. Aparentemente, isso não foi avaliado pelos operadores.

01:03 Todas as oito bombas foram iniciadas (V). As regras de segurança limitam o número máximo de bombas em uso ao mesmo tempo em seis. Isso mostrou um profundo desconhecimento dos físicos do reator. A consequência foi que o fluxo d'água aumentado (e fração de vapor reduzido) absorveu mais nêutrons, requerendo a remoção de mais hastes de controle para sustentar ainda esse baixo nível de potência.

01:19 O fluxo de alimentação d'água foi aumentado três vezes (V). Os operadores parecem ter se esforçado para lidar com um nível d'água e uma pressão de vapor caindo. O resultado dessas ações, entretanto, foi a redução adicional da quantidade de vapor passando pelo centro, requerendo a remoção de mais hastes de controle. Eles ultrapassaram o limite de desligamento automático da pressão do vapor (V). O efeito disso foi tirar um dos sistemas automáticos de segurança do reator.

01:22 O supervisor do turno solicitou um relatório para estabelecer quantas hastes de controle estavam ainda no centro. O relatório indicou somente seis a oito hastes restantes. Era estritamente proibido operar o reator com menos de 12 hastes. Contudo, o supervisor de turno decidiu continuar com os testes (V). Essa tenha sido uma decisão fatal: o reator, portanto, estava sem "freios".

01:23 As válvulas da linha de vapor para o gerador da turbina Nº 8 foram fechadas (V). A finalidade disso foi estabelecer as condições necessárias para repetir o teste, mas sua consequência foi desconectar o fecho de segurança automático. Essa, talvez, foi a violação mais séria de todas.

01:24 Uma tentativa foi feita para "apagar" o reator inserindo as hastes de desligamento de emergência, mas elas travaram dentro dos canais agora derretidos.

01:24 Duas explosões ocorreram em sucessão. A cobertura do reator foi destruída e 30 incêndios começaram nas proximidades.

01:30h Os bombeiros de plantão foram chamados. Outras unidades convocadas de Pripyat e Chernobyl.

05:00 Incêndios exteriores tinham sido apagados, mas o incêndio da grafite que cobria o reator no centro continuou por diversos dias.

A investigação subsequente do desastre ressaltou um número significativo de pontos que contribuíram para o desastre:

- O programa de teste foi mal-planejado e a parte sobre medidas de segurança foi inadequada. Visto que o ECCS foi desligado durante o período de teste, a segurança do reator foi, na verdade, substancialmente reduzida.
- O plano de teste foi colocado em ação antes de ser aprovado pelo grupo de projeto que era responsável pelo reator.
- Os operadores e os técnicos que estavam rodando o teste tinham capacidades diferentes e não sobrepostas.
- Os operadores, embora altamente capacitados, tinham provavelmente sido avisados de que a conclusão do teste antes do desligamento melhoraria sua reputação. Eles eram orgulhosos de sua habilidade de manusear o reator mesmo em condições não usuais e estavam conscientes da rápida redução da janela de oportunidade dentro da qual eles tinham de completar o teste. Eles tinham também, provavelmente, "perdido qualquer sensibilidade em relação aos perigos envolvidos" em operar o reator.
- Os técnicos que tinham projetado o teste eram engenheiros elétricos de Moscou. Seu objetivo era resolver um complexo problema técnico. Apesar de terem projetado os procedimentos de teste, eles provavelmente não sabiam muito sobre a operação daquela estação de energia nuclear.

Novamente, nas palavras de James Reason: *"Juntos, eles fizeram uma combinação perigosa: um grupo de engenheiros não nucleares, individualistas, dirigindo uma equipe de operadores dedicados, mas excessivamente confiantes. Cada grupo, provavelmente, presumiu que o outro sabia o que estava fazendo. E ambas as partes tinham pouco ou nenhum conhecimento dos perigos que estavam gerando ou do sistema que estavam fazendo mau uso".*

PERGUNTAS

1 Quais foram as causas-raiz que contribuíram para a falha derradeira?

2 Como o planejamento contra falhas poderia ter ajudado a evitar o desastre?

Estudo de caso ativo — Elevadores Paterford

Elevadores são um dos muitos produtos e serviços para nossa vida diária e cujo desempenho suave nós damos como certo. Contudo, sua operação eficiente realmente depende do tipo de serviços de manutenção oferecidos por empresas como a Elevadores Paterford. Garantir que os elevadores trabalhem suavemente depende de um conhecimento de quando eles podem falhar e, para elevadores, falha não é apenas irritante, mas é potencialmente letal.

- Como você recomendaria que a empresa melhorasse seu serviço de manutenção, garantindo que eles não colocassem seus clientes em risco?

Consulte o CD para trabalhar com as decisões que a Elevadores Paterford deve tomar para assegurar que eles ofereçam o melhor serviço para seus clientes.

Aplicando os princípios

Alguns destes exercícios podem ser respondidos a partir da leitura do capítulo. Outros vão requerer algum conhecimento geral da atividade de negócios e alguns poderão requerer pesquisa. Todos têm sugestões de como podem ser respondidos no CD que acompanha este livro.

1. Neste capítulo, a falha de "voo controlado próximo ao solo" foi mencionada. A razão predominante para isso não é falha mecânica, mas falha humana, tal como a fadiga do piloto. A Boeing, que domina o ramo de voos comerciais, calculou que acima de 60% de todos os acidentes que ocorreram nos últimos 10 anos tiveram o comportamento da equipe de voo como sua "causa dominante". Para esse tipo de falha ocorrer, toda uma cadeia de falhas menores deve ocorrer. Primeiro, o piloto em controle tem de estar voando na altitude errada – existe somente uma chance em milhares disso ocorrer. Segundo, o copiloto teria de falhar ao confirmar a verificação da altitude – somente uma chance em cem. Os controladores de tráfego aéreo teriam de omitir o fato de que o avião estava na altitude errada (o que não é estritamente parte de sua tarefa) – uma chance em dez. Finalmente, o piloto teria de ignorar o alarme de aviso de proximidade do solo na aeronave (o qual pode estar propenso a dar alarmes falsos) – uma chance em duas.

    - Quais são as suas visões sobre as probabilidades estimadas de cada falha descrita acima ocorrer?
    - Como você tentaria evitar a ocorrência dessas falhas?
    - Se a probabilidade de cada falha ocorrer pudesse ser reduzida pela metade, qual seria o efeito sobre a probabilidade desse tipo de desastre ocorrer?

2. Conduza uma pesquisa entre colegas, amigos e pessoas conhecidas sobre como eles lidam com a possibilidade de seus computadores "falharem", parando de operar de forma eficiente ou perdendo os dados. Discuta como o conceito de redundância se aplica a tal falha.

3. Pesquise uma variedade de pessoas que possuem e/ou são responsáveis pelo desempenho dos seguintes equipamentos. Qual é sua abordagem para mantê-los e como isso é influenciado pela gravidade percebida da falha?

    (a) Automóveis

    (b) Sistemas de aquecimento central ou sistemas de ar condicionado

    (c) Utensílios domésticos tais como lavadora de louças e aspiradores de pó

    (d) Móveis

    (e) Iluminação ou sistemas de iluminação.

4. Visite o *site* de alguma das muitas empresas que oferecem aconselhamento e consultoria a empresas desejando revisar seus planos de "continuidade do negócio". Baseado em suas investigações desses *sites*, identifique as questões fundamentais em algum plano de continuidade de negócio para os seguintes tipos de operação:

    (a) Uma universidade

    (b) Um aeroporto

    (c) Um porto para contêineres

    (d) Uma fábrica de produtos químicos

    Em termos de sua eficiência em gerenciar o processo de aprendizagem, como uma universidade detecta falhas? O que se poderia fazer para melhorar seus processos de detecção de falhas?

Notas do capítulo

1. Extraído em sua maior parte do próprio livro de Leeson, *Rogue Trader* (1996), Warner Books, e (o mais objetivo) *The Collapse of Barings: Panic, ignorance and greed* por Stephen Fay (1996), Arrow Books.
2. Fontes: Herman, M. and Dearbail, J. (2007) "Cadbury fined Li million over salmonella outbreak", *Times Online*, 16 de julho; Elliott, V. (2007) "Cadbury admits hygiene failures over salmonella in chocolate bars", *The Times*, 16 de junho.
3. Christopher, M. (2002) "Business is failing to manage supply chain vulnerability", *Odessey*, Issue 16, Junho.
4. Fonte: "Air crashes, but surely...", *The Economist*, 4 June de 1994.
5. Sources: Naughton, J. (2008) "The typing error that gave us thirty years of *spam*", *The Observer*, 4 de maio.
6. Exemplos tirados de Slack, N. and Lewis, M.A. (2002) *Operations Strategy*, Financial Times Prentice Hall, Harlow, UK.
7. Nakajima, S. (1998) *Total Productive Maintenance*, Productivity Press.
8. Exemplos tirados de Slack, N. and Lewis, M.A. (2002) *Operations Strategy*, Financial Times Prentice Hall, Harlow, UK.
9. Armistead, C.G. and Clark, G. (1992) *Customer Service and Support*, FT/Pitman Publishing.
10. Baseado nas informações de Read, P.P. (1994) *Ablaze: The story of Chernobyl*, Secker and Warburg; e Reason, J. (1987) "The Chernobyl errors", *Bulletin of the British Psychological Society*, Vol. 4, pp. 201-6.

Indo além

Dhillon, B.S. (2002) *Engineering Maintenance: A modern approach*, Technomic Publishing Company. Um livro abrangente para o entusiasta que enfatiza os aspectos "do berço à sepultura" da manutenção.

Heskett, J.L., Sasser, W.E. and Hart, C.W.L. (1990) *Service Breakthroughs: Changing the rules of the game*, Free Press, New York. Um livro geral sobre gerenciar operações de serviço, mas contém alguns pontos interessantes sobre falhas de serviço.

HMSO (1995) *An Introduction and a Guide to Business Continuity Management*, HMSO. Um dos guias técnicos iniciais para recuperação de falhas e desastres.

Japan Institute (ed.) (1997) *Focused Equipment Improvement to TPM Teams*, Japan Institute of Plant Maintenance. Um guia muito simples e prático de um elemento importante da manutenção produtiva total.

Löfsten, H. (1999) "Management of Industrial maintenance – Economic evaluation of maintenance policies", *International Journal of Operations and Production Management*, Vol.19, No. 7. Um periódico acadêmico, mas fornece uma lógica econômica útil de escolhas entre políticas de manutenção alternativas.

Mobley, K. (1999) *Root Cause Failure Analysis*, Butterworth-Heinemann. Análise da causa inicial de falhas é uma das técnicas mais importantes em confiabilidade e manutenção. Esse livro descreve isso em detalhe.

Smith, D.J. (2000) *Reliability Maintainability and Risk*, Butterworth-Heinemann. Um guia abrangente e excelente para todos os aspectos de manutenção e confiabilidade.

Websites úteis

www.smrp.org Site da Sociedade para Profissionais de Manutenção e Segurança. Fornece um entendimento em questões práticas.

www.sre.org Sociedade Americana de Engenheiros de Segurança. As *newsletters* fornecem um entendimento das práticas de confiabilidade.

www.csob.berry.edu/faculty/jgrout/pokayoke.shtml A página *poka-yoke* de John Grout. Alguns grandes exemplos, tutoriais, etc.

www.rspa.com/spi/SQA.html Muitos recursos, envolvendo confiabilidade e *poka-yoke*.

www.sra.org Site da Sociedade para Análise de Risco. Escopo bastante amplo, mas interessante.

RECURSOS ADICIONAIS Para recursos adicionais incluindo exemplos, diagramas animados, questões de autoavaliação, planilhas Excel, estudos de caso ativos e materiais de vídeo, acesse o CD que acompanha este livro.

Capítulo 15
GERENCIAMENTO DE PROJETOS

Introdução

Este capítulo está relacionado com o gerenciamento de projetos. Alguns projetos são complexos e de grande porte, têm atividades envolvendo diversos recursos e duração de anos. Mas outros são menores, possivelmente limitados a uma parte de um negócio e podem durar poucos dias. Contudo, embora a complexidade e o grau de dificuldade para gerenciar diferentes tipos de projetos variem, a abordagem essencial para a tarefa não muda. Sejam grandes ou pequenos, internos ou externos, longos ou curtos, todos os projetos requerem definição, planejamento e controle. (Veja Figura 15.1.)

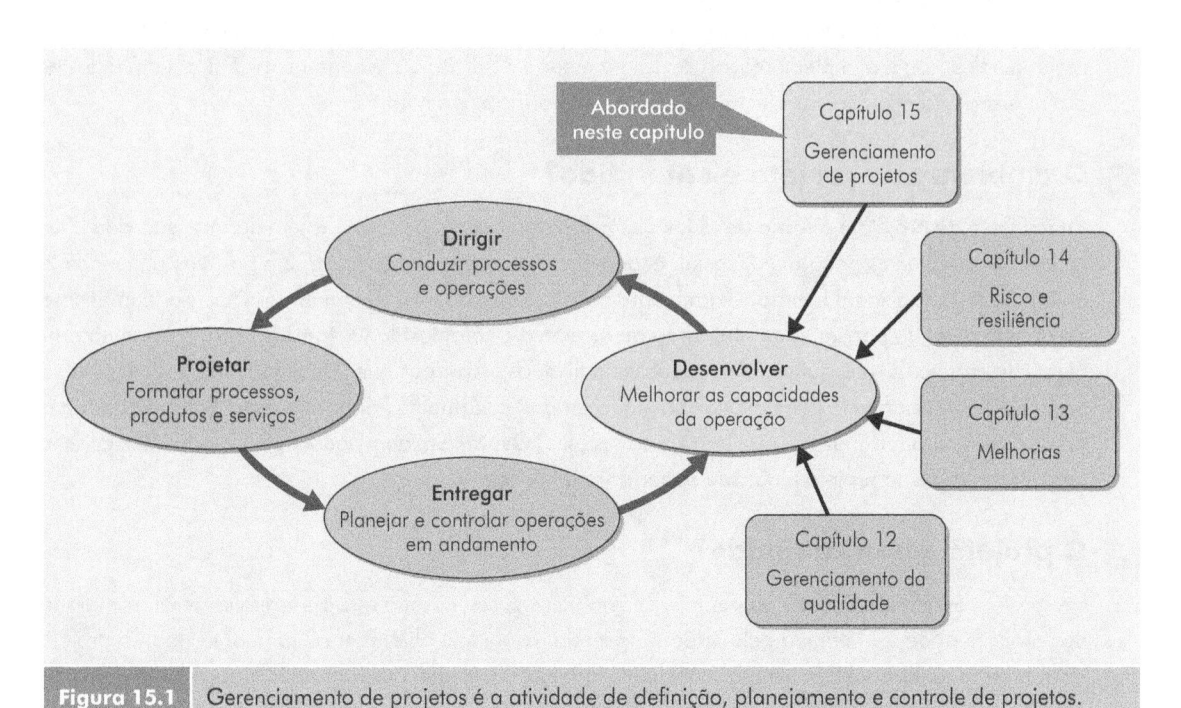

Figura 15.1 Gerenciamento de projetos é a atividade de definição, planejamento e controle de projetos.

Sumário executivo

- O que é gerenciamento de projetos?
- O ambiente de projeto é entendido?
- O projeto é bem-definido?
- O gerenciamento de projetos é adequado?
- O projeto foi adequadamente planejado?
- O projeto é adequadamente controlado?

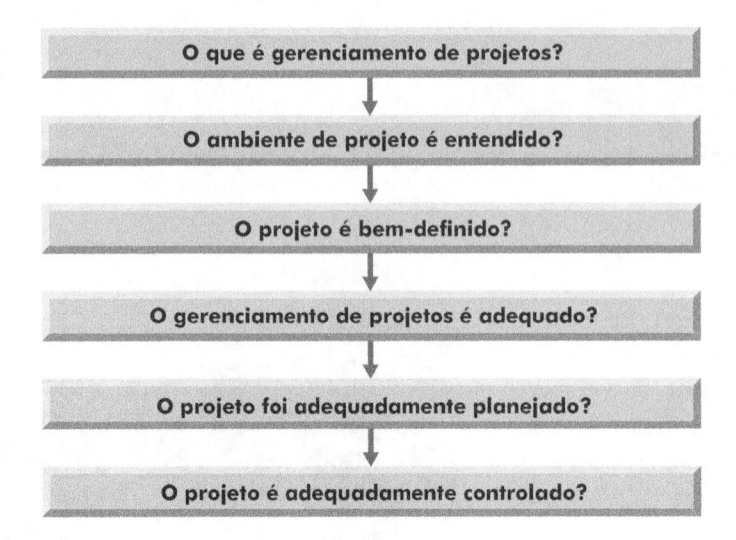

Cadeia lógica de decisões para gerenciamento de projetos

Cada capítulo é estruturado em torno de um grupo de questões diagnósticas. Essas questões sugerem o que você poderia perguntar para entender as questões importantes de um tópico e, como resultado, melhorar sua tomada de decisão. Um sumário executivo, tratando dessas questões, é fornecido abaixo.

O que é gerenciamento de projetos?

Gerenciamento de projetos é a atividade de definir, planejar e controlar projetos. Um projeto é um conjunto de atividades com pontos de início e de fim estabelecidos, que perseguem um objetivo definido e utilizam um conjunto de recursos. É uma atividade muito completa com a qual quase todos os gerentes se envolverão num momento ou noutro. Alguns projetos são de grande porte e complexos, mas a maioria deles, como a implementação de uma melhoria de processo, é bem menor. Entretanto, todos os projetos são gerenciados usando-se um conjunto de princípios similares.

O ambiente de projeto é entendido?

O ambiente de projeto é a soma de todos os fatores que podem afetar o projeto durante sua vida. Eles incluem os ambientes geográfico, social, econômico, político e comercial, e, em projetos pequenos, o ambiente organizacional interno. O ambiente de projeto pode incluir também a dificuldade intrínseca do projeto definida por seu tamanho, grau de incerteza e complexidade. Também fazem parte do ambiente de projeto os seus *stakeholders*, aqueles indivíduos ou grupos que têm algum tipo de interesse no projeto. O gerenciamento dos *stakeholders* pode ser particularmente importante para evitar dificuldades no projeto e para maximizar suas chances de sucesso. Os *stakeholders* podem ser classificados por seu grau de interesse no projeto e por seu poder para influenciá-lo.

O projeto é bem-definido?

Um projeto é definido por três elementos: seus objetivos, seu escopo e sua estratégia geral. A maioria dos projetos pode ser definida pela importância relativa de três objetivos: custo (manter todo o projeto no seu orçamento original), tempo (concluir o projeto no tempo programado) e qualidade (garantir que o resultado do projeto saia como foi especificado originalmente). O escopo do projeto define seu conteúdo de trabalho e resultados. Mais importante, deveria definir o que não está incluído no projeto. A estratégia do projeto descreve a forma geral por meio da qual o projeto vai atender seus objetivos, incluindo marcos significativos do projeto e *stagegates**.

O gerenciamento de projetos é adequado?

Por sua complexidade e pelo envolvimento de muitas partes diferentes, os projetos precisam de um gerenciamento cuidadoso. Na verdade, o gerenciamento de projetos é visto como uma atividade particularmente exigente, com um conjunto de habilidades muito diversificado, incluindo conhecimento técnico de gerenciamento de projetos, habilidades interpessoais e habilidade de liderança. Os gerentes de projeto precisam, muito frequentemente, de habilidade para motivar a equipe que, diferentemente deles, não se reporta somente a um gerente, mas também divide seu tempo entre diversos projetos diferentes.

O projeto foi adequadamente planejado?

O planejamento de projeto determina o custo e a duração do projeto e o nível de recursos que serão necessários. Abrange a identificação da data de início e fim das atividades individuais dentro do projeto. Geralmente, as cinco etapas de planejamento de projetos incluem identificar atividades, estimar tempos e recursos, identificar relacionamentos e dependências entre as atividades, identificar as restrições de programação de recursos e de tempo, e fixar a programação final. Entretanto, nenhum planejamento pode evitar a necessidade de replanejamento, conforme as circunstâncias se definem durante a vida do projeto. Técnicas de planejamento de rede, tais como análise de caminho crítico (CPA – *Critical Path Analysis*) são frequentemente utilizadas para auxiliar o processo de planejamento de projeto.

O projeto é adequadamente controlado?

O controle de projeto faz o monitoramento a fim de verificar seu progresso, avalia seu desempenho em relação ao plano do projeto e, se necessário, intervém a fim de fazê-lo ficar de acordo com o plano. O processo avalia continuamente o progresso do projeto referente a gastos orçados e a cumprimento do objetivo final. Pode também decidir quando dedicar recursos extras para acelerar (também conhecido como esforço concentrado) atividades individuais dentro do projeto. Existem vários pacotes proprietários de gerenciamento de projetos computadorizados no mercado que variam desde programas de planejamento de rede relativamente simples até os sistemas de gerenciamento de projetos de negócios (EPRM – *Enterprise Project Management*) integrados e complexos.

---

* N. de R. T.: *Stagegates* são pontas de passagem de uma fase do projeto para outra.

QUESTÕES DIAGNÓSTICAS

O que é gerenciamento de projetos?

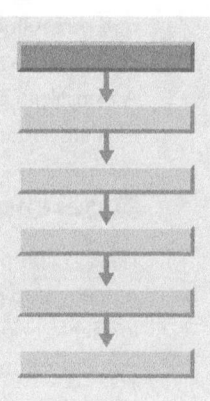

Um projeto é um conjunto de atividades com um ponto de início e fim estabelecidos, as quais perseguem um objetivo definido e usam um conjunto definido de recursos. O que pode ser chamado de projeto varia significativamente desde atividades locais e relativamente pequenas até projetos muito grandes como colocar um homem na lua. O gerenciamento de projetos envolve as atividades de definição, planejamento e controle de projetos de qualquer tipo.

A atividade de gerenciamento de projetos é muito ampla, tanto que ela poderia abranger quase todas as tarefas de gerenciamento de processos e operações descritas neste livro. Em parte devido a isso, ela poderia ter sido tratada em quase todos os locais dentro da estrutura (dirigir, projetar, entregar, desenvolver) deste livro. Optamos por colocá-la no contexto de desenvolvimento de processos e operações porque a maioria dos projetos com os quais a maioria dos gerentes se envolvem é, essencialmente, projetos de melhorias. É claro, muitos projetos são negócios enormes com níveis muito altos de colocação de recursos, complexidade e incerteza que se prolongarão durante muitos anos. Considere os sucessos (e as falhas) ambientais, políticos, sociais e da engenharia civil como evidência de projetos grandes. Tais projetos requerem gerenciamento de projetos profissional, envolvendo altos níveis de conhecimento técnico e habilidades de gerenciamento. Da mesma forma, os projetos que são menores, mas não menos importantes, e que implementam as diversas e contínuas melhorias que determinarão o impacto estratégico de desenvolvimento de operações. Por isso, é tão importante adotar uma abordagem rigorosa e sistemática para gerenciar projetos de melhorias quanto para gerenciar projetos maiores.

Nesse ponto, vale a pena apontar a diferença ente projetos e programas. Um programa, tal como um programa de melhoria contínua, não tem um final definido. É um processo de mudança em andamento. Projetos individuais, tais como o desenvolvimento de processos de treinamento, podem ser subseções individuais de um programa inteiro, tal como um programa integrado de desenvolvimento de habilidades. O gerenciamento de programas cobrirá e integrará os projetos individuais. Geralmente, é uma tarefa mais difícil no sentido de que requer coordenação de recursos, particularmente quando múltiplos projetos compartilham recursos, como enfatizado na seguinte citação: "*Gerenciar projetos, diz-se, é como fazer malabarismos com três bolas – custo, qualidade e tempo. O gerenciamento de programas... é como organizar uma tropa de malabaristas todos com três bolas e trocando-as entre si de tempos em tempos*".[1]

Os dois projetos seguintes ilustram algumas das questões no gerenciamento de projetos.

Exemplo | Sacando a rolha de Millau[2]

Durante décadas, motoristas locais e franceses em geral chamavam a pequena ponte em Millau, que era uma das poucas travessias sobre o rio Tarn, de "a rolha de Millau". Ela sustentou todo o tráfego daquela que deve ter sido uma das rotas norte-sul mais ocupadas na França. Mas isso mudou. Em lugar da pequena ponte encontra-se um dos sucessos mais impressionantes e bonitos da engenharia civil do último século. Lorde Foster, o arquiteto britânico que projetou a nova ponte, descreveu-a como uma tentativa de melhorar a beleza natural do vale por meio de uma estrutura que tivesse a "delicadeza de uma borboleta", com o ambiente dominando a cena ao invés da ponte. E, embora a construção pareça flutuar nas nuvens, ele tem sete pilares e uma rodovia de 2,5 quilômetros de comprimento. É também uma realização técnica extraordinária. Com seus 300 metros de altura, é a ponte mais alta do mundo, pesando 36.000 toneladas. O pilar central é mais alto que a Torre Eiffel e levou somente três anos para ser concluído, apesar das novas técnicas de engenharia que foram necessárias.

Os planos esboçados para a ponte foram produzidos em 1987. Porém, devido a considerações de planejamento, fundação e projeto, a construção não começou até dezembro de 2001. Foi concluída em dezembro de 2004, no prazo e dentro do orçamento, tendo provado a eficácia de sua nova técnica de construção. O método tradicional para construir esse tipo de estrutura (do tipo ponte estaiada) fabrica seções da rodovia no local e usa guindastes para colocá-las na posição. Por causa de sua altura, 300 metros acima do chão, uma nova técnica foi desenvolvida. Primeiro, as torres eram construídas da forma usual, com concreto reforçado com barras de aço. O pavimento era construído na parte alta em cada lado do vale e então colocado no lugar à medida que seções suplementares eram adicionadas, até juntar-se com precisão (de centímetros) no centro. Essa técnica nunca tinha sido experimentada antes e produziu riscos de engenharia, os quais aumentaram a complexidade da tarefa de gerenciamento de projetos.

Tudo começou com uma iniciativa de recrutamento em massa. *"Veio gente de todos os arredores da França para conseguir emprego. Nós sabíamos que isso seria uma tarefa longa. Alojamos as pessoas em apartamentos e casas e nos arredores de Millau. A Eiffel deu garantias para todos os hóspedes e uma unidade foi preparada para ajudar todos com a documentação envolvida nisso. Não era anormal para um trabalhador ser recrutado de manhã e ter seu apartamento disponível na mesma noite com eletricidade e um telefone disponível."* (Jean-Pierre Martin, Engenheiro Chefe do Grupo Eiffage e diretor de construção). Mais de 3.000 trabalhadores – técnicos, engenheiros, condutores de guindaste, carpinteiros, soldadores, operadores de guindaste, metalúrgicos, pintores, especialistas em concreto e especialistas em cabos e em pilares que suportariam a ponte – contribuíram para o projeto. No local do projeto, 500 deles, posicionados em algum lugar entre o céu e a terra, trabalharam em todos os climas para completar o projeto no prazo. *"Todo dia eu me perguntava qual era a grande força que unia esses homens"*, disse Jean-Pierre Martin. *"Eles tinham um forte sentimento de prazer e pertenciam a uma comunidade para construir a mais bela edificação do mundo. Nunca foi necessário gritar com eles para conseguir que trabalhassem. A vida numa construção tem muitos altos e baixos. Em alguns dias, quase congelamos. Noutros, fomos afetados por uma intensa onda de calor. Mas mesmo nos dias de mau tempo, alguém tinha de forçá-los a ficar em casa. Apesar de tudo, com frequência eles deixavam seus alojamentos para retornar ao trabalho."*

Muitas firmas estavam envolvidas na construção da ponte – Arcelor, Eiffel, Lafarge, Freyssinet, Potain. Todas elas necessitavam coordenar de alguma forma sua contribuição para o objetivo comum e evitar a perda da responsabilidade pelo todo. Jean-Pierre Martin foi quem sugeriu a ideia de nove grupos de trabalho autônomos. Foi colocado um grupo em cada um dos sete pilares que suportariam a ponte e dois outros nas extremidades. O lema adotado pelas equipes foi *"rigueur et convivialité"*, qualidade rigorosa e cooperação amigável. *"A dificuldade nesse tipo de projeto é manter todos entusiasmados até o final. Para tornar isso fácil, criamos esses pequenos grupos. Os turnos de cada uma das nove equipes foram organizados das 7 às 14 horas, e das 14 às 21 horas."* Assim, para manter um clima agradável, nenhuma economia foi feita para celebrar os eventos importantes na construção da ponte, como uma barra de aço, ou uma outra parte da rodovia completada. Às vezes, para elevar a moral das equipes e celebrar esses eventos importantes, Jean-Pierre organizava um *méchouis* – um assado de ovelha no espeto, especialmente popular para a maioria dos trabalhadores que eram do Norte da África.

Exemplo | Acesso HK[3]

Acesso HK é uma organização independente sem fins lucrativos que trabalha para combater a desigualdade e dar oportunidades de educação a crianças não privilegiadas que de outro modo elas não poderiam ter. Todo verão, voluntários da Acesso HK, na maioria estudantes em universidades estrangeiras, retornam para Hong Kong para fornecer uma Escola de Verão gratuita para crianças carentes. Ela foi criada no verão de 2001 por um grupo de estudantes de Hong Kong em universidades líderes dos EUA e Reino Unido. Desde então, organizaram-se diversos eventos de grande escala para ajudar crianças não privilegiadas, incluindo as Escolas de Verão gratuitas de quatro semanas, durante as quais as crianças são ensinadas em formatos interativos sobre assuntos tais como língua inglesa, questões atuais, discurso e teatro. Ng Kwan-hung, estudante de Oxford, secretária externa da Acesso HK, disse: *"Compartilhamos uma crença comum de que o que distingue uma criança de outra não é a habilidade, mas o acesso – às oportunidades, à educação, ao amor. Todos percebemos a importância de um bom ambiente de aprendizagem para o desenvolvimento de uma criança."* Chung Tin-Wong, estudante de direito em Oxford e membro do subcomitê, acrescentou: *"Somos todos dedicados ao fornecimento da melhor educação para as crianças não privilegiadas".*

Gerenciar o projeto das escolas de verão é particularmente importante para a Acesso HK porque suas oportunidades de fazer a diferença para os não privilegiados são muito limitadas aos períodos de férias quando seus estudantes voluntários estão disponíveis. A falha do projeto significaria esperar até o próximo ano para ter outra chance. Além disso, como muitas instituições de caridade, o orçamento é limitado, tendo que fazer valer cada dólar. Por isso, os estudantes voluntários logo aprendem algumas das artes de gerenciamento de projetos, incluindo como quebrar o projeto em quatro fases para facilitar o planejamento e o controle.

- *Fase conceitual*, durante a qual o comitê central da Acesso HK combina com o Comitê da Escola de Verão sua direção, suas metas e seus objetivos.
- *Fase de planejamento*, quando o Comitê da Escola de Verão determina os parâmetros de custo e tempo para o projeto. A estrutura de tempo para a Escola de Verão é sempre apertada. Estudantes voluntários ficam disponíveis somente depois de completarem seus exames de verão, e a Escola de Verão deve estar pronta quando os estudantes da escola primária têm seu intervalo de verão.
- *Fase de definição e projeto*, quando os planos detalhados de implementação para a Escola de Verão são finalizados. A comunicação entre as equipes de voluntários é particularmente importante para assegurar uma implementação participativa. Muitos deles, embora entusiasmados, tem pouca experiência em gerenciamento de projetos e, portanto, necessitam do suporte de instruções detalhadas sobre como executar sua parte do projeto.
- *Fase de implementação*. Novamente, é a inexperiência relativa da força voluntária que define como o projeto da Escola de Verão é implementado. É importante garantir que mecanismos de controle estejam estabelecidos para que possam detectar rapidamente quaisquer problemas ou divergências do plano e ajudar a trazê-los de volta ao objetivo.

"O sucesso desses projetos da Escola de Verão depende muito da inclusão de todos os nossos stakeholders no processo", afirma um coordenador da Escola de Verão. *"Todos nossos stakeholders são importantes, mas eles têm interesses diferentes. Os estudantes nas Escolas de Verão, mesmo se não estipularem seus objetivos, precisam sentir que estão se beneficiando da experiência. Nossos voluntários são todos brilhantes e entusiasmados e estão interessados tanto em ajudar a gerenciar o processo quanto a fazer parte dele. A Acesso HK quer se certificar de que estamos dando o melhor para cumprir seus objetivos e defender sua imagem. O governo de Hong Kong tem um interesse óbvio no sucesso e integridade das Escolas de Verão, e os patrocinadores precisam certificar-se de que suas doações estão sendo usadas prudentemente. Além disso, todas as escolas que nos emprestam seus prédios e muitas outras partes interessadas necessitam ser incluídas, de formas diferentes e em extensões diferentes, em nosso processo de gerenciamento de projetos."*

O que esses dois exemplos têm em comum?

Nem todos os projetos são tão grandes ou tão complexos como o Viaduto de Millau, mas as mesmas questões aparecem. Como nenhum projeto existe de forma isolada, o ambiente social, político e operacional deve ser levado em conta. Para a Escola de Verão da Acesso HK, isso significa a inclusão de muitos grupos comunitários e organizações diferentes, assim como patrocinadores. Cada um dos objetivos e escopo do projeto também precisa ser esclarecido com os *stakeholders*. O planejamento detalhado, entretanto, será responsabilidade daqueles que atuam como gerentes de projeto. São eles que determinam os compromissos de tempo e recursos que o projeto necessitará e também identificam a longa lista de inconvenientes que poderiam acontecer. Planos de reserva precisarão ser feitos para minimizar o impacto de incertezas. As equipes de gerenciamento de projetos para os dois exemplos são muito diferentes – profissional e com experiência num caso, voluntário e sem experiência no outro. Mas ambos têm elementos em comum. Ambos têm um objetivo, um resultado final claro. Ambos são temporários; eles têm um início definido e necessitam de uma concentração temporária de recursos que serão realocados assim que sua contribuição for concluída. Ambos necessitam motivar as pessoas envolvidas no projeto, ambos necessitam planejar, ambos necessitam controlar. Em outras palavras, ambos necessitam gerenciar o projeto.

QUESTÕES DIAGNÓSTICAS

O ambiente de projeto é entendido?

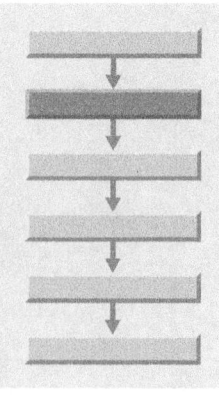

O ambiente de projeto abrange todos os fatores que podem afetar o projeto durante sua vida. É o contexto e as circunstâncias nas quais o projeto ocorre. Entender o ambiente de projeto é importante porque o ambiente afeta a forma como um projeto necessitará ser gerenciado e (muito importante) os perigos possíveis que podem fazer com que o projeto falhe. Os fatores ambientais podem ser considerados sob os quatro tópicos seguintes:

- *Ambiente geossocial*. Fatores geográficos, climáticos e culturais que podem afetar o projeto.
- *Ambiente político-econômico*. Fatores econômicos, governamentais e regulatórios do projeto.
- *Ambiente de negócio*. Fatores industriais, competitivos, da rede de suprimentos e de expectativa do cliente que formatam os prováveis objetivos do projeto.
- *Ambiente interno*. Estratégia de grupos ou da empresa individual e a cultura, os recursos disponíveis e a interação com outros projetos que influenciarão o projeto.

Dificuldade de projeto

Um elemento importante no ambiente de gerenciamento de projetos é o grau de dificuldade do próprio projeto. Três fatores têm sido propostos como dificuldades determinantes nos projetos. Eles são tamanho, incerteza e complexidade. Isso é ilustrado na Figura 15.2. Projetos de grande porte envolvendo muitos tipos diferentes de recursos com duração de muitos anos são mais difíceis de gerenciar, porque os recursos necessitam de um alto nível de esforço de gerenciamento e porque os objetivos de gerenciamento de projetos precisam ser mantidos durante um longo período de tempo. Particularmente, a incerteza afeta o planejamento de projetos. Projetos que usam métodos novos tendem a ser especialmente incertos, com objetivos sempre mudando, levando a dificuldades de planejamento. Quando a incerteza é alta, todo o processo de planejamento de projeto necessita ser suficientemente flexível para lidar com as consequências das mudanças. Projetos com altos níveis de complexidade, tais como projetos envolvendo diversas organizações, muitas vezes requerem esforço considerável de controle. Suas diversas atividades separadas, recursos e grupos de pessoas envolvidas aumentam a chance das coisas saírem erradas. Ademais, conforme aumen-

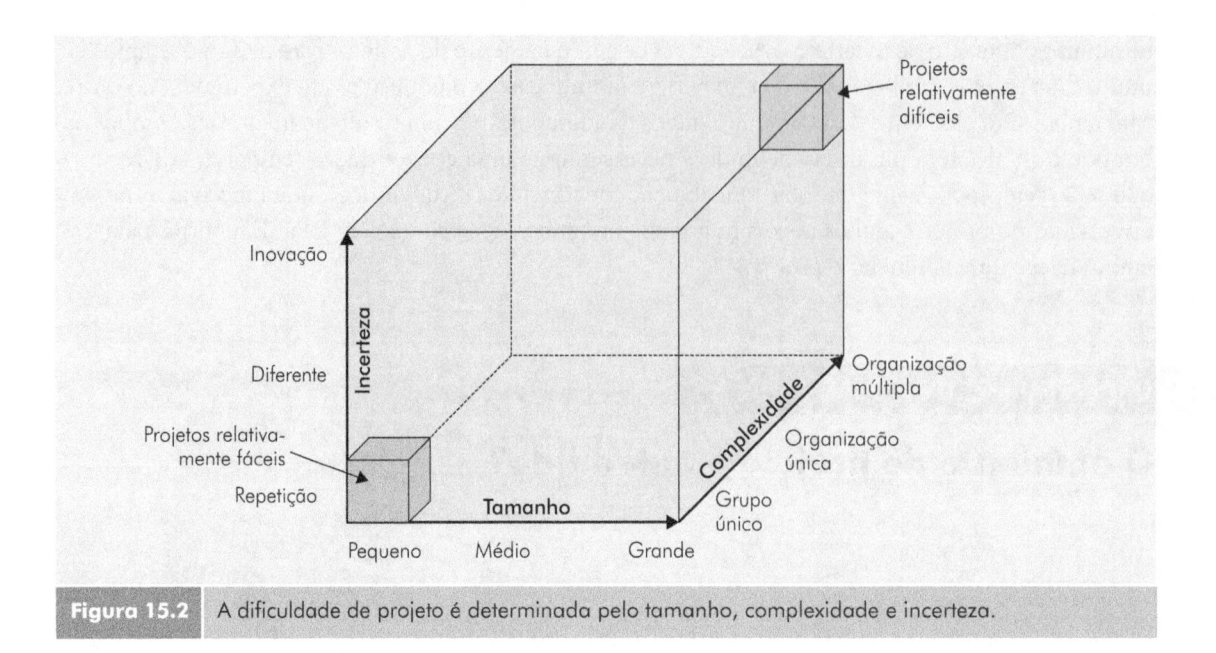

Figura 15.2 A dificuldade de projeto é determinada pelo tamanho, complexidade e incerteza.

> **Princípio de operações**
> A dificuldade no gerenciamento de um projeto é uma função de seu tamanho, complexidade e incerteza.

ta o número de atividades separadas num projeto, as situações em que elas podem afetar as outras aumentam exponencialmente. Isso aumenta o esforço envolvido no monitoramento de cada atividade. Também aumenta as chances de negligenciar alguma parte do projeto que esteja se afastando do plano. Mais importante, aumenta o efeito "cascata" de qualquer problema.

Stakeholders

Uma forma de entender a importância do ambiente de um projeto é considerar os vários *stakeholders* que têm algum tipo de interesse no projeto. Os *stakeholders* em qualquer projeto são os indivíduos e grupos que têm um interesse no processo ou no resultado do projeto. Todos projetos terão *stakeholders*; projetos complexos terão muitos. Eles provavelmente terão visões diferentes sobre os objetivos de um projeto, o que pode conflitar com o objetivo de outros *stakeholders*. Na pior das hipóteses, diferentes *stakeholders* poderão enfatizar aspectos diferentes de um projeto. Por isso, além de ser um imperativo ético a inclusão do máximo possível de pessoas num projeto desde uma etapa inicial, também é frequentemente útil na prevenção de objeções e problemas mais tarde no projeto. Além disso, pode haver benefícios diretos significativos de usar uma abordagem baseada no *stakeholder*. Gerentes de projeto podem usar as opiniões de poderosos

> **Princípio de operações**
> Todos os projetos têm *stakeholders* com diferentes interesses e prioridades.

stakeholders para formatar o projeto numa etapa inicial. Isso aumenta a probabilidade deles apoiarem o projeto e também pode melhorar sua qualidade. A comunicação com os *stakeholders* antecipada e frequente pode garantir que eles conheçam totalmente o projeto e entendam os benefícios potenciais. O apoio dos *stakeholders* pode ainda ajudar a angariar mais recursos, tornando os projetos mais aptos ao sucesso. Talvez o mais importante seja que se pode prever a reação dos *stakeholders* a vários aspectos do projeto e planejar ações que possam evitar oposições ou obter apoio.

> **Princípio de operações**
> *Stakeholders* de projeto têm tanto responsabilidades quanto direitos.

Alguns (mesmo relativamente experientes) gerentes de projetos são relutantes em incluir os *stakeholders* no processo de gerenciamento de projetos, preferindo "gerenciá-los a distância" a permitir que interfiram no projeto. Outros argumentam que os benefícios do gerencia-

Tabela 15.1	Os direitos e responsabilidades dos *stakeholders* de projeto em uma empresa de TI
Direitos	*Responsabilidades*
1 Esperar que os desenvolvedores aprendam e falem sua língua	1 Fornecer recursos (tempo, dinheiro, etc.) para a equipe do projeto
2 Esperar que os desenvolvedores identifiquem e entendam suas necessidades	2 Educar os desenvolvedores sobre seu negócio
	3 Reservar tempo para fornecer e esclarecer as necessidades
3 Receber explicações de artefatos que os desenvolvedores usam como parte do trabalho com os *stakeholders* de projeto, tais como modelos que eles criam com eles (p. ex. protótipos essenciais ou histórias de usuário) ou artefatos que apresentam para eles (p. ex. diagramas de desdobramento)	4 Ser específico e preciso sobre as necessidades
	5 Tomar decisões pontuais
	6 Respeitar a avaliação de custo e possibilidade de um desenvolvedor
4 Esperar que os desenvolvedores os tratem com respeito	7 Definir prioridades de necessidade
5 Ouvir as ideias e alternativas para as necessidades	8 Rever e fornecer feedback pontual considerando os artefatos de trabalho relevantes dos desenvolvedores
6 Descrever as características que tornam o produto fácil de usar	9 Comunicar imediatamente mudanças nas necessidades
7 Receber oportunidades de ajustar as necessidades para permitir a reutilização, reduzir o tempo de desenvolvimento ou reduzir os custos de desenvolvimento.	10 Possuir os processos do *software* da organização: para acompanhá-los e ajudá-los ativamente a consertá-los quando necessário
8 Dar boas estimativas	
9 Receber um sistema que atenda suas necessidades funcionais e de qualidade	

mento de *stakeholders* são grandes demais para serem ignorados e muitos dos riscos podem ser moderados, dando ênfase tanto às responsabilidades quanto aos direitos dos *stakeholders* de projeto. Por exemplo, uma empresa de tecnologia da informação formalmente identifica os direitos e responsabilidades dos *stakeholders* de projeto, conforme mostrado na Tabela 15.1.

Gerenciando *stakeholders*

Gerenciar *stakeholders* pode ser uma tarefa sutil e delicada, requerendo habilidades sociais significativas e, às vezes, habilidades políticas. Mas é baseada em três atividades fundamentais: identificar, priorizar e entender o grupo de *stakeholders*.

NOTAS PRÁTICAS

- *Identificar os stakeholders*. Considere todas as pessoas que são afetadas por seu trabalho, quem têm influência ou poder sobre ele, ou têm algum interesse em sua conclusão com sucesso ou insucesso. Embora os *stakeholders* possam ser organizações e pessoas, fundamentalmente você deve se comunicar com as pessoas. Certifique-se de identificar os *stakeholders* individuais corretos dentro de uma organização de *stakeholders*.
- *Priorizar os stakeholders*. Muitas pessoas e organizações serão afetadas por um projeto. Algumas dessas podem ter o poder de bloquear ou avançar o projeto. Algumas podem estar interessadas no que você está fazendo; outras podem não se importar. Mapeie os *stakeholders* usando a Matriz de Poder × Interesse (veja mais adiante) e classifique-os por seu poder e por seu interesse no projeto.
- *Entender os stakeholders fundamentais*. É importante ter informações sobre os *stakeholders* fundamentais. É preciso saber como eles provavelmente se sentirão e reagirão ao projeto. Também é preciso saber a melhor forma de comprometê-los no projeto e a melhor forma de se comunicar com eles.

A matriz de poder × interesse

Uma abordagem para discriminar entre diferentes *stakeholders* e, principalmente, como eles deveriam ser gerenciados, é distinguir entre seu poder de influenciar o projeto e seu interesse em fazê-lo. *Stakeholders* que têm o poder de exercer uma maior influência sobre o projeto nunca deveriam ser ignorados. Na pior das hipóteses, a natureza de seu interesse e sua motivação deveriam ser bem-entendidos. Mas nem todos os *stakeholders* que têm poder para exercer influência sobre um projeto estão interessados em exercê-lo e nem todos que estão interessados no projeto têm poder para influenciá-lo. A matriz de poder × interesse, mostrada na Figura 15.3, classifica os *stakeholders* simplesmente em termos dessas duas dimensões. Embora existam classes entre elas, as duas dimensões são úteis em fornecer uma indicação de como os *stakeholders* podem ser gerenciados em termos de quatro categorias.

As posições dos *stakeholders* na matriz dão uma indicação de como eles poderão ser gerenciados. Grupos com alto poder e interesse devem estar totalmente comprometidos, com os maiores esforços feitos para satisfazê-los. Grupos com alto poder e menos interessados requerem esforço suficiente para mantê-los satisfeitos, mas não a ponto de deixá-los chateados ou irritados com a mensagem. Grupos com baixo poder e interesse devem ser mantidos adequadamente informados, com verificações para garantir que não estejam surgindo maiores questões. Esses grupos podem ser muito úteis com detalhes do projeto. Grupos com baixo poder e menos interessados precisam de monitoramento, mas sem comunicação excessiva. Algumas questões fundamentais que podem ajudar a distinguir os *stakeholders* de alta prioridade incluem o seguinte:

> **Princípio de operações**
> Grupos diferentes de *stakeholders* necessitarão de gerenciamento diferente.

- Que interesse financeiro ou emocional eles têm no resultado do projeto? Ele é positivo ou negativo?
- O que os motiva acima de tudo?
- De qual informação eles precisam?
- Qual é a melhor forma de comunicar-se com eles?
- Qual é sua opinião atual sobre o projeto?
- Quem influencia suas opiniões? Alguns desses influenciadores, portanto, tornam-se *stakeholders* importantes por seu próprio mérito?
- Se eles não são propensos a serem positivos, o que os convencerá a apoiar o projeto?
- Se você acha que não será capaz de convencê-los, como você gerencia a oposição?

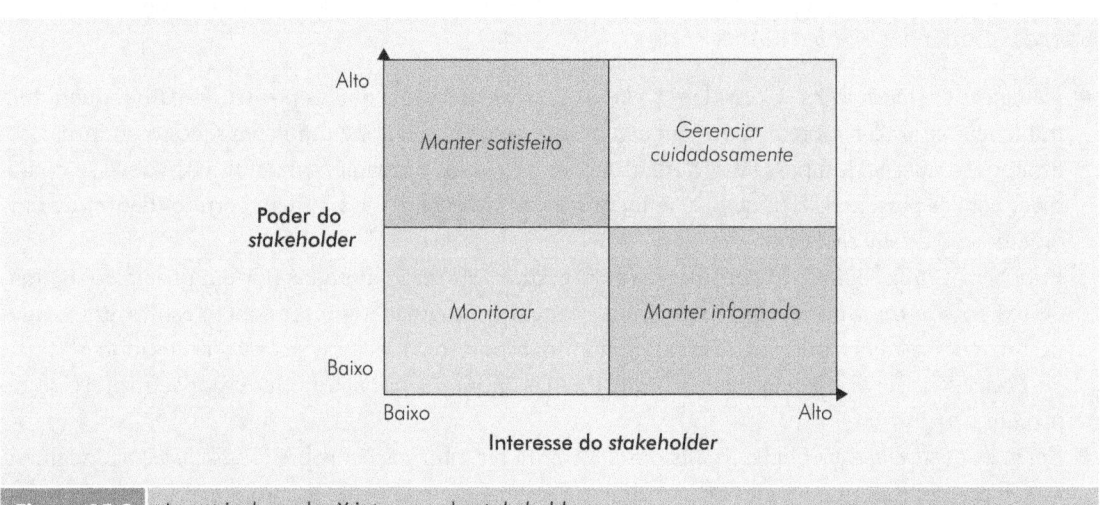

Figura 15.3 A matriz de poder × interesse do *stakeholder*.

QUESTÕES DIAGNÓSTICAS

O projeto é bem-definido?

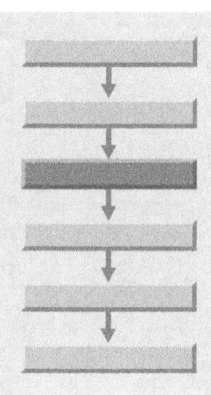

Antes de começar a tarefa complexa de planejar e executar um projeto, é necessário clareza sobre exatamente o que o projeto é – sua definição. Nem sempre é fácil, especialmente em projetos com muitos *stakeholders*. Três diferentes elementos definem um projeto:

- Seus *objetivos*: o estado final que o gerenciamento de projetos está tentando alcançar
- Seu *escopo*: a extensão exata das responsabilidades assumidas sobre o gerenciamento de projetos
- Sua *estratégia*: como o gerenciamento de projetos vai atender seus objetivos

Objetivos de projeto

Objetivos ajudam a fornecer uma definição do ponto final que pode ser usada para monitorar o progresso e identificar quando o sucesso foi alcançado. Eles podem ser julgados em termos dos cinco objetivos de desempenho – qualidade, velocidade, confiabilidade, flexibilidade e custo. Entretanto, a flexibilidade é considerada como "dada" na maioria dos projetos que, por definição, são únicos e finitos, e a velocidade e confiabilidade são comprimidas em um objetivo composto: "tempo". Isso resulta no que é conhecido como os "três objetivos de gerenciamento de projetos": custo, tempo e qualidade.

A importância relativa de cada objetivo será diferente para projetos diferentes. Alguns projetos aeroespaciais, tais como o desenvolvimento de um novo avião, que afeta a segurança do passageiro, colocarão uma ênfase muito alta nos objetivos da qualidade. Dentro de outros projetos, como um projeto de pesquisa que está sendo financiado com um pagamento fixo do governo, o custo poderá predominar. Outros projetos enfatizam o tempo: por exemplo, a organização de um festival de música a céu aberto precisa acontecer numa data específica para o projeto atender seus objetivos. Em cada um desses projetos, embora um objetivo possa ser particularmente importante, os outros objetivos não podem ser totalmente esquecidos. Bons objetivos são aqueles que são claros, mensuráveis e, de preferência, quantificáveis. O esclarecimento de objetivos divide os objetivos de projeto em três categorias – a finalidade, os resultados finais e os critérios de sucesso. Por exemplo, um projeto que é expresso em termos gerais como "melhorar o processo de orçamento" poderia ser dividido em:

> **Princípio de operações**
> Projetos diferentes colocarão níveis diferentes de ênfases nos objetivos de custo, tempo e qualidade.

- *Finalidade* – permitir que os orçamentos sejam ajustados e confirmados antes da reunião financeira anual;
- *Resultado final* – um relatório que identifique as causas do atraso do orçamento e que recomende novos processos e sistemas de orçamento;
- *Critério de sucesso* – o relatório deve estar concluído em 30 de junho, atender as necessidades de todos os departamentos e habilitar a entrega integrada e confiável das informações do orçamento acordado. O custo das recomendações não deve exceder US$ 200.000.

Escopo de projeto

O escopo de um projeto identifica seu conteúdo de trabalho e seus produtos ou resultados. É um exercício para estabelecer limites que tenta definir a linha divisória entre o que cada parte do projeto fará e o que ela não fará. Definir o escopo é particularmente importante quando parte de um projeto está sendo terceirizada. O escopo de um fornecedor de suprimentos identificará as limitações legais dentro das quais o trabalho deve ser feito. Às vezes, o escopo do projeto é articulado numa "especificação de projeto" formal. Trata-se da informação escrita, ilustrada e gráfica usada para definir a saída e os termos e condições de acompanhamento.

Estratégia de projeto

A terceira parte da definição de um projeto é a estratégia de projeto, a qual define, de forma geral ao invés de específica, como o projeto vai atender seus objetivos. Ela faz isso de duas formas: definindo as fases do projeto e determinando os marcos e/ou *stagegates*. Marcos são eventos importantes durante a vida do projeto. *Stagegates* são os pontos de decisão que permitem ao projeto começar a sua próxima fase. Um *stagegate*, frequentemente, inicia atividades adicionais e, portanto, compromete o projeto com custos adicionais, etc. Marco é um termo mais passivo, que pode apresentar a revisão de uma parte concluída do projeto ou marca a conclusão de uma etapa, mas não necessariamente é mais significativo do que uma ação de realização ou de conclusão. Nessa etapa, as datas reais para cada marco não são necessariamente determinadas. É útil, entretanto, pelo menos identificar os marcos e os *stategates* significativos, seja para definir o limite entre as fases ou para ajudar nas discussões com o cliente do projeto.

QUESTÕES DIAGNÓSTICAS
O gerenciamento de projetos é adequado?

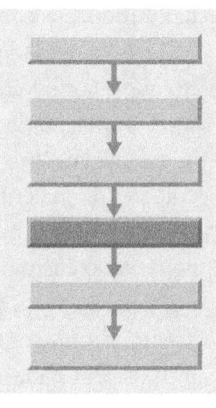

A fim de coordenar os esforços de muitas pessoas em diferentes partes da organização (e frequentemente fora dela também), todos os projetos precisam de um gerente de projeto. Muitas das atividades de um gerente de projeto estão relacionadas com o gerenciamento dos recursos humanos. As pessoas que trabalham na equipe de projeto necessitam de um entendimento claro de seus papéis na (normalmente temporária) organização. Controlar um ambiente de projeto incerto requer a troca rápida de informações relevantes com os *stakeholders* de projeto, dentro e fora da organização. Pessoas, equipamentos e outros recursos devem ser identificados e alocados para as diversas tarefas. Controlar essas tarefas com êxito torna o gerenciamento de um projeto uma atividade de operações particularmente desafiadora.

Habilidades de gerenciamento de projetos

O gerente de projeto é a pessoa responsável por entregar um projeto. Ele lidera e gerencia a equipe de projeto, com a responsabilidade, ou a autoridade, para controlar o projeto diariamente. Esse cargo é ocupado por pessoas especiais. Elas devem possuir habilidades aparentemente antagônicas, serem capazes de influenciar sem necessariamente ter autoridade, prestar atenção aos detalhes sem perder a visão macro, estabelecer um ambiente aberto, comunicativo, mas sem se afastar dos objetivos do projeto, e ser capaz de desejar o melhor, mas planejar para o pior. É um papel formidável. O ideal é que contenha liderança, comunicação, organização, negociação, gerenciamento de conflitos, motivação, apoio, construção de equipe, planejamento, direção, solução de problemas, treinamento e delegação.

> **Princípio de operações**
> A atividade de gerenciamento de projetos requer habilidades interpessoais e técnicas.

Em termos mais formais, as responsabilidades típicas do gerente de projeto são as seguintes:

- Planejar e aplicar uma estrutura de gerenciamento de projetos adequada para o projeto
- Gerenciar a produção das entregas requeridas
- Planejar e monitorar o projeto
- Delegar funções de projeto dentro de estruturas de coordenação convencionadas
- Preparar e manter um plano de projeto
- Gerenciar riscos de projeto, incluindo o desenvolvimento de planos de contingência
- Relacionar-se com o gerenciamento de programa (se o projeto é parte de um programa)
- Avaliar o progresso total e a utilização de recursos, iniciando ações corretivas onde necessário
- Gerenciar mudanças nos objetivos ou detalhes de projeto
- Relatar a partir de linhas de coordenação acordadas as avaliações das etapas e o progresso do projeto
- Relacionar-se com a gerência sênior para assegurar a direção total e a integridade do projeto
- Adotar qualidade e técnica na estratégia
- Identificar e obter apoio e informação necessários para o gerenciamento do projeto
- Gerenciar a administração de projeto em andamento
- Conduzir avaliação pós-projeto, para verificar se o projeto foi bem executado
- Preparar recomendações de alguma ação de acompanhamento, conforme requerida

Cinco características são vistas como especialmente importantes para um gerente de projeto eficaz:[4]

- Conhecimento e experiência que sejam consistentes com as necessidades do projeto
- Liderança e conhecimento estratégico para manter um entendimento de todo o projeto e seu ambiente enquanto ao mesmo tempo trabalha nos detalhes do projeto
- Conhecimento técnico na área do projeto para tomar decisões técnicas sólidas
- Competência interpessoal e habilidade com pessoas para assumir papéis tais como campeão, motivador, comunicador, facilitador e político do projeto
- Capacidade gerencial comprovada por seu currículo, demonstrando que faz as coisas acontecerem

Gerenciando as tensões matriciais

Em todos projetos, mesmo nos mais simples, os gerentes de projeto necessitam reconciliar os interesses do próprio projeto e dos departamentos que contribuem com recursos para o mesmo. Quando é pedida uma variedade de recursos de vários departamentos, os projetos estão operando num ambiente de gerenciamento matricial, em que os projetos afetam os limites organizacionais e envolvem equipes que são solicitadas a se reportar tanto para seu próprio gerente de linha como para o gerente de projeto. A Figura 15.4 ilustra o tipo de relacionamento de coordenação que normalmente ocorre nas estruturas de geren-

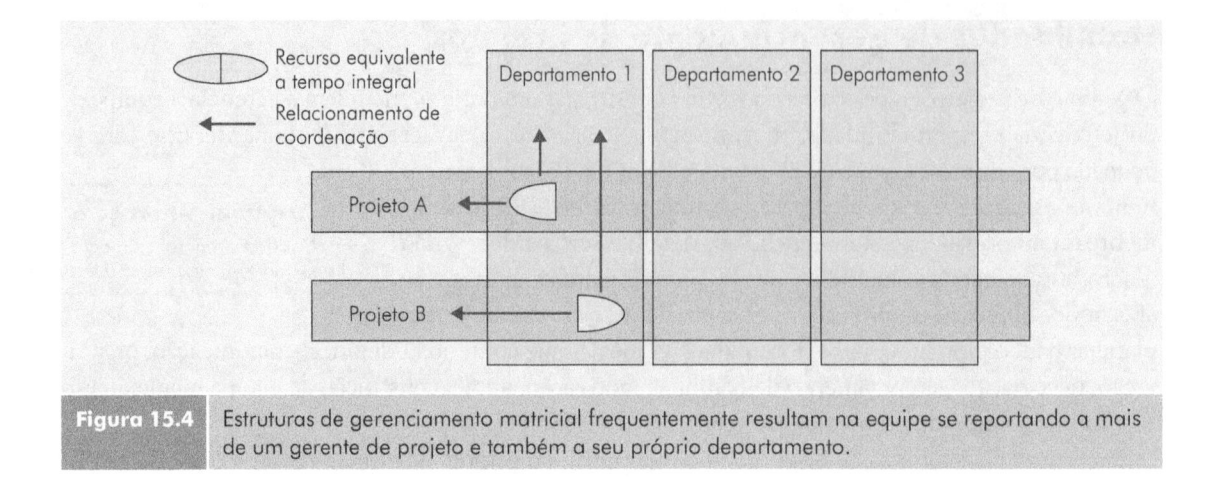

Figura 15.4 Estruturas de gerenciamento matricial frequentemente resultam na equipe se reportando a mais de um gerente de projeto e também a seu próprio departamento.

ciamento matricial processando múltiplos projetos. Uma pessoa no departamento 1, designada parte do tempo para os projetos A e B se reportará a três diferentes gerentes, todos os quais terão algum grau de autoridade sobre suas atividades. Por isso, o gerenciamento matricial requer um alto grau de cooperação e comunicação entre todos os indivíduos e departamentos. Embora a autoridade da tomada de decisão formalmente seja deixada ou com o gerente do projeto ou com o departamental, a maioria das principais decisões necessitará de algum grau de consenso. Precisam ser feitos arranjos que reconciliem diferenças potenciais entre os gerentes de projeto e os gerentes de departamento. Para funcionar de forma eficaz, as estruturas de gerenciamento matricial devem ter as seguintes características:

- Devem existir canais de comunicação entre todos os gerentes envolvidos, com gerentes de departamento relevantes contribuindo para as decisões de fornecimento de recursos e planejamento do projeto.
- Devem existir procedimentos formais estabelecidos para resolver os conflitos de gerenciamento que surgem.
- A equipe de projeto deve ser encorajada a sentir-se comprometida tanto com seus projetos como com seu próprio departamento.
- O gerenciamento de projeto deve ser visto como o papel central de coordenação, com tempo suficiente dedicado para planejar o projeto, assegurando o acordo entre os gerentes de linha para entregar no prazo e dentro do orçamento.

QUESTÕES DIAGNÓSTICAS

O projeto foi adequadamente planejado?

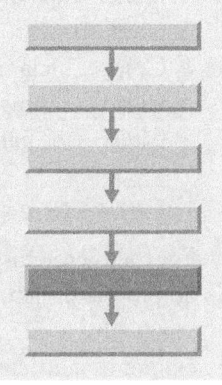

Todos os projetos, mesmo os menores, necessitam de planejamento. O processo de planejamento atende quatro finalidades distintas. Ele determina o custo e a duração do projeto, determina o nível de recursos que será necessário, ajuda a alocar trabalho e monitorar progresso e ajuda a avaliar o impacto de qualquer mudança no projeto. Trata-se de um passo vital no início do projeto, mas pode ser repetido

Figura 15.5 Etapas no processo de planejamento de projetos.

Ajustar conforme necessário

Identificar as atividades no projeto → Estimar os tempos e recursos para as atividades → Identificar os relacionamentos e as dependências entre as atividades → Identificar restrições de programa de tempo e recurso → Ajustar o programa no tempo e recursos

diversas vezes durante a vida do projeto, conforme a mudança das circunstâncias. Isso não é um sinal de falha de projeto ou mau gerenciamento. Em projetos incertos, em particular, é uma ocorrência normal. Na verdade, planos da etapa posterior tipicamente significam que há mais informação disponível e que o projeto está se tornando menos incerto. O processo de planejamento de projeto envolve cinco passos, mostrados na Figura 15.5.

> **Princípio de operações**
> Um pré-requisito para o planejamento de projeto é algum conhecimento de tempos, recursos e relacionamentos entre as atividades.

Identificar atividades – a estrutura de divisão de trabalho

Alguns projetos são muito complexos para serem planejados e controlados de forma eficaz a menos que sejam divididos em porções gerenciáveis. Isso é realizado estruturando o projeto numa "árvore genealógica" que especifica as principais tarefas ou subprojetos. Esses, por sua vez, são divididos em tarefas menores até chegar numa série de tarefas definidas e gerenciáveis, chamadas de pacote de trabalho. Para cada pacote de trabalho podem ser alocados seus próprios objetivos, em termos de tempo, custo e qualidade. A saída disso é chamada de estrutura de divisão de trabalho (WBS – *Work Breakdown Structure*). A WBS traz clareza e definição para o processo de planejamento de projetos. Ela mostra "como o quebra-cabeça se encaixa sozinho". Ela também fornece uma estrutura para aumentar a informação para fins de coordenação.

Por exemplo, a Figura 15.6 mostra a estrutura de divisão de trabalho para um projeto para modelar uma nova interface de informação (uma página de um *site*) para um novo sistema de gerenciamento de informações de vendas que está sendo instalado numa empresa de seguros. O projeto requer cooperação entre o departamento de sistemas de TI da empresa e sua organização de vendas. Três tipos de atividade serão necessários para o projeto: treinamento, instalação e teste. Cada uma dessas categorias é depois dividida em atividades específicas, como mostrado na Figura 15.6.

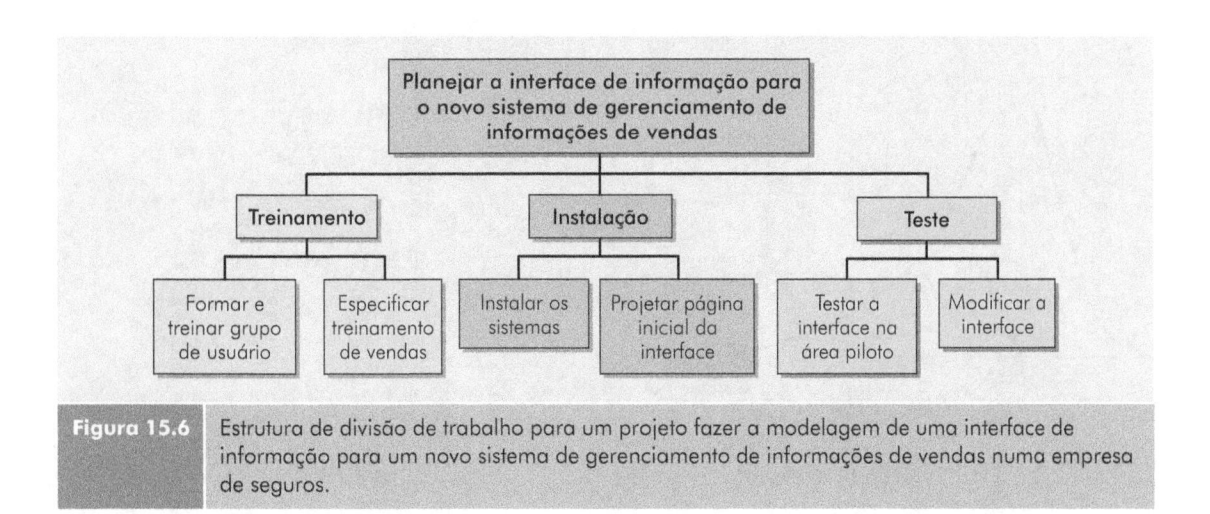

Figura 15.6 Estrutura de divisão de trabalho para um projeto fazer a modelagem de uma interface de informação para um novo sistema de gerenciamento de informações de vendas numa empresa de seguros.

| Tabela 15.2 | Estimativas de tempo e recurso e relacionamentos para o projeto de modelagem da interface do sistema de vendas |

Código	Atividade	Predecessor(es) imediato(s)	Duração (dias)	Recursos (desenvolvedores)
a	Formar e treinar grupo de usuários	nenhum	10	3
b	Instalar sistemas	nenhum	17	5
c	Especificar treinamento de vendas	a	5	2
d	Projetar interface da página inicial	a	5	3
e	Testar a interface na área piloto	b, d	25	2
f	Modificar a interface	c, e	15	3

Estimar tempos e recursos

A próxima etapa no planejamento é identificar as necessidades de tempo e recursos dos pacotes de trabalho. Sem alguma ideia de quanto tempo cada parte de um projeto levará e da quantidade de recursos que ele necessitará, é impossível definir o que deveria estar acontecendo em qualquer momento durante a execução do projeto. Estimativas são somente isso – uma melhor aproximação sistemática, não uma previsão perfeita da realidade. As estimativas podem não ser perfeitas, mas podem ser feitas com alguma ideia de sua precisão. A Tabela 15.2 inclui estimativas de tempo (em dias) e recurso (em termos do número de desenvolvedores de TI necessários) para o projeto de modelagem da interface do sistema de vendas.

Estimativas probabilísticas

A incerteza de um projeto tem uma grande influência sobre o nível de confiança de uma estimativa. O impacto da incerteza sobre as estimativas de tempo leva alguns gerentes de projetos a usarem uma curva de probabilidade para descrever a estimativa. Na prática, normalmente, é uma distribuição com assimetria positiva, como na Figura 15.7. Quanto maior a incerteza, maior o intervalo da distribuição. A tendência natural de algumas pessoas é de produzir estimativas otimistas, mas essas terão uma probabilidade relativamente baixa de estarem corretas porque representam o tempo que levaria se tudo corresse bem. Estimativas mais prováveis têm uma chance maior de dar certo. Finalmente, estimativas pessimistas assumem que quase tudo que poderia dar errado realmente dará errado. Devido à natureza assimétrica da distribuição, o tempo esperado para a atividade não será o mesmo que o tempo mais provável.

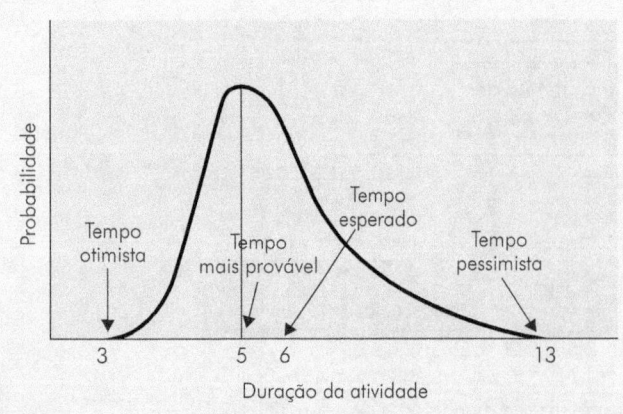

Tempo de atividade esperado $= t_o = \dfrac{t_o + 4t_l + t_p}{6}$

Variância $= V = \dfrac{(t_p - t_o)^2}{36}$

em que

t_0 = tempo de atividade otimista

t_l = tempo de atividade mais provável

t_p = tempo de atividade pessimista

Figura 15.7 Usando estimativas de tempo probabilísticas.

Identificar os relacionamentos e as dependências entre as atividades

Todas as atividades que são identificadas como parte de um projeto terão algum relacionamento entre si que dependerá da lógica do projeto. Algumas atividades, por necessidade, precisarão ser executadas numa determinada ordem. Por exemplo, na construção de uma casa, as fundações devem ser preparadas antes da construção das paredes, o que por sua vez deve ser completado antes do telhado ser colocado no lugar. Essas atividades têm um relacionamento dependente ou em série. Outras atividades não têm qualquer dependência umas das outras. O jardim nos fundos da casa poderia, provavelmente, ser preparado independentemente da construção da garagem. Essas duas atividades têm um relacionamento independente ou paralelo.

No caso do projeto da interface do sistema de vendas, a Tabela 15.2 fornece a informação básica que habilita os relacionamentos entre as atividades no projeto a serem estabelecidos. Ela faz isso identificando o predecessor imediato (ou predecessores) para cada atividade. Assim, por exemplo, as atividades **a** e **b** podem ser iniciadas sem que qualquer uma das outras atividades sejam completadas. A atividade **c** (e, também, a atividade **d**) não pode começar até que a atividade **a** seja completada. A atividade **e** pode começar somente quando as atividades **b** e **d** forem completadas e a atividade **f** pode começar somente quando as atividades **c** e **e** forem completadas.

Ferramentas de planejamento

O planejamento de projeto é amplamente auxiliado pelo uso de técnicas que ajudam a lidar com a complexidade de tempo, recurso e relacionamentos. A mais simples dessas técnicas é o *gráfico de Gantt* (ou gráfico de barras) que apresentamos no Capítulo 10. A Figura 15.8 mostra um gráfico de Gantt para as atividades que formam o projeto de interface do sistema de vendas. As barras indicam o começo, a duração e o tempo final de cada atividade. O comprimento da barra de cada atividade no gráfico de Gantt é diretamente proporcional ao tempo do calendário e, assim, indica a duração relativa de cada atividade. Os gráficos de Gantt são a mais simples forma de exibir um plano de projeto completo, porque eles têm excelente impacto visual e são fáceis de entender. Eles são úteis também para comunicar os planos de projeto e o *status* tanto para os gerentes seniores como para o controle diário de projeto.

Conforme a complexidade do projeto aumenta, torna-se mais necessário identificar claramente os relacionamentos entre as atividades e mostrar a sequência lógica na qual as atividades devem ocorrer. A maneira mais comum de fazê-lo é usando o *método do caminho crítico* (CPM – *Critical Path Method*) para esclarecer os relacionamentos entre as atividades em forma de diagrama. A primeira forma de ilustrá-lo é usando setas para representar cada atividade num projeto. A Figura 15.9 mostra

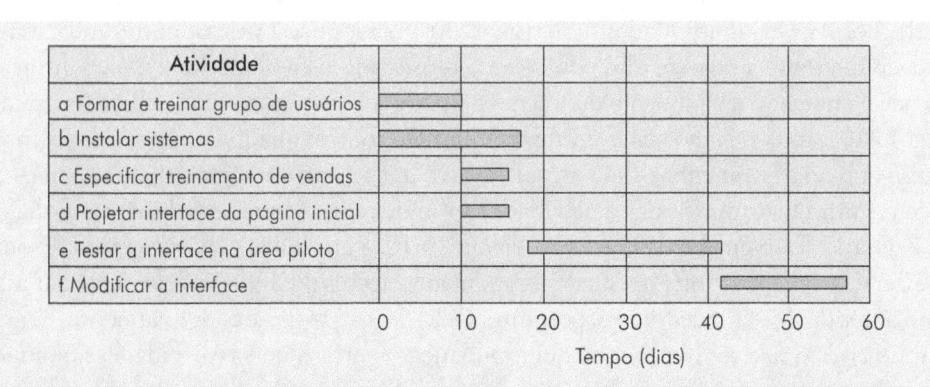

Figura 15.8 Gráfico de Gantt do projeto da modelagem de uma interface de informação para um novo sistema de gerenciamento de informações de vendas numa empresa de seguros.

Figura 15.9 Diagrama das atividades, relacionamentos, durações e setas para o novo sistema de gerenciamento de informações de vendas.

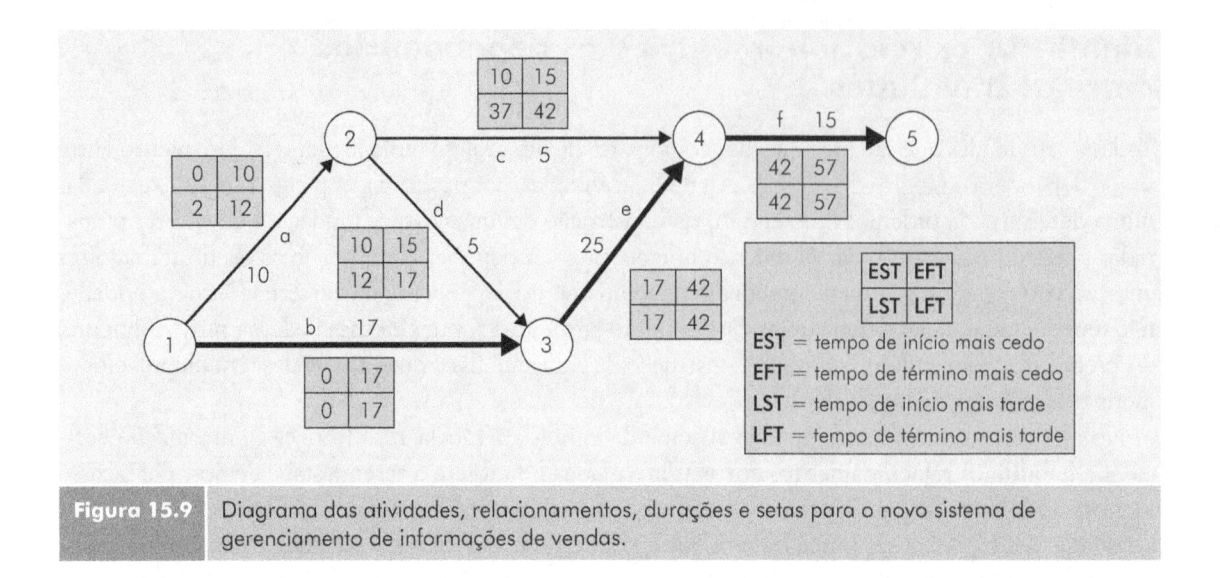

O projeto de modelagem da interface do sistema de vendas. Cada atividade é representada por uma seta, nesse caso com o código da atividade e a duração em dias, mostrados próximos a ela. Os círculos na Figura 15.9 representam eventos. Existem pontos únicos no tempo que não têm duração além da marca, como o início e o fim de atividades. Assim, nesse caso, o evento 2 representa o evento término da atividade **a**. O evento 3 representa o término das atividades **b** e **d** e assim por diante.

O diagrama mostra que há um número de cadeias de eventos que devem ser completadas antes do projeto ser considerado como terminado (evento 5). Nesse caso, as cadeias de atividades **a-c-f**, **a-d-e-f** e **b-e-f** devem todas ser completadas antes do projeto ser considerado como terminado. A mais longa dessas cadeias de atividades é chamada de caminho crítico, porque ela representa o tempo mais curto no qual o projeto pode ser terminado e, portanto, sugere o tempo do projeto. Nesse caso, **b-e-f** é o caminho mais longo e o mais cedo que o projeto pode terminar é depois de 57 dias.

A Figura 15.9 também inclui informação a respeito dos tempos de início e término mais curto e mais longo para cada atividade. Isso pode ser calculado seguindo a lógica do diagrama de setas para frente calculando os tempos mais curtos que um evento pode levar e para trás calculando o tempo mais longo que um evento pode levar. Assim, por exemplo, o mais cedo que o projeto pode terminar (evento 5) é a soma de todas as atividades no caminho crítico, **b-e-f**, 57 dias. Se adotarmos, então, 57 dias como o mais tarde que nós desejamos que o projeto termine, o mais tarde que a atividade **f** pode iniciar é 57 − 15 = 42, e assim por diante. As atividades que estão no caminho crítico terão os mesmos tempos de início mais cedo e mais tarde e tempos de término mais cedo e mais tarde. Por isso, essas atividades são críticas. Atividades não críticas, entretanto, têm alguma flexibilidade referente a quando elas começam e terminam. Essa flexibilidade é quantificada num número que é chamado de flutuação ou folga. Isso pode ser mostrado em forma de diagrama, como na Figura 15.10. Aqui, o gráfico de Gantt para o projeto foi reavaliado, mas nesse momento o tempo disponível para desempenhar cada atividade (a duração entre o tempo de início mais cedo e o tempo de término mais tarde para a atividade) foi mostrado. Assim, combinando o diagrama de rede na Figura 15.9 e o gráfico de Gantt na Figura 15.10, a atividade **c**, por exemplo, é somente de 5 dias de duração; ela pode iniciar a qualquer momento depois do dia 10 e deve terminar a qualquer momento antes do dia 42. Sua folga é, portanto, (42 − 10) − 5 = 27 dias. Obviamente, as atividades no caminho crítico não têm folga; qualquer mudança ou atraso nessas atividades afetaria imediatamente todo o projeto.

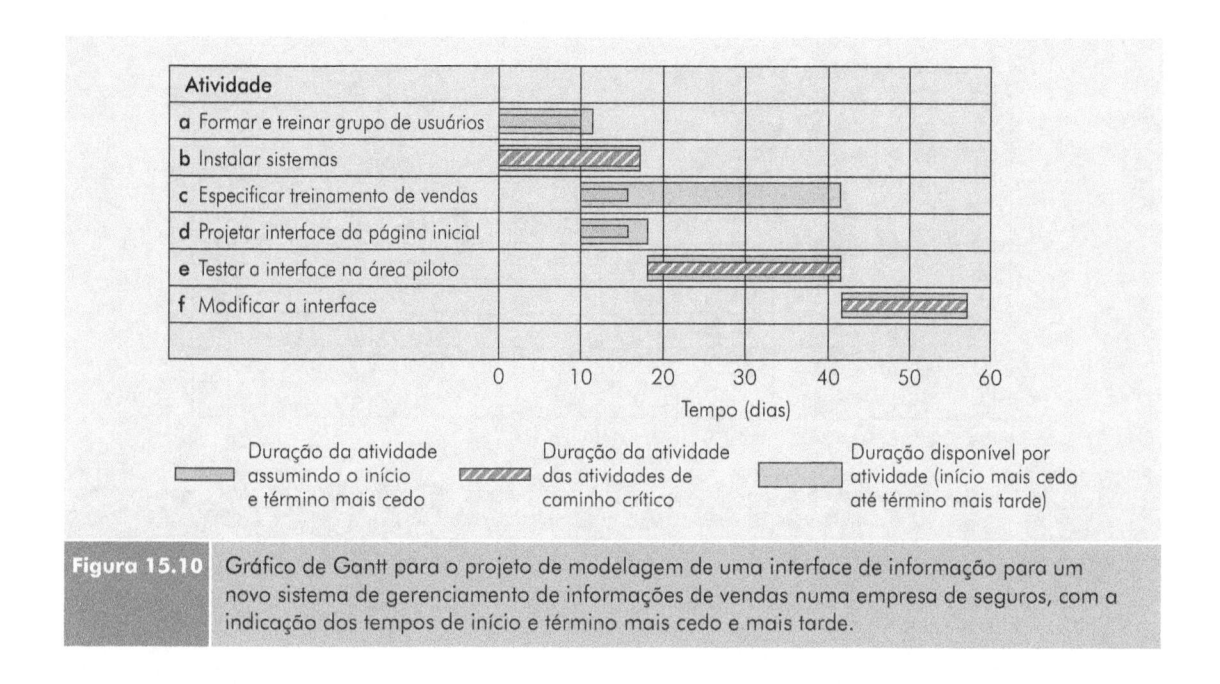

Atividade	
a Formar e treinar grupo de usuários	
b Instalar sistemas	
c Especificar treinamento de vendas	
d Projetar interface da página inicial	
e Testar a interface na área piloto	
f Modificar a interface	

0   10   20   30   40   50   60
Tempo (dias)

☐ Duração da atividade assumindo o início e término mais cedo
▨ Duração da atividade das atividades de caminho crítico
☐ Duração disponível por atividade (início mais cedo até término mais tarde)

Figura 15.10 Gráfico de Gantt para o projeto de modelagem de uma interface de informação para um novo sistema de gerenciamento de informações de vendas numa empresa de seguros, com a indicação dos tempos de início e término mais cedo e mais tarde.

Identificar as restrições de tempo e de recurso de uma programação

Uma vez que as estimativas de tempo e esforço envolvidos em cada atividade foram feitas e suas dependências identificadas, é possível comparar as necessidades de projeto com os recursos disponíveis. A natureza finita de recursos críticos – tais como equipe com habilidades especiais – significa que eles deveriam ser levados em conta no processo de planejamento. Isso frequentemente tem o efeito de ressaltar a necessidade de replanejamento mais detalhado.

A lógica que governa os relacionamentos de projeto, como mostrado no diagrama de rede, provém sobretudo de detalhes técnicos, mas a disponibilidade de recursos pode também impor suas próprias restrições, as quais podem materialmente afetar os relacionamentos entre as atividades. Retorne ao projeto de modelagem da interface do sistema de vendas. A Figura 15.11 mostra o perfil de recurso sob duas diferentes premissas. As atividades do caminho crítico (**b-e-f**) formam a base inicial de perfil de recurso do projeto. Essas atividades não têm folga e podem ocorrer somente como mostrado. Entretanto, as atividades **a**, **c** e **d** não estão no caminho crítico, então os gerentes de projeto têm alguma flexibilidade referente a quando essas atividades ocorrem e, portanto, quando os recursos associados com essas atividades serão requeridos. Da Figura 15.11, caso se programe todas as atividades para iniciar o mais rápido possível, o perfil de recurso alcança seu pico entre os dias 10 e 15 quando é necessária equipe de 10 desenvolvedores de TI. Entretanto, se o gerente de projeto utiliza a folga que a atividade **c** possui e atrasa seu início até após a atividade **b** ser completada (dia 17), o número de desenvolvedores de TI requeridos pelo projeto não excede 8. Desta forma, a folga pode ser usada para suavizar as necessidades de recursos ou fazer o projeto atender as restrições de recursos. Entretanto, ela realmente impõe a lógica de restrição de recurso adicional no relacionamento entre as atividades. Assim, por exemplo, mudar a atividade **c** nesse projeto como mostrado na Figura 15.11 resulta numa restrição adicional de não iniciar a atividade **c** até que a atividade **b** seja completada.

Ajustar o programa

O ideal seria que os planejadores de projeto tivessem algumas alternativas. Aquela que melhor se ajustasse aos objetivos de projeto poderia então ser escolhida ou desenvolvida. Entretanto, nem

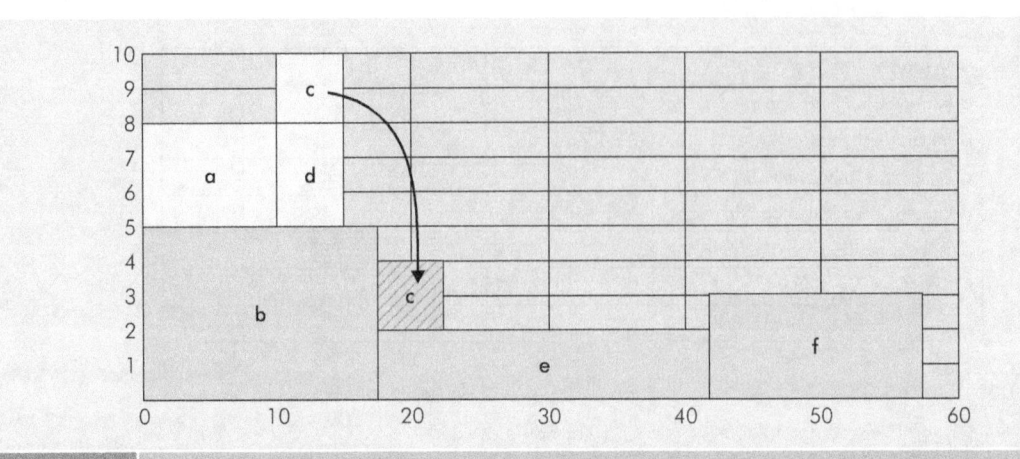

Figura 15.11 Perfis de recursos para o projeto de interface do sistema de informações de vendas, assumindo que todas as atividades são iniciadas o mais breve possível, e assumindo que a folga na atividade c é usada para suavizar o perfil de recurso.

sempre é possível examinar diversos programas alternativos, especialmente projetos muito grandes ou muito incertos, pois a quantidade de cálculos poderia ser impraticável. Entretanto, programas modernos de gerenciamento de projetos computadorizado estão tornando exequível a procura pela melhor programação.

Variações no planejamento de rede simples

Existem diversas variações no método de caminho crítico de rede simples que usamos para ilustrar o planejamento de projeto até agora. Embora esteja além do escopo desse livro entrar em muito mais detalhes sobre como o planejamento de rede simples pode se tornar mais sofisticado, duas variantes merecem ser mencionadas. A primeira, atividades em redes modais, é simplesmente uma abordagem diferente para desenhar o diagrama de rede. A segunda, técnica de revisão e avaliação de programa (PERT – *Programme Evaluation and Review Technique*), realmente representa um enriquecimento da abordagem básica de rede.

Atividades em redes modais

A rede que descrevemos até agora usa setas para representar as atividades e círculos ou nós nas junções das setas para representar eventos. Esse método é chamado de método da atividade sobre setas (AoA – *Activity on Arrow*). Um método alternativo de desenhar redes é o método da atividade em nós (AoN – *Activity on Node*). Na representação AoN, as atividades são desenhadas em caixas e são usadas setas para definir os relacionamentos entre elas. Existem três vantagens para o método AoN:

- É normalmente mais fácil passar da lógica básica de relacionamentos de um projeto para um diagrama de rede usando o método AoN do que usando o método AoA
- Diagramas AoN não necessitam de atividades fictícias para manter a lógica de relacionamentos
- A maioria dos pacotes de computador que são usados no planejamento e controle de projeto usa um formato AoN

A Figura 15.12 mostra o projeto de modelagem da interface do sistema de vendas desenhado como um diagrama AoN. Nesse caso, mantivemos uma notação similar àquela usada no diagrama original AoA. Além disso, cada caixa de atividade contém informação sobre a descrição da atividade, sua duração e sua folga total.

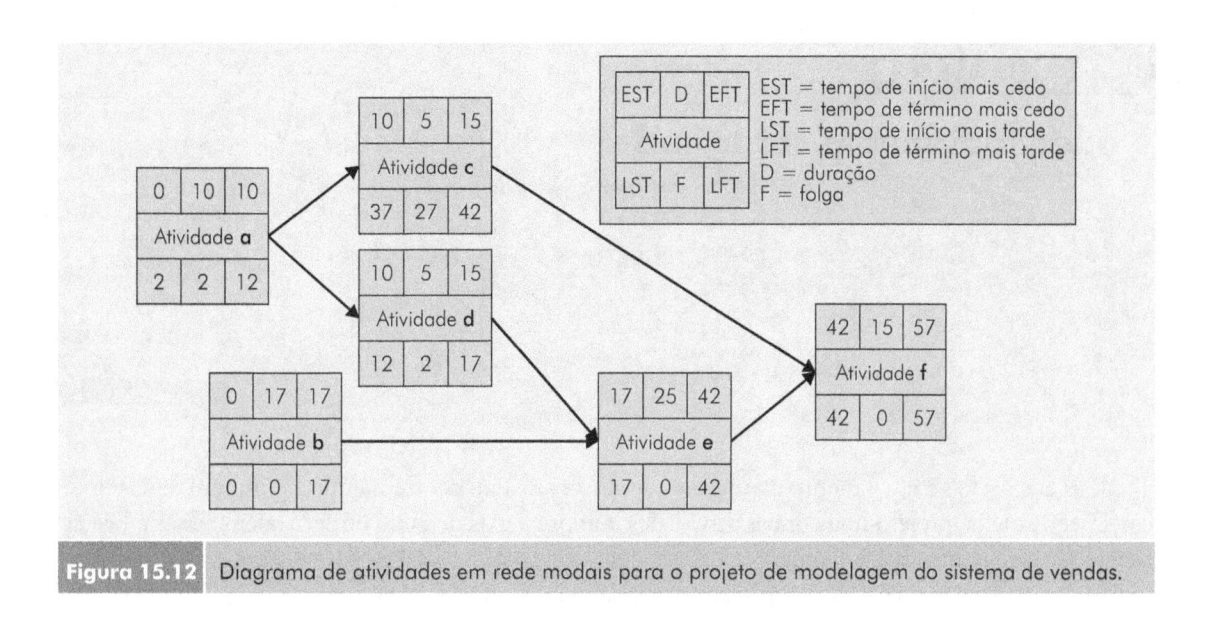

Figura 15.12 Diagrama de atividades em rede modais para o projeto de modelagem do sistema de vendas.

Técnica de revisão e avaliação de programa (PERT)

A técnica de revisão e avaliação de programa, ou PERT como é universalmente conhecida, teve sua origem no planejamento e controle de grandes projetos de defesa na Marinha dos Estados Unidos. A PERT teve seus ganhos mais espetaculares em ambientes altamente incertos de projetos espaciais e de defesa. A técnica reconhece que as durações e custos das atividades no gerenciamento de projeto não são determinísticas (fixas) e que a teoria probabilística pode ser aplicada para fazer estimativas, como foi mostrado na Figura 15.7.

> **Princípio de operações**
> Estimativas probabilísticas de tempo das atividades facilitam a conclusão de um projeto no prazo.

Nesse tipo de rede, a duração de cada atividade é estimada sobre uma base otimista, uma mais provável e uma pessimista, e a média e a variância da distribuição que descreve cada atividade pode ser estimada como foi mostrado na Figura 15.7. Os resultados são mostrados na Tabela 15.3.

Nesse caso, a soma dos tempos esperados para cada uma das atividades no caminho crítico (**b-e-f**) é de 58,17 dias e a soma das variâncias dessas três atividades é de 6,07 dias. A partir daí, pode-se calcular a probabilidade do projeto exceder em diferentes quantidades de tempo.

Tabela 15.3 Parâmetros PERT para o projeto de modelagem do sistema de vendas

Código	Atividade	Estimativa otimista	Estimativa mais provável	Estimativa pessimista	Tempo esperado	Variância
a	Formar e treinar grupo de usuários	8	10	14	10,33	1
b	Instalar sistemas	10	17	25	17,17	0,69
c	Especificar treinamento de vendas	4	5	6	5	0,11
d	Projetar interface da página inicial	5	5	5	5	0
e	Testar a interface na área piloto	22	25	27	24,83	0,69
f	Modificar a interface	12	15	25	16,17	4,69

QUESTÕES DIAGNÓSTICAS

O projeto é adequadamente controlado?

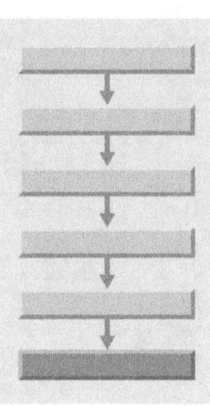

Todas as etapas do gerenciamento de projetos descritas até aqui ocorrem antes do projeto real acontecer. O controle de projeto lida com as atividades durante a execução do projeto, além de ser a ligação essencial entre planejar e executar.

O processo de controle de projeto envolve três conjuntos de decisões:

- Como monitorar o projeto a fim de verificar seu progresso
- Como avaliar o desempenho do projeto comparando as observações de monitoramento do projeto com o plano do projeto
- Como intervir no projeto, a fim de fazer as mudanças que o trarão de volta ao plano

Monitoramento de projeto

Gerentes de projeto têm de decidir primeiro o que eles deveriam estar procurando, conforme o projeto progride. Normalmente, uma variedade de medições é monitorada. Até certo ponto, as medições usadas dependerão da natureza do projeto. Entretanto, medições comuns incluem gastos atuais até o momento, mudanças no preço do fornecedor, quantidade de horas extras autorizadas, mudanças técnicas no projeto, falhas de inspeção, número e extensão dos atrasos, atividades iniciadas fora do prazo, marcos não alcançados, etc. Algumas dessas medições monitoradas afetam principalmente os custos, algumas em especial o tempo. Entretanto, quando algo afeta a qualidade do projeto, existem também as implicações de tempo e de custo. Isso ocorre porque problemas da qualidade em planejamento e controle de projeto normalmente devem ser resolvidos num período limitado de tempo.

Avaliar o desempenho de projeto

Um típico perfil de custo planejado de um projeto ao longo de sua vida é mostrado na Figura 15.13. No início de um projeto, algumas atividades podem ser iniciadas, mas a maioria das atividades será dependente de um término. Por fim, somente poucas atividades restarão para serem completadas. Esse padrão de um início lento seguido de um passo mais rápido com uma diminuição final das atividades é o mesmo para quase todos os projetos, por isso a taxa de gasto total segue um padrão definido, como mostrado na Figura 15.13, mesmo quando as curvas de custo para as atividades individuais são lineares. É em relação a essa curva que os custos reais podem ser comparados a fim de verificar se os custos de projeto estão saindo de acordo com o plano. A Figura 15.13 mostra os números de custo real e planejado comparados dessa forma. Ela mostra também que o projeto está contraindo custos, sobre uma base acumulada, à frente do que foi planejado.

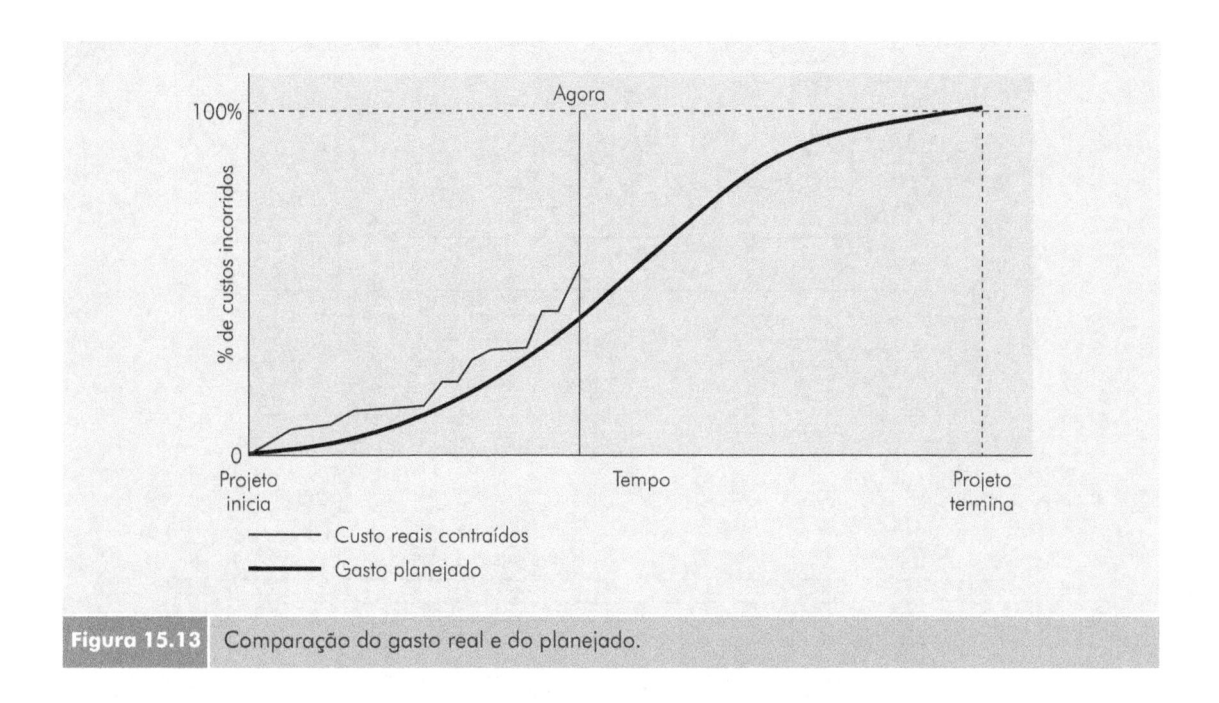

Figura 15.13 Comparação do gasto real e do planejado.

Intervir para mudar o projeto

Se o projeto está obviamente fora de controle no sentido de que seus custos, níveis de qualidade ou tempo estão significativamente diferentes daqueles planejados, então é quase certo que algum tipo de intervenção será necessária. A natureza exata da intervenção dependerá das características técnicas do projeto, mas provavelmente necessitará da opinião de todas as pessoas afetadas. Dada a interconexão natural dos projetos – uma mudança numa parte do projeto terá efeito cascata noutro lugar – isso significa que as intervenções requerem ampla consulta. Às vezes, a intervenção é necessária mesmo se o projeto parece estar evoluindo de acordo com o plano. Por exemplo, o programa e o custo para um projeto podem parecer "de acordo com o plano", mas quando os gerentes projetam as atividades e os custos para o futuro, eles veem que, muito provavelmente, os problemas aumentarão. Nesse caso, essa é a tendência de desempenho que está sendo usada para desencadear a intervenção.

Comprimir ou acelerar atividades

Comprimir atividades é o processo de reduzir intervalos de tempo das atividades do caminho crítico de forma que o projeto seja completado em menos tempo. Normalmente, a compressão de atividades incide em custos extras. Isso pode ser um resultado dos seguintes fatores:

- Horas extras
- Recursos adicionais, tais como força de trabalho
- Subcontratação

A Figura 15.14 mostra um exemplo de compressão de uma rede simples. Para cada atividade, são especificados a duração e o custo normal, junto com a duração (reduzida) e o custo (aumentado) de comprimi-las. Nem todas as atividades podem ser comprimidas; aqui a atividade **e** não pode ser comprimida. O caminho crítico é a sequência de atividades **a, b, c, e**. Se o tempo de projeto total deve ser reduzido, uma das atividades no caminho crítico deve ser comprimida. Para de-

> **Princípio de operações**
> Somente ao se acelerar as atividades no(s) caminho(s) crítico(s) o projeto inteiro será acelerado.

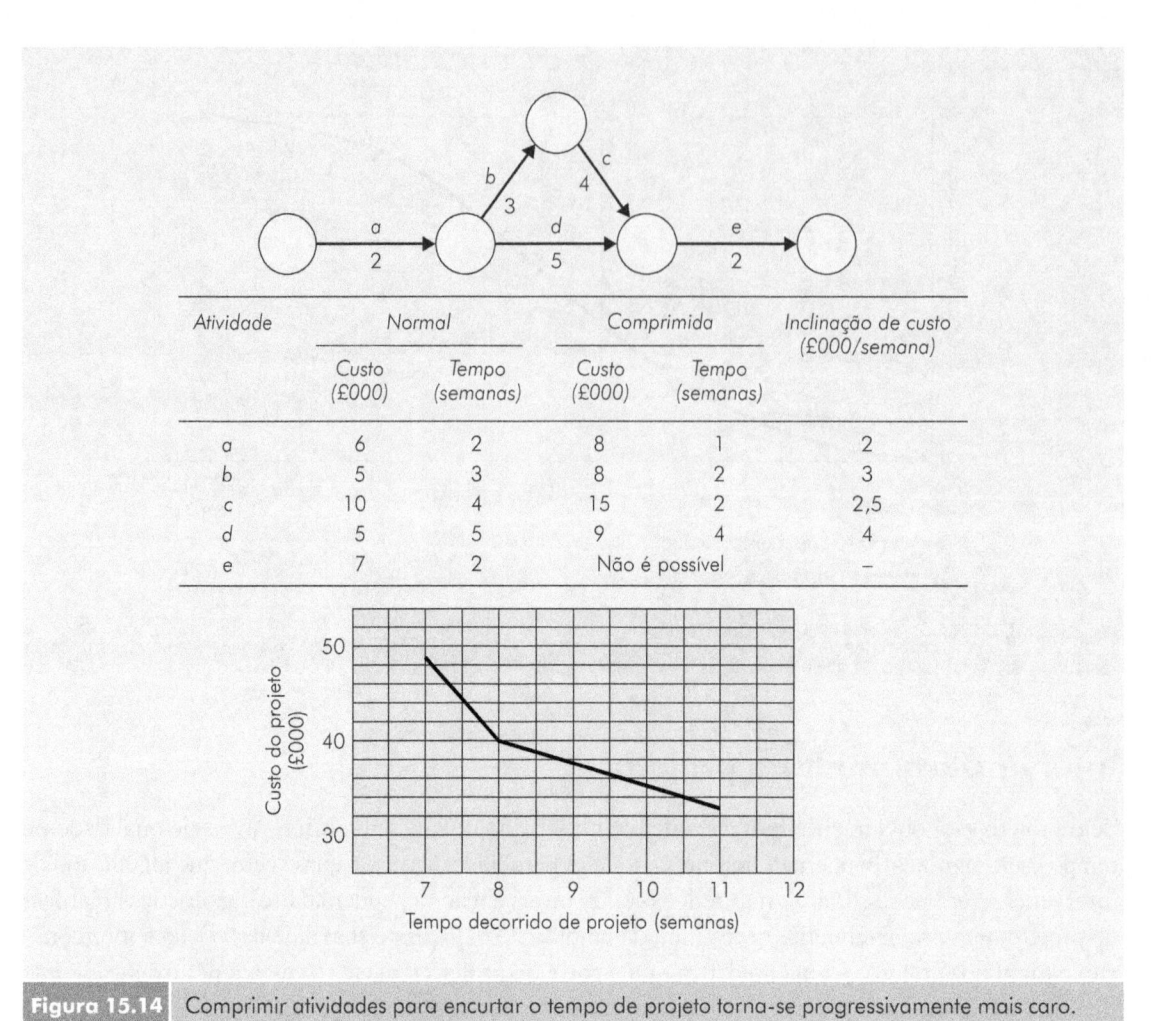

Atividade	Normal		Comprimida		Inclinação de custo (£000/semana)
	Custo (£000)	Tempo (semanas)	Custo (£000)	Tempo (semanas)	
a	6	2	8	1	2
b	5	3	8	2	3
c	10	4	15	2	2,5
d	5	5	9	4	4
e	7	2	Não é possível		–

Figura 15.14 Comprimir atividades para encurtar o tempo de projeto torna-se progressivamente mais caro.

cidir qual atividade comprimir, a "inclinação de custo" de cada uma é calculada. Trata-se do custo dividido pela redução da duração da atividade. A forma mais eficaz, em termos de custo, de encurtar todo o projeto é então comprimir a atividade no caminho crítico que tem a menor inclinação de custo. Essa é a atividade **a**, um esforço concentrado que terá um custo extra de £2.000 e encurtará o projeto em uma semana. Depois disso, a atividade **c** pode ser comprimida, economizando duas semanas a mais e custando um extra de £5.000. Neste ponto, todas as atividades tornam-se críticas e economias de tempo adicional só podem ser realizadas comprimindo-se duas atividades em paralelo.

O formato da curva de tempo × custo na Figura 15.14 é totalmente típico. As economias iniciais vêm de forma relativamente barata se as atividades com a menor inclinação de custo são escolhidas. Mais tarde, na sequência de compressão, as atividades mais caras necessitam ser comprimidas e eventualmente dois ou mais caminhos se tornam críticos ao mesmo tempo. Inevitavelmente, a essa altura, as economias de tempo podem vir somente da compressão de duas ou mais atividades em caminhos paralelos.

Gerenciamento de projeto computadorizado

Por muitos anos, desde a aparição da modelagem computadorizada, programas cada vez mais sofisticados para planejamento e controle de projetos têm sido disponibilizados. Os cálculos, um tanto monótonos, necessários no planejamento de rede podem ser executados de forma relativamente fácil por modelos de planejamento de projetos. Tudo que eles necessitam são relacionamentos básicos entre as atividades, junto com as necessidades de tempo e de recursos para cada atividade. As datas mais anteriores, as datas mais posteriores, a folga e outras características de uma rede podem ser apresentadas muitas vezes na forma de um gráfico de Gantt. De forma mais significativa, a velocidade de cálculo permite frequentes atualizações nos planos de projeto. Da mesma forma, se a informação atualizada é exata e frequente, tais sistemas computadorizados podem também fornecer dados para o controle eficaz do projeto. Mais recentemente, o potencial de uso de sistemas de gerenciamento de projetos computadorizados para comunicação dentro de grandes e complexos projetos tem sido desenvolvido nos chamados sistemas de Gerenciamento de Projetos Empresariais (EPM – *Enterprise Project Management*).

A Figura 15.15 ilustra apenas alguns dos elementos que estão integrados dentro de sistemas EPM. A maioria dessas atividades foi tratada nesse capítulo. O planejamento de projetos envolve a análise e programação do caminho crítico, um entendimento sobre as folgas e o envio de instruções sobre quando iniciar as atividades. A programação de recursos observa as implicações das decisões de planejamento sobre os recursos e a forma como os projetos podem ser mudados para acomodar as restrições de recursos. O controle de projeto inclui o simples gerenciamento do orçamento e dos custos, junto com o mais sofisticado controle de valor adicionado. Entretanto, o EPM também inclui outros elementos. A modelagem de projeto envolve o uso de métodos de planejamento de projetos para explorar abordagens alternativas para um projeto, identificar onde as falhas poderão ocorrer e explorar as mudanças no projeto que podem ter de ser feitas sob cenários alternativos futuros. A análise de *portfolio* de projeto reconhece que, para muitas organizações, diversos projetos devem ser gerenciados de modo simultâneo. Normalmente, eles compartilham recursos comuns. Portanto, não somente atrasos em uma atividade dentro de um projeto afetam outras atividades naquele projeto, como podem também ter um impacto sobre projetos completamente diferentes, os quais estão dependendo dos mesmos recursos. Finalmente, sistemas de EPM integrados podem ajudar a comunicação, tanto dentro de um projeto quanto para as organizações externas, as quais podem estar contribuindo para o projeto.

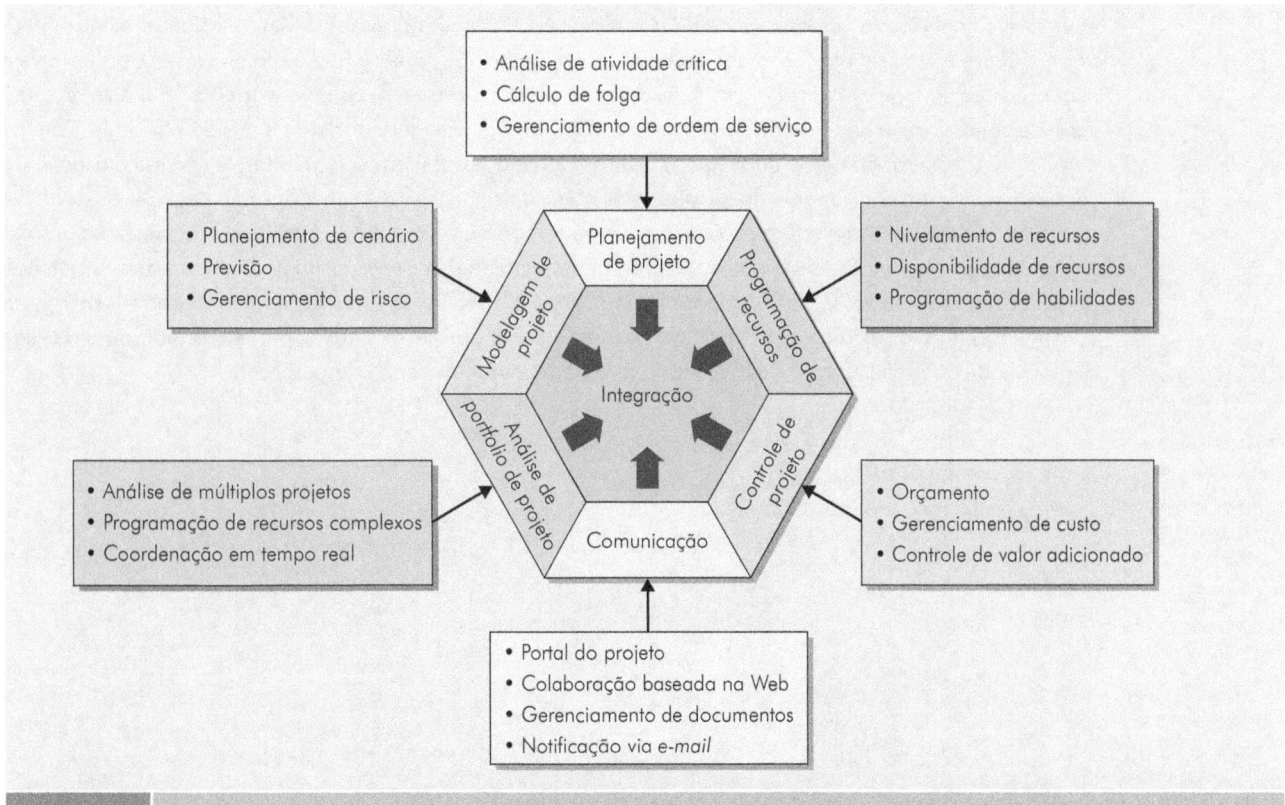

Figura 15.15 Alguns dos elementos integrados nos sistemas de Gerenciamento de Projeto Empresarial (EPM).

Muitas dessas facilidades de comunicação estão baseadas na Web. Portais de projeto podem permitir a todos os *stakeholders* transacionarem atividades e conseguirem uma visão clara do *status* atual de um projeto. A notificação automática de marcos significativos pode ser feita por correio eletrônico. Num nível bem básico, vários documentos que especificam as partes do projeto podem ser armazenados numa biblioteca *on-line*. Algumas pessoas argumentam que essa última competência de comunicação é a parte mais útil dos sistemas de EPM.

Comentário crítico

Cada capítulo contém um breve comentário crítico sobre as principais ideias nele abordadas. Seu propósito não é minar as questões discutidas, mas enfatizar que, embora apresentemos uma visão relativamente ortodoxa da operação, existem outras perspectivas.

■ Quando gerentes de projeto falam de "estimativas de tempo", eles estão na verdade falando sobre palpites. Por definição, o planejamento de um projeto acontece antes do próprio projeto. Portanto, ninguém realmente sabe quanto tempo cada atividade levará. É claro, algum tipo de palpite é necessário para fins de planejamento. Entretanto, alguns gerentes de projeto acreditam que é depositada uma fé excessiva nas estimativas de tempo. A questão realmente importante, eles afirmam, não é quanto tempo levará, mas quanto tempo levará sem atrasar todo o projeto. Além disso, se uma única estimativa mais provável de tempo é difícil de estimar, então usar três, como se faz para estimativas probabilísticas, não passa de uma análise minuciosa de informações que, de antemão, são altamente duvidosas.

■ A ideia de que todas as atividades de projeto podem ser identificadas como entidades com um início claro e um ponto final claro e que essas entidades podem ser descritas em termos de seu relacionamento com outras entidades é uma simplificação óbvia. Algumas atividades são mais ou menos contínuas e se desenvolvem com o passar do tempo. Por exemplo, considere um projeto simples tal como cavar uma vala e colocar um cabo de comunicação nela. A atividade "cavar a vala" não precisa ser concluída antes da atividade "colocar o cabo" ser iniciada. Somente dois ou três metros da vala necessitam ser cavados antes da colocação do cabo começar – um relacionamento simples, mas que é difícil de ilustrar num diagrama de rede. Ademais, se a vala está sendo cavada em terreno difícil, o tempo levado para completar a atividade ou mesmo a própria atividade pode mudar para incluir atividades de perfuração de rocha, por exemplo. Entretanto, se a vala não pode ser cavada por causa das formações rochosas, pode ser possível cavar a vala em outro local – uma contingência não incluída no plano original. Assim, mesmo para esse simples projeto, o diagrama de rede original pode não refletir nada do que acontecerá nem do que poderia acontecer.

Lista de verificação

Esta lista de verificação inclui perguntas que podem ser úteis se aplicadas a qualquer tipo de operações e reflete as principais questões diagnósticas usadas dentro do capítulo.

☐ Todos os fatores que poderiam influenciar o projeto foram identificados?

☐ Esses fatores incluem influências externas e internas?

☐ O projeto tem sido avaliado por sua dificuldade intrínseca considerando seu tamanho relativo, incerteza e complexidade, quando comparado a outros projetos?

☐ A importância do gerenciamento de *stakeholders* está totalmente entendida?

☐ Os direitos e responsabilidades de *stakeholders* do projeto foram definidos?

☐ Todos os *stakeholders* foram identificados?

☐ Todos os *stakeholders* foram priorizados em termos de seu interesse e poder relativo?

☐ Está sendo colocada atenção suficiente para entender as necessidades e motivação de *stakeholders* fundamentais?

☐ O projeto está bem definido?

☐ Os objetivos do projeto estão definidos, particularmente em termos da importância relativa de custo, tempo e qualidade?

☐ O escopo do projeto foi definido, inclusive as áreas que o projeto não incluirá?

☐ A estratégia global do projeto foi definida em termos de sua abordagem global, seus marcos significativos e alguns portais de decisão que podem ocorrer no projeto?

☐ As habilidades globais de gerenciamento de projetos dentro da empresa têm sido geralmente avaliadas?

☐ Para esse projeto específico, o gerente de projeto tem habilidades adequadas para o grau de dificuldade intrínseco do projeto?

☐ Está sendo colocado esforço suficiente no processo de planejamento de projeto?

☐ Todas as atividades foram identificadas e expressas em forma de uma estrutura de divisão de trabalho?

☐ Todos os tempos e recursos foram estimados usando a melhor informação possível dentro da organização?

☐ Existe confiança suficiente nas estimativas de tempo e recurso para tornar o planejamento significativo?

☐ Os relacionamentos e dependências entre atividade foram identificados e resumidos na forma de um diagrama de rede simples?

☐ As ferramentas de planejamento de projeto, tais como análise do caminho crítico, foram consideradas para o projeto?

☐ As restrições potenciais de programação de recursos e de tempo foram incluídas no plano do projeto?

☐ Existem mecanismos estabelecidos para monitorar o progresso do projeto?

☐ Existe um mecanismo formal para comparar o progresso com os planos do projeto?

☐ Foram estabelecidos mecanismos para intervenção no projeto para trazê-lo de volta ao plano?

☐ O nível de suporte de gerenciamento de projeto computadorizado é adequado para o grau de dificuldade do projeto?

Estudo de caso: United Photonics Malaysia Sdn Bhd

Introdução

Anuar Kamaruddin, COO da United Photonics Malaysia (UPM), estava consciente de que o projeto à sua frente era um dos mais importantes em comparação com os que ele havia controlado durante muitos anos. O número e a variedade de projetos de desenvolvimento em andamento dentro da empresa tinham aumentado violentamente nos últimos anos e, embora todos eles tivessem importância parecida no momento, este – o projeto "Laz-skan" – claramente justificava a descrição dada pelo Presidente da Corporação United Photonics, a matriz norte-americana da UPM: "... *a oportunidade decisiva de assegurar a posição de longo prazo na indústria global de instrumentação*".

O Grupo United Photonics

A Corporação United Photonics foi fundada na década de 20 (como a Detroit Gauge Company), uma fabricante de medidores e instrumentos gerais para o setor de engenharia. Expandindo sua variedade dentro de instrumentos óticos, no início da década de 30, direcionou-se também para a fabricação de lentes especiais e de alta precisão, principalmente para a indústria fotográfica. Sua reputação como uma fabricante especialista de lentes a levou a um tal crescimento nas vendas que, em 1969, o setor ótico da empresa foi responsável por 60% do total de negócios e se classificou como uma das duas ou três empresas óticas de ponta de seu tipo no mundo. Embora sua reputação de especialista na fabricação de lentes não tivesse diminuído desde então, o lado instrumental da empresa tinha começado a dominar as vendas novamente nas décadas de 80 e 90.

Variedade de produtos da UPM

A variedade de produtos da UPM no setor ótico incluía lentes para sistemas de inspeção usadas principalmente na fabricação de microchips. Essas lentes eram vendidas para os fabricantes de sistemas de inspeção e para os próprios fabricantes de chips. Elas eram lentes de alta precisão; entretanto, a maioria dos produtos óticos da empresa era lentes especializadas para cinema e fotografia. Além disso, aproximadamente 15% do trabalho ótico da empresa estava relacionado com o desenvolvimento e fabricação de "uma ou duas" lentes de altíssima precisão para contratos militares, instrumentação científica especializada e outras empresas óticas. A variedade de instrumentos do grupo consistia em conjuntos eletromecânicos com uma ênfase crescente na gravação de software, habilidades de diagnóstico e exibição. Esse movimento em direção a uma informatização instrumental do negócio a fez aceitar alguns pedidos personalizados. O crescimento dessa parte da instrumentação resultou na preparação de uma unidade de desenvolvimento especial – a Unidade de Serviços ao Cliente (CSU), a qual modificou, personalizou ou adaptou produtos para aqueles clientes que requeriam um produto não usual. Normalmente, o trabalho da CSU envolvia incorporar os produtos da empresa dentro de sistemas maiores do cliente.

Em 1995, a Corporação United Photonics tinha preparado sua primeira instalação não norte-americana próximo de Kuala Lumpur, na Malásia. A United Photonics Malaysia Sdn Bhd (UPM) tinha iniciado fabricando subconjuntos para produtos de instrumentação Photonics, mas logo desenvolveu um laboratório para a modificação dos produtos United Photonics para clientes de toda a região da Ásia. Essa parte do negócio da Malásia foi encabeçada por T.S. Lim, um engenheiro malaio que fez sua pós-graduação em Stanford e três anos antes se mudou para sua nativa Kuala Lumpur para encabeçar o observatório malaio da CSU, reportando-se diretamente a Bob Brierly, o Vice-Presidente de Desenvolvimento, que dirigia a principal CSU em Detroit. Durante os últimos três anos, T.S. Lim e sua pequena equipe de engenheiros tinham ganho bastante reputação pelo desenvolvimento inovador. Bob Brierly estava encantado com seu entusiasmo. "*Aqueles garotos realmente sabem como fazer as coisas acontecerem. Eles estão se esforçando ao máximo.*"

O projeto Laz-skan

A ideia para o Laz-skan tinha surgido de um projeto em que a CSU de T.S. Lim tinha sido envolvida em 2004. Naquele tempo, a CSU tinha instalado com sucesso uma lente Photonics de alta precisão dentro de um sistema de reconhecimento de informação para um grande banco de compensação. A capacidade melhorada que as modificações das lentes e do *software* tinham fornecido habilitou o banco a digitalizar documentos mesmo quando eles não estivessem corretamente alinhados. Isso levou a CSU a propor o desenvolvimento de um dispositivo de "metrologia ótica" que poderia digitalizar oticamente um produto em algum ponto no processo de fabricação e verificar a exatidão de mais de 20 dimensões individuais. A geometria do produto a ser digitalizado, as dimensões a serem medidas e as tolerâncias a serem permitidas poderiam ser programados no dispositivo (usando sua lógica de controle). A equipe de T.S. Lim estava convencida de que a ideia poderia ter um potencial considerável. A proposta, que a equipe da CSU tinha chamado de projeto Laz-skan, foi apresentada para Bob Brierly em agosto de 2004. Brierly viu o valor potencial da ideia e novamente ficou impressionado com o entusiasmo da equipe da CSU. *"Para ser franco, foi seu entusiasmo evidente que me influenciou mais do que qualquer coisa. Lembre que a CSU da Malásia só tinha dois anos de existência nesse momento – eles eram um grupo de engenheiros audazes, mas relativamente jovens. Contudo, sua proposta era bem planejada e, como reflexo, pareceu ter um potencial considerável."*

Em novembro de 2004, foi alocado capital para Lim e sua equipe (fora do ciclo normal do orçamento) para investigar a viabilidade da ideia do Laz-skan. Lim recebeu um engenheiro adicional, um técnico e uma data limite de três meses para reportar-se à diretoria. Nesse tempo, ele esperava vencer quaisquer problemas técnicos fundamentais, avaliar a possibilidade de desenvolver com sucesso o conceito dentro de um protótipo funcionando e planejar a tarefa de desenvolvimento que levaria à etapa do protótipo.

A investigação de Lim

T.S. Lim, mesmo no início de sua investigação, tinha algumas visões firmes referentes à "arquitetura" adequada para o projeto Laz-skan. Por "arquitetura" ele queria dizer os principais elementos do sistema, suas funções e como eles se relacionam um com o outro. A arquitetura de sistema do Laz-skan consideraria cinco principais subsistemas: as lentes e a montagem das lentes, o sistema de suporte à visão, o sistema de exibição, o *software* lógico de controle e a documentação.

A primeira tarefa de T.S. Lim, uma vez que a arquitetura geral do sistema foi definida, era decidir se os vários componentes nos principais subsistemas seriam desenvolvidos internamente, desenvolvidos externamente por empresas especialistas em especificações de UPM, ou ainda comprados como unidades padrão e, se necessário, modificados internamente. Lim e seus colegas tomaram essas decisões quando reconheceram que um processo mais participativo seria preferível. *"Estou totalmente consciente de que o ideal seria termos feito mais uso da inteligência dentro da empresa para decidir como as unidades deveriam ser desenvolvidas. Mas dentro da disponibilidade que tínhamos, não houve tempo para explicar o conceito do produto, explicar as escolhas e esperar que pessoas superocupadas aparecessem com uma recomendação. Além disso, havia o aspecto de segurança para pensar. Eu tinha certeza de que nossos empregados eram confiáveis, mas quanto mais pessoas soubessem sobre o projeto, mais chance existiria de perdas. De qualquer forma, não vimos nossas decisões como finais. Por exemplo, se tivéssemos decidido que um componente deveria ser comprado e modificado para a etapa de construção do protótipo, isso não significava que não pudéssemos mudar nossas ideias e desenvolver um componente melhor internamente numa etapa posterior."* Em fevereiro de 2005, a pequena equipe de TS tinha ficado satisfeita que o sistema poderia ser construído para alcançar suas metas de desempenho técnico original. Sua tarefa final antes de se reportarem a Brierly seria projetar um plano de desenvolvimento viável.

Planejando o desenvolvimento Laz-skan

Como uma ajuda de planejamento, a equipe desenhou um diagrama de rede para todas as principais atividades dentro do projeto, desde o seu início até a sua conclusão, quando o projeto seria passado para as Operações de Fabricação. Isso é mostrado na Figura 15.16 e a lista completa de todos os eventos no diagrama é mostrada na Tabela 15.4. As durações de todas as atividades no projeto foram estimadas ou por T.S. Lim ou (mais frequentemente) a partir de consulta a um engenheiro mais experiente em Detroit. Embora ele estivesse razoavelmente confiante nas estimativas, queria muito enfatizar que elas não passavam disso – estimativas.

Duas convenções desenhadas nessas redes necessitam de explicação. Os três números dentro do círculo para cada seta de atividade representam os tempos otimista, mais provável e pessimista (em semanas) respectivamente. O número no lado esquerdo dos círculos de eventos indica a data mais cedo que o evento poderia ocorrer e o número no lado direito dos círculos indica a data mais tarde em que o evento poderia ocorrer sem atrasar todo o projeto. As linhas pontilhadas representam atividades fictícias. Essas são atividades nominais que não têm tempo associado a elas e estão lá ou para manter a lógica da rede ou para esboçar conveniência.

(1) As lentes (eventos 5-13-14-15)

As lentes eram particularmente críticas uma vez que o formato era complexo, e a precisão era vital para o sistema desempenhar acima de suas especificações de projeto. T.S. Lim dependia fortemente da habilidade da equipe de especialistas óticos do grupo em Pittsburg para produzir as lentes na tolerância requerida. Uma vez que a fabricação era uma abordagem de tentativa e erro, o tempo exato para fabricar seria incerto. T.S. Lim percebeu isso: *"As lentes vão ser um problema real. Simplesmente não sabemos se será fácil obter a precisão e geometria específica que precisamos. O pessoal da ótica*

Tabela 15.4 — Lista de eventos para o projeto Laz-skan

Número do evento	Descrição do evento
1	Iniciar a engenharia de sistemas
2	Completar os testes temporários da interface
3	Completar o teste de compatibilidade
4	Completar a simulação e o bloco de arquitetura global
5	Completar os custos e o planejamento da proposta de compras
6	Finalizar o projeto de sistema de alinhamento
7	Receber S/T/G, iniciar o sincronismo de módulos
8	Receber Triscan/G, iniciar o sincronismo de módulos
9	Completar os módulos B/A
10	Completar os módulos S/T/G
11	Completar os módulos Triscan/G
12	Iniciar os testes de compatibilidade de subsistemas laser
13	Completar o projeto ótico e as especificações, iniciar a fabricação de lentes
14	Completar a fabricação de lentes, iniciar as proteções de lentes S/A
15	Com as lentes S/A completas, começar testes
16	Iniciar as especificações técnicas
17	Iniciar o projeto de rotina de auxílio
18	Atualizar os módulos de engenharia
19	Completar a sequência de documentos
20	Iniciar as rotinas de visão
21	Iniciar os testes da interface (tmsic)
22	Iniciar as rotinas de compatibilidade de integração de sistema
23	Coordenar os testes trinsic
24	Finalizar o desenvolvimento da interface
25	Completar a rotina de integração de alinhamento
26	Consolidar dados de integração do alinhamento final
27	Iniciar a programação da interface (tmnsic)
28	Completar as rotinas de sistemas de alinhamento
29	Iniciar as rotinas de comparador tmnsic
30	Completar a codificação trinsic (interface)
31	Iniciar todos os testes de sistema lógico
32	Iniciar os testes de ciclo
33	Lentes S/A concluídas
34	Iniciar a montagem do sistema total
35	Completar a montagem do sistema total
36	Completar os testes finais e despachar

não se comprometerá, mesmo que eles sejam considerados os melhores técnicos óticos no mundo. É um alívio que o desenvolvimento de lentes não esteja entre as atividades do 'caminho crítico'".

(2) O sistema de suporte à visão (eventos 6-7-8-12, 9-5, 11)

O sistema de suporte à visão incluía muitos componentes que estavam comercialmente disponíveis, mas um esforço considerável de engenharia seria necessário para modificá-los. Embora o projeto de desenvolvimento e teste do sistema de suporte à visão fosse complicado, não existe grande incerteza nas atividades individuais ou, por consequência, no programa de conclusão. Se mais recursos financeiros forem alocados para o seu desenvolvimento, algumas tarefas ainda poderão ser completadas antes do tempo.

(3) O *software* de controle (eventos 20 a 26, 28)

O *software* de controle representou a tarefa mais complexa e a mais difícil de planejar e estimar. Na verdade, a unidade de desenvolvimento de *software* tinha pouca experiência nesse tipo de trabalho, mas (se antecipando a esse tipo de desenvolvimento) tinha recentemente recrutado um jovem engenheiro de *software* com alguma experiência nesse tipo de trabalho que seria necessário para Laz-skan. Ele estava confiante de que quaisquer problemas técnicos poderiam ser resolvidos, apesar das necessidades do sistema serem novas e os tempos de conclusão terem baixa confiabilidade de previsão.

(4) Documentação (eventos 5-16-17-18-19)

Um subsistema relativamente simples, a "documentação" incluía especificar e escrever os manuais técnicos, rotinas de manutenção, diagnósticos *on-line* e informação "de centro de atendimento". Era uma atividade relativamente previsível, parte da qual foi subcontratada para redatores técnicos e empresas de tradução em Kuala Lumpur.

(5) O sistema de exibição (eventos 29-27-30)

O subsistema mais simples de planejar, o sistema de exibição, necessitaria ser fabricado totalmente fora da empresa e testado e calibrado após o recebimento.

Perspectivas de mercado

Em paralelo com a investigação técnica de T.S. Lim, Vendas e *Marketing* foram solicitados a estimarem o potencial de mercado de Laz-skan. Num tempo muito curto, o projeto de Laz-skan elevou-se com considerável entusiasmo dentro da empresa, ao ponto que Halim Ramli, o Vice Presidente de *Marketing* da Ásia, assumiu a responsabilidade pessoal pelo estudo de mercado. As principais conclusões dessa investigação foram as seguintes:

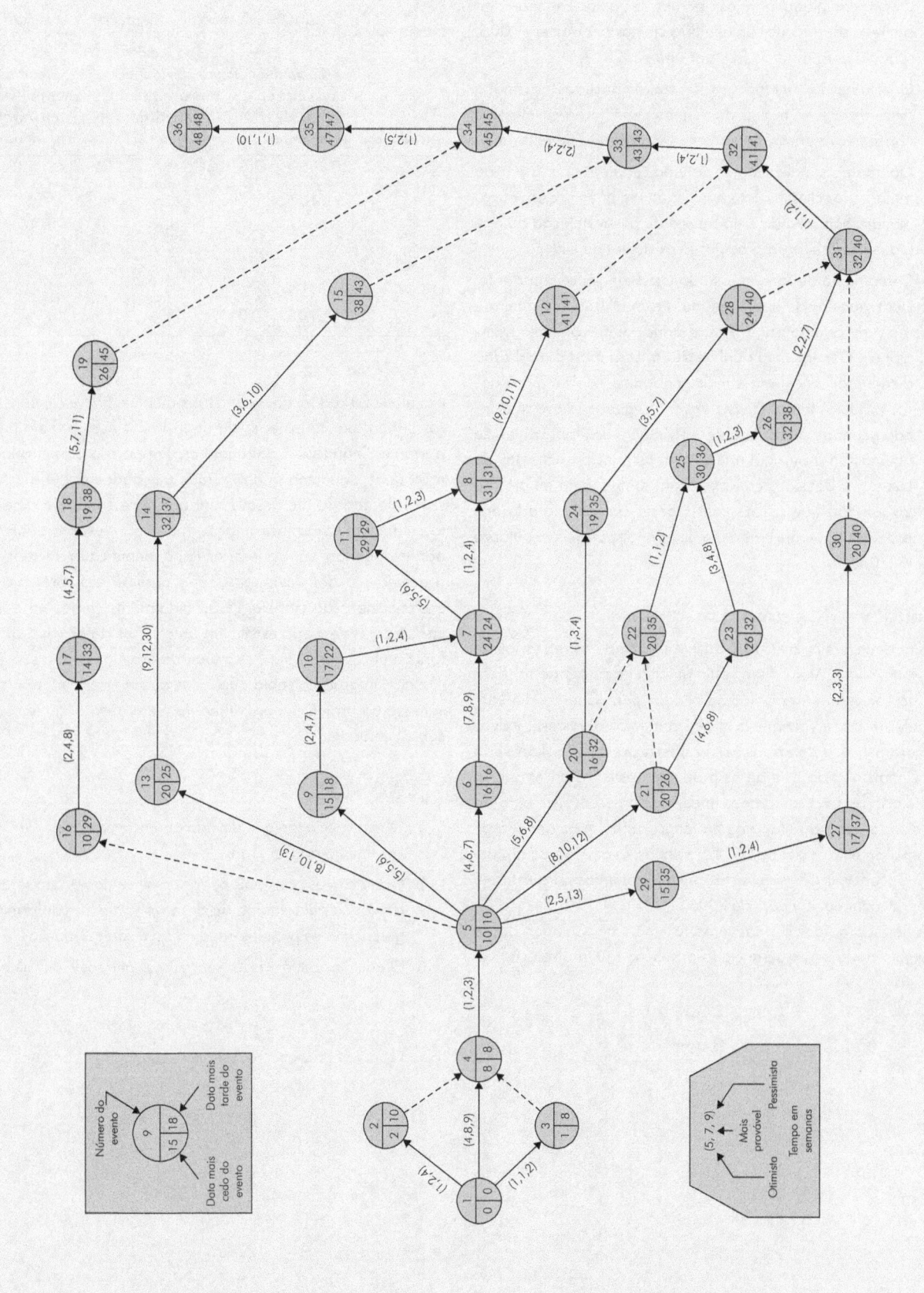

Figura 15.16 Programa de rede do projeto Laz-skan.

1 O mercado global para os sistemas do tipo de Laz-skan dificilmente seria menor do que 50 sistemas por ano em 2008, subindo para mais de 200 por ano em 2012.

2 O volume do mercado em termos financeiros era muito difícil de prever, mas cada sistema vendido provavelmente representava aproximadamente US$300.000 de retorno.

3 Alguma personalização do sistema seria necessária para a maioria dos clientes. Isso significaria maior ênfase em encomendas sob medida e no serviço de pós-instalação do que era necessário para produtos já existentes da UPM.

4 O momento de lançamento do Laz-skan seria importante. Duas "janelas de oportunidade" eram críticas. A primeira e mais importante era a mostra principal de comércio mundial em Genebra em abril de 2006. Essa mostra, realizada a cada dois anos, era a mais importante exibição para novos produtos tais como Laz-skan. A segunda estava relacionada com os ciclos de desenvolvimento dos fabricantes de equipamento original que seriam os principais clientes de Laz-skan. Decisões críticas seriam tomadas no outono de 2006. Para que o Laz-skan pudesse ser incorporado aos produtos das empresas, teria de estar disponível em outubro de 2006.

Tabela 15.5 Oportunidades de aceleração do Laz-skan

Atividade	Custo de aceleração (US$/ semana)	Tempo máximo de atividade provável, com aceleração (semanas)	Tempo normal mais provável (semanas)
5–6	23.400	3	6
5–9	10.500	2	5
5–13	25.000	8	10
20–24	5.000	2	3
24–28	11.700	3	5
33–34	19.500	1	2

O sinal verde para o Laz-skan

No fim de fevereiro de 2005, a UPM examinou os relatórios de Lim e de Ramli. Além disso, estimativas dos custos de fabricação do Laz-skan tinham sido solicitadas para George Hudson, o chefe de Desenvolvimento de Instrumentos. Suas estimativas indicaram que a contribuição da operação do Laz-skan seria muito mais alta do que a dos produtos existentes da empresa. A diretoria aprovou o começo imediato do desenvolvimento do Laz-skan a partir da etapa de protótipo, com um orçamento de desenvolvimento inicial de US$4,5 milhões. O objetivo do projeto era " ... construir três sistemas Laz-skan protótipos para estarem 'ativos e rodando' em abril de 2006".

A decisão de dar o sinal verde foi unânime. O modo como o projeto deveria ser gerenciado provocou muita discussão. O projeto Laz-skan trazia diversos problemas. Primeiro, engenheiros tinham pouca experiência de trabalho num projeto tão importante. Segundo, a data final crucial para o primeiro lote de protótipos significou que algumas atividades poderiam ter de ser aceleradas, um processo caro que necessitaria de julgamento cuidadoso. Uma investigação muito breve sobre quais atividades poderiam ser aceleradas tinha identificado aquelas onde a aceleração definitivamente seria possível e o custo provável desta aceleração (Tabela 15.5). Finalmente, ninguém poderia concordar se deveria existir um único líder de projeto, de qual função ele deveria vir ou se o líder de projeto deveria ser sênior. Anuar Kamaruddin sabia que essas decisões poderiam afetar o sucesso do projeto e possivelmente a empresa durante os anos subsequentes.

PERGUNTAS

1 Quem você acha que deveria gerenciar o Projeto de Desenvolvimento da Laz-skan?

2 Quais são os principais perigos e dificuldades que serão enfrentados pela equipe de desenvolvimento, conforme eles gerenciam os projetos em direção à sua conclusão?

3 O que eles podem fazer sobre esses perigos e dificuldades?

Estudo de caso ativo — National Trust

A National Trust da Inglaterra, Gales e Irlanda do Norte foi formada em 1985 com o objetivo de preservar lugares de interesse histórico ou de beleza natural para a nação apreciar. Quando o diretor local e sua equipe de projeto contrataram "The Workhouse", eles sabiam desde o início que seria um de seus projetos mais intrigantes e desafiadores. Cientes da necessidade de um delicado gerenciamento de *stakeholders*, a equipe esboça uma lista de *stakeholders* e se preparam para envolvê-los com seu entusiasmo com o projeto.

- Como você avaliaria seus planos para lidar com cada um?

Consulte o caso ativo no CD que acompanha este livro para encontrar mais sobre os grupos de stakeholders envolvidos.

Aplicando os princípios

Alguns destes exercícios podem ser respondidos a partir da leitura do capítulo. Outros vão requerer algum conhecimento geral da atividade de negócios e alguns poderão requerer pesquisa. Todos têm sugestões de como podem ser respondidos no CD que acompanha este livro.

1. As atividades, suas durações e predecessores para projetar, escrever e instalar uma base de dados personalizada são mostrados na tabela abaixo. Desenhe um gráfico de Gantt e um diagrama de rede para o projeto e calcule a data mais cedo na qual a operação poderá ser concluída.

Atividades da base de dados de computador encomendada

Atividade		Duração (semanas)	Atividades que devem ser concluídas antes que ela possa iniciar
1	Negociação de contrato	1	–
2	Discussões com os principais usuários	2	1
3	Revisão de documentação atual	5	1
4	Revisão de sistemas atuais	6	2
5	Análise de sistemas (A)	4	3, 4
6	Análise de sistemas (B)	7	5
7	Programação	12	5
8	Teste (preliminar)	2	7
9	Relatório de revisão de sistema existente	1	3, 4
10	Relatório de proposta de sistema	2	5, 9
11	Preparação de documentação	19	5, 8
12	Implementação	7	7, 11
13	Teste de sistema	3	12
14	Depuração	4	12
15	Preparação de manual	5	11

2. Identifique um projeto do qual você fez parte (por exemplo, mudar de apartamento, uma viagem de férias, uma produção dramática, revisão para um exame, etc.)

- Quem eram os *stakeholders* nesse projeto?
- Qual era o objetivo global do projeto (especialmente em termos da importância relativa de custo, qualidade e tempo)?
- Havia alguma restrição de recurso?
- Olhando para trás, como você poderia ter gerenciado melhor o projeto?

3. O projeto do Eurotúnel foi o maior projeto de construção já assumido na Europa e o maior investimento único em transporte em qualquer lugar no mundo. O projeto, que foi conduzido pelo setor privado, preparou-se para uma concessão de 55 anos para os proprietários projetarem, construírem e dirigirem a operação. O grupo Eurotunnel concedeu o contrato de projeto e construção do túnel para TML (Trans-Manche Link), um consórcio de 10 empresas de construção francesas e britânicas. Para os seus gerentes, foi um projeto formidável. A grandiosidade do projeto era assustadora. O volume de cascalho removido do túnel aumentou o tamanho da Grã-Bretanha o equivalente a 68 campos de futebol. Dois principais túneis de trem, separados por um túnel de acesso/serviço, cada um com 7,6 metros de diâmetro, correm 40 metros abaixo do fundo do mar. No total, existem 150 quilômetros de túneis. O projeto jamais seria uma tarefa de gerenciamento fácil. Durante as negociações iniciais, incertezas políticas cercaram o compromisso de ambos os governos e, na fase de planejamento, questões geológicas tiveram de ser investigadas por uma complexa série de testes. Mesmo o financiamento do projeto foi complexo. Ele requereu investimento de aproximadamente 200 bancos e casas financeiras, bem como aproximadamente quinhentos mil acionistas. Além disso, os problemas técnicos da própria perfuração e, principalmente, no comissionamento dos trilhos e dos sistemas dentro do túnel precisaram ser superados. Contudo, apesar de alguns atrasos e custos excedidos, o projeto classifica-se como um dos mais impressionantes do século XX.

- Quais fatores fizeram do Eurotúnel um projeto particularmente complexo e como se poderia ter lidado com eles?
- Quais fatores contribuíram para as "incertezas" no projeto e como se poderia ter lidado com esses fatores?
- Olhe na Internet para ver o que aconteceu ao Eurotúnel desde que ele foi construído. Como isso afeta sua visão sobre tal projeto de construção?

4. Identifique seu time esportivo favorito (de futebol ou qualquer outro esporte, e, se você não é muito ligado a esportes, escolha qualquer time do qual tenha ouvido falar).

- Que tipo de projetos você acha que eles precisam gerenciar? Por exemplo, negociação, patrocínios, etc.
- Quais você acha que são as questões fundamentais para tornar um sucesso o gerenciamento de cada um desses tipos de projeto diferentes?

5. Visite os *websites* de algumas empresas que desenvolveram *software* de gerenciamento de projetos computadorizados (por exemplo, **primavera.com, welcome.com, microsoft.com**, ou apenas coloque "*software* de gerenciamento de projetos" numa ferramenta de busca).

- Quais parecem ser os elementos comuns nos pacotes de *software* em oferta dessas empresas? Desenvolva um método que poderia ser usado por alguma operação para escolher tipos diferentes de *software*.

Notas do capítulo

1 Reiss, G. (1996) *Programme Management Demystified,* Spon, London.
2 Slack, A. (2005) "Popping the Millau Cork", traduzido e adaptado de *Le Figaro Enterprises*, 15 de dezembro de 2004.
3 Fonte: *Website* da organização.
4 Weiss, J.W. and Wysocki, R.K. (1992) *Five-Phase Management: A practical planning and implementation guide*, Addison-Wesley.

Indo além

Existem centenas de livros sobre gerenciamento de projeto. Eles variam do introdutório ao muito detalhado e do gerencial ao altamente matemático. Aqui estão dois livros gerais (muito diferentes do matemático) que valem a pena dar uma olhada.

Maylor, H. (2003) *Project Management* (3rd edn), Financial Times Prentice Hall.

Meredith, J.R. and Mantel, S. (1995) *Project Management:* A managerial approach (3rd edn), John Wiley.

Websites úteis

www.apm.org.uk A Associação do Reino Unido para Gerenciamento de Projetos. Contém uma descrição do que os profissionais consideram ser o corpo do conhecimento de gerenciamento de projetos.

www.pmi.org Página do Instituto de Gerenciamento de Projeto. Uma associação norte-americana para profissionais. Entendimentos dentro da prática profissional.

www.ipma.ch A Associação Internacional de Gerenciamento de Projetos, baseada em Zurique. Algumas definições e *links*.

www.comp.glam.ac.uk/pages/staff/dwfarth/projman.htm#automated Um grande *site* com bastante material interessante sobre *software*, gerenciamento de projetos e questões relacionadas, mas também muito bom para o gerenciamento geral de projetos.

RECURSOS ADICIONAIS — Para recursos adicionais incluindo exemplos, diagramas animados, questões de autoavaliação, planilhas Excel, estudos de caso ativos e materiais de vídeo, acesse o CD que acompanha este livro.

ÍNDICE

a diferença entre a qualidade real e a imagem comunicada 417-418
AAF Rotterdam 54-56
Aarhus CT 453-454
ABC, sistema 324-325, 328
abordagem da revisão contínua 305, 323, 327
abordagem de painel 124-125
abordagem do ótimo esforço pela qualidade 421-422
abordagem Seis Sigma 451, 470-471
   Construção e Risco Genebra 484-486
   Xchanging 452-453, 454
abordagem *Work-Out* 471-472
aceitabilidade dos conceitos e produto/serviço 215
acelerando atividades 543-544
acesso HK 525-527
aeroportos 48, 395-397, 425, 513
ágil
   cadeias de suprimentos 236, 243-246
   enxuto e 396-399
Airbus 216
Companhias aéreas
   Air Fance, 338-340
   características de qualidade das jornadas 418-420
   carregamento 349
   entradas e saídas 38-39
   estoque 310
   falhas 497, 511
   gerenciamento da oferta 290
   manutenção preventiva 506
   projeto de aeronave 80, 216, 222
   Ryanair 62, 413-414
   segurança contra falhas 505
   serviço em massa 140
   tempos de configuração 389-390
   Virgin Atlantic 34-35, 45
Aloha Airlines 384
ambiente, projeto 522, 527-530
análise da árvore de falhas 500
análise das filas 163, 186, 196-203, 306, 377
   calculando o comportamento da 197-203
análise de reclamação 499
análise do ponto de equilíbrio
   expansão da capacidade 111-112
   novo produto/serviço 213
análise dos porquês 451, 476
análise do projeto de processo 187
   atual 162, 169-172
   capacidade e tarefas do processo 163, 173-182
   definição 162, 164-166
   objetivos de desempenho de processos 162, 166-168
   pontos de queda, projetando 503, 504
   terminologia 168
   variabilidade do processo 169, 178-183
análises de séries temporais 125-128, 130
aprendizagem contínua 384-385
arranjo curto-e-grosso 163, 175-177
arranjo fino-e-comprido 163, 175-177, 187
árvores de decisão 508
AstraZeneca 245-246
auditoria 495
aumento de escopo do trabalho 152
autoavaliação 429
Autoliv 98
avaliação e melhoria, projeto de 217-218

Baan 346
balanceamento, processo 178-180
Balanced Scorecard 450, 456-458
balanço de trabalho/vida da tecnologia do processo 145
bancária
   automação da tecnologia 147-148
   diferentes necessidades do cliente 75-76
   leiaute do processo 142
   North West Constructive Bank 155-158, 189-192
   projeto de serviços 210, 212
   quatro Vs dos processos 49-50
   sequenciamento: prioridade do cliente 350
   terceirização 99
   veja também análise das filas
Banco Barings 492-493, 494, 497
bancos de varejo 49-50, 75-76, 210, 212, 350
   North West Constructive Bank 155-158, 189-192

barreiras à imitação 78
barreiras de entrada 78
Bayer 245-246
BBC 96-97
benchmarking 450, 459-460, 480
   modelo SCOR (Referência de Operações da Cadeia de Suprimentos) 247
Benneton 264, 265, 266
lista de materiais (BOM) 367-368
Blackberry Hill Farm 296-300
BMW 338, 339-340
Boeing 222, 390
Bosch, 98, 253
Bose 221
Boys and Boden (B&B) 403-404
BP 245-246
buffer, *ver* estoque de segurança
Burger King 164

Cadbury's 135-136, 494
cadeia de suprimento de moda rápida 264-266, 284
cadeias de suprimentos enxutas 236, 244-246, 395-398
caminho crítico, análise de (CPA – *Critical path Analysis*) 523, 537-539
canal de estoque 311, 312
capacidade 93, 106-112
   amortecedor 48, 285-286
   análise do ponto de equilíbrio da expansão 111-112
   configuração das tarefas do processo e 163, 173-182
   duração da produção 278
   especificação da produção 278
   estratégias de avanço e atraso 93, 109-110
   mix de produtos/serviços e 277-278
   momento de mudança da 109-111
   nível ótimo 107-108
   operações em pequena escala, vantagens da 108
   planos de demanda (CRPs) 371
   projeto de produto/serviço 219-220
   suavizando com estoques 109-111
   tempo de ciclo e processos 177-178
   utilização e sincronização enxuta 383, 384, 400
   vazamento 278
   verificações MRP na 371
capacidade básica 267, 284-286
capacidade de escala 148-149
capacidades organizacionais 466-468
capital empregado, retorno sobre o 46
carregamento 337, 344, 349-350
carregamento finito 343
carregamento infinito 349-350
carregamento por trás 257
Gráficos *c* 446

Gráficos *p* 444
causas anormais de variação 439
causas atribuíveis de variação 439
c-commerce 348
central telefônica 49, 287, 288-289, 352, 437
centro de serviço de conserto, computador 173-177, 179-180, 183-184
CEP *ver* Princípios de controle estatístico de processo
Chatsworth 230-231
ciclo de vida dos produtos/serviços 76-77
ciclo de Deming (ciclo PDCA) 468-469
ciclo PDCA 468-469
clientes
   desenvolvimento 237, 257-258
   diferenças de percepção 255, 257-258, 341-342, 410-411, 416-418
   ERP integrado via Web 348
   faixa de desempenho aceitável 440-441
   falhas dos 498
   Gerenciamento do Relacionamento com o Cliente (CRM) 348
   interface com os 255, 336, 340-343
   modelo de diferenças na qualidade 410-411, 416-418
   perspectiva no desempenho do abastecimento 242
   prioridade 350
   projeto, envolvimento no 221
   veja também análise das filas
clientes/fornecedores de segunda linha 94-95, 258-260
Coca-Cola 62
código de barras 257, 326
código eletrônico de produto (ePC) 257
comércio eletrônico 253, 262, 348
competência 46, 74
   capacidade do processo 440-441
   construir baseada em operações 77-78
   controle estatístico do processo 426
   exigências de mercado e recursos de operações 61, 78-79, 83
   fornecedores 252
comprimindo atividades 543-544
comprometimento com o trabalho 151-152
comunalidade e processo de projeto 207, 216
conceito de cliente interno 41, 410, 415
conceito de modelo do negócio 70, 71
conceito de modelo operacional 70-71
conceitos de viabilidade de produto/serviço 215
conectividade da tecnologia 147, 149
conexão da tecnologia 147, 149
confiabilidade 500
confiança 66, 67, 102, 167
   cadeia de suprimentos 243-244
   gerenciamento de projetos 531

medição do desempenho 455-456, 457, 463, 464
projetos de produto/serviço 206, 212
confiança nas relações 250
configurações em série 174-177
configurações paralelas 174-177
conhecimento
   controle estatístico de processos 426
   planejamento de capacidade e mercado melhorado 281-283
   repositório de 478
   tácito 151, 345, 497
   tecnologias de gerenciamento 222
   vazamento 221
consolidação 493
contenção 509
contratos do nível de serviço 254, 255, 415, 429-430
controle de processo 411, 423-426
   CEP ver Princípio de controle estatístico de processos
controle de qualidade (CQ) 412
controle empurrado 354-355, 388, 394, 395-396
controle puxado 349
controle veja planejamento e controle de recursos
coopetição 99
Cummins Worldwide Fortune 500 381-382
curva da banheira 501
customização em massa 207, 216-217
custos 45-66
   cadeia de suprimentos 244-245
   estoque 309-313
   gerenciamento de projeto 531, 542-544
   localização 105-106
   medição do desempenho 455-456, 457, 463-464
   projeto de processos 167
   projeto de produtos/serviços 206, 213
   qualidade, custos da 411, 420-423, 441-442
   terceirização 102
custos de avaliação 411, 420-423
custos de falhas externas 401, 410
custos de falhas internas 411, 420-423

data devida (DD) 350
decisão de fazer ou comprar 99-103, 112
definição de gerenciamento de operações e de processos 28, 30-35
definição de programa 524
definição do termo projeto 522
definição do trabalho 151
Dell 62, 95-96, 97, 217
demanda dependente 256
demanda independente 256
Deming, prêmio 428
descompasso entre capacidade e demanda 272, 281-284
   gerenciamento do 273, 286-292

desdobramento da função qualidade (QFD) 217, 218
deseconomias de escala 93, 107-108
desempenho almejado, estabelecendo 450, 458-459
desenvolvimento 50, 51
   clientes 237, 257-258
   fornecedores 237, 254-255, 344
desintermediação 98
desvio padrão 437, 470
diagonal natural do projeto de processo 137, 385-386
diagrama de causa e efeito 451, 474
diagrama de procedência 173-174
diagramas de dispersão 451, 473
diagramas de Ishikawa 474
diferença de percepção das necessidades 255, 257-258
diferença entre a especificação e o conceito 417-418
diferença entre expectativas e percepção veja diferenças de percepção
diferenças da percepção do atendimento 255, 257-258
diferenças de percepção 255, 257-258, 341-344
   qualidade 410-411, 416-418
direção, operação 50, 51
Disney Channel 217
Disneyland Resort Paris 114-118
disponibilidade 500
disponível para promessa (ATP) 366-367
distribuição de encomendas 48, 257, 387
   Eurospeed 126-128
   TNT 62-64
divisão da mão de obra 150-151
Divisão de Vídeo e Programa (DVP) 42-44, 46
DMAIC, ciclo 468-469
Dow Chemical 357
Dresding Wilson 85-87
Dyson 209-210

e-commerce ver comércio eletrônico
economia de escala 93, 107
efeito chicote 237, 258-260
   diminuição do 260-261
Eficiência Global dos Equipamentos (OEE) 272, 279-281, 294
eliminação das perdas 378-381, 385
   flexibilidade 375, 389-390
   fluxo enxuto 375, 385-387
   fornecimento e demanda compatíveis 375, 387-388
   identificação da perda 381-283
   rede de suprimentos 394
   variabilidade, minimização da 375, 390-393, 400
delegação de poder 152
empresa química Rocket 217-218
empresas de pequeno e médio porte 262
empresas de táxi 47
engenharia reversa 215

enriquecimento do trabalho 152
entradas de recursos transformados 36-37
entrega 50, 51
enxugamento do fluxo de processo 375, 385-387
enxuta e ágil 396-399
enxutágil 399
ePC *ver* código eletrônico de produto
equilíbrio demanda-capacidade 108
equipe de projeto (equipe tigre) 227, 479
ERP *ver* Planejamento de Recursos Empresariais
erros 497
   Chernobyl 516-517
   instalação do ERP 346
   sistemas de estoque 326-327
   tipo I e tipo II 424
escala 143, 144-144
escala de especificação 440
escala volume-variedade *veja* posicionamento do projeto de processo
escala/capacidade de escala da tecnologia 144-145
departamento de passaportes 178, 181
estoque de antecipação 311
estoque de caixa 311
estoque de ciclo 304
estoque de segurança 310, 312, 320-321, 323, 355, 376-378
estoque em consignação 313
estoque gerenciado pelo fornecedor (VMI) 260-261
estratégia
   melhoria 478
   operações *veja* estratégia de operações
   projeto 523, 532
estratégia de operações 59
   ajustar as exigências de mercado e as capacidades 61, 78-79, 83
   capacidade das operações, construção 77
   definição 60, 62-64
   exigências de mercado 61, 74-77
   identificação da 60, 64-69
   matriz 68, 69
   modelo do negócio 70, 71
   modelo operacional 70-71
   processo de cima para baixo e de baixo para cima (emergente) 60, 71-73
   roteiro de melhorias 61, 79-83
   visão da empresa baseada nos recursos 61, 77-78, 83
estratégias funcionais 71
estrutura de divisão de trabalho (WBS) 535
estruturas da organização
   falha 497
   gerenciamento matricial 226-227, 533-534
   processos de projeto 226-228
Eurospeed 126-128
EXL, laboratórios 462-463

fábrica-dentro-de-uma-fábrica 82
fabricantes de chocolate 244-245, 291-292
   Cadbury's 135-136, 494
fabricantes de veículos 98, 256
   características de qualidade dos veículos 418-419, 420
   desenvolvimento do fornecedor 254
   leiaute do fluxo 145
   processo em massa 139
   recall de produtos 211
   superando conflitos de escolha 82-83
   Toyota 217, 227, 378-379, 380, 384-385, 388, 400, 401
   variabilidade do tempo de atividade 184
fabricantes originais do equipamento (OEMs) 85-87, 258-260
falha 490, 492-496
   análise de modo e efeito 502
   análise pós-falha 499-500
   custos 411, 420-423
   identificação dos pontos potenciais de 490, 496-499
   medidas de prevenção 491, 503-507, 513-514
   medidas de recuperação 491, 511-513
   medidas de suavização 491, 507-511
   probabilidade da 500-502
   taxas de 500
falhas humanas 497
falhas na conformidade 206, 211
FCFS *ver* primeiro a chegar, primeiro a ser servido
feedback, cliente 221
FIFO *ver* primeiro a entrar, primeiro a sair
filosofia orientada pela meta 442
flexibilidade 66, 67, 102
   cadeia de suprimentos 243-244
   configuração curta-e-grossa 176
   dos seres humanos 345, 384
   gerenciamento de processos 531
   localização e futura 106
   medição do desempenho 455-456, 457, 463, 464
   na inovação 73
   objetivos do projeto de processo 167
   planejamento da capacidade, médio prazo 283-284, 288-289
   processos de projeto de produto/serviço 206, 212-213
   projeto de tarefas 151, 152
   serviço enxuto 395-396
   sincronização enxuta 375, 386, 389-390
Flextronics 62-64
fluxo de caixa 395-396
fluxo de processo
   enxugar 375, 385-387
   forma de 382
   objetivos 166-168
fluxo livre 386
foco, princípio do 81-83
fonte múltipla 252-253
fonte única 252-253

força-tarefa 227, 479
Ford 98, 496
fornecimento interno 99-103
fortalecimento 152
Four Seasons Hotel, Canary Wharf 412-414
função de perda de Taguchi 441-442
fusão de produtos e serviços 39-40

GAM (Group À Maquillage) 443-444, 445
ganhadores de pedidos 74-75
Gantt, gráfico de 351-352, 537, 538, 539, 545
Gap Inc. 240-241
garantia de qualidade (QA) 412
gargalos 353-354, 371, 498
   balanceamento de processo 178-180
   definição 168
General Electric 471-472
geração de conceito 207, 215
gerenciamento (pelo lado) da demanda 237, 256-258, 286
   gerenciar plano de demanda 273, 287, 289-290
   planejamento e controle de recursos: interface com o cliente 336, 340-343
gerenciamento da capacidade
   curto, médio e longo prazo 123, 294
   capacidade atual 272, 277-281
   capacidade básica 273, 284-286
   controle de capacidade 273, 286-292
   definição 272, 274-277
   descompasso entre capacidade e demanda, natureza do 272, 281-284
   estoque de antecipação 311
   processo dinâmico 273, 292-294
gerenciamento da demanda 273, 286, 287, 289-290
gerenciamento da oferta 290
Gerenciamento da Qualidade Total (TQM) 410, 412, 414, 422, 429, 481
   Risco e Construção Genebra 483-484
gerenciamento de cadeia de suprimentos
   cadeias de demanda 261-262
   clareza dos objetivos 236, 241-248
   definição 236, 238-241
   dinâmica 237, 258-261
   escolha do fornecedor 251-253
   lado da demanda 237, 256-258
   lado do fornecedor 237, 251-255
   relacionamentos, espectro de 236-237, 248-251
   risco de ruptura 496-497
gerenciamento de distribuição física (serviços de logística) 256-257
gerenciamento de estoque 237
   abordagens de controle 305, 323-327, 328
   atenuação com estoque 109-111
   capacidade básica 285-286

   definição 304, 306-309
   gerenciado pelo vendedor 260-261
   imprecisão dos dados 326-327
   objetivo do 304, 309-312
   planos de nivelamento da capacidade e de acompanhamento da demanda 292
   quantidade do pedido 304, 312-319, 327
   sistemas de informação 326-327, 368
   temporização da reposição 305, 320-323, 327
gerenciamento de operações 30-32
gerenciamento de pessoas
   sincronização enxuta 383-385, 400-401
gerenciamento de processos, definição das operações e 28, 30-35
gerenciamento de produção 31-32
gerenciamento de projeto computadorizado 544-546
gerenciamento de projetos empresariais (EPM) 523, 545-546
gerenciamento de qualidade 429-430
   controle de qualidade 411, 423-426
   definição de qualidade 410, 412-414
   entendimento universal e aplicação de 410, 414-416
   medição de qualidade 411, 419-423
   melhoria 411, 427-429
   ponto de vista do cliente 410-411, 416-419
   CEP *veja* Princípio de controle estatístico dos processos
gerenciamento do projeto 546
   adequação 523, 532-534
   ambiente do projeto 522, 527-530
   controle de projeto 523, 542-546
   definição 522, 524-527
   escopo do projeto 523, 532
   estratégia, projeto 523, 532
   objetivos do projeto 522-523, 531
   planejamento do projeto 523, 534-541
globalização 294
   decisão sobre a localização 104-105
matriz de poder x interesse 529, 530
gráficos de controle 425-426, 437-439
   para atributos 444-446
   para processos "sob controle" 439-442
   para variáveis 442-444
gráficos de Rendall 432-434
gráficos $\bar{X}$-R 442-444
grau de automação 147-148, 345
Greenpeace 502

H&M 264-266
Hallmark, Cartões 290
Hayes and Wheelwright *ver* Modelo de Quatro Estágios
Heijunka ver programação nivelada
Heinz 62
Hersheson Blowdry Bar 208-210

Hewlett Packard 432-434
hospitais 51-52, 244-245, 277, 289, 310, 349
   leiautes de processo 144, 145
   planejamento dos requisitos de material (MRP) 365
   princípios enxutos 379-380
   programação 352, 353
   projeto de processo 164-166
   adaptabilidade 284
   segurança contra falhas 505
   sistemas de triagem 350
hotéis 274, 278, 285-286, 290, 505
   Penang Mutiara 275, 276
Howerd Smith Paper Group 308-309

identificação automatizada (Auto-ID) 257, 262
   RFID 237, 257, 266, 326
Identificação por radiofrequência (RFID) 237, 257, 266, 326
   liberdades civis e Auto-ID 262
IKEA 32-35, 45
impacto estratégico 29, 45-46
imprecisão, dados 326-327
indicadores de desempenho fundamentais (KPIs) 455
Inditex, Grupo 265
informação
   compartilhamento: dinâmica da cadeia de suprimentos 237, 260
   compartilhamento: tecnologias de gestão do conhecimento 222
   integração 336, 340, 345-348, 357
   sistemas de estoque 326-327, 368
   transparência: parcerias 250
   valor dependente do tempo 387-388, 395-396
instalação do medidor de água 141-142
integração vertical 99-103, 112
Intercâmbio eletrônicos de dados (EDI) 347
interface com o fornecedor 336, 340, 343-344, 348
Internet 96, 212, 284
   banco na Internet 49
   Código Eletrônico do Produto 257
   compras 253, 262
   gerenciamento da logística 257
   Gerenciamento de Projetos Empresariais 546
   lembretes via *e-mail* 395-396
   Planejamento de Recursos Empresariais 348
   rastreamento 48, 257, 262
   vírus, ameaças e *spam* 498-499
intervenção estratégica 225
intervenção humana e tecnologia 147-148, 345
investigação de acidente 499
investimento eficaz (capital empregado) 46
ISO 9000 411, 427, 430

just-in-time (JIT) 374, 378
   ver também sincronização enxuta

kaizen 385, 388, 466
kanbans 375, 388
Kanston Pyral Services Ltd 473, 474, 475, 476
KFC 47
KPI *ver* indicadores de desempenho fundamentais
Kuapa Kokoo 100

LANs *ver* redes locais
Leeson, Nick 492-493
Lei de Little 163, 180-182, 199-200
leiaute, processo
   definição 142
   seleção 145-146
   sincronização enxuta 385-387
   tipos 143-145
   volume e variedade 143-145
leiaute celular 143, 144-145, 146, 386
leiaute de fluxo/produto 143, 145, 146
leiaute de linha/produto 143, 145, 146
leiaute de posição fixa 143-144, 146
leiaute de produto 143, 145, 146, 386
leiaute do processo/funcional 143, 144, 146, 386
leiaute funcional (processo) 143, 144, 146, 386
LER (lesão por esforço repetitivo) 151
liberdades civis 262
LIFO *ver* último a entrar, primeiro a sair
limites superior de controle (UCL) 429
lista de materiais, tabela da 367-368
localização 92-93, 103-106
lojas de serviços 140, 146
lote econômico de pedido (EOQ) 311, 314-317, 327

Madame Tussaud's Scenerama, Amsterdam 275-276
Magna 98
manufatura 31-32
manutenção 505-507
manutenção condicional (CBM) 506
Manutenção Produtiva Total (TPM) 375, 393, 506
mapeamento, processo 169-172, 187, 503, 504
mapeamento de processos 169-172, 187, 503, 504
matriz balanceada 227
matriz de importância e desempenho 460-463
matriz de projeto 227, 533-534
matriz do processo-produto 137
   afastando-se da diagonal natural da 140-142
matriz funcional (ou gerente de projeto peso pena) 227
McDonald's 47, 164, 505
medições de desempenho 455-456
   a abordagem do *Balanced Scorecard* 450, 456-458
   benchmarking 450, 459-460, 480
   diferença entre o real e o almejado 460
   indicadores de desempenho fundamentais (KPIs) 455
   matriz importância-desempenho 460-463
   metas, estabelecimento das 450, 458-459

medidas de atenuação, falhas 491, 507-511
melhores práticas 247, 347, 480
melhoria 480-481
   abordagem Seis Sigma 451, 452-453, 454, 470-471, 484-486
   abordagem *Work-Out* 471-472
   avaliação do projeto de 217-218
   contínua 385, 451, 464, 466-470, 481
   definição 450, 452-454
   desempenho atual e almejado 450, 454-464
   estratégia de operações 61, 79-83
   gerenciamento da 451, 477-480
   gerenciamento da qualidade 411, 427-429
   inovação 451, 469-470
   modelos de ciclo 468-469
   reengenharia do processo de negócio 42, 451, 465-466, 480-481
   técnicas 451, 472-476
   vítima da moda 477
melhoria da inovação 451, 464-466, 469-470
método Delphi 125
Microsoft, 208
marcos 532, 546
Mitsubishi 217
modelo da quantidade econômica (EBQ) 317-318, 327, 354
modelo de diferença da qualidade 418
modelo de fronteira eficiente 61, 80-81
modelo de diferença da qualidade 410-411, 417-418
Modelo de Quatro Estágios, Hayes and Wheelwright 65-66
modelo misto 375, 392-393
modelo SCOR (referência de operações da cadeia de suprimentos) 245-248, 262
modelos
   ciclo de melhoria 468-469
   controle 354
   custo da qualidade 421-423
   diferença de qualidade 410-411, 417-418
   entrada-transformação-saída 36-37
   fronteira eficiente 61, 80-81
   gerenciamento de operações e processos 50-51
   modelo de excelência EFQM 411, 428-429
   negócio 70, 71
   operacional 70-71
   previsão 129-130
   quantidade de lote econômico (EBQ) 317-318, 327, 354
   quantidade de pedido econômico (EOQ) 311, 314-317, 327
   quatro estágios de Hayes e Wheelwright 65-66
   SCOR (Referência de Operações da Cadeia de Suprimentos) 245-248, 261
modelos causais 129, 130
modularização 207, 216
monitoramento e controle 337, 344, 354-356
   gerenciamento de projeto 523, 542-546

Motorola 470
MRP *ver* Planejamento das Necessidades de Materiais
MRPII *ver* Planejamento dos Recursos de Produção

nível de operação
   perspectiva do processo 38-40, 42
nível de reposição (ROL) 305, 320-323
Nokia 62
Notação de Kendall 200
número de prioridade de risco (RPN) 502

objetivos de desempenho 64, 66-68
   análise do projeto de processos 162, 166-168
   capacidade básica 285-286
   ciclo de vida do produto/serviço 76-77
   compensações entre 78-79
   da operação 64
   diferentes necessidades do cliente 75-76
   projeto de produto/serviço 206, 211-213
OEE (eficiência global do equipamento) 272, 279-281, 294
offshoring 101, 103
operação de iluminação teatral 169-172
operação de produção antes do pedido 343
operação de produção para pedidos 342
operação de recurso sob pedido 342
operacional, definição 45, 62
OPT *ver* Tecnologia de Produção Otimizada
Oracle 346
organização, cultura da
   falha 497
   sincronização enxuta e 383-385
organização funcional 227
organizações que não visam o lucro 46, 51-52
Terceirização
   falha de abastecimento 496
   gerenciamento de projeto 532
   projeto de produto/serviço 220-221
   serviços de logística 256-257

padronização, projeto 77, 207, 216
   projeto assistido por computador 221
Paris Miki 217
Penang Mutiara 275, 276
perfis de estoque 313-314
personalização em massa 207, 216-217
perspectiva das necessidades do mercado 61, 74-77
   perspectiva da capacidade dos recursos de operação e 61, 78-79, 83
   visão da empresa baseada nos recursos 77-78
perspectiva de processo 28, 35
   análise em três níveis 37-38
   modelo entrada-transformação-saída 36-37
   no nível da operação 38-40, 42

no nível da rede de suprimentos 38, 40-43
no nível dos processos individuais 38, 41-43
pertinente a todas as partes do negócio 36
processos de negócio do início ao fim 42, 44
perspectiva do mercado de operações estratégicas 73-76
PERT *ver* técnica de revisão e avaliação de programa
planejamento
    projetos 523, 534-541
    recursos *veja* planejamento e controle de recursos
Planejamento das Necessidades de Materiais (MRP) 237, 256, 336, 346, 355
    lista de materiais (BOM) 367-368
    necessidades líquidas 362-365
    programação inversa 369-371
    registros de estoque 368
    verificações de capacidade 365
Planejamento de Recursos Empresariais (ERP) 336, 345-348, 357, 396-397
planejamento de rede
    análise do caminho crítico (CPA) 523, 537-539
    atividades de redes modais (AoN) 540
    técnica de revisão e avaliação de programa (PERT) 540, 541
Planejamento dos Recursos de Produção (MRP II) 346
planejamento e controle de recursos 275, 357
    definição 336, 338-340
    eficiência do 337, 349-356
    elementos do 336, 340-345
    informações de integração 336, 340, 345-348, 357
    veja também gerenciamento de projeto
planejamento por cenários 125
plano de acompanhamento de demanda 273, 286, 287-289, 292, 366-367
plano de nivelamento de capacidade 273, 286-287, 291-292, 366-367
Planos das Necessidades de Recursos (RRPs) 371
planos de capacidade bruta (RCCPs) 371
poka-yoke 505
viaduto de Millau 524-525, 527
ponto de reposição (ROP) 305, 320
ponto de venda, registro do 260, 326
ponto de venda eletrônico, sistemas de (PDVE) 260, 326
posicionamento do projeto de processo 153
    definição 132, 134-136
    leiaute, tecnologia e projeto 142
    leiautes dos processos 133, 142-146
    necessidades de volume-variedade 132, 136-142
    projetos do trabalho 133, 149-153
    tecnologia dos processos 133, 147-149
Prêmio Europeu de Qualidade (EQA) 411, 428
prêmio nacional de qualidade Malcolm Baldrige 428
prevenção
    custos de prevenção 411, 420-423
    manutenção preventiva (PM) 506
    medidas de prevenção de falhas 491, 503-507, 513-514

previsão 122
    abordagem 124-129
    desempenho do modelo de 125-126
    dinâmica da cadeia de suprimentos 261
    gerenciamento de capacidade, médio prazo 281-284, 293
    métodos qualitativos 124-125
    métodos quantitativos 125-129
    opções disponíveis 122-123
    sistemas de estoque 326
    variáveis contextuais 123-124
previsão da média móvel 126-127, 128
previsão econométrica 130
primeiro a chegar, primeiro a ser servido (FCFS) 351
primeiro a entrar, primeiro a sair (FIFO) 292, 351
princípio da perpetuação de estoque 326
princípio do envolvimento de todos 383-385
princípios da compensação 79-80
    fronteira eficiente e 80-81
    melhorando a efetividade das operações usando 81-82
    superando 82-83
Princípios de controle estatístico de processo (CEP) 375, 390, 411, 424-426
    gráficos de controle para atributos 444-446
    gráficos de controle pra variáveis 442-444
    introdução 437
    processos sob controle 439-442
    variação na execução do processo 437-439
probabilidades
    estimativas de tempo de projeto 536, 541, 546
    estoques esgotados 321-322
    nível de demanda 319
    sistemas de estoque 326
    técnica de revisão e avaliação de programa (PERT) 541
problema do vendedor de jornal 304, 318-319
procedimentos de rastreabilidade 499
processamento
    lei de Little 163, 180-182, 199-200
    taxa de processamento 167, 180
    tempo de processamento 163, 166, 168, 219
processo, definição 30-31, 42
processo de baixo para cima (emergente) 60, 71-73
processo de cima para baixo 60, 71-73
processo variado 29, 47
processos contínuos 139, 146
processos de negócio do "início ao fim" 42, 44
processos de projeto 138, 146
processos de tarefa 138-139, 146
processos em lote 139, 146
processos em massa 139, 146
processos emergentes/de baixo para cima 60, 71-73
processos individuais
    perspectiva de processo 38, 41-42, 43
processos não operacionais 41-42
produtos e serviços, fusão dos 39-40

produtos funcionais 244-246
produtos inovadores 244-246
programa mestre de produção (MPS) 365-367
programação 337, 344, 351-353
   projetos 536-541
   sincronização enxuta 375, 390-393
programação nivelada (*heijunka*) 375, 390-392
programação inversa 369-371
programas de entrega nivelados 392
programas de televisão 217
projeto, operações 50, 51
projeto auxiliado por computador (CAD) 221, 222
projeto da rede de suprimentos
   capacidade 93, 106-112
   configuração 92-93, 98-103
   definição 92-93, 94-97
   localização das operações 92-93, 102-106
   terminologia 94, 95
projeto de produtos e serviços 228
   adequação de recursos 203, 215-218
   definição 206, 208-210
   diferenças entre produto/serviço 210
   especificação de objetivos 206, 211-213
   estágios do projeto 207, 214-218, 228
   falhas 498
   processo por direito próprio 206
   processos de operação em andamento 207, 222-228
   recalls 211
projeto de serviço *veja* projeto de produto/serviço
projeto de trabalho 133, 149-153
projeto preliminar 207, 215-217
projeto simultâneo 207, 223-225
protótipo 207, 218

QFD *ver* desdobramento da função qualidade
qualidade 66, 67, 102, 167
   ajustar 416-418
   cadeia de suprimentos 243-244
   características 418-419, 420
   círculos 479
   custos 411, 420-423, 441-442
   definição 410-412, 416-419
   gerenciamento de projeto 531
   medição do desempenho 455-457, 463, 464
   projeto de produto/serviço 206, 211
   variabilidade nos níveis de 383
Qualidade de Serviço (QoS) 67
qualificadores 74, 75
quatro Vs, processos dos 29, 47-50
questões éticas 149, 240-241, 261, 294, 528

rastreamento 48, 257, 262
receita 45-46
   demanda e capacidade 274

recuperação, falha 491, 511-513
recursos estratégicos 78
recursos inatingíveis 77
rede de suprimentos 38, 40-43, 238
   gerenciamento 236, 238
   Planejamento de Recursos Empresariais (ERP) 348
   sincronização enxuta 375, 393-399
atividades em redes modais (AoN) 540-541
redes locais (LANs) 346
redução das perdas 499
redução dos tempos de preparação 389-390
reengenharia de processos de negócio (BPR) 42, 451, 465-466, 480-481
Referência de Operações da Cadeia de Suprimentos (modelo SCOR) 245-248, 262
registros de estoque 326-327, 368
regra de Pareto ou 80/20 305, 324, 474-475
relacionamentos de parceria 249-251, 254
relacionamentos transacionais 248-251
relocalização 92-93, 103-106
resiliência
   avaliação dos potenciais pontos de falha 490, 495-502
   definição 490, 492-495
   medidas de atenuação das falhas 491, 507-511
   medidas de prevenção de falhas 491, 503-507, 513-514
   medidas de recuperação de falhas 491, 511-513
restaurante de serviço rápido (QSR) 164-166
restrições, teoria das (TOC) 337, 353-354, 355
retorno sobre o capital empregado 46
retrabalho 386
revisão contínua, métodos de (estoque) 305, 323
RFID (Identificação por Radiofrequência) 237, 257, 266, 326
   liberdades civis e Auto-ID 262
RFID *ver* Identificação por radiofrequência
risco
   avaliação dos potenciais pontos de falha 490, 495-502
   conceitos de produto/serviço 215
   decisão sobre a localização 106
   definição 490, 492-495
   gerenciamento da capacidade, médio prazo 283
   medidas de atenuação de falhas 491, 507-511
   medidas de prevenção de falhas 491, 503-507, 513-514
   medidas de recuperação de falhas 491, 511-513
   moeda 510-511
   problema do vendedor de jornais 318-319
   vazamento de conhecimento 221
risco da moeda 510-511
Risco e Construção Genebra (RCG) 483-486
rotação no trabalho 152
Royal-Dutch Shell 502
ruptura ambiental 498
Ryanair 62, 413-414
Ryder Wilson 86-87

SAP AG 245-246, 346
segurança 149, 172
   lesão por esforço repetitivo 151
sequenciamento 337, 344, 350-351
serviço enxuto 394-396
serviço nacional de sangue (UK) 307-308, 309
Serviços de Fabricação Eletrônica, empresas de (SFE) 62
serviços de logística 256-257
serviços e produtos, fusão dos 39-40
serviços em massa 140, 146
serviços profissionais 139-140, 146
   capacidade e especificação da saída 278
Shell 245-246, 253, 502
Siemens 239-240, 241, 245-246
sincronização enxuta 310, 399-401
   atendendo suprimento/demanda 375, 390-393, 400
   barreiras para 374-375, 381-385
   definição 374, 376-381
   demanda e abastecimento compatíveis 375, 387-388
   enxugar o fluxo 375, 385-387
   flexibilidade dos processos 375, 386, 389-390
   minimização da variabilidade 369, 384-387
sistema computadorizado de armazenagem (WCS) 308
sistema de duas caixas 323
sistemas legados 346
stakeholders nos projetos 522, 528-530, 546
stategates, projeto 532
suavização exponencial 126, 127-128
substituição 509
subText 359-362
supplies4medics.com 330-331

Taguchi *ver* função de perda de Taguchi
tambor, pulmão e corda, controle 355, 356
taxa de fluxo/transformação 167, 180
Tea and Sympathy 418
técnica de revisão e avaliação de programa (PERT) 540, 541
tecnologia
   falhas 497
   planejamento e controle de recursos 345
   processo 133, 142, 147-149
   produto 147
   projeto de produto/serviço 221-222
   RFID *veja* Identificação por radiofrequência
   sincronização enxuta 386-387
   veja também Internet
tecnologia de processo indireto 143
Tecnologia de Produção Otimizada (OPT) 353-354
tempo de ciclo 176
   lei de Little 163, 180-182, 199-200

tempo de operação mais curto primeiro (SOT) 351
tempo de operação mais longo primeiro (*LOT-longest operation time first*) 351
tempo até o mercado (TTM) 206, 207, 213
Teoria das Restrições (TOC) 337, 353-355
teoria do cone de areia 463-464
terceirização dos processos de negócio (TPN) 99
Tesco 62, 134-136
Time to market ver tempo até o mercado
tipo de processo 138-140
   tipo de leiaute para cada 145-146
TOC *ver* Teoria das Restrições
tomada de decisão 147-148, 336, 345
Top Shop
   Hersheson Blowdry Bar 208-210
Toyota 217, 227, 378-380, 384-385, 388, 400, 401
trabalhando em equipe 152, 386
trabalho em processo 180
   Lei de Little 163, 180-182, 199-200
Tradeoff ver princípios da compensação
treinamento, melhoria 479-480
triagem, conceito 207, 215
TRW 98

último a entrar, primeiro a sair (LIFO-*last in first out*) 351
United Colors of Benetton (UCB) 264-266
United Photonics Malasya Sdn Bhd 548-552
usuários líderes 221

variabilidade de processo *veja* variação, processo
variação, processo 29, 48, 182
   desequilíbrio demanda-capacidade 281-283, 285-292
   desperdício a partir da 383
   filas *veja* análise das filas
   fontes de 183
   qualidade *veja* princípio de controle estatístico de processos
   sincronização enxuta 375, 390-393, 400
   tempo de atividade 183-187
   tempo de chegada 184-187
velocidade 66, 67, 102, 167
   gerenciamento de projetos 531
   medição do desempenho 455-456, 457, 463, 464
   objetivos da cadeia de suprimentos 243-244
   processos de projeto de produtos/serviços 206, 207, 211-212, 223
   tempo até o mercado (TIM) 206, 207, 213, 223
violações 497
   Chernobyl 516-517
Virgin Atlantic 34-35, 45
vírus SQL Slammer 498-499

visão baseada nos recursos (RBV) 61, 77-78, 83
visibilidade de processo
   clientes 29, 48, 172, 341
   sincronização enxuta 386
volume de processo 46
Volvo 98
vulnerabilidade de produto/projeto 211

Walmart 62
WD-40 218
worldwide Web *veja* Internet

Xchanging 452-453, 454

Zara 265, 266